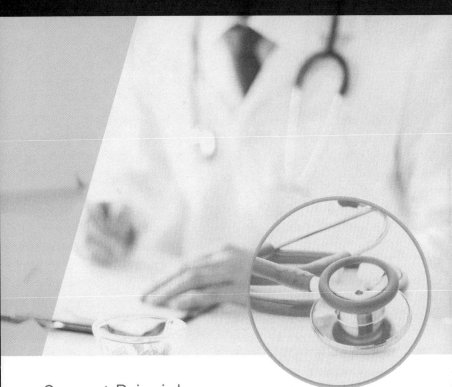

Current Principles
and Clinical Practice of

Internal Medicine
임상진료지침

가톨릭대학교 의과대학 내과학교실

5th Edition

Current Principles and Clinical Practice of
Internal Medicine 5th ed.

첫 째 판 1 쇄 발행　|　2005 년 1 월 27 일
둘 째 판 1 쇄 발행　|　2008 년 3 월 27 일
셋 째 판 1 쇄 발행　|　2011 년 2 월 28 일
넷 째 판 1 쇄 발행　|　2015 년 1 월 15 일
다섯째판 1 쇄 인쇄　|　2019 년 6 월 20 일
다섯째판 1 쇄 발행　|　2019 년 7 월　1 일

집　　　필　가톨릭대학교 의과대학 내과학교실
발 행 인　장주연
출 판 기 획　김도성
책 임 편 집　배혜주
편집디자인　조원배
표지디자인　김재욱
발 행 처　군자출판사(주)
　　　　　등록 제 4-139 호 (1991. 6. 24)
　　　　　본사 (10881) **파주출판단지** 경기도 파주시 회동길 338(서패동 474-1)
　　　　　전화 (031) 943-1888　　팩스 (031) 955-9545
　　　　　홈페이지 | www.koonja.co.kr

ISBN 979-11-5955-460-5

정가 40,000 원

하루가 다르게 늘어나는 의학 정보의 홍수 속에서 의사의 진료 행위는 수많은 시험과 연구를 통해 검증된 의료 지식과 더불어 질병과 관련된 오랜 치료 경험에 그 근거를 두고 있습니다. 그러나 실제로 현직 전공의들에게 의과대학에서 공부해 온 방대한 양의 교과서적 서술 내용은 즉각적인 문제 해결의 참고서로서는 적절하지 못한 경우가 많았습니다.

이에 가톨릭 의과대학 내과학교실에서는 임상에서 새롭게 환자를 대하고 치료에 임하는 전공의들에게 검증된 의료 행위와 술기는 물론 올바른 치료를 위한 의학적 지식의 안내서 목적으로 2004년도에 가톨릭 의과대학 내과 임상진료지침서 제1판을 처음 펴냈고 특별히 각 분과 및 챕터별로 임상경험과 지식이 풍부한 임상과 교수들이 직접 집필한 노력의 결과 그간 많은 전공의, 임상의 그리고 의과대학생들의 사랑을 받아왔습니다.

2014년 제4판에 이어 이번에 새로이 출간하게 된 제5판에서는 그동안 변화된 각종 진단 기준과 새로운 치료 접근을 위한 내용적 보강뿐만 아니라 임상에서 환자 진료 시에 필요한 지식을 쉽게 찾아 적용할 수 있도록 간결하지만 알찬 내용으로 가독성을 높이기 위해 많은 노력을 기울였습니다.

부디 본 지침서가 많은 전공의와 임상의들의 진료에 좋은 조력자가 되기를 기대하며, 이번 제5판 임상진료지침서 출간에 수고를 해 주신 권혁상 편집위원장 이하 편집위원 및 모든 집필진 교수님들 그리고 군자출판사의 노고에 깊은 감사를 드립니다.

2019년 6월 5일
가톨릭대학교 의과대학 내과학교실 주임교수
김 영 균

편집위원

편집위원장
권혁상(여의도성모병원)

부편집위원장
최범순(은평성모병원)

순환기내과
김동빈(부천성모병원)
최윤석(여의도성모병원)

혈액내과
조병식(서울성모병원)
신승환(은평성모병원)

호흡기내과
이진국(서울성모병원)
이화영(서울성모병원)

종양내과
홍숙희(서울성모병원)
김인호(서울성모병원)

신장내과
정성진(여의도성모병원)
최범순(은평성모병원)

내분비내과
손태서(의정부성모병원)
이성수(부천성모병원)

위장관 및 췌담도
전은정(은평성모병원)
김진수(은평성모병원)

류마티스내과
박경수(성빈센트병원)
김기조(성빈센트병원)

간질환
남순우(인천성모병원)
장우임(성빈센트병원)

감염내과
최정현(은평성모병원)
조성연(서울성모병원)

집필위원 (가나다순)

01 순환기내과

김미정(인천성모병원)
김성환(서울성모병원)
김찬준(의정부성모병원)
김희열(부천성모병원)
박찬석(부천성모병원)
박철수(여의도성모병원)
박훈준(서울성모병원)
백상홍(서울성모병원)
서석민(은평성모병원)
오용석(서울성모병원)
유기동(성빈센트병원)
윤호중(서울성모병원)
임상현(부천성모병원)
장기육(서울성모병원)
전두수(인천성모병원)
정우백(서울성모병원)
정해억(서울성모병원)
최익준(인천성모병원)
허성호(대전성모병원)

02 호흡기내과

강현희(은평성모병원)
강혜선(부천성모병원)
김세원(은평성모병원)
김신영(성빈센트병원)

김형우(인천성모병원)
신아영(인천성모병원)
이종민(서울성모병원)
이진국(서울성모병원)
이화영(서울성모병원)
하직환(인천성모병원)

03 신장내과

고은실(여의도성모병원)
고은정(서울성모병원)
김영수(의정부성모병원)
김영옥(의정부성모병원)
김예니(서울성모병원)
김용균(성빈센트병원)
김형욱(성빈센트병원)
민지원(부천성모병원)
박철휘(서울성모병원)
박훈석(은평성모병원)
반태현(은평성모병원)
송호철(부천성모병원)
신석준(인천성모병원)
양철우(서울성모병원)
윤선애(의정부성모병원)
윤혜은(인천성모병원)
장윤경(대전성모병원)
정병하(서울성모병원)

진동찬(성빈센트병원)
홍유아(대전성모병원)

이해림(부천성모병원)
장정원(서울성모병원)

04 위장관 및 췌담도

김대범(성빈센트병원)
김준성(인천성모병원)
김진수(은평성모병원)
문성진(대전성모병원)
박재명(서울성모병원)
윤승배(은평성모병원)
이종율(인천성모병원)
이한희(서울성모병원)
임철현(은평성모병원)
장재혁(부천성모병원)
전은정(은평성모병원)
정대영(여의도성모병원)
정성훈(은평성모병원)
지정선(인천성모병원)

06 혈액내과

김동욱(서울성모병원)
김유진(서울성모병원)
김희제(서울성모병원)
민창기(서울성모병원)
박성수(서울성모병원)
박실비아(서울성모병원)
박영훈(성빈센트병원)
양승아(인천성모병원)
엄기성(서울성모병원)
윤재호(서울성모병원)
이 석(서울성모병원)
이종욱(서울성모병원)
전영우(여의도성모병원)
조병식(서울성모병원)
조석구(서울성모병원)

05 간질환

권정현(인천성모병원)
김창욱(의정부성모병원)
김희언(의정부성모병원)
남희철(서울성모병원)
배시현(은평성모병원)
성필수(은평성모병원)
송도선(성빈센트병원)
유선홍(인천성모병원)
이승원(부천성모병원)

07 종양내과

김인호(서울성모병원)
박형순(성빈센트병원)
손덕승(의정부성모병원)
안호정(성빈센트병원)
원혜성(의정부성모병원)
이국진(부천성모병원)
이지은(서울성모병원)
이희연(여의도성모병원)

전상훈(부천성모병원)
홍지형(은평성모병원)

08 내분비내과
고승현(성빈센트병원)
김미경(여의도성모병원)
김민희(은평성모병원)
김성래(부천성모병원)
김은숙(인천성모병원)
김혜수(대전성모병원)
모은영(인천성모병원)
문성대(인천성모병원)
백기현(여의도성모병원)
송기호(여의도성모병원)
유순집(부천성모병원)
윤재승(성빈센트병원)
이승환(서울성모병원)
이은영(서울성모병원)
이인석(대전성모병원)
이정민(은평성모병원)
이종민(대전성모병원)
임동준(서울성모병원)
장이선(대전성모병원)
조관훈(인천성모병원)
한제호(인천성모병원)

09 류마티스내과
강귀영(인천성모병원)

곽승기(서울성모병원)
김기조(성빈센트병원)
문수진(의정부성모병원)
박경수(성빈센트병원)
박윤정(성빈센트병원)
백인운(여의도성모병원)
이주하(서울성모병원)
주지현(서울성모병원)

10 감염내과
김미희(성빈센트병원)
김상일(서울성모병원)
김시현(인천성모병원)
김양리(의정부성모병원)
김윤정(인천성모병원)
박선희(대전성모병원)
위성헌(성빈센트병원)
유진홍(부천성모병원)
이동건(서울성모병원)
이래석(여의도성모병원)
이용대(서울성모병원)
이현정(서울성애병원)
이효진(의정부성모병원)
조성연(서울성모병원)
최수미(여의도성모병원)
최재기(부천성모병원)
최정현(은평성모병원)

목 차

목차

1

순환기내과

Handbook of Internal Medicine

I. 흉통(Chest pain)

- 흉통의 위치, 통증의 성상, 방사통 유무, 통증의 지속시간, 유발 및 완화 인자, 동반되는 증상, 발생 시간 및 빈도 등을 파악
- 급성 관상동맥 증후군, 대동맥 박리증, 폐색전증과 같이 환자가 사망할 수도 있는 심각한 질환을 반드시 감별하고 위험도에 따라 적절히 평가 및 조치

표 1-1-1 흉통의 다양한 원인들과 감별점

흉통의 종류	기간	성상	위치
협심증	2분 이상 10분 이하	압박감, 조임, 무거움, 타는듯	흉골하 혹은 심와부, 가끔 목이나 턱, 팔로 방사통을 호소
급성심근경색증	종종 30분 이상	협심증과 유사하나 더 심함	협심증과 유사함
식도 질환	1시간 이내	쓰리고 타는듯함 식사나 제산제로 완화됨	흉골하 혹은 상복부
대동맥 박리증	갑자기 발생하여 지속됨	쪼개진다, 찢어짐 박리 초기에 가장 심함	전흉부에서 등쪽으로 방사함
심낭염	수시간에서 수일간 지속됨, 악화와 호전을 반복할 수도 있음	대체로 예리한 통증	흉골 부위에서 심첨부에 걸쳐 발생, 목이나 어깨로 방사통이 나타날 수 있음
폐색전증	갑자기 발생하고 수분에서 1시간 이내	흉막통 혹은 협심증과 유사할 수도 있음	흉골하 혹은 실제 경색이 생긴 부위
소화성 궤양	지속됨	대체로 상복부, 운동과 무관, 식사나 제산제로 완화	대체로 상복부
근골격	비교적 오래 지속되나 다양함	특정 자세에 의해 유발되거나 심해짐, 압통을 수반함	다양함

1. 급성 관상동맥 증후군(Acute Coronary Syndrome)

1) 증상: 안정 시 흉통(쥐어짜듯이, 짓누르듯이, 무겁게)

2) 진단: 허혈성 흉통, 심전도 변화, 심근효소 상승

표 1-1-2 급성 심근경색증의 진단기준

세계보건기구 기준(1979년)
다음 3가지 중 2개를 만족하는 경우 (1) 허혈성 흉통(20분이상 지속) (2) 허혈성 심전도 변화(ST분절 상승 혹은 하강 및 병적 Q파 발생) (3) 심근효소의 상승

유럽심장학회/미국심장학회 공동위원회(2000년)

심근효소의 증가(Troponin I 혹은 T, CK-MB)가 있으면서 아래조항 중 적어도 한가지 이상일 때
(1) 심근허혈에 의한 급성증상
(2) 병적 Q파 발생
(3) 허혈성 심전도 변화 (ST분절 상승 혹은 하강)
(4) 관상동맥 중재술 후

표 1-1-3 CK-MB 효소치가 상승할 수 있는 경우

흔함	드뭄	희박함
급성 관상동맥 증후군	울혈성 심부전	정상인
염증성 심장질환	관상동맥질환(부하검사 후)	
심근병증	협심증	
심인성 쇼크	심장판막질환	
심장 손상 및 수술	빈맥	
근육 손상	심도자 검사 후	
다발성 근염 및 피부근염	심장 전기 제세동	
근육질환	심장 이외의 수술	
근 이영양증	머리 및 뇌 손상	
과격한 운동	산욕기(peripartum period)	
악성 고열증	약물 중독	
라이 증후군(Reye syndrome)	일산화탄소 중독	
횡문근 융해증	전립선 암	
진전 섬망(Delirium tremens)		
알콜 중독		

3) 치료

(1) 항혈소판제, 항응고제 투여

(2) 재관류 치료: 일차 관상동맥 중재술, 혈전용해제, 글리코프로테인 IIb/IIIa 저해제

표 1-1-4 급성 관상동맥 증후군 환자의 응급치료에 쓰이는 약물의 종류 및 추천용량

항혈소판제	
아스피린	160-325 mg 경구 투여
클로피도그렐	부하용량으로 300-600 mg 경구 투여 후에 75 mg/day로 유지
프라수그렐*	부하용량으로 60 mg 경구 투여 후에 10 mg/day로 유지
티카그렐러	부하용량으로 180 mg 경구 투여 후에 90 mg bid로 유지
항응고제	
헤파린	급속정주로 60-70 units/kg (최대, 5,000 units), 이후 시간당 12-15 units/kg로 점적 정주하되 aPTT를 control의 1.5-2.5배로 유지
저분자량 헤파린 (에녹사파린)	12시간마다 1mg/kg를 피하 주사
혈전용해제	
리테플라제 (Reteplase)	10 mg을 정맥 주사하고 30분 후 10 mg을 추가로 정맥 주사
테넥테플라제 (Tenecteplase)	체중 용량
	<60 kg 30 mg
	60-70 kg 35 mg
	70-80 kg 40 mg

항혈소판제	
	80–90 kg　45 mg
	>90 kg　50 mg
글리코프로테인 IIb/IIIa 수용체 길항제	
앱식시맵 (Abciximab)	kg당 0.25 mg을 정맥주사하고 이후 12시간 혹은 24시간 동안 0.125 ug/kg/min (최대 10 ug/min)으로 투여
티로피반 (Tirofiban)	처음 30분간 0.4 ug/kg/min으로 투여하고, 이후 48시간 혹은 96시간 동안 0.1 ug/kg/min 으로 투여
기타 항허혈 치료 약제	
니트로글리세린	0.4 mg을 흉통이 있을 때 설하 투여하고 5분 간격으로 3회 투여 가능
몰핀	2–5 mg을 통증이 있을 때 5–15분 간격으로 정맥 투여

4) 심장 중환자실 입원 기준

(1) 증상이 발생한 지 24시간 이내에 내원한 급성 심근경색증 환자

(2) 불안정 협심증 환자 중 안정 시에도 흉통이 발생하고 통증조절을 위해 분당 300 μ g 이상의 nitroglycerin이 필요한 경우

(3) 증상의 변화가 심하거나 혈역학적으로 불안정하여 nitroglycerin의 용량이 빈번하게 조절해야 하는 경우

2. 대동맥 박리증(Aortic Dissection)

1) 원인: 높은 혈압에 의해 대동맥 내막판이 전단력에 의해 찢어져 하부로 진행하는 질환

2) 증상: 등으로 방사하는 흉통과 쇼크를 동반한 실신

3) 진단: 대동맥 혈관조영술, 대동맥 CT, 경식도초음파

4) 치료: 베타차단제(수축기 혈압을 120-130 mmHg로 조절)

표 1-1-5　대동맥 박리증 환자의 응급치료에 쓰이는 약물의 종류 및 추천용량

(1) 에스몰롤(esmolol) : 500 ug/kg를 1분에 걸쳐 정맥 주사한 다음 분당 50–150 ug/kg를 점적 정주

(2) 메토프롤롤(metoprolol) : 5 mg씩 2분 간격으로 세 번 정주 가능하고 이후 시간당 2–5 mg점적 정주할 수 있음

(3) 라베탈롤(labetalol) : 20 mg 정주 후, 원하는 효과가 보일 때까지 10분 간격으로 40–80 mg씩 총 300 mg까지 정주할 수 있음

(4) 칼슘 통로 차단제는 베타 차단제가 금기인 경우에 사용할 수 있음

(5) 혈관 확장제 : 추가적인 약물 투여가 필요한 경우, 니트로프루사이드(nitroprusside)와 같은 혈관확장제를 사용할 수 있으며 베타 차단제 또는 칼슘 통로 차단제의 효과가 충분히 나타난 후에 사용. 분당 심박수는 베타차단제나 칼슘 통로 차단제의 효과를 알아보는데 유용함

II. 호흡곤란(Dyspnea)

- 호흡이 비정상적으로 불편하게 느껴지는 상태로 심장이나 호흡기질환의 주요증상
- 휴식 시 혹은 가벼운 운동에도 호흡곤란을 호소한다면 비정상 소견

표 1-1-6 호흡곤란의 원인

급성	만성, 진행성
폐 부종, 기관지 천식, 흉곽과 흉곽 내부 장기 손상, 자발성 기흉, 폐색전증, 급성 호흡 곤란 증후군, 폐렴, 흉막 삼출, 폐 출혈	만성 폐쇄성 호흡기 질환, 좌심실 부전, 미만성 간질성 폐섬유증, 기관지 천식, 흉막 삼출, 폐색전증, 폐혈관 질환, 빈혈(중증인 경우), 심인성 호흡 곤란, 과민성 질환(hypersensitive disorders)

1. 급성심부전 및 폐부종(Acute Heart Failure with Pulmonary Edema) – 4절 참조

2. 급성 폐색전증(Acute Pulmonary Embolism) – 9절 참조

Ⅲ. 심인성 쇼크(Cardiogenic Shock)

1. 정의

심근의 손상이나 기계적인 이상으로 인한 심장기능의 현저한 저하로 인하여 조직관류가 적절하게 유지되지 못하는 임상증후군

2. 진단

1) 이전의 협심증이나 심근경색 등의 병력이 있고 혈역학적으로 수축기 혈압 <90 mmHg, 심장계수 <1.8 L/min/m², 폐모세혈관 쐐기압>18 mmHg이고, 흔히 충만압이 증가하여, gallop sound가 들리거나 폐부종을 동반함
2) 심장초음파와 pulmonary artery catheterization 이용하여 좀 더 정확한 원인을 밝힐 수 있음

3. 치료

1) 쇼크는 생명을 위협하는 질환으로 진단, 치료가 동시에 신속하게 이루어져야 함
   (1) VIP rule
   　① Ventilate (산소 투여): 산소공급과 폐동맥 고혈압을 막기 위해 산소를 즉시 투여
   　② Infuse (수액 투여): 평균 동맥압이 70 mmHg 이하, 조직관류 저하의 증거가 있으면 crystalloid 300-500 ml를 20-30분에 걸쳐 투여
   　③ Pump (승압제 투여): 저혈압이 지속되면 dopamine/norepinephrine을 투여
   (2) Swan-Ganz 도관을 삽입하여 폐모세혈관 쐐기압을 측정하여 폐모세혈관 쐐기압을 15-20 mmHg로 유지하고 이보다 상승되었을 경우 inotropic agents를 사용
2) 심박수의 증가없이 심근 수축력 상승을 위해 dopamine, norepinephrine, vasopressin 등을 사용함. dobutamine은 심근 수축력은 높이지만, 혈관이완작용이 있어, 혈압 상승효과는 없으므로 쇼크 상태일 때 단독으로 사용하지 않음

4. 혈역학적 모니터링

1) 쇼크환자는 중환자실에서 관찰 및 치료가 필요함. 침습적인 방법으로 동맥압을 측정하고 맥박과 호흡
수를 지속적으로 관찰하여야 하며, 소변줄을 삽입하여 소변량을 측정하고 정신상태를 자주 확인함

2) Swan-Ganz 카테터

Swan-Ganz 카테터는 끝부분에 풍선이 달려 있어 목정맥 또는 빗장밑정맥을 통하여 폐동맥까지 삽
입할 수 있는 혈류역학적 감시용 카테터임. 원위부 및 근위부 포트가 있어서 각각 폐동맥과 우심방의
압력을 측정하게 되어 있음. 카테터 끝에는 온도계가 달려있어 열희석법에 의한 심박출량 측정에 사
용됨. 또한 좌심방압의 근사치인 폐모세혈관 쐐기압 측정이 가능함

5. 기계적 순환보조장치(Mechanical circulatory support)

1) 대동맥내 풍선펌프

대동맥내 풍선펌프는 심근의 산소 소비량을 증가시키지 않으면서, 관상동맥의 이완기 혈류량을 증가
시키고 후부하를 감소시킴. 최근 연구의 결과에 따르면 쇼크환자에서의 routine 사용은 추천되지 않음

2) ECMO (extra-corporeal membrane oxygenation)

(1) 폐와 심장의 기능을 인공적인 기계로서 일시적(30일 이내)으로 보조하는 치료 방법

(2) 적응증

① Myocardial dysfunction: bridge to recovery or to transplantation

② Post-cardiotomy, acute myocarditis, exacerbation in cardiomyopathy

③ DCMP, end-stage congenital heart disease

④ Cardiopulmonary resuscitation

⑤ Acute respiratory distress syndrome

Ⅰ. 고혈압의 정의

표 1-2-1 고혈압의 정의와 혈압의 분류(2018년 대한고혈압학회 고혈압 진료지침)

혈압 분류		수축기혈압 (mmHg)		이완기혈압 (mmHg)
정상혈압*		<120	그리고	<80
주의혈압		120–129	그리고	<80
고혈압전단계		130–139	또는	80–89
고혈압	1기	140–159	또는	90–99
	2기	≥160	또는	≥100
수축기단독고혈압		≥140	그리고	<90

*심뇌혈관질환의 발생 위험이 가장 낮은 최적혈압.

표 1-2-2 측정 방법 및 장소에 따른 고혈압 진단 기준(2018년 대한고혈압학회 고혈압 진료지침)

측정 방법	수축기혈압(mmHg)	이완기혈압(mmHg)
진료실혈압	≥140	≥90
24시간 활동혈압		
일일평균혈압	≥130	≥80
주간평균혈압	≥135	≥85
야간평균혈압	≥120	≥70
가정혈압	≥135	≥85
진료실자동혈압	≥135	≥85

Ⅱ. 고혈압의 진단 및 접근방법

1. 고혈압의 진단

1) 혈압은 1주 또는 수주의 간격을 두고 2회 이상 방문하여 2회 이상 측정한 후에 진단하여야 함

2. 올바른 혈압 측정 방법

1) 수은 혈압계를 기준으로 하되, 전자 혈압계를 사용할 수 있음

2) 환자는 측정 30분전부터 커피, 술, 담배를 끊고 최소한 5분이상 안정한 후 측정

3) 환자는 등을 기대고 앉은 자세에서 팔은 심장높이로 지지함

4) 커프 내 공기주머니의 길이는 위팔 둘레의 80% 이상을 감을 수 있고 너비는 위팔 둘레의 40%가

되어야 함(성인에서의 표준 크기는 너비 13 cm, 길이 22-24 cm)

5) 매 심박동 또는 초당 2 mmHg씩 내리고 2 mmHg 단위로 눈금을 읽음

6) 이완기혈압은 Korotkoff 음 5기(음의 소실)로 함

7) 임신, 동맥-정맥 단락, 만성 대동맥판 폐쇄부전의 경우에는 Korotkoff 음 4기를 이완기혈압으로 함

8) 한 번에 최소한 2분 간격으로 2번 이상 측정하여 평균하고 진료일을 달리하여 다시 측정

9) 초진 시에는 양쪽 팔에서 혈압을 측정한 뒤, 다음부터는 혈압 수치가 더 높은 팔에서 측정함 (양팔 수축기혈압 차이가 20 mmHg 이상인 경우 상지동맥질환 의심)

10) 노인, 당뇨병 환자와 기립성 저혈압이 의심되는 환자는 일어선 후 1분과 3분에 혈압 측정

3. 이차성 고혈압의 진단

1) 이차성 고혈압을 의심해야 하는 경우

(1) 치료에 반응이 없는 경우(저항성 고혈압)

(2) 혈압 조절이 잘 되었던 환자가 조절이 잘 되지 않는 경우

(3) 혈압 >180/110 mmHg인 경우

(4) 20세 미만이나 50세 이상에서 처음 고혈압이 생긴 경우

(5) 현저한 표적 장기 손상이 있을 경우

(6) 고혈압의 가족력이 없는 경우

(7) 병력, 진찰 및 기본 검사에서 이차성 고혈압이 의심되는 경우

2) 이차성 고혈압의 원인 및 임상양상과 진단방법

표 1-2-3 이차성 고혈압이 의심되는 소견과 검사법

증상 및 소견	이차성 고혈압 원인질환	진단 검사법
야뇨; 부종; 소변 내 단백질, 적혈구 및 백혈구; 사구체여과율 감소	콩팥 실질병	콩팥초음파, 콩팥질환에 대한 세부 정밀검사
자발적 또는 레닌-안지오텐신계 억제제 투여 후 콩팥 기능의 악화; 양측 콩팥 차이 >1.5 cm; 복부잡음; 고령환자에서 갑작스런 혈압 상승; 반복적인 폐부종	콩팥동맥협착 (콩팥혈관 고혈압)	CT 혹은 자기공명 혈관조영, 도플러 초음파, 방사선 혈관조영
근력저하, 저칼륨혈증(항상 동반되지는 않음)	원발성 알도스테론증	알도스테론-레닌 활성도 비(저칼륨혈증 교정과 레닌-안지오텐신계 억제제 효과 소실 후), 부신 CT, 확진 검사(경구 나트륨 부하, 식염수 주입 검사)
발작적인 고혈압 또는 지속적인 고혈압에 합병된 응급 상황 (두통, 발한, 열감), 크롬친화세포종의 가족력	크롬친화세포종	24시간 소변 내 VMA, 메타네프린 및 노르-메타네프린 검사; 복부와 골반에 대한 CT 또는 MRI; meta-iodobenzyl-guanidine 스캔
중심성 비만, 근력저하, 혈당증가, 부종	쿠싱증후군	24시간 소변 내 코티솔 검사
비만; 코골이; 주간 졸림	수면 무호흡증	수면다원검사
상하지 혈압 차이 >20 mmHg; 흉부잡음	대동맥 축착증	MRI, 대동맥조영술

4. 심혈관계 위험인자와 표적장기 손상 분석

표 1-2-4 심혈관 위험인자와 무증상장기손상(2018년 대한고혈압학회 고혈압 진료지침)

심뇌혈관질환 위험인자

- 연령(남성 ≥45세, 여성 ≥55세)*
- 조기 심뇌혈관질환의 가족력 (남성 <55세, 여성 <65세)
- 흡연
- 비만(체질량지수 ≥25 kg/m2) 또는 복부비만 (복부둘레 남성 ≥90 cm, 여성 ≥85 cm)
- 이상지질혈증(총콜레스테롤 ≥220 mg/dL, LDL-콜레스테롤 ≥150 mg/dL, HDL-콜레스테롤<40 mg/dL, 중성지방 ≥200 mg/dL)
- 당뇨병전단계 [공복혈당 장애 (100 mg/dL≤ 공복혈당 <126 mg/dL) 또는 내당능 장애]
- 당뇨병(공복혈당 ≥126 mg/dL, 경구 당부하 2시간 혈당 ≥200 mg/dL, 또는 당화혈색소 ≥6.5%)

무증상장기손상

- 뇌: 뇌실주위백질 고신호강도(periventricular white matter hyperintensity), 미세출혈, 무증상 뇌경색
- 심장: 좌심실비대
- 콩팥: 알부민뇨, eGFR 감소
- 혈관: 죽상경화반, 목동맥-대퇴동맥 간 맥파전달속도 >10 m/sec, 위팔동맥-발목동맥 간 맥파전달속도 >18 m/sec, 관상동맥석회화 점수 400점 이상
- 망막: 3~4단계 고혈압성 망막증

심뇌혈관질환 위험인자

- 뇌: 뇌졸중, 일과성 허혈발작, 혈관성 치매
- 심장: 협심증, 심부전, 심방세동
- 콩팥: 만성콩팥병 3, 4, 5기
- 혈관: 대동맥확장증, 대동맥박리증, 말초혈관질환

*65세 이상은 위험인자 2개로 간주.

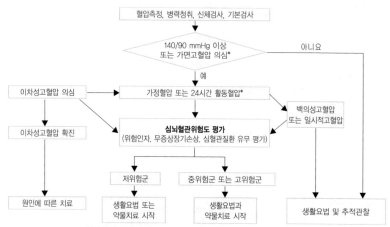

그림 1-2-1 고혈압 치료계획 (2018년 대한고혈압학회 고혈압 진료지침)
*일부 환자는 목표혈압에 따라 고혈압전단계부터 약물치료를 고려함. †권장 검사.

III. 치료

1. 생활습관의 개선

표 1-2-5 생활요법에 따른 혈압 감소 효과

생활요법	혈압 감소(수축기/이완기혈압, mmHg)	권고사항
소금 섭취 제한	-5.1/-2.7	하루 소금 6 g 이하
체중 감량	-1.1/-0.9	매 체중 1 kg 감소 (체질량지수 <25 kg/m²)
절주	-3.9/-2.4	하루 남성은 2잔 이하 여성은 1잔 이하
운동	-4.9/-3.7	하루 30~50분, 1주일에 5일 이상
식사 조절	-11.4/-5.5	채식 위주의 건강한 식습관*

*건강한 식습관: 칼로리와 동물성 지방의 섭취를 줄이고 야채, 과일, 생선류, 견과류, 유제품의 섭취를 증가시키는 식사요법(DASH diet)

2. 약물요법

표 1-2-6 대표적 고혈압 약제의 종류

계열	성분명 (상품명)	작용기전	부작용
이뇨제(thiazides계)	Dichlozid (hydrochlorothiazide 25 mg/) Indapamide (Natrix 2.5 mg/T) Chlorthalidone (25, 50mg/T)	원위부 세뇨관에 작용하여, Sodium 배설에 의해 체액 조절	저칼륨혈증, 고칼슘혈증, 저마그네슘혈증, 고요산혈증, 고용량 사용시 혈당 및 지질 이상 초래
이뇨제(loop계)	Torsemide (Torem 5, 10 mg/T)	Henle's loop에 작용하는 약제로 작용시간이 짧고 말초 혈관 저항의 감소 작용이 적음	저칼륨혈증, 저칼슘혈증, 저마그네슘혈증, 고요산혈증
이뇨제(칼륨 보존형)	Amiloride (amilo 5 mg/T) Spironolactone (Aldactone 25 mg/T)	알도스테론 길항제와 potassium 보존 이뇨제	고칼륨혈증, 여성형 유방
베타차단제	Bisoprolol (Concor 5 mg/T) Carvedilol (Dilatren 12.5, 25mg/T, bid) Nebivolol (Nebilet 5 mg/T) Atenolol (Tenormin 25, 50 mg/T) Betaxolol (Kerlone 20 mg/T) Celiprolol (Selectol 200 mg/T) Labetalol (Trandate 100 mg/T)	페혈관계의 β1(심장), β2(페와 말초혈관) 수용체의 선택적 차단 효과	위약감, 피로감, 사지 냉감, 변비, 천식 악화, 심장의 전도 장애, 저혈당 증상의 은폐
칼슘차단제 (dihydropyridines (DHP))	Nifedipine (Adalat 30, 60 mg/T) Amlodipine (Norvasc 5 mg/T) Felodipine (Splendil 5 mg/T) Clindipine (Cinalong 5, 10 mg/T) Lacidipine (Vaxar 2, 4, 6 mg/T) Lercanidipine (Zanidip 10 mg/T)	혈관 평활근을 이완, 신장의 수입 세동맥을 이완 사구체 여과율을 증가 이뇨 효과 유발	빈맥, 안면홍조, 발목부종, 두통, 소화불량
칼슘차단제 (non-DHP)	Diltiazem (Herben 30, 90, 180 mg/T) Verapamil (Isoptin 40, 180, 240 mg/T)		심방의 전도장애, 변비

계열	성분명 (상품명)	작용기전	부작용
ACE 억제제	Ramipril (Tritace 2.5, 5 mg/T) Lisinopril (Zestril 5, 10 mg/T) Enalapril (Enaprin 5, 10 mg/T) Fosinopril (Monopril 10 mg/T) Imidapril (Tanatril 5, 10 mg/T) Moexipril (Univasc 7.5, 15 mg/T) Perindopril (Acertil 4, 8 mg/T) Captopril (Capril 12.5, 25 mg/T)	혈관 수축 물질 angiotensin II의 활성을 억제, 혈관 확장 물질인 bradykinin의 분해 억제	마른 기침, 혈관 부종, 백혈구 감소증, 고칼륨혈증
안지오텐신차단제 (ARB)	Candesartan (Atacand 8, 16 mg/T) Irbesartan (Aprovel 150, 300 mg/T) Valsartan (Diovan 80, 160 mg/T) Telmisartan (40, 80 mg/T) Losartan (Cozaar 50 mg/T) Fimarsartan (Karnab 60, 120 mg/T)	angiotensin II가 작용하는 수용체중에서 수용체1 (AT1)에 길항 작용을 하여 용량에 비례하여 혈압 강하 작용	고칼륨혈증 등이 있으나 혈관 부종은 드물게 나타남
알파차단제	Doxazosin(Cadil 1, 2, 4 mg/T) Terazosin(Hytrin 1, 2 mg/T)	postsynaptic α-receptor를 억제해 동정맥 확장 효과	기립성 저혈압, 빈맥
혈관확장제	Hydralazine (25 mg/T, tid) Minoxidil (5 mg/T)	직접 동맥 확장	부종, 다모증

표 1-2-7 고혈압 약제의 종류에 따른 적응증과 금기

계열	적응증	금기	
		절대적 금기	가능성
Thiazide계 이뇨제	심부전, 노인 고혈압, 수축기 단독 고혈압, 흑인	통풍	임신
Loop계 이뇨제	심부전		
알도스테론 길항제	심부전, 심근경색	신부전, 고칼륨혈증	
베타차단제	협심증, 심부전, 심근경색, 빈맥성 부정맥	2도 이상의 방실 차단, 심한 서맥, 천식 (베타 1 선택성이 큰 경우 사용 가능)	말초혈관질환, 내당능장애, 운동선수, 우울증
DHP계 칼슘차단제	노인고혈압, 수축기 단독고혈압, 협심증, 말초혈관질환, 경동맥 죽상동맥경화증, 임산부에 가능		빈맥성 부정맥, 심부전
non-DHP계 칼슘차단제 (verapamil, diltiazem)	협심증, 경동맥 죽상동맥경화증, 심실상성 빈맥	2도 이상의 방실 차단	심부전
ACE 억제제 /안지오텐신차단제 (ARB)	심부전, 좌심실 기능부전, 심근경색, 당뇨병성 신증, 단백뇨, (ARB 적응증: ACE 억제제로 인한 마른 기침)	임신, 양측성 콩팥동맥협착, 고칼륨혈증, 혈관 부종	
알파차단제	전립선 비대	기립성 저혈압	심부전

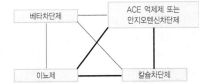

그림 1-2-2 권장되는 병용요법(2018년 대한고혈압학회 고혈압 진료지침)
(굵은 선: 우선 권장되는 병용요법, 가는 선: 가능한 병용요법).

3. 목표혈압

표 1-2-8 고혈압 치료의 목표혈압(2018년 대한고혈압학회 고혈압 진료지침)

상황	수축기혈압(mmHg)	이완기혈압(mmHg)
합병증이 없는 고혈압	<140	<90
노인 고혈압	<140	<90
당뇨병		
심혈관질환 없음*	<140	<85
심혈관질환 있음*	<130	<80
고위험군†	≤130	≤80
심혈관질환*	≤130	≤80
뇌졸중	<140	<90
만성콩팥병		
알부민뇨 없음	<140	<90
알부민뇨 동반됨‡	<130	<80

*50세 이상의 관상동맥질환, 말초혈관질환, 대동맥질환, 심부전, 좌심실비대. †고위험군 노인은 노인 고혈압 기준을 따름. ‡미세알부민뇨 포함.

4. 특별한 상황에서 고혈압

1) 고혈압성 위기

(1) 정의와 포함하는 질환들

① 고혈압성 응급(Hypertensive emergency): 심한 고혈압(>180/120 mmHg)에 의해 표적장기손 상이 진행되는 환자로 표적장기손상을 줄이기 위해 즉각적인(1시간 안에) 혈압 강하가 필요한 질환(고혈압성 뇌병증, 뇌출혈, 급성심근경색, 폐부종을 동반한 급성좌심실부전, 불안정협심 증, 박리성 대동맥류, 자간증/전자간증, 고혈압성 신손상)

② 고혈압성 긴박(Hypertensive urgency): 심한 고혈압(>180/120 mmHg)이 관찰되나 아직 다른 표적장기손상이 진행되지 않은 환자로 몇 시간 안에 혈압 강하가 필요한 질환

(2) 병태생리

과도한 혈압 상승으로 인해 뇌혈관이 자동능을(autonomic regulation) 상실하여 뇌혈관의 확장이 일어나 encephalopathy 증상이 나타남. 또한 renin, aldosterone 상승이 직접적인 혈관 손상을 일 으켜 혈관 괴사에 빠짐

(3) 고혈압성 응급의 치료

① 목표혈압: 1시간 이내 평균혈압을 약 25% 이내에서 줄이고 안정되면, 2-6시간 내에 160/100-110 mmHg를 목표로 혈압을 조절함

② 갑작스런 혈압의 강하는 뇌혈류 감소로 인한 뇌허혈과 관상동맥 허혈을 일으킬 수 있음

표 1-2-9 고혈압성 응급질환별 선호되는 약제들

고혈압성 응급질환	추천되는 항고혈압제
고혈압성 뇌병증 및 뇌졸중	Labetalol, nitroprusside, nicardipine
악성 고혈압 (주사제가 필요한 경우)	Labetalol, nicardipine, nitroprusside
급성콩팥손상	Nicardipine
급성관상동맥증후군	Nitroglycerin, labetalol or esmolol, nicardipine
급성 폐부종	Nitroglycerin, nitroprusside, loop diuretics
대동맥 박리	Nitroprusside, labetalol or esmolol, nitroglycerine, nicardipine
아드레날린성 위기	Phentolamine, nitroprusside
수술 후 고혈압	Nitroglycerin, nicardipine, labetalol, nitroprusside
임신 중 전자간증/자간증	Labetalol, hydralazine, nicardipine

표 1-2-10 고혈압성 응급에서 사용하는 정맥주사제

항고혈압제	정주 용량
Nitroprusside	초기 0.3-0.5 μg/kg/min; 유지 2-4 μg/kg/min; 최대 10분 동안 10 μg/kg/min까지 투여 (5DW에 희석하여 즉시 알루미늄 호일 등으로 차광)
Nicardipine	초기 5 mg/h; 5-15분 간격으로 2.5 mg/h 증량; 최대 15 mg/h까지 투여
Labetalol	20 mg을 2분에 걸쳐서 투여 후 40-80 mg을 10분 간격으로 투여 총 24시간 동안 300 mg까지
Esmolol	초기 500 μg/kg을 1분에 걸쳐 준 후 50-300 μg/kg/min 으로 유지
Phentolamine	5-15 mg bolus로 정주
Nitroglycerin	초기 5 μg/min으로 시작한 후 3-5분 간격으로 5 μg/min씩 증량 후, 20 μg/min 반응이 없으면 3-5분 간격으로 10-20 μg/min씩 증량 가능
Hydralazine	악성고혈압 이차약제: 10-20 mg을 4-6시간마다 증량(최대 40 mg) 임신 중 전자간증/자간증: 5-10 mg 20분 간격으로 투여(최대 20-30 mg)

2) 임신과 고혈압

(1) 분류

① 만성고혈압: 임신 20주 이전에 이미 고혈압이 있거나 고혈압약을 복용하고 있는 경우

② 임신성고혈압: 임신 20주 이후에 새로운 고혈압이 진단되었으나 단백뇨가 없는 경우

③ 전자간증: 임신 20주 이후에 고혈압이 진단되고 동시에 단백뇨 (24시간 요단백이 300 mg 이상 또는 요단백/크레아티닌비가 300 mg/g 이상)가 동반된 경우

④ 만성고혈압과 전자간증의 중첩: 임신 전 만성고혈압이 있는 환자에게 전자간증이 발병한 경우

(2) 치료

① 혈압이 160/110 mmHg 이상의 증증 고혈압은 즉시 치료함 (목표혈압: 150/100 mmHg, 이완기혈압 >80 mmHg)

② 지속적으로 150/95 mmHg 이상이거나 장기손상이 의심되면 약물치료를 함

- 비약물요법: 체중감소나 지나친 염분 제한은 임신 시 권고되지 않음
- 약물요법: Nifedipine, labetalol이 일차 선택 약물이고 hydralazine를 이차약제로 사용할 수 있으며, 베타차단제, 알파차단제, 이뇨제는 경우에 따라 사용할 수 있음(RAS 억제제는 금기)

③ 전자간증 등과 같이 응급 상황에서는 labetalol, hydralazine 정주가 추천되나 nitroprusside 또는 nitroglycerin 등도 정주로 사용할 수 있음

④ 분만 후에는 혈압을 140/90 mmHg 미만으로 조절

3) 노인 고혈압

(1) 맥압이 큰 수축기 단독고혈압이 흔함

(2) 약물의 대사가 상대적으로 느리고 자세나 식후 자율신경 반사가 저하되어 저용량으로 시작

(3) 고혈압약의 초기 용량은 젊은 성인의 1/2 용량에서 시작하는 것이 안전하며, 충분한 강압 효과가 관찰될 때까지 서서히 증량

(4) 약물 사용에 따른 합병증 발생 유무를 관찰하면서 약 용량을 증량하며, 기립성 저혈압 유무를 확인하기 위해 주기적으로 기립 혈압을 측정

(5) 심근허혈방지를 위해 이완기혈압을 60 mmHg 이하로 떨어지지 않도록 주의

(6) 다른 동반질환이 없는 경우 ACE억제제, 안지오텐신수용체차단제, 칼슘차단제, 이뇨제를 일차약제로 선택

Ⅳ. 저항성 고혈압

1. 정의

이뇨제를 포함하여 작용기전이 다른 고혈압약을 3가지 이상 병용 투여하고 각각의 약의 용량을 최적 용량으로 투여하여도 혈압이 140/90 mmHg 미만으로 조절되지 않는 경우

2. 저항성 고혈압의 원인

1) 부적절한 혈압측정: 백의고혈압, 노년층의 가성고혈압, 혈관 석회화 또는 가성 고혈압, 팔 둘레에 비해 작은 커프 사용한 경우

2) 순응도 불량: 비용, 환자 교육의 부족, 환자의 의지부족, 부작용, 불편한 투약법

3) 체액의 증가: 불충분한 이뇨제용량, 과도한 식염 섭취, 강압에 의한 체액저류, 신장장애

4) 약물에 의한 사유: 용량미달, 부적절한 약물병용, 빠른 불활성화(예 : hydralazine), 혈압 상승을 유발하는 약물을 복용하는 경우: 비스테로이드 소염제, 경구 피임제, Cyclosporin, 교감신경 흥분제, 항우울제, 비강울혈제거제, 식욕억제제, 카페인, erythropoietin

5) 관련 상태: 흡연, 비만, 무호흡성 수면, 인슐린 저항성/고인슐린 혈증, 알코올 섭취 과다, 불안으로 인한 과호흡, 만성통증, 심한 혈관수축(동맥염), 기질적 뇌증후군(기억상실증)

6) 이차성고혈압

3. 저항성 고혈압의 치료

* 모든 원인을 배제하고 진정한 저항성 고혈압인 경우

1) 이뇨제 용량을 증량 또는 교체하거나, 콩팥기능이 떨어져 있으면 티아지드계 이뇨제 대신 루프 이뇨제를 사용함

2) Spironolactone, amiloride 또는 doxazosin을 추가로 처방할 수 있음

(ACE억제제 또는 안지오텐신수용체차단제를 복용 중인 환자에게 spironolactone 또는 amiloride를 처방한 경우 1~2주 이내에 혈청 칼륨 수치를 확인해야 함)

V. 고혈압 환자의 수술 전 자문

1. 중증도 이하의 고혈압은 수술적인 위험이 되지 않음: 합병증이 동반되지 않은 이완기혈압이 110 mmHg 이하인 환자에서는 수술 전 혈압을 감소시킬 필요는 없음
2. 수술 합병증의 발생은 심부전의 유무, 심근허혈의 유무에 의해 좌우됨
3. 수술 전의 고혈압은 심리적인 불안이 원인이 되는 경우가 많으므로 적절한 안정제 투여가 도움이 될 수 있음
4. 사용하고 있는 혈압 약제는 수술 당일에도 사용하는 것이 좋음(β-blocker의 급작스런 중단은 빈맥이나 혈압의 갑작스런 상승 초래)
5. 중증도 이상의 고혈압인 경우 확장기 혈압을 110 mmHg 이하로 하강시킨 후 수술하는 것이 좋음

✚ 이상지질혈증 정의

총콜레스테롤 ≥ 240, LDL 콜레스테롤 ≥ 160, 중성지방 ≥ 200, 또는 HDL 콜레스테롤 <40인 경우 중 한 가지 이상 해당될 때

Ⅰ. 1차 치료 목표 – LDL cholesterol

표 1-3-1 한국인의 이상지질혈증 진단기준

총콜레스테롤		LDL 콜레스테롤		중성지방		HDL 콜레스테롤	
높음	≥240	매우 높음	≥190	매우 높음	≥ 500	낮음	<40
경계	200–239	높음	160–189	높음	200–499	높음	≥ 60
적정	<200	경계	130–159	경계	150–199		
		정상	100–129	적정	<150		
		적정	<100				

단위: mg/dL

동맥경화증과 이상지질혈증의 검사

1. 혈액검사(8~12시간 공복 후): Lipid profile, Lp (a), homocysteine, hs–CRP, apolipoprotein B
2. 동맥경화의 해부학적 검사
   1) 비침습적검사: Duplex–Ultrasonography, Carotid IMT, CT, MRI with contrast, MRA
   2) 침습적검사: Angiography, IVUS(혈관내 초음파 검사)
3. 동맥경화의 기능적 검사: PWV (Pulse Wave Velocity), Ankle–Brachial Index (ABI), Vasomotor Function (Flow–mediated dilator response), FFR(Fractional Flow Reserve).

- 생화학검사: Lipid Profile(total cholesterol, triglyceride, HDL-cholesterol, LDL-cholesterol(mg/dL))
- LDL 콜레스테롤계산(mg/dL) = TC - (TG/5 + HDL-C)

II. 위험도 평가 및 위험분류

표 1-3-2 위험도 분류에 따른 LDL 콜레스테롤 및 Non-HDL 콜레스테롤 목표치

위험도		LDL 콜레스테롤(mg/dL)	Non-HDL 콜레스테롤(mg/dL)
초고위험군	관상동맥질환	<70	<100
	죽상경화성 허혈뇌졸중 및 일과성 뇌허혈발작		
	말초혈관질환		
고위험군	경동맥질환[1]	<100	<130
	복부동맥류		
	당뇨병[2]		
중등도 위험군	주요위험인자[3] 2개 이상	<130	<160
저위험군	주요위험인자[3] 1개 이하	<160	<190

1) 유의한 경동맥 협착이 확인된 경우
2) 표적장기손상 혹은 심혈관계질환의 주요위험인자를 가지고 있는 경우 환자에 따라서 목표치를 하향조정할 수 있음
3) 연령(남 ≥45세, 여 ≥55세), 관상동맥질환 조기발병 가족력, 고혈압, 흡연, 저HDL 콜레스테롤

표 1-3-3 위험도 및 콜레스테롤 농도에 따른 치료 기준

위험도		LDL 콜레스테롤 농도(mg/dL)					
		<70	70–99	100–129	130–159	160–189	≥190
초고위험군[1]	관상동맥질환	생활습관 교정 및 투약고려	생활습관 교정 및 투약시작	생활습관 교정 및 투약시작	생활습관 교정 및 투약시작	생활습관 교정 및 투약시작	생활습관 교정 및 투약시작
	죽상경화성 허혈뇌졸중 및 일과성 뇌허혈발작						
	말초혈관질환						
고위험군	경동맥질환[2]	생활습관 교정	생활습관 교정 및 투약고려	생활습관 교정 및 투약시작	생활습관 교정 및 투약시작	생활습관 교정 및 투약시작	생활습관 교정 및 투약시작
	복부동맥류						
	당뇨병[3]						
중등도 위험군[3]	주요위험인자 2개 이상	생활습관 교정	생활습관 교정	생활습관 교정 및 투약고려	생활습관 교정 및 투약시작	생활습관 교정 및 투약시작	생활습관 교정 및 투약시작
저위험군[4]	주요위험인자 1개 이하	생활습관 교정	생활습관 교정	생활습관 교정	생활습관 교정 및 투약고려	생활습관 교정 및 투약시작	생활습관 교정 및 투약시작

1) 급성심근경색증은 기저치의 LDL 콜레스테롤 농도와 상관없이 바로 스타틴을 투여
  급성심근경색증 이외의 초고위험군의 경우에 LDL 콜레스테롤 70 mg/dL 미만에서도 스타틴 투여를 고려할 수 있음
2) 유의한 경동맥 협착이 확인된 경우
3) 표적장기손상 혹은 심혈관계질환의 주요 위험인자를 가지고 있는 경우 환자에 따라서 위험도를 상향조정할 수 있음
4) 중등도 위험군과 저위험군의 경우는 수주 혹은 수개월간 생활습관 교정을 시행한 뒤에도 LDL 콜레스테롤 농도가 높을 때 스타틴 투약을 고려함

순환기내과

표 1-3-4 LDL 콜레스테롤을 제외한 심혈관질환의 주요 위험인자

연령
(남자 ≥45세, 여자 ≥55세)
관상동맥질환 조기 발병의 가족력
(부모, 형제자매 중 남자 55세 미만, 여자 65세 미만에서 관상동맥질환이 발병한 경우)
고혈압
(수축기혈압 140 mmHg 이상 또는 이완기혈압 90 mmHg 이상 또는 항고혈압제 복용)
흡연
저HDL 콜레스테롤
(<40 mg/dL)

III. 위험군 분류에 따른 치료 방향결정

1. LDL 치료 목표치 설정
2. 생활습관 개선
3. 약물 치료

표 1-3-5 이상지질혈증 약물 치료 전략

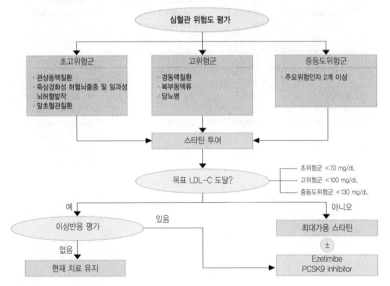

IV. 생활습관 개선

1. 포화지방(총열량의 7% 미만), 콜레스테롤(하루 30 mg 미만) 섭취감소
2. 탄수화물은 적정수준으로(1일 섭취 에너지의 65% 이내), 식이섬유는 1일 25g 이상
3. 체중감량, 알코올 1-2잔 이내, 등푸른생선 섭취, 채소는 충분히, 주식은 통곡물이나 잡곡으로, 과일은 주스 대신 생과일로 대체
4. 운동
5. 금연

V. 약물치료

1. 고위험군: 약물치료+ 생활습관 개선
2. 중등도 혹은 저위험군: 생활습관 개선 3개월 후 재평가 ■ 약물 치료 시작 여부 결정

표 1-3-6 이상지질혈증에 사용되는 치료 약제

약제	주요 적응증	약물 작용 기전	주요 이상반응
스타틴 (HMG–CoA reductase inhibitor)	LDL–C ↑ 고CV위험군	Cholesterol synthesis ↓ Hepatic LDL–R ↑ ↓ VLDL production	Myalgia, arthralgia, Elevated transaminases, Dyspepsia
에제티미브 (cholesterol absorption inhibitor)	LDL–C ↑	Intestinal cholesterol Absorption ↓ LDL–R ↑	Elevated transaminases
Bile acid sequestrants	LDL–C ↑	Bile acid excretion ↑ LDL–R ↑	Bloating, constipation, elevated TG
PCSK9 inhibitor	LDL–C ↑	Hepatic LDL–R ↑	Itching at the injection site, Flu–like symptoms
Fibric acid derivatives	중성지방 ↑	LDL ↑ VLDL synthesis ↓	Dyspepsia, myalgia, gallstones, elevated transaminases
Omega–3 fatty acids	중성지방 ↑	TG catabolism ↑	Dyspepsia, diarrhea, Fishy odor to breath

표 1-3-7 Statin의 LDL 콜레스테롤 감소와 약리학적 특성

		Lovastatin	Pravastatin	Simvastatin	Atorvastatin	Fluvastatin	Rosuvastatin	Pitavastatin
하루 사용 용량(mg)		20–40	10–40[1)	20–40	10–80	20–80	5–20[2)	1–4
LDL–C 감소(%)	24–28	20	20			40		1
	30–36	40	40	20	10	80		2
	39–45	80		40	20		5–10	4
	46–52				40–80		20	
대사경로		CYP3A4	설폰화	CYP3A4	CYP3A4	CYP2C9	CYP2C9	Glucuronidation (일부 CYP2C9)
단백질 결합(%)		>95	43–67	95–98	98	98	88	>99
반감기(시간)		2–4	2–3	1–3	13–30	0.5–3	19	12
친수성(+,–)		–	+	–	–	–	+	–
제거경로		간담도계	간담도계	간담도계	간담도계	간담도계	간담도계	간담도계
흡수량 중 신장배설(%)		10	20	13	<2	<6	28	15

1) 외국의 하루 용량 40–80 mg 2) 외국의 하루 용량 5–40 mg

VI. 대사증후군(metabolic syndrome)

1. 대사증후군의 임상적 진단: 다음 위험요소 중 3개 이상

위험인자	기준점
1. 복부 비만* 　남성 　여성	복부둘레 >102 cm (한국 >90 cm) >88 cm (한국 >80 cm)
2. Triglycerides	≥150 mg/dL
3. HDL cholesterol 　남성 　여성	<40 mg/dl <50 mg/dl
4. 혈압	≥130/≥85 mmHg
5. 공복혈당	≥110 mg/dL

*과체중과 비만은 인슐린 저항성 및 대사증후군과 관련있으나 BMI가 높은 것보다 복부비만이 대사성 위험 인자에 더 높은 연관성이 있음. 그러므로 복부 둘레를 재는 것이 대사 증후군의 체중 부분을 확인하는데 도움이 됨

2. 대사증후군의 치료

1) 기저원인을 치료(과체중/비만, 운동부족)
(1) 집중적인 체중관리
(2) 육체활동을 증가시킴

2) 생활습관 개선에도 불구하고 대사증후군 지속 시 지질 및 비지질성 질환을 치료함

(1) 고혈압치료

(2) 관상동맥질 환자에게는 아스피린 투여

(3) 고중성지방, 저 HDL에 대한 치료

VII. 다른 이상 지질혈증의 치료

1. 고중성지방혈증

1) ATP III Classification of Serum Triglycerides (mg/dL)

<150	Normal
150–199	Borderline high
200–499	High
≥500	Very high

2) 고중성지방 혈증치료(150 ≤TG <200mg/dL)

(1) 집중적인 체중관리

(2) 육체적인 활동증가

(3) LDL목표치가 달성되고 중성지방이 ≥200 mg/dL 이상인 경우 LDL 목표치보다 30 mg/dl 높은 non-HDL cholesterol의 목표치를 정함

3) statin, nicotinic acid 등에 의해 LDL 목표치가 달성되었지만 중성지방이 200-499 mg/dL인 경우 non-HDL cholesterol의 목표치를 달성하기 위해 약제의 추가를 고려함

4) 중성지방이 500 mg/dL 이상인 경우 췌장염 예방을 위해 일차적인 약제 투여

(1) very low-fat diet (15% of calories from fat)

(2) 체중 관리 및 육체활동증가

(3) fibrate or nicotinic acid

(4) 일단 중성지방이 500 mg/dL 이하로 떨어지면 LDL-lowering therapy로 전환

2. 낮은 HDL 콜레스테롤(HDL cholesterol <40 mg/dL)

1) 우선 LDL 목표치달성

2) 집중적인 체중조절 및 육체활동 증가

3) 중성지방이 200-499 mg/dL인 경우 non-HDL 목표치달성

Ⅰ. 심부전의 병태생리

1. 심부전의 정의

심장의 구조 또는 기능의 장애로 인해 심장이 조직의 대사량에 상응할 정도로 충분한 혈액량을 분출하지 못하거나, 또는 심장이 요구되는 혈액량을 분출하여도 심실 확장기 용적이 증가되어 호흡곤란, 피로감의 증상이나 부종과 폐수포음의 징후가 나타나는 것을 말함

2. 심부전의 증상 정도에 따른 분류

표 1-4-1 Classification of heart failure: Comparison between ACC/AHA HF stage and NYHA functional class

	A	B	C	D
ACC/AHA HF stage	High risk of developing HF	Structural heart disease but without symptoms of HF	Structural heart disease with HF symptoms, either prior or current	Refractory HF required specialized interventions
NYHA		I	II–III	IV
Functional Class		Asymptomatic HF	Mild and moderate HF symptoms upon mild to moderate exertion	Severe HF symptoms at rest

3. 역학

1) 산업화 사회에서 고혈압, 고지혈증, 당뇨병의 증가와 허혈성 심장병 환자의 장기 생존율 증가로 심부전의 이환율과 유병률은 증가하고, 심부전 사망률이 증가함

2) 심부전 발생률은 연령이 고령화 될수록 기하급수적으로 증가함

3) 심부전 치료의 발전에도 예후는 여전히 불량하여, 심부전 발생 후 5년 생존율은 남자가 35%, 여자가 50%로 낮음

4) 안정 시에도 증상이 있는 NYHA class IV는 1년 사망률이 30-70%, 일상생활에도 증상이 나타나는 class III는 10-20%, 중등도 이상의 활동에서만 증상이 있는 class II는 5-10%의 사망률을 보임

4. 원인

1) 심부전의 원인은 관상동맥 질환이 가장 흔하고, 심근염, 판막 질환, 고혈압이 주요 원인

2) 선천성심질환이나 판막질환과 같은 후천성심질환이 있어도 증상 없이 지내거나 혹은 만성 심부전상 태에서 보상 반응으로 증상 없이 유지하다가 악화 요인에 의하여 심근에 부하가 증가될 때에 처음으 로 심부전증세가 나타남

3) 악화 요인을 신속히 교정하면 심부전의 진행을 늦출 수 있기 때문에 이를 구분하는 것이 중요함

5. 신경호르몬반응(Neurohormoral responses)

1) 교감신경계

(1) 노르에피네프린은 심박동수와 심근의 수축력을 증가시키고 혈관 수축을 일으킴

(2) 심장기능이 악화될수록 압수용체의 탈감작화와 아드레날린 수용체의 하향조절로 노르에피네프린 의 반응성이 감소하며 보상반응으로 혈중 노르에피네프린의 농도를 증가시켜 심근에 해로운 영향 을 미치고 나쁜 예후를 보임

2) 레닌-안지오텐신-알도스테론체계

(1) 신장 저관류압, 베타-교감신경계 자극, 그리고 저나트륨혈증 등으로 레닌-안지오텐신-알도스테론 체계 활성화

(2) 안지오텐신 II는 혈관 수축으로 혈압을 상승시키고, 신장압을 증가시켜서 사구체여과를 촉진하고 사구체 혈류를 유지시키나, 과도한 혈관 수축은 좌심실 기능을 억압하고 나트륨의 저류는 이미 증 가된 좌심실의 충만압을 더욱 높여서 심부전을 악화시킴

(3) 알도스테론은 나트륨의 저류로 혈관 내용적을 증가시켜서 심박출량을 보상시키나 심근의 섬유화 를 유발시킴

3) 기타 신경호르몬체계

(1) Natriuretic peptides: 혈관 확장과 이뇨 효과

(2) Prostaglandins: 순환계와 조직내에 증가되어서 신장 사구체의 혈역학 호전

(3) Endothelin: 혈관 수축, 사구체 여과율 감소, 사구체 간질 비후, 기관지수축, 폐소동맥 수축 작용

4) 싸이토카인 활성화

II. 심부전증의 진단과 치료

1. 심부전의 진단

1) 심부전의 가능성이 높거나, 의심이 되는 경우에 있어 적절한 검사를 진행하여 심부전을 확진하는 것 이 중요함(표 1-4-2에 해당하는 것이 하나도 없으면 심부전이 아닐 가능성이 높음)

표 1-4-2 심부전의 가능성이 있는 경우 또는 의심이 되는 경우

1. 임상 병력

    과거 관상동맥질환(심근경색, PCI or CABG의 치료 과거력), 고혈압, 당뇨병, 심독성의 항암제 사용, 흉부의 방사선 치료,

    이뇨제의 사용력, 심부전의 대표적인 증상(호흡곤란-기좌호흡, 야간 발작성 호흡곤란, 피로감)

2. 임상 관찰

    폐수포음, 하지부종, 심잡음, 목정맥의 확장, 심비대, 폐부종, 폐흉수

3. 심전도 이상

    심부전 환자의 경우 정상 심전도는 거의 보기 힘듦

2) Natriuretic peptides인 NT-proBNP (<125 pg/mL) 또는 BNP (<35 pg/mL)의 검사를 통해 만성 심부전을 배제할 수 있고 NT-proBNP <300 pg/mL, BNP 100 <pg/mL은 급성 심부전의 배제 기준임 (단, 고령, 여성, 신부전, 빈혈 등에서 값이 상승)

3) 실제 임상적으로 가장 중요한 검사는 심장초음파 검사로 판막질환 및 심근증, 허혈성 심질환 등 여러 질환들을 쉽게 진단할 수 있고 심장의 수축 기능과 이완 기능, 심비후, 심비대의 정도 등 광범위한 정보를 제공하므로 심부전의 진단에 있어 필수적임

4) 심구출률이 40% 미만인 경우 심구출률이 떨어지는 심부전(HFrEF-heart failure reduced ejection fraction), 50% 이상 유지되는 경우를 심구출률이 유지되는 심부전(HFpEF-heart failure preserved ejection fraction)로 분류하고, 그 사이를 중간정도의 심부전(HFmrEF-heart failure mid-range ejection fraction)이라고 함

5) HFpEF, HFmrEF는 구조상 또는 기능상의 이상이 확인이 되어야 하는데 구조의 이상으로는 좌심방 용적 증가(LAVI >34 ml/m²), 좌심실비대(LVMI >115 g/m² 남자, 95 g/m² 여자)가 있고 기능의 이상으로는 average E/e' ≥ 13, average e' <9 cm/s이 있음

2. 심부전의 치료방침

- Cardiac performance는 전부하, 심근 고유의 수축능력(intrinsic myocardial contractility), 후부하에 의해 결정되고 전부하에 비례하고 후부하에 반비례함

- 심부전이 진행되면 심실이 커지고 전부하는 최대한 증가되어 있는 상태이며 여러 가지 neurohumoral factor (RAA system, adrenergic system)에 의해 후부하는 증가되어 있는 상태

- 울혈 증상의 완화에는 이뇨제의 투여로 전부하를 감소시키는 것이 효과적이나 지속적인 심기능의 유지 및 향상에는 후부하를 감소시키는 안지오텐신전환 효소억제제와 같은 혈관확장제가 중요함

- 치료의 목적은 심부전의 증상을 완화시키고 심기능의 악화를 방지하거나 회복시키고 생존을 증가시키는 데에 있음. 무증상기에는 질환의 진행을 억제하는데 주력하지만 이후 증상이 발현되면 울혈성 증상 완화 및 생존 연장에 주력해야 함

표 1-4-3 심부전의 단계별 평가와 치료

Stage A	Stage B	Stage C	Stage D
At high risk for HF w/o structural HD or Sx. of HF	Structural HD w/o Sx. of HF	Structural HD with prior or current Sx. of HF	Refractory HF Requiring specialized interventions
− 고혈압, CAD, DM − Using cardiotoxins − FHx of DM	− Previous MI − LV systolic dysfn − 무증상 심장판막질환	− known structural HD − 숨이 참, fatigue − Exercise intolerance	− Marked Sx. despite maximal medical Tx. − 입원 및 특수 치료가 필요한 경우
− 고혈압 치료 − 금연, 운동, 금주 − 고지혈증 치료 − 안지오텐신 전환효소억제제제	− As stage A − 안지오텐신 전환효소억제제 − 베타 차단제	− As stage A − 안지오텐신 전환효소억제제 − 베타 차단제 − Digitalis, diuretics − 저염식	− As stage A, B, C − Mechanical assist device − 심장 이식 − IV inotropics − Hospice care

표 1-4-4 Disease severity에 따른 심부전의 치료

	Disease Severity			
	Asymptomatic	Symptomatic	Advanced	Refractory
Salt and Fluid Intake		Consider 2,000 mL fluid restriction		
	◄──────── No added salt		2g Na	
Aerobic Activity	◄──────── As tolerated		Exercise training	Rest
Medications	ACE inhibitor or angiotensin II receptor blocker if not tolerated			
	β−Blockers			
	Diuretics to treat fluid retention ──────────────────────►			
	Add spironolactone if normal potassium−handling ──────────►			
	Reevaluate diagnosis and therapy to relieve persistent congestion :			
	Heart failure disease			
	◄──────── management programs ──────► ? Hospice			
			Transplantation/mechanical assist devices	

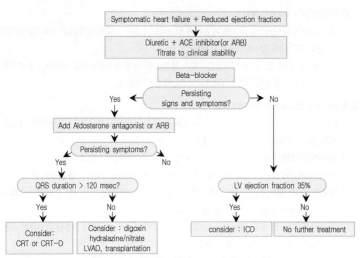

그림 1-4-1 **구혈율 감소 심부전(HFrEF)의 치료 알고리듬**

1) 무증상 좌심실기능 부전의 치료

(1) 안지오텐신 전환효소 억제제 및 베타차단제: 무증상의 환자에서 심부전의 진행을 억제하고 생존을 연장

(2) 특히 베타차단제는 심근경색증후 발생하는 심실기능부전에서 매우 유용함

2) 증상이 동반된 심부전의 치료

(1) 울혈 증상의 완화

① 루프차단 이뇨제를 우선으로 투여하여 좌심실 충만압(filling pressure)이 폐부종이나 복수 등이 발생하지 않고 정상 경정맥압을 이룰 수 있을 정도까지 투여

② 과다한 양의 이뇨제의 투여는 심박출량의 감소와 말초 관류(perfusion)의 악화로 신장 기능 장애, 무기력, 무력감 등을 초래할 수 있으므로 주의

③ 질산염의 혈관확장제(이소트릴, 이소켓)는 전부하를 감소시켜 울혈 증상의 완화에 효과적이고 volume redistribution 역할을 함

④ 상체를 세우는 자세(fowler 또는 semi-fowler)도 전부하를 감소시켜 울혈 증상 호전에 도움

(2) 신경내분비계 억제제(Neurohormonal antagonist)

① 급격한 증상의 완화는 없으나 지속적인 투여로 증상의 완화와 좌심실의 재형성(remodeling) 감소, 생존 연장을 기대할 수 있음

② 안지오텐신 전환효소 억제제는 심한 저혈압이나 신기능 부전이 아닌 경우 대부분의 환자에서 투여가능

③ 베타 차단제는 울혈이나 말초 혈관 저관류증(hypoperfusion)이 있는 환자에서 투여할 시 갑작스런 임상적 악화를 초래할 수 있으므로 체액 상태와 혈압이 안정화된 후에 투여

(3) 관류상태(Perfusion)의 유지

① 대부분의 환자는 좌심실 기능이 떨어져 있더라도 심실이 팽대되고 좌심실 이완기말 용적(전부하)이 증가되어 있어 심박출량 유지됨

② 좌심실기능이 떨어지고 말초혈관관류가 좋지 않은 경우 혈관확장제를 투여하여 후부하를 감소시켜 심근의 수축력을 증대시키고 말초관류를 유지함

3) 진행된 심부전(Advanced HF)의 치료

(1) 안지오텐신전환 효소억제제, 베타차단제, 이뇨제 등의 투여에도 불구하고 일상생활에 지장을 초래하는(NYHA class III, IV) 심부전이 대상

(2) 울혈증상을 완화하는 것이 일차적인 목표이며 저관류증이 동반되어 있을 경우: Nitroprusside와 같은 정맥내 혈관확장제나 강심제(inotropic agent)의 투여를 필요로 함

(3) 심실의 부하를 줄이고 말초관류를 유지하기 위한 약물 투여로 혈압이 떨어질 수 있으나 수축기 혈압이 80-90 mmHg일까지는 대부분 잘 적응함

(4) 이뇨제의 사용으로 혈중 크레아티닌(>2.0 mg/dl), BUN (>50 mg/dl)의 상승을 감수해야 하는 경우가 많지만 지속적인 상승이 있는 경우면 추적 검사가 필요

4) 난치성심부전(Refractory HF)의 치료

반복적인 약물치료에도 불구하고 안정 시 혹은 경미한 활동에도 심부전 증상이 있는 경우를 의미하며 심장이식이나 기계적 심실 보조 장치 등의 심장 대체 요법이 필요

3. 심부전의 약물요법(표 1-4-5)

1) 안지오텐신전환 효소억제제제(Angiotensin converting enzyme inhibitor (ACEI)) – class Ia

(1) 좌심실구혈에 대한 저항(후부하)을 감소시킴으로써 급성 및 만성심부전환자에서 심박출량이 증가하고 폐쇄기압이 감소하며 증상이 호전되고 나아가 장기 사망률 감소

(2) 무증상의 좌심실 기능저하 환자에서 심부전의 발생을 예방하거나 지연시키는 데에 효과가 있으므로 모든 심부전 환자에서 가능한 투여하고 소량의 초기용량에서 서서히 증량하여 목표 용량까지 증량하여 투여함

2) 안지오텐신수용체 차단제(Angiotensin receptor blocker (ARB)) – class Ia

(1) 안지오텐신 전환효소억제제의 부작용으로 약물 투여가 어려운 경우(기침, 부종, 백혈구 감소증 등) 대신 투여함

(2) 많은 연구에서 ACEI 를 충분히 대체가능함을 증명하였으나 사망률 감소의 직접적인 증거는 ACEI 에 비해 없거나 적음

3) ARNI (Angiotensin Receptor Neprilysin inhibitor)

(1) Entresto라는 약제는 neprilysin inhibitor인 sacubitril과 ARB인 valsartan의 복합제로 sacubitril은 RAS system의 반대 작용을 하는 BNP의 분해를 억제시키는 효과를 내서 순기능을 함

(2) 심구출률이 감소한 심부전 환자에서 ARB 또는 ACEI에 베타차단제를 잘 사용하고 있는 환자에서

증상 호전이 없을 시에 사용이 가능하며 50 mg을 1일 2회 사용하여 점차 양을 두 배로 증량하며
저혈압이 생길 수 있어 주의해야 함

4) 알도스테론길항제(Aldosterone antagonist) – class Ia

좌심실구혈율이 감소된(EF <35%) 진행된 심부전 환자(NYHA III, IV)에서 spironolactone 12-25 mg/d
의 투여로 급사 및 사망을 감소시킨다는 연구 결과가 있고 주로 다른 종류의 이뇨제와 병합 투여함

5) 베타차단제(beta blocker) – class Ia

(1) 심부전에서 단번에 많은 용량을 투여하기 보다는 소량의 초기 용량으로 시작하여 목표 용량까지
   서서히 증량하여 사용하면 사망률을 감소시킴. 그러나 불안정한 심부전 상태, 수축기혈압이 90
   mmHg 미만의 저혈압, 심한 체액울혈, 동성서맥, 방실차단과 기관지 수축성 질환을 가진 환자에
   서는 투여해서는 안 됨

(2) 진행된 중증 판막 질환의 심부전 환자에게는 심한 심박출량의 감소를 유발하므로, 사용하지 않는
   것이 안전함

(3) Metoprolol, Bisoprolol, Carvedilol이 심부전 환자에서 생존율을 증가시키고 고령에서 연구된
   Nebivolol도 심부전 환자에서 생존율을 증가시킴. 베타차단제를 투여하기 전에 환자는 안지오텐신
   전환효소억제제 등으로 안정화시키고 아주 낮은 용량(Carvedilol 3.125 mg,bid - 단순 고혈압 외의
   사용에 있어 하루 2회 투여가 원칙)으로 시작해야 하고 매 2-4주 간격으로 증량하는 것이 안전

(4) 유지 용량에 도달되면 지속적으로 투여

6) 이뇨제– class Ib

폐부종이나 호흡곤란과 같은 세포 체액량의 과다한 증가에 의한 울혈 증상을 급속하게 호전시킬 수
있는 가장 효과적인 약제이나 과다한 이뇨제의 투여는 혈량감소증(hypovolemia)을 야기하여 심박출
량을 감소시키고 신장 기능을 저해하며 무기력증이나 심한무력감을 일으킬 수 있으므로 유의해야 함

(1) Thiazide 이뇨제
   ① 경증 혹은 중등도의 심부전에서 단독으로 혹은 중증 심부전에서 다른 이뇨제와 병용으로 사용
   ② 저나트륨혈증, 칼륨저하증, 고요산혈증, 대사성 알칼리혈증 유발

(2) 루프차단제(loop diuretics)
   ① 모든 형태의 심부전에 유용하고 특히 난치성 심부전(refractory HF)과 폐울혈(pulmonary
      edema) 환자에서 유용
   ② 정맥 주사 요법이나 다른 이뇨제의 병용 투여로 이뇨효과를 향상시킬 수 있으며, 부작용은
      thiazide 이뇨제와 비슷함

(3) 칼륨보존이뇨제(potassium sparing diuretics)
   ① 이뇨 효과는 강하지 않지만 thiazide 이뇨제와 병용하여 쓰는 경우 이뇨 효과를 상승 시킬 수 있
      고 심각한 합병증인 저칼륨혈증을 예방
   ② 특히 spironolactone은 이뇨 효과는 적지만 진행된 심부전 환자에서 생존을 증가시킬 수 있음
   ③ 안지오텐신 전환효소 억제제나 안지오텐신 수용체 차단제와 병용 투여할 시에는 고칼륨혈증
      의 위험성이 있으므로 조심, 혈중 K >5.5 mEq/L 또는 Cr 2.0 >mg/dL인 경우 금기임

7) 혈관확장제

① 안지오텐신 전환효소억제제를 투여함에도 전신적인 혈관 수축이 있는 중증의 급성 심부전 환자에서는 직접적 혈관 확장제(direct vasodilator)가 유용

② sodium nitroprusside (0.1-0.3 ug/kg/min)가 효과적이나 혈압 강하 효과가 강력하여 세심한 혈압의 관찰이 필요

8) Ivabradine

(1) 프로코라란이라는 약제는 동방결절의 Na 통로에 작용하여 맥을 늦춤

(2) 심구출률이 감소한 만성심부전 환자에서 분당 맥박수가 70회 이상인 경우 사용이 가능하며 심방세동이 아닌 정상 심박이어야 하며 5 mg 1일 2회로 시작, 맥박의 저하가 없는 경우 7.5 mg으로 증량

(3) 심방세동이 있는 경우 심실빈맥, 심실세동을 야기할 수 있어 사용을 금함

9) Vasopressin 길항제

① 신장의 collecting duct의 Ve receptor에 결합하면 aquaporin-2 단백이 생성되어 물의 재흡수 증가

표 1-4-5 Common Medication for Heart Failure

Medication	Initial Dose	Maximum Dose
Loop diuretics		
Furosemide	Furosemide 20–40 mg 1–2 times daily PO; 20 mg IV	400 mg/d; 80 mg IV
Torasemide	10 mg 1–2 times daily PO; 5 mg IV	200 mg/d; 20 mg IV
Supplemental thiazides		
Hydrochlorothiazide	25 mg/d	100 mg/d
Chlorthalidone	50 mg/d	100 mg/d
Spironolactone (only with loop diuretics)	25 mg/d or every other day	25 mg twice daily, occasionally higher for refractory hypokalemia
Angiotensin–converting enzyme inhibitors		
Enalapril	2.5 mg twice daily	10–20 mg twice daily
Fosinopril	5–10 mg/d	40 mg/d
Lisinopril	2.5–5.0 mg/d	20?40 mg/d
Ramipril	1.25?2.5 mg/d	10 mg/d
β–Blockers		
Bisoprolol	1.25 mg/d	10 mg/d
Carvedilol	3.125 mg twice daily	25?50 mg twice daily
Metoprolol	6.25 mg twice daily	75 mg twice daily
Metoprolol CR/XL	12.5–25 mg/d	200 mg/d
Other vasodilators		
Isosorbide dinitrate	10 mg 3 times daily	80 mg 3 times daily
Hydralazine	25 mg 3 times daily	150 mg 4 times daily

② 이를 억제하는 약제인 tolvaptan은 심부전 환자의 생존율 향상은 없었으나 급성기의 증상 완화
의 개선 및 저나트륨혈증의 개선에 효과

10) Digitalis

신장으로 분비되므로 신장기능이 떨어져있는 환자에서는 digoxin의 효과가 연장되고 독성이 나타
날 수 있으므로 주의를 요함

(1) 심부전에서 유용성

① 심방 조동이나 심방 세동을 동반한 수축성 심부전환자에서 심박수를 조절하고 심근의 수축력
을 높임

② 심부전에서는 생존률의 호전 없음

③ 급성 수축성 심부전의 경우 하루 1 g까지 loading하며 유지 용량은 0.25 mg/d, 신기 능 감소 환
자는 유지 용량은 0.25 mg/d, 신기능감소환자는 0.125 mg/d임 - 가급적 소량을 사용하는 것
이 안전함

(2) Digitalis 독성

① 유발인자: 고령, 급성심근경색, 저산소증, 저마그네슘혈증, 신부전, 고칼슘혈증, 전기적 동율동
전환, 갑상선기능저하증, 저칼륨혈증 등

② 증상: 식욕감퇴, 구역, 구토, 심실 조기 박동, 심실빈맥, 심실세동, 다양한 방실 차단,
nonparoxysmal atrial tachycardia with variable AV block

(3) Digitalis 독성의 치료

① 혈중 digoxin 농도를 측정(중독 위험이 적은 치료 농도는 1.0-1.4 ng/ml)

② 빈맥이 발생했을 시 digitalis를 끊고 베타차단제 투여

11) 교감신경항진제(Sympathomimetic amine)

β-adrenergic 수용체에 작용하고 난치성, 중증의 심부전에서 지속적인 정맥 내 주사로 1주일까지 사용

(1) 용량이 증가할수록 β 1, α 수용체에 작용하여 심근의 수축력 향상과 말초 혈관의 수축으로 혈압을
상승시켜 혈압이 낮은 심부전에서 효과적

12) Phosphodiesterase 억제제(Phosphodiesterase inhibitor): Milrinone

(1) 심근의 수축력을 강화하고 말초 혈관을 확장시키므로 난치성 심부전에서 정맥 내 주사로만 사용
가능

(2) dopamine이나 dobutamine과 병용 투여가 가능함. 장기간의 사용은 사망과 심혈관 사건을 증가시
키므로 피함, 급성기 3일 이내에만 사용함

4. 심부전의 device 치료

1) ICD (Implantable cardioverter defibrillators: 삽입형제세동기)

(1) 심구출률이 저하된 심부전 환자의 절반가량에서 심실성부정맥에 의한 급사가 발생함

(2) 3개월 이상의 적절한 약물 치료에도 EF가 35% 이하인 허혈성심부전인 경우 일차예방으로 사용을

고려할 수 있고 비허혈성심부전의 경우 사망률 개선에는 효과가 없음

2) CRT (Cardiac resynchronization therapy: 심장재동기화치료)

(1) 3개월 이상의 적절한 약물 치료에도 EF가 35% 이하인 QRS duration이 widening이 있는 경우 고려, 단 QRS 130 msec 미만인 경우는 금기

(2) QRS ≥130 msec이면서 LBBB 인 경우, QRS ≥150 msec이면서 non-LBBB인 경우

5. 급성심부전의 치료

1) 증상을 유발한 혈역학적 불안정성을 안정화시키고 비대상성을 유발한 가역적 요인을 찾아서 치료하고 질환의 진행과 재발을 방지하기 위한 만성심부전의 치료방법을 적용

2) 심인성 쇼크가 있는 경우 circulatory support인 강심제 사용을 고려하고 약제 반응이 없는 경우 extracorporeal oxygenator (ECMO)의 사용을 고려, 가급적 dobutamine으로 시작하되 추가적으로 norepinephrine을 사용할 수 있고, 심한 경우 처음부터 norepinephrine을 사용

3) 호흡 부전이 있는 경우 ventilator support로 산소 치료, 인공호흡기를 고려

4) 급성 원인인 CHAMP (acute Coronary syndrome, Hypertensive emergency, Arrhythmia, acute Mechanical cause, Pulmonary embolism)를 확인

5) 기존에 쓰고 있던 RAA system 차단제와 베타 차단제는 환자의 상태를 보면서 줄이거나 유지함. 기존 심부전의 증거가 없이 급성심부전이 생긴 경우 euvolemia 상태를 유지한 후에 RAA system 차단제나 베타차단제를 추가

6) congestion의 증가(Pulmonary arterial wedge pressure >18 mmHg), peripheral hypoperfusion (cardiac index <2.2 L/min/m^2)에 맞춰서 치료

7) 급성심부전의 환자의 분류 및 치료

(1) 네 개의 기본적인 혈역학(그림 1-4-4)

① WARM-DRY: 정상 좌심실충만압과 정상관류

② WARM-WET: 증가된 좌심실충만압과 정상관류 - 주사용 이뇨제 및 혈관확장제

③ COLD-WET: 증가된 좌심실충만압과 감소된 관류 - 혈압 유지 시에는 주사용 이뇨제 및 혈관확장제 위주로 치료하고 혈압이 낮은 경우 강심제 사용 고려

④ COLD-DRY: 정상 또는 감소된 좌심실충만압과 감소된 관류 - 수액 치료 및 강심제 고려

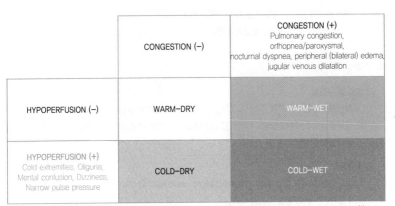

	CONGESTION (−)	CONGESTION (+) Pulmonary congestion, orthopnea/paroxysmal, nocturnal dyspnea, peripheral (bilateral) edema, jugular venous dilatation
HYPOPERFUSION (−)	WARM−DRY	WARM−WET
HYPOPERFUSION (+) Cold extremities, Oliguria, Mental confusion, Dizziness, Narrow pulse pressure	COLD−DRY	COLD−WET

그림 1-4-2 Hemodynamic classification of acute heart failure Hypoperfusion is not synonymous with hypotension, but often hypoperfusion is accompanied by hypotension.

(2) 급성 폐부종의 치료

① 산소를 투여하여 동맥혈 산소 분압을 60 mmHg 이상으로 유지. 가능하면 양압(positive pressure) 호흡 실시

② Morphine 2-4 mg을 정맥내 주사하며 불안 상태를 가라앉히고 폐정맥 및 말초정맥을 확장

③ Furosemide: 초기 용량 20-80 mg (≤0.5 mg/kg)을 정맥 주사하고 이후 반응을 보고 최대 200 mg까지 증량. 이뇨 효과 이전에 정맥 확장 작용이 있어 전부하를 감소시킴

④ Nitrates: 일차적 치료로 nitroglycerin을 설하(0.4 mg×3매 5분 간격)로 투여함. 폐부종이 지속되고 저혈압이 없다면 정맥으로 투여할 수 있음(시작용량 5-10 ug/min)

⑤ Nitroprusside: 0.1-5 ug/kg/min 정맥 주사함. 신속한 후부하의 감소 효과가 있지만 혈압 강하 효과가 강력하여 수축기 혈압이 100 mmHg 이상인 환자에서 투여

⑥ Inotropic support: 심장성 폐부종과 심한 좌심실 기능 이상인 경우에 투여

⑦ aminophylline: 240-480 mg을 정맥 내 투여. 기관지 수축을 억제하고 신장 혈류를 개선시키며 염분 배설과 심근의 수축력을 향상시킴

6. 비약물요법

1) 운동요법 및 재활

(1) 활동이 가능한 안정된 심부전 환자는 1주일에 3-4일 정도는 운동을 하도록 권장

(2) 걷거나 자전거운동이 도움이 되며 무거운 물건을 들거나 등장성운동(isometric exercise)은 피함

(3) 심부전의 증상이 심한 경우는 운동을 제한

2) 식이요법

(1) 심한 심부전의 경우 염분 섭취를 하루 500-1,000 mg 정도로 제한

(2) 말기 심부전의 경우 항이뇨 호르몬(ADH)의 작용으로 희석에 의한 저나트륨혈증이 발생하므로 염

분과 함께 수분의 섭취도 제한: Na < 130 mEq/L인 경우 수분 제한

(3) 비만인 심부전환자에서는 칼로리의 제한

7. 이완성 심부전

1) 정의 및 유병률

(1) 좌심실구혈율이 비교적 정상(>40%)임에도 불구하고 심부전의 증상 및 징후를 나타내는 경우

(2) 심부전 환자의 약 40%에서 심장초음파상 좌심실 구출률이 정상이므로 심부전에 의한 호흡곤란이 아니라고 단정할 수 없음

2) 병태생리

심실의 이완 장애로 심실 확장기압(end diastolic pressure)과 폐정맥압이 상승하고 심할 경우 폐부종 이나 호흡곤란 등의 울혈 증상을 나타냄

3) 임상양상 및 진단

(1) 주로 고혈압이나 당뇨병을 동반한 노인에게서 발생

(2) 심전도나 심장초음파에서 심장비후의 소견이 관찰

(3) 특징적인 임상 양상과 BNP의 상승, 심장초음파에서 정상 좌심실 구출률과 이완 장애를 보이는 경우에 진단이 가능

(4) 특히 조직도플러(tissue Doppler image)를 통한 이완 기능의 평가가 도움이 됨(심초음파에서 E/e' 증가)

4) 치료

(1) 폐부종이나 호흡곤란 등의 울혈증상이 있으면 이뇨제투여에 의한 대증적 치료가 먼저 필요함

(2) 고혈압이나 당뇨의 조절이 중요

8. 예후

1) 나쁜 예후 인자

(1) 심한 좌심실기능 장애(LVEF < 15%)

(2) 감소된 O_2 uptake (< 10 ml/kg/min)

(3) 저나트륨혈증(< 133 mEq/L)

(4) 저칼륨혈증(< 3 mEq/L)

(5) 증가된 ANP 또는 BNP (BNP > 500 pg/ml)

(6) 빈번한 심실 조기수축

I. 심근증의 정의 및 임상적 분류

1. 정의

고혈압, 선천성심 질환, 판막질환, 관상동맥 질환이나 심낭질환 등의 원인 질환 없이 심근 자체의 구조적, 기능적 이상을 나타내는 다양한 질환군

2. 분류

1) 영상 검사에 따른 전통적인 분류

(1) 확장성 심근증(dilated cardiomyopathy, DCM)

(2) 비후성 심근증(hypertrophic cardiomyopathy, HCM)

(3) 제한성 심근증(restrictive cardiomyopathy, RCM)

(4) Arrhythmogenic right ventricular dysplasia/cardiomyopathy (ARVD/C)

(5) 분류되지 않은 심근증(unclassified cardiomyopathy)

3. 확장성 심근증

1) 정의

심실확장과 심근기능의 저하가 판막질환,선천성 심질환,허혈성 질환 없이 발생한 다양한 질환

2) 특징

(1) 심근의 허혈성 손상이나 이상 부하 상태(abnormal loading condition)가 없이 좌심실 또는 좌, 우심실의 동반 확장을 특징으로 함. 일반적으로 심실 벽두께는 정상으로 나타나며, 심근 내에 다양한 정도의 섬유화를 동반함

(2) 최근 관련 유전자들이 발견되면서 과거 특발성으로 분류되었던 환자들 중 상당수가 유전자 이상을 동반한 유전 질환임이 밝혀짐

(3) 유병율에 대해서는 명확히 밝혀지지 않았으나, 전체 확장성 심근증의 20-50%가 유전자 이상을 가지는 가족성 확장성 심근증으로 보고되었고, 관련 유전자는 30개 이상이 보고됨

3) 임상 양상 - 4절 심부전 참조

4) 진단

(1) 영상 검사

① 심초음파

진단과 추적 검사에 가장 많이 사용되는 검사로 M-mode 또는 2-dimensional image로 좌심실의 확장여부를 진단할 수 있고, 추적 검사를 통해 좌심실 구혈률과 좌심실 내경의 크기 변화를 추적 관찰할 수 있음

② Cardiac MRI

좌심실 내경의 크기, 좌심실 구혈률 등을 정확하게 측정할 수 있을 뿐만 아니라, 조영제를 이용하여 심근에 대한 추가 정보를 얻을 수 있는 검사로 최근 많이 이용되고 있음

Gadolinium의 심근 내 지연 조영 증강(delay gadolinium enhancement)은 심근의 섬유화, 부종, 염증 등을 시사하는 소견으로 치명적인 부정맥의 발생 위험 증가와 관련이 있음

(2) Endomyocardial biopsy

과거 확진 검사로 많이 이용되었으나 최근 영상검사의 발전으로 인하여 최근 검사 빈도가 감소함. Iron overload, cardiac amyloidosis, infiltrative disease 등에서는 여전히 유용한 검사임

5) 치료: 일반적인 심부전의 치료 지침을 따름(4절 심부전 참조)

(1) 좌심실 기능 및 크기 개선

(2) 부정맥의 감시와 치료: 좌심실 구혈률 35% 미만의 환자에서 삽입형 제세동기(Implantable cardioverter defibrillator)의 생존율 개선 효과는 확립된 상태임

(3) 심부전 증상의 완화

4. 비후성 심근증

1) 특징

(1) 심근의 비대칭적 비대를 특징으로 하는 심근 세포(cardiac myocytes)의 유전 질환으로 다음과 같은 소견을 보임

① 심장의 부하 상태(loading condition)로 설명이 되지 않는 심근의 비대(심실 중격 비대가 가장 흔함)

② 확장되지 않은 정상 심실 용적 또는 내경

③ 정상 또는 증가한 좌심실 구혈율

2) 진단 기준

(1) 심초음파 또는 다른 영상 검사에서 좌심실 확장기 말 벽 두께가 13 mm을 초과할 경우 의심할 수 있고, 유럽 심장학회 진단 기준은 15 mm 이상

(2) 심전도: 대부분의 비후성 심근증 환자에서 이상 소견을 보임

① left ventricular hypertrophy

② ST-T wave changes

③ deep Q waves

3) 임상 양상

(1) 증상: 심부전의 증상 외에 흉통, 실신 등의 좌심실 유출로 폐쇄로 인한 증상이 발생할 수 있음

(2) 이완기능 장애

(3) 좌심실 유출로 폐쇄

비후된 심실 중격의 영향으로 좌심실 유출로가 좁아지면서 수축기 중 좌심실 유출로의 혈류 속도 증가 시간이 지연되어, 특징적인 단검상 도플러 소견을 보임(dagger shaped continuous wave Doppler pattern)

(4) Systolic anterior motion (SAM) of anterior mitral leaflet

전체 비후성 심근증 환자의 30-60%에서 발생하며, 비후성 심근증이 아닌 환자에게도 다음과 같은 요건이 충족될 경우 발생할 수 있음

① Venturi effect: 혈류가 좁아진 부위를 흐를 때, 혈류의 압력이 낮아지는 현상

② Slack in leaflet: papillary muscle의 위치 변화에 동반된 늘어난 전방 승모판막 및 chordae

③ Flow drag: 혈류가 늘어난 chordae 또는 승모판막을 직접 밀어 올리는 현상

(5) SAM의 심초음파 소견

승모판의 m-mode 영상에서 쉽게 관찰할 수 있으며 SAM으로 인하여 승모판막 역류 소견이 관찰될 수 있음

(6) 부정맥: 심장 돌연사(sudden cardiac death)의 위험 인자 평가

매년 0.5-2%의 비후성 심근증 환자가 돌연사 하는 것으로 알려짐

가장 흔한 원인은 심실 세동(ventricular fibrillation)으로 알려져 있으며, 약물 치료에 반응하지 않은 것으로 알려져 있음

4) 치료: 일반적인 심부전의 치료 지침과 다른 점

(1) 좌심실 유출로 폐쇄가 있을 경우, 베타차단제 또는 L-type 칼슘차단제(verapamil, diltiazem)을 사용할 수 있음

① 심박수를 느리게 해주는 것이 좌심실 유출로 폐쇄로 인한 증상을 호전시키는 효과를 기대할 수 있음

② 이뇨제는 매우 조심하여 사용하는 것이 필요하며, vasodilator (ACE inhibitor나 ARB 포함)는 혈역학적 위험을 초래할 수 있으므로 주의

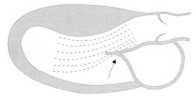

그림 1-5-1 Flow drag of redundant anterior mitral leaflet and chordae.

(2) 심장 돌연사 고위험 환자의 치료

심장 돌연사의 위험 인자를 평가하여 implanted cardioverter/defibrillator (ICD) 삽입이 권고됨

5. 제한성심근증

1) 특징

(1) 형태적으로 확장되지 않은 심실 용적과 정상 또는 비후된 심근 벽 소견

(2) 기능적으로 중증의 좌심실 이완기능 장애와 좌심실 충만압(LV filling pressure)의 상승 소견을 보이며, 이로 인하여 심방의 확장이 관찰됨

(3) 일반적으로 수축 기능은 정상

2) 원인 질환

(1) Infiltrative: amyloidosis, sarcoidosis

(2) Non-infiltrative: idiopathic, diabetic cardiomyopathy, scleroderma, pseudoxanthoma elasticum

(3) Endomyocardial: carcinoid heart disease, endomyocardial fibrosis, endomyocardial fibroelastosis, metastatic cancer, cancer therapy (anthracyclines, radiation)

3) 진단 및 치료

(1) 심장 아밀로이드증을 의심할 수 있는 소견

① 좌심실 구혈율은 유지되면서 설명되지 않는 심부전의 증상 및 증후

② 심장 영상 검사에서 관찰되는 심장 벽의 비후

③ 심전도 저 전위 소견(low voltages)

④ 심장을 제외한 장기의 침범 소견(단백뇨, 크레아티닌 상승, 말초 또는 자율 신경병증, 간비대, 위장관 기능 이상 등)

6. Reversible causes of dilated cardiomyopathy

1) 스트레스 유발 심근증(Stress-induced cardiomyopathy)

(1) 특징

① 스트레스 유발 심근증은 심실의 특징적인 벽 운동 이상이 있는 가역적 심근증으로 보고됨

② 여성 특히 폐경기 여성에게 호발하는 것으로 보고됨

③ 흉통, 심전도상의 ST 분절 변화 및 심장 효소 수치 상승 등 심근경색증의 증상을 보이지만 폐쇄성 관상 동맥 질환이 동반되지 않음

④ 급성 심부전, 심인성 쇼크, 부정맥, 좌심실 유출로 폐쇄 및 심실 혈전 등의 합병증이 흔히 동반됨

⑤ 합병증에 대한 대증적 치료가 주된 치료임

⑥ 사망률을 무시할 수 없는 중증 질환으로 재발이 흔함

(2) 진단 기준(Modified Mayo Clinic Criteria)

① 하나의 관상 동맥의 혈류 공급 영역과 일치하지 않는 일시적인 심근 벽운동 장애

② 관상 동맥의 폐쇄 병변이 없음

③ 심전도의 이상(ST 분절 상승 또는 T파 전위) 또는 심근 효소(troponin)의 상승

④ 갈색종이나 심근염이 배제되어야 함

⑤ 명확한 스트레스 유발 요인을 찾아야 함

Ⅰ. 좌심실심장판막 질환의 종류

1. 협착증

1) 대동맥판 협착증(aortic valve stenosis, AS)

표 1-6-1 대동맥판협착증의 원인

선천적
  unicuspid valve
  bicuspid valve
rheumatic
퇴행성(calcific)
  degenerative disease of three-cuspid valve
  superimposed calcification of a bicuspid valve
other rare cause
  homozygous type Ⅱ hypercholesterolemia
  신부전
  radiation exposure

2) 승모판 협착증(mitral valve stenosis, MS)

표 1-6-2 승모판 협착증의 원인

Rheumatic fever
Congenital
Severe mitral annular calcification
SLE, RA

2. 역류증(폐쇄부전증)

1) 대동맥판 역류증(aortic valve regurgitation, AR)

표 1-6-3 대동맥판역류의 원인

* 만성 대동맥판막역류	
rheumatic fever	connective tissue disorder
매독	congenital heart disease
감염성 심내막염	antiphospholipid syndrome
aortic sclerocalcific disease	unknown
대동맥 박리	
trauma	

*급성 대동맥판막 역류	
감염성 심내막염	miscellaneous :
대동맥 박리	balloon valvuloplasty, nonbacterial endocarditis,
blunt chest trauma	valvulopathy caused by anorectic drugs

2) 승모판 역류증(mitral valve regurgitation, MR)

표 1-6-4 승모판역류증의 원인

급성	만성
Mitral Annulus Disorders	Inflammatory
감염성 심내막염(abscess formation) Trauma (valvular heart surgery) Paravalvular leak due to suture interruption (surgical technical problems or infective endocarditis)	Rheumatic heart disease Systemic lupus erythematosus Scleroderma
Mitral Leaflet Disorders	퇴행성
감염성 심내막염(perforation or interfering with valve closure by vegetation) Trauma (tear during percutaneous balloon mitral valvotomy or penetrating chest injury) 종양(atrial myxoma) Myxomatous degeneration Systemic lupus erythematosus (Libman–Sacks lesion)	Myxomatous degeneration of mitral valve leaflets (prolapsing leaflet, mitral valve prolapse) Marfan syndrome Pseudoxanthoma elasticum Calcification of mitral valve annulus
Rupture of Chordae Tendineae	감염
Idiopathic, e.g., spontaneous Myxomatous degeneration (mitral valve prolapse, Marfan syndrome, Ehlers–Danlos syndrome) 감염성 심내막염 Acute rheumatic fever	Infective endocarditis
Trauma (Percutaneous balloon valvotomy, blunt chest trauma)	

II. 진단

1. 청진
2. 심초음파(경흉부, 경식도): the most important diagnostic tool
3. 심도자술(cardiac catherization)

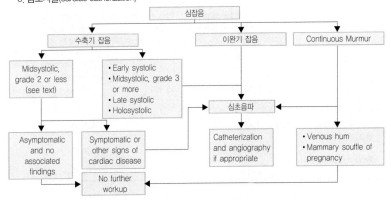

Ⅲ. 심초음파소견으로 중증도 평가

1. 판막 질환의 중증도

판막 질환의 중증도

Indicator	대동맥판 협착증		
	Mild	Moderate	Severe
Jet velocity (m per second)	< 3.0	3.0–4.0	> 4.0
Mean gradient (mmHg)*	< 25	25–40	> 40
판막 면적 (cm²)	> 1.5	1.0–1.5	< 1.0
Valve area index			< 0.6

	승모판 협착증		
	Mild	Moderate	Severe
Mean gradient (mmHg)*	< 5	5–10	> 10
Pulmonary artery systolic pressure (mmHg)	< 30	30–50	> 50
판막 면적 (cm²)	> 1.5	1.0–1.5	< 1.0

	대동맥판 역류증		
	Mild	Moderate	Severe
Qualitative			
Angiographic grade	1+	2+	3+
Color Doppler jet width (cm)	Central jet width < 25% of LVOT	Greater than mild but no signs of severe AR	Central jet width > 65% LVOT
Doppler vena contracta width (cm)	< 0.3	0.3–0.6	> 0.6
Quantitative (cath or echo)			
Regurgitant volume (ml per beat)	< 30	30–59	≥ 60
Regurgitant fraction (%)	< 30	30–49	≥ 50
Regurgitant orifice area (cm²)	< 0.10	0.10–0.29	≥ 0.3

	승모판 역류증		
	Mild	Moderate	Severe
Qualitative			
Angiographic grade	1+	2+	3+
Color Doppler jet area	Small, central jet(less than 4 cm² or < 20% LA area)	Signs of MR greater than mild present but no criteria for severe MR	Vena contracta width > 0.7 cm with large central MR jet(area > 40% of LA area) or with a wall impinging jet of any size, swirling in LA
Doppler vena contracta width (cm)	< 0.3	0.3–0.69	≥ 0.70
Quantitative (cath or echo)			
Regurgitant volume (ml per beat)	< 30	30–59	≥ 60
Regurgitant fraction (%)	< 30	30–49	≥ 50
Regurgitant orifice area (cm²)	< 0.20	0.2–0.39	≥ 0.40

IV. 약물치료

병변	증상 치료	Secondary Prevention and Natural History
승모판 협착증	Diuretics for heart failure; Digoxin, βblockers, and rate-limiting calcium antagonists for rate control in atrial fibrillation	Anticoagulants to prevent systemic thromboembolism.
승모판 역류	Diuretics and vasodilators(usually ACE inhibitors) for heart failure	No proven treatment
대동맥판 협착증	Diuretics for heart failure; nitrates and β blockers for angina	No proven treatment
대동맥판 역류증	Diuretics and vasodilators(usually ACE inhibitors) for heart failure	No proven treatment

V. 심초음파를 근간으로 한 진단과 치료의 과정, 그리고 수술 적응증

1. 대동맥판 협착증: 최근 연구 결과들에 의해 TAVR의 적응증이 넓어지고 있음

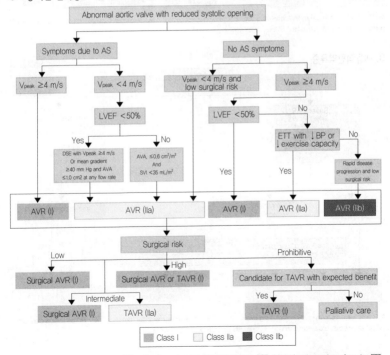

AS: aortic stenosis, AVA: aortic valve area, AVR: aortic valve replacement, BP: blood pressure, DSE: dobutamine stress echocardiography, ETT: exercise tolerance test, LVEF: left ventricular ejection fraction, SVI: stroke volume index, TAVR: transcatheter aortic valve replacement

2. 승모판 협착증

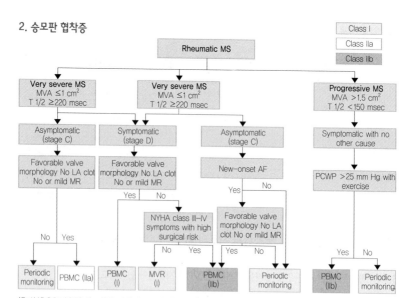

AF: atrial fibrillation, LA: left atrium, MVA: mitral valve area, MVR: mitral valve replacement, PBMC: percutaneous balloon mitral commissurotomy, PCWP: pulmonary capillary wedge pressure, T1/2: pressure half time

3. 대동맥판역류증

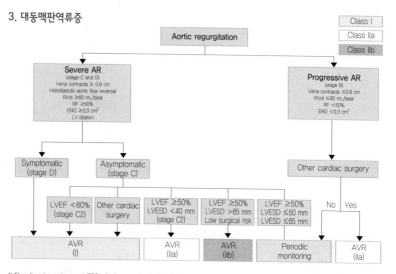

AVR: aortic valve replacement, ERO: effective regurgitant orifice, LVEDD: left ventricular end diastolic dimension, LVEF: left ventricular ejection fraction, LVESD: left ventricular end systolic dimension, RF: regurgitant fraction, Rvol: regurgitant volume

4. 승모판 역류증

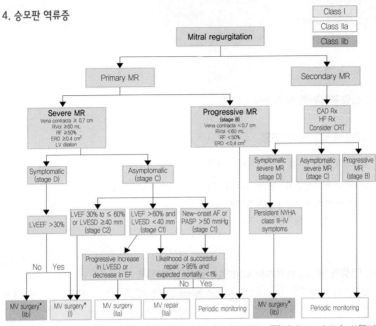

AF: atrial fibrillation, CAD: coronary artery disease, HF: heart failure, CRT: cardiac resynchronization therapy, ERO: effective regurgitant orifice, LVEF: left ventricular ejection fraction, LVESD: left ventricular end systolic dimension, PASP: pulmonary artery systolic pressure, RF: regurgitant fraction, Rvol: regurgitant volume.

Ⅰ. 심혈관질환의 병태생리

1. 심혈관의 협착에 따른 영향

1) 정상인 경우: 산소요구량 증가 시에 저항 동맥의 확장으로 심근으로의 혈류

2) 75%의 협착(단면적): 심혈관 혈류 예비력(coronary flow reserve)을 최대한 사용하여 안정 시에는 산소 공급이 문제 없으나, 운동에 의해 산소 요구량이 증가 시에는 더 이상의 혈류증가를 가져올 수 없어 심근 허혈을 일으킴

Ⅱ. 안정형 협심증(Stable angina)의 진단과 치료

안정형 협심증은 운동, 식사, 감정적 스트레스 등으로 심장이 일을 많이 할 때 흉통이 생기고 휴식을 취하거나 니트로글리세린을 투여하면 사라지는 임상 양상으로 정의

1. 임상증상

1) 흉통

(1) 운동이나 식사 등에 흉통이 생기고, 휴식이나 니트로글리세린 투여 후 통증이 사라짐

(2) 양상: 다양하며, 대개는 조이는 증상, 쥐어짜거나, 묵직한 물체가 내리누르는 듯한 답답한 증상

(3) 지속시간

① 2-15분

② 전형적인 흉통이 20분 이상 지속되거나 증상이 심해질 때, 불안정형 협심증이나 심근경색을 의심

표 1-7-1 흉통의 분류

기준	분류
1. 운동으로 유발 2. 지속시간 2~15분 3. 안정 또는 니트로글리세린으로 완화 4. 흉골아래 5. 턱, 목, 왼팔, 방사통	Ⅰ. 전형적 협심증 1, 2, 3기준 또는 어느 기준이든 3개 만족 Ⅱ. 비전형적 흉통 어느 기준이든 2개 만족 Ⅲ. 비협심증성 흉통

2. 신체검사

1) 대개 진단은 정확한 임상 병력의 청취로 확진

2) 신체검사는 대개 정상 소견을 보임

3. 검사실 소견

1) 혈액 화학 검사 및 기타

(1) 혈색소, 헤마토크리트, 공복혈당, 혈중 크레아티닌, 총 콜레스테롤, 저밀도 지단백(LDL) 콜레스테롤, 고밀도 지단백(HDL) 콜레스테롤, 중성지방

(2) 갑상선기능검사

(3) 소변검사 등을 시행

2) 흉부X선 검사

흉부X선촬영은 대부분 정상 소견을 보이나 동반 질환에 따라 좌심실 확장, 좌심실류, 심부전에 의한 폐울혈 소견이 보일 수 있음

3) 심전도

(1) 협심증환자의 반 이상은 심전도가정상

(2) ST-분절이나T 파의 변화가 흉통 시 나타나고 흉통 소실 시 없어지면 전형적인 소견

4) 비침습적 심장검사

(1) 운동 부하 심전도(treadmill test): treadmill을 사용해 운동부하를 걸어 심전도 변화 관찰

① 협심증을 의심할 수 있는 ST-분절의 변화

- ST 분절 하강이 편평한(horizontal) 또는 아래로 향하는 모양(downsloping) (ST 분절이 0.08초를 기준으로 상승이 없는 경우)으로 0.1mV 이상 있는 경우, 상승(upsloping)모양은 음성 소견

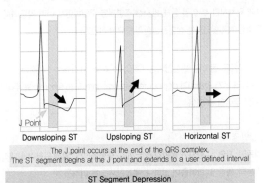

Downsloping ST Upsloping ST Horizontal ST

The J point occurs at the end of the QRS complex.
The ST segment begins at the J point and extends to a user defined interval

ST Segment Depression

② 운동부하검사가 위 양성 또는 위음성이 나올 경우는 20%

- 젊은 환자나 기저 심전도에 이미 변화가 있는 경우에는 위 양성/위음성의 확률이 높음

③ 운동 부하검사의 금기증(contraindication)
- 급성심혈관증후군 (불안정형 협심증, 심근경색), 중증 대동맥 판막 협착증, 조절되지 않은 심부전, 급성 심근염, 감염성 심내막증

(2) 심근 관류 스캔(Myocardial SPECT)

혈류의 분포에 비례하여 심근세포에 섭취되는 방사성 핵종(thallium-201, technetium 99 m)을 주사하고, 그 분포를 감마카메라로 영상화하여 심혈관질환을 진단

(3) 부하 심초음파 검사

안정형 협심증 환자에서는 일시적 심허혈이 발생하는 상태이므로, 안정시 국소 벽운동 장애가 없음. 따라서 진단을 위해서 부하 심초음파검사를 시행(exercise or dobutamine echocardiography)

(4) 심혈관 CT (coronary CT angiography)

심혈관의 해부학적 구조를 관찰할 수 있고, 가장 정확도가 높은 검사. 아직까지 무증상 환자의 선별 검사(screening)로는 부적당하고 증상이 있는 중등도 위험군에서 운동부하검사 검사결과를 판독하기 어려울 경우에 시행할 수 있음

표 1-7-2 심혈관 질환 진단에 대한 비침습적 검사들의 민감도와 특이도

검사방법	민감도(%)	특이도(%)
운동 부하 심전도	68	77
부하 심초음파	76	88
심근 관류 스캔	89	80
64채널 심혈관 CT	97	90

5) 심혈관 조영술(Coronary angiography)

심혈관 조영술은 심도자술의 일부로서, 도관을 대퇴동맥이나 요골 동맥을 통해 선택적으로 좌우 심혈관 기시부에 위치시킨 후 이를 통해 방사선 조영제를 주입하면서 여러 각도에서 심혈관의 해부학적 모양을 동영상으로 촬영하는 심혈관질환의 중요한 진단기법

(1) 준비사항

① 시술 전 심전도, 전해질 및 신장기능, CBC, coagulation parameter 등 확인

② 환자에 따라 먼저 Aspirin과 clopidogrel 또는 prasugrel 또는 ticagrelor를 투여

③ 안정제를 투여할 수 있음

(2) 시술방법

① 도관 삽입 경로

- 대퇴동맥: 지혈 시 환자가 불편감을 느끼며, 출혈 합병증 발생 위험이 상대적으로 높음
- 요골동맥: 통증 및 합병증이 덜하나, 복잡한 시술은 어려움

(3) 심혈관의 해부학적 구조

- 2.0-5.0mm 사이의 중간 크기의 내막, 중막, 외막 3층으로 이뤄짐
- 각 분지들이 서로 겹쳐 보이는 경우가 많아서 서로 다른 각도에서 촬영

① 좌전하행지(Left anterior descending artery, LAD): interventricular plane 상으로 주행

② 좌회선지(Left circumflex artery, LCX): atrioventricular plane의 승모판 주위를 타고 돌아가는 형

태로 주행

③ 우심혈관(Right coronary artery, RCA): 대동맥에서 분지되어 atrioventricular plane의 삼첨판 주위를 타고 돌아가는 형태로 주행

(4) 심혈관 조영술을 이용한 심혈관 질환의 평가

① 심혈관 내로 nitroglycerin을 주입하여 최대한 심혈관이 확장된 상태에서 협착의 정도를 평가

② 가장 협착이 심해 보이는 투영각도에서 촬영한 후에 정상으로 보이는 부위와 협착부위의 내경을 비교하여 백분율로 나타냄. 내경이 70% 이상 좁아지면 유의한 협착

(5) 심혈관 조영술 이외의 심혈관 협착 평가 방법

① 혈관 내 영상법(Intravascular imaging): intravascular ultrasound (IVUS), optical coherence tomography (OCT)

심혈관 내로 작은 카테터를 삽입하여 동맥 벽의 영상을 촬영하여, 시술 전 협착병변의 양상 및 시술 후 적절한 시술 및 합병증 발생 여부를 정확하게 파악

② 혈관 내 압력 및 도플러 측정(Intracoronary pressure wire & doppler wire)

심혈관의 혈류 예비력(fractional flow reserve, FFR) 등을 측정하여 임상적으로 의미가 있는 협착인지를 파악

(6) 심혈관 조영술의 합병증

① 위험도: 조영술과 관련된 전체 사망률은 0.1% 정도이며, 위험도는 응급환자, 급성심근경색증 환자, 혈역학적으로 불안정한 환자 등에서 증가

② 금기증: 절대적인 금기증은 없으나, 급성신부전증, 폐울혈, 패혈증, 급성 뇌경색, 급성위장출혈, 조영제에 대한 anaphylactic 반응 시에는 많은 주의가 필요함. 특히 조영제에 대한 anaphylactic 반응은 빈도가 5%이고 생명에 지장을 줄 정도 의심한 알러지 반응은 0.1% 정도 이며, 시술 전 스테로이드, 항히스타민제, H2 차단제 등은 위험도를 감소시킴

③ 조영제에 의한 신부전: 빈도는 3-7%이며 당뇨병이나 신부전이 있는 경우 흔함(이 경우는 12-30%). 현재까지 시술 전과 후에 생리식염수를 충분히 주입하는 것만 예방 효과가 있음

6) 안정형 협심증의 치료

가장 중요한 치료의 원칙은 급성 심혈관증후군의 발생과 사망을 예방하는 것과 증상을 완화하는 것으로 약물 치료와 재관류 치료가 있음

(1) 약물치료

① 항혈소판제

- Aspirin: 100 mg, 안정형 협심증에서 심혈관 합병증이 33%가량 감소
- Clopidogrel: 75 mg, aspirin을 복용 못하는 경우 사용

② 베타차단제

- 혈압과 심장박동을 동시에 감소시켜서 협심증을 조절할 수 있음
- 휴식 시 심박동수가 분당 50-60회가 될 때까지 용량을 증량해서 사용
- 심한 기관지 수축, 방실 차단, 심한 서맥, 보정되지 않은 심부전증(decompensated heart failure) 등에서는 금기

표 1-7-3 beta-blockers for stable angina

Drug	β-Receptor selectivity	Dose
Propranolol	None	20–80 mg bid
Metoprolol	β1	50–200 mg bid
Atenolol	β1	50–200 mg daily
Bisoprolol	β1	10–20 mg daily
Esmolol(IV)	β1	50–300 mcg/kg/min
Labetalol	Combined α/β	200–600 mg bid
Carvedilol	Combined α, β1, β2	3,125–25 mg bid

③ 칼슘길항제(표 1-7-4)

- 베타차단제의 사용이 부적절한 경우에 주로 사용
- 주로 지속형 dihydropyridine 계열과 non-dihydropyridine계열의 약물 사용 가능

표 1-7-4 calcium channel blockers for stable angina

Drug	Duration of action	Usual dosage
Dihydropyridines		
Nifedipine	Long	30–180 mg/d
Amlodipine	Long	5–10 mg/d
Nicardipine	Short	20–40 mg tid
Nondihydropyridines		
Diltiazem		
Immediate release	Short	30–80 mg qid
Slow release	Long	120–360 mg/d
Verapamil		
Immediate release	Short	80–160 mg tid
Slow release	Long	120–480 mg/d

④ Nitrate: 흉통을 감소시키기 위한 일차 선택 약제로 사용. 지속형과 급성 흉통에 대비한 설하정을 적절하게 사용해야 함

표 1-7-5 nitrate preparations

Preparation	Dosage	Onset(min)	Duration
Sublingual nitroglycerin	0.3–0.6 mg PRN	2–5	10–30 min
Aerosol nitroglycerin	0.4 mg PRN	2–5	10–30 min
Oral isosorbide dinitrate	5–40 mg tid	30–60	4–6 hr
Oral isosorbide dinitrate	10–20 mg bid	30–60	6–8 hr
Oral isosorbide mononitrate SR	30–120 mg daily	30–60	12–18 hr
2% Nitroglycerin ointment	0.5–2.0 in tid	20–60	3–8 hr
Transdermal nitroglycerin patches	5–15 mg daily	>60	12 hr
Intravenous nitroglycerin	10–200 mcg/min	<2	During infusion

⑤ lifestyle modification

- 금연

- 콜레스테롤조절
- 식이요법
- 적절한 운동 생활습관

(2) 재관류치료

약물 치료를 시행하여도 증상의 호전이 없는 경우에는 심혈관 조영술을 시행하여 심혈관의 협착 정도와 범위를 파악해서 경피적중재시술이나 심혈관우회로 수술을 고려해야 함

III. 급성심혈관증후군(Acute coronary syndrome)의 진단과 치료

1. 급성심혈관증후군의 정의 및 분류

1) 급성 심혈관 증후군은 안정형 협심증과는 다르게 갑작스럽게 안정 시에 흉통을 호소하는 질환으로 죽상반 파열, 혈전형성 및 이에 따른 심혈관의 폐쇄(완전폐쇄, 부분폐쇄)를 공통적인 병인으로 하는 질환 군

2) 심전도상 ST분절 상승 유무와 혈청검사에서 심근 괴사의 증거 유무에 따라 불안정 협심증, 비ST분절 상승심근경색, 그리고 ST 분절 상승 심근경색으로 구분됨(그림 1-7-3)

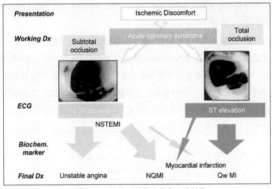

그림 1-7-1 급성 관상동맥 증후군의 분류

2. 급성심혈관증후군의 병태 생리

1) 주로 죽상반의 파열(rupture), 미란(erosion) 등에 의해 형성된 혈전에 의한 급작스러운 혈관 폐색에 의해 발생

2) 혈전에 의해서 혈관의 완전 폐색이 일어나는 경우에는 ST절 상승 심근 경색증. 부분 폐색이 발생한 경우 불안정 협심증이나 비ST절상승심근경색증

3. 불안정형 협심증(unstable angina, UA)과 비ST분절상승심근경색증(Non ST elevation myocardial infarction, NSTEMI)

불안정성 협심증과 비ST분절 상승 심근경색은 병태생리, 임상양상과 심전도소견이 비슷하며, 치료방법도 같기 때문에 보통 두 질환을 같이 묶어서 다루고 있음

1) 임상양상

(1) 불안정형 협심증: 심근 괴사는 없으나 증상이 다음 중 하나에 해당하는 경우

① New onset: 4-8주 이내에 새로운 흉통 발생

② Resting pain: 안정상태에서도 흉통 발생

③ Aggravating: 통증의 정도, 빈도, 지속시간(10-20분)이 증가하는 경우

(2) 비ST분절상승 심근경색증: 30분 이상 흉통이 지속되나 심전도상에서 ST 분절 상승이 없는 경우

2) 위험도의평가

UA/NSTEMI는 다양한 성격과 위험도를 가진 질환들이 섞여 있어 각각 다른 임상경과를 보이기 때문에 그 위험도를 정확히 평가하여 적절한 치료를 받는 것이 중요

3) 치료

(1) 목표와 전략

① 목표: 허혈 증상을 완화시켜주고 급성 심혈관병소를 안정화시켜 급성 심근경색증내지 사망으로 진행하는 것을 예방

② 전략: 약물 치료를 시작하면서 위험도평가에 바탕으로 치료전략을 세워야 함

(2) 재관류요법(early invasive vs early conservative strategies) 재관류치료는 조기중재 치료전략(입원 후 48시간 이내 심혈관 조영술을 시행하여 이에 따라 재관류요법을 시행) 과 보존적 치료전략(약물 치료에 반응이 없는 환자에서만 심혈관 조영술과 재관류요법 시행)으로 나눌 수 있으며 조기중재치료는 중등도 혹은 고위험의 UA/NSTEMI 환자의 표준치료로 받아들여 지고 있음

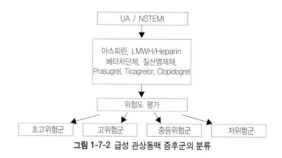

그림 1-7-2 급성 관상동맥 증후군의 분류

표 1-7-6 불안정형 협심증/비 ST 분절 상승 심근경색증의 위험도에 따른 침습적 검사 전략

초고험군(내원 2시간 이내 심혈관 조영술)

혈역학적으로 불안정하거나 심인성 쇼크

약물 치료에도 불구하고 반복적이고 지속되는 흉통

심실성 부정맥 또는 심정지가 나타난 경우

심근경색의 기계적인 합병증(심한 승모판 역류 등)

급성 심부전

반복적으로 ST-T 파형이 변하고, ST 분절 상승이 간간히 나타난 경우

고위험군(내원 24시간이내 심혈관 조영술)

Troponin 이 상승하고 하강하여 심근경색에 합당한 경우

ST 분절이나 T 파형이 계속 변하는 경우

GRACE score >140

중등도 위험군(내원 72시간 이내 심혈관 조영술)

당뇨

심실 구혈율 40% 미만 이거나 울혈성 심부전

심근경색 발생 24시간 후 전형적 흉통

이전 PCI 또는 CABG 병력

GRACE score >109 & <140

저위험군(비침습적 검사 고려)

위의 언급한 내용이 없는 경우

(3) 치료의 구성

① 항허혈요법

ⅰ) 질산염제제(nitrate)

- 목적: 흉통 소실

- nitroglycerine, isosorbide dinitrate, isosorbide mononitrate

- 금기: 저혈압, 24시간 내 비아그라(sildenafil)를 사용한 경우

(i) nitroglycerine 설하정을 5분 간격으로 3회 투여

(ii) 정맥주사제: 설하정이 효과 없는 경우

– nitroglycerine 정맥주사

시작: 5-10 μg/min, 3-5분마다 5-10 μg/min씩 증량

수축기 혈압이 100 mmHg 이하, 혹은 흉통이 사라질 때까지 증량함. 최대용량: 200 μg/min

– isosorbide dinitrate 정맥주사: 시작: 1.25-2mg/hr, 최대 5 mg/hr

– 내성: 용량 및 투여기간에 의존적, 지속적인 요법에서 발생

협심증 증상이 12-24시간 없으면 정맥주사에서 경구용이나 패치로 전환

– 질산염제제는 심근경색 환자에서 사망률을 감소시키지 못함

ⅱ) 베타차단제

바람직한 심박동수는 안정상태에서 분당 50-60회. 베타 차단제의 양을 혈압과 심박동수에 맞추어 양을 조절

ⅲ) 칼슘차단제(Non-dihydropyridine 계열: diltiazem 또는 verapamil)

- 질산염제제와 베타 차단제를 사용해도 허혈이 지속되거나 베타 차단제를 사용할 수 없을 때
- 금기: 좌심실기능부전이나 울혈성심부전환자

② 항혈소판요법

i) 아스피린

- 급성 심혈관증후군으로 진단되거나 의심되자 마자, 특별한 금기증이 없는 한 응급실에서 투약
- 처음용량: 162-325 mg의 비장용정(non-enteric coated)으로 복용
- 유지 용량: 위장관 출혈의 위험성이 낮은 100 mg 정도의 장용정(위에서는 녹지 않고 소장에서 쉽게 녹는 제제)을 매일 사용(평생 유지)

ii) Thienopyridine 유도체(clopidogrel, ticlopidine, prasugrel, ticagrelor)

- 혈소판 표면의 adenosine diphosphate (P2Y12) 수용체를 차단하여 혈소판의 활성화를 억제
- 최근 출시된 prasugrel, ticagrelor가 clopidogrel에 비해 혈소판 응집 억제력은 우수하여 심근 허혈 사건은 감소시키나, 출혈의 위험성이 있어 적절한 환자에게 사용 고려

(i) Clopidogrel

- 아스피린을 투여 받고 있는 불안전성 협심증 환자에게 clopidogrel을 투여한 결과 심혈관계 사망, 심근경색증, 뇌졸중을 현저하게 감소시켰으며, 입원 중 허혈 재발을 감소시킴. clopidogrel은 아스피린과 함께 급성심혈관증후군 환자에서 일차적으로 투여하는 약제
- 부하용량: clopidogrel 600 mg, 유지용량: clopidogrel 75 mg QD (최소 1년간 유지)

(ii) Prasugrel

- 부하용량: 60 mg,
- 유지용량: 10 mg QD (1년간유지)
- Contraindications: Stroke 또는 TIA 기왕력(절대적 금기증), 75세 이상 또는 체중 60 kg 이하(상대적 금기증)

(iii) Ticagrelor

- 부하용량: 180 mg, 유지용량: 90 mg BID (1년간 유지)

iii) Glycoprotein IIb/IIIa 차단제

- 혈소판 응집의 최종경로인 혈소판의 glycoprotein IIb/IIIa 수용체를 차단
- 종류: abciximab, tirofiban
- 중재시술을 받는 급성심혈관증후군 환자에서 선택적으로 사용

③ 항응고요법

i) 헤파린(unfractionated heparin, UFH)

- UFH는 antithrombin과 결합하여 thrombin을 억제하여 항 응고 효과를 나타내며, 불안전성 협심증에서 아스피린 단독보다 아스피린과 UFH의 병용요법이 심근경색 및 사망을

33% 감소시킴
- 용량: 60 U/kg을 bolus로 주고12 U/kg/hr을 정주. aPTT를 관찰하여 정상의1.5-2배 또는 50-70초로 유지될 때까지 aPTT를 6시간마다 검사하고 이후로는 12-24시간마다 검사. UFH사용기간은 대개 48시간을 넘지 않아야 함

ii) 저분자량헤파린(LMWH)
- LMWH은 thrombin의 작용을 차단할 뿐만 아니라 factor Xa도 강력히 억제하여 thrombin 의 형성도 억제
- LMWH은 UFH에 비하여 혈장단백 및 내피세포와의 결합이 덜하여 항 응고 효과가 예측 가능하므로 aPTT의 측정이 필요 없고, 반감기가 길어 하루 1-2회 피하투여로 항 응고 효과가 지속되며, 헤파린에 의한 혈소판 감소증의 빈도도 낮음
- LMWH이 UFH 보다 사망률과 심근경색의 발생을 유의하게 감소. UA/NSTEMI 환자에서 UFH 보다 LMWH의 사용이 권장

④ 혈전용해요법: UA/NSTEMI 환자에서는 혈전용해제를 사용해서는 안됨

⑤ 재관류요법: 환자의 위험도에 따라 조기 중재시술 시행 여부결정

⑥ 퇴원 및 퇴원 후 관리

UA/NSTEMI의 급성기는 대개 2개월 이내에 종료됨. 이 기간에 급성심근경색증으로 진행하거나 사망할 위험이 가장 높음. 급성기 1-3개월 후에는 환자의 대부분이 만성 안정형 협심증환자와 같은 임상경로임

* 장기약물요법(이차 예방의 효과가 입증된 약물)

i) 아스피린: 100 mg/일, 아스피린을 사용할 수 없는 경우는 clopidogrel 75 mg/일

ii) 베타차단제

iii) 안지오텐신계 억제제(ACE inhibitor, ARB)

iv) 지질강하제(statin)
- 고강도 스타틴(high intensity statin) 사용: atorvastatin 40 mg, rosuvastatin 20 mg
- 저밀도지단백 콜레스테롤(LDL cholesterol)의 혈중 농도를 70 mg/dL 이하로 낮춤

4. 급성ST분절상승 심근경색(STEMI)

1) 진단(아래기준 중 2가지 이상을 충족시켜야 함)

(1) 허혈성 흉통

(2) 심전도변화

① 새로운 Q파가 3개의 diaphragmatic leads (II, III, aVF) 중 2개 이상에서, precordial leads (V1-V6) 중 2개 이상에서, 또는 I과 aVL에서 존재할 때

② 새로운 ST분절의 상승 또는 하강이(0.1 mV 이상) 상기 유도조합과 같은 조건에서 존재할 때

③ 새로 발생한 완전 좌각 전도 장애

* 표준 12유도 심전도를 시간경과에 따라 여러 번 찍는 것은 심근경색증의 진단과 그 위치를

파악하는데 중요하고 믿을 수 있는 방법

* 초급성기에는 tall T wave가 나타나고, 급성기에는 심외막 손상을 의미하는 ST분절 상승소견 이 나타남. ST분절의 상승소견을 보인 대부분의 환자들은 증상 발현 후 8-12시간이 경과한 시점에 조직 괴사와 전기적 사망을 의미하는 Q파가 나타남

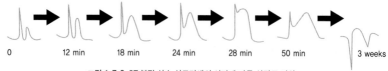

0   12 min   18 min   24 min   28 min   50 min   3 weeks

그림 1-7-3 ST 분절 상승 심근경색의 시간에 따른 심전도 변화

(3) 혈청심근효소의 상승

STEMI의 진단은 주로 심전도와 증상으로 판단하고, 심근효소 상승은 거의 고려하지 않음. 환자가 빨리 내원한 경우에는 상승되지 않은 경우가 많음

① CK-MB

② Troponin T or I

troponin은 정상인에서는 말초혈액에서 검출되지 않고, 급성 심근경색에서 CK-MB는 정상의 10-20배가 상승하지만 troponin은 20배 이상 상승할 수 있으므로 더욱 예민하여 미세한 심근 손상도 진단

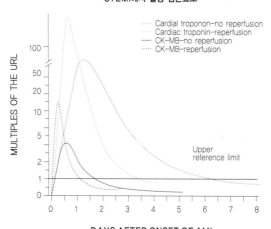

STEMI에서 혈청 심근효소

— Cardial troponon–no reperfusion
··· Cardiac troponin–reperfusion
— CK–MB–no reperfusion
··· CK–MB–reperfusion

Upper
reference limit

DAYS AFTER ONSET OF AMI
URL = 99th percentile of reference control group

2) 치료

(1) 응급실에서의 초기치료

① 아스피린

급성심근경색이 의심되는 환자에서 필수적이며, 맨 처음 투여해야 할 약제. 빨리 효과를 보기 위해서는 적어도 162-325 mg의 용량을 투여하고, 씹어 먹게 하여 구강 내 점막으로 빨리 흡수 되도록 함

② P2Y12 inhibitors (1년간 유지가 원칙)
  i) Clopidogrel - 부하용량: 600 mg, 유지용량: 75 mg QD
  ii) Prasugrel- 부하용량: 60 mg, 유지용량: 10 mg QD
  iii) Ticagrelor- 부하용량: 180 mg, 유지용량: 90 mg BID

③ 산소투여
  산소는 저산소혈증이 있는 경우에만 투여하여 저산소증을 개선시킴. 저산소증이 없는 환자에게는 산소 공급이 효과가 없고 오히려 전신 혈관의 저항성을 높이고, 동맥혈압을 높여 사망률을 높일 수 있음

④ 진통제
  ⅰ) 과민반응이 없다면 morphine이 우선 선택. 처음 4-8 mg을 정주하고 흉통이 완화될 때 까지 5-15분마다 2-8 mg씩 반복 투여
  ⅱ) morphine은 정맥 저류에 의한 저혈압을 유발할 수 있는데 이때에는 보통 다리를 올리거나 정맥내 식염수의 투여로 개선
  ⅲ) morphine은 미주 신경 긴장 효과가 있어 이로 인해 특히 하벽부 심근경색 환자에서 서맥과 고도의 심장전도차단을 일으킬 수 있음. 이때에는 아트로핀 0.5-1.5mg을 정주

⑤ 질산염제제(nitrates): UA/NSTEMI 참고

⑥ 항응고제치료
  ⅰ) 모든 급성심근경색 환자에게 투여. 혈전 용해제 치료를 받은 STEMI 환자에서도 투여
  ⅱ) 용법: 70-100 U/Kg IV bolus, 목표 ACT 250-350초
  ⅲ) UFH의 정주 대신에 enoxaparin과 같은 LMWH를 투여할 수 있음

⑦ 베타차단제
  ⅰ) 흉통을 완화, 심근의 산소소모량을 줄여 경색부위의 크기를 줄임
  ⅱ) 금기: 심부전이 동반된 환자, 맥박수가 분당 60회 미만인 환자, 수축기 혈압이 100 mmHg 이하인 환자, PR 간격이 240 ms 이상인 환자, 그리고 기관지천식이 있는 환자에서는 사용해서는 안됨

⑧ 안지오텐신계 억제제(ACE inhibitor, ARB):
  ⅰ) 심실 재형성을 예방하고, 심부전을 감소시켜 장기투여 시 재경색이나 재시술률을 낮추고 사망률을 감소
  ⅱ) 수축기 혈압이 100 mmHg 이하인 환자와 다른 금기사항이 없는 한 투여. 처음에는 소량의 경구용 약으로 시작해 점차 용량을 늘림

(2) 재관류요법
① 혈전용해치료(Fibrinolytic therapy): 내원 후 30분 이내 시행

i) 적응증

경색시작 후 12시간까지는 투여할 수 있음. 경색 시작 후 3시간 이내에는 일차적 PCI와 효과가 동일함. 초기에 ST분절의 상승이 있더라도 시간이 지나면서 흉통이 소실되고 ST분절의 상승이 가라앉았으면 혈전 용해치료를 투여해서는 안됨

ii) 명백한 금기사항

- 시기에 관계없이 뇌혈관 출혈의 병력
- 지난 3개월 동안의 비출혈성경색(3시간 이내의 급성경색은 제외)
- 뇌혈관의 구조적 병변이 있을 때(예, arteriovenous malformation)
- 뇌내부에 악성 종양이 있는 경우(1차성 or 전이성)
- 대동맥 박리증이 의심될 때
- 활동성 내부출혈(월경은 제외)
- 최근 3개월 이내에 머리나 얼굴에 심각한 외상이 있는 경우

iii) 상대적 금기사항

- 만성적으로 심각하게 혈압조절이 잘되지 않고 있는 경우
- 심한 고혈압(수축기 혈압〉 180 mmHg이거나 이완기 혈압〉 110 mmHg인 경우)
- 3개월 초과된 뇌경색, 치매, 명백한 금기사항에 포함되지 않는 뇌 내부의 병변
- 외상성이거나 10분이 초과된 심폐소생술 시행 후, 3주 이내의 주요 수술 후
- 2-4주 이내의 내부출혈
- 지혈하지 않은 혈관 puncture
- Streptokinase: 이전에 5일이상 노출된 경우이거나 알레르기가 있는 경우
- 임신
- 활동성 소화성궤양
- 현재 혈액응고방지제를 복용하고 있는 경우: 높은INR, 출혈의 위험성이 높을 때

> **혈전용해제 사용의 실제**
>
> 1. tenecteplase(TNK–tPA, 상품명: Metalyse): kg당 0.5 mg을 bolus로 정맥주사, 최대 50 mg, 75세 이상에서는 절반 용량만 사용하는 것을 고려.
> 2. alteplase (rt–PA, 상품명: Actilyse): 먼저 15 mg을 bolus로 주사하고 kg당 0.75 mg (최대 50 mg)을 수액에 섞어 30분에 걸쳐 투여한 후 kg당 0.5 mg (최대 35 mg)을 수액에 섞어 60분에 걸쳐 투여. 총 90분에 걸쳐 투여하고 최대 용량은 100 mg.

② 일차적 경피적 심혈관 중재술(Primary PCI): 내원 후 90분 이내 시행

i) 적응증(흉통 발생 후 12시간 이내)

흉통 발생 12시간 이후라도, 지속적으로 ECG에서 허혈성 변화가 관찰되며, 통증이 지속되거나, 혈역학적으로 불안정한 경우, 심실성 빈맥이 나타나는 경우에는 시행함

ii) 심부전이나 심인성 쇼크의 경우 Primary PCI가 혈전 용해제 투여보다 우선함

③ 성공적 재관류를 시사하는 소견

- 흉통의 소실
- 심전도의 ST분절의 정상화

- 심근효소의 빠른 상승과 정상화
- 재관류 부정맥의 발생: AIVR (accelerated idioventricular rhythm)
- 심혈관 조영술에서 TIMI (thrombolysis in myocardial infarction) flow 3

④ 구제 중재시술 (Rescue PCI): 혈전 용해제를 투여하였으나 60-90분 후에도 흉통이 계속되고 ST 분절의 상승이 50% 이상 감소하지 않는 경우, 투여 이후 언제든 혈역학적으로 불안정한 경우 응급으로 심혈관 조영술 실시

(3) 급성 심근경색증의 합병증과 치료

① 울혈성심부전
- 급성심부전의 일반적인 치료방침과 같음
- 산소 공급, 이뇨제, 후부하 감소, 강심제 투여
- 조기 심혈관 중재술이 도움이 됨

② 심인성 쇼크
- 조기 심혈관 중재술이 도움됨
- 기계적 보조(mechanical support) 시행: PCPS (percutaneous cardiopulmonary support, ex. ECMO)

③ 우심실경색
- 우심혈관의 우심실 분지의 폐색 시(하후벽부경색의 1/3 발생)
- 우심 부전에 의한 전부하(preload)의 감소에 의해 저혈압 혹은 쇼크발생
- 생리 식염수를 다량 투여하여 전부하를 유지시킴

④ 심실 중격 결손(ventricular septal defect, VSD) 및 좌심실 파열 (free wall rupture): 응급 수술

표 1-7-7 심실중격 결손, free wall 파열, 허혈성 승모판 폐쇄 부전의 특징

	VSD	free wall rupture	ischemic MR
Incidence	1~2%	1~6%	1~2%
Time after MI	3~5 days	3~6 days	3~5 days
P/Ex	90% murmur	No murmur	50% Murmur
Echo	shunt	Pericardial effusion	MR jet
Risk group	Old age, female, HBP, Ant MI, thrombolytics	Old age, female, HBP, Ant MI, thrombolytics	

(4) 심근경색증의 이차 예방을 위한 약물요법

① 항혈소판제: aspirin, clopidogrel, prasugrel, ticagrelor

② 베타차단제
- 금기사항이 없는 한 심근경색 후 환자에게 추천됨
- 좌심실의 수축기 기능부전이 있어도 잘 보상되어 있으면 적은 양부터 시작하여 투여

③ 안지오텐신계 억제제(ACEi/ARB)
- 급성 심근경색후의 심실의 재형성을 억제하여 심부전의 발생과 사망률을 감소시킴
- 전벽부 심근경색환자와 좌심실 구혈율이 40% 미만인 환자에서는 특히 투여
- 저혈압 등 금기사항이 없는 한 안지오텐신 전환효소억제제는 모든 심근경색환자에게 투여

④ 지질저하제(Statin): Statin은 심근경색과 사망 등에 대한 일차적, 이차적 예방효과를 보임
- 고강도 스타틴(high intensity statin) 사용: atorvastatin 40 mg, rosuvastatin 20 mg
- 저밀도지단백 콜레스테롤(LDL cholesterol)의 혈중 농도를 70 mg/dL 이하로 낮춤

IV. 이형 협심증(Variant angina)

1. 분류

이형 협심증은 심혈관의 경련으로 발생하는 질환으로 동맥경화반이 있으면서 그 근처에서 국소적으로 발생하기도 하며, 심혈관 조영술 상 협착의 소견이 전혀 없는 정상 심혈관을 보이면서 미만성으로 발생. 국내에는 후자의 소견을 보이는 환자가 대부분임

2. 진단

1) 12유도심전도와 24시간 Holter monitoring
흉통이 있을 때 심전도에서 ST 분절의 일시적인 상승이 관찰되면 진단

2) 과호흡
과호흡 자체가 심혈관 경련을 유발할 수 있으며, 주로 질환의 활성도가 높은 환자에서 발생

3) 심혈관 경련 유발 약물을 이용한 심혈관 검사
심혈관 조영술을 시행하면서 acetylcholine이나 ergonovine을 심혈관 내로 주입하여 심혈관 경련이 유발되는지 관찰

3. 치료

치료의 주된 약제는 칼슘 차단제와 지속형 질산염제제.

약물 투여 시기는 환자의 발작 빈도가 높은 시간에 최고의 혈중 농도를 유지할 수 있도록 조절. 많은 환자에서 경련이 자정에서 오전 8시 사이에 집중되어 나타나므로 이런 환자들은 저녁 식사 이후에 약물을 복용하도록 함

1) 악화 요인의 제거
(1) 흡연은 강력한 유발 인자이므로 반드시 금연
(2) 음주 다음날 경련이 발생하는 환자들은 금주

2) 칼슘차단제
(1) 이형 협심증의 발작 예방에 매우 효과가 있음
(2) 1가지 약물에 반응을 잘하지 않는 경우는 서로 다른 2-3가지 칼슘 차단제를 병용하거나 질산염제제와 병용

3) 질산염제제

(1) 지속형 질산염제제는 발작 예방에 효과가 있음

(2) 내성이 문제가 되므로 발작이 수시로 있는 환자에서는 발작 호발 시간대에 초점을 맞추어 하루 1회 지속형 제제를 투여하고 나머지 시간대에는 칼슘 차단제와 더불어 potassium channel opener인 nicorandil을 사용할 수 있음

4) 베타차단제

발작의 빈도 및 지속시간을 증가시키기 때문에 심한 협착이 동반되지 않는 환자에서는 사용하지 않음

V. 미세혈관 협심증(Microvascular angina)

1. 정의

심혈관에 협착이나 경련이 없으면서 미세혈관의 기능장애로 인해 흉통이 발생하는 경우를 미세혈관 협심증이라 함. 진단을 위해서는 운동부하 검사 등에서 ST 분절의 변화가 관찰되거나 일시적인 국소 관류 장애, 또는 혈류 예비력 장애가 증명되어야 함

2. 병태생리

여러 가지 병태 생리가 제시되고 있으나 혈관 내피 세포 기능 장애(endothelial dysfunction)가 가장 중요한 기전

3. 예후

미세혈관 협심증이 있는 환자의 예후는 심혈관질환이 있는 환자에 비해 우수. 하지만 삶의 질은 이 질환으로 인해서 떨어지게 돼서 대부분의 환자들은 흉통이 지속되고 반복적인 입원이나 혈관 조영술을 받게 됨

4. 치료

우선 심장 이외의 원인에 의한 통증을 고려. 그러한 원인이 배제되고 비관혈적 검사상 허혈이 관찰된다면 항 협심증 약제들(베타 차단제, 질산염제, 칼슘길항제)을 사용해 볼 수 있으나 효과는 일정하지 않음

VI. 급성심혈관증후군의 감별 진단

급성 심혈관증후군은 대동맥 박리증(aortic dissection)과 폐색전증(pulmonary embolism) 등과 반드시 감별해야 하며, 이외에 심낭염(pericarditis), 흉막염(pleurisy), 기흉(pneumothorax), 췌장염(pancreatitis), 위식도 역류증, 근골격 통증 등과도 감별

1. 대동맥 박리증(Aortic dissection)

- 정상 직경: 상행 대동맥 약 3 cm, 흉곽의 하행 대동맥 2.5 cm, 복부의 하행 대동맥은 1.8-2 cm
- 지속적으로 높은 박동성 압력 (pulsatile pressure)과 전단력(shear stress)을 받으므로 기계적 손상에 의해 발생

1) 정의: 대동맥 내막이 찢어져 가성 도관(false lumen)을 만듦

2) 원인질환: 환자의 70%에서 동반되는 고혈압이 가장 흔한 원인

3) 위치에 따른 분류

(1) DeBakey 분류법

① I 형: 내막 박리가 상행 대동맥에서 시작하여 하행 대동맥까지 진행된 경우

② II형: 상행 대동맥에 박리가 국한된 경우

③ III형: 하행 대동맥에 박리가 국한된 경우

(2) Stanford 분류법: DeBakey I과 II형은 치료가 같아서 임상에서는 Stanford 분류법이 더욱 실질적이고 유용함

① A형 : 상행대동맥에 박리가 일어난 경우(DeBakey I과II형)

② B형 : 하행대동맥에만 박리가 국한된 경우

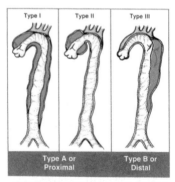

그림 1-7-4 대동맥 박리증의 위치에 따른 분류

4) 임상증상

(1) 찢어질 듯한 매우 심한 통증이 갑자기 흉부의 앞쪽이나 뒤에서 나타나며, 발한을 동반하는 경우가 많음

(2) 60-70대의 노인층에서 호발하며, 남성에서 많음

(3) 신체 소견은 맥박의 소실, 대동맥판 역류증(aortic regurgitation), 폐울혈이 나타날 수 있고, 신경학적 증상으로는 경동맥 폐쇄로 인한 편측 마비나 편측 무감각증이 동반될 수가 있고, 척수 허혈로 인한 전신 마비도 발생할 수 있음

(4) 내막의 박리(intimal tear), 박리성 혈종(dissecting hematoma), 침범된 동맥들의 폐쇄, 주위 조직의

압박과 같은 과정을 통해서 증상이 발생됨. 팽창하는 대동맥 박리증에 의해 주변 구조물이 압박되어서 Horner 증후군, 상대정맥 증후군(superior vena cava syndrome), 쉰 목소리, 연하 곤란, 기도 절박이 동반될 수가 있음

(5) A형에서 박리가 역으로 진행되는 경우에는 혈성심낭(hemopericardium)과 심낭 압전(cardiac tamponade)가 합병될 수가 있음. A형 박리에서는 흔히 급성 대동맥 판막 역류증이 발생

5) 진단

(1) 흉부방사선: A형 박리인 경우 종격동의 확장이 관찰되며, 늑막 삼출액도 나타날 수 있음

(2) 심전도: 대부분 정상, 드물게 박리가 심혈관을 침범하면 심근 경색 소견이 관찰될 수 있음

(3) 경흉부 심장초음파: 상행 대동맥 박리를 간단하고 신속하게 진단, 대동맥궁과 하행 대동맥 박리의 진단에는 덜 유용함

(4) CT & MRI: 내막 피판(intimal flap) 및 박리의 침범 범위, 혈관벽 내 출혈(intramural hemorrhage), 관통하는 궤양(penetrating ulcer)과의 감별에 유용하며, 또한 MRI를 이용해 혈류를 측정함으로써 박리의 진행 방향을 알 수 있음

(5) 대동맥 조영술(aortogram): 혈류의 출구 위치, 내막 피판, 진성 도관(true lumen)과 가성 도관의 구별, 대동맥 주요 분지의 박리 여부를 알 수 있으나, 혈관벽내 출혈은 알 수가 없음

(6) 경식도 심장초음파: 대동맥궁을 제외하고는 정확하게 대동맥 박리를 진단할 수가 있으나 술기자의 숙련과 환자의 협조가 필요

6) 치료 및 예후

표 1-7-8 대동맥 박리증의 치료 약물

Drugs	loading dose	Maintenance dose
Propranolol	1 mg IV q 3–5 min(max, 6.15 mg/kg)	2–6 mg IV q 4–6 hr
labetalol	10 mg IV over 2 min, then 20–80 mg q 10–15 min(max 300 mg)	2 mg/min IV drip titrate to 5–20 mg/min
esmolol	30 mg IV bolus	3–12 mg/min drip
metoprolol	5 mg IV q 5 min to effect	5–10 mg IV q 4–6 hr to effect
diltiazem	0.25 mg/kg IV over 2 min, 0.35 mg/kg IV after 15 min if no effect	5 mg/hr titrate by 2.5 to 5 mg/hr increments: max 15 mg/hr
verapamil	0.075–0.1 mg/kg to 2.5–5 mg/kg over 2 min	5–15 mg/hr IV drip

(1) 진단 즉시 약물 치료를 시작

① 심근 수축력과 전신 동맥압을 감소시켜서 전단력을 감소시켜 대동맥 박리의 진행을 막음

② 혈역학 상태와 소변량을 감시하기 위해 중환자실에 입원

③ 베타차단제(propranolol, metoprolol, esmolol)나 칼슘 길항제로 심박동수가 60회/분으로 유지

④ 수축기 혈압을 120 mmHg까지 낮춤(sodium nitroprusside 사용 가능)

⑤ 금기: diazoxide나 hydralazine 같은 직접 동맥 확장제(direct vasodilator)

(2) 수술적 치료의 적응증

① 급성 근위부 박리(A형 박리)

② 합병증을 동반한 원위부 박리: 신장 등 중요 장기를 침범, 대동맥 파열이 임박한 경우, 상행 대동맥까지 역으로 박리가 진행되는 경우, Marfan 증후군에서의 박리, 통증이나 혈압이 약물로 조절되지 않는 경우

(3) 장기 치료

수술 여부와 상관없이 앤지오텐신 전환효소억제제나 칼슘차단제 같은 항고혈압제를 사용하여 고혈압 조절과 심근 수축력을 감소시켜야 함. 또한 만성 B형 박리는 6개월에서 1년마다 CT나 MRI를 시행해서 확장 여부를 확인. 환자의 장기적 예후는 일반적으로 좋아서 10년 생존율은 60%임.

2. 폐색전증(Pulmonary embolism) – 9절 참조

3. 급성 심낭염(Acute pericarditis)

1) 원인

심장을 둘러싸고 있는 심낭은 안쪽의 장측 심낭과 바깥쪽의 벽측 심낭 2층으로 구 성 됨. 두 심낭 사이에 15-50 ml 정도의 심낭액이 있어 두 막간의 윤활제 역할을 하는데, 여기에 급성 염증이 발생하는 것을 급성 심낭염이라 하며, 흉통과 함께 심전도의 변화를 동반하기 때문에 급성 심혈관증후군과 반드시 감별 진단을 해야 함

2) 임상양상

(1) 흉통: 주로 흉골 후방 및 좌측 전흉부의 흉통을 호소하며, 양상은 날카롭고 흡기 시 혹은 기침할 때, 몸의 자세를 바꿀 때 악화되지만, 때로는 무지근하게 지속되는 압박통증으로 급성 심혈관증후군의 통증과 혼동되기도 함

(2) 심낭 마찰음(friction rub): 심낭 마찰음은 청진기의 diaphragm을 밀착시켰을 때 잘 들림. 긁는 듯한 소리이며, 자세에 의해 변하는 양상을 보이므로 자세를 변화시켜서 청진해보아야 함

(3) 심전도의 변화: 급성기 심전도 소견은 진단에 중요한데, 특히 순차적 심전도의 변화가 중요. 심전도의 변화는 환자의 90%에서 발견됨. ST분절상승 심근경색(STEMI)와 감별점은 STEMI에서는 ST segment가 정상화 전에 T wave가 inversion되나, 급성 심낭염에서는 ST가 정상화된 후에 T wave inversion이 생김

표 1-7-9 ECG findings of pericarditis

stage 1	–2 weeks	diffuse ST elevation with upright T wave and depressed PR interval
stage 2	1–3 weeks	ST normalization with dropping T wave amplitude
stage 3	3– weeks	T wave inversion
stage 4	several weeks–	normalized ECG

표 1-7-10 급성 심장막염의 원인

바이러스(coxsackie A and B, echovirus, adenovirus, hepatitis B, influenza, HIV)

Bacteria(pneumococcus, streptococcus, staphylococcus, gram negative bacilli)

fungus

결핵

post infarction, dressler's syndrome

autoimmune disease and inflammatory disorder(acute rheumatic fever, lupus, rheumatoid arthritis, scleroderma, sarcoidosis, inflammatory bowel disease)

aortic dissection

trauma

radiation therapy

uremia

neoplastic(lung, breast, lymphoma, leukemia)

drugs(hydralazine, procainamide, phenytoin, isoniazid, doxorubicin, penicillin)

idiopathic

anticoagulation therapy

4) 검사실소견: 비특이적인 염증 지표(ESR, CRP, leukocytosis)가 증가할 수 있으며, 원인을 밝히기 위해서 ANA, rheumatoid factor, 갑상선기능, 혈액배양검사 등을 시행해야 함

(5) 심장초음파: 급성 심낭염에서 비특이적일 수 있으나, 심낭 삼출이 동반된 경우는 유용하게 활용

3) 치료

대부분 환자에서 급성 심혈관 증후군과 감별을 위해서 입원 치료를 해야 하며, 원인질환을 치료하는 것이 중요. 합병증이 발생하지 않은 심낭염에서는 고용량의 NSAIDs (ibuprofen 800 mg po tid)를 3주 정도 투여하며, 증상 호전을 위해 colchicine투여도 고려해야 함. 증상이 완화되지 않을 경우는 prednisone 60 mg를 통증이 조절될 때까지 투여하고 3주에 걸쳐서 천천히 용량을 감량

Ⅰ. 심방세동의 진단과 치료

1. 정의와 분류

심방세동(atrial fibrillation, AF)이란 심방이 규칙적으로 흥분하지 않고 심방의 각부분이 빠른 속도로 무질서하게 흥분해서 불규칙한 리듬을 형성하는 질환. 나이 듦에 따라 유병률이 증가하는 질환. 지속 기간에 따라 다음과 같이 분류함

표 1-8-1 심방세동의 분류

분류	지속시간 및 특징	Rhythm control 가능성
발작성 심방세동 (Paroxysmal AF)	자연 소실되거나 7일 이내 지속	+++
지속성 심방세동 (Persistent AF)	7일 넘게 지속	++
장기지속성 심방세동 (Longstanding Persistent AF)	1년 넘게 지속	+
영구형 심방세동 (Permanent AF)	환자와 의사가 동율동 전환을 시도하지 않기로 동의 – 동율동 전환에 실패하였을 때	없음

2. 심방세동의 심전도진단과 심방조동

1) 심전도진단

심방세동은 심전도로 진단되며, 무질서한 심방활동으로 인해 뚜렷한 P파가 없고, QRS 간격이 불규칙한 것이 특징(그림 1-8-1)

2) 심방조동

심방세동이 있는 환자에게 흔히 동반되어 관찰될 수 있는 부정맥. 심방을 회로로 삼아 회귀하는 기전을 가지고 있으며, 대개 우심방을 시계 반대방향으로 회전하면서 생기는 전형적인 심방조동(typical atrial flutter)이 가장 흔함

3. 원인 및 임상양상

평소 심방세동이 없는 환자에게서도 수술 후(특히 심장, 폐 수술), 급성 알코올중독 등의 경우에 심방세동이 관찰될 수 있음. 임상적으로 심방세동을 유발하는 가장 중요한 질환은 갑상선 기능 항진증이며, 처음으로 진단되는 심방세동 환자는 반드시 갑상선 기능항진증 여부를 확인해야 함. 심방세동과 관련된 임상양상은, 전신색전증, 심방수축 소실로 감소한 심박 출량으로 인한 피로감, 과다한 심실심박수로 인한 저혈압

순환기내과 01

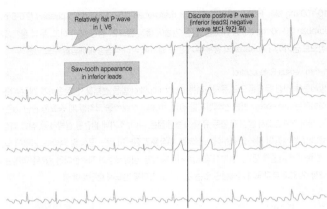

Relatively flat P wave
in I, V6

Discrete positive P wave
(inferior lead의 negative
wave 보다 약간 뒤)

Saw-tooth appearance
in inferior leads

그림 1-8-1 심방세동의 심전도 소견: 뚜렷한 P파가 없고, QRS 간격이 불규칙적임

또는 폐부종, 심계항진 등

4. 치료 방침의 결정

심방세동의 치료방침은 두 가지 관점에서 결정해야 함. 첫째는, 항혈전 치료법의 결정이고, 둘째는 동율동전환 혹은 맥박수 조절, 셋째는 항응고요법이 효과적이지 않거나 불가능한 경우 좌심방이 폐색술 고려임

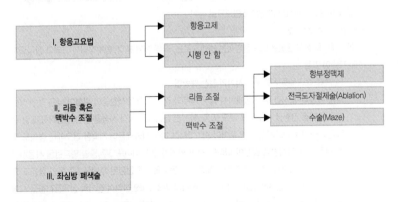

| I. 항응고요법 | → | 항응고제 |
| | | 시행 안 함 |

II. 리듬 혹은 맥박수 조절	→	리듬 조절	→	항부정맥제
				전극도자절제술(Ablation)
				수술(Maze)
		맥박수 조절

III. 좌심방 폐색술

1) 항혈전 치료법의 결정

항혈전제의 결정은 환자 개개인에서 혈전과 출혈 발생의 득실을 잘 고려해서 결정. 일반적으로 다음과 같이 항혈전제 사용이 추천됨.

와파린 대체재로 개발된 새로운 경구 항응고제(non-vitamin K oral anticoagulant, NOAC)가 와파린에 비교하여 효과가 떨어지지 않고(non-inferiority), 부작용은 적다는 연구결과가 발표되면서, 널리 사용되고 있음. 현재 우리나라에서 사용할 수 있는 NOAC으로는 Direct thrombin inhibitor로서 dabigtran

(110-150 mg bid), Factor Xa inhibitor로서 rivaroxaban (15-20 mg qd), Apixaban (2.5-5 mg bid), Edoxaban (30-60 mg qd) 등이 있음. 신장 기능이 좋지 않으면, 감량 해야 하고, 투석 환자에게는 일반적으로 금기이나 Apixaban의 경우 추가 연구 결과에 따라 적응증에 해당할 수도 있음

2) Rhythm versus Rate control

심방세동을 정상 동율동으로 유지하려는 rhythm control 법을 선택할지, 적절하게 심실 박동수만을 조절하려는 rate control 법을 선택할지를 결정. rhythm control을 고려할 때 중요한 판단 기준이 되는 것은 환자 개개인에서 정상 동율동 유지 가능성(젊은 나이, 조기에 발견된 심방세동, 심한 좌심방비대 없음)과 심방세동이 지속할 경우에 예상되는 부작용(조절되지 않는 증상 및 맥박수, 빈맥에 의한 심근증, 반복적인 뇌졸중 등)임. 항부정맥제를 사용하지만, 심방세동이 지속한다면 항부정맥제는 효과를 기대할 수 없고 부작용의 가능성만 있는 것이므로 약제를 반드시 중단해야 함

(1) Rate control 방법

맥박수 조절방법은 베타차단제나 non-dihydropyridine 계열의 칼슘차단제(조절되지 않은 심부전인 경우에는 금기)가 주로 사용됨. 일반적으로 목표 맥박수는 안정 시에 <80 bpm이며, 좌심실기능이 유지되어 있고 환자가 증상이 없다면 <110 bpm도 가능. digoxin은 일차 치료약으로 최근에는 선호되지 않으며, 고령이거나 심부전이 있는 환자에서 고려할 수 있음. 부회귀로(accessory pathway)로 인한 조기 흥분 (preexcitation)이 있는 심방세동의 경우, 방실결절 기능을 억제할 수 있는 약물(베타차단제, non-dihydropyridine 계열 칼륨차단제, digoxin, amiodarone)을 투여하면 심실 세동으로 악화할 가능성이 있으므로 금기

(2) Rhythm control 방법

심방세동을 정상 동율동으로 전환하는 방법으로는, 직류 전기 충격, 항부정맥제 그리고 전극도자 절제술이 있음

① Rhythm control을 시도하는 시기의 혈전 예방법

심방 세동이 48시간 이상 경과하지 않은 경우와 같이 전신적 색전증의 위험이 낮은 경우 에는 바로 동율동 전환을 시도해볼 수도 있음. 하지만 심방세동 시작 시점을 환자가 정확하게 알 수 없을 가능성을 반드시 염두에 두어야 함. 48시간 이상 심방세동이 지속한 경우에는 경식도 초음 파를 통해 좌심방에 혈전이 없다는 것이 확인되거나, 적어도 3주 동안 와파린을 사용하여 적절한 INR을 유지한 항응고 요법이 필요하고 동율동으로 전환된 후에도 4주 동안 항응고 요법을 시행하여야 함. 48시간이 지났으나, 혈역학적으로 불안정하여 전기적 심율동전환을 시행했을 경우, 직후에 바로 헤파린 혹은 저분자량헤파린 혹은 NOAC을 바로 시작해야 하며, 마찬가지로 최소 4주 동안 항응고요법을 유지해야 함

② 전기적 동율동전환술(Direct-current cardioversion)

약물 치료에 반응하지 않은 빠른 심실 맥박수를 보이면서, 이것에 의해 심근허혈, 저혈압, 심부전 증상이 진행된 상태라면, 전기적 동율동 전환술이 추천. 보통 진정 상태에서(sedated), biphasic으로 100 J을 첫 energy로 줌

③ 항부정맥제에 의한 동율동 전환

베타차단제, 칼슘차단제, digoxin은 방실결절에 작용하여 맥박수를 조절할 뿐, 심방세동을 정
상동율동으로 전환하는 효과는 없음. 부정맥을 치료하기 위해 투여되는 항부정맥제는 오히려
부정맥을 조장하는 proarrhythmia의 위험이 있으므로, 유의해야 함. Proarrhythmia는 서맥과
빈맥으로 나눠서 생각해볼 수 있음. 모든 항부정맥제가 서맥의 위험이 있으며, Ic 계열 약물은
심방세동이 심방조동으로 변화할 수 있고, 특히 심실근육이 정상이 아닌 환자에게 Ic 계열 약
물을 투여했을 경우 치명적인 심실빈맥 혹은 심실세동의 위험이 있어 절대 금기. 항부정맥제를
투여했음에도 심방세동이 지속한다면, 효과는 기대할 수 없이 부작용의 가능성만 있는 것이므
로, 반드시 항부정맥제를 중단해야 함

④ 전극도자절제술(radiofrequency catheter ablation, RFCA)

전극도자절제술은 적절한 항부정맥제 사용에도 불구하고, 증상이 있는 심방세동이 지속하는
경우에 고려할 수 있음. 반복적인 시술이 필요한 경우도 있으며, 시술 후 장기간정상 동율동으
로 유지될 가능성은, 발작성인 경우 70-80%, 지속성인 경우 50-60%임. 심방세동 부담이 감소
함으로 인해 시술 전에는 효과가 없던 항부정맥제가 시술 후에 반응하게 되는 경우도 있음. 시
술 후 초기 3개월 동안은 시술 성패에 상관없이, 심방세동, 심방빈맥, 심방조기수축 등이 일시
적으로 관찰될 수 있음. Ic 계열의 약제를 투약했을 때, 심방조동이 생길 수 있는 것처럼, 심방
세동에 대한 전극도자절제술 이후에 비전형적 심방조동(atypical atrial flutter)이 생길 수 있음

3) 좌심방이 폐쇄(left appendage closure)

좌심방이(left atrial appendage)를 물리적으로 막아주면 색전의 위험성을 줄일 수 있으며, 경피적 방법
과 흉강경을 이용한 방법이 있음. 심방세동으로 인한 뇌졸중 발생의 고위험군에서 와파린을 사용하
기 어려울 때 고려될 수 있음

II. 서맥성 부정맥 및 실신

1. 개요

서맥성 부정맥은 심장의 자극 전도계 자체의 기능 이상이나 외부 요인에 대한 반응으로 나타나며 크게
동기능부전과 방실전도차단 두 개의 형태로 구분. 임상 증상으로는 피로감, 호흡곤란, 어지럼증(dizziness),
전실신(presyncope), 실신(syncope)이 있을 수 있음

1) 서맥성 부정맥

(1) 동기능이상(sinus node dysfunction)

동결절의 기능장애로 동서맥이나 동정지가 반복되거나, 운동 시에 적절하게 맥박수가 상승하지
않는 상태를 말하고, 이에 따른 증상이 동반될 경우 동기능 부전증후군(sick sinus syndrome)이라
고 함. 일종의 노화성 질환으로 나이가 듦에 따라 발생 빈도가 증가. 동결절 조직의 특발성 섬유화
가 주된 원인이나 약물(베타차단제, 칼슘길항제, digoxin, 항부정맥제) 부작용, 고칼륨혈증, 저체온

증, 갑상선 기능저하증, 뇌압 상승, 미주신경 긴장도 항진 등 다양한 원인에 의해서 발생. 동기능부전이 있으면 여러 가지 임상 양상 혹은 심전도 소견을 보일 수 있음

① 지속적인 심한 동서맥(sinus bradycardia)

동율동수가 분당 60회 이하인 경우를 의미하나 환자의 신체 상황에 맞지 않게 맥박수가 느린 것만이 임상적 의미가 있음

② 동휴지 또는 동정지(sinus pause or sinus arrest)

동결절에서 어떠한 전기신호도 발생하지 않는 상태를 말하며 심전도에 정상 PP간격의 정수배가 되지 않는 PP 간격의 연장으로 나타남. 대개, 심정지가 3초 미만이면 sinus pause, 3초 이상이면 sinus arrest라고 표현함

③ 동방차단(sinoatrial block)

동결절에서 전기자극이 정상적으로 만들어짐에도 불구하고 동결절 주변 심방조직으로 전도되지 못하여 P파가 생성되지 못함. 따라서, 동방차단의 경우 동율동 정지 기간이 정상 동율동 간격(PP 간격)의 정수배가 됨. 엄밀한 의미에서는 동결절 기능장애는 아니지만, 임상적 의미는 동결절 기능 장애와 차이가 없으며, 치료 또한 동일함

④ 빈맥-서맥증후군(Tachycardia-bradycardia syndrome)

동기능부전증후군과 심방세동은 넓은 의미에서 심방근육병(atrial myopathy)으로 이해할 수 있으며, 이 때문에 동기능부전 증후군과 심방세동이 같은 환자에서 발생할 가능성도 높고, 빈맥-서맥증후군이 임상적으로 관찰되는 것이라 할 수 있음. 치료법은 전통적으로 서맥에 대해서 인공심박동기를 시술하고, 빈맥에 대해서는 항부정맥제를 쓰는 것이었으나, 최근 비교적 젊고, 동정지가 심하지 않은 환자를 위주로 전극도자절제술이 시도됨

⑤ 느린 심실반응을 동반한 심방세동(Atrial fibrillation with slow ventricular response)

느린 심실반응을 동반한 심방세동도 전통적으로는 동기능부전 증후군의 한 양상으로 간주함

(2) 방실전도차단(atrioventricular block)

① 1도 방실전도차단: PR 간격이 일정하면서 200 msec를 초과하는 경우로 정의. 예후는 비교적 양호하나 PR 간격이 심하게 연장된 경우에는 방실조화의 상실로 인한 증상이 생길 수 있음

② 2도 방실전도차단: 방실전도의 간헐적인 전도차단에 의하며, 두 가지 유형이 있음

i) Mobitz I형: PR 간격이 점진적으로 증가하다 전도차단이 나타나는 경우를 Mobitz I형 또는 Wenckebach형 방실전도차단이라고 함. 방실전도차단 후 첫 번째 PR 간격은 원래 간격으로 다시 짧아짐

ii) Mobitz II형: Mobitz I형과 달리 PR 간격의 점진적인 연장 없이 방실전도차단이 발생하는 경우. 방실결절, 히스속, 히스속 이하부 전도장애에 의해 발생함. Mobitz I형과 달리 PR 간격의 점진적인 연장 없이 갑자기 방실전도 차단이 발생

③ 3도 방실전도차단: P파가 전혀 심실에 전달되지 못하는 경우를 말함. P파가 심실에 전혀 전달되지 않음에도 불구하고 나타나는 QRS파는 전도차단 아래 부위에 존재하는 잠재성 심박조율기에서 만들어진 자극으로 만들어진 것임

2) 서맥 환자의 평가 및 진단

병적인 서맥이 확인되었거나 의심될 경우에는 반드시 약물이나, 전해질 이상(특히, 고칼륨혈증), 기저 심질환의 변화 등 가능한 모든 외적인 요인들의 영향 내지 연관성을 조사해야 함. 일과성으로 발생하는 서맥의 경우에는 환자의 증상과 서맥의 연관성을 입증하기 위해, 증상발생의 간격에 따라, 24시간 Holter를 시행함

3) 서맥 환자의 치료

- 가역적인 확실한원인이 있는 경우에는 원인을 제거함으로써 치료할 수 있음
- atropine (0.5-1.0 mg, 정맥주사)이나 isoproterenol과 같은 약물을 정맥 투여하여 심실 율동을 일시적으로 개선함
- 서맥으로 인한 증상(호흡곤란, 어지럼증, 실신)이나 증후(저혈압, 급성 신손상, 폐부종 등)가 심할 때는 우선으로 임시형 심박동기를 시행해야 함
- 증상이 있고 비가역적인 지속성서맥의 유일한 치료법은 영구형 인공심박동기 시술

(1) 인공심박동기의 적응증

수면중이 아닌 각성 상태에서 증상이나 증후를 유발하는 서맥이면 모두 인공 심박동기의 적응증이 됨. 즉, 평소 맥박수가 정상이지만, 운동에 따른 맥박수 증가가 부적절한 경우, 1도 방실차단이지만 방실부조화 증상이 심한 경우에도 인공심박동기가 환자에게 도움이 됨. 반면, 완전방실차단이라고 하더라도 증상과 증후(심비대, 좌심실기능 부전 등)가 없다면 인공 심박동기를 시술하지 않고 관찰할 수도 있음

(2) 인공심박동기의 유형

① DDD형: 조율 유도(lead)를 심방과 심실에 각각 한 개씩 삽입하여 심방과 심실의 전기적 활동 모두를 감지하고 조율함. 심방 조율이나 자발적 심방 율동이 감지되면 입력된 방실조율 간격 (AV interval)이 가동되고 방실조율간격 내에 심실의 자발적 율동이 없으면 심실 조율 자극이 방출됨. DDD형 심박동기는 영구형 심방세동이 아닌 대부분의 서맥성 부정맥 환자에서 시술됨

② VVI형: 심실만을 조율할 수 있고 심실에서 발생하는 전기 활동을 감지할 수 있음. 심방율동을 감지 할 수 없으므로 심방과 심실의 조화(synchrony)를 유지할 수 없고, 심실 조율의 빈도가 높아지는 단점이 있음. 영구형 심방세동 환자에게 적용할 수 있는 유일한 유형

III. 심실상성 빈맥(supraventricular tachycardia)

1. 종류 및 감별진단

1) 동빈맥(sinus tachycardia)
2) 방실결절회귀빈맥(atrioventricular nodal reentrant tachycardia, AVNRT)
3) 방실회귀빈맥(atrioventricular reentrant tachycardia, AVRT)

4) 심방조동(atrial flutter)

5) 심방세동(atrial fibrillation)

6) 심방빈맥(atrial tachycardia)

심전도에서는 단지 심방 및 심실의 전기적 활성도만을 알 수 있으며, 동결절 자체에서 나오는 신호는 알 아낼수가 없음. 심전도를 보고 동율동이라고 말하는것은, 동율동인 경우에 예상되는 심방활성도에 부합하 는지를 확인하는 것임. 따라서 심방전기축의 정상유무(0-90°, 즉 I +, aVF +)로 동율동임을 판단함.

심실상성 빈맥 중, 방실결절 회귀빈맥, 방실 회귀빈맥, 심방빈맥을 발작성 심실상성빈맥(paroxysmal supraventricular tachycardia, PSVT)라고 하며, 좁은 의미로는 심방빈맥은 여기에서 제외됨. 심실상성 빈맥 의 감별진단이 어려운 것은, QRS 및 T파에 묻혀 뚜렷한 P파를 관찰하기 어려울 때임. 따라서 일시적인 방 실차단을 시켜서 QRS 및 T파를 나오지 않게 하면, 심실상성 빈맥의 감별 진단에 큰 도움이 됨. 약물 요법 으로는 adenosine 주입이 효과적이며, 6, 12 mg을 차례로 정주할 수 있음. 가능하면 심장과 가까운 혈관으 로 주입하며, 신속 주입이 되도록 생리식염수를 곧이어 정주함. 일시적인 흉통, 호흡곤란이 있을 수 있으므 로, 환자에게 미리 주지시켜야 하며, 방실차단이 심할 때 환자에게 기침을 시키면 서맥에서 회복되는 데 도 움이 됨. Adenosine 주입으로 빈맥이 종료되는지 여부도 중요하지만, 일시적인 방실차단 동안에 P파가 나 타나지는 않는지, 나타나면 어떤 모양인지를 반드시 기록해두어야 함. 또한, adenosine 주입 후에 일시적으 로 심방세동이 나타날 수 있으므로, 감별 진단 시에 염두에 두어야함. adenosine으로 전혀 방실 차단이 관 찰되지 않는다면, 심실빈맥임에도 좁은 QRS 빈맥을 보일 수 있는 특발성 심실빈맥(fascicular ventricular tachycardia)을 의심해봐야 함

심방과 심실은 방실결절을 통해서만 전기적으로 연결되어 있고, 다른 부위는 차단되어 있는데, 부전도 로(accessory pathway)는 심방과 심실을 연결하는 또 다른 길임. 부전도로는 정상 동율동 시 전도 여부에 따라, manifest와 concealed로 나뉘며, 부전도로를 통해 심방과 심실이 연결된 manifest accessory pathway의 경우 심전도에서 조기흥분(preexcitation)으로 나타나며, short PR, wide QRS, delta wave의 특 징을 보임 평소 부전도로에 의한 조기흥분이 있으면서, 부전도로와 연관된 심실상성빈맥이 있는 경우, WPW (Wolff-Parkinson-White) syndrome으로 정의함 심방세동을 동반한 조기흥분(preexcitation)이 의심되 는 경우, adenosine 주입은 심실세동을 유발할 위험이 있어 절대금기

2. 발작성 심실상성 빈맥의 치료

일반적으로 발작성 심실상성 빈맥의 경우, 돌연심장사와 관련이 없고, 질병이 진행하는 것이 아니므로, 환자의 증상에 따라 치료방법을 결정. 환자가 불편해하지 않으면 경과관찰을 할 수 있으며, 증상이 드물게 생기고 다소 오래간다면, 증상이 발생했을 때만 투약하도록 교육함(verapamil 40 mg, propafenone 150-600 mg, flecainide 50-100 mg, propranolol 10-40 mg 등). 증상이 자주 발생한다면, 규칙적인 투약도 고려 할 수 있으며 (verapamil 180 mg qd, diltiazem 180 mg qd 등), 증상이 심하면 Ic나 III 계열의 항부정맥제를 소량 일시적으로 투약할 수도 있음. 근본적인 치료는 전극도자절제술이며, 재발률은 1% 이내임. 전극도자 절제술을 고려하는 경우, 빈맥의 유발이 시술에 반드시 필요하므로, 약제를 충분한 기간(최소 5일 전) 중단

IV. 심실빈맥(Ventricular tachycardia)

1. 심전도진단

심실빈맥은 히스속 이하 심실 근육에서 전기활동이 시작하며, 3개 이상의 연속된 박동이 분당 100회 이상으로 나타남. 심실빈맥은 대부분 정상적인 전도로(히스속, 좌각/우각, Purkinje 섬유)를 따라 심실이 수축하지 않으며, 심실전체의 수축에 시간이 오래 걸림. 즉, 넓은 QRS 빈맥의 양상으로 나타남. 넓은 QRS 빈맥이 나타날 수 있는 경우는 아래 그림처럼 3가지임

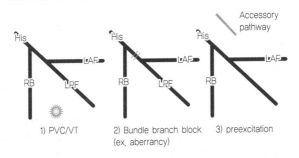

1) PVC/VT 2) Bundle branch block (ex. aberrancy) 3) preexcitation

2. 분류와 각각의특징

1) QRS군 모양에 따라

(1) monomorphic과 polymorphic으로 구분

(2) polymorphic VT는 보통 long QT에 의한 Torsades de pointes, 브루가다증후군 등에서 관찰됨

(3) monomorphic VT는 구조적 심질환(즉, ventricular substrate) 여부에 따라 다음과 같이 분류됨

심실빈맥을 일으킬만한 구조적심질환이 없는 경우에 발생하는 것을 특발성심실빈맥이라고 하며, 다음과 같이 분류됨

Classification	Treatment
Outflow tract PVC/VT RVOT, LVOT	– symptomatic, very frequent (>20%) – ablation if drug-refractory
Fascicular VT posterior, anterior	– First choice can be ablation

2) 기간에 따라

(1) 30초 이상 지속하거나 혈역학적으로 불안정한 경우[sustained]

(2) 지속하지 않고 스스로 멈추는 경우[nonsustained]

3. 치료

• 급성기 심실빈맥의 치료 방침 결정은, 혈역학적 안정성 여부에 달려 있음

- 혈역학적으로 불안정하면 응급상황으로 직류전기 충격을 시행
- 혈역학적으로 안정하다면, 심실빈맥 진단이 맞는지 심전도를 정밀하게 분석하며, adenosine 주입이 감별진단에 도움이 되는데, 심실빈맥이 맞았다면 adenosine 주입에도 전혀 심전도 변화가 나타나지 않음

1) 돌연심장사의 이차예방

(1) 급성기가 지나면, 심실빈맥으로 인한 돌연심장사 예방에 초점을 맞춰야 함

(2) 심실빈맥으로 인한 돌연심장사 가능성에 가장 중요한 요인은 구조적 심질환에 의한 심실빈맥인지를 확인하는 것임-심장초음파와 함께 관상동맥 질환 유무 확인

(3) 구조적 심질환에 의한 심실빈맥 , polymorphic 심실빈맥 혹은 심실세동이라면 돌연심장사 예방을 위해 삽입형 제세동기가 필요

2) 돌연심장사의 일차예방

확인된 심실빈맥이나 돌연심장사가 없었던 경우라도, 고위험군에서는 돌연심장사 예방을 위해 삽입형 제세동기를 시술할 수 있음

(1) 심부전: 심부전환자에서 심실빈맥이나 심실세동으로 인한 돌연심장사의 가장 강력한 예측인자는 좌심실구혈률임. 일반적으로 좌심실 구혈률이 30% 이하이면서, 적절한 약물치료에도 불구하고 NYHA class II 이상의 증상이 있으면, 삽입형 제세동기 시술 고려 대상이 됨

(2) 비후성심근증: 비후성심근증은 젊은 층 특히 운동선수에서 발생하는 돌연심장사의 가장 흔한 원인임. 일반 인구 500명당 1명 꼴로 아주 드물지 않은 유전성질환. 아래 5가지가 주된 위험인자이며, 삽입형제세동기 삽입을 고려하게 됨

위험인자 - 실신 ; 돌연심장사 가족력 ; septal thickness 〉 30m ; 비지속성 심실빈맥(Holter) ; 운동부하검사 중 혈압상승이 20 mmHg 이내

(3) Long QT 증후군: 일반적으로 베타차단제투약에도 불구하고 재발하는 실신이 있는 경우, 돌연심장 사고위험군으로 판단

(4) 브루가다증후군: V1 및 V2에서 특징적인 심전도모양[coved type이면서 2 mm 이상의 ST 상승을 보이며, flecainide 정주로 유발검사를 시행할 수 있음. 실신이 발생한 적이 있었다면, 돌연심장사의 고위험군임

3) Torsades de pointes

(1) 약물, 저칼륨혈증 등에 의한 QT가 연장된 상태에서 발생

(2) QRS 파가 oscillation 양상의 polymorphic 심실빈맥이 발생

(3) 치료

① 저칼륨혈증의 교정과 유발 약물 중단이 가장 중요하며, 혈중 마그네슘 농도에 상관없이 마그네슘을 하루 4-10 g씩 정주

② 마그네슘에 효과가 없을 경우, 임시 심박동기를 시술하고 overdrive pacing을 시행하거나 isoproterenol을 사용

V. 실신(Syncope) 환자의 접근

1. 실신의 정의

1) 뇌혈류량의 일시적인 감소에 따른 일시적인 의식소실(loss of consciousness)
2) 돌연심장사와의 차이점은 자발적으로 회복됨
3) 임상적으로 어지럼증 또는 실신이 갖는 의미는 일부 환자에서는 돌연심장사를 유발하는 치명적인 질환을 가지고 있을 가능성이 있다는 점
4) 진단적 접근과정에서 가장 중요한 것은 돌연심장사의 고위험군에 속하지 않는지를 확인

2. 분류

- 일시적인 의식소실은 개념적으로 다음과 같이 분류될 수 있음
- 실신과 발작(seizure)을 구분하는 것이 중요한데, 어떠한 검사보다도 중요한 것이 정확한 병력 청취

1) Neurally mediated syncope

(1) Vasovagal: fear, pain…
(2) Carotid sinus hypersensitivity
(3) Situational: micturition, cough, sneeze, GI stimulation, exercise, diet…

2) Orthostatic hypotension

primary, secondary (DM, amyloidosis, uremia, spinal cord injury), drug, volume depletion

3) Cardiac syncope

(1) Bradycardia, tachycardia (VT or VF), valvular heart disease, AMI, HCMP, PTE 등
(2) 신경매개성 실신(neurally mediated syncope)과 심장성 실신(cardiac syncope)을 구분하는 것 역시 병력청취가 중요함

3. 치료

1) 심장성 실신의 경우 원인에 따른 치료를 해야 함
2) 신경매개성실신이나 기립성 저혈압의 경우, 생활요법 교육이 치료의 근간임
3) 유발인자(기립, 혼잡지역, 탈수)를 피하는 것이 최선이며, 전구증상을 기억해서 isometric physical counterpressure maneuver (다리 꼬기, 양손 쥐기, 팔당기기 등)으로 뇌로 가는 혈류량을 증가시켜 실신을 억제함: 여러 약물요법, 박동기 시술 등이 연구되었지만, 효과가 입증된 것은 없음

Ⅰ. 말초동맥폐쇄질환 (Peripheral artery occlusive disease)

1. 임상양상

1) 간헐적 파행(intermittent claudication): 운동 시에 발생하는 조이거나 당기는 통증

2) 중증 하지 허혈(critical limb ischemia): 안정 시에도 통증이 있거나 청색증을 보일 수 있으며, 하지의 궤양(ulceration), 괴저(gangrene)와 같은 조직 손실이 나타남

3) 급성 하지 허혈 (acute limb ischemia): 안정 시 통증(pain), 창백함(pallor), 감각이상(paresthesia), 맥박 소실(pulselessness), 마비(paralysis) 증상. 혈전이나 색전이 주 원인이며 하지 절단의 위험이 있는 응급질환으로 조기 재관류가 필요한 질환

2. 진단

1) Ankle-brachial index (ABI): 말초동맥질환의 스크리닝 및 진단

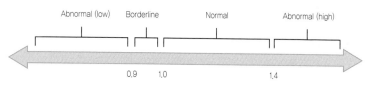

그림 1-9-1 ABI의 해석

2) Duplex ultrasound: first-line imaging method

3) CT angiography: 중재 시술 전 병변 평가 위해 필요

4) MR angiography

5) Invasive angiography (Digital subtraction angiography)

표 1-9-1 말초혈관질환의 임상증상에 따른 분류

Fontaine classification			Rutherford classification		
Stage		Symptoms	Grade	Category	Symptoms
I		Asymptomatic	0	0	Asymptomatic
II	II a	Non–disabling intermittent claudication	I	1	Mild claudication
			I	2	Moderate claudication
	II b	Disabling intermittent claudication	I	3	Severe claudication
III		Ischemic rest pain	II	4	Ischemic rest pain
IV		Ulceration or gangrene	III	5	Minor tissue loss
			III	6	Major tissue loss

3. 치료

1) 생활습관 교정 및 위험인자 개선

건강식이, 운동 등의 생활습관 교정이 필요하며, 상당수의 환자가 심혈관질환의 위험인자를 가지고 있어 관리가 필요

2) 금연

3) Lipid–lowering drugs: statin

4) 항혈전제: 관상동맥 질환으로 1년 이내의 경우에는 관상동맥 질환의 항혈전제 치료 방침을 따르고, 그 외의 경우에는 아래 그림을 따름

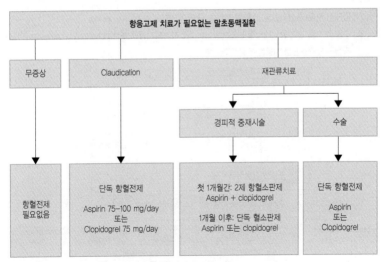

그림 1-9-2 항혈전제 치료

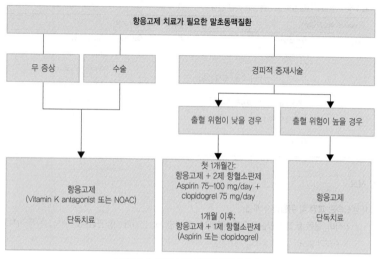

그림 1-9-3 항응고제가 필요한 항혈전제 치료

5) 혈압 조절

6) 혈당 조절

7) 재관류 치료

(1) 중재적 시술: 풍선확장술, 스텐트 삽입술, 죽종제거술(atherectomy device)

(2) 수술적 치료: 혈전동맥내막절제술(arterectomy), 자가복재정맥 또는 polytetrafluoroethylene (PTEF) 재질의 인공혈관을 이용한 우회로 이식술

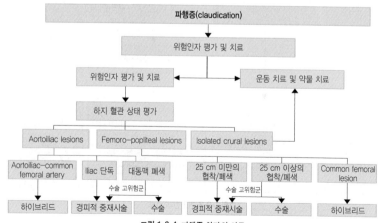

그림 1-9-4 파행증 환자의 치료

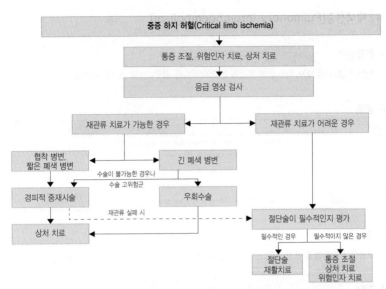

그림 1-9-5 중증 하지 허혈 환자의 치료

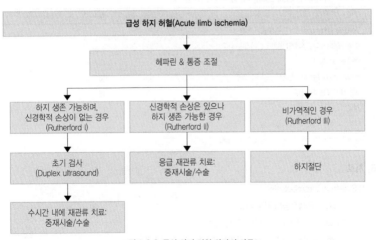

그림 1-9-6 급성 하지 허혈 환자의 치료

Ⅱ. 폐색전증(Pulmonary thromboembolism)

1. 위험인자

외상, 수술, 거동 불가, 악성 종양, 유전적 응고이상, 임신, 경구피임약, 호르몬 요법 등

2. 분류

분류	양상
Massive	수축기 혈압 <90 mmHg 또는 Extensive thrombus를 동반한 multisystem organ failure 또는 우측이나 좌측 main pulmonary artery thrombus
Submassive, high risk	혈역학적으로 안정적이나 moderate~severe RV dysfunction
Submassive, low risk	혈역학적으로 안정적이며 mild RV dysfunction
Small to moderate	혈역학적으로 안정적이며 RV 크기나 기능 정상

3. 증상

호흡곤란, 늑막성 흉통, 빈호흡, 빈맥, 청색증, 객혈, 쇼크

4. 진단

D-dimer (특이도가 낮음), 심초음파, 흉부 CT, Lung scan

기준	점수
Deep vein thrombosis (DVT) 증상 또는 징후	3
폐색전증 외에 다른 의심할 만한 진단이 없는 경우	3
맥박수 100 회/분	1.5
Immobilization 또는 폐색전증	1.5
과거 DVT 또는 폐색전증	1.5
객혈	1
6개월 이내에 치료받은 적이 있는 암	1

*4점 초과: high probability, 4점 이하는 가능성이 높지 않음

5. 치료

1) Systemic thrombolysis

- Massive 폐색전증의 경우 시도
- Alteplase 100 mg을 2시간에 걸쳐 정주
- Urokinase 4,400 IU/Kg/hr의 용량으로 12~24시간을 정주
- Heparin을 동시 투여해야 우심실 기능 회복이 빠르고 재발도 적음

(1) contraindication

① 뇌출혈 기왕력

② 최근 발생한 stroke

③ 조절되지 않는 고혈압(SBP >180 mmHg, DBP >110 mmHg)

④ aortic dissection이 의심되는 경우

⑤ active internal bleeding (excluding menses)

2) 비경구적 항응고제

(1) Unfractionated heparin

① 80 units/Kg를 IV bolus 정주 → 18 units/Kg/hr 용량으로 정맥 정주

② aPTT를 1.5~2.5배를 목표: 치료적 범위는 일반적으로 60~80초

(2) Low-molecular-weight heparin: 임신 시, 간질환이나 응고장애, 암 환자에 적용

① Enoxaparin 1 mg/Kg twice daily

② Dalteparin 200 units/kg once daily

3) 경구용 항응고제

(1) Warfarin:

① NOAC을 사용하지 못하는 경우

② 신장질환으로 creatinine clearance <30 mL/min인 경우

③ 약제에 대한 compliance가 떨어지거나 역전제가 필요한 경우에 사용

④ 목표 농도까지 5-7일 정도 소요되므로 heparin을 5일간 overlap

　→ 보통 5 mg/day으로 시작하고 INR을 확인하며 용량 조절

(2) Novel anticoagulant (NOAC): 대부분의 경우에 warfarin에 비해 first-choice로 사용.

약품명	Perenteral bridging	초기 용량	유지용량
Rivaroxaban	필요없음	첫 3주간 15 mg 1일 2회	20 mg 1일 1회
Apixaban	필요없음	첫 7일간 10 mg 1일 2회	5 mg 1일 2회
Dabigatran	5일간	150 mg 1일 2회	
Edoxaban	5일간	체중 ≤60 Kg: 1일 1회 30 mg 체중 >60 Kg: 1일 1회 60 mg Creatinine clearance 15~50 mL/min: 1일 1회 30 mg	

(3) 사용 기간

최소3(-6)개월간 사용 후에 risk-benefit을 재평가하여 더 오랜 기간 사용할지를 결정. 수술과 같이 provoked 폐색전증의 경우에는 3-6개월 항응고 치료 후에 중단 가능하지만, 암이 원인인 경우에는 장기간 항응고제 치료가 필요. Unprovoked 폐색전증의 경우 6개월간 NOAC 사용 후 warfarin으로 변경하여 출혈 위험이 낮은 환자를 INR 목표 2.0~3.0으로 하여 유지하고, 출혈 위험이 있는 경우 INR 목표 1.5~2.0으로 낮출 수 있음. 또한, 장기간의 항응고제 치료가 필요하지만 항응고제 치료를 더이상 할 수 없는 경우에는 aspirin으로 변경하여 장기간 지속할 수 있음

4) 카테터를 이용한 경피적 혈전 제거술 또는 혈전용해술: 뇌출혈과 같이 전신 혈전용해제 치료가 불가능한 경우, 혈전용해술의 경우 전신 혈전용해술 때에 비해 적은 tPA 24 mg 이하로 주입

5) 수술적 혈전 제거술: 뇌출혈과 같이 전신 혈전용해제 치료가 불가능한 경우나 전신 혈전용해제 치료에 반응하지 않는 경우

6) **하대정맥 필터:** active bleeding과 같은 항응고제 치료에 금기사항이 있거나 반복적으로 폐색전증이 발생한 경우

Ⅰ. 수술 전 심장평가

수술과정에서 발생하는 심장사건위험도를 예측하고 가능한 처치를 통하여 예방하는 것이 목적

1. 수술 전 심장평가의 일반적인 원칙

> 심장사건위험 = 환자요인(저위험/중간위험/고위험/매우고위험) + 수술요인(저위험/중간위험/고위험)

1) 환자요인: 주요심장병(active cardiac condition) 여부, 기능상태(≈exercise tolerance) 평가가 핵심
2) 수술 과정에서 전문 심장검사/치료의 범위와 선택은 이득-위험비를 고려하여 결정

2. 수술 전 평가에 필요한 항목

1) 병력

　(1) 주요질환 과거력(및 중증도), 모든 약물 투약내역, 출혈병력(특히 뇌출혈, 위장관출혈)

　(2) 흉통, 호흡곤란의 정도: 주요심장병 가능성과 안정된 상태(compensated) 여부 추정

　(3) 기능상태, 쇠약한 정도(영양상태 포함): 전반적인 건강도는 수술 전후 합병증과 관련됨

2) 검사정보(표 1-10-1): 기본검사는 모든 환자에서 확인, 이외에는 필요에 따름

　→ 1), 2)를 종합하여 저/중간/고/매우 고위험군 환자로 분류

표 1-10-1　수술 전 심장위험 평가에 필요한 검사*

기본 검사	흉부X선, ECG, 기본 lab (CBC, BUN/Cr, electrolytes, liver function test, aPTT, INR)
폐 관련	SaO₂, ABGA, spirometry, lung CT
심장 관련	proBNP, troponin, echocardiography, thallium SPECT, coronary imaging
기타	Thyroid function, cancer stage, 영양실조 정도, 간경화 중증도 등

*임상적으로 큰 변화 없다면 4주 이내의 검사 자료 사용 가능

3. 심장위험에 따른 수술 결정과정

> **** 일반적인 원칙**
> – 응급 수술이 필수적이라면 → 수술 진행
> – 고위험수술, 고위험환자 → 심장병 치료 먼저, 수술 전 베타차단제 투여 고려
> – 저위험수술, 저위험환자 → 수술 진행
> – 중간이상 위험 수술로서 환자의 활동능력 및 심장상태 평가가 어려운 경우
> 　→ 심장내과 협진(부하검사 등 전문심장검사 필요성 및 방법 결정)

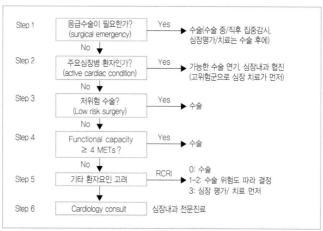

그림 1-10-1 비심장수술 결정 흐름도

1) Step 1: 수술 필요성 확인

꼭 필요한 응급 수술이라면 수술 진행이 우선 → 수술 전후 집중 감시하고, 심혈관병 진단과 치료는 수술 후 가능한 시기로 미룸

2) Step 2: 주요심장병(active cardiac condition)에 해당하는지 확인

현재 주요심장병(표 1-10-2) 상태라면 수술 과정에서 심장사건발생 및 사망위험이 높음 → 가능하다면 수술을 연기하고 심장병 진단과 치료가 우선. 따라서 반드시 정확하게 확인해야 함

표 1-10-2 주요심장병(active cardiac conditions)

급성관상동맥증후군	Unstable or severe angina (CCS III, IV), recent MI (30일 이내)
심부전(decompensated)	심부전 증상이 심하거나(NYHA IV), 최근 새로 생겼거나 악화된 경우
중증부정맥	고도방실차단(Mobitz II, 3도 차단) 빈맥/서맥에 의한 증상이 있는 경우 심실상성빈맥(심방세동 포함)으로서 심박수 >100회/분 새롭게 발생한 심실빈맥
심장판막증 중 일부	Severe AS (mean PG >40 mmHg, AVA <1.0 cm², symptomatic) Severe MS (운동 시 호흡곤란, 실신, 심부전 증상 동반)

AF, atrial fibrillation; AS, aortic stenosis; AVA, aortic valve area; CCS, Canadian Cardiovascular Society; MI, myocardial infarction; MS, mitral stenosis; PG, pressure gradient

3) Step 3: 수술 자체의 위험도 추정(표 1-10-3)

수술 과정에서 가해지는 혈역학적 스트레스 정도(혈압/맥박 변동, 체액량 변동/출혈량)에 따라 저위험/중간위험/고위험 수술로 분류

표 1-10-3 수술 종류에 따른 심장사건발생 위험 정도

고위험(high risk) 수술[1] (risk >5%)[2]	Aortic surgery, major arterial vascular intervention
	Amputation of the lower extremities, urgent thromboembolectomy
	Duodenopancreatectomy, liver and bile duct surgery, esophagectomy
	Surgery for intestinal perforation
	Adrenal gland removal, cystectomy (total)
	Pneumonectomy
	Lung transplantation, liver transplantation (urgent)
Moderate (risk 1–5%)	Intraperitoneal interventions
	Carotid surgery, endovascular aortic surgery
	Head and neck surgery
	Major neurosurgical, urologic, gynecologic, orthopedic interventions
	Kidney transplantation
	Minor intrathoracic procedure
Low (risk <1%)	Superficial interventions
	Dental surgery, thyroid gland surgery, eye surgery
	Plastic reconstructive interventions, breast surgery
	Minor urologic (TURP), gynecologic, orthopedic surgery

[1] major vascular surgery, emergent major surgery, prolonged procedure with large fluid shift or blood loss; [2] combined cardiac risk (cardiac death, nonfatal MI)

같은 정도의 심장병이 있는 환자라도 수술 전 약물 치료, 수술 방법, 수술 과정에서 발생하는 혈역학적 스트레스와 및 신경호르몬계 활성도에 따라 심혈관사건의 발생과 범위가 달라질 수 있음

4) Step 4: 기능상태(functional capacity ≈ exercise tolerance) 평가

표 1-10-4

MET	Activity
1	자기 위생(혼자 먹기/ 옷 입기/ 세면/ 용변/ 걷기)
4	일상 생활(설거지, 먼지털기, 계단 오르기, 가까운 거리 걷기)
4–10	걸레질, 가구 옮기기, 가벼운 운동 (댄스, 골프, 볼링 등)
10	격렬한 운동 (수영, 테니스, 축구, 스키 등)

표 1-10-5

Adequate functional capacity[1]	≥4 MET (>100 W)	Independent
Poor functional capacity	<4 MET (<100 W)	Partially or completely dependent

[1] 4 MET 이상이라면 close monitoring 하면서 대부분의 수술을 진행할 수 있음

5) Step 5: 종합적인 판단, 위험도 추정

여러 clinical risk factors를 고려하여 임상적인 판단을 요약하는 방법으로 Revised Cardiac Risk Index (RCRI, 표 1-10-6), MICA (Gupta myocardial infarction or cardiac arrest) calculator, the American College of Surgeons NSQIP risk model (http://www.surgicalriskcalculator.com) 등이 있음. 어느 방법을 사용하든 임상적인 정보를 정확하고 빠짐없이 취합하여, 환자의 실질적인 운동능력을 추정하고, 위험도를 다른 의료진과 공유하는 것이 중요함

표 1-10-6 Revised Cardiac Risk Index (RCRI, Lee criteria)

Heart failure	1
Coronary artery disease	1
Cerebrovascular insufficiency (stroke, TIA)	1
Diabetes mellitus (insulin–dependent)	1
Renal failure (serum creatinine >2.0 mg/dL)	1
Major vascular, intrathoracic, abdomen surgery	1

Total points: _____

Risk of major cardiac event

Points	Risk (%)
0	Low risk (0.4)
1	Intermediate risk (0.9)
2	Intermediate risk (6.6)
≥3	High risk (≥11)

- RCRI에 포함되지 않더라도 주요 장기 질환이 있으면 심장사건 위험도가 높음

폐	SaO_2 ≤95%, FEV1 <50%, $DLCO_2$ <50%
간	간경변, 정맥류 출혈, INR 증가
소화기	영양불량, serum albumin <3.0 mg/dL
갑상선	TSH 상승 또는 저하
악성종양	active cancer

- 평가 의견을 특별한 형식 없이 간략하게 제시할 수도 있음

  → low risk (통상의 관리에 준함), intermediate risk (주의 요함), high risk (특별한 주의를 요함)

II. 심혈관질환 환자의 수술 전후 관리

1. 모니터링

1) 수술 전 최적 체액 상태(부종 없으면서, end organ perfusion 적절한 정도), normal SaO_2 상태에 도달하도록 노력해야 함

2) 수술 중 혈압, 맥박, 체액량에 큰 변동이 없도록 노력해야 함

3) 수술 후 1-2일 동안(전신상태와 수술 부위가 안정될 때까지) 심부전 및 심근허혈 징후 감시(허혈성 흉통/호흡곤란 여부, 혈압, 맥박, SaO_2, 가슴X선에서 폐부종 여부, 수술 전과 비교하여 ECG 변했는지 여부, troponin T)

4) Deep vein thrombosis 예방 조치(필요에 따라)

2. 심혈관 약 복용의 일반적인 원칙

1) 기존에 심혈관 약을 복용하던 환자에서 특별한 이유가 없는 한 투약을 유지. 단, 혈압/맥박/체액량 등 상태에 따라 수술 중 저혈압을 피하기 위해 용량을 조절할 수 있음

2) 수술 전 베타차단제 적극적으로 고려하는 경우

   (1) 기존에 베타차단제 복용자(먹던 약 갑자기 끊으면 안됨)

   (2) 치료 목적의 베타차단제 적응증(협심증, 고혈압, 부정맥)

   (3) 고위험군 환자로서 non-invasive test 양성 소견

   (4) 고위험 수술

   → 가능한 일찍 시작하여 효과와 내약성을 평가할수록 유리함

3) 항혈전약 복용 중인 환자에서 약제중단 여부와 기간은 이득-위험비에 따라 결정

표 1-10-7 시술/수술의 출혈 위험도

Bleeding risk	시술
Minor	치과, 백내장/녹내장, 피부 시술, 조직검사 없는 내시경
Low-intermediate	내시경 조직검사, 전립선 조직검사, pacemaker/ICD 시술, 전기생리학검사, (심장 제외)혈관조영술[1]
High	대장내시경 용종절제, ERCP sphincterotomy, 간/콩팥 조직검사, 두개내 수술, 척추/경막외마취, 요추천자 검사, 안구내 수술, 경요도 전립선절제, ESWL 흉부외과/외과/혈관외과/정형외과 주요수술, 이외 표 1-10-3 high risk

3. 관동맥중재술 환자에서 수술 전 항혈소판제 치료 결정

* 꼭 필요한 수술인가?

* 이중 항혈소판제요법에 의한 수술 부위 출혈/합병증 vs. 이중 항혈소판제요법 중단에 의한 MI (stent thrombosis) 중 어느 쪽이 더 위험할지 가능성 따라 결정

1) 관동맥중재술 후에는 시술 부위의 혈관내피가 손상된 상태여서 급성 혈전성 폐쇄(stent thrombosis, 사망률 높음) 및 재협착이 발생할 가능성이 높음. 따라서 시술 부위가 완전히 회복(re-endothelialization) 될 때까지 6-12개월간 aspirin/P2Y12 억제제를 동시에 복용하는 강력한 이중 항혈소판제요법 (dual antiplatelet therapy, DAPT)이 필수적임. DAPT의 최소 유지 기간은 환자 상태, 병변 상태, 중재술 방법에 따라 다르므로 각 환자마다 달라질 수 있음(심장내과 협진)

2) 스텐트혈전증 고위험군(심장내과 협진 필요)

   (1) 스텐트 시술 후 1개월 미만(매우 고위험): DAPT 중단 불가 → 최소 1개월 이상 수술을 미루는 것이 원칙

   (2) DAPT 중단이 필요한 수술은 되도록 스텐트 시술 후 6개월 이후에 시행

   (3) 스텐트혈전증 과거력, 복잡 병변(스텐트 3개 이상, bifurcation 병변 등): DAPT >6-12개월

3) 이외 환자에서 항혈소판제 중지/유지 결정의 일반적인 원칙

		수술 관련 출혈 위험성		
		High[1]	Low-Intermediate[2]	Minor[3]
스텐트혈전증 위험성	High	중단 Bridging IV 치료	가능한 1개 유지* 상황에 따라 Bridging IV 치료	유지
	Intermediate	중단	가능한 1개 유지	유지
	Low	중단	중단	중단/1개 유지

[1] 표 1-10-7

[2] 원칙적으로 아스피린은 유지하고, P2Y12는 수술 전(clopidogrel/ticagrelor 5일, prasugrel 7일) 일시적으로 중지했다가 수술 후 가능한 빨리((48시간) 재시작(그림 1-10-2)

[3] 출혈위험이 낮은(minor-low) 시술은 DAPT를 최대한 유지한 채 시행하고 시술 중 지혈을 충실히 하는 것이 원칙

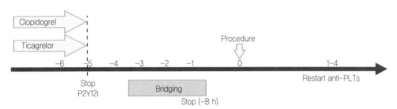

그림 1-10-2 항혈소판제 복용 중인 환자에서 수술 전 일시 중지 및 재시작

4. 인공판막 환자에서 수술 전 항응고제 치료 결정

> * 꼭 필요한 수술인가?
> * 항응고제에 의한 수술 부위 출혈/합병증 vs. 중단에 의한 valve thrombosis 중 어느 쪽이 더 위험한가에 대한 가능성 따라 결정

1) 인공판막대치술을 받은 환자 중, 기계판막 환자 모두와 조직판막(TAVR 포함) 환자중 일부(심방세동, valve thrombosis 등)는 인공판막과 좌심방에 혈전발생 가능성이 높아 와파린(VKA) 등 항응고제 복용 필수

2) 인공판막 환자에서 수술 전 항응고제 일시 중지의 일반적인 원칙

(1) minor procedure, 압박 지혈이 가능한 시술(발치, 백내장, 피부과 시술) → 항응고제 유지하고 시행

(2) 이외에는 통상 2-4일간 항응고제 일시 중지(INR <1.5에서 시술)

(3) 항혈소판제 동시 투여 중이라면 항혈소판제 미리 중지(아스피린 7일 전, clopidogrel 5일 전)

(4) 혈전색전증 고위험군 해당시 → 와파린 중단 기간에 헤파린 bridging therapy (UFH, LMWH) LMWH (1 mg/kg, bid) 사용시 수술 36시간 전에 UFH로 바꾸고 수술 6시간 전에 중지

(5) 수술 후 24시간 후 항응고제 투약 재개(이전 VKA 용량으로 재시작)

3) 혈전색전증 고위험군

(1) Mechanical MV

(2) Mechanical TV

(3) Mechanical AV with thromboembolic risk factors*: AF, 혈전색전증 과거력, hypercoagulable condition, LVEF <30%, 인공판막 2개 이상, old-generation valve

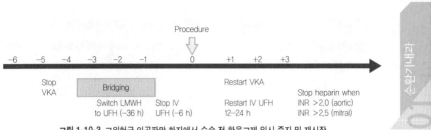

그림 1-10-3 고위험군 인공판막 환자에서 수술 전 항응고제 일시 중지 및 재시작

5. NOAC (non-vitamin K oral anticoagulant) 복용자

1) 고려할 점: 시술의 출혈 위험성(표 10-7), 환자의 혈전색전증 가능성, 신기능(CrCl 또는 eGFR)

2) 일반적인 원칙

(1) NOAC 투여/중단의 일반적인 원칙은 다른 항혈전제와 유사

(2) NOAC에서 bridging 치료는 불필요

3) 시술 전 중단 기간

(1) 간단한 시술이거나 지혈이 쉬운 처치라면 마지막 복용 후 12-24시간에도 가능

(2) 통상 출혈 위험이 낮은 시술/수술은 NOAC 마지막 복용 후 24시간 후 시술/수술

(3) 출혈 위험이 높으면 48시간 후 시술/수술

(4) Dabigatran은 신기능 저하 환자에서 다른 NOAC 보다 시술 전 중단 기간이 긺

4) 시술/수술 후 투약 재개

출혈 위험이 낮다면 시술 24시간 후, 출혈 위험이 높다면 48-72시간 후에 이전 용량으로 복용 재개
(NOAC에서 bridging 치료는 불필요)

표 1-10-8 수술 관련 출혈 위험(표 1-10-7 참조)

		Dabigatran		Apixaban/Rivaroxaban/Edoxaban	
		High[1]	Minor[3]	High[1]	Minor[3]
eGFR	>60	≥48 h	≥24 h	≥48 h	≥24 h
	<60	≥72 h	≥36 h	≥48 h	≥24 h
	<30	≥96 h	≥48 h	≥48 h	≥36 h

[1] High/minor risk: 표 1-10-7 참조. Low-intermediate 시술은 상황에 따라 어느 쪽을 따를지 결정
복잡한 부정맥시술(AF, VT)은 각 환자마다 결정. 이 범위를 벗어나면 심장내과 협진

6. 인공심장박동기, 삽입형 제세동기(ICD) 환자의 수술 전후 관리

1) 심장내 장치는 정밀한 프로그램에 따라 작동하는 전자 장치로서 수술 중 전자파 간섭에 노출되면 기기의 손상 및 오작동이 발생할 수 있으므로 주의가 필요함

→ 수술 전 심박동기 모드 변경(VOO, DOO), ICD 프로그램 조절(tachycardia therapy off)이 필요할 수 있으므로 수술 전 심장내과 협진

2) 수술 중 전기소작기(electrocautery)와 patch 사이에 pacemaker가 들어가지 않게 해야 함

3) 경피적 제세동이 필요한 경우에는 패드를 가능하면 전-후(antero-posterior)로 부착하고 기기(배터리)
에서 15 cm 이상 떨어진 위치에서 사용

2

호흡기내과

Handbook of Internal Medicine

I. 호흡기 질환의 증상 및 징후

1. 기침(Cough)

1) 임상적 의의

기도 내로 흡입된 이물질이나 과도한 기도 분비물(객담)을 제거하기 위한 중요한 생리적 방어기전. 비흡연자에서 하루 10회 이상의 빈도로 지속될 경우 비정상적인 것으로 간주

2) 원인별 성상 : 표 2-1-1

3) 지속기간에 따른 감별 : 표 2-1-2

4) 만성기침의 진단적 접근

세밀한 문진(약제 복용력, 흡연력, 알레르기 병력 등), 흉부엑스선 혹은 CT 사진, 부비동엑스선 혹은 CT 사진, 기타 이비인후과검사, 폐기능검사, 알레르기검사, 유도객담(induced sputum), 호산구검사, 위식도역류검사(위내시경, 식도압 측정, 24시간 하부식도pH 감시) - VIII. 만성 기침 참조

표 2-1-1 기침의 성상에 따른 감별진단

기침의 성상	감별진단
잦은 마른기침(dry, hacking)	바이러스 감염, 간질성 폐질환, 종양, 알레르기, 불안
객담을 동반한 만성기침(chronic, productive)	기관지확장증, 만성기관지염, 농양, 세균성폐렴, 결핵
천명(wheezing)을 동반한 기침	기관지연축, 천식, 알레르기, 울혈심부전증
개가 짖는 듯한(barking) 기침	성문질환(예 : 크룹)
협착음(stridor)을 동반한 기침	기관폐쇄
아침(morning) 기침	흡연
야간(nocturnal) 기침	후비루, 울혈심부전증
음식물 섭취 혹은 물 마실 때 나는 기침	상부식도의 신경근육 질환
불충분한 기침	무기력, 허약

표 2-1-2 기침 지속기간에 따른 분류 및 감별진단

기침 지속기간에 따른 분류	감별진단
급성기침(3주 미만)	감기, 알레르기비염, 급성 세균성 부비동염, COPD의 급성악화, Bordetella pertussis 감염, 폐렴, 폐색전증, 울혈성심부전
아급성기침(3주 이상, 8주 미만)	감염 후 기침, B. pertussis 감염, 아급성 세균성 부비동염, 천식, Mycoplasma 혹은 Chlamydia 감염
만성기침(8주 이상)	후비루증후군, 천식, 위식도역류, 만성기관지염, 안지오텐신전환효소 억제제, 호산구성 기관지염, COPD, 폐암

2. 객담(Sputum)

1) 임상적 의의

(1) 정상적인 기도 분비물

(2) 하루 75-100 ml 정도 생성

(3) 점액 섬모운동과 기침을 통해 배출

(4) 배출 횟수나 배출량이 증가하거나 특징적인 성상을 보일 경우 의미를 지님

2) 타액과의 감별

대체적으로 거품이 거의 없고 현미경검사 상 저배율 시야에서 편평상피세포가 10개 이하이고 호중구가 25개 이상 관찰되면 객담으로 간주

3) 객담검사

미생물학적검사(결핵균, 세균, 진균 등에 대한 도말 및 배양검사)와 세포검사(악성세포 세포진 검사, 호산구검사) 등이 시행되며, 기관지천식 환자의 객담에서는 현미경 시야에서 호산구 증가, bronchial cast, Curschman's spiral, Charcot-Leyden crystal 등이 관찰됨

표 2-1-3 객담의 성상에 따른 감별진단

객담의 특징	감별진단
점액성(mucoid)	천식, 종양, 결핵, 폐기종, 폐렴
점액화농성(mucopurulent)	천식, 종양, 결핵, 폐기종, 폐렴
황록색 화농성(yellow-green, purulent)	기관지확장증, 만성기관지염
녹 빛깔 화농성(rust-colored, purulent)	폐렴구균(Pneumococcus)폐렴
붉은 건포도 젤리(red currant jelly)	폐렴간균(Klebsiella)폐렴
악취(foul odor)	폐농양
분홍색, 혈액-색조(pink, blood-tinged)	연쇄구균 혹은 포도알균폐렴
자갈 혹은 모래 같은(gravel)	기관지결석(broncholithiasis)
분홍색, 거품(pink, frothy)	폐부종
양이 많고 무색(profuse, colorless, 일명 bronchorrhea)	기관지폐포세포암(bronchoalveolar cell carcinoma)
혈액성(bloody)	폐색전증, 기관지확장증, 폐농양, 결핵, 종양, 심장질환, 출혈질환

3. 객혈(Hemoptysis): 제7절 대량객혈 참조

4. 호흡곤란(Dyspnea)

1) 임상적의의

(1) 환자가 숨쉬기 불편하다는 주관적인 느낌

(2) 숨을 가쁘게 쉬는 빈호흡(tachypnea)이나 깊고 빠르게 쉬는 과호흡(hyperpnea)과 구별

2) 호흡곤란의 정도(scale) 및 질환별 차이

표 2-1-4, 표 2-1-5, 표 2-1-6

표 2-1-4 호흡곤란 스케일(American Thoracic Society)

0	정상	힘든 운동 외에는 호흡곤란을 느끼지 않음
1	경도	경사진 길을 걸어 올라가거나 평지에서 빨리 걸을 때만 숨이 찬 경우
2	중등도	숨이 차서 동년배보다 늦게 걷거나 혼자서 걷더라도 중간에 멈추고 숨을 쉬어야 할 경우
3	중증	100 m 정도를 걷거나 평지에서 수분정도만 걸어도 숨이 찬 경우
4	최중증	옷을 입거나 벗을 때 숨이 찬 경우

표 2-1-5 질환에 따른 호흡곤란 기술의 차이점

	혈관질환	신경근육질환, 흉벽질환	울혈심부전증	폐실질질환	천식	폐쇄성질환
빠른 호흡	●		●			
호기장애					●	
얕은 호흡		●				
호흡이 힘듦	●			●	●	●
질식의 느낌			●			
공기부족			●			
가슴이 답답함					●	●

표 2-1-6 호흡곤란과 관련된 흔한 원인 및 동반 임상소견

원인	호흡곤란의 성상	동반 임상소견
천식	간헐적인 호흡곤란 발작 사이에는 무증상	천명, 흉통, 가래기침
폐렴	서서히 시작되는 호흡곤란 운동 시 호흡곤란	기침 가래기침, 흉막성 흉통
폐부종	갑작스러운 호흡곤란	빠른 호흡, 기침, 좌위호흡, 만성적인 발작성 야간 호흡곤란
폐섬유증	점차 심해지는 호흡곤란	빠른 호흡, 마른기침
기흉	갑작스러운 호흡곤란, 중등도 내지 중증	갑작스러운 흉막성 흉통
폐기종	서서히 시작되는 호흡곤란, 심함	병이 진행하면서 기침 동반
만성기관지염	병이 진행하거나 감염 시에 호흡곤란	만성적인 가래기침
비만	운동성 호흡곤란	

3) 급성 호흡곤란

과거에 정상이었던 환자에서 수 시간 이내에 갑자기 발생되는 호흡곤란(표 2-1-7)

4) 만성 호흡곤란

서서히 진행하여 3주 이상 지속되는 호흡곤란(표 2-1-8)

5) 체위 호흡곤란

체위에 따라 심해지는 호흡곤란(표 2-1-9)

6) 단계별 진단법: 표 2-1-10

호흡기내과

02

표 2-1-7 급성 호흡곤란의 원인

원인	동반	임상소견
기도폐쇄	후두경련	협착음, 쇼크, 알레르기반응력
	이물흡입	질식의 병력
	기도경축	기도질환의 병력, 천명음, 천식
과호흡증후군		최근의 정서적 긴장, 신경증적 성격
흉부외상	늑골골절	흉부 촉진상 동통
	기흉	일측성 과공명, 호흡음 감소
폐렴		발열, 농성 객담
폐부종	심인성	거품성 객담, 청색증, 수포음
	비심인성	거품성 객담, 청색증, 수포음
	폐색전증	흉막성 흉통, 발병소인
	폐출혈	객혈
	자발성기흉	일측성 과공명, 호흡음 감소

표 2-1-8 만성 호흡곤란의 원인

호흡기질환	
기도질환	기관지천식, COPD, 낭종섬유증, 상기도폐쇄
폐실질질환	간질성 폐질환, 악성종양(원발성 또는 전이성), 폐렴
폐혈관질환	동정맥이상, 폐정맥고혈압, 색전증, 혈관염, 혈관폐쇄성질환
흉막질환	흉막삼출, 섬유증, 악성종양
흉벽질환	기형, 비만증, 복수, 임신
호흡근질환 또는 기능장애	신경근육질환, 영양실조, 갑상선질환
심혈관질환	폐정맥압 상승, 심박출감소, 우-좌 단락
빈혈	
탈조건부(deconditioning)	

표 2-1-9 체위 호흡곤란

호흡곤란 종류	호흡곤란이 심해지는 자세	원인질환
좌위호흡(orthopnea)	누운 자세	울혈심부전증, 승모판막질환, 드물게 증증 천식, COPD, 신경질환에서도 발생
편평호흡(platypnea)	앉은 자세	폐절제술 후, COPD, 신경질환, 간경화(폐내단락), 혈량저하증(hypovolemia)
측위호흡(trepopnea)	옆으로 누운 자세	울혈심부전증, 한쪽 폐의 심한 이상

표 2-1-10 호흡곤란의 단계적 진단법

1단계 : 기본검사	병력문진과 신체검사, 흉부엑스선검사, 심전도, 기본 폐기능검사(spirometry), 임상병리검사[일반혈액검사(CBC), 갑상선기능검사, BUN & creatinine]
2단계 : 추가검사	폐기능검사(폐용적, 기류용적곡선/폐확산능, 최대환기량검사, 최대 흡기압과 호기압), 기관지유발검사, 심폐운동부하검사, 동맥혈가스검사, 심초음파검사
3단계 : 특수검사	24시간 생활심전도(Holter monitoring), 운동심근관류영상(exercise myocardial perfusion imaging), 운동부하 동위원소 심실조영(exercise radionucleotide ventriculography), 스트레스 심초음파(stress echocardiography), 관상동맥 조영술(coronary angiography), 좌우심장 도관술(right and/or left heart catheterization), 심내막 생검(endomyocardial biopsy), 환기-관류 폐주사(ventilation-perfusion lung scan), 폐동맥 조영술(pulmonary angiography), 하지정맥검사(venous studies of the leg), 흉부 고해상 전산화 단층촬영(chest HRCT), 폐생검(lung biopsy), 위식도역류검사(gastroesophageal reflux workup)

5. 흉통(Chest pain)

1) 임상적 의의
(1) 폐실질에는 통증감각신경이 분포하지 않아 대개 벽측 흉막에서 기인
(2) 심장, 기도, 종격동, 폐혈관, 흉막 혹은 흉곽의 이상을 의미

2) 원인: 표 2-1-11

표 2-1-11 흉통의 흔한 원인

장기	원인
심장계	관상동맥질환, 대동맥판막질환, 폐고혈압, 승모판막탈출증, 심낭염, 특발성 비대성 대동맥하부협착증(IHSS)
혈관계	대동맥박리
호흡기계	폐색전증, 폐렴, 흉막염, 기흉
근골격계	늑연골염(Tietze's syndrome), 관절염, 근육연축, 골종양
신경계	대상포진
위장관계	궤양질환, 장질환, 횡격막탈장, 췌장염, 담낭염
정신계	불안증, 우울증

3) 흉막성 흉통
(1) 흉곽의 외측이나 뒤쪽을 날카롭게 찌르는 듯한 통증
(2) 숨을 깊게 들이마시거나 기침 혹은 하품 시 악화
(3) 숨을 참거나 흉통 부위를 가볍게 누르고 숨을 쉬면 경감
(4) 방사통은 드물지만 병변이 횡격막을 침범 시 통증이 어깨 부위로 방사 가능
(5) 흉막강 내에 흉수가 고이기 시작하면 흉통은 감소하나 호흡곤란이 발생함

4) 비흉막성 통증
(1) 흉골하통증이 점진적
(2) 기침 시 악화
(3) 객담 배출 후 호전(예: 급성기관지염)

6. 천명(Wheezing)

1) 발생기전
(1) 기도가 부분적으로 폐쇄되거나 수축될 때 발생되는 고음조의 호흡음
(2) 주로 숨을 내쉴 때 발생

2) 원인
기도 내 이물이나 종양(localized wheezing), 천식, COPD, 울혈심부전증

3) 주의사항
(1) 폐쇄되었던 기도가 다시 개방하면 사라지거나 감소

(2) 기도폐쇄가 더욱 진행하여 공기 전도가 완전히 차단되어도 사라지거나 감소하므로 주의해야 함

(3) 천식발작 시 천명이 들리지 않으면서 청진 상 호흡음이 현저히 감소하면 기도폐쇄가 악화되고 있음을 의미

7. 수면무호흡(Sleep apnea)

1) 발생기전

수면 중에 인두근육이 이완되어 기도를 폐쇄함으로써 나타나는 현상으로 흔히 코골이와 동반

2) 원인

폐쇄수면무호흡증(obstructive sleep apnea), 중추성 수면 무호흡(central sleep apnea)

3) 악화요인

비만, 남자, 고령자, 수면제, 음주, 뇌병변

8. 청색증(Cyanosis)

1) 발생기전

혈중환원형 헤모글로빈의 농도가 5 gm%를 초과할 때 발생

2) 분류 및 원인

(1) 중심성 청색증: 혀, 입술, 구강점막 등의 중심 부위에 발생, 동맥혈의 산소포화도가 80% 미만에서 발생하기 시작하며 동맥혈 산소분압이 45 mmHg 미만이 되면 더욱 뚜렷해짐, 정상적으로는 해발 4,000 m 이상의 고도에서 발생 가능, 병적으로는 심한 폐기능 저하나 단락(shunt)시 발생

(2) 말초성 청색증: 손가락 등 말초부위에만 발생, 심부전 등에 의해 혈류의 순환시간이 길어지면 말초 조직에서의 산소 섭취가 증가되고 모세혈관의 산소분압이 낮아져 발생, 동맥혈 산소포화도는 대개의 경우 80% 이상

(3) 혼합형 청색증: 심근 경색으로 인한 심부전에 따른 폐부종 시 발생, 메트헤모글로빈(methemoglobin) 등의 비정상 헤모글로빈 농도가 증가한 경우 발생 가능, 이 경우 동맥혈 산소분압이 정상이며 산소를 투여해도 호전되지 않는 것이 특징

9. 곤봉지(Clubbing finger)

1) 발생기전

(1) 말단부가 비정상적으로 비후되어 마치 곤봉 모양이 되는 경우

(2) 비후성폐골관절증(hypertrophic pulmonary osteoarthropathy)의 한 형태로 추정

2) 원인

흉곽 종양, 우-좌 단락, 기관지 확장증, 간질성 폐질환, 만성폐쇄성폐질환, 만성 간질환, 아급성 심내막염

II. 호흡기진찰

1. 문진(History taking)

호흡기 질환을 올바르게 진단하기 위해서는 주증상, 현병력, 과거병력, 가족력, 흡연력, 직업력, 알러지력, 약제 복용력 등에 대한 자세한 병력청취가 무엇보다도 중요

2. 시진(Inspection)

1) 흉곽의 형태 및 변형

(1) 술통형 흉곽(barrel chest): 흉곽의 전후경이 길어진 것으로 만성폐쇄성폐질환에서 주로 관찰

(2) 편평흉(flat chest): 흉곽의 전후경이 짧아진 것으로 양측 흉막의 심한 비후가 있을 때 관찰

(3) 누두흉(funnel chest, pectus excavatum): 흉곽 전면부의 흉골이 함몰된 상태로서, 대개 선천적 기형

(4) 비둘기형 흉곽(pigeon chest, pectus carinatum): 흉곽 전면부의 흉골이 돌출된 상태로서 일종의 발달장애

(5) Harrison's sulcus: 흉곽의 측면을 따라 나타나는 넓고 평평한 함몰로서 기도폐쇄가 장기간 지속된 경우에 관찰

2) 비정상호흡

표 2-1-12 체위 호흡곤란

비정상 호흡	특징	원인
노작성호흡 (pursed-lip breathing)	숨을 들이 마실 때에는 비공이 확장되면서 부호흡근을 두드러지게 사용하고, 숨을 내실 때에는 입을 오므리고 가능한 길게 내쉬려는 경향	CDPD, 중증 천식발작
기이호흡운동 (paradoxical respiration)	흡기 시에 늑간과 쇄골상와가 함몰되고, 흉골연이 정상인과는 달리오히려 내측으로 이동	아주 심한 기도폐쇄, 늑골 골절에 의한 연가양 흉곽 Class I
Kussmaul 호흡	환기량 요구 증가에 의한 빠르고 깊은 호흡	대사성 산증
Cheyne-Stokes 호흡	호흡정지가 약 15초간 지속되다가 1분정도 과호흡이 있고 다시 호흡정지가 반복되는 불규칙한 호흡	심한 심부전, 말기 심부전, 심한 폐렴, 대뇌 부위의 뇌손상
Biot 호흡	Cheyne-Stokes 호흡과는 달리 주기가 전혀 없으며 호흡의 횟수, 깊이가 모두 불규칙	뇌압상승(뇌막염), 약제유도 호흡부전, 연수부위의 뇌손상
비대칭성 호흡운동	병측 흉곽의 호흡운동이 감소하고 반대측 흉곽의 호흡운동은 증가	무기폐, 대량흉수 등의 일측성 폐질환

3. 촉진(Palpation)

1) 압통(tenderness)

늑골골절, 악성종양의 전이, 급성 흉막염, 농흉, 흉벽의 염증성 질환

2) 성음진탕 혹은 진동촉감(vocal fremitus or tactile fremitus)

환자에게 발성을 시켰을 때 발성음이 기관지와 폐를 통해 흉벽으로 전도되어 검사자 손에 느껴지는 것

표 2-1-13 흉부 진동촉감

	폐 상태	원인
증가	기도는 열려 있고 폐 실질 내의 공기는 적은 상태	폐렴, 결핵, 종양
감소	폐 실질 내의 공기량이 증가된 상태	폐기종, 거대기포
	기도폐쇄로 소리의 전도가 차단된 상태	흉수저류, 기흉

4. 타진(Percussion)

표 2-1-14 흉부 타진

타진음	성상	장기 예	원인
공명음(resonance)	higher amplitude, lower-pitched	정상 폐	정상 폐
과공명음(hyperresonance)	low-pitched, hollow-quality sustained resonant	과팽창 폐	폐기종, 기흉
고음, 가스팽만음(tympany)	high-pitched, hollow-quality	위	거대기포, 기흉
둔탁음(dullness)	low-amplitude short duration without resonance	간	무기폐, 폐렴, 흉수저류
탁음(flatness)	flat, high-pitched	큰 근육(대퇴부)	무기폐, 폐렴, 흉수저류

5. 청진(Auscultation)

표 2-1-15 비정상 호흡음(부가음, added sounds)

추천 용어	과거 용어	기전	원인
crackles(수포음)	rale crepitation	과도한 기도분비물	기관지염, 호흡기감염, 폐부종, 무기폐, 폐섬유증, 울혈성심부전
wheeze (천명음, 쌕쌕거림)	sibilant rale musical rale sonorous rale low-pitched wheeze	폐쇄 기도를 통한 빠른 기류	천식, 폐부종, 기관지염, COPD, 울혈심부전증
rhonchus(건성수포음)		일시적인 기도 막힘	기관지염
pleural rub(흉막마찰음)		흉막의 염증	흉막염, 폐렴, 폐 경색

6. 호흡기 진찰 소견 요약

표 2-1-16 호흡기질환의 진찰소견

질환	활력징후	시진	촉진	타진	청진
천식	빈맥, 빈호흡	호흡곤란 부호흡근 사용 심한 경우 청색증 흉곽 과팽창	흔히 정상 진동촉감 감소 횡격막 하강	흔히 정상 과공명음 호흡음 감소	호기 연장 천명음
폐기종	안정	흉곽 전후경 증가 부호흡근 사용 마른 체격	진동촉감 감소	공명음 증가 횡격막 굴곡 감소	호흡음 감소 진동촉감 감소

질환	활력징후	시진	촉진	타진	청진
만성 기관지염	빈맥	심한 경우 청색증 땅딸막한 체격	대개 정상	흔히 정상	조기 흡기 수포음 건성수포음
폐렴	빈맥, 고열, 빈호흡	심한 경우 청색증 간혹 병측 폐의 흉통	진동촉감 증가	둔탁음 기관지음	후기 흡기 수포음
폐색전증	빈맥, 빈호흡	흔히 정상	대개 정상	대개 정상	대개 정상
폐부종	빈맥, 빈호흡	우심압 증가 소견 (경정맥 확장, 천명음 간비대, 사지부종)	흔히 정상	흔히 정상	조기 흡기 수포음
기흉	빈맥, 빈호흡	흔히 정상 간혹 병측 폐의 lag	진동촉감 소실 기관전위 (병변 반대쪽)	과공명음	호흡음 소실
흉수저류	빈맥, 빈호흡	흔히 정상 간혹 병측 폐의 lag	진동촉감 감소 기관전위 (병변 반대쪽)	둔탁음	호흡음 소실
무기폐	빈호흡	흔히 정상 간혹 병측 폐의 lag	진동촉감 감소 기관전위 (병변 쪽)	둔탁음	호흡음 소실
급성 호흡부전	빈맥, 빈호흡	부호흡근 사용 청색증	대개 정상	흔히 정상	초기에는 정상 후기에는 수포음 및 호흡음 감소

III. 폐기능검사

1. 임상적 이용

1) 호흡곤란 환자의 평가

2) 호흡기 질환이 진단된 환자에서의 기능적 평가

3) 이미 호흡기 질환이 진단된 환자의 경과 판단

4) 호흡기 병발증 위험이 높은 환자의 수술 전 폐기능 평가

5) 무증상 환자의 선별 진단

2. 해석

정상- 연령, 키 및 성별을 고려하여 동일 조건 정상인의 추정 정상치에 대하여 ±20% 이내

3. 세부항목

1) 폐활량(Spirometry)

2) 유량기량 곡선(Flow-volume curve)

3) 폐 용적(Lung volume)

4) 기도 저항(Airway resistance)

5) 폐 탄성(Lung compliance)

6) 폐 확산능(Diffusion capacity)

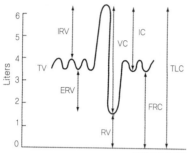

TV : 평상호흡기량(tidal volume)
IRV : 흡기예비기량(inspiratory reserve volume)
ERV : 호기예비기량(expiratory reserve volume)
VC : 폐활량(vital capacity)
RV : 잔기량(residual volume)
IC : 흡기용량(inspiratory capacity)
FRC : 기능성잔기용량(functional residual capacity)
TLC : 총폐용량(total lung capacity)

그림 2-1-1 폐용적의 각 구분

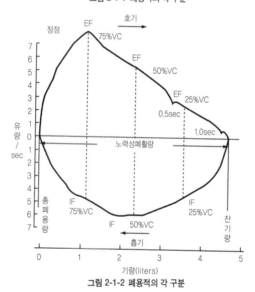

그림 2-1-2 폐용적의 각 구분

Ⅳ. 폐쇄성 및 제한성 폐질환의 감별진단

1. 폐쇄성 환기 장애

1) Expiratory flow rate의 감소: FEV1 감소, FEV1/FVC비의감소, FEF 25-75% 감소

2) TLC, RV, FRC는 정상 또는 증가

3) Flow-volume loop: 호기시의 flow rate가 감소하여, 위로 오목한 모양을 보임

4) 소기도질환, 조기폐쇄성폐질환: FEV1/FVC는 정상, FEF 25-75%만 감소

2. 제한성 환기장애

- 병변의 위치에 따라 폐실질환과 폐외질환으로 구분
- TLC & VC 등의 폐용적 감소가 특징적

1) 폐실질 질환에 의한 제한성 환기장애(restrictive lung disease—parenchymal)

(1) 폐용적인 감소: TLC, VC의 감소, RV 감소

(2) FEV1은 정상, FEV1/FVC는 정상 또는 증가

(3) Flow volume curve: 곡선의 호기부분(expiratory flow rate)은 비교적 유지, 폐용적 감소로 곡선이 길고 좁은 모양

2) 폐외질환에 의한 제한성 환기 장애(restrictive lung disease—extraparenchymal)

inspiratory muscle weakness나 stiff chest wall에 의해 흡기 시 장애가 초래됨

(1) 폐용적인 감소: TLC, VC의 감소

(2) RV: 정상 또는 증가

① Inspiratory muscle weakness: RV는 감소하지 않음

② Expiratory muscle weakness, deformed chest wall : FRC 이상으로는 내쉴 수 없고, 정상 RV 이상 내쉴 수가 없어서, 다른 제한성 환기 장애와 달리 RV가 증가함

(3) Expiratory flow rate: 정상 또는 감소

① Inspiratory muscle weakness: FEV1 및 FEV1/FVC는 정상

② Expiratory muscle weakness: expiratory muscle strength가 감소한다면 MEP가 감소하고 빨리 호기 할 수 있는 능력이 장애를 받기 때문에 기도 폐쇄 없이도 FEV1/ FVC가 감소

표 2-1-17 환기장애의 감별진단

	TLC	RV	VC	FEV₁/FVC
폐쇄성	N to ↑	↑	↓ or N	↓
제한성				
폐실질내	↓	↓	↓	N to ↑
폐실질외–흉벽 질환	↓	N to ↑	↓	N
폐실질외–신경근육성 질환	↓	↑	↓	Variable

표 2-1-18 진단 분류에 따른 흔한 호흡기 질환

폐쇄성질환
천식, 만성폐쇄성폐질환, 기관지확장증, 낭포섬유증, 세기관지염

제한성질환–폐질내
사르코이드증, 특발폐섬유증, 진폐증, 약물 또는 방사선에 의한 간질성 폐질환

제한성질환–폐질외
신경–근육성 질환 　횡격막 무력증/마비, 중증근무력증*, Guillain–Barre 증후군*, 근육퇴행위축증*, 경추손상*
흉벽질환 　척추후측만증, 비만, 강직성 척추염*

* 흡기시와 호기시 제한을 보일 수 있음

V. 기관지유발검사 및 기도폐쇄의 가역성검사

1. 기관지유발검사(Bronchial provocation test)

1) 목적

기도 과민성을 측정하기 위한 검사

2) 방법

(1) 먼저 spirometry를 하여 FEV_1이 70% 이상인 경우 시행

(2) methacholine이나 histamine, 혹은 mannitol의 농도를 0.1 mg/ml부터 시작하고 두 배씩 농도를 증량하여 FEV_1이 20% 감소할 때까지 유발 검사를 시행

(3) 보통 methacholine의 경우에는 25 mg/ml의 농도까지 시행함

(4) 위음성율이 낮고 예민도가 높은 방법임

(5) 최근 1년간 3회 이상 천명의 병력이 있는 환자의 85%에서 양성반응을 보인다고 보고 됨

(6) 검사를 하기 전에는 기관지 과민성에 영향을 미치는 약제는 중단해야 하며 그 시간은 표 2-1-19를 참고

3) PC20 FEV₁

기저 FEV_1 (baseline)에서 20%가 저하되는 methacholine의 농도. 정상은 25 mg/ml 이상, 기관지 천식에서는 8 mg/ml 이하임

4) 기관지 과민성의 정도(PC20)

(1) Mild 2-8 mg/ml

(2) Moderate 0.25-2 mg/ml

(3) Severe < 0.25 mg/ml

표 2-1-19 기관지과민성검사에 영향을 미치는 약제의 시간

흡입용 기관지확장제	
Terbutaline : 12 시간	Metaproterenol : 8 시간
Salbutamol : 12 시간	Atropine(Atrovent) : 10 시간
주사용 기관지확장제	
Epinephrine : 4 시간	Terbutaline : 12 시간
경구용 기관지확장제	
Liquid theophylline preparations : 12 시간	Short-acting theophylline preparations : 18 시간
Intermediate-acting theophylline preparation : 24 시간	Long-acting theophylline preparation : 48 시간
Aminophylline preparation : 18 시간	Terbutaline : 24 시간
Cromolyn sodium : 48 시간	Long-acting antihistamine : 48 시간
Hydroxyzine : 96 시간	Terfenamide : 72 시간

2. 기도폐쇄의 가역성검사(Bronchodilator response)

1) 목적

기도폐쇄의 가역성 여부 및 치료 효과 판정에 유용

2) 방법

(1) 검사 12-24시간 전에 기관지 확장제 투여를 중단하고 b2-agonist를 흡입

(2) 15-20분 후 FEV_1, FVC 등의 지표 등을 평가

3) Bronchodilator response양성

(1) FEV_1 지표가 12% 이상 증가하고 FEV_1의 절대치가 200 ml 이상 증가하면 유의한 가역성이 있다고 평가

(2) FEF50% 또는 FEF25-75% 등은 정상적으로 변이성이 크므로 25-30% 이상 증가하여야 유의한 가역성이 있다고 평가

(3) 기도폐쇄의 가역성은 보통 상기와 같은 기관지 확장제 투여에 의해 급성으로 그 효과가 나타나나 간혹 장기간 치료에 의해서만 나타나는 수도 있으므로 가역적검사 진단기준에 맞지 않는다고 임상적으로 가역성이 없다고 할 수는 없음

VI. 각종 호흡기 질환에서의 폐기능검사의 특징

1. Asthma

1) 폐쇄성 폐기능 장애: FEV1 및 FEV1/FVC이 감소

2) 기관지 유발검사(Bronchial provocation test)

천식이 의심되나 진찰 시 정상 폐기능을 보이는 환자에서 시행. PC20가 8 mg/ml 이하이면 진단

3) Bronchodilator response

양성 반응을 보임. 하지만, 기관지 확장제 흡입에 대한 반응이 12% 미만인 경우에도 천식을 완전히 배제할 수 없는 경우가 있고, 이때 부신 피질 호르몬제를 2-4주간 경구 투여(30-40 mg/day) 하면서 FEV1이 15% 이상 증가하면 천식 일 가능성이 높음을 의미

4) 최대 호기류 측정기(PEF meter)

(1) 천식의 진단: PEF 일중 변동치가 20% 이상이면 천식 진단이 가능하며 이 변동치는 천식의 중증도와 정비례

(2) 이미 진단받은 천식환자에서는 최대 호기류를 계속 추적 관찰하여 경과 및 약제에 대한 반응을 관찰 시 이용

2. COPD

1) 폐쇄성 폐기능 장애: FEV_1 및 FEV_1/FVC이 감소

(1) FEV1/FVC < 70%이면 기도 폐쇄가 있는 것으로 진단

(2) 기도 폐쇄가 있으면서 주기적으로 측정한 PEF의 변화가 거의 없으면 COPD를 강력히 시사함

(3) PEF의 변화가 20% 이상이면 천식의 가능성을 고려

2) TLC, RV 등이 증가

3) 폐기종: 폐확산능(DLCO)이 감소

3. Upper airway fixed obstruction

1) FEV1 및 FEV_1/FVC: 감소

2) TLC, RV: 증가

3) Flow volume curve

(1) 고정된 폐쇄(fixed obstruction) 소견

(2) 기관내강의 직경이 관벽을 통한 압력 차이에 영향을 받지 않고 고정되어 호기 및 흡기 유량이 감소

(3) 호흡기 및 흡기 시에 곡선이 편평화 되는 고평부(plateau)가 나타남

4) Thyroid cancer에서 이런 소견을 나타낼 수 있음

4. Idiopathic pulmonary fibrosis

폐 조직의 강직화로 FVC 및 TLC가 감소하는 제한성 환기장애가 나타나는 것이 특징. 폐유순도(compliance)도 저하

1) FVC, TLC의 감소

2) FEV_1 및 FEV_1/FVC

(1) 정상 또는 증가되며 질환의 말기가 되지 않는 한 정상 범위를 유지하는 경우가 대부분

(2) 폐활량이 감소된 상태에서 FEV_1의 상대적인 감소치에 대해서는 정확한 해석이 요구됨

3) 폐확산능(DLCO): 감소

VII. 동맥혈가스분석

✚ 진단과 치료를 위한 핵심 사항

1. 동맥혈가스분석의 해석
   1) 산소섭취 상태: PaO_2를 보고 저산소혈증 유무 판정
   2) 환기 상태: $PaCO_2$를 보고 판독
   3) 가스교환 상태: 폐포–동맥혈산소분압차를 계산
      – 차이가 큰 경우: 폐 질환 고려
      – 차이가 없거나 적은 경우: 폐 이외의 질환 고려
   4) 산–염기 평형상태: pH, $PaCO_2$, HCO_3^-로 판독
2. 동맥혈가스분석 판독 시 유의사항
   1) 환자의 임상 상태와 연결해서 해석: 호흡수, hemoglobin 수치, 이뇨제, HCO_3^- 투여 여부 등
   2) 채혈 당시의 주변 상황을 기록: type of O_2 delivery (nasal cannula, mask) and FiO_2
      : 기계호흡시 ventilator mode 등

1. 서론

1) 보통 산소화 결과는 10분 안에 평형 상태에 이르므로 동맥혈가스검사는 인공호흡기나 산소 요법의 설정 변경 후 20-30분 내에 시행

2) 대기 중에는 CO_2는 거의 없으며 O_2는 약 150 mmHg이므로 동맥혈 채혈 후 주사기에 공기가 남아 있으면 $PaCO_2$는 낮아지고 pH는 상승, PaO_2는 150 mmHg에 가깝게 됨

3) 혈액은 살아있는 조직으로 산소를 소모하고 이산화탄소를 배출하므로 동맥혈을 상온에 두면 가스 분석 시 실제보다 산소분압은 감소되고 이산화탄소분압은 증가 → 동맥혈 채혈 뒤에는 10분 내에 분석하여야 되며, 부득이한 경우 얼음에 채워서 보관하면 1시간까지 가능

표 2-1-20 동맥혈가스분석의 일반적 접근 순서

1. 산소섭취 상태를 결정하기 위하여 PaO_2를 확인
2. 환기 상태를 결정하기 위하여 $PaCO_2$를 확인
3. 가스교환 상태를 확인하기 위하여 $(A-a)DO_2$를 계산
4. 산-염기 평형 상태를 판독
   (1) 전체적인 산-염기 평형 상태를 알기 위하여 pH를 확인
   (2) 주된 산-염기 장애가 무엇인지를 확인
   (3) 보상 반응 상태를 확인
   (4) 산-염기 불균등 상태의 양상 즉 급성인지 만성인지, 단순한 장애인지 복합적인 장애인지를 판정

2. 저산소혈증의 원인 및 감별진단

1) 환기 상태 및 산-염기상태를 평가 한 후에 저산소혈증의 유무를 판정

2) 이미 산소요법을 하고 있는 경우에는 동맥혈가스분석검사로 그 치료가 적절한지를 검토 가능

3) 나이가 들수록 PaO_2는 감소하여 40세 때 85 mmHg, 60세 때 80 mmHg, 75세 때 70 mmHg가 정상치에 해당

표 2-1-21 동맥의 저산소혈증의 원인

원인	예	$PaCO_2$	$(A-a)DO_2$	의견
낮은 FiO_2	고산지대	↓ or nl	nl	원인이 대체로 명백함
폐포 환기저하	호흡중추 억제	↑	nl	동반된 폐질환이 있을시 $P(A-a)O_2$가 증가할 수 있음
환기-관류	제한성과 폐쇄성	↓, nl or	↑	환기저하가 있더라도 심한 폐쇄장애가 없다면
불균형	폐질환	↑		이산화탄소저류는 흔하지 않음
확산 장애	간질성 섬유화증	↓ or nl	↑	환기-관류 불균형은 PaO_2 감소의 가장 중요한 원인임
우-좌 단락	폐 동-정맥 기형	↓ or nl	↑	100% O_2를 흡입 하더라도 PaO_2는 60 mmHg를 넘지 않음

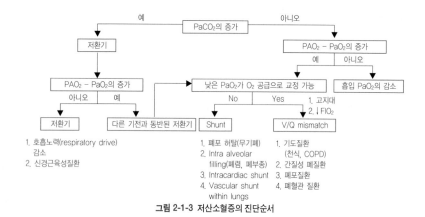

그림 2-1-3 저산소혈증의 진단순서

3. 폐포−동맥혈산소 분압차 및 단락의 계산

1) 폐포−동맥혈산소 분압차: (A-a)DO$_2$

(1) PAO$_2$ = FiO$_2$×(PB-PH$_2$O)-PaCO$_2$/R

(2) *PB = 760 mmHg(대기압), PH$_2$O = 47 mmHg

(3) R(호흡상수): 산소를 사용하지 않는 경우 0.8, 100%의 산소를 흡입할 때는

(4) 1(A-a)DO$_2$ = (150-1.25×PaCO$_2$)-PaO$_2$

　① 정상인의 폐포-동맥혈 산소 분압 차는 5 내지 15 mmHg 정도

　② 나이에 따라 수치는 증가 하지만, 25 mmHg를 넘지 않음

2) 단락(shunt, %)

(1) (A-a)DO$_2$÷10 (100% 산소로 호흡할 때)

(2) 정상치 2-5%, >15%이면 pathologic problem이 있음을 의미

(3) Shunt는 나이가 들수록 증가함

VIII. 만성기침

1. 정의

만성기침이란, 기침이 계속 또는 반복해서 8주이상 지속되는 경우로 감기 등에 의한 수주일 내에 자연적으로 좋아지는 기침과 구별하여 정의

2. 원인에 따른 치료 분류 및 치료

1) 원인 질환

(1) 후비루증후군(postnasal drip syndrome)

① 부비동염, 비염에 의해 후비루 증후군이 나타나는데, 만성기침의 원인 중 약 40%로 가장 흔한 만성기침의 원인

② 기전: 분비물이 인후두의 기침 수용체를 자극하여 유발

③ 임상 양상: 기침의 양상은 2-4회 연속적으로 나타남. 특히 누워있을 때 잘 나타나 수면 중이나 이른 아침에 심해지는 경우가 많음. 문진상 목뒤로 무엇인가가 넘어가는 것 같은 느낌, 콧물 등의 증상이 있음. 신체검사상 비인두와 구인두에 분비물(postnasal drip)이 관찰되거나 인두 점막이 조약돌(cobblestone) 모양으로 보임

(2) 기침이형 천식(cough variant asthma)

① 천명이나 발작적인 호흡곤란과 같이 전형적인 천식의 증상 없이 기침만 호소하는 경우를 기침이형천식(cough variant asthma)라고 하고 만성기침의 20-30%를 차지

② 임상 양상: 천식으로 인한 기침은 대부분 객담이 없으며, 발작적으로 발생. 기관지천식과 비슷하게 야간에 악화되는 경향이 있으며 운동, 찬공기, 담배 연기 등에 의해 악화. 장기적으로 추적하면 일부에서 천명, 호흡 곤란 등의 전형적인 천식 증상을 보임

(3) 위식도역류

① 만성 기침의 10-20%가 위식도역류에 의하여 초래됨

② 기전: 위식도역류에 의한 기침은 역류된 위 내용물이 하부식도의 기침 수용체를 자극함에 따라 발생함. 드물게 위 내용물이 기도로 미세흡입(microaspiration) 되어 발생

③ 임상 양상: 식사 후(특히 하부식도 괄약근 압력을 감소시키는 음식: 초콜릿, 카페인, 술, 고지방 음식) 또는 취침 시 악화. 입에서 신맛이 나거나 속이 타는 듯한 감각이 흉골하에서 위로 밀쳐 오르는 증상(heartburn) 등의 동반된 위식도역류 증상이 있는 경우 진단, 하지만 상당수의 환자들은 이와 같은 증상이 없이 기침만 호소하기 때문에 문진만으로 위식도역류가 만성기침의 원인인지 밝혀 내기는 힘듦

(4) 기타질환

① 만성기관지염

• 정의: 1년에 3개월 이상, 객담을 동반하는 기침을 연달아 2년 이상 할 때

• 만성기침 원인의 약 5% 정도이지만 흡연자에서만 본다면 가장 흔한 원인

② 기관지 확장증

• 감염에 대한 예방과 항생제의 발달로 빈도가 과거에 비해 많이 감소

• 임상 양상: 다량의 점액농성 객담이 있거나 객혈, 열감 등의 증상이 있으며 흉부엑스선 사진 상 90%에서 이상 소견

• 흉부 고해상 전산화 단층촬영(HRCT)이 진단에 도움

③ Angiotensin converting enzyme(ACE) 억제제에 의한 기침

• 1977년 이후 고혈압과 심부전 등의 치료제로 널리 사용됨. 이후 이로 인한 만성 기침이 6-14%로 보고

- 기전: ACE 억제로 bradykinin 등이 축적되고 histamine, substance P, neuropeptide Y, prostaglandin 등이 증가되어 기침, 비염, 혈관부종을 유발
    ※ 임상 양상 : 대개 약물을 복용한지 3주 후 길게는 1년 후까지 기침이 나타나고 여성 및 비흡연자에 많음. 밤에 악화되고 누워있을 때 심해지는 등 위식도역류에 의한 기침과 유사. 약제를 중단하면 대부분 4일 이내에 소실
  ④ 기타질환
    간질성 폐질환, 세기관지염, 폐암, 폐결핵 등에 의해서도 기침이 나타날 수 있음. 특히 폐암과 기관지 결핵인 경우 흉부엑스선상 이상 소견이 없는 경우도 있기 때문에 주의를 요함. 심인성 혹은 습관성 기침의 빈도는 보고자에 따라 다양하나 흔하지는 않음

2) 진단

(1) 병력청취
  기침의 일중 변화, 악화 원인, 흡연, 직업, 약제복용병력과 같은 위험인자의 유무, 기침의 기간, 기침의 특성, 객담 유무, 호흡 곤란이나 천명음 유무, 후비루 유무, 위식도역류 증상 유무 등을 조사

(2) 흉부엑스선 검사

(3) 후비루, 기관지 천식, 위식도역류에 대한 검사
  ① 후비루: 문진과 신체검사 소견으로 일차적 진단. 부비동엑스선검사나 알레르기성 비염 의심 시에는 피부 반응검사, 총 IgE 및 특이 IgE 측정
  ② 기관지천식: 메타콜린, 만니톨이나 히스타민유발시험으로 기관지 과민반응 확인
  ③ 위식도역류증상이 뚜렷한 환자들은 진단 과정이 비교적 수월
  위식도역류증상이 뚜렷하지 않은 환자: 24시간 식도 산도검사- 민감도와 특이도 90%

(4) 기타검사
  기관지내시경검사, 흉부전산화단층 촬영

3) 치료

(1) 치료의 원칙: 기침 자체를 소멸시키기 위한 것이 아니라 기침을 유발시키는 원인을 우선적으로 규명하여 제거

(2) 기관지 확장증, 폐렴 등의 예와 같이 기침이 기도 내 이물질이나 과도한 분비물을 제거하는 방어기전인 경우에는 기침을 효과적으로 할 수 있도록 함

표 2-1-22 만성기침의 치료 원칙

원인	추천치료	대체 치료 및 참고사항
비알레르기성 비염	3주간 1세대 H1 antagonist와 pseudoephedrine 또는 3주간 ipratropium 비강 내 국소 분무	비강 내 국소 스테로이드 분무 또는 2세대 H1 antagonist
알레르기성 비염	원인 항원 회피, loratadine 10mg 하루에 한 번	다른 H1 antagonist, 비강 내 국소 cromolyn 혹은 스테로이드 와 azelastine
혈관운동비염	3주간 ipratropium nasal spray	
만성 세균성 부비동염	3주간 1세대 H1 antagonist + pseudoephedrine 및 H.influenzae, S.pneumoniae, anaerobes에 감수성이 있는 항생제	기침 호전 후 3개월간 비강 내 국소 스테로이드

원인	추천치료	대체 치료 및 참고사항
기관지천식	스테로이드 흡입제와 β2 agonist 흡입제	
역류성식도질환	식사 및 생활환경 개선 위산 억제	초기 약물치료는 식이요법 Proton pump inhibitor 와 prokinetic 제제 3개월 내 호전이 없으면 24hr pH monitor
안지오텐신억제제	원인 약물치료 중단	
호산구성 기관지염	14일간 스테로이드 흡입제	전신작용 스테로이드(2-3주간 prednisone 30 mg/day)

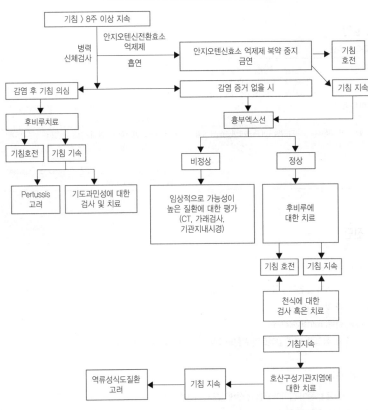

MANAGEMENT OF COUGH LASTING >8 WEEKS

그림 2-1-4 만성 기침의 진단

I. 정의

만성 기도염증을 특징으로 다양한 임상상을 나타내는 질환이며, 가변적인 호기시 기류제한과 함께 시간에 따라 중증도가 변하는 천명, 호흡곤란, 가슴답답함, 기침과 같은 호흡기 증상의 병력이 있는 것으로 정의됨

II. 원인

표 2-2-1 원인

숙주인자	환경적 요인
1) 유전인자: 아토피 관련 유전자, 기도과민성 관련 유전자 등 2) 비만: BMI>30 kg/m2에서 천식이 더 흔히 관찰되며, 천식 조절이 더 어려움	1) 알레르기 항원(알레르겐): 집 먼지 진드기, 애완동물, 곰팡이, 바퀴벌레, 꽃가루 등 2) 감염: 성인(rhinovirus, influenza virus), 소아(respiratory syncytial virus, parainfluenza)
3) 성별: 14세 이전에는 남자의 유병률이 더 높으며 성인의 유병률은 여자에서 더 높음	3) 직업: 아이소시아네이트, 기도과민성을 유발할 수 있는 자극제, IgE 생산을 자극하는 동식물성 부산물. 4) 흡연 5) 실외/실내 공기오염: 냉난방가스, 생체연료(biomass fuel)에서 나오는 연기나 증기, 곰팡이 등

III. 진단

1. 병력과 증상

1) 발작적 기침 및 천명음을 동반한 심한 호흡 곤란
2) 발작과 발작 사이에는 무증상
3) 일중변동(diurnal variation)
4) 가족력, 직업력, 다른 알레르기 질환의 합병 여부 등에 대한 문진 중요

2. 신체검진

천식 증상은 변동이 심하여 호흡기 신체검진 당시에는 정상일 수 있음

1) 호흡곤란, 천명, 과팽창
2) 청진상 천명음(아주 심한 천식 발작 시에는 천명음은 오히려 감소)
3) 중증발작 환자에서는 청색증, 빈맥, 과팽창된 흉곽, 보조호흡근 사용, 늑간 함몰, 의식혼미 등

3. 폐기능검사

- 폐기능검사를 통해 가변적인 기류제한 증명
- 폐기능검사를 할 수 없거나 가변적인 호기 기류제한이 확인되지 않았어도 임상적으로 시급한 경우 진단검사 이전에 조절제 치료 시작

1) 폐쇄성 환기장애

2) 기도가역성: 기관지확장제 흡입 후 FEV_1 ≥12%, 그리고 ≥200 mL 증가 시 양성

3) 최대호기유량(peak expiratory flow, PPE): 일중변동 20% 이상

4) 기관지유발검사

(1) 진단 당시 기류제한이 없는 경우 기도과민성으로 진단.

　민감도 높으나 특이도 낮아 양성이라 하여 반드시 천식으로 진단하는 것은 아니므로 주의

(2) 메타콜린 혹은 만니톨 이용

(3) 메타콜린 유발검사 PC20 - FEV_1이 기저치의 20%만큼 감소되는 시점의 흡입약 농도(mg/mL)

　: <8 mg/mL 천식진단, 8-16 mg/mL 경계성 (천식의심), >16 mg/mL 천식 아닐 가능성 높음

(4) 만니톨: FEV_1이 15% 이상 떨어질 경우 양성

4. 호기산화질소(FE (NO): fraction of NO in the exhaled air)

1) 기도 내 호산구 염증과 관련. 천식 환자의 유도객담과 기도점막 생검, BAL에서 측정한 호산구 수와 유의한 상관관계를 보임

2) 상승의 절대적 수치는 아직까지는 불확실하나 흡입성 스테로이드 치료 시 감소함. 따라서 흡입 스테로이드 용량 조절 시 유용함

5. 동맥혈가스검사

1) 저산소증과 과호흡에 의한 저이산화탄소증

2) 따라서 이산화탄소 분압이 정상이거나 증가되면 중증의 기도 폐쇄 의미

6. 방사선학적검사

흉부엑스선 사진은 보통 정상, 다른 질환을 배제하기 위해 시행

7. 기관지경검사

기관지폐포세척 및 기관지조직검사

8. 알레르기 유무

혈청 IgE 검사 및 알레르기 항원 피부단자검사

표 2-2-2 감별진단

40세 미만	40세 이상
만성상기도기침증후군, 성대기능부전, 과호흡증, 기관지확장증, 기관지결핵, 선천성심질환, 이물질흡인	성대기능부전, 과호흡증, COPD, TB destroyed lung, 기관지확장증, 심부전, 약제관련기침, 폐실질 질환, 폐색전증 중심기도폐쇄

IV. 치료

1. 치료의 목표

1) 증상의 해소, 정상 폐기능 유지, 약제 부작용의 최소화
2) 운동을 포함한 정상 활동 유지, 영구적 기도 폐쇄 예방
3) 급성 발작을 예방하여 응급실이나 입원치료를 최소

2. 약물치료

1) 약제의 분류

(1) 작용기전에 따른 분류

① 질병 조절제: 부신피질호르몬, 아라키돈산조절제, theophylline, 지속성 베타2 항진제, 크로몰린, 네도크로밀, 항IgE 단일항체

② 증상완화제속효성베타2 항진제, 속효성항콜린제

(2) 투여방법에 따른 분류

① 흡입제: 분말흡입기(dry powder inhaler, DPI), 정량식흡입기(metered dose inhaler, MDI), 연무기(nebulizer)

② 경구용, 주사용

2) 부신피질호르몬

(1) 전신적부신피질호르몬

① 종류 및 작용시간

표 2-2-3 전신적 스테로이드

	Equivalent dose	Relative antiinflammatory potency	Relative mineralocorticoid potency
short acting			
Hydrocortisone IV	20	1	2
Fludrocortisone IV		10–15	200
Intermediate–acting			
Deflazacort PO	6	3.5	–
Methylprednisolone IV	4	5	0
Prednisolone PO	5	4	1

	Equivalent dose	Relative antiinflammatory potency	Relative mineralocorticoid potency
Long–acting			
Dexamethasone PO	0.75	20–30	0
Dexamethasone IV	0.75	20–30	0

(2) 흡입용부신피질호르몬

표 2-2-4 흡입용 스테로이드

Beclomethasone (Becobent®)
Budesonide (Pulmicort®)
Ciclesonide (Alvesco®)
Fluticasone (Flixotide®)

(3) 임상에서 흔히 쓰는 복합 흡입제제

표 2-2-5 복합제제

약제	제형	용량	비고
Fluticasone+salmeterol (Seretide®)	DPI/MDI	Fluticasone 100–500 µg + salmeterol 25 µg	1puff당 함유량
Budesonide+formoterol (Symbicort®)	DPI	Budesonide 160 µg + formoterol 4.5 µg	1 puff당 함유량
Beclomethasone + formoterol (Foster®)	MDI	Beclomethasone 172 mg + formoterol 10 mg	1 puff당함유량
Fluticasone+formoterol (Flutiform®)	MDI	Fluticasone 50–250 µg + formoterol 5–10 µg	1 puff당 함유량

① 부작용: 구강캔디다증, 후두이물감, 쉰목소리, 기침. 정량식흡입기에서 나오는 약제의 90%가 구강 내에 침착되므로 흡입보조기구(spacer)를 사용하고 흡입 후 구강 세척을 하면 부작용을 줄일 수 있음

3) 비만세포안정제: Cromolyn sodium (Intal, 상품명), Nedocromil sodium (Tilade, 상품명)

4) Methylxanthine: nonselective phosphodiesterase (PDE) inhibitor

(1) 기도 확장 작용뿐만 아니라 항염증작용, 면역조절 작용

(2) 혈중농도는 개인차뿐만 아니라 여러 가지 인자에 의해 변함

표 2-2-6 Theophylline의 부작용

serum level	side effect
5–15 mg/L	therapeutic level
15–25	복부통증, 설사, 구역, 구토
25–35	부정맥
>35	위장출혈, 경련

5) 지속성베타2 항진제

(1) 경구용: albuterol, bambuterol, formoterol

(2) 흡입용: salmeterol, formoterol

(3) 부작용: 빈맥, 손떨림 등의 증상. 장기간 사용할 때는 반응급감현상(tachyphylaxis)이 나타나 약리

작용이 약화

6) 항류코트리엔제

표 2-2-7 항류코트리엔제

류코트리엔 수용체 길항제	Montelukast	10 mg chewable tablet	10 mg qhs
			10-mg tablet
	Pranlukast	112 mg capsule	225 mg capsule bid
	Zafirlukast	10 or 20 mg tablet	40 mg daily (20-mg tablet bid)
류코트리엔 합성 억제제	Zileuton	300 or 600 mg tablet	2,400 mg daily (given tablets qid)

7) 항IgE 단일항체

(1) Omalizumab은 circulating IgE와 결합하여 혈중IgE가 비만세포에 부착하는 것을 억제

(2) 혈중 총 IgE 수치와 체중에 따라 용량 조절

8) 속효성 베타2항진제와 항콜린제

표 2-2-8

salbutamol (β2 agonist)	ventolin	100 ug/puff
ipratropium bromide (anticholinergics)	atrovent	20 ug/puff

9) 새로운 약제

최근 중증 천식의 치료를 위한 새로운 치료 방법들이 개발되고 있음

(1) 항 interleukin (IL)-5: mepolizumab, reslizumab, benralizumab

(2) IL-13 항체: lebrikizumab

3. 치료의 종류

1) 단계적 치료

표 2-2-9 천식의 조절 상태에 따른 분류(Global Initiative for Asthma Guide, 2018)

조절된 Controlled (아래 내용 모두 해당하지 않음)	부분 조절됨 Partly controlled (1–2 항목 해당)	조절 안됨 (3–4 항목 해당)
지난 4주 동안 다음의 항목을 경험하였습니까?		
• 주간 천식 증상이 주 2회 이상 발생하였습니까?		Yes (　) No (　)
• 잠을 깨는 등 야간증상이 있었습니까?		Yes (　) No (　)
• 주 2회 이상의 완화제 사용이 있었습니까?		Yes (　) No (　)
• 활동제한이 있었습니까?		Yes (　) No (　)

* 천식 악화시 현재 유지치료 내용이 적절한지 바로 검토

† 천식 악화시 그 주는 천식 조절이 안 된 주로 정의

‡ 폐기능검사는 5세 이하 소아에서는 믿을 만하지 못한 검사임

표 2-2-10 천식의 조절 상태에 따른 치료 지침(Global Initiative for Asthma guide, 2018)

	1단계	2단계	3단계	4단계	5단계
			천식 교육 및 환경 조절		
Preferred Controller choice		저용량 흡입 스테로이드	저용량 흡입 스테로이드 /지속성베타2항진제	중간/고용량 흡입 스테로이드 /지속성베타2항진제	Tiopropium, Anti-IgE, Anti-IL5 등 추가 치료 고려
Other Controller options	저용량 흡입 스테로이드 고려	류코트리엔 조절제	중간/고용량 흡입 스테로이드	Tiopropium 추가	경구 스테로이드 (최소량)
		저용량 테오필린	저용량 흡입 스테로이드 + 류코트리엔조절제	중간/고용량 흡입 스테로이드 + 류코트리엔조절제	
			저용량 흡입 스테로이드 + 테오필린	중간/고용량 흡입 스테로이드 + 테오필린	
Reliever	필요할 때 속효성 베타2항진제		필요할 때 속효성 베타2항진제 또는 저용량 흡입 스테로이드/formoterol		

2) 급성악화의 치료(그림 2-2-1)

(1) 천식의 급성악화는 생명에 위험을 줄 수 있으므로 정확히 평가하고 신속 치료 필요함

(2) 속효성 흡입 베타2 항진제로 먼저 치료하고 스테로이드의 전신적 사용이 필요한 경우가 있음

(3) 저산소증에는 산소 공급 필요

4. 특수한 상황의 치료

1) 임신

(1) 산모의 폐기능과 혈액 내 산소를 정상적으로 유지하는 것이 태아의 충분한 산소 공급을 위해 중요

(2) 천식 치료가 부적절하면 주산기 사망률 증가, 저체중아와 조산아 출생을 초래

(3) 천식에 쓰이는 약들은 대부분 태아에 별영향이 없으나 hydroxyzine, iodide, 일부 항생제, atropine, terbutaline 등은 피하고 경구용 부신피질스테로이드제는 임신 첫 3개월은 피하는 것이 좋음

2) 수술

(1) 천식 환자는 기도내삽관 때 기관지 경련이 잘 일어나며 기타 호흡부전증, 무기폐, 폐감염 등 합병증 발생 위험성이 높음

(2) 지난 6개월 이내에 2주 이상 전신성 스테로이드제를 투여 받은 환자는 수술 전부터 시작하여 수술 후 적어도 24시간까지는 스테로이드를 투여해야 함

(3) 수술 전부터 베타2항진제나 테오필린제를 사용하던 환자는 수술 중 및 후에도 투여를 계속해야 함

3) 기침형 천식(cough variant asthma)

(1) 천명이나 호흡곤란의 전형적인 증상 동반 없이 만성적인 기침을 주증상으로 하는 기관지천식의 아형

(2) 주된 치료제는 천식과 동일하게 흡입스테로이드 및 흡입기관지확장제

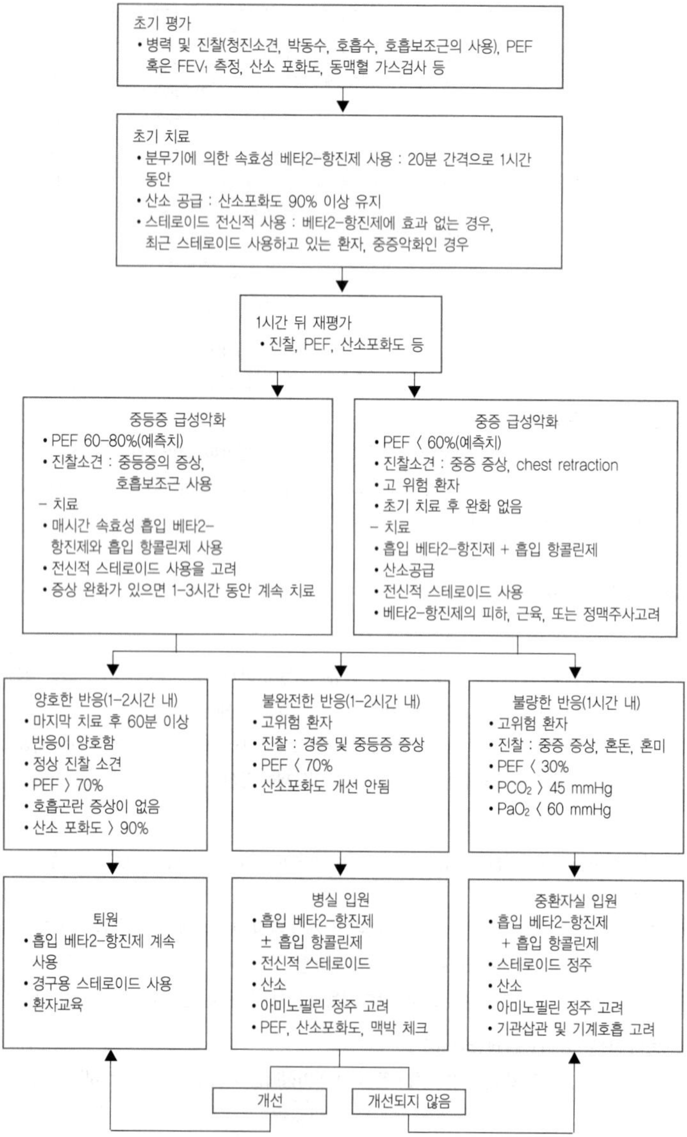

초기 평가
• 병력 및 진찰(청진소견, 박동수, 호흡수, 호흡보조근의 사용), PEF
  혹은 FEV₁ 측정, 산소 포화도, 동맥혈 가스검사 등

초기 치료
• 분무기에 의한 속효성 베타2-항진제 사용 : 20분 간격으로 1시간
  동안
• 산소 공급 : 산소포화도 90% 이상 유지
• 스테로이드 전신적 사용 : 베타2-항진제에 효과 없는 경우,
  최근 스테로이드 사용하고 있는 환자, 중증악화인 경우

1시간 뒤 재평가
• 진찰, PEF, 산소포화도 등

중등증 급성악화
• PEF 60-80%(예측치)
• 진찰소견 : 중등증의 증상,
            호흡보조근 사용
 – 치료
• 매시간 속효성 흡입 베타2-
  항진제와 흡입 항콜린제 사용
• 전신적 스테로이드 사용을 고려
• 증상 완화가 있으면 1-3시간 동안 계속 치료

중증 급성악화
• PEF 〈 60%(예측치)
• 진찰소견 : 중증 증상, chest retraction
• 고 위험 환자
• 초기 치료 후 완화 없음
 – 치료
• 흡입 베타2-항진제 + 흡입 항콜린제
• 산소공급
• 전신적 스테로이드 사용
• 베타2-항진제의 피하, 근육, 또는 정맥주사고려

양호한 반응(1-2시간 내)
• 마지막 치료 후 60분 이상
  반응이 양호함
• 정상 진찰 소견
• PEF 〉 70%
• 호흡곤란 증상이 없음
• 산소 포화도 〉 90%

불완전한 반응(1-2시간 내)
• 고위험 환자
• 진찰 : 경증 및 중등증 증상
• PEF 〈 70%
• 산소포화도 개선 안됨

불량한 반응(1시간 내)
• 고위험 환자
• 진찰 : 중증 증상, 혼돈, 혼미
• PEF 〈 30%
• PCO₂ 〉 45 mmHg
• PaO₂ 〈 60 mmHg

퇴원
• 흡입 베타2-항진제 계속
  사용
• 경구용 스테로이드 사용
• 환자교육

병실 입원
• 흡입 베타2-항진제
  ± 흡입 항콜린제
• 전신적 스테로이드
• 산소
• 아미노필린 정주 고려
• PEF, 산소포화도, 맥박 체크

중환자실 입원
• 흡입 베타2-항진제
  + 흡입 항콜린제
• 스테로이드 정주
• 산소
• 아미노필린 정주 고려
• 기관삽관 및 기계호흡 고려

개선   개선되지 않음

그림 2-2-1 급성악화시 치료 지침

Ⅰ. 정의

COPD는 비가역적인 기류제한을 특징으로 하는 폐질환으로서 만성염증에 의한 기도와 폐실질 손상으로 인해 발생함. 매우 흔한 질환으로 한국 40세 이상 성인 중 13.4%가 COPD에 이환되어 있음

Ⅱ. 진단

COPD를 의심해야 하는 경우는 흡연력과 같은 위험노출력이 있고 호흡곤란, 기침, 가래 등의 호흡기증상이 40세 이상에서 관찰되는 경우

1. 병력

흡연력, 직업력, 호흡기 감염 등 과거병력 등을 확인해야 하며 COPD 환자는 타 질환을 동반하는 경우 예후가 나쁘기 때문에 심혈관질환, 골다공증, 우울증, 대사성 질환, 폐암 등이 있는지 평가함. 치료를 위해서 호흡 곤란의 정도와 급성악화의 빈도를 확인해야 함

2. 증상 및 진찰소견

1) 증상
호흡곤란, 기침, 객담

2) 시진
흉곽의 전후경의 증대, 흡기 시 늑간의 함몰과 보조 호흡근의 사용, 경정맥 팽창, 간종대 및 말초 부종 등의 소견과 함께 청색증

3) 청진
천명음, 호흡음감소

3. 방사선학적 소견

횡격막의 편평화, 흉골 뒤 공간의 확장, 폐혈관 음영의 감소, 대기포병변, 폐동맥 음영의 두드러짐, 심장 음영은 상대적으로 좁고 길게 변화

4. 심전도

폐성심-Ⅱ, Ⅲ, aVF에서의peaked P파, QRS 전압감소, 우측편위

5. 혈액검사

동맥혈가스분석(저산소증이나 과탄산증), 적혈구 증가증

6. 폐기능검사

COPD를 진단하기 위해서는 폐활량 측정이 필수적임. 기관지 확장제 사용후 FEV1/FVC가 0.7 미만인 경우 진단됨. COPD의 중증도는 FEV1으로 구분함(표 2-3-1)

표 2-3-1 기관지 확장제 사용 후 FEV1에 따른 COPD 분류

단계	특징
I. 경증	$FEV_1/FVC < 70\%$ $FEV1 \geq 80\%$ predicted
II. 중등증	$FEV_1/FVC < 70\%$ $50\% \leq FEV_1 < 80\%$ predicted
III. 중증	$FEV_1/FVC < 70\%$ $30\% \leq FEV_1 < 50\%$ predicted
IV. 고도 중증	$FEV_1/FVC < 70\%$ $FEV_1 < 30\%$ predicted or $FEV_1 < 50\%$ predicted plus choronic respiratory failure

FEV: forced expiratory volume in one second; FVC: forced vital capacity; respiratory failure; arterial partial pressure of oxygen (PaO_2) less than 8.0 kPa (60 mmHg) with or without arterial pressure of CO_2 ($PaCO_2$) greater than 6.7 kPa (50 mmHg) while breathing air at sea level.

III. 치료

1. 만성폐쇄성폐질환의 치료

1) 약물치료

만성폐쇄성폐질환 환자는 증상, 폐기능 및 악화력에 따라 다음과 같이 구분함

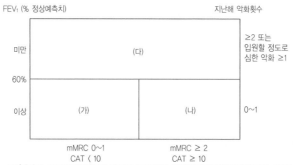

그림 2-3-1 만성폐쇄성폐질환 환자의 구분 (대한 결핵 및 호흡기학회 진료 지침, 2018)

가, 나, 다 군에 따라 다음과 같이 약물치료를 시행함

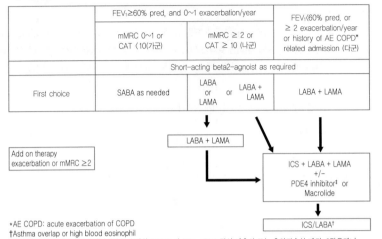

*AE COPD: acute exacerbation of COPD
†Asthma overlap or high blood eosinophil
‡급성악화 병력이 있고 만성기관지염을 수반한 COPD: 1) FEV₁ <50% 정상 예측치 또는 흡입지속성 베타-2작용제나
흡입지속성항콜린제 등의 투여에도 연 2회 이상 급성악화가 발생한 경우

그림 2-3-2 만성폐쇄성폐질환 환자의 치료 (대한결핵및호흡기학회 진료 지침, 2018)

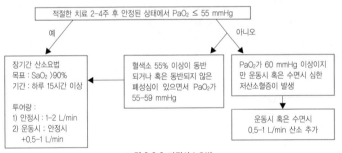

그림 2-3-3 가정산소요법

2. 급성악화의 평가와 치료

- 정의: COPD의 급성악화는 COPD 환자의 기본적인 호흡기증상이 매일-매일의 변동범위를 넘어서
  치료약제의 변경이 필요할 정도로 급격히 악화된 상태를 말함. 가장 흔한 원인은 기도 감염이며 심부
  전, 기흉, 폐색전증 등과의 감별이 중요
- 급성악화의 약물치료로는 속효성 기관지 확장제, 스테로이드, 항생제가 있음

1) 기관지 확장제

속효성베타작용제 and/or 속효성항콜린제가 많이 쓰임. 급성악화 시 호흡곤란으로 인하여 흡입제를

효과적으로 사용할 수 없는 경우가 많아 nebulizer 사용이 선호됨

2) 스테로이드제

급성악화 시 전신스테로이드는 회복기간과 재원기간을 줄이고, 폐기능과 동맥혈 산소분압을 개선시킬 뿐 아니라 이후의 악화를 줄이는 효과가 있음. 치료 용량은 프레드니솔론 기준으로 하루 30-40 mg을 5-14일 사용. 스테로이드제의 경우투여는 주사 투여에 비해 치료 효과가 떨어지지 않음

3) 항생제

화농성 가래를 동반한 급성악화환자나 기계 환기가 필요한 환자는 항생제 치료를 시행

증상의 중증도, 혈액가스, 흉부방사선 사진 평가

↓

산소요법을 시행하고 30분 후 동맥혈 가스 측정

: 일차적인 목표는 저산소증 교정임. 하지만 산소 포화도가 너무 높게 교정이 되면 CO_2 retention을 유발할 수 있으므로 주의를 요함

↓

기관지확장제: 용량 혹은 빈도를 증가, 속효성베타작용제 and/or 항콜린제 흡입

↓

부신피질호르몬제: 경구 혹은 정맥주사

↓

항균제 투여(화농성 가래 동반 또는 기계 환기 필요한 환자)

↓

비침습적 혹은 침습적 기계환기 고려(적응증에 해당되는 경우)

언제나 체액균형 및 영양상태 모니터, 관계된 질환(예, 심부전, 부정맥)을 확인하고 치료

4) 입원 적응증

표 2-3-2 COPD 급성악화의 입원 적응증

- 증상이 매우 심한 경우(급격히 악화되는 안정 시 호흡곤란, 의식 변화)
- 급성호흡부전
- 새로 발생한 진찰소견(청색증, 부종)
- 초기치료에 반응하지 않는 급성악화
- 심각한 동반 질환(특히 심혈관질환)
- 가족이나 주위 사람의 도움을 기대하기 어려운 경우

표 2-3-3 COPD 급성악화시 중환자실 입원 적응증

- 초기 응급처치에 반응이 나쁜 심한 호흡곤란
- 의식상태 변화(혼란, 기면, 혼수상태)
- 적절한 산소공급과 비침습적 기계환기법의 사용에도 불구하고 저산소혈증(PaO_2 <40 mmHg)이나 호흡산증(pH <7.25)이 지속되거나 악화될때
- 침습적 기계환기법이 필요한 경우
- 혈류역학장애가 있어 승압제 치료가 필요한 경우

5) 비침습적기계환기법의 적응증

표 2-3-4 COPD 급성악화시 비침습적 기계환기법의 적응증

다음 중 한 가지에 해당될 때
- 호흡산증(pH ≤7.35 또는 PaCO$_2$ ≥45 mmHg)
- 호흡보조근의 사용, 역설적 복근운동, 또는늑간수축(함몰)이 관찰될 정도의 심한 호흡곤란
- 산소치료에도 불구하고 저산소혈증 지속

6) 침습적기계환기법의 적응증

표 2-3-5 침습적 기계 환기법의 적용대상

- 비침습적 기계환기법을 환자가 견디지 못하거나 치료에 실패한 경우
- 호흡정지 또는 심정지
- 의식상태의 저하 또는 진정제로 조절되지 않는 정신운동초조(pscychomotor agitation)
- 다량의 흡인, 지속적 구토
- 가래를 배출할 능력이 없는 경우
- 수액치료나 승압제에도 불구하고 심한 혈류역학장애가 호전되지 않는 경우
- 중증 심실성 부정맥
- 비침습적 기계환기법을 견디지 못하는 환자 중 치명적인 저산소증이 있는 경우

7) 퇴원기준

표 2-3-6 COPD 급성악화 환자의 퇴원기준

흡입용 β2-항진제 요법이 필요한 빈도가 매 4시간보다 잦지 않을 때
그전에 보행이 가능 했다면 방을 가로질러 걸을 수 있게 된 환자
식사가 가능하고 호흡곤란으로 자주 깨어나지 않고 잠을 잘 수 있는 환자
12-24 시간동안 임상적으로 안정되었던 경우
동맥혈 가스가 12-24시간 동안 안정되었던 경우
투약법을 충분히 정확히 이해하는 환자(또는 가정 보호자)
추적조사와 가정관리가 완전히 마련된 경우(즉 방문 간호사, 산소공급, 식사공급)
성공적으로 환자가 치료될 수 있음을 환자, 가족, 의사가 확신하는 경우

8) 급성악화의 예방

호흡재활치료, 금연, 예방접종과 규칙적인 약제투약으로 발생을 줄일 수 있음

04 폐렴

Ⅰ. 정의

임상 증상(고열, 기침, 늑막성 흉통, 객담, 고체온 혹은 저체온, 호흡수의 증가, 타진상 둔탁음, 비정상 호흡음 등) 그리고 방사선학적 침윤의 조합

Ⅱ. 전파경로(Transmission)

1. Aspiration of oropharyngeal organism (m/c)
2. Inhalation of infectious aerosols
3. Hematogenous dissemination from extrapulmonary site
4. Direct inoculation and contiguous spread

Ⅲ. 분류

1. CAP (Community Acquired Pneumonia): 치료 장소에 따라(ambulatory/admission)
2. HAP (Hospital Acquired Pneumonia): VAP (Ventilator Associated Pneumonia), HCAP (Health Care Associated Pneumonia)

Ⅳ. 병리

1. Necrotizing pneumonia: 크기가 2 cm 미만인 여러 개의 작은 cavity로 구성됨
2. Lung abscess: 크기가 2 cm 이상인 한 개 또는 한 개 이상의 cavity로 구성됨

Ⅴ. 역학

1. 지역사회획득폐렴(Community-acquired pneumonia)

표 2-4-1 중증도에 따른 원인균의 추정

입원 여부	원인균*
외래	S. pneumoniae, M. pneumoniae, H. influenzae, C. pneumoniae, 호흡기 바이러스

입원 여부	원인균*
일반병실 입원	*S. pneumoniae, M. pneumoniae, C. pneumoniae, H. influenzae, Legionella spp.*, 호흡기 바이러스
중환자실	*S. pneumoniae, S. aureus, K. pneumoniae, E. coli, P. aeruginosa, Enterobacter, H. influenzae, Legionella spp.*,

* 기타: M.tuberculosis, Orientiatsutsugamushi, Leptospira (S. pneumoniae – Streptococcus, M. pneumoniae – Mycoplasma, H.influenza – Hemophilus, C.pneumoniae – Chlamydia, K.pneumoniae – Klebsiella, E.coli–Enterococcus, P.aeruginosa – Pseudomonas)

2. 원내감염폐렴(Hospital-acquired pneumonia)

* 원인균: 호기성 장내 그람음성 간균, 녹농균, 포도상구군, 구강혐기성균 등

3. 특정 원인균과 관련된 숙주인자

표 2-4-2

위험인자	흔한 원인균
음주	*S. pneumoniae*, 구강혐기균, *K. pneumoniae* 등의 그람음성균, 결핵
COPD ± 흡연	*H. influenzae, P. aeruginosa, Legionella spp. S. pneumoniae, M. catarrhalis, C. pneumoniae*
기관지확장증 등 폐 구조적 문제	*P. aeruginosa, B. cepacia, S. aureus*
흡인	장내세균, 혐기균
기관지 폐색	혐기균, *S. pneumoniae, H. influenzae, S. aureus*
인플루엔자 유행 시기	*S. aureus, S. pneumoniae, H. influenzae*
가을철 발생 및 발진, 가피	*Orientia tsutsugamushi*
정맥주사약물 남용	*S. aureus*, 혐기균, 결핵, *S. pneumoniae*
지난 2주간 호텔 등 냉방 노출	*Legionella spp.*
새와 접촉/가축과 접촉	*C. pneumoniae /C.burnetii*

대한화학요법학회, 대한감염학회, 대한결핵 및 호흡기학회, 지역사회획득폐렴의 치료지침 권고안 2008
* Influneza 폐렴이 유행한 후에는 S.aureus 폐렴이 증가함
*그람음성간균 또는 P.aeruginosa: 폐질환, 만성알코올 중독, 항생제의 지속적 사용 환자에서 흔하게 발견
*항생제에 반응하지 않는 폐렴, 당뇨, 만성폐쇄성폐질환, 만성신부전, 장기 스테로이드 치료를 받는 환자: 반드시 결핵으로 인한 폐렴 감별 필요
*가장 흔한 비전형성폐렴: M.pneumoniae (6.4–9.2%), C.pneumoniae (7.1–13.2%), L.pneumoniae (0.5–3%)
*가장 흔한 중환자실 비정형성폐렴 (moderate or severe pneumonia): L.pneumoniae

VI. 진단

1. 방사선소견

1) 흉부엑스선이 정상일 수 있는 경우

(1) 폐렴 발생 시 심한 탈수 상태

(2) 백혈구감소증으로 염증 반응을 잘 나타내지 못 하는 경우

(3) Infiltrative process의 초기 상태: 혈행성 *S. aureus* pneumonia, PCP in AIDS

2) Pulmonary cavity를 일으킬 수 있는 균

표 2-4-3 Pulmonary cavity의 원인균

염증성질환
Bacteria: Oral anaerobes (*Bacteroides spp.*, *Fusobacteria*, *Actinomyces spp.*, anaerobic and microaerophilic cocci), enteric aerobic G(−) bacilli, *P. aeruginosa*, *Legionella spp.*, *S. aureus*, *S. pneumonae* serotype III, *M. tuberculosis*, *Nocardia spp.*
Fungi: *Histoplasma capsulatum*, *Coccidioides immitis*, *Blastomyces spp.*
비염증성질환
Neoplasms, Wegener's granulomatosis, infarction, infected bullae and cysts

3) Cavity를 일으키지 않는 균

H. influenzae, *M. pneumoniae*, virus, most other serotypes of *S. pneumoniae*

2. 원인균 진단을 위한 적절한 진단 방법

대한화학요법학회, 대한감염학회, 대한결핵 및 호흡기학회, 지역사회획득폐렴의 치료지침 권고안 2008

1) 외래 환자에서 원인균 진단을 위한 적절한 방법

(1) 객담 그람 염색과 배양검사가 필수적인 것은 아님

(2) 결핵이 의심되는 경우 객담 항산성 염색과 결핵균 배양 검사를 시행

(3) 임상적 또는 역학적으로 의심될 경우 legionella 또는 influenza 검사 시행

2) 입원 환자에서 원인균 진단을 위한 적절한 방법

(1) 항생제 투여 전에 혈액 배양검사와 객담 그람 염색 및 배양검사를 모든 폐렴 환자에서 시행하는 것이 좋음

(2) 중증지역사회획득폐렴 환자: 혈액배양검사와 Legionella, *Streptococcus pneumoniae*에 대한 소변 항원 검사, 객담 그람 염색 및 배양검사를 시행

(3) 기도삽관 환자: 경기관 흡입 검체를 이용한 검사를 시행

(4) 면역결핍, 기존치료에 실패한 환자: 기관지 내시경 검사 또는 경피적 폐 흡입을 시행

3) 혈액 배양 검사

(1) 반드시 항생제 투여 전에 시행되어야 함. 다른 검사에 비해 진단률이 높음

(2) 혈액배양의 균 검출율: 5-14%

(3) 혈액배양에서 가장 많이 발견되는 원인균: *Streptococcus pneumoniae*

(4) 중증지역사회획득 폐렴, 무비증이나 보체결핍증과 같은 면역저하질환, 만성간질환, 백혈구 감소증, 면역 저하자: 혈액배양 검사가 중요함, 반드시 시행

4) 호흡기 검체의 도말 및 배양 검사

입원하는 모든 지역사회획득폐렴 환자: 객담 도말 및 배양 검사를 시행

5) 배양 검사의 해석

경험적 항생제 투여 전에 시행된 적절한 기도 흡인 검체나 기관지 내시경 흡인 검체의 배양에서 황색

포도알균이나 그람 음성막대균이 분리되지 않으면 이 세균이 폐렴의 원인균이 아니라는 좋은 증거가 되며, 이러한 세균을 표적으로 하는 경험적 항생제의 투여를 중단하게 되는 근거가 될 수 있음

6) 기타배양 검사

(1) 흉수 검사: 흉부 측와위 사진에서 10 mm 이상 두께의 흉수가 관찰되거나 흉수가 소방형성을 하였을 때에는 농흉이나 합병부폐렴성 흉수의 가능성을 배제하기 위하여 흉수를 채취하여 검사를 시행

(2) 관절액, 뇌척수액등 다른 부위의 감염이 의심: 해당 부위의 그람 염색과 배양을 시행

7) 소변항원검사

(1) *Streptococcus pneumoniae*와 *Legionella pneumoniae*

(2) Urinary *S.pneumoniae* antigen

   ① 모든 지역사회획득폐렴 환자에서 시행

   ② 민감도: 50-80% 특이도: 90% 이상

   ③ 위양성: *S.pneumoniae*가 집락화된 만성폐질환자, 지역사회획득폐렴으로 치료받은 지 4개월이 되지 않은 환자(COPD 환자의 normal flora와는 상관없음)

(3) Urinary Legionella antigen

   ① 중등증 또는 중증 지역사회획득폐렴 환자에게서 시행

   ② type 2 L.pneumoophilia 감염에 대한 민감도: ~ 80%, 특이도: 95% 이상

   ③ 발생 하루안에 양성결과 획득 가능, 수주동안 양성으로 지속

   ④ 양성일 경우: β-lactam계 항생제 치료에 반응이 없음

8) 혈청검사

(1) *Chlamydia*, *Mycoplasma*, *Legionella pneumophilia*가 아닌 기타 *Legionella* 등의 비정형 폐렴균 진단

(2) 급성기 및 회복기의 미세면역형광법 혈청검사를 통해서 가능

(3) 초기에는 위음성, 회복기의 IgG 역가가 급성기에 비해 4배 이상 상승하는 경우 진단

(4) Mycoplasma: 40세 이상 성인에게서는 IgM 항체 반응이 나타나지 않음

(5) *M. pneumoniae*: single IgM Ab >1:16, single IgG Ab >1:128, indirect IF에서 IgG 4배 이상 상승

(6) *C. pneumoniae*: single IgM Ab >1:20, single IgG Ab >1:128, indirect IF에서 IgG 4배 이상 상승

(7) Legionellosis: single Legionella Ab >1:256 또는1:128 이상의 4배 이상 상승

9) 호흡기 바이러스 중합효소연쇄반응(PCR)

(1) 다른 배양검사나 효소면역측정법보다 더 민감

(2) 영유아보다 인후두에 바이러스가 적은 성인에게서 더 이득

(3) nasal swab: 가장 흔하게 사용, 성인에게서 throat swab보다 더 민감

(4) 지역사회획득폐렴 환자의 20-40%에게서 바이러스 검출

(5) PCR 양성: 바이러스에 의한 폐렴을 의미하지는 않음

10) 호흡기 세균 중합효소연쇄반응(PCR)

    (1) Legionella: type 1만이 아닌 모든 legionella의 혈청그룹 진단 가능, 민감도 97.4%, 특이도 98.6%, nasopharyngeal samples or nasal swabs보다 객담검체가 진단률이 더 높음

    (2) Mycolpasma, Chlamydophilia: 다른 혈청검사보다 민감도가 높으며 객담검체가 더 진단률이 높음

3. 가래검사

1) 가래검사는 급성세균성 폐렴 환자를 진단하기 위한 주요 검사임에도 불구하고, 배출된 가래는 흔히 상기도 병원성 세균에 의해 오염됨

2) 일반적인 방법으로 가래 배양이 불가능한 균: 혐기성균, *Mycoplasma*, *Chlamydia*, *Pneumocystis jirovecii*, *Legionella*

3) 혐기성균 배양을 위한 가래 채취 방법

    (1) Transtracheal aspiration

    (2) Transthoracic puncture

    (3) Protected brush via bronchoscopy

4) Gram stain

    (1) 적절한 검체의 조건: 저배율(10×10)에서 PMNL 25개 이상, epithelial cell 10개 이하

    (2) Gram stain에서 mixed flora가 보이면 anaerobic infection을 시사함

5) AFB stain, PCR, Culture: 우리나라에서는 폐결핵이 많으므로 항상 결핵 가능성 고려

4. 침습적 검사

1) 기관경유흡인(Transtracheal aspiration, TTA)

2) 경피적 경흉폐천자(Percutaneous transthoracic lung puncture)

3) 굴곡기관지내시경(Fiberoptic bronchoscopy)

    (1) Protected double-sheathed brush (PSB)

        ① Contamination: $< 10^3$ CFU/mL

        ② Infection: 10^3 CFU/mL

    (2) Bronchoalveolar lavage: infection 10^4 CFU/ml

    (3) Transbronchial lung biopsy (TBLB)

4) 개방폐생검(Open-lung biopsy)

    예) Endotracheal aspiration: infecton 10^5 CFU/ml

VII. 치료

Management of Community Acquired Pneumonia in Adult

(대한화학요법학회, 대한감염학회, 대한 결핵 및 호흡기학회, 지역사회획득폐렴의 치료 지침 권고안 2008)

1. 치료 장소의 결정(Site-of-Care Decisions)

1) 입원기준(Hospital admission decision)

(1) 지역사회획득폐렴 환자의 입원 치료 여부 결정은 의료진의 임상적 판단에 의하되 객관적 기준을 참고로 해야 함(level II-3등급)

(2) 객관적 기준으로는 PSI 혹은 CURB-65/CRB-65를 선택하여 사용(level 1-3등급)

(3) 중증폐렴으로 중환자실 입원치료의 기준은 상기 기준 이외에 별도의 기준을 따를 수 있음(level II-3 등급)

표 2-4-4 CURB-65 criteria/CRB-65

Clinical factor	points
1. Confusion	1
2. Uremia: BUN >7 mmol/L(19mg/dL)	1
3. Respiratory rate ≥ 30 breaths/min	1
4. low Blood pressure(systolic <90 mmHg or diastolic ≤ 60 mmHg)	1
5. age 65 years or greater	1

* CRB-65 : 피검사를 시행할 수 없는 외래 환자에게 가장 적합

표 2-4-5

위험도	CURB-65 점수	사망률 (%)	치료	CRB-65 점수	사망률 (%)	치료
저위험군	0-1	1.5	재택치료	0	1.2	재택치료
중등도 위험군	2	9.2	입원치료	1-2	8.15	가능한 입원환자를 볼 수 있는 병원으로 전원
고위험군	3-5	22	중등도폐렴에 준하여 치료	3-4	31	가능한 빨리 입원치료

* 중증폐렴의 가장 유용한 단일 임상 증상: 호흡수≥30/min (다른 폐 질환 없이)
* 어떤 Scoring system도 의료진의 임상적 판단을 대신할 수 없음

2. 항생제치료(Antibiotics Treatment)

대한화학요법학회, 대한감염학회, 대한결핵 및 호흡기학회, 지역사회획득폐렴의 치료지침 권고안 2008

1) 외래에서의 경험적 항생제

β-lactam ± macrolide (경구) (level I – 3등급)

amoxicillin 또는 amoxicillin-clavulanate, cefpodoxime, cefditoren (level II – 3등급)

±

azithromycin, clarithromycin, roxithromycin (3등급)

또는

Respiratory fluoroquinolone (경구) (level I – 3등급)

gemifloxacin, levofloxacin, moxifloxacin

(Macrolide와 fluoroquinolone의 약물 나열은 알파벳순임) *비정형적 폐렴: macrolide 꼭 같이 사용해야 함
* Fluoroquinolone: 5일 치료가 7일 치료에 비해 열등하지 않음 – Levofloxacin 750 mg이 500 mg보다 약동학적으로 더 이상적임

2) 일반병동으로 입원하는 경우의 경험적 항생제

(1) 경증(CURB-65:0-1점), 중등증(CURB-65:2점), 중증(CURB-65:3점)폐렴으로 분류

(2) 경증, 중등증폐렴: β-lactam 또는 Respiratory fluoroquinolone 단독의 경험적 치료 가능

(3) 중증폐렴 또는 비정형적 폐렴: β-lactam + macrolide

β-lactam + macrolide (level I – 3등급)

   cefotaxime, ceftriaxone ampicillin/sulbactam, or amoxicillin/calvulanate

   \+

   azithromycin, clarithromycin, erythromycin, or roxithromycin

또는

Respiratory fluoroquinolone (level I – 3등급)

   gemifloxacin (경구), levofloxacin (주사 또는 경구),

   moxifloxacin (주사 또는 경구)

(Macrolide와 fluoroquinolone의 약물 나열은 알파벳순임)

3) 중환자실로 입원하는 경우의 경험적 항생제

P. aeruginosa 감염이 의심되지 않는 경우

β-lactam + azithromycin (level II – 3등급)

   cefotaxime, ceftriaxone, ampicillin/sulbactam

   \+

   azithromycin(주사 혹은 경구)

또는

β-lactam + fluoroquinolone (level I – 3등급)

   cefotaxime, ceftriaxone, ampicillin/sulbactam

   \+

   gemifloxacin(경구), levofloxacin(주사 또는 경구), moxifloxacin(주사 또는 경구)

* 페니실린 과민반응이 있는 경우에는 호흡기 fluoroquinolone + aztreonam의 사용이 권장됨.

(Macrolide와 fluoroquinolone의 약물 나열은 알파벳순임)

Pseudomonas 감염이 의심되는 경우의 경험적 항생제

Antipneumococcal, antipseudomonal β-lactam

   (cefepime, piperacillin/tazobactam, imipenem, meropenem)

   \+ ciprofloxacin 혹은 levofloxacin (750 mg/d)

또는

Antipneumococcal, antipseudomonal β-lactam + aminoglycoside + azithromycin

또는

Antipneumococcal, antipseudomonal β-lactam

   \+ aminoglycoside

   \+ antipneumococcal fluoroquinolone

   (gemifloxacin, levofloxacin, moxifloxacin) (level III – 3등급)

(1) 첫 항생제 사용시간

   응급실에서 바로 시작해야 함(보통6-8시간 이내)

(2) 경구항생제로 변경

   경구 치료로 전환하는 기준은

   ①해열 >24시간, 맥박 <100회/분, 과호흡, 저혈압, 저산소증이 없는 경우

② 혈액검사에서 백혈구수의 정상화

③ 균혈증이 없는 경우

④ *Legionella spp.*, *Staphylococcus aeureus*, *Enterobacteriaceae*가 원인이 아닌 폐렴

⑤ 충분한 경구 섭취량 및 정상적인 위장관 흡수 기능의 회복(level Ⅱ - 3등급)

(3) 항생제 치료기간

① 안정되어 있고, 현재 문제가 없으며, 계속적인 치료에 대한 안정적 환경을 가지고 있을 때

② 짧은 치료로 불충분한 폐렴: Legionella, 균혈증을 동반한 S.aureus 폐렴, 장내 그람 음성 간균에 의한 폐렴, 다른 장기에 감염이 동반된 폐렴, 동공이나 조직 괴사가 동반된 폐렴

3. 초기 치료에 반응하지 않는 폐렴의 원인

표 2-4-6

잘못된 진단		울혈심부전증, 폐색전증, 심근경색, 악성종양, 사르코이드증, 혈관염(베게너육아종증 등), 신부전, 폐출혈, 폐쇄세기관지기질화폐렴(bronchiolitis obliterans organizing pneumonia), 약제유발성 폐질환, 호산구폐렴, 과민성폐렴
옳은 진단 (폐렴)	환자에 문제	국소 부위: 폐쇄, 이물질 환자의 면역기능저하 폐렴 합병증: 농흉, 폐렴주위 삼출액
	약제에 문제	약제선택, 용량, 용법, 투여경로의 잘못 약물열 등의 약제이상반응이나 약물상호작용
	원인균에 문제	내성균, 병원내 중복감염, 흔치 않은 원인균(Mycobacterium, Norcardia, 진균, 바이러스, 혐기균 등)
	전이성 감염	심내막염, 수막염, 관절염, 심낭염, 복막염 등

4. 추적

1. 완치 판정을 위한 적절한 검사 방법

완치 판정을 위한 적절한 검사 방법은 임상 증상과 진찰소견이 폐렴 이전 범위로의 호전이 있으며 흉부엑스선의 음영이 소실되거나 호전되었을 때를 완치라고 정의할 수 있음(level Ⅱ - 3등급)

2. 재방문 시점

대부분 지역사회획득폐렴 환자의 경우는 7일에서 10일 정도의 치료기간임을 고려할 때 외래환자의 경우는 임상적인 소견에 따라 재방문시점을 정하고 입원 후 퇴원 환자의 경우는 퇴원 후 7일 이내에 재방문을 권유하는 것이 바람직하다(level Ⅱ - 3등급). 만성기도질환이나 고령의 환자에서는 장기간 재방문 및 추적관찰이 필요할 것으로 판단됨

입원하는 지역사회획득폐렴 환자의 2%에서 폐암이 발견되게 됨. 이 중 50% 환자는 초기 흉부엑스선에서 발견되고 나머지 50%는 폐렴 회복이 느린 경우 기관지 내시경을 통해서 폐암이 진단됨

1) 퇴원 후 흉부엑스선 추적 시기

(1) 50세 이상, 남자, 흡연자: 치료 종료 7-12주 후 꼭 흉부엑스선 추적

(2) 50세 이상, 다발엽 침범 폐렴, 기저질환 있는 환자: 치료 종료 12주 이상이 지나야 병변 호전

(3) 50세 이전, 기저질환 없는 환자: 4주 전 흉부엑스선 호전

5. 예방

   1) 금연

   2) 흡연자는 폐구균과 인플루엔자 예방접종을 모두 시행해야 함

Ⅷ. 기관지확장증

1. 정의

   기관지 혹은 소기관지 내경이 어떤 이유로든 비가역적으로 넓어진 것

2. 병태생리

   1) 염증과 기관지벽 구성부의 파괴를 동반하는 것으로 주요 원인은 감염과 더불어 toxin이나 면역반응 체계에 의한 기도손상

   2) 주로 녹농균이나 *H. influenzae* 등에 의한 pigment, protease, toxin들은 기도점막의 손상과 섬모청정 기능 저하를 유발

3. 원인

감염 후

   Bacteria (*pseudomonas, haemophilus, Staphylococcus aureus*)

   Mycobacterium tuberculosis

   Aspergillus species

   Virus (adenovirus, measles, influenza, HIV)

선천성

   Primary ciliary dyskinesia

   Alpha1-antitrypsin deficiency

   Cystic fibrosis

   Tracheobronchomegaly (Mounier-Kuhn syndrome)

   Cartilage deficiency (Williams-Campbell syndrome)

   Pulmonary sequestration

   Marfan's syndrome

면역저하

   원발성

     Hypogammaglobulinemia

   속발성

     Caused by cancer (chr. lymphatic leukemia), chemotherapy, immune modulation (after transplantation)

Toxin 흡인

   Chlorine, Overdose (heroin)

류마티스성

   Rheumatoid arthritis, Systemic lupus erythematosus, Sjogren's syndrome, Relapsing polychondritis

기타

Inflammatory bowel disease (chronic ulcerative colitis or Crohn's disease)

Young's syndrome (secondary ciliary dyskinesia)

Yellow nail syndrome (yellow nails and lymphedema)

4. 임상증상

1) 주요 증상: 지속적이고 반복적인 만성 기침, 화농성가래, 객혈

2) 대량객혈의 원인: 만성 염증으로 인하여 기관지 동맥이나 혈류의 발달

표 2-4-7 기관지확장증과 만성 폐쇄성 폐질환의 비교

구분	COPD	Bronchiectasis
원인	흡연	감염, 유전, 면역결핍
감염	속발성	원발성
객담 내 주 원인균	*S. pneumoniae, H. influenzae*	*H. influenzae, P. aeruginosa*
기류폐쇄와 과민성	Present	Present
방사선소견	Hyperlucency, hyperinflation, airway dilatation	Airway dilatation and thickening, mucous plugs
객담의 특징	Mucoid, clear	Purulent, three-layered

5. 검사소견

1) 흉부엑스선: 주변부 폐야의 Parallel lines" Tram tracks"

2) HRCT: 진단에 가장 좋은 방법

    (1) 기관지 내경이 동반된 폐동맥보다 1.5배 이상일 때

    (2) 흉막하 2 cm 이하의 주변부폐야에서 기관지가 보일 때

3) Bronchography

    기관지 확장증을 잘 볼 수 있으나 지금은 HRCT로 대치

4) Bronchoscopy

    (1) 이물질, 종양, 해부학적 이상, 림프절로 인한 기도 압박으로 인해 기도 폐색이 발생한 국소 기관지 확장증 검사에 유용

    (2) 객혈을 호소하는 환자에서 출혈 부위를 찾는데 도움이 됨

5) 폐기능검사: 폐쇄성 환기 장애 소견 대부분. FVC 정상 또는 감소, FEV1 감소, FEV1/FVC 감소

6. 치료

1) 급성악화 시

    (1) 기관지 확장증의 급성악화 시 증상

① 가래 증가　　　　② 호흡곤란 증가　　　③ 기침 증가

④ 발열(>38.0℃)　　⑤ 천명음 증가　　　　⑥ 피로, 무기력, 운동능력 감소

⑦ 폐기능 감소　　　⑧ 새로운 폐병변을 포함한 방사선 소견 악화

⑨ 흉부 청진음 변화

(2) 감염이 급성악화의 주된 원인. *H. influenzae*, *P. aeruginosa*가 가장 흔한 원인균으로 fluoroquinolone (levofloxacin, moxifloxacin, gemifloxacin)을 최소 7-10일 사용

2) Bronchial hygiene 유지

3) 수분공급, Nebulization

4) Physiotherapy

(1) Chest percussion

(2) Assistant or Mechanical vibrator

(3) 채위배액: 하루에 3-4회 일정한 간격으로 시행(한 번 시행 시 최소 15-30분)

5) 기관지 확장제: Obstruction을 호전, 기도분비물 배출에 도움

IX. 폐농양

1. 정의

Pus와 Necrotic debris를 포함하고 있는 Cavity

2. 원인

표 2-4-8 폐농양의 원인

감염성 요인

Bacterial Aspiration/Pneumonia

　Anaerobes: pigmented and nonpigmented *Prevotella, Fusobacterium, Peptostreptococcus* (now divided into five additional genera– *Anaerococcus, Finegoldia, Gallicola, Micromonas*, and *Peptoniphus*), *Bacteroides fragilis*, and *Clostridium perfringens*

　Aerobes: *Streptococci, S. aureus, Enterobacteriaceae, P. aeruginosa, K. pneumoniae, Legionella spp., Nocardia asteroides, H. influenzae, Eikenella corrodens, Salmonella spp., Burkholderia pseudomallei, B. mallei, Rhodococcus equi*

Bacterial Embolic

　S. aureus, P. aeruginosa, F. necrophorum

Mycobacteria (often multifocal)

　M. tuberculosis, M. avium complex, M. kansasii, other mycobacteria

Fungi

   Aspergillus spp., Mucoraceae, Histoplasma capsulatum, Pneumocystis carinii, Coccidioides immitis, Blastomyces dermatitidis, Cryptococcus neoformans

Parasites

   Entameba histolytica, Paragonimus westermani, Stronglyoides stercoralis (postobstructive)

   Empyema (with air–fluid level)

   Septic embolism (endocarditis)

선행요인

Fluid–filled cysts or bullae

Infarction without infection

Pulmonary embolism

Vasculitis

   Goodpasture's syndrome, Wegener's granulomatosis, Polyarteritis nodosa

Bronchiectasis

Postobstructive pneumonia (neoplasm, foreign body)

Pulmonary sequestration

Pulmonary contusion

Neoplasm

1) 흡인과 관련된 다양한 폐렴의 형태

(1) Pneumonitis: 초기 단계

(2) 괴사성 폐렴: 크기가 2 cm 미만

(3) 폐농양: 크기가 2 cm 이상

2) 호발부위

Lower lobe의 sup. segment와 upper lobe의 post. Segment

그림 2-4-1 체위에 따른 흡인 호발 폐부위

3. 임상증상

1) 흡인 1-2주 후세포괴사, 농양발생

2) 화농성가래, 객혈, 기침, 미열, 체중감소, 빈혈, 흉막성통증

4. 진단

1) 흉부엑스선 및 컴퓨터단층촬영: 중앙부에 수평의 공기액체층(Air-fluid level)을 갖는 공동, 변연부로는 폐렴과 같은 기강경화(Consolidation)

2) 미생물검사

(1) 객담: 혐기성 배양으로 사용할 수 없음(혐기균은 구강 내에 정상적으로 존재)

(2) 혈액배양: 흡인성폐렴에서 균혈증은 드묾

(3) 농흉액: 혐기균과 호기균 배양에 적합

(4) 경기관지 흡인, 기관지 내시경

5. 치료

1) 주 치료: 항생제+ 배농

(1) 재발을 방지하기 위해 최소 1-3개월 치료

(2) 초기에는 경험적 항생제 치료 후 Gram stain과 균 배양 결과에 따라 결정

(3) 폐암에 동반된 폐농양도 있으므로, 반드시 추적 관찰하면서 방사선 상 호전여부를 확인하고 좋아 지지 않으면 조직 검사를 고려해야 함

(4) 체위 배액을 포함한 배농요법은 중요

경피적 배액술 등의 치료는 주변 폐실질로 감염의 전파 우려가 있으므로 신중히 결정

2) 항생제

표 2-4-9 폐농양의 항생제 선택

주된 원인균

Prevotella: Metronidazole, clindamycin, β–lactam/β–lactamase inhibitor combinations, carbapenems

Fusobacterium: As for *Prevotella*

Peptostreptococcus: β–lactam/β–lactamase inhibitor combinations, carbapenems, penicillin (high dosage)

Streptococcus (anaerobic, microaerophilic strains): penicillin (high dosage), β–lactam/β–lactamase inhibitor combinations, carbapenems

드문 원인균

Bacteroides: Metronidazole, β–lactam/β–lactamase inhibitor combinations, carbapenems

Clostridium: Metronidazole, β–lactam/β–lactamase inhibitor combinations, carbapenems, penicillin

Actinomyces: Penicillin (high dosage), clindamycin

Eikenella corrodens (microaerophilic): penicillin, β–lactam/β–lactamase inhibitor combinations, carbapenems

원인균을 알 수 없을 때

Metronidazole plus penicillin, β–lactam/β–lactamase inhibitor combinations, carbapenems

3) Surgical resection

(1) 항생제 치료에 반응이 없을 때

(2) 기도 폐쇄가 발생한 경우

 * 72시간 이상의 발열이나 bacteremia 지속 시, 7-10일 동안 방사선학적 소견의 변화가 없거나 가래 배출의 호전을 보이지 않을 때 생각할 수 있는 임상 상황

① 진단되지 않은 기도 폐쇄, ② 농흉, ③ 내성균주

4) 체위배액(Postural drainage)

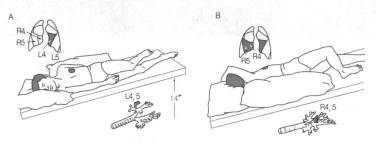

그림 2-4-2 체위배액술 - 중간엽과 혀구역의 객담배출자세
A: 왼쪽 혀구역 (L4,5) B: 오른쪽 중간엽(R4,5)

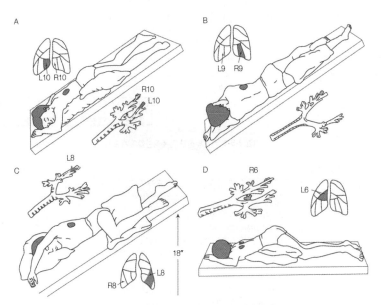

그림 2-4-3 체위배액술 - 아래엽 각 구역의 객담배출자세
A : 아래엽의 뒤바닥구역 (R10, L10) B : 오른쪽 아래엽의 가쪽 바닥구역 (R9)
C : 왼쪽 아래엽의 앞바닥구역 (L8) D : 아래엽의 위구역 (R6, L6)

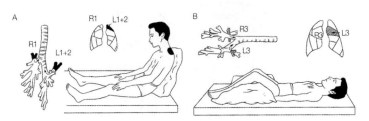

그림 2-4-4 체위배액술 - 위엽의 객담배출자세
A: 오른쪽 폐 꼭대기 구역 및 왼쪽 폐 꼭대기뒤구역 B: 양폐의 앞구역

Ⅰ. 진단

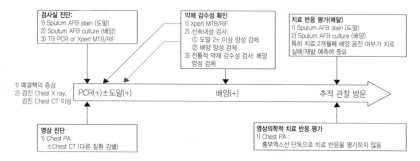

그림 2-5-1 폐결핵 진단 및 추적관찰의 개요

표 2-5-1 결핵 진단검사

검사	특징
도말	• 처음 진단 시 최소한 2회, 가능한 3회 시행 • 민감도가 낮다는 것이 단점. • 양성 시 NTM과 감별이 필요 • 전염성이 높은 환자를 조기에 발견할 수 있는 장점 • 생균과 사균의 구별이 어려워 치료 반응을 보는 지표로는 부적절
배양	• 결핵 진단의 Gold standard • 결핵 관련 검사실 진단 방법 중 민감도가 가장 우수 • 치료 2개월째 배양 결과는 치료 실패/재발의 중요한 예측인자 • 약제 감수성 검사를 시행하기 위한 근거 • 시간이 오래 걸린다는 단점(액체 배지: 2주, 고체 배지: 3-8주)
TB PCR	• 특이도가 우수, 민감도가 도말보다 우수 • 검사 결과를 빠르게 확인 가능 • 도말 양성 시 결핵과 NTM을 구별하는 역할 • 도말 음성인 경우 민감도가 떨어짐
Xpert MTB/RIF	• 결핵균의 존재와 가장 중요한 약제인 리팜핀 내성 여부를 동시에 확인 • 빠른 검사 결과 확인 가능(2시간 이내) • 리팜핀 단독 내성이 드물기 때문에 리팜핀 내성은 다제내성으로 간주 • 폐외 검체에 대해서도 우수한 진단율
전통적 약제 감수성 검사	• 첫 배양 양성 검체에 대하여 반드시 시행 • 치료실패(4개월째 배양 양성) 의심되는 경우 다시 시행

검사	특징
신속 내성 검사	• 도말 양성 검체, 배양 양성 검체로 시행 • 리팜핀과 이소니아지드 내성을 검출(이소니아지드는 민감도가 떨어짐) • 도말 양성 검체로 치료 시작 초기에 내성 확인 가능
흉부엑스선	• 활동성 여부 확인을 위해 이전 엑스선 검사와 비교하는 것이 유용 • 단독으로 결핵을 진단할 수는 없음 • 단독으로 치료 반응을 평가할 수는 없음(섬유화, 다른 폐질환)
흉부 CT	• 활동성 여부 판단에 도움 • 폐문 림프절 비대, 속립성 결핵, 결핵 반흔 속의 활동성 병변 진단 • 다른 폐질환(폐암, Sarcoidosis 등) 감별에 유용
조직검사	• 보통 폐외결핵 진단에 많이 쓰임 • 건락괴사를 동반한 육아종, 거대세포, 상피모양세포 (NTM, 진균감염, 브루셀라, 매독 등에서도 나타날 수 있음) • 조직검체로 PCR 및 배양 시행(검체를 포르말린 처리하지 말아야 함)
IGRA/TST	• 단독으로 활동성 결핵을 진단할 수 없음 • 폐외결핵처럼 균검사가 음성이고 진단이 어려운 경우 참고하는 수준

표 2-5-2 결핵 진단검사의 해석

도말	PCR	해석 및 대처
양성	양성	결핵 진단, 치료 시작
양성	음성	NTM 추정, 배양결과 확인
음성	양성	결핵 진단, 치료 시작
음성	음성	임상적으로 판단: 가능한 선택 옵션 1) 치료 보류하고 배양 결과 기다림 2) 기관지내시경, 조직검사 등 추가 검사 시행 3) 임상적 결핵 진단: 치료 시작 후 임상 증상 및 영상의학적 호전 여부 확인

II. 격리

• 진단이 되면 가장 먼저 할 일은 격리

• 폐결핵이 의심되면 진단 전이라도 선격리

• 결핵 환자는 가급적 자가격리 및 외래에서 통원치료하는 것이 원칙

• 입원이 필요한 경우 되도록 음압 시설을 갖춘 격리 병실로

• 격리 해제 기준

도말 양성 환자	1) 2주 이상 결핵치료 2) 임상 증상(특히 기침) 호전 3) 도말 검사에서 3회 연속 음성
도말 음성 환자	1) 1주 이상 결핵 치료 2) 임상 증상(특히 기침) 호전

Ⅲ. 치료원칙

1. 1차 약제 선택의 원칙

   1) 표준치료는 2HREZ/4HR (E)

   2) 약제 내성 검사에서 이소니아지드와 리팜핀 감수성이 확인되면 2개월 후부터 에탐부톨 중단

   3) 결핵 치료제 중 효과가 좋고 부작용이 적은 약제는 1차 치료약제

   4) 2차 약제는 1차 약제에 비하여 효과가 떨어지고 부작용이 많음

   5) 약제 내성, 중증 부작용을 제외하고는 가급적 1차 약제를 유지

   6) 리팜핀을 포기하는 순간 치료 기간은 12-18개월로 연장되며 치료 성적도 떨어짐

2. 치료 기간: 9개월로 연장을 고려하는 경우

   1) 공동이 있고 2개월째 배양검사에서 양성이 나온 경우

   2) 초치료 2년 이내에 재발한 경우

3. 추구 검사

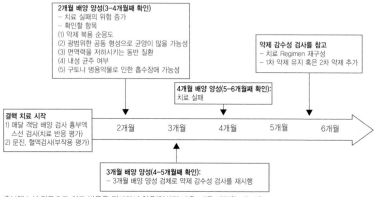

흉부엑스선 단독으로 치료 반응을 평가하지 않음(역설적 반응, 다른 폐질환 가능성)
치료 실패의 가능성을 우려하여 약제를 한 가지씩 추가하면 안됨(약제 감수성 결과를 확인)

그림 2-5-2 폐결핵 추구 검사의 개요

4. 내성결핵의 치료

1) 다제내성결핵의 약제 선택

- 현재 우리나라에서는 기본 2차 약제 5가지(퀴놀론, 주사제, 피라진아미드, 프로치온아미드, 시클로세린) 및 약제 감수성 검사 결과에 따라 신약인 베다퀼린과 델라마니드, Repurposing drug인 리네졸리드, 클로파지민 중에서 선택하여 최소 5가지 효과적인 약제를 구성
- 하지만 2018년 발표된 WHO rapid communication에서는 퀴놀론, 베다퀼린, 리네졸리드를 우선하여 선택할 것을 권장하고 주사제는 비가역적인 부작용으로 인해 꼭 필요한 경우에만 사용할 것을 권장(http://www.who.int/tb/publications/2018/rapid_communications_MDR/en/)
- 향후 국내 진료 지침에서 이를 수용할 것인지는 2018년 12월 현재 결정되지 않았음

2) 이소니아지드 단독 내성의 약제 선택

- 이소니아지드를 중단하고 리팜핀, 피라진아미드, 에탐부톨만 유지(REZ) 6-9개월
- 병변의 범위가 넓고 심한 경우 퀴놀론을 추가
- 피라진아미드를 중단한 이후에 내성이 확인되면 리팜핀, 에탐부톨만 유지하여(RE) 12개월
- 리팜핀, 에탐부톨, 피라진아미드, 레보플록사신 6개월(6REZLfx) 2018 WHO recommendation
  https://www.who.int/tb/publications/2018/WHO_guidelines_isoniazid_resistant_TB/en/

3) 리팜핀 단독 내성의 약제 선택

- 리팜핀을 중단하고 이소니아지드, 에탐부톨, 피라진아미드, 퀴놀론으로 12-18개월
- 병변의 범위가 넓고 심한 경우 주사제를 추가
- WHO에서는 2016년부터 다제내성결핵에 준하여 치료할 것을 권장(이소니아지드는 유지)

Ⅳ. 결핵 치료 약제

표 2-5-3 결핵치료 약제

항결핵제	총용량(최대용량)	투여방법	주요부작용
Isoniazid (H)	5 mg/kg (300 mg)	하루 한번, 공복 시	간독성, 말초신경병증, 피부 과민반응
Rifampin (R)	10 mg/kg (600 mg) 450 mg (<50 kg) 600 mg (≥50 kg)	하루 한번, 공복 시	간독성, flu-like syndrome, 피부 과민반응, 혈소판감소, 위장장애, 체액색조변화
Rifabutin (Rfb)	5 mg/kg (300 mg)	하루 한번, 공복 시 또는 식후	간독성, 호중구 감소증
Ethambutol (E)	15-20 mg/kg (1,600 mg)	하루 한번, 공복 시 또는 식후	시신경병증(시력저하 및 색각의 변화)
Pyrazinamide (Z)	20-30 mg/kg (2,000 mg) 1,000 mg (<50 kg) 1,500 mg (50-70 kg) 2,000 mg (≥70 kg)	하루 한번, 공복 시 또는 식후	간독성, 관절통, 위장장애, 광과민성
Kanamycin(Km) Amikacin(Am) Streptomycin(S)	50세 미만: 15 mg/kg (1,000 mg) 50세 이상: 10 mg/kg (750 mg)	하루 한번, 근육주사 또는 정맥주사	이독성, 신독성, 입주위 저린 증상
Levofloxacin(Lfx) Moxifloxacin(Mfx)	750-1,000 mg 400 mg	하루 한번, 공복 시 또는 식후	위장장애, 두통, 어지러움, 관절통
Cycloserine(Cs)	15 mg/kg (1,000 mg) 500 mg (<50 kg) #2 750 mg (50-70 kg) #2 750-1,000 mg (≥70 kg) #2	하루 2회, 공복 시	우울증, 정신장애

항결핵제	총용량(최대용량)	투여방법	주요부작용
Prothionamide(Pto)	15 mg/kg (1,000 mg) 500 mg (<50 kg)#2 750 mg (50~70 kg) #2 750~1,000 mg (≥70 kg) #2	하루 2회, 공복 시 또는 식후	간독성, 위장장애
PAS	150 mg/kg (12 g) =3.3 g (pack)을 3회	하루 3회, 식후	오심, 구토, 복부불쾌감, 식욕부진, 간독성
Linezolid(Lzd)	600 mg	하루 1회, 경구	골수억제, 말초신경염, 시신경염, 위장장애
Clofazimine(Ctz)	100mg	하루 1회, 음식과 함께 복용	피부 색조 변화, 체액 색조 변화, 피부 광과민증, 위장장애
Imipenem-cilastatin (Ipm)	2,000 mg =1,000 mg을 2회	정맥주사, 2회	설사, 울렁거림, 경련발작
Meropenem (Mfm)	3,000 mg =1,000 mg을 3회	정맥주사, 3회 하루 3회 125 mg clavulanate를 병용	설사, 울렁거림, 구토
Amoxicilin /clavulanate (Amx-Clv)	Clavulanate 기준 375 mg =500/125을 3회	하루 3회 식후	설사, 울렁거림, 구토, 복통
Bedaquiline (Bdq)	첫 2주 하루 400 mg 이후 22주 200 mg 주 3회	하루 1회, 음식과 함께 복용	심전도 이상(QT간격 연장), 간독성, 위장장애, 두통, 관절통
Delamanid (Dlm)	200 mg =100 mg을 2회	하루 2회, 음식과 함께 복용	위장장애, 심전도 이상(QT간격 연장), 어지러움

V. 결핵치료 부작용

표 2-5-4 결핵 치료 부작용의 원인 약제

부작용	흔한 약제	덜 흔한 약제
오심, 구토	Pto, PAS, Bdq	H, E, Z, Amx/Clv, Ctz, Dlm, Lzd, Cs
위염	PAS, Pto, Ctz	Lfx, Mfx, H, E, Z
설사	PAS, Pto	Lfx, Mfx, Lzd, Amx/Clv
간독성	H, Z, R, Rfb, Pto, Bdq, PAS	(rare) E, Mfx
근육통, 관절통	Z, Lfx, Mfx, Pto, Bdq	Rfb
시신경염	E, Lzd	(rare) Pto, Rfb, Ctz, H
이독성(청력저하, 어지러움)	Am, Km, S	
말초신경염	Lzd, H, Cs	S, Am, Km, Lfx, Mfx, (rare) Pto, E
우울증	Cs	Lfx, Mfx, H, Pto
Psychosis	Cs	Lfx, Mfx, H, Pto
두통	Cs, Bdq	H
Seizure	Cs, H, Mfx, Lfx	
빈혈	Lzd, R	Rfb, H
혈소판 감소	R, Rfb, Lzd	Pto (rare)
신독성	Am, Km, S	
전해질 불균형	Am, Km, S	

부작용	흔한 약제	덜 흔한 약제
갑상선기능저하증	Pto, PAS	
QT 간격 연장	Bdq, Dlm, Mfx	Lfx, Cfz
과민반응, 피부발진	H, R, E, Z, Pto, PAS, Lfx, Mfx	나머지 모든 약제

표 2-5-5 결핵 치료약제 부작용의 관리

부작용	대처
오심, 구토	1. 결핵약 복용 초기에 발생하며 서서히 호전될 수 있음을 설명 2. 수분 충분히 섭취, 식사를 소량으로 자주 드시도록 3. 결핵약 복용 30분 전 항구토제 복용 고려 4. 원인약제의 용량을 서서히 증량(Pto, PAS) 5. 취침 전 복용, 식후 30분 복용 등으로 변경 6. 예기불안이 있는 경우 항불안제 처방 7. 지속 시 hepatitis, AKI, CNS 문제 등도 고려
위염	1. 술, 카페인, 고지방식, 매운 음식 복용하는지 확인 2. H2 blocker 혹은 PPI 처방 3. 제산제는 결핵약 복용 2시간 전 혹은 결핵약 복용 후 복용
설사	1. 결핵약 복용 초기에 발생하며 서서히 호전될 수 있음을 설명 2. 충분한 수분 복용, 고섬유식, 고지방식을 피하도록 3. Probiotics 및 지사제 4. 원인약제(PAS)의 용량을 감량하거나 감량 후 서서히 증량
간독성	1. 보통 투약 초기에 발생하지만 수개월 후에도 발생 2. ALT 기준, 정상 상한치의 5배 이상 증가(200 이상) 혹은 증상이 있으면서 정상 상한치의 3배 이상 상승한 경우 간독성 약제 모두 중단. 3. Viral marker, 음주력, 다른 약제 복용력 확인 4. ALT 기준, 정상 상한치의 2배 이하로 감소하면 3~7일마다 한가지씩 저용량부터 재투여(보통 R – H – Z 순서로) 5. 약제 중단 기간이 길면 간독성이 비교적 적은 E, Cs, 퀴놀론, 주사제로 대체 투여.
근육통, 관절통	1. 결핵약 복용 초기에 발생하며 서서히 호전될 수 있음을 설명 2. 적절한 운동량을 유지하는 것이 통증 경감에 도움이 됨 3. Gout 환자의 경우 예방을 위해 저퓨린식이(육류 제한) 4. 증상 조절 위한 NSAID 처방 5. 주사제를 병용하는 경우 전해질 불균형 여부를 확인 6. 통풍이 발생하면 Z 중단
시신경염	1. 안과의뢰 2. 원인으로 의심되는 약제 즉각 중단 3. 예방을 위해 매일 E 혹은 Lzd 복용 환자는 매달 시력 측정
이독성 (청력저하, 어지러움)	1. 고주파수 영역(4,000~8,000 Hz) 난청부터 발생(audiogram에서만 진단 가능) 2. 어느 정도 진행해야 환자의 자각 증상이 발생 3. 비가역적이며 원인약제를 중단하여도 진행하는 경우가 많음 4. 주사제를 쓰는 환자는 청력과 전정기능 검사를 매달 시행
말초신경염	1. 당뇨 환자의 경우 혈당조절, 금주 및 금연 2. 예방을 위하여 H, Lzd, Cs 복용 환자는 Vit B6 복용 3. 일시적인 원인약제의 중단 혹은 감량 4. Gabapentine 혹은 tri-cyclic antidepressant 같은 약제 처방

부작용	대처
우울증	1. cycloserine 장기 복용 환자에 대하여 항상 Suicidal ideation을 평가 2. 매달 Depression screening 검사 시행 3. 갑상선기능저하증에 대한 검사 4. 원인 약제의 중단, 감량 5. 항우울제 처방
Psychosis	1. 불면증, 망상, 환각 등의 증상에 대해 주의깊게 관찰 2. 원인 약제의 중단 3. Anti-psychotic therapy
두통	1. 결핵약 복용 초기에 발생하며 서서히 호전될 수 있음을 설명 2. 충분한 수분 섭취, 적당한 활동량 유지 3. 진통제 처방, cycloserine 복용 환자의 경우 피리독신 추가
Seizure	1. 가능성 있는 모든 약제(Cs, H, Mfx, Lfx) 중단 2. Seizure의 원인에 대한 검사(감염, 저혈당, 전해질 불균형, 저산소증, alcohol withdrawal, 다른 약제, 신기능저하, 간부전) 3. 전해질, 신기능 측정(신기능 저하 시 cycloserine 과량 투여 가능성) 4. 항경련제 시작
빈혈	1. 빈혈의 다른 원인에 대한 감별 2. linezolid를 중단하거나 600 mg → 300 mg로 감량하는 것을 고려
혈소판 감소	1. Rifampin에 의한 가능성이 제일 많아 우선 중단 2. 혈소판 회복될 때까지 혈액검사, rifampin 재투여 금지 3. linezolid에 의해서도 발생할 수 있으며 중단, 혹은 감량 고려
신독성	1. 매달 신기능, 전해질에 대한 혈액검사 시행. 2. 원인 약제의 중단 혹은 감량 고려 3. 신기능에 맞춰 다른 결핵약제의 용량 조절
전해질 불균형	1. 신경학적 증상이나 EKG 변화가 있을 시 전해질에 대한 평가 2. QT 간격 연장이 있는 경우 가능성 있는 약제를 일시 중단 3. Hypocalcemia, Hypokalemia의 기저 원인으로 hypomagnesemia 동반여부 확인 4. 설사, 구토 혹은 이뇨제 사용 여부 확인 5. 경구 혹은 주사제로 보충
갑상선기능저하증	1. prothionamide, PAS를 복용하는 경우 baseline 및 3-6개월마다 갑상선기능검사를 시행 2. 피곤함, 체중 증가, 변비, 근육통, 우울증, 냉한감 등의 증상이 있을 때 갑상선 기능 저하를 의심 3. 일시적으로 levothyroxine 투여를 고려
QT 간격 연장	1. 고위험 약제를 사용하는 경우 초기 검사 및 매달 심전도 시행 2. QT prolongation이 발생한 경우 전해질 및 신기능에 대한 평가 3. QTc >500 ms일 경우 가능성 있는 약제 중단을 고려
과민반응, 피부발진	1. 혈관부종 같은 심각한 알러지 반응, 전체혈구계산 검사 혹은 간기능검사의 이상이 동반. 열이 나는 경우 가능성 있는 약제를 모두 중단 2. 피부 병변만 있는 경우: 보습 크림, 항히스타민제, 스테로이드 연고, 10-20 mg의 저용량 prednisolone을 수주 유지하는 것이 도움됨 3. Stevens-Johnson 증후군이 의심되면 모든 약제를 중단하고 호전되며 원인 약제를 찾기 위해 약제를 2-3일 간격으로 한가지씩 재투여(보통 R - H - Z 순서로)
약제열	1. 결핵으로 인한 발열, 역설적인 반응, 중복감염 등을 배제해야 함 2. 모든 약제 중단 후 24시간 이내에 발열 소실 여부 확인 3. 열이 호전되면 약제를 한가지씩 재투여(보통 R - H - Z 순서로)

Ⅵ. 폐외결핵

- 폐외결핵은 미생물학적으로 결핵균이 증명이 되는 경우가 흔하지 않음
- 영상의학적, 조직학적 소견에 의거하여 치료를 시작하는 경우가 많음
- 조직을 얻은 경우 결핵균 확인 및 약제 감수성 검사 시행을 위하여 조직배양을 시행
- 조직배양을 위해서는 조직을 얻은 후 포르말린이 아닌 멸균 식염수에 담아야 함

표 2-5-6 폐외 결핵의 치료 기간 및 스테로이드 사용 여부

결핵 침범 장기	치료 기간	스테로이드 사용
흉막결핵	6개월	미사용
기관지결핵	폐결핵과 동일	선별적 사용(Ex 주기관지 침범)
림프절결핵	6개월	미사용
결핵성 수막염	9–12개월	모든 경우 사용 하루 Dexamethasone 12 mg or 0.4 mg/kg 첫 3주간 투여 → 3–5주 동안 tapering
결핵성 복막염, 장결핵	6개월	미사용
좁쌀결핵	6개월	미사용
골, 관절결핵	6–9개월 (필요시 연장)	미사용
비뇨생식기	6개월	미사용
심낭결핵	6개월	선별적 사용: 다량의 심낭액 혹은 협착성 심낭염의 조기 징후 있는 경우

Ⅶ. 특수한 경우 결핵 치료

1. 임신 및 모유 수유

- 6개월 표준 치료가 원칙 (2HREZ/4HR (E))
- 미국해서는 Z를 빼고 9HRE로 치료하기도
- 모유 수유를 중단할 필요는 없음
- 임신 및 모유 수유 중인 결핵 환자에게 피리독신 50 mg 처방

2. 간질환 환자

- 간질환의 정도에 따라 간독성이 있는 1차 약제 H, R, Z 중 선택하여 처방
- 간독성이 비교적 덜한 2차 약제(주세제, 퀴놀론, Cs)등을 추가할 수도

3. 신장질환 환자

- 투석 중인 환자는 투석 직후에 투여
- 말초신경염 예방을 위한 피리독신 동시 투여

표 2-5-7 신기능 저하 환자의 투여 용량 및 간격: 60 kg 기준

약물명	투여 간격의 변화	Cr 청소율 30 ml/분 이하, 혹은 투석 중인 환자
Isoniazid	필요 없음	하루 한번 300 mg
Rifampin	필요 없음	하루 한번 600 mg
Pyrazinamide	필요함	25–35 mg/kg 주 3회 투여
Ethambutol	필요함	15–35 mg/kg 주 3회 투여
Levofloxacin	필요함	750–1,000 mg 주 3회 투여
Moxifloxacin	필요 없음	하루 한번 400 mg
Cycloserine	필요함	하루 한번 250 mg으로 감량 혹은 주 3회 500 mg
Prothionamide	필요 없음	하루 한번 250–500 mg으로 감량
PAS	필요 없음	3.3g씩 하루 두 번
Streptomycin	필요함	12–15 mg/kg 주 2회 혹은 3회 투여
Capreomycin	필요함	12–15 mg/kg 주 2회 혹은 3회 투여
Kanamycin	필요함	12–15 mg/kg 주 2회 혹은 3회 투여
Amikacin	필요함	12–15 mg/kg 주 2회 혹은 3회 투여

VIII. 잠복결핵 감염

1. 잠복결핵 감염의 진단

- 잠복결핵 감염 검사는 접촉자, 결핵 발병의 고위험군, 의료인 등 결핵 발생 위험도가 높은 집단에 대해서 시행
- 양성이 나와도 치료 필요성이 떨어지는 저위험군에 대해서는 검사를 시행하지 않음
- 활동성결핵 및 치료된 과거결핵에서도 양성으로 나옴 → 잠복결핵 양성일 경우 반드시 과거 활동성결핵 치료력 및 잠복결핵 치료 여부 확인
- 흉부엑스선 및 필요시 객담검사를 통해 활동성결핵을 배제해야 잠복결핵 감염 진단 가능
- 정상면역인에서는 ① TST 단독 ② IGRA 단독 ③ TST/IGRA 2단계 검사 세가지 모두 가능
- 면역저하자에서는 ① IGRA 단독 ② TST/IGRA 2단계 검사 방법 두가지를 추천
- TST의 양성 기준은 경결의 크기 10 mm 이상

2. 잠복결핵 감염의 치료 대상

표 2-5-8 잠복결핵 감염의 치료 대상(2017 대한 결핵 및 호흡기학회 결핵 진료 지침)

치료 시행 대상	치료 권고 대상
접촉자	규폐증
HIV 감염인	장기 스테로이드 사용자
장기이식으로 면역억제제 복용자	투석중인 만성 신부전
TNF 길항제 사용자	당뇨병
흉부엑스선에서 자연 치유된 결핵 병변	두경부암 및 혈액암
최근 2년 내 감염(IGRA 혹은 TST 양전)	위절제술 및 공회장 우회술 시행자

3. 잠복결핵 치료

- 9H/3HR/4R 중에서 선택
- 치료 전 기저 혈액검사 시행, 간독성 고위험군에서는 매달 간기능 검사 시행

IX. 비결핵 항산균

- 비결핵 항산균의 유병률이 최근 국내에서 빠르게 증가하고 있음
- 아직까지 발병 기전, 진단 기준, 치료 약제의 효과 등에 대하여 명확히 입증된 부분이 결핵에 비하여 상대적으로 적고 치료 성적이 떨어짐
- 국내에서 널리 쓰이는 진단 및 치료 방침은 2007년 발표된 미국 흉부학회 및 감염 학회의 가이드라인에 기반을 두고 있음
- 현재 여러 새로운 약제의 효과가 보고되고 있어 2017년 발표된 영국 흉부학회 가이드라인에 이를 수용하였고 근시일내에 개정된 미국 및 유럽 가이드라인이 발표될 예정이나 보험 적용 문제 등으로 국내에 그대로 수용하기에 어려움이 있음

1. 비결핵 항산균 폐 질환의 진단

임상적 기준 및 미생물학적 기준을 모두 만족

표 2-5-9 비결핵 항상균 폐질환의 진단

임상적 기준	미생물학적 기준: (1) (2) (3) 중 최소 하나
(1) 합당한 호흡기 증상과 징후, 방사선 소견 • 흉부 엑스선: 침윤(2개월 이상 지속되거나 진행), 공동, 결절 (다발성) • CT: 다발성 소결절, 다병소의 기관지확장증이 존재	(1) 최소 2회의 객담 배양에서 양성
(2) 다른 질환이 배제	(2) 기관지경 검사 시행: 기관지 세척액 배양 1회 양성
	(3) 조직검사에서 육아종등 마이코박테리아 감염의 병리학적 증거 + (조직배양 양성 or 1회 이상 객담 또는 기관지세척액에서 배양 양성)

2. 비결핵 항산균의 치료 시 고려할 점

- 비결핵 항산균 폐질환의 진단 기준을 만족하더라도 바로 치료를 시작해야하는 것은 아님
- 사람과 사람 사이의 병원균 전파는 일어나지 않는 것이 정설이나 최근에 Cystic fibrosis 환자들 사이에서 M. abscessus의 전파가 보고된 바 있음
- 대부분 노인환자가 많아 치료는 득과 실을 고려하여 신중히 결정해야 하며 객담 검사, 영상의학적 검사 및 증상 변화 여부에 대하여 수년 간 추적관찰을 요하는 경우가 많음
- 적절한 치료 시작 시점에 대한 근거가 부족하나 다음의 경우 비결핵 항산균 폐질환의 진행 가능성이 높다고 보고됨
  ① 환자 관련 요인: 심한 호흡기 증상 호소, Cavity 동반, 낮은 BMI, 동반질환
  ② 균 관련 요인: 도말 양성, 2회 이상 같은 균이 반복적으로 동정, 특정 균주

3. 비결핵 항산균 폐질환의 종류 및 치료

1) M. avium complex (MAC) 폐질환

(1) 국내 가장 흔한 NTM 폐 질환의 원인균, M. avium와 M. intracelluare가 있음

(2) 임상적 특징에 따라 아래와 같이 두 가지로 분류됨

표 2-5-10 MAC 폐질환의 분류

	섬유공동형	결절기관지확장증형
호발연령, 성별	중년 이상 남성	중년 이상 비흡연 여성
기저질환	COPD, 기존 폐결핵	없음
영상 소견	상엽 공동 (결핵과 유사)	RML 혹은 LUL lingular 침범 기관지 확장증 및 다발성 중심소엽성 결절 동반
경과	치료 안 할 경우 1~2년 내 폐실질 파괴 및 사망	수년에 걸쳐 서서히 진행

- Macrolide 감수성 MAC 폐질환의 경우 병변의 정도에 따라 다음의 치료

표 2-5-11 MAC 폐질환의 치료

Non-severe MAC	Rifampin 600 mg 주 3회
	Ethambutol 25 mg/kg 주 3회
	Azithromycin 500 mg#2 or Clarithromycin 1,000 mg#2 주 3회
Severe MAC 도말 양성, 공동 동반, 증상이 심한 경우	Rifampin 600 mg 매일
	Ethambutol 15 mg/kg 매일
	Azithromycin 250 mg#1 or Clarithromycin 1,000 mg#2 매일
	IV Amikacin 초반 3달까지 사용

- 치료는 균 음전 후 12개월까지 유지
- Macrolide 내성 및 amikacin 내성 여부가 치료 성적과 관련 있음

2) M. abscessus complex (MABC) 폐질환

(1) M. abscessus 및 M.massiliense가 대부분

(2) M.abscessus는 macrolide에 유도내성을 보이며 정주용 항생제를 장기간 사용해야 해서 치료 성적이 좋지 않으며 M.massiliense는 macrolide에 대한 유도 내성이 없어 abscessus 보다는 치료성적이 양호

(3) Macrolide 감수성 MABC 폐질환의 경우 다음의 치료

표 2-5-12 M.abscessus 폐질환의 치료

Initial phase 1달 이상	Amikacin IV (10-15 mg/kg) 매일
	Imipenem (2 g#2) or Cefoxitin (200 mg/kg,max 12 g) #4 매일
	Clarithromycin 1,000 mg#2 혹은 Azithromycin 250 mg #1 매일
Continuation phase	Clarithromycin 1,000 mg#2 혹은 Azithromycin 250mg #1 매일
	* 아직 효과가 명확히 입증되지는 않았지만 Amikacin nebulizer, Quinolone, Linezolid, Clofazimine 등에서 선택하여 유지

내과적 치료 성적이 떨어져 병변이 국한된 경우 수술적 치료를 적극적 고려

3) M. kansasii 폐질환

(1) 임상상과 방사선학적 소견이 폐결핵과 유사(90% 이상의 폐상엽 공동동반)

(2) 비결핵항산균 폐질환 중 치료 성적이 양호한 편

(3) 리팜핀 내성 여부가 치료 반응에 중요

(4) 배양 음전 후 12개월 치료

(5) Isoniazid 300 mg, Rifampin 600 mg, Ethambutol 15 mg/kg

Ⅰ. 간질성 폐질환의 병태 생리 및 분류

1. 정의

폐의 실질 즉 폐포, 폐포의 상피세포, 모세혈관의 내피세포, 이들 사이의 공간 및 림프관 등을 포함하는 부위에 발생한 모든 질환을 총칭함. 이에 포함되는 질환에는 원인을 아는 것과 모르는 것으로 대별할 수 있으며 원인을 모르는 간질성 폐질환은 특발성간질성폐렴(idiopathic interstitial pneumonia)이라고 하며 이에는 다음과 같은 질환들이 포함됨

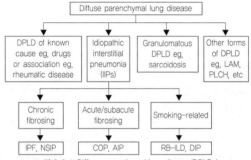

그림 2-6-1 Diffuse parenchymal lung disease(DPLDs)

2. 진단

진행되는 호흡곤란 및 기침을 주소로 내원하며 청진시 양측 폐하부에 흡기말 수포음이 들림. 이러한 소견을 보이면 사르코이드증이나 과민성폐렴보다는 특발폐섬유증(IPF)을 포함한 특발성간질성폐렴(IIP)의 가능성이 높으며 흉부엑스선 및 폐기능검사, 류마티스 질환에 대한 혈청학적 검사, 고해상도전산화 단층촬영, 기관지내시경을 하여 진단에 도움을 얻으며 필요한 경우에는 개방폐생검이나 흉강경하 폐생검을 하여 확진하게 됨

1) 교원성 결체 조직 질환을 의심해보아야 할 증상과 신체 검진 소견

증상	신체 검진
Arthralgia	Raynaud phenomenon
Sicca symptoms	Multiple joint swelling
Morning stiffness	Skin rashes
Proximal muscle weakness	Mechanic's hands / Gottron papules
	Sclerodactyly / Digital ulcers
	Synovitis
	Oral ulcers

2) 교원성 결체조직질환을 스크리닝하기 위하여 시행해야 하는 자가면역항체검사

ANA (anti-nuclear antibody)
Rheumatoid factor
Anti-CCP (Anti-cyclic citrullinated peptide antibody)

표 2-6-1 Diffuse interstitial lung disease의 방사선학적 소견에 따른 감별

Category	Examples
Lower lobe predominance	Idiopathic pulmonary fibrosis
	Collagen vascular disease (scleroderma)
	Asbestosis
Upper lobe predominance	Pneumoconiosis (silicosis)
	Ankylosing spondylitis
	Eosinophilic granuloma (Langerhans cell granulomatosis)
	Sarcoidosis
	Hypersensitivity pneumonitis
Hilar adenopathy	Sarcoidosis
	Hypersensitivity pneumonitis, including some drugs (ex: methotrexate)
Associated pneumothorax	Langerhans cell histiocytosis X (PLCH)
	LAM/tuberous sclerosis
Increased lung volumes	Eosinophilic granuloma
	LAM
	Sarcoidosis
Eggshell calcification of LN	Silicosis
	Sarcoidosis

3) 기관지내시경과 기관지폐포세척술(Bronchoalveolar lavage, BAL)

기관지폐포세척술은 폐포 내에 생리식염수를 넣어 씻어낸 후 나온 기관지폐포액을 검사하고 세포분획을 분석하여 정보를 얻는 검사로 기관지폐포액 세포액 세포분획의 정상치와 특정질환에 따른 변화는 표 2-6-2와 같음. 경기관지폐생검은 사르코이드증 같은 일부 간질성 폐질환의 진단에는 유용하나 검체양이 적어 대부분의 특발성간질성폐렴 진단에 큰 도움을 주지 못함

표 2-6-2 BAL fluid의 cellular pattern의 임상적 유용성

I. 정상 성인 (비흡연자)	BAL differential cell counts	
Alveolar macrophages	>85%	
Lymphocytes (CD4+/CD8+ = 0.9~2.5)	10-15%	
Neutrophils	<3%	
Eosinophils	<1%	
Squamous epithelial/ciliated columnar epithelial cells	<5%	
II. Interstitial lung diseases		
a. Disorders associated with increased percentage of specific BAL cell types		
Lymphocytic cellular pattern	Eosinophilic cellular pattern	Neutrophilic cellular pattern
>15% lymphocytes	>1% eosinophils	>3% neutrophils
Sarcoidosis	Eosinophilic pneumonias	Collagen vascular diseases
Nonspecific interstitial		
pneumonia (NSIP)	Drug-induced pneumonitis	Idiopathic pulmonary fibrosis

Hypersensitivity pneumonitis	Bone marrow transplant	Aspiration pneumonia
Drug-induced pneumonitis	Asthma, bronchitis	Infection: bacterial, fungal
Collagen vascular diseases	Churg-Strauss syndrome	Bronchitis
Radiation pneumonitis	Allergic bronchopulmonary aspergillosis	Asbestosis
Cryptogenic organizing pneumonia (COP)	Bacterial, fungal, helminthic, Pneumocystis infection	Acute respiratory distress syndrome (ARDS)
Lymphoproliferative disorders	Hodgkin's disease	Diffuse alveolar damage (DAD)

b. Abnormal BAL differential cell patterns that suggest specific types of ILD

A lymphocyte differential count >25% suggests granulomatous disease (sarcoidosis, hypersensitivity pneumonitis, or chronic berylium disease), cellular nonspecific interstitial pneumonia, drug reaction, lymphoid interstitial pneumonia, cryptogenic organizing pneumonia, or lymphoma.
CD4+/CD8+ >4 is highly specific for sarcoidosis in the absence of an increased proportion of other inflammatory cell types.
A lymphocyte differential count >50% suggests hypersensitivity pneumonitis or cellular nonspecific interstitial pneumonia.
A neutrophil differential count >50% supports acute lung injury, aspiration pneumonia, or suppurative infection.
An eosinophil differential count >25% is virtually diagnostic of acute or chronic eosinophilic pneumonia.
A cell differential count of >1% mast cells, >50% lymphocytes, and >3% neutrophils is suggestive of acute hypersensitivity pneumonitis.

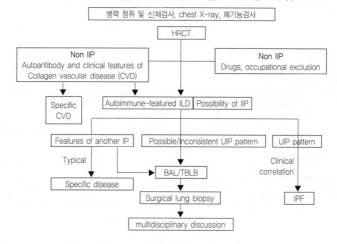

그림 2-6-2 간질성 폐질환의 진단적 접근

II. 임상에서 흔히 보는 간질성 폐질환의 진단 및 치료

1. 특발성간질성폐렴(Idiopathic interstitial pneumonia, IIP)

다양한 간질폐렴 중 원인이 밝혀지지 않은 질환군을 말하며 우선적으로 증상 및 흉부영상검사, 병리조직학적 검사에서 유사한 소견을 보일 수 있는 직업적 환경, 약물, 교원성 결체조직질환에 의한 간질폐렴이 배제되어야함. IIP를 진단하기 위해서는 호흡기내과-진단영상의학과-진단병리학과의 긴밀한 협조 하에 종합적인 판단이 필요하며 확진을 위한 단일 특이 검사나 임상 소견은 존재하지 않음. 교원성결체조직질환을 의심하게 하는 증상이나 신체검사 소견이 없더라도 기본적인 자가면역항체검사를 시행하여야 함

표 2-6-3 Major Idiopathic interstitial pneumonia의 조직학적 임상적 분류

Category	Clinico-Radiologic-Pathologic Diagnoses	Associated Radiologic and/or Pathologic-Morphologic Patterns
Chronic fibrosing IP	Idiopathic pulmonary fibrosis	Usual interstitial pneumonia
	Idiopathic nonspecific interstitial pneumonia	Nonspecific interstitial pneumonia
Smoking-related IP	Respiratory bronchiolitis-interstitial lung disease	Respiratory bronchiolitis
	Desquamative interstitial pneumonia	Desquamative interstitial pneumonia
Acute/subacute IP	Cryptogenic organizing pneumonia	Organizing pneumonia
	Acute interstitial pneumonia	Diffuse alveolar damage

표 2-6-4 특발성간질성폐렴의 임상적 분류

Clinical behavior	Treatment goal	Monitoring strategy
Reversible and self limited (e.g., many cases of RB-ILD)	Remove possible cause	Short-term (3-6 mon) observation to confirm disease regression
Reversible disease with risk of progression (e.g., cellular NSIP and some fibrotic NSIP, DIP, COP)	Initially achieve response and then rationalize longer term therapy	Short-term observation to confirm treatment response. Long-term observation to ensure that gains are preserved
Stable with residual disease (e.g., some fibrotic NSIP)	Maintain status	Long-term observation to assess disease course
Progressive, irreversible disease with potential for stabilization (e.g., some fibrotic NSIP)	Stabilize	Long-term observation to assess disease course
Progressive, irreversible disease despite therapy (e.g., IPF, some fibrotic NSIP)	Slow progression	Long-term observation to assess disease course and need for transplant or effective palliation

표 2-6-5 Idiopathic Interstitial Pneumonia의 HRCT 소견

Diagnosis	Distribution on HRCT	HRCT findings
IPF	Peripheral, subpleural, basal	Reticular, honeycombing, traction bronchiectasis, focal ground glass
NSIP	bilateral, symmetric, lower lung zone	reticular opacities with traction bronchiectasis and lung volume loss
COP	Subpleural/peribronchial	Patchy consolidation and/or nodules
AIP	Diffuse	exudative phase: patch ground glass opacities with consolidation organizing phase: distortion of bronchovascular bundles, traction bronchiectasis
DIP	Lower zone, peripheral predominance	Ground glass, reticular lines
RB-ILD	Diffuse	Bronchial wall thickening, extensive ground-glass opacities and centrilobular nodules

1) Chronic fibrosing interstitial pneumonia

(1) 특발폐섬유증(IPF)

① 정의

원인 불명의 진행하는 폐섬유화를 특징으로 하며 주로 60세 이상의 노년에서 발병하며 흡연하는 남성에서 흔하고, 마른기침과 호흡곤란이 주 증상임

② 발병기전

발병기전은 아직 명확하지 않으나 흡연, 바이러스, 만성 폐흡입 등으로 인한 폐포상피세포의 손상과 이로 인하여 매개되는 다양한 성장촉진 인자나 세포 내 신호전달물질로 인한 섬유아세포의 활성화가 근섬유모세포(myofibroblast)로의 분화를 유도하여 콜라겐 등의 합성과 다로세포외기질(Extracellular matrix)의 축적을 일으켜 간질의 섬유화가 진행되는 것으로 알려져 있음. 이러한 과정에는 폐포상피세포의 apoptosis, TGF-β, TNF-α, PDGF, CTGF 등의 cytokine, Eicosanoid/PGE2, MMP/MMPI 간의 불균형, 산화스트레스(oxidative stress) 등 여러 인자가 관련되어 있음

③ 진단

표 2-6-6 IPF의 임상적 진단기준

Criteria
1. exclusion of other known causes of ILD (e.g., 직업 환경에의 노출, 교원성질환, 약물)
2. HRCT에서 UIP pattern이 보이는 환자
3. specific combinations of HRCT and surgical lung biopsy pattern in patients subjected to surgical lung biopsy

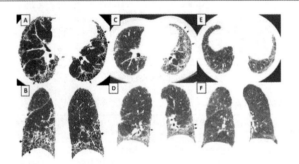

그림 2-6-3 UIP/possible UIP pattern을 보이는 HRCT images

*UIP pattern (A–D): basal, peripheral predominant reticular abnormality with multiple layers of honeycombing

**possible UIP pattern (E–F): basal, peripheral predominant, reticular abnormality with a moderate amount of ground glass abnormality, but without honeycombing

표 2-6-7 HRCT에서 보이는 UIP pattern

UIP pattern (All Four Features)	Possible UIP pattern (All Three Features)	Inconsistent with UIP Pattern (Any of the Seven Features)
– Subpleural, basal predominance	– Subpleural, basal predominance	– Upper or mid–lung predominance
– Reticular abnormality	– Reticular abnormality	– Peribronchovascular predominance
– Honeycombing with or without traction bronchiectasis	– Absence of features listed as inconsistent with UIP pattern	– Extensive ground glass abnormality (extent)reticular abnormality)
– Abscence of features listed as listed as inconsistent with VIP pattern		– Profuse micronodules (bilateral, predominantly upper lobes)
		– Discrete cysts (multiple, bilateral, away from areas of honeycombing)

호흡기학회

UIP pattern (All Four Features)	Possible UIP pattern (All Three Features)	Inconsistent with UIP Pattern (Any of the Seven Features)
		– Diffuse mosaic attenuation/ air-trapping (bilateral, in three or more lobes) – Consolidation in bronchopulmonary Segment (s)/lobe (s)

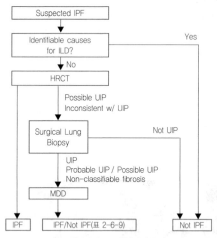

그림 2-6-4 IPF의 진단과정

표 2-6-8 UIP pattern의 조직학적 기준

UIP pattern (All Four Criteria)	Probable UIP Pattern	Possible UIP Pattern (All Three Criteria)	Not UIP Pattern (Any of the Six Criteria)
– Evidence of marked fibrosis/architectural distortion, ± honeycombing in a predominantly subpleural/ paraseptal distribution – Presence of patch involvement of lung parenchyma by fibrosis – Presence of fibroblast foci – Absence of features against a diagnosis of UIP suggesting an alternate diagnosis	– Evidence of marked fibrosis/ architectural distortion, ±honeycombing – Absence of either patchy involvement or fibroblastic foci, but not both – Absence of features against a diagnosis of UIP suggesting an alternate diagnosis OR – Honeycomb changes only	– Patchy or diffuse involvement of lung parenchyma by fibrosis with or without interstitial inflammation – Absence of other criteria for UIP – Absence of features against a diagnosis of UIP suggesting an alternate diagnosis	– Hyaline membranes – Organizing pneumonia – Granulomas – Marked interstitial inflammatory cell infiltrate away from honeycombing – Predominant airway centered changes – Other features suggestive of an alternate diagnosis

표 2-6-9 IPF 진단을 위한 방사선 및 조직 소견의 조합

HRCT Pattern	Surgical Lung Biopsy Pattern (When performed)	Diagnosis of IPF
UIP	UIP	Yes
	Probable UIP	No
	Possible UIP	
	Nonclassifiable fibrosis	
	Not UIP	
Possible UIP	UIP	Yes
	Probable UIP	No
	Possible UIP Probable	
	Nonclassifiable fibrosis	
	Not UIP	
Inconsistent with UIP	UIP	Possible
	Probable UIP	No
	Possible UIP	
	Nonclassifiable fibrosis	
	Not UIP	

④ 치료 및 예후

i) 예후: 대부분의 환자는 수년에 걸쳐 천천히 진행하는 임상경과를 보이며 일부는 아무런 진행 없이 안정된 상태를 유지하기도 하지만 소수의 환자에서 예측할 수 없는 급성악화로 급격히 진행하는 양상을 보이기도 함. 특발성폐섬유증의 예후는 불량하여 평균 생존기간은 진단후 5년 정도임. 급성악화는 안정적 상태를 유지하다가 최근 1개월 이내에 갑작스러운 호흡 곤란의 악화와 흉부영상 검사에서 새로운 폐침윤이 생기는 것으로 정의하는데 감염이나 심부전, 폐동맥색전증 등의 원인이 배제되어야 하고, 특발성 폐섬유증의 급성악화는 매우 치명적이며 50-60% 이상의 사망률을 보임

ii) 예후 예측 모델: Gender-Age-Physiology (GAP) model

표 2-6-10 The GAP Index

	Predictor	Points
G	Gender	
	Female	0
	Male	1
A	Age, y	
	≤60	0
	61–65	1
	>65	2
P	Physiology	
	FVC, % predicted	
	<75	0
	50–75	1
	<50	2
	DLco, % predicted	
	>55	0
	36–55	1

Predictor	Points
≤35	2
Cannot perform	3
Total possible points	8

표 2-6-11 The GAP staging system

Stage	I	II	III
Points	0–3	4–5	6–8
Mortality			
1–year	5.6	16.2	39.2
2–year	10.9	29.9	62.1
3–year	16.3	42.1	76.8

iii) 치료

치료원칙

IPF의 사망률을 높이는 인자가 있는 경우 진단 당시 폐이식을 고려함

치료

1) 비약물 치료: 산소 공급(저산소증이 있는 경우)

호흡재활

Influenza and pneumococcal polysaccharide vaccine

2) 약물 치료: 특발성 폐쇄유증의 완치를 기대할 만한 약제는 없으나, nintedanib과 pirfenidone 두 가지 약제가 질병의 진행을 늦추고 생존율을 증가시키는 약제로 FDA 승인을 받았음.

- Pirfenidone (up to 40 mg/kg/day, 국내에서는 최대 1,800 mg/day): anti-fibrotic effect를 보이며 폐기능 저하의 속도를 늦춰 질병 진행을 늦추는 효과가 있으며 생존률 향상에 증거가 있는 일부 데이터가 있음. 오심, 발진 등의 부작용이 있음.

- Nintedanib (100~150 mg/day): receptor blocker for multiple tyrosine kinases (PDGF, VEGF, FGF 등)의 fibrogenic growth factor의 blocker로 폐기능 저하의 속도를 늦춰 질병 진행을 늦추는 효과가 있으며 생존률 향상의 일부 증거가 있음. 설사, 오심, 간수치 상승 등의 부작용이 있음.

- Phosphodiesterase inhibitor (sildenafil, 20 mg tid/day): pulmonary HTN이 동반되어 있는 경우 도움이 될 수 있으나, 질환 자체의 진행 억제에는 효과 없음

3) 동반 질환 치료: 폐고혈압, 역류성식도질환

4) 증상 조절: 기침, 호흡곤란

질병 악화의 판단

1) 4–6개월마다 혹은 증상이 있을 경우에는 즉각적으로 평가

1. 호흡곤란 악화
2. absolute FVC의 감소
3. absolute DLco의 감소
4. HRCT에서 보이는 fibrosis의 진행
5. 감염, 폐색전증, 심부전과 같은 증상을 유발할 만한 다른 원인을 배제

2) 급성악화의 경우 broad-spectrum antibiotics와 corticosteroid (oral prednisone 1mg/kg/day or methylprednisolone 1–2 g/day iv.) 치료가 도움이 될 수 있음

3) 급성악화로 인한 호흡부전시 진행하는 질병의 특성을 고려하여 기계환기는 권고되지 않음

(2) NSIP

① 진단: NSIP는 폐포벽의 미만성 염증 또는 섬유화가 특징적임. 조직학적으로 간질의 염증세포 침윤과 섬유화를 특징으로 하며 폐포벽이 두꺼워져 있는 소견이 보이며 특발성 폐섬유증과는 달리 폐포의 전체적인 구조는 그대로 보존되어 있는 것이 특징적임. 주로 간질의 섬유화가 보

이는 경우 fibrotic NSIP, 섬유화는 거의 없으며 간질의 염증세포 침윤이 주 소견이면 Cellular NSIP로 진단되며 주로 여성, 비흡연자, 50대에 발병함

② 원인: 대부분 원인불명이지만 교원성폐질환, 과민성폐렴, 약제 또는 감염에 의하여 이차적으로 발생할 수 있음

③ 임상 증상: 수개월에 걸친 호흡곤란과 기침

④ 검사: 폐기능검사에서 제한성 폐기능 장애 소견을 보이고, 기관지폐포세척액 검사에서 흔히 림프구가 증가되어 있으나 특이적 소견은 아니며, 흉부영상 검사에서 주로 폐하엽의 양측성 망상음영, 견인성 기관지확장(traction bronchiectasis), 폐용적 감소, 젖빛유리음영이 주로 관찰되지만 벌집 모양(Honeycombing)변화는 드묾

⑤ 치료: 특발성 폐섬유증에 비하여 스테로이드 치료에 대한 반응과 예후가 좋음

2) Acute/subacute interstitial pneumonia

(1) COP

조직학적으로 organizing pneumonia pattern을 보이는 임상 질환 중에서 결체조직질환, 약물, 독성 가스 흡입, 악성종양, 만성 감염성폐렴 등에 의한 원인이 배제되고 다른 원인을 찾을 수 없을 때 진단할 수 있음. 비흡연자에 많고 평균 호발연령은 55세, 보통 3개월 이내에 시작된 기침, 호흡곤란을 주소로 하고 체중 감소, 발열, 근육통 등의 전신 증상이 흔함. 이러한 증상은 흔히 확진되지 않은 하기도 감염 양상 이후에 나타남. 폐기능검사에서 경도의 제한성 장애를 보이고 기관지폐포세척액 검사에서 림프구의 증가 소견을 보이며 CD8+ T세포의 증가가 흔함. 흉부영상검사에서는 양측성 또는 단측성 폐포경화(airspace consolidation)가 전형적인 소견임. 경기관지폐생검(transbronchial lung biopsy, TBLB)으로도 진단이 가능하며 스테로이드에 대한 반응이 좋으나 용량을 줄이거나 끊으면 재발이 흔하므로 6개월 이상의 치료가 필요함

(2) AIP

평균 호발연령은 50세로 첫 증상이 생긴 후 1개월 이내에 급격히 진행되어 급성호흡곤란으로 사망하게 되는 질환으로 흉부엑스선 및 임상양상은 ARDS와 유사하며 조직학적으로는 미만성 폐손상(diffuse alveolar damage, DAD)을 특징으로 함. 흔히 독감과 유사한 발열, 인후통, 근육통, 관절통으로 시작하며 호흡곤란이 빠르게 진행하여 대부분 기계호흡이 필요하게 됨. 50% 이상의 사망률을 보이는 것으로 보고되며 진단을 위해서 ARDS를 유발하는 알려진 원인들을 배제하여야 하고, 고용량의 corticosteroid 사용으로 효과가 있다는 보고들이 있으나 정립된 치료 방법은 없음

3) Smoking-related interstitial pneumonia

(1) DIP

주로 50-60대 남자에게서 발생하며, 흡연자에서 많음. 수주 내지 수개월에 걸쳐 운동성 호흡곤란이 점점 진행하는 양상으로 발현되며, 엑스선에서 양쪽 폐하에 젖빛유리음영으로 폐침윤이 관찰됨. 확진을 위해서는 조직검사가 필요하며 조직검사에서 폐포내 다량의 폐포대식세포가 관찰되는 것이 특징적임

치료: 금연이 중요하며 초기에 스테로이드 치료가 효과적임

(2) RB-ILD

주로 30-40대의 젊은 흡연자에서 발생하며 HRCT 검사에서 젖빛유리음영과 소엽중심 결절 (centrilobular nodules)을 보이는 것이 특징적임. 흡연자에서 이러한 특징적 HRCT 소견과 기관지 폐포세척액 검사에서 갈색 색소를 탐식하고 있는 폐포대식세포가 다량으로 발견되고 림프구의 증가 소견이 없다면 조직검사 없이 진단할 수 있음

2. 교원성 질환과 연관된 간질성 폐질환

결체조직질환은 기도, 늑막, 폐혈관 등을 침범하는 다양한 형태의 호흡기질환과 관련될 수가 있는데 그 중 간질폐렴의 형태가 흔하며 류마티스관절염(RA), 전신경화증(systemic sclerosis), 다발근염/피부근염 (PM/DM), 쇼그렌 증후군 등에서 흔히 동반됨

- 증상: 서서히 진행하는 기침 및 호흡곤란이 주요 증상이지만 전형적인 호흡기 증상이 없는 경우도 흔해 진단이 늦어지는 경우도 많음
- 진단: 세밀한 신체 검진을 시행하고 혈청검사를 통하여 자가면역항체를 확인하는 것이 각 기저 결체 조직질환을 진단하는 데 도움이 됨
- 치료 및 예후: 특발성 간질폐렴보다 예후가 좋으며 주로 부신스테로이드제나 cyclophosphamide 같은 면역억제제가 치료에 주로 사용되지만 각 기저질환에 동반된 폐질환 치료법은 정립되어 있지 않음

1) 진단에 도움이 되는 임상 소견

임상소견	의심할 수 있는 진단
Heliotrope rash, Gottron papule, mechanic's hand	피부근염
피부의 경화, 모세혈관 확장	전신경화증
연하곤란, 위식도 역류, 흡인성폐렴	전신경화증, 다발근염
레이노드 증후군	전신경화증, 혼합결합조직병, 전신홍반루프스, 다발근염
관절통, 관절염	류마티스관절염

표 2-6-12 교원성질환과 수반된 간질성 폐질환의 양상

교원성질환	자가항체	특징
Rheumatoid arthritis	RF, anti-CCP	남성, 고령, 흡연자, RA의 severity가 높을수록 잘 발병함. HRCT (reticular, consolidation, or ground glass), PFT (restrictive lung disease), 증상을 토대로 진단하며 명확한 치료법은 없으나 일부에서 steroid therapy를 고려해볼 수 있음.
SLE	ANA dsDNA antibodies Sm antibodies	SLE 환자의 9%에서 발생하며, PFT에서 restrictive pattern, DLco의 감소를 보임. 치료는 steroid와 immunomodulating agents를 고려해볼 수 있으나, IPF가 진행된 경우에는 도움이 되지 않음.
Systemic sclerosis	ANA anti-topoisomerase I Ab (anti-Scl-70) Anticentromere anti-RNA polymerase III Ab	주로 NSIP의 형태로 나타나며 40%의 환자에서 발생할 정도로 흔하며 ILD가 동반된 경우 질병의 예후는 나쁨. ILD의 경과가 진행하거나, 증상이 동반된 경우, PFT 소견이 악화된 경우에는 감염을 배제한 후 immunosuppressive therapy를 고려함.

교원성질환	자가항체	특징
Dermatomyositis/ Polymyositis	ANA anti-Jo antibody muscle enzyme (AST, ALT, CK)	주로 NSIP의 형태로 나타나며 40%의 환자에서 발생할 정도로 흔하며 ILD 가 동반된 경우 질병의 예후는 나쁨. ILD의 경과가 진행하거나, 증상이 동반된 경우, PFT 소견이 악화된 경우에 는 감염을 배제한 후 immunosuppressive therapy를 고려함
Sjögren's syndrome	ANA anti-Ro/La antibody	ILD는 CK level이 정상인 경우가 많으며, 악성 종양 관련한 dermatomyositis에서는 드묾. HRCT에서는 patch GGO와 septal thickening을 보이는 것이 특징적임. DM/PM의 치료 약물인 methotrexate, cyclophosphamide induced ILD 와의 감별이 중요함
Mixed connective tissue disease (MCTD)	anti-RNP antibody	SLE, polymyositis, scleroderma의 임상 증상을 보이며 50~65%의 환자에 서 ILD가 동반됨. HRCT에서는 septal thickening, GGO, nonseptal linear opacities가 peripheral/lower zone에 dominant하게 나타남

표 2-6-13 교원성질환과 연관된 흔한 폐질환 양상

	SSC	RA	Primary SjS	MCTD	PM/DM	SLE
Airways	−	++	++	+	−	+
ILD	+++	++	++	++	+++	+
Pleural	−	++	+	+	−	+++
Vascular	+++	−	+	++	+	+
DAH	−	−	−	−	−	++

3. Alveolar filling disorders

말초 세기관지이하의 폐포강이 지방질, 단백질, 물등에 의하여 채워져 있을 때 나타나며, X-선상의 acinar infiltrate은 ground-glass appearance부터 consolidation까지 다양하게 나타남

1) 미만성폐출혈 증후군

- 정의: 폐포를 구성하는 폐혈관의 손상으로 폐포상피세포-모세혈관기저막 구조가 붕괴되어 폐포내 로의 출혈을 특징으로 하는 질환군을 의미함
- 원인: microscopic polyangiitis, c-ANCA-associated (Wegener's) vasculitis, Goodpasture's syndrome, collagen vascular disease와 같은 vasculitis나 cocaine inhalation, 여러 가지 약물 및 postbone marrow transplantation coagulopathy와 관련이 있음
- 증상: 갑작스러운 기침, 발열, 호흡곤란의 증상으로 나타나며, 전체 환자의 약1/3에서 객혈 동반함.
- 진단: 흉부영상 검사에서 양측성의 미만성 폐포 침윤이 흔하며 폐출혈이 반복될 경우 폐섬유화가 일어나 간질성 폐침윤이 나타나기도 함. 기관지폐포세척액이 지속적으로 핏빛으로 나오는 것이 진단에 결정적임
- 예후: 저산소증이 동반되며, 심한 경우 기계 호흡이 필요 할 수 있음

(1) 미만성폐출혈 증후군이 의심될 때 고려하여야 할 검사

① ANA를 비롯한 결결체조직질환의 자가면역항체검사

② ANCA (anti-neutrophil cytoplasmic antibody) 및 이의 특이항체(Anti-PR3 & Anti-MPO)

③ Anti-GBM antibody, Anti-phospholipid, cryoglobulin

④ 뇨분석검사- 혈뇨유무, 부비 동영상 검사

⑤ 피부 병변이 있을 경우 피부 조직검사, 심장 초음파 검사- 폐고혈압 평가

- 치료: methylprednisolone (0.5-2.0 g/일) pulse 치료가 근간이며 이후 감량을 하며 경구제로 유지하는 것이 일반적임. 질환의 중증도가 심할 경우 cyclophosphamide 혹은 azathioprine 같은 면역 억제제를 고려하여야 함

① Goodpasture's syndrome

미만성폐출혈, 진행되는 사구체 신염, anti-GBM antibody, 간질성 폐질환을 특징으로 하며 18세에서 35세까지의 연령층에 호발하고, 흡연과 관련이 높음. 가장 흔한 증상은 객혈, 호흡곤란, 기침 및 피로이고, 치료는 스테로이드와 cytoxan이며 plasmapheresis는 circulating anti-GBM Ab가 제거될 때까지 시행함

② Wegener's granulomatosis

Wegener's granulomatosis는 small & medium sized vessel을 침범하는 vasculitis로서, upper airway, lower respiratory tract, kidney를 주로 침범하며, 가장 빈도가 높은 것은 폐 침범으로, 기침, 흉통, 객혈, 호흡곤란을 특징으로 함. 이와 같은 임상 증상을 가지고 있는 사람에게서 c-ANCA 가 양성으로 나올 경우 위 질환을 의심할 있으며, c-ANCA의 sensitivity는 90-95%임. 흉부방사선 사진에서 양쪽 폐에 폐침윤이 관찰되며, 이는 질환이 진행함에 따라서 함께 심해지는 양상을 보이고, 폐결절이 흔하며, 공동을 형성하기도 함. 부비동 침범이 흔하므로 PNS series 및 CT를 찍어 확인하도록 하고, 치료는 스테로이드와 cyclophosphamide의 병합 요법

③ Microscopic polyangiitis

Microscopic polyangiitis는 면역복합체의 침착 없이 모세혈관, 세동맥, 세정맥에 괴사성 혈관염을 나타내는 전신성 혈관염으로 임상적으로는 거의 대부분에서 신장 병변(국소성 분절성 괴사성 사구체신염)을 동반하며 폐, 근신경계, 피부, 장관 등을 침범하는 것으로 알려져 있음. 50%의 경우에 폐를 침범하여 폐출혈을 유발하고, 평균 발병 연령은 50세 이상, 남녀비는 1.2-1.8:1로 남자에서 조금 더 흔함. 대부분의 환자는 혈관염 진단 전에 전신 쇠약감, 관절통, 발열 등 비특이적인 전신 증상을 경험하며, 가장 흔한 증상은 신장 침범에 의한 것으로 빠르게 진행하는 것이 특징이며 약 90%에서 부종, 소변감소증, 미세혈뇨증, 단백뇨 등의 소견이 나타남. 치료는 스테로이드가 주 치료법이며 신장이나 폐 병변이 심한 경우 고용량 스테로이드 요법과 cyclophosphamide, azathioprine과 같은 약물의 병합 투여가 권유됨. 5년 생존율은 50-80%이며, 초치료 종결 후 5년 이내에 재발할 확률은 50%

2) Pulmonary alveolar proteinosis

폐포단백증은 폐포 내에 폐포 표면 활성제(alveolar surfactant) 지질 및 단백질이 축적되어 가스교환에 장애를 일으키는 질환으로 엄밀한 의미에서 간질성 폐질환이 아님. 폐포내 축적 물질은 PAS 염색에 분홍빛으로 염색되며 조직 소견에서 폐포의 구조는 파괴되지 않으며 간질의 염증이나 섬유화는 거의 관찰되지 않음. 대부분 GM-CSF에 대한 자가면역기전이 병인에 관여하며 환자에게서 GM-CSF에 대한 중화항체가 발견되지만 일부 환자는 선천적인관련 유전자의 돌연 변이와 관계가 있고 일부는 폐

감염, 종양, 규폐증, HIV 감염에 의한 결과로 이차적으로 발생하기도 함. 대부분이 흡연자이고 남성에 호발하는데 기침과 호흡곤란이 주증상이지만 상당 수의 환자에서는 아무런 증상을 보이지 않음

(1) 진단: HRCT에서 양측성, 대칭적인 폐포경화와 젖빛유리음영을 보이며 엽사이막(Interlobular septum)의 비후로 이른바 독특한 crazy paving pattern을 보임. 기관지폐포세척 검사를 시행하여 탁하고 우유 빛의 폐포액이 관찰되면 의심할 수 있으며 폐생검을 통하여 확진할 수 있으나 반드시 폐생검이 진단에 필요하지는 않음

(2) 예후: 8-30%에서 자연치유를 보이며, 금연이 도움됨

(3) 치료: 전신마취 하에서 40-60 liter의 수액을 이용하여 전폐 세척술 시행. 최근에는 유전자재조합 GM-CSF를 피하주사하거나 흡입하는 것이 치료에 도움이 된다고 알려져 있음

4. 사르코이드증(Sarcoidosis)

원인모르게 만성적으로 전신의 많은 장기를 침범하는 육아종성 염증성 질환이며, 폐는 사르코이드증에서 대표적으로 침범되는 장기임

1) 진단

(1) 방사선학적 진단

흉부엑스선은 이 질환의 진단에 가장 큰 도움을 주며 가장 흔한 것은 양측폐문림프선의 비대임. 그 외에 폐실질에도 침범할 수 있으며 그에 따라 예후도 달라짐

표 2-6-14 사르코이드증의 방사선 소견에 따른 병기 분류

Stage	Hilar adenopathy	Parenchymal disease	Percent at onset	Percent with resolution
0	No	No	<10	NA (not applicable)
1	Yes	No	50	65% (<10% progress to parenchymal disease)
2	Yes	Yes	30	20–50
3	No	Yes	10–15	<20
4	No	Yes (pulmonary fibrosis)		

(2) 조직검사

침범 장기 혹은 조직에서의 생검(lung, intrathoracic lymph node, skin 등): noncaseating granuloma

(3) 그 외 진단적 검사

① BAL fluid study - lymphocyte 증가및CD4+/CD8+ ratio > 3.5 : 1로 증가

② ACE level의 증가

③ hypercalciuria and hypercalcemia

④ Lymphopenia, eosinophilia, ESR 증가, polyclonal IgG 증가

⑤ cutaneous anergy

⑥ Tuberculin skin test : exclusion of mycobacterial infection

⑦ TTE   ⑧ 안과검진   ⑨ PFT

2) 사르코이드증 질환의 활성도를 나타내는 지표

(1) 임상 증상의 존재(호흡곤란, 기침등) (2) 증상의 악화

(3) 폐기능검사 및 흉부엑스선의 악화 (4) 혈청칼슘치의 증가

(5) 혈청 angiotensin 1-converting enzyme의 증가 (6) Gallium 스캔에서 양성

3) 치료

대부분 저절로 호전되므로 특별한 치료를 요하지 않으나 만일 눈, 심장, 신장, 중추신경계 등의 vital organ을 침범하거나 고칼슘혈증이 있을 때는 즉시 치료를 하여야 함. 치료는 prednisone 경구로 30-40 mg/day (0.5 mg/kg/day) 4-6주 투여 후 증상, 방사선학적 소견, 폐기능검사가 안정 및 호전될 경우 4-8주 간격으로 5-10 mg씩 서서히 감량함. 증상을 포함한 parameter가 호전 소견을 보이지 않을 경우 4-6주간 시작 용량을 유지함. 이외 methotrexate, azathioprine, hydroxychloroquine 등은 스테로이드 치료에 반응하지 않거나 부작용으로 사용할 수 없을 경우 투여해 볼 수 있음

표 2-6-15 침범하는 기관과 임상적 상황에 따른 초기 치료

Organ	Clinical findings	Treatment
Lungs	Dyspnea plus FEV$_1$/FVC <70%	Prednisone, 20–40 mg/day
	Cough, wheezing	Inhaled corticosteroid
Eyes	Anterior uveitis / Posterior uveitis / Optic neuritis	Prednisone, 20–40 mg/day
Skin	Lupus pemio	Prednisone, 20–40 mg/day
		Hydroxychloroquine, 400mg/day
		Thalidomide, 100–150 mg/day
		Methotrexate, 10–15 mg/day
	Plaque, nodules	Prednisone, 20–40 mg/day
		Hydroxychloroquine, 400 mg/day
	Erythema nodosum	NSAID
Central Nervous system	Cranial–nerve palsies	Prednisone, 20–40 mg/day
	Intracerebral involvement	Prednisone, 40 mg/day
		Azathioprine, 150 mg/day
		Hydroxychloroquine, 400 mg/day
Heart	Complete heart block	Pacemaker
	Ventricular fibrillation, tachycardia	AICD
	Decreased LVEF (<35%)	AICD; prednisone, 30–40 mg/day
Liver	Cholestatic hepatitis with constitutional symptoms	Prednisone, 20–40 mg/day
		Ursodiol
Joints and muscles	Arthralgias	NSAID
	Granulomatous arthritis	Prednisone, 20–40 mg/day
	Myositis, myopathy	Prednisone, 20–40 mg/day
Hypercalciuria and hypercalcemia	Kidney stones, fatigue	Prednisone, 20–40 mg/day
		Hydroxychloroquine, 400 mg/day

5. 과민성폐렴(Hypersensitivity pneumonitis)

과민성폐렴은 기도를 통해 반복적으로 흡인된 여러 가지 항원과 작용하여 세기관지와 폐포 등의 폐실질

에 육아종과면역성염증 병변이 발생하는 질환으로 외인성알러지성폐포염(extrinsic allergic alveolitis)이라고
도 불리기도 함. 임상적으로 호흡곤란과 기침을 유발하며 급성과 아급성, 만성의 세 가지 형태로 나타남

표 2-6-16 과민성폐렴(급성, 아급성, 만성)의 비교

Charateristics	Acute	Subacute	Chronic
Onset time	4~48 hours	Weeks to 4months	4months to years
Fever, chill	+	−	−
Dyspnea	+	+	+
Cough	Non−productive	Productive	Productive
Weight loss	−	+	+
Crackles	Bibasilar	Diffuse	Diffuse
Chest radiogragh	Reticulo−nodular infiltration (patchy or diffuse)	Reticulo−nodular infiltration (patchy or diffuse)	Reticular, fibros diffuse
HRCT	Nodules and GGO	Nodules, GGO, air−trapping	Nodules, GGO, fibrosis, emphysema, lung cysts
Prognosis	Good	Good	Poor

1) 발병원인

(1) 현재 200여 종 이상의 과민성폐렴을 일으키는 원인 항원이 규명되었고, 진균 포자, 부패균, 동식물
의 유기물질, 화학물질, 독성가스 등이 해당됨

(2) 과민성폐렴의 병태 생리는 복합적이나, 현재까지는 항원의 흡입에 따른 면역반응의 일련의 과정
으로 해석하고 있으며 Type III (immune complex mediated)와 type IV (cell mediated) 과민반응이
중요한 기전으로 알려져 있음. 즉 항원-항체로 이루어진 면역복합체가 대식세포 등을 통해 항원을
표현하고 CD8+Th1세포를 활성화하게 되어 염증반응이 야기되며 이러한 반응은 급성, 아급성, 만
성의 형태로 나타날 수 있음. 급성의 경우에는 BAL에 호중구가 증가하며 그 후에 단구가 증가되어
육아종을 형성하며, 급성기가 지나면 BAL에 CD8+T 세포가 증가함

2) 임상증상

(1) 급성: 항원에 노출된 6-8시간 후에 기침, 고열, 전신피로와 호흡곤란이 나타남

(2) 아급성: 기침, 호흡곤란 등의 증상이 항원에 노출된 후 수주일에 걸쳐 서서히 나타남

(3) 만성: 계속적으로 항원에 노출되어 수개월 내지 수 년에 걸쳐 증상이 발생하며 이때는 다른 원인에
의한 폐섬유화증과 감별이 어려움

3) 진단

항원 노출에 대한 환경 요인과 직업력, 그리고 진단에 대한 의심이 중요하며 작업 환경, 가정 환경, 애
완 동물, 취미, 여행력, 임상 양상, 가족력에 대해 가능한 모든 정보를 철저히 수집하는 것이 필요함.
한 가지 검사로 진단을 내릴 수 없어 직업력과 환경적인 요인 등의 임상적인 병력과 방사선 소견, 검
사실소견, 병리 소견 등을 조합하여 진단을 내리나, 아직도 진단기준이 명확히 정립되어 있지 않음

표 2-6-17 과민성폐렴 진단에 도움이 되는 6가지 예측 인자

(1) 유발 가능한 항원에 노출된 병력	(2) 침강 항체 양성	(3) 반복적인 임상 발현
(4) 흡기성 악설음 청진	(5) 항원 노출 4~8시간 후 증상 발현	(6) 체중 감소

표 2-6-18 과민성폐렴 진단의 단계적 접근

Diagnotic evaluations	Preferred findings
Medical history	Recurrent episodes of respiratory symptoms, flu—like symtoms, symptoms 4~8hours after exposure of antigen, weight loss
Occupational, hobby and envionmental histories	Identify duration, frequency, concentration, particle size of antigen
Physical examination	Bilateral basilar inspiratory crackles
Chest radiograph	Normal, patch or diffuse infitrates
HRCT	Acute and subacute—small poorly—defined centirobular, ground glass opacities, bilateral peribronchial airspace consolidations, mosaic perfusion, Chroniccreticular and liner opacities, fibrosis, traction bronchiectasis, honeycombing, lung cysts, air trapping, peribronchial and subpleural lesions
Pulmonary function tests	Normal, restrictive or mixed pattern, decreased diffusing capacity
Serum precipitins	Elevated titers indicate exposure to antigen, negative results don't rule out HP
Antigen inhalation provocation tests	Natural or laboratory—based challenges if possible
Bronchoaveolar lavage	CD8+ lymphocyte predominance, neutrophil wthin 48 hours
Lung biopsy if diagnosis is in doubt	Transbronchial or surgical biopsy, Peribrochiolar lymphocytic infitration, poorly formed noncaseating granulomas, fibrosis if chronic cases

4) 치료

(1) 급성 및 아급성 과민성폐렴

　① 증상이 완전히 없어질때까지 항원회피 및 환경조절

　② 중증의 경우 prednisolone 40-60 mg/day 1-2주 사용 후 호전되면 4-6주간 서서히 감량

(2) 만성 과민성폐렴

　① 예후는 폐손상의 정도에 따라 결정

　② 조기에 항원을 회피할 경우 폐기능과 방사선의 호전을 기대해 볼 수 있음

　③ 일부에서는 항원노출을 완전히 차단한 후에도 폐섬유화가 진행

　④ 충분한 임상 연구가 부족한 상태로, prednisolone 40-60 mg/day 4주간 사용 후 최소 유효 용량 (10-30 mg/day) 6개월 유지 후 재평가

Ⅰ. 폐색전증

정의: 폐동맥혈관의 분지 내에 어떤 물질이 막혀서 발생하는 질환

예) 혈전(thrombus), septic material, 종양, 양수, 지방 등

1. 폐색전증의 위험요인 및 진단

1) 폐색전증의 위험요인

표 2-7-1 폐색전증의 위험요인

Environmental	장시간 비행기 여행, 비만, 흡연, 고혈압, 부동자세
Natural	고령 (>60세)
Women's health	경구 피임약(including progesterone-only and especially third-generation pills), 임신, 호르몬 보충 요법
Medical illness	이전 폐색전증 또는 심부정맥혈전증, 악성종양, 울혈심부전증, 만성폐쇄성폐질환, 당뇨, 염증성 장질환, 항정신성약물 복용, 장기간 중심정맥 카테타의 삽입, 영구심박동기, 체내 삽입형 심장 재세동기, 사지마비를 동반한 뇌경색, 요양원 거주, 현재 또는 반복되는 병원 입원, 하지 정맥류
Surgical	외상, 정형외과 수술(especially total hip replacement, total knee replacement, hip fracture surgery, knee arthroscopy), 일반외과 수술(especially for cancer), 산부인과 또는 비뇨기과 수술(especially for cancer), 신경외과 수술(especially craniotomy for brain tumor)
Thrombophilia	Factor V Leiden mutation, Prothrombin gene mutation, Hyperhomocysteinaemia (including mutation in methylenetetrahydrofolate reductase), Antiphospholipid antibody syndrome, Deficiency of antithrombin III, protein C, or protein S, High concentrations of factor VIII or XI, Increased lipoprotein(a)
Non-thrombotic	공기, 외부 물질(eg. hair, talc, as a consequence of intravenous drug misuse), 양수액, 골 조각, 골수, 지방, 시멘트질

2) 폐색전증의 진단

(1) 증상 및 징후

① 증상: 호흡곤란, 흉막통증, 기침, 객혈, 하지부종, 다리통증

② 징후: 빠른 호흡, 수포음, 빈맥, fourth heart sound, 낮은 정도의 열

표 2-7-2 임상양상에 따른 폐색전증의 예측 (Wells Point Score criteria for the Pretest Probability of Acute Pulmonary Embolism)

CLINICAL VARIABLE	POINTS
심부정맥혈전증의 임상양상과 증상	3.0
폐색전증외에 다른 대안 진단이 없을때	3.0
심박수가 분당 100회 이상일 때	1.5
지난 4주간 3일을 초과하는 부동자세나 수술력	1.5

CLINICAL VARIABLE	POINTS
이전 심부정맥혈전증이나 폐색전증	1.0
객혈	1.0
악성종양	1.0
	>4 points : 폐색전증의 임상적 가능성이 높음

(2) Nonimaging Diagnostic Modalities

① Blood Tests

혈액 D-dimer

- plasmin에 의한 fibrin 분해, 내인성혈전 용해를 반영함
- 폐색전의 90% 이상에서 증가하는데, 측정 값이 낮으면 심부정맥혈전증이나 폐색전증을 배제하는데 유용한 간단한 검사
- 심근경색, 폐렴, 심부전, 패혈증, 수술, 외상, 암, 신장질환, 전신성홍반성낭창등 대부분의 전신 질환에서 증가할 수 있으므로 이 값이 증가된 것은 진단적 가치가 없음
- ELISA 검사가 예민한데, 한 조사에 의하면 폐색전 유무에 대하여 민감도(sensitivity) 96.4%, 음성 예측치(negative predictive value) 99.6%였음. Latex agglutination 법에서 음성이 나온 예 중에서 ELISA 검사를 시행하여야 D-dimer 증가를 확인할 수 있는 폐색전증도 있으므로 자기 병원의 검사법을 알고 있어야 함

② Electrocardiogram

sinus tachycardia, new-onset atrial fibrillation or flutter, S wave in lead I, Q wave in lead III, inverted T wave in lead III, QRS axis 90° 이상, T-wave inversion in lead V1 to V4 등

(3) Noninvasive Imaging Modalities

① Chest X-ray

흉부엑스선상 사소하고 비특이적 소견이 대부분이어서 호흡곤란을 호소하는 환자에서 흉부엑스선이 거의 정상이면 폐색전을 감별하여야 함

② Doppler Ultrasonography

하지정맥혈전증을 진단하는 방법 중 최근 널리 사용하는 방법으로 진단의 민감도 및 특이도가 우수함

③ Lung Scanning

폐색전의 특징적인 소견은 관류결손이 중등도 내지 대형으로 2개 이상 있으면서 그 부위의 환기 스캔이 정상이고 흉부엑스선상 깨끗한 것임. 일반적으로 폐관류스캔이 정상으로 나오면 최소한 치료를 요하는 유의한 폐색전증을 배제할 수 있으며, 하지 검사에서 심부정맥혈전증이 없고 폐관류스캔이 정상이면 경과 관찰을 할 수 있음

④ Chest CT

최근 개발된 CT는 폐색전을 진단하는데 lung scanning보다 우월하여 표준 진단방법으로 사용되고 있으며 비교적 말초 부위에 위치한 색전까지 확인이 가능함

⑤ Echocardiography

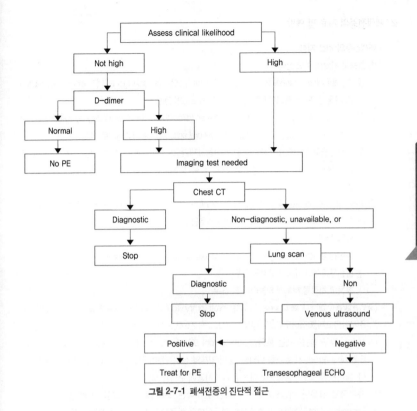

그림 2-7-1 폐색전증의 진단적 접근

심초음파는 흉통이나 호흡곤란을 주소로 내원한 환자에서 감별진단에 포함할 중요한 질환 중 급성 심근경색증, 대동맥 박리증, 심낭 tamponade 및 급성 폐색전증 등의 감별에 아주 중요한 역할을 함. 우심방, 우심실, 폐동맥내의 혈전이 직접 관찰되면 폐색전증을 진단할 수 있을 뿐만 아니라, 우심실 및 좌심실의 크기나 우심실의 기능부전 등을 관찰하여 폐색전증 의심한 정도를 평가할 수 있음

(4) Invasive Diagnostic Modalities

① Pulmonary Angiography

가장 특이도가 높아 보통 1-2 mm의 색전까지 발견이 가능하지만 덜 침습적인 CT로 대체되고 있음

② Venography

하지정맥혈전증을 진단하는데 유용하지만 비용적인 면, contrast allergy 및 contrast-induced phlebitis 등의 단점으로 초음파 검사로 대치되고 있음

2. 폐색전증의 치료 및 예방

1) 폐색전증의 치료 지침

(1) 항응고 치료의 주요 전략

① 미분별(unfractionated) 헤파린, 저분자량 헤파린 또는 fondaparinux (선택적 factor Xa inhibitor)를 사용한 주사항응고제치료에서 와파린 치료로의 전환

② 주사항응고제치료 5일 치료 이후 dabigatran (direct thrombin inhibitor) 또는 edoxaban (anti-Xa agent)과 같은 새로운 경구 항응고제(novel oral anticoagulant, NOAC)로 전환

③ 주사항응고제치료 없이 새로운 경구 항응고제만으로 처음부터 시작하는 방법: rivaroxaban 또는 apixaban (둘다 anti-Xa agent)으로 각각 3주 또는 1주의 loading dose 투여 후, maintenance dose 유지

(2) 피하 저분자량 헤파린과 fondaparinux는 IV infusion이나 검사 모니터링이 필요 없는 장점이 있으나, 다음의 경우에는 헤파린의 정맥주사가 선호됨

① 쇼크 상태

② 심한신장기능 장애(저분자량헤파린과 fondaparinux는 신장으로 배설됨)

③ 혈전용해제의 사용이 고려될 경우

④ 항응고 치료를 빠르게 되돌려야 할 경우

(3) Warfarin (vitamin K antagonists) 치료는 prothromnin time (PT)이 2일 연속 치료범위에 있을 때까지 주사항응고제를 적어도 5일간 병용함. 목표 INR 2.5 (2.0-3.0)로 하여 최소한 3개월 이상 시행함

(4) 새로운 경구 항응고제는 트롬빈(Dabigatron) 또는 factor Xa를 억제(Rivaroxaban, Apixaban, Edoxaban)함으로서 효과를 나타냄. 음식/약제와 상호작용이 적고, 모니터링 없이 복용이 가능하나, 해독제를 쉽게 사용할수 없다는 점에서 사용에 주의를 요함

(5) 가역적인 경우나 위험인자가 일시적인 경우에는 3-6개월간 치료함. 처음 발생한 본태성(idiopathic) 심부정맥혈전의 경우에는 영구적으로 치료하고 반복되는 정맥혈전 환자나 지속적인 위험인자가 있는 암, 억제 인자의 결핍, antiphospholipid syndrome의 경우에도 영구적으로 치료

(6) 혈전용해제의 사용은 개별화하여야 하며 가장 좋은 적응증은 혈역학적으로 불안정한 폐색전증과 대량의 장대퇴골의 혈전 환자임

(7) 하대정맥 필터의 설치는 항응고제 사용의 금기, 항응고제의 실패, 폐고혈압을 가지고 만성적으로 반복되는 폐색전증 환자에 실시

표 2-7-3 급성 폐색전증에서 혈전용해 치료

Tissue-type plasminogen activator: 100 mg IV during 2 hr

Streptokinase: 250,000 U IV (loading dose during 30 min); then 100,000 U/hr for 24 hr

Urokinase: 4,400 U/kg IV (loading dose over 10 min); then 4,400 U/kg/hr for 12 to 24 hr

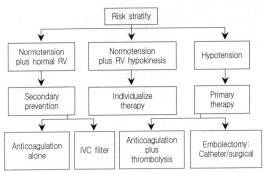

그림 2-7-2 폐색전증의 치료방침

표 2-7-4 급성 폐색전증에서 혈전용해 치료의 금기

ABSOLUTE	RELATIVE
두개내 수술 또는 질환 활동성의 또는 최근의 내부 출혈	출혈 경향/혈소판 감소증 조절되지 않는 심한 고혈압 심폐소생술 이전 7–14일내의 수술 임신

표 2-7-5 급성 폐색전증에서 새로운 경구 항응고제 치료

Rivaroxaban (Xarelto)	15 mg twice daily for 3 weeks, followed by 20 mg once daily dosing
Apixaban (Eliquis)	10 mg twice daily for 1 week, followed by 5 mg twice daily
Dabigatran (Pradaxa)	5 days of unfractionated heparin, low–molecular–weight heparin (LMWH), or fondaparinux followed by dabigatran 150 mg twice daily
Edoxaban (Lixiana)	5 days of unfractionated heparin, LMWH, or fondaparinux followed by edoxaban 60 mg once daily with normal renal function, weight >60 kg, in the absence of potent P–glycoprotein inhibitors

2) 폐색전증의 예방

표 2-7-6 폐색전증의 예방

Condition	Prophylaxis Strategy
고위험 비정형외과 수술	Unfractionated heparin 5,000 units SC bid or tid Enoxaparin 40 mg daily Dalteparin 2,500 or 5,000 units daily
악성종양 수술 (부인과 악성종양 수술 포함)	Enoxaparin 40 mg daily, consider 1 month of prophylaxis

Condition	Prophylaxis Strategy
주요 정형외과 수술	Warfarin (target INR 2.0 – 3.0)
	Enoxaparin 40 mg daily
	Enoxaparin 30 mg bid
	Dalteparin 2,500 or 5,000 units daily
	Fondaparinux 2.5 mg daily
	Rivaroxaban 10 mg daily, beginning 6–10 hours postoperatively
	Aspirin 81 – 325 mg daily
	Dabigatran 110 mg first day, then 220 mg daily
	Apixaban 2.5 mg bid, beginning 12 – 24 h postoperatively
	Intermittent pneumatic compression (with or without pharmacologic prophylaxis)
Medically ill patients (입원 기간 중)	Unfractionated heparin 5,000 units bid or tid
	Enoxaparin 40 mg daily
	Dalteparin 2,500 or 5,000 units daily
	Fondaparinux 2.5 mg daily
Medically ill patients (입원 기간 중 또는 퇴원 후)	Betrixaban 80 mg daily for 35 – 42 days
항응고제 금기	Intermittent pneumatic compression devices (but whether graduated compression stockings are effective in medical patients remains uncertain)

3. 지방색전증후군의 임상양상 및 치료

1) 지방색전증후군의 임상양상

(1) 장골(long bone) 골절 시 12-36시간 이상 경과 후 그러나 대부분 72시간 이내 시작

(2) 중추신경계통으로 의식혼동, 혼탁, 혼수 등

(3) 피부에 매우 작은 petechiae가 얼굴, 눈, 구강점막, 목, 가슴상부, axilla의 앞쪽에 발생

(4) 혈액학적 소견으로 혈소판 감소증, 빈혈, 파종성혈관내응고병증

(5) 호흡기소견으로 호흡곤란, 저산소증, 폐부종, 급성호흡곤란증후군 등이 나타날 수 있음

(6) 소변이나 혈액에 fat globule이 보이면 fat embolism을 의심하나 fat embolism syndrome의 확진은 아님

(7) Bronchoalveolar lavage fluid나 Swan-Ganz catheter로 흡인한 혈액을 지방 염색(oil red O stain)하여 지방 입자가 다수 발견되면 지방색전증후군의 진단에 도움이 됨

2) 지방색전증후군의 치료

(1) 산소투여, 필요 시 기계 호흡 등의 보존적 치료를 시행함

(2) Steroid, heparin, ethanol 등의 치료는 일반적으로 추천되지 않음

II. 흉막 및 종격동질환

1. 흉막유출(Pleural effusion)

흉수의 원인을 밝히는 것이 제일중요

1) 정상흉막액의 성분

표 2-7-7 정상 흉막액의 성분

양	0.1~0.2 ml/kg
세포	1,000~5,000/mm³
중피세포	3~70%
단핵구	30~75%
림프구	2~30%
과립구	10%
단백질	1~2 g/dl
알부민	50~70%
당	= plasma level
LDH	<50% of plasma level
pH	≥ plasma level

2) 화학적 분석에 의한 분류

(1) 기준- Light's criteria

① pleural fluid protein/serum protein >0.5

② pleural fluid LDH/serum LDH >0.6

③ pleural fluid LDH: greater than two-thirds of the normal upper limit for serum LDH

(2) 종류

① 삼출액(exudate): Light's criteria 기준들 중 하나라도 해당되는 경우

② 여출액(transudate): 위기준들 모두 해당되지 않는 경우

* 문제점: 25%의 transudate가 exudate로 잘못 진단됨. 임상적인 상황과 흉수 검사결과가 맞지 않을 경우 Protein gradient(serum protein - pleural protein)로 확인 >3.1 g/dL: almost transudate

3) 감별진단

(1) 감별진단

표 2-7-8 흉수의 감별진단

Transudate	Exudate
Congestive heart failure	Infectious disease
Cirrhosis	Bacterial infections
Hypoalbuminemia	Tuberculosis
Peritoneal dialysis	Fungal infections
Nephrotic syndrome	Viral infections
Superior vena cava syndrome	Parasitic infections

Transudate	Exudate
Myxedema	Neoplastic disease
Urinothorax	Malignant mesothelioma
	Metastatic disease
	Meig's syndrome
	Pulmonary thromboembolism
	Gastrointestinal disease
	Pancreatitis
	Esophageal rupture
	Intraabdominal abscess
	Collagen vascular disease
	Rheumatoid arthritis
	Lupus erythematosus
	Churg–Strauss syndrome
	Drug–induced pleural disease
	Nitrofurantoin, Dantrolene,
	Methysergide, Bromocriptine,
	Procarbazine, Amiodarone, Dasatinib
	Asbestos exposure
	Chylothorax
	Hemothorax
	Postsurgical
	Abdominal surgery
	Coronary artery bypass
	Sarcoidosis
	Dressler's syndrome
	Uremic pleuritis
	Yellow nail syndrome
	Radiation therapy

4) 삼출성흉수의 감별 진단에 필요한 검사

(1) total and differential cell counts

① neutrophil dominant: 부폐렴성흉수, 폐동맥색전증, 췌장염

② lymphocyte dominant: 악성종양, 결핵성흉막염 등

③ eosinophil 증가(>10%): 늑막에 혈액이나 공기가 있는 경우, 자주 흉수 천자를 시행한 경우, 약물에 대한 반응(dantrolene, bromocriptine, nitrofuration), 석면 노출, 폐 흡충증, Churg-Strauss 증후군 등에서 관찰

(2) 도말검사와 배양검사

(3) 흉수 포도당 수준

60 mg/dl 이하: 합병된 부폐렴성 흉수나 악성 종양에 의한 흉수, 혈흉, 결핵, 류마티스성 흉막염, 폐흡충증, Churg-Strauss 증후군, 전신성홍반성낭창 등

(4) 흉수 젖산 탈수소효소(LDH) 수준: LDH는 흉막염증의 정도를 나타냄

(5) 악성종양 진단

① 흉수세포검사: cell block과 도말검사. 3회 정도 시행하여야 진단률이 높아짐

② 흉강경 검사 혹은 초음파 유도 늑막 조직 검사. 맹검 바늘 생검(blind needle biopsy)는 세포검사

에 비해서 진단률이 좋지 않음

(6) 흉수의 결핵표지인자

Adenosine deaminase >40 IU/L, Interferon-γ >140 pg/ml, TB PCR 양성

(7) 기타

① 아밀라제 증가(>200 ug/dL): 췌장 질환이나 식도 파열, 종양

② 흉수의 면역학적 검사는 진단적 가치가 없음

5) 누출성 흉수

(1) 심부전에 의한 흉수: 심부전은 흉수의 가장 흔한 원인

① 흉수천자 하는 경우: 이뇨제에 반응하지 않는 경우, 양이 많은 경우, 열이 나는 경우, 양측성이 아닌 경우

② 흉수 내 N-terminal probrain natriuretic peptide(NT-proBNP)가 1,500 pg/dl 이상: 울혈성심부전에 의해 생긴 흉막액으로 진단 가능

6) 흉수의 진단적 접근(그림 2-7-3)

7) 증상 및 신체 소견

(1) 증상: 호흡곤란, 흉통, 기침

(2) 신체 소견: 다양하며 흉막 삼출의 양에 따라 좌우

① 시진: 흉곽 운동이 잘되지 않아 병변 부위 쪽의 팽창 감소(Hoover sign)

② 타진: 탁음(flat), 촉각진동음(tactile fremitus) 감소

③ 청진: 흉막 마찰음(friction rub), 흉막 삼출 부위 호흡음 감소

8) 진단방법

(1) 방사선 검사

① 단순간접 촬영법

- 정면 단순 입위 및 측위(PA & lateral): 흉수 50-100 ml면 발견 가능. 늑횡격동 소실은 흉수 200-500 ml 정도 있음을 의미
- 측와위상(lateral decubitus view): 흉수 10-15 ml 만되어도 발견 가능. 그러나, 10 ml 이하의 흉수는 천자가 꼭 필요한 것은 아님

② 그 외: 초음파검사법, 흉부CT, MRI

(2) 흉막천자(Thoracentesis)

원인 미상인 임상적으로 유의한 흉수(흉막 초음파나 lateral decubitus radiography에서 10 mm 이상의 흉막액)이 있는 경우에 시행, 예외) 울혈심부전증 환자

① 진단적 흉막천자: 측와위상에서 10 mm 이상 시 시행

② 치료적 흉막천자: 일반적으로 1회에 1,000-1,500 ml 이상의 흉수는 천자하지 않음(이유: 재팽창성폐부종)

(3) 침습적 검사법

① 초음파유도늑막 조직검사

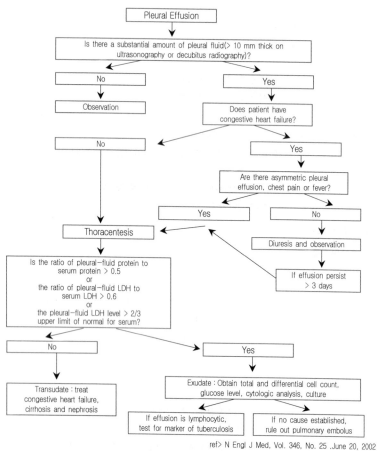

ref> N Engl J Med, Vol. 346, No. 25 .June 20, 2002

그림 2-7-3 흉수의 진단적 접근

- 진단이 확실하지 않은 삼출성 흉막삼출증에서 시행
- 악성이나 결핵성 흉수의 진단에 중요

② 기관지경검사: 폐실질의 병변이나 객혈이 있는 경우 시행

③ 흉강경: 악성흉수가 의심되는 경우 시행

④ 개흉흉막생검: 흉강경으로 병변에 접근할 수 없는 경우와 흉강경 검사에 실패한 경우에 국한해 시행할 수 있음

9) 치료

(1) 누출성(여출성) 흉수(Transudative pleural effusion)

표 2-7-9 여출성 흉수의 원인에 따른 치료

원인	치료
울혈심부전증	이뇨제
간경변증	간경변증과 복수의 치료
복막투석	흉강경을 통한 횡격막의 결손 수술, 흉막 유착술
점액부종	갑상선 호르몬

(2) 삼출성 흉수(Exudative pleural effusion)

　① 부폐렴 흉수(Parapneumonic effusion)과 농흉(Empyema)

　　i) 항생제: 폐렴의 일반적인 항생제 지침에 따라 선택

　　ii) 치료적 흉막천자(Therapeutic thoracentesis)

　　iii) 흉관삽관

　　　- 흉수가 농(pus)인 상태

　　　- 흉수의 그람(Gram)염색이 양성인 경우

　　　- 흉수의 당 농도가 60 mg/dL 이하인 경우

　　　- 흉수에서 균이 배양되는 경우

　　　- 흉수의 pH가 7.2 미만인 경우

　　　- 흉강에 소방이 형성된 경우

　　iv) 흉강 내 섬유소용 해제 투여(Intrapleural fibrinolytics): 소방이 형성된 경우(e.g. streptokinase, 250,000 units)

　　v) 흉강경을 통한 흉막 유착제거술(Thoracoscopic lysis of adhesion): 흉관삽관 및 섬유소용해제 투여로 호전이 보이지 않을 때

　　vi) 흉막 박피술(Decortication), 개방 배액법(Open drainage)

　② 악성흉수(Malignant Pleural Effusion)

　　i) 항암요법: 원인종양(폐암, 유방암, 림프종이 75% 차지)에 따라 항암요법

　　ii) 종격동방사선치료: 원인종양이 항암요법에 잘 반응하지 않는 종양

　　iii) 흉막경화요법: 항암요법이나 방사선치료의 대상이 되지 못하거나 반응을 보이지 않을 경우

　　iv) 흉강의국소적항암요법

　③ 중피종: 흉수와 전반적인 늑막 비후. 편측흉부의 위축. 흉강경이나 개흉술에 의한 늑막조직검사로 진단

　④ 폐색전증에 의한 흉수

　　진단되지 않는 흉수의 원인으로 가장 흔히 간과되는 흉수의 원인. 흉막 통증, 객혈, 호흡곤란이 있는 환자에서 의심해야 함. 최상의 선별검사는 말초혈액 D-dimer의 측정양성인 경우 하지정맥초음파 검사, 나선식 단층촬영 등의 추가적인 검사

　⑤ 결핵성 흉막염

　　i) 전 세계적으로 가장 흔한 삼출성 흉수의 원인

　　ii) 진단

- pleural fluid - exudate with predominant small lymphocyte pleural fluid Tbc marker
- pleural fluid Tbc marker
- ADA >40 IU/L (92% sensitivity & 90% specificity)
- TB PCR for Tb DNA(+)
- IFN- r >140 pg/mL
  cf) high titer ADA: Tbc, empyema, rheumatoid pleurisy, neoplastic
     결핵 유병률이 높은 국가에서 ADA 수치가 >70 IU/L일 경우 결핵성 흉막염의 가능성
     을 강력히 시사하며, <40 IU/L일 경우 결핵성 흉막염의 가능성은 매우 떨어짐
- pleural fluid culture & needle Bx of the pleura or thoracoscopy;
  cf) 결핵성 흉수의 도말 양성률은(<10%), culture 양성율(<30%)
     흉막 조직 검사와 배양검사를 동시에 시행할 경우 진단율은 90%
  iii) 치료: 폐결핵의 치료와 같이 6개월간 항결핵제 치료
     흉막 비후와 폐기능의 저하를 감소시키기 위한 목적으로 코르티코스테로이드를 투여하는
     것은 일반적으로 권고되지 않음.
     결핵성 흉막염으로 진단된 모든 환자에서 일괄적으로 흉수를 배액하는 것은 권고되지 않음.
     다만, 흉수의 양이 많아 호흡곤란이 심하거나 방형성 흉수가 있는 환자에 한하여 증상의 완
     화와 치료 종료 후 흉막 비후를 감소시키기 위해 흉수 배액과 섬유용해제의 사용을 고려해
     볼 수 있음
⑥ 암죽 가슴증(chylothorax)
  i) 흉관(thoracic duct)이 손상되어 암죽(chyle)이 흉막강내 고이는 것
  ii) 진단: 우윳빛의 흉막액의 triglyceride가 110 mg/dL 이상, 흉막액 내 cholesterol과 혈장내
     cholesterol의 비가 1.0 이상인 경우 혹은 chylomicron을 검출하여 진단
  iii) 치료: 흉관삽관과 octreotide 투여, 금식, 저지방식이, 가슴막복막 지름술(pleuroperitoneal
     shunt)
⑦ 혈흉(hemothorax)
  i) 진단: 적혈구 용적률(Hct.)이 말초 혈액의 50%가 넘는 경우
  ii) 치료: 흉관삽관 → 출혈양 측정. 시간당 200 ml 이상의 늑막 출혈이 있는 경우에는 흉강경이
     나 개흉술을 시행

2. 기흉(Pneumothorax)

1) 원발성 자발기흉(Primary Spontaneous Pneumothorax)

(1) 원인
  ① 폐첨부에 위치하는 흉막하기종성 기포가 터져 흉막강내로 공기가 들어옴
  ② 흡연과 밀접한 관련이 있음(환자의 91%가 흡연자)
  ③ 키가 크고 마른 체형에서 많이 발생

(2) 임상증상

　① 20대 초에 가장 높게 발생

　② 주 증상: 흉통, 호흡곤란

　③ 운동하거나 일할 때보다 대개 안정을 취하고 있을 때 발생

(3) 진단

　① 흉부엑스선 사진: 확진

　② 기흉의 크기(%) = 100-(허탈된 폐의 직경)3/(반흉곽의 직경)3 × 100

(4) 치료: 흉막강에서 공기제거, 재발방지

　① 단순 관찰법: 15% 미만의 기흉

　② 산소 공급법: 고농도의 산소 공급시 기흉의 흡수 속도가 빨라짐

　③ 단순 공기 흡인법: 15% 이상의 기흉 시 먼저 실시

　④ 흉관 삽입법: 단순 공기 흡인법이 실패하거나 재발한 환자의 경우

　⑤ 흉관삽입술 및 흉막유착술

　⑥ 비디오 흉강경수술: 공기집(bullae)의 제거와 흉막 유착술 시행

　⑦ 개흉술: 흉막하 기포절제후 기계적 흉막 유착술

2) 속발성 자발기흉(Secondary spontaneous pneumothorax)

(1) 원인

　① 기존에 폐에 이상이 있는 경우 자연적으로 기흉 발생

　② 만성 폐쇄성폐질환, 종양, 사르코이드증, 결핵, 림프관평활근종

(2) 증상: 호흡곤란, 흉통

(3) 진단: 단순흉부사진, 흉부전산화단층촬영

(4) 치료

　① 흉관 삽입술: 모든 환자는 입원시킨 후 흉관 삽입술을 시행

　② 흉막 유착술: 일단 폐가 팽창되면 기흉의 재발을 막기위해 흉강경, 흉관을 통한 경화제 주입 등
　　을 시행

3) 월경성 기흉(Catamenial Pneumothorax)

월경 주기에 맞추어 발생하는 기흉으로 재발을 잘함

4) 외상성기흉(Traumatic noniatrogenic Pneumothorax)

(1) 진단: 단순방사선사진, 흉부전산화단층촬영

(2) 치료: 흉관 삽입하여 치료

5) 의인성 기흉(Iatrogenic Pneumothorax): 여러 가지 시술도중 합병증으로 인해 발생한 기흉

(1) 원인: 경기관지폐생검술, 경피적폐침 흡인 및 폐생검술, 쇄골하 정맥 카테터 삽입술, 흉막천자술,
　흉막생검, 양압기계환기

(2) 치료: 재발의 가능성은 극히 희박하므로 흉막 유착을 시도하지 않아도 됨

　① 양이 많지 않을 경우 일단 산소를 공급하면서 경과 관찰

② 기계호흡을 받는 환자, 만성폐쇄성폐질환 환자, 추적 관찰 시 양이 증가하고 임상 양상이 심할 경우는 흉관삽관 시행

6) 긴장기흉(Tension Pneumothorax): 호기 시 흉막강내의 압력이 대기압보다 높은 기흉

(1) 병태생리와 임상증상

① 심장으로 돌아오는 정맥량의 감소에 의한 심박출량 감소와 저산소증

② 기계 호흡을 받는 환자, 심폐소생술을 시행한 환자

③ 호흡곤란, 청색증, 발한, 저혈압, 빈맥

(2) 진단

① 기계호흡을 받거나 기흉을 일으킬 만한 시술을 한 환자에서 갑자기 상태 악화 시 의심

② 심폐소생술시 환기가 어렵거나 전기 기계적 해리(electromechanical dissociation)시 의심

(3) 치료

① 고농도의 산소 투여

② 카테터를 두 번째 늑골간에 삽입

③ 흉관 삽입

3. 종격동(Mediastinum)

1) 종격동경계

(1) 전방: 흉골

(2) 후방: 흉추의 추체

(3) 상방: 흉곽 입구

(4) 하방: 횡격막

(5) 좌우측면: 벽측흉막

2) 종격동 종양

표 2-7-10 해부학적 위치에 따른 종격동 종양의 종류

Anterior mediastinum	Middle mediastinum	Posterior mediastinum
Thymomas	Bronchogenic cysts	Neurogenic tumors and cysts
Substernal thyroid	Pleuropericardial cysts	Meningocele
Parathyroid lesions	Lymphadenopathy	Lymphoma
Germinal cell neoplasm	Aneurysms	Esophageal disease
Lymphomas	Morgagni's hernia	Aneurysm

III. 고립성 폐결절

I. 정의

1) 흉부엑스선상 발견된, 정상 폐실질에 의해 완전히 둘러싸인 직경이 1-6 cm 단일구형결절. 이보다 큰

병변은 종괴(mass)라고 함

2) 최근 CT의 해상도가 좋아져 간유리음영(ground glass opacity, GGO) 모양의 병변 또한 자주 발견되는데, 대부분은 atypical adenomatous hyperplasia (AAH), adenocarcinoma in situ (AIS), minimally invasive adenocarcinoma (MIA)임

IASLC/ATS/ERS classification	CT usual pattern
Atypical adenomatous hyperplasia (AAH)	Nodule size ≤ 5 mm Pure ground glass nodule
Adenocarcinoma in situ (AIS)	Nodule size 6–30 mm Pure ground glass nodule
Minimally invasive adenocarcinoma (MIA)	Nodule size ≤ 30 mm Part–solid nodule with solid component ≤ 5 mm

2. 양성과 악성의 감별

1) 고립성 폐결절이 악성일확률은 환자의 나이, 흡연력, 종양의 과거력 등에 따라 10-70%까지 다양함

2) PET-CT가 이와 같은 경우에 민감도 97%, 특이도 78%로 감별에 유용하나, 직경이 1 cm 미만인 경우에는 진단이 어렵고 bronchoalveolar cell carcinoma, carcinoid 등 서서히 성장하는 종양은 위음성으로, 결핵이나 진균 감염과 같은 활동성 감염질환에서는 위양성으로 나타날 수 있음

표 2-7-11 고립성 폐결절에서 악성과 양성을 시사하는 소견

악성을 시사하는 소견	양성을 시사하는 소견
흡연력이 있는 경우, 35세 이상, 상대적으로 큰 병변, 석회화가 없는 경우, 흉부 증상, 무기폐나 폐렴 혹은 림프절 종대가 동반된 경우, 과거 X선과 비교하여 크기가 증가한 경우	2년 이상 크기의 증가가 없는 경우, 결절의 중앙에 진한 핵, 다발성 정상 병터, 그리고 "bull's eye" 형태의 석회화육아종을 시사 또는 "popcorn" 형태의 석회화(과오종)를 보이는 경우

표 2-7-12 고립성 폐결절을 가진 환자에서 악성의 위험성 평가(N Eng J Med 2003;348:2535-42)

	저위험군	중등도 위험군	고위험군
결절의 직경(cm)	<1.5	1.5–2.2	≥2.3
연령(세)	<45	45–60	>60
흡연력	없음	현재 흡연(≤20 개피/일)	현재 흡연(>20개피/일)
금연상태	흡연력이 없거나 금연한 지 7년 이상	금연 7년 미만	흡연중
결절의 가장자리	매끈	부채꼴	대뇌부채살 혹은 바늘모양

Diffuse   Central   Lamellar   Chondroid "popcorn"

그림 2-7-4 폐결절이 양성임을 시사하는 석회화 양상

3. 고립성 폐결절의 관리

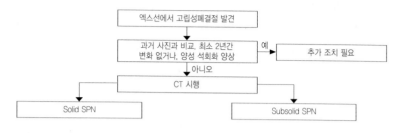

Solid nodules	<6mm	6-8mm	>8mm
Single			
저위험군*	No routine follow-up	CT at 6-12 months, then consider CT at 18-24 months	Consider CT at 3 months, PET/CT, or tissue sampling
고위험군#	Optional CT at 12 months	CT at 6-12 months, then CT at 18-24 months	
Multiple			
저위험군*	No routine follow-up	CT at 3-6 months, then consider CT at 18-24 months	CT at 3-6 months, then consider CT at 18-24 months
고위험군#	Optional CT at 12 months	CT at 3-6 months, then at 18-24 months	CT at 3-6 months, then at 18-24 months

Subsolid nodules	<6mm	≥6mm
Single		
Ground glass	No routine follow-up	CT at 6-12 months to confirm persistence, then CT every 2 years until 5 years
Part solid		CT at 3-6 months to confirm persistence. If unchanged and solid component remains(6 mm, annual CT should be performed for 5 years.
Multiple	CT at 3-6 months. If stable, consider CT at 2 and 4 years.	CT at 3-6 months. Subsequent management based on the most suspicious nodule(s).

그림 2-7-5 고립성 폐결절의 관리
(Fleischner Society 2017 Guidelines for Management of Incidentally Detected Pulmonary Nodules in Adults) *no smoking history and absence of other risk factors, #previous or current smoking history or other risk factors

Ⅳ. 대량객혈

1. 대량객혈의 정의와 원인 질환

1) 정의

(1) 객혈이란 성대이하 부위의 기도에서 기원하는 혈담이나 혈액배출

(2) 24시간에 걸쳐 100-600 mL 이상의 객혈을 대량객혈의 기준으로 흔히 사용(혹은 폐포가스교환에 문제를 일으킬 만한 양의 객혈)

2) 출혈의 기원

(1) 객혈은 80% 이상에서 기관지 동맥에서 기원(기관지 동맥은 하행대동맥에서 기원)

(2) 질환이 진행하는 병적인 상태에서 늑간 동맥, 쇄골하 동맥, 액와 동맥 등의 체동맥(systemic artery)의 측부 혈행(collateral circulation)에 의해서도 발생

3) 원인질환

표 2-7-13 객혈의 원인

기도질환	기관지염, 기관지확장증, 낭성 섬유증
폐동맥질환	폐고혈압, 폐색전증, 폐동정맥기형(Osler–Weber–Rendu 질환)
감염질환	세균성폐렴(괴사성), 결핵 및 비정형 결핵, 혐기성폐농양, 진균폐렴(aspergillosis, mucormycosis), 진균종(aspergilloma, fungus ball), leptospirosis, 기생충(폐흡충증, Echinococcus, amebiasis)
혈액질환	혈액응고장애, 혈소판기능장애, 혈소판감소증, 범발성혈관내응고(DIC)
간질성 폐질환	유전분증(amyloidosis), 사르코이드증(sarcoidosis), 림프관 평활근종(lymphangioleiomyosarcoma)
의인성	기관지내시경검사, 폐생검, Swan–Ganz 도관법, 경기관흡입(transtracheal aspiration), 림프관조영술(lymphangiography)
미만폐포출혈질환	Goodpasture 증후군, 전신성 홍반성 루푸스(SLE), 특발성폐혈철증(idiopathic pulmonary hemosiderosis), 혈관염(Wegener 육아종증, Henoch–Schönlein 증후군, Churg–Strauss 증후군, Behcet 증후군)
외상	흉벽의 둔상 또는 관통상, 기관지파열, 지방색전증, 기관–무명동맥루
종양	기관지선종, 폐암, 전이폐암, 맥관육종(angiosarcoma), 융모막 암종(choriocarcinoma), Kaposi 육종
약물/독성물질	aspirin, 항응고제, penicillamine, 용매제, trimellitic anhydride
폐정맥고혈압증	승모판 협착증(mitral valve stenosis), 폐정맥폐색질환(pulmonary venoocclusive disease)
기타	기관지결석증(broncholithiasis), 기관지흉막루(bronchopleural fistula), 기관지내막증(pulmonary endometriosis), 기관지이물, 잠복성 결핵

2. 대량객혈의 치료 및 예후

1) 진단적 접근: 상기도 출혈과 소화기 출혈을 감별하기 위해 이비인후과 및 소화기 질환 고려

표 2-7-14 객혈과 토혈의 감별

특징	객혈	토혈
전구증상	기침	오심 및 구토
과거력	심폐질환	위장질환
겉모양	거품	거품 없음
색깔	선홍색	암홍색 혹은 적갈색
섞인 내용물	농(고름), 폐포대식세포	위내용물, 음식물
관련 임상소견	호흡곤란, 저산소증	오심, 속쓰림
pH	알칼리성	산성
대변 잠혈반응	음성	양성

- 객혈의 양을 결정환자에게 객혈의 색깔, 양을 구체적으로 물음. 예를 들어 종이컵 반 컵, 한 컵 혹은 숟가락 하나 둘, 소주잔 몇 잔 식으로 질문
- 출혈의 부위를 결정
- 통증의 위치 등을 묻고 청진 등의 신체 검사를 통하여 수포음, 천명음, 혹은 호흡음이 감소한 부위 등이 있는지 확인
- 흉부엑스선 검사: 폐병변이 있는지 확인(신체 검사와 흉부엑스선 검사로 출혈 부위를 확인할수 있는 경우는 환자의 60-65% 정도)
  - → 흉부엑스선 판독 시 출혈이 주위 혹은 반대측 폐로 흡입되어 실제 폐병변이 아닌 부위에 음영이 나타 날 수 있으므로 주의

(1) 출혈 부위를 결정하기 위한 방법

① 흉부CT scan: 동정맥기형이나 종괴, 기관지 확장증, 폐색전증을 진단하는데 도움

표 2-7-15 흉부엑스선 사진이 정상인 객혈의 원인

기관지염
기관지확장증
폐색전증
기관 또는 대기관지의 폐암
폐동맥박리 혹은 파열

② 기관지내시경검사: 조기 시행 시 90% 이상에서 폐아분절(subsegment)까지 출혈부위 확인

③ 기관지 및 폐동맥조영술

출혈 혈관을 시사하는 소견: 폐실질의 혈관상 과다(hypervascularity), 혈관의 사행 및 비후, 모세혈관정체, 동맥류형성, 혈관의 혈전소견, 조영제의 혈관 유출 등

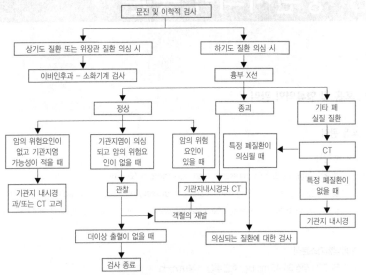

그림 2-7-6 객혈의 진단을 위한 접근

2) 치료

(1) 대량객혈 시의 일반적인 치료 원칙

① 중환자실에 입원을 고려

② 약한 진정제 투여로 환자의 불안방지

③ Codein 등을 사용하여 가볍게 기침 억제

④ 출혈 부위를 알 수 있을 때는 출혈 폐측을 밑으로 하여 측와위로 환자의 자세 유지(정상 폐로 혈액이 흡입되지 않도록 함)

⑤ 환자의 저산소증에 대한 평가(동맥혈가스 분석 및 pulse-oximeter) 및 산소 투여

⑥ 출혈이 지속되고 호흡부전의 가능성이 크면 대구경(No. 8 이상) 튜브로 기관삽관: 기도확보가 가장 중요: double-lumen tube, unilateral intubation 고려

⑦ 기관지내시경을 통한 지혈처치나 동맥조영술 및 색전술시행

⑧ 출혈이 조절되지 않으면 외과적 수술 고려

(2) 대량객혈 시 흔히 사용되는 치료방법

① 기관지내시경을 이용한 지혈 처치(rigid bronchoscopy가 유리)

　laser phototherapy, electrocautery 방법을 이용

② 동맥조영술 및 색전술(bronchial artery embolization)

　i) 적응증: 양측성이거나 다발성의 출혈 부위, 폐기능 저하로 외과적 절제술을 시행하기 힘든 경우에 효과적

　ii) 합병증: 매우 드물지만 허혈성 척수병증(ischemic myelopathy)으로 하지 마비

③ 외과적 수술: 대량객혈이 다른 치료에 반응하지 않고 지속될 때 고려

Ⅰ. 호흡 및 혈류역학 관리

1. 호흡 관리

1) 신체 검사

(1) 호흡수(정상: 12-22/min, impending respiratory failure > 35/min)

(2) 호흡부전의 징후: sweating, tachycardia, accessory muscle의 사용, agitation, abdominal paradox, respiratory alterans, intercostal recession, central cyanosis(tongue과 oral mucosa의 cyanosis)

2) 동맥혈가스분석

(1) $PaCO_2$: 정상35-45 mmHg, 호흡부전 >50 mmHg

(2) 정상pH: 7.35-7.45

(3) 정상PaO_2 = 100 mmHg - (0.3)×age in years

(4) PAO_2 = FiO_2 (PB-47) - $PaCO_2$/R (PB 대기압= 760 mmHg, R 호흡상수= 0.8)

(5) PAO_2 - PaO_2 difference: 정상 <10-15 mmHg, 나이가 증가하면서 30 mmHg까지 증가할 수 있으나 30 mmHg 이상은 비정상으로 산소 교환의 장애가 있음을 의미함

(6) PaO_2/PAO_2: 정상0.9

(7) PaO_2/FiO_2: 정상 460(ARDS 시 200 mmHg 이하, ALI 시 <300 mmHg 이하)

3) Pulse oximeter : percent of oxyhemoglobin

* 정확하지 못한 경우: severe anemia, peripheral vasoconstriction due to shock or vasopressor, onychomycosis

4) End-tidal carbon dioxide tension

(1) $PaCO_2$를 반영, 대개 $PaCO_2$ 보다 1-5 mmHg 적게 측정됨

(2) ventilation과 perfusion의 변화에 의해 $PaCO_2$와 차이가 생김

5) 기계 호흡 시 respiratory mechanics

(1) Peak airway pressure: airway resistance + respiratory system compliance에 의해 결정됨

(2) Plateau pressure: respiratory system compliance only

(3) Peak airway pressure - Plateau pressure = airway resistance(during volume controlled MV) ↑ airway resistance: bronchoconstriction ↓ chest wall compliance: ex) pleural effusion, pneumothorax, ascites

(4) Weaning index (respiratory rate/tidal volume): 105 이상이면 high risk of weaning failure

(5) Pressure and flow curve: detection of patient and ventilator dyssynchrony, air flow obstruction, autoPEEP

2. 혈류역학 관리

1) **Tissue perfusion 정도의 평가:** Skin color, temperature, pulse volume, sweating, core-peripheral temperature gradient, urine output, metabolic acidosis with raised blood lactate concentration

2) **Blood pressure:** shock = mean arterial pressure <65 mmHg

3) **Pulmonary artery catheterization**
   : Mixed venous oxygen saturation: 정상 >75% or 40 mmHg
   * severe O_2 delivery impairment to tissue <60% or 28 mmHg

표 2-8-1 정상 혈류역학 수치(Normal Hemodynamic Parameters)

Parameter	Calculation	Normal Values
Cardiac output (CO)	SV×HR	4–8 L/min
Cardiac index (CI)	CO/BSA	2.6–4.2 (L/min)/m²
Stroke volume (SV)	CO/HR	50–100 mL/beat
Systemic vascular resistance (SVR)	[(MAP–RAP)/CO]×80	700–1,600 dynes · s/cm⁵
Pulmonary vascular resistance (PVR)	[(PAPm–PCWP)/CO]×80	20–130 dynes · s/cm⁵
Left ventricular stroke work (LVSW)	SV (MAP PCWP)×0.0136	60–80 g–m/beat
Right ventricular stroke work (RVSW)	SV (PAPm RAP)	10–15 g–m/beat

표 2-8-2 산소 운반 계산(Oxygen Transport Calculations)

Parameter	Calculation	Normal Values
Oxygen–carrying capacity of Hemoglobin		1.39 mL/g
Plasma O_2 concentration		Po_2×0.0031 2
Arterial O_2 concentration (CaO₂)	1.39 Sao₂+0.0031 Pao₂	20 vol%
Venous O_2 concentration (CvO₂)	1.39 Svo₂+0.0031 Pvo₂	15.5 vol%
Arteriovenous O_2 difference (Cao₂– Cvo₂)	1.39(Sao2–Svo2)+0.0031 (Pao2–Pvo2) 2 2	3.5 vol%
Oxygen delivery (Do₂)	Cao2×CO(L/min)×10(dL/L) 1.39 Sao₂×CO×10	800–1,600 mL/min
Oxygen uptake (Vo₂)	(Cao₂–Cvo₂)×CO×10 1.39(Sao₂–Svo₂)×CO×10	150–400 mL/min
Oxygen delivery index (Do₂I)	Do₂/BSA	520–720 (mL/min)/m²
Oxygen uptake index (Vo₂I)	Vo₂/BSA	115–165 (mL/min)/m²
Oxygen extraction ratio (O₂ER)	[1–(Vo2/Do2)]×100	22–32%

Note: Po2, partial pressure of oxygen; Sao2, saturation of hemoglobin with O2 in arterial blood; Pao2, partial pressure of O2 in arterial blood; Svo2, saturation of hemoglobin with O2 in venous blood; Pvo2, partial pressure of O2 in venous blood; CO, cardiac output; BSA, body surface area.

II. 통증완화, 진정, 섬망 및 근이완

1. 목표

1) 통증, 불안, 수면부족 → 심한 스트레스 → 중환자 회복 지연 → 적절한 진정, 통증조절, 근이완 → 중
환자안정, 위험으로부터 보호

2) 통증완화→진정→섬망 치료의 순서로 접근 및 치료 시행

2. 진통

1) **통증의 측정과 진통제에 대한 반응:** 표준화된 측정치에 따라 정기적으로 측정되어야 함

(1) 환자 스스로 호소하는 통증: 가장 신뢰할 만한 지표

  * 10-point numerical rating scale →중환자 치료에 가장 적합

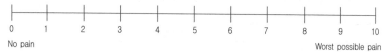

(2) 환자가 의사소통을 할 수 없는 경우: 환자의 행동이나 혈압, 맥박수 등의 지표를 이용

  *Behavior Pain Sclae (BPS) - 환자의 행동 및 표정으로 평가

표 2-8-3 Behavioral pain scale (BPS)

Item	Description	Score
Facial expression	Relaxed	1
	Partially tightened (e.g., brow lowering)	2
	Fully tightened (e.g., eyelid closing)	3
	Grimacing	4
Upper limb movements	No movement	1
	Partially bent	2
	Fully bent with finger flexion	3
	Permanently retracted	4
Compliance with mechanical ventilation	Tolerating movement	1
	Coughing but tolerating ventilation for the most of time	2
	Fighting ventilator	3
	Unable to control ventilation	4

BPS score ranges from 3 (no pain) to 12 (maximum pain).
· BPS >6 is significant

2) 통증의 예방이 치료보다 더 중요

3) 진통제

(1) Opiate, NSAIDs, acetaminophen을 사용

(2) 정맥으로 줄 경우에는 morphine, fentanyl, Remifentanil이 추천됨

(3) 필요에 따라주는 것보다는 스케줄에 맞추어 주거나 아니면 지속적 정맥 투여가 추천됨

표 2-8-4 흔히 사용하는 진통제

Agent	Half Life	부작용	Intermittent dose	Infusion dose
Fentanyl	1.5–6 hr	Rigidity	0.35–1.5 μg/kg IV q 0.5–1 hr	0.7–10 μg/kg/hr
Hydromorphone	2–3 hr		10–30 μg/kg/hr IV q 1–2 hr	7–15 μg/kg/hr
Morphine	3–7 hr	Histamine	0.01–0.15 mg/kg IV q 1–2 hr	0.07–0.5 mg/kg/hr
Remifentanil	3–10 min			0.6–15 μg/kg/hr
Ibuprofen	1.8–2.5 hr	GI, renal	400 mg p.o q 4–6 hr	
Acetaminophen	2 hr	GI, renal	325–650 p.o q 4–6 hr	

표 2-8-5 진정 수준의 정도(Richmond Agitation Sedation Scale)

Score	Term	Description
+4	공격적	확연히 공격적, 파괴적임. 스태프에게 즉각적인 위험 초래 가능
+3	매우 흥분	각종 튜브나 카테터를 잡아 뽑거나 제거하려함. 공격적
+2	흥분	빈번한 목적 없는 움직임. 인공호흡기에 마주 못함
+1	들뜸	불안한 상태이나 움직임이 공격적이거나 활발하지는 않음
0	깨어 있음/평안	
−1	둔한(눈을 뜨거나 눈을 맞춤)(10초 이상)	완전히 의식이 명확하지는 않음. 그러나 목소리에 지속적으로 깨어 있음
−2	약한 진정	목소리에 잠깐 깨어 눈을 맞출 수 있음(10초 이내)
−3	중간 진정	목소리에 움직이거나 눈을 뜰 수 있음(눈맞춤은 없음)
−4	깊은 진정	목소리에는 반응이 없음. 신체적 자극에 움직이거나 눈을 뜰 수 있음.
−5	무의식	목소리나 신체적 자극에 전혀 반응이 없음

♠ −2 ~ 0 점 정도가 적절한 진정 정도

3. 진정

1) Propofol 또는 Dexmedetomidine과 같은 비 벤조디아제핀 계열 약물이 Midazolam, Lorazepam 등의 벤조디아제핀계열 약물보다 더 추천됨

2) 매일 적어도 한 번씩 진정을 중단하고 환자를 깨우는 것이 필요함

표 2-8-6 흔히 사용하는 진정제

Agent	Onset	Half Life	Intermittent IV dose	Continuous, IV dose
Diazepam	2–5 min	20–120 hr	0.03–0.1 mg/kg q 0.5–6hr	
Lorazepam	5–20 min	8–15 hr	0.02–0.06 mg/kg q 2–6hr	0.01–0.1 mg/kg/hr
Midazolam	2–5 min	3–11 hr	0.02–0.08 mg/kg q 0.5–6hr	0.04–0.2 mg/kg/hr
Propofol	1–2 min	26–32 hr		5–80 μg/kg/hr
Haloperidol	3–20 min	18–54 hr	0.03–0.15 mg/kg q 0.5–6hr	0.04–0.15 mg/kg/hr
Dexmedetomidine	10–15 min	2 hr		0.2–0.7 μg/kg/hr

4. 섬망

1) 인공호흡기 치료를 받는 중환자의 60-80%에서 발생

2) CAM-ICU 등을 통해 초기에 발견하는 것이 필요. 표 2-8-3의 RAAS를 이용하여 -3점 이상이면 섬망 상태 평가를 진행

3) 치료: 섬망 발생의 이유를 파악하여 제거하는 것이 가장 중요. Haloperidol 등의 neuroleptic agent를 주로 사용

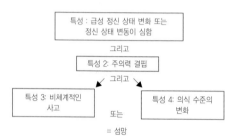

그림 2-8-1 CAM-ICU를 통한 섬망의 진단

표 2-8-7 섬망의 치료 약제

Medication	투여 경로	부작용	Dose range
Haloperidol	PO, IV, IM, SC	Extrapyramidal sx., QT prolongation	0.5–2 mg q 2–12 hrs
Chrlorpromazine	PO, IV, IM, SC	Hypotension, Anticholinergic side effects	12.5–50 mg q 4–6 hrs
Quetiapine	PO	Sedation, Orthostatic hypotension	12.5–100 mg q 12–24 hrs
Olanzapine	PO, IM	Sedation	2.5–5 mg q 12–24 hrs
Risperidone	PO	Extrapyramidal sx., Orthostatic hypotension	0.25–1 mg q 12–24 hrs

5. 근이완

1) 목적

(1) facilitation of mechanical ventilation

(2) control of ICP

(3) ablation of muscle spasm associated with tetanus

(4) decreasing oxygen consumption

2) 약제의 선택

반드시 충분한 진정상태를 이룬 후 사용

(1) high dose steroid 사용 혹은 liver or renal failure 시: cisatracurium 0.1 mg/kg iv bolus and then 2.5-3 μg/kg/min

(2) cardiovascular stable (HR < 120, MAP < 100, NSR): pancuronium 0.05-0.1 mg/kg q 2 hr or prn

(3) cardiovascular unstable: vercuronium 0.08-0.1 mg/kg iv and 0.8-1.2 mg/kg/min

3) 평가

(1) 골격근의 수축과 호흡 노력의 관찰 평가와 Train of Four (TOF)와 같은 말초신경 자극을 같이 이용하여 평가

(2) 임상적으로 근이완의 정도를 측정하는 것이 어려우므로 추가로 근이완제를 주기 전 약간 근이완이 회복되는 것을 확인하고 이후 추가로 주입하는 것이 추천

4) 근이완의 부작용

(1) Prolongation of NM blocking: sepsis, MOF, hepatic and renal failure patient

(2) Acute quadriplegic myopathy syndrome: steroid 사용 환자, 영양결핍, aminoglycoside, cyclosporine, 간 또는 신기능 부전, 전해질 이상 등에서 호발→ steroid를 사용하는 환자는 가능하면 빨리 근이완제의 사용을 중단, drug holiday와 같은 방법으로 예방

(3) Myositis ossificans, Tachyphylaxis

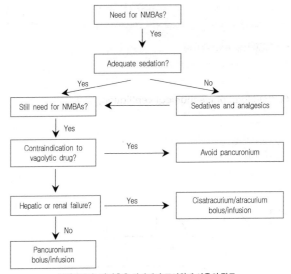

그림 2-8-2 기계호흡 환자에서 근이완제 사용의 접근

Ⅲ. 인공호흡기 치료(Mechanical ventilation)

1. 기계호흡의 적응증

1) 심한 가스 교환 장애
2) 급성 호흡부전
3) 치료에 반응하지 않는 경우
4) 호흡근육의 피로와 호흡노동의 증가, parameter : respiratory rate(> 36/min)
5) PaO_2 < 60 mmHg with FiO_2 > 60%
6) $PaCO_2$ > 50 mmHg with pH < 7.30
7) Decreased ventilation - Neuromuscular disease

2. 인공호흡치료의 분류

1) 비침습적 인공호흡(Non-invasive ventilation)

(1) Positive pressure ventilation with facial mask: CPAP, BiPAP

(2) Negative pressure ventilation with chest shell, pneumowrap etc

2) 침습적 인공호흡(Invasive ventilation)

Positive pressure ventilation with endotracheal tube

3. 기계호흡의 방식(Mode of mechanical ventilation)

1) Mode

(1) Assist Control Mode Ventilation (ACMV)

① 호흡부전증에서initial mode

② 환자의 자발적 호흡 때마다 기계가 보조 호흡, 환자 호흡수가 적으면 기계가 정해진 호흡을 보조

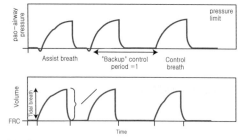

Patient/time triggered, volume cycled, pressure limited
Assisted breaths : triggered by the patient's effort
Controlled breaths : triggered by the ventilator timer
Tachypnea가 있는 경우에는 respiratory alkalemia를 초래하여 seizure를 일으킬 수 있음
Dynamic hyperinflation (auto-PEEP)을 일으킬 수 있음

(2) Synchronized intermittent mandatory ventilation (SIMV)

① 환자의 자발호흡을 인정하여 이때는 기계호흡을 유도하지 않으나 정해진 호흡수에 따라서 정해진 기간 내에 환자의 호흡노력에 반응하여 환자와 인공호흡기의 환기를 동조시킴

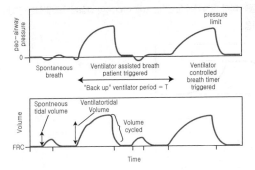

Dually patient/time triggered
Volume cycled, pressure limited

Spontaneous breath를 허용한다는 점이 ACMV와 다름. 그러나 back up rate에 해당되는 시간이 경과하면 환자의 inspiratory effort에 맞추어서 assisted breath를 넣어주고, 만약 inspiratory effort가 없다면 정해진 만큼의 tidal volume을 넣어줌.

SIMV는 respiratory drive가 정상인 환자들에게 weaning전에 호흡근을 training시키는 방법으로 이용됨.

(3) CPAP (Continuous Positive Airway Pressure)

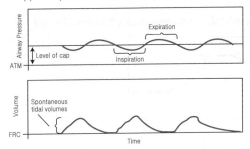

모든 호흡은 자발적이고, ventilator로부터의 assist는 없음. mean airway pressure만이 조절 가능한 변수임.

만성폐쇄성폐질환 등 다양한 형태의 ventilatory failure 환자들에게 face mask를 이용하여 non-invasive ventilation의 형태로 사용이 시도되고 있음.

2) Control 종류

(1) VCV (Volume Controlled Ventilation): Ventilator가 정해진 호흡 때마다 일정한 양의 volume을 넣어 주는 방식

① 장점: 환자의 기도저항이나 폐탄성의 변화와 관계없이 매 호흡시마다 안정된 양의 volume을 공급해 줌

② 단점: 기도저항이 증가하거나 폐탄성이 감소한 경우 volume을 공급하는 과정에서 airway pressure가 증가하여 barotrauma가 발생할 수 있음

(2) PCV (Pressure Control Ventilation)

- Ventilator가 정해진 호흡 때마다 일정한 양의 pressure에 도달할 때까지 inspiration을 시키는 방식

① 장점: 항상 일정한 양의 pressure만 가해주므로 barotrauma를 예방할 수 있음

② 단점: 기도저항, 폐탄성 등에 따라 환자에게 운반되는 tidal volume이 결정되므로 일정한 양의 환기가 되지 않을 수도 있음

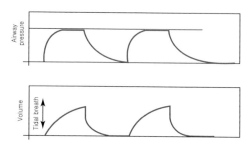

Timer triggered, timer cycled, pressure limited
Peak airway pressure를 setting하고 그에 따라 tidal volume이 넣어짐. 따라서 tidal volume과 minute volume을 monitor 해야 할 필요가 있음.
기도압을 안전하게 유지할 수 있는 mode이므로 barotrauma(기흉 등)가 있는 환자 또는 개흉 수술 후의 환자들에게 잘 쓰이는 방법임.

(3) PSV (Pressure Support Ventilation)

Ventilator가 환자의 자발호흡시마다 일정한 양의 pressure로 호흡을 support 해주는 방식

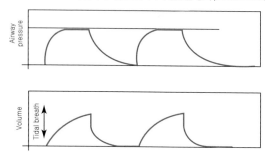

모든 호흡이 환자에 의해 trigger되고 flow cycled, pressure limited로 이루어짐. 기계호흡으로부터의 이탈(weaning)을 위해 고안된 방법으로, 미리 정해둔 정도의 흡기류를 ventilator가 감지하면 pressure support level로 흡기압을 올려 흡기(inspiration)를 돕고, 흡기류가 어느 이하로 감소하면 pressure support가 중단되어 호기(expiration)가 이루어짐.

4. 인공호흡기의 설정(Ventilator setting)

1) FiO2 : 1.0으로 시작. 20분-30분 간격으로 ABGA 또는 산소포화도를 모니터하면서 FiO2를 낮춤

2) 기본적으로 추천되는 설정

(1) FiO2<0.5, PEEP<10 cmH2O, Tidal volume 6-8 ml/kg: PaCO2 약간의 증가를 허용(permissive hypercapnia)

(2) Plateau pressure < 35 cmH$_2$O, Flow rate > 70 L/min, Sensitivity -0.5 to -1.5 cmH$_2$O, Respiratory rate 10-15/min

* **Inspiratory flow rate**

: 적으면 inspiratory time이 길어지고 expiratory time이 짧아져서 autoPEEP이 발생할 수 있음

* **Trigger sensitivity**

: 기계가 흡입가스를 불어넣기 시작하도록 환자가 발생시켜야 할 흡입음압을 말하며 절대 숫자가 커지면 환자의 work of breathing이 증가하고 절대 숫자가 작으면 ventilator autocycle이 발생함. 그러므로 환자의 호흡 상태와 기계의 autocycle 유무 등을 관찰하면서 조절함

5. 동맥혈산소분압을 올리기 위한 방안

1) Increase FiO2 2) Add or increase PEEP 3) Prone position

6. 고이산화탄소혈증에 대한 대처방안

1) Tidal volume을 늘리거나 rate를 높임

2) 고려할 것

(1) Permissive hypercapnea

pH가 유지되면서 metabolic compensation된다면 barotrauma를 줄이기 위해 tidal volume을 낮게 유지할 수 있음

(2) COPD환자에서는 평상 시 CO$_2$ level이하로 낮추려하지 말 것

7. PEEP (Positive end-expiratory pressure)

1) 적응증

(1) FiO$_2$를 0.6 이하로 내릴 수 없는 경우

(2) 100% 산소 투여하여도 PaO$_2$를 60 mmHg이상 올리지 못하는 경우

2) 목적

(1) To improve oxygenation by elevating mean alveolar pressure

(2) To prevent end-expiratory airway and alveolar closure

3) 방법

(1) 5 cm H$_2$O로 시작하여 3-5 cm H$_2$O씩 올림

(2) FiO2 < 0.5로서 SaO$_2$ > 90%로 유지된다면, 그대로 둠

4) Optimal of PEEP: lowest PEEP that provide an acceptable SaO$_2$ at FiO$_2$ < 0.5

(1) PEEP을 증가시키면 O$_2$ content는 증가하나, 어느 level이상 오르면 cardiac output가 감소되어

oxygen delivery가 감소됨. 따라서 oxygen delivery가 maximum을 보이는 지점을 optimal PEEP로 함
* High PEEP을 유지하다가 갑자기 PEEP을 줄이면 thorax내로 intravascular volume이
redistribution되어 pulmonary edema 발생 가능

(2) Compliance가 증가되다가, 어느 level 이상에서부터 감소함. 때때로 PaO_2를 올리기 위해 PEEP을
20 cmH_2O 이상 올리는 경우가 생기는데, 이때 paradoxic하게 PaO_2가 더 감소하는 경우를 볼 수
있음. 이러한 경우, 높은 PEEP이 closed airways를 더 이상 열지는 못하면서 이미 열려있는
alveolar unit들을 과팽창시켜서 overdistention된 alveolar unit주변의 vascular resistance가 증가되
어 blood perfusion이 감소되고, closed airways 주위의 vascular bed로 blood perfusion이 상대적
으로 증가되어 "shunt"가 증가된 결과로 해석함. 이러한 상황에서는 PEEP을 줄이는 것이 방법임

5) PEEP 사용에 주의해야 할 경우들

(1) 일측성 폐질환
(2) 폐쇄성 폐질환
(3) Elevated peak & mean airway pressure
(4) Bronchopleural fistula
(5) Hypovolemia, elevated ICP, pulmonary embolism

8. Body position에 대한 고려사항

1) 폐병변의 위치에 따라서, 예를 들면 한쪽 lung이 반대 측보다 alveolar edema와 collapse가 더 심할 수
있는데 한쪽 폐가 atelectasis되어 있다면 반대 측으로 dependent하게 누우면 V/Q balance에 더 유리
해짐

2) Supine position에서 obesity, deep breathing시 통증 등으로 atelectasis가 악화될 수 있으므로 upright
position 또는prone position을 고려해 볼 수 있음

9. Alarm & Fighting

1) 원칙

Alarm silence를 먼저 누르지 말고 어떠한 경고인가를 먼저 확인하고 교정해야 함. sedatives, muscle
relaxant를 쓰기 전에 꼭 필요한 경우인가를 재고해야 함. 환자의 distress를 감지하면 우선 ventilator
를 떼고 bagging을 하면서, airway에 air leakage 또는 obstruction 등 문제는 없는가, 손으로 느껴지는
airway resistance는 변화가 없는가를 확인해야 함. ventilator를 연결하기 전에 test lung을 이용하여
모든 circuit와 setting을 확인하는 것이 필요함

2) Low exhaled tidal volume

(1) 어디에서든지 air가 leak 되고 있음
(2) Upper airway에서 air가 leak되는 소리가 나는 경우 cuff가 vocal cord에서 inflate 되어있는 경우가
있음. 따라서
① X-ray상 tube의 위치가 carina에서 충분히 떨어져 있다면, pharynx를 잘 suction하고 cuff를

deflate시킨 후 tube를 조금 더 깊숙이 밀어 넣고 cuff를 inflate 시킴

② ①의 방법으로 안 되는 경우에는 cuff를 deflate시킨 후 적정량의 air를 이용하여 다시 inflate 시킨 후 10분 후에 deflate 시켜서 나오는 air의 양이 넣은 양과 같은 지 확인(balloon의 perforation 확인)

③ Balloon perforation도 아니라면 tracheal lumen의 구조적인 이상을 고려. 그런 다음 cuff의 위치를 조정해 보아야 함. Small volume & high pressure cuff를 사용하고 있었다면, large volume, low pressure cuff로 바꿔 볼 수 있음

3) High Pressure Alarm

(1) Fighting

(2) Kinking of tube

(3) Displacement of tube into main stem bronchus

(4) Bronchospasm, mucosal plugging

(5) Pneumothorax, tension pneumothorax

(6) Decreased compliance

10. 기도관리(Airway management)

1) Cuff 압력: 20-25 cmH2O

2) 구강위생: 매일 Chlorohexidine액으로 구강을 청소

3) Suctioning은 자주 시행해야 함

(1) 기관과 주기관지에 모아진 기도 분비물만 suction할 수 있음

(2) 1분 이상 100% oxygen을 투여한 후 suction할 것

(3) 소독된 gloves를 끼고 역시 소독된 catheter로 suction함

(4) Hypoxia가 가능하므로 suction하는 시간은 15초를 넘기지 말 것

(5) 3-10 ml의 normal saline으로 irrigation한 후 분비물을 묽게 하여 suction하면 더 잘될 수 있음

* suction 압력은 가능한 최소압으로 suction할 것. suction tip의 소독 문제도 신경을 써야 함

  Frequent turning & hyperinflation : Help to centralize the secretions

4) Humidification and temperature

(1) Check humidifier water: 80-100% humidity

(2) Temperature: 32-37°c

11. 인공호흡치료 받는 환자의 영양 공급(Nutritional support)

• Assessment of nutritional status

• Recommended daily allowances of essential nutrients to healthy adults

1) Daily caloric requirement

(1) Resting Energy Expenditure (REE)

REE (남자): 66 + [13.7 × W (kg)] + [5 × H (cm)] - [6.8 × Age (Y)]

REE (여자): 665 + [9.6 × W (kg)] + [1.8 × H (cm)] - [4.7 × Age (Y)]

(2) Total Daily Energy Expenditure (TDE)

TDE = REE + AF + IF

① Activity Factor

- 20% of REE: Confined to bed
- 30% of REE: Ambulatory

② Injury Stress Factor

- 20% of REE: Infection, Stress, Major trauma
- 40% of REE: Sepsis
- 50-125% of REE : Burns
- 13% of REE: for each 1℃ increase of fever

Undernutrition은 weakness, wasting을 초래하지만, Overnutrition 또한 ventilatory requirement를 높임(CO_2 production 증가)

2) Enteral Nutrition through Nasogastric-Enteral Tube

장관점막세포의 trophic effect가 있고, 영양 공급이 쉬우며 합병증도 적어서 TPN보다 더 권장됨

3) TPN

(1) 5% D/W : 3.4 kcal/g

(2) 10% Lipid : 1.1 kcal/ml

(3) 예상되는 Deficit

(4) Days : Water, Potassium

(5) Weeks : Sodium, Ca, Phosphorus, Mg, Vit B, C

(6) Months : Vit K, Iron, Copper

(7) Years : Vit A, D, Cobalamine, Selenium, Chromium

12. 인공호흡치료 시 발생할 수 있는 합병증의 예방

1) 기도 문제

(1) Tracheal stenosis

(2) Deconditioning of respiratory muscles

(3) Barotrauma by high pressures (i.e., greater than 50 cmH2O)

(4) Interstitial emphysema, pneumomediastinum, subcutaneous emphysema, pneumothorax

2) 산소독성

3) Ventilator associated pneumonia (VAP)

48시간 이상 endotracheal intubation 상태의 환자들은 nosocomial pneumonia 또는 ventilator associated pneumonia 발생의 risk가 높아지는데, 대부분 흡인이 감염경로임. 흡인을 방지하기 위해 Head of-Bed elevation을 30도 이상으로 유지하고, subglottic suction을 사용하는 것이 추천됨

4) Gastrointestinal effects

(1) Stress ulceration: H2 blocker, PPI, Sucralfate

(2) Mild to moderate cholestasis: (i.e., total bilirubin values ≤ 4.0)

(3) Effects of increased intrathoracic pressures on portal vein pressures generally self-limited

5) Deep vein thrombosis

(1) 물리적 예방법: Elastic stocking, Intermittent pneumatic compression

(2) 약물적 예방법

6) 기타: Malnutrition, decubitus ulcer, muscle deconditioning, depression

13. 인공호흡기 이탈(Weaning from mechanical ventilation)

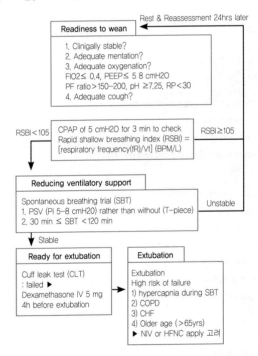

Rest & Reassessment 24hrs later

Readiness to wean

1. Clinigally stable?
2. Adequate mentation?
3. Adequate oxygenation?
FIO2 $\leq$ 0.4, PEEP $\leq$ 5 8 cmH2O
PF ratio > 150-200, pH $\geq$ 7.25, RP < 30
4. Adequate cough?

RSBI < 105

CPAP of 5 cmH2O for 3 min to check
Rapid shallow bresathing index (RSBI) =
[respiratory frequency(fR)/Vt] (BPM/L)

RSBI $\geq$ 105

Reducing ventilatory support

Spontaneous breathing trial (SBT)
1. PSV (Pi 5-8 cmH2O) rather than without (T-piece)
2. 30 min $\leq$ SBT < 120 min

Unstable

Stable

Ready for extubation

Cuff leak test (CLT)
: failed ▶
Dexamethasone IV 5 mg
4h before extubation

Extubation

Extubation
High risk of failure
1) hypercapnia during SBT
2) COPD
3) CHF
4) Older age (>65yrs)
▶ NIV or HFNC apply 고려

Ⅰ. 호흡부전증

1. 분류

1) **Type I:** Hypoxic respiratory failure : inadequate blood oxygenation - $PaO_2 < 60$ mmHg

2) **Type II:** Hypercarbic respiratory failure: excess of circulating carbon dioxide, $PaCO_2 > 45$ mmHg

3) **Type III:** Perioperative respiratory failure

4) **Type IV:** Shock

5) **시기에 따른 분류:** Acute, Chronic, Acute on chronic respiratory failure

2. 원인

1) **Type I**

   (1) Alveolar compartment dysfunction (alveolar units)

      예) pneumonia, pulmonary edema, ARDS

   (2) Pulmonary vascular dysfunction (vascular system)

      예) acute pulmonary embolism, pulmonary hypertension

2) **Type II**

   (1) Controller dysfunction (nervous system)

      예) central hypoventilation, sedative medications, toxic overdoses, brainstem stroke

   (2) Pump dysfunction (muscular system)

      예) myopathy, myasthenia gravis, chest wall disease (kyphoscoliosis)

   (3) Obesity hypoventilation syndrome

   (4) Airway system dysfunction (airway)

      예) asthma, COPD, endobronchial mass/stricture

3. 병태생리

1) **Hypoxic respiratory failure**

   (1) Shunt: 기능적 폐 단위를 지나치는 mixed venous blood의 %를 말하며 alveolar-arterial gradient [P $(A-a)O_2$]가 증가하는 것과 관련이 있음. [P $(A-a)O_2$] >30%일 경우에는 일반적인 산소요법으로는 저산소증이 개선되지 않음

   (2) Ventilation-perfusion mismatch

① 기도폐쇄질환(COPD, asthma), 간질성 폐질환, 혈관폐쇄질환

② FiO_2를 증가시키면 PaO_2는 증가됨

(3) Low FiO_2: 고산지대

(4) Hypoventilation

① ↑$PaCO_2$ with hypoxemia

② 산소를 공급하면 초기에는 저산소증이 개선됨. 만성기도폐쇄질환에서는 저환기증을 더욱 악화시킬 수 있음

③ 근본적으로 기도폐쇄 등의 원인 질환을 개선하는 것이 중요

(5) 확산 장애: 산소를 공급하면 어느 정도 반응함

(6) Low mixed venous oxygen: 정상적으로는 폐는 폐동맥의 혈액을 완전하게 산소화시키므로 mixed venous oxygenation은 PaO_2에 현저한 영향을 주지 않음. shunt나 ventialtion- perfusion mismatch 등에서는 영향을 줄 수 있음. mixed venous oxygenation에 영향을 주는 요소로는 빈혈, 저산소증, 심박출량의 감소, 산소소비의 증가 등이 있음

2) Hypercapnic respiratory failure

(1) ↑CO_2 production: fever, sepsis, seizure, ↑↑carbohydrate intake

(2) ↑Dead space: Widened P(A-a)O2 gradient (COPD, asthma, ILD)

(3) Minute ventilation 장애: CNS disorders, peripheral nerve disorders, muscle diseases, thoracic cage abnormality, upper airway obstruction, metabolic disease

3) Mixed respiratory failure: 폐질환 환자에서 수술 후(Type III)

II. 호흡부전의 치료

Adequate airway protection, Oxygenation, Ventilation

1. Oxygenation

1) Low flow system

(1) Nasal prong: 환자의 peak inspiratory flow demand에 따라서 다르기 때문에 실제적으로 얼마의 FiO_2가 공급되는지 정확하게는 알 수 없음. 대략 1 L/min에서 FiO_2=24%, 1 L/min 증가시마다 FiO_2 는 4% 증가함. 산소유량이 6 L/min을 초과하면 FiO_2는 더 이상 증가하지 않음

(2) Simple mask: Nasal prong에 비해 더 높은 농도의 산소를 공급할 수 있음(FiO_2: 40~60%), 이 역시 산소 유량이 8L/min 이상이면 더 이상의 FiO_2 증가 효과를 기대할 수 없음

(3) Reserve bag: Reserve bag 이 달려있어서 FiO_2 60% 이상의 고농도산소를 공급할 수 있음

(4) Non-rebreathing mask: One way valve가 달려있어 reserve bag 내의 O_2가 환자가 내쉬는 호기가 스와 혼합되지 않아 고농도의 산소(80-90%)를 공급할 수 있음

2) High flow system

(1) Venturi mask: 산소가 빠른 속도로 분출기를 통과할 때 발생하는 음압에 의해서 대기가 일정한 비율로 빨려 들어 가는 원리를 이용. 미리 정해진 FiO_2를 정확하게 전달할 수 있다는 장점이 있음

(2) High flow nasal cannula (HFNC): 고농도의 산소(FiO_2 100%까지 조절가능)와 Flow (~60L/min)를 일정하게 공급할 수 있으며, humidified oxygen을 공급할 수 있는 장점이 있음

2. Mechanical Ventilation의 적응증

1) 산소공급에도 지속되는 hypoxic respiratory failure

2) 호흡성산증을 동반한 hypercapnic respiratory failure

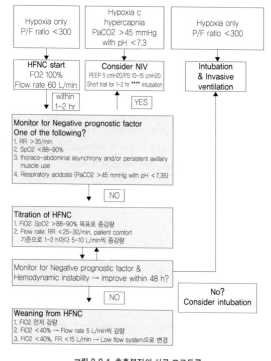

그림 2-9-1 호흡부전의 치료 프로토콜

III. 급성호흡곤란증후군(Acute respiratory distress syndrome, ARDS)

1. 정의

다양한 직·간접적 원인으로 폐포모세혈관 막(alveolar-capillary membrane)의 투과성이 증가해 폐포 공

간 내 부종액이 차고, 활성화된 호중구 및 사이토카인으로 인한 손상, 계면활성제와 응고체계의 이상으로 인해, 산소치료에 반응하지 않는 저산소증 및 비균질적인 염증성 급성폐손상이 발생하는 것(2016년 대한결핵 및 호흡기학회 임상 진료지침)

표 2-9-1 급성 호흡부전의 Berlin 정의(JAMA 2012;307(23):2526-2533)

Timing	Within 1 week of a known clinical insult of new or worsening respiratory symptoms
Chest imaging	Bilateral opacities – not fully explained by effusions, lobar/lung collapse, or nodules
Origin of edema	Respiratory failure not fully explained by cardiac failure or fluid overload Need objective assessment (eg. Echocardiography) to exclude hydrostatic edema if no risk factor present
Oxygenation Mild	200 mmHg < PaO_2/FiO_2 ≤300 mmHg with PEEP or CPAP ≥5 cmH_2O
Moderate	100 mmHg ≥ PaO_2/FiO_2 ≤200 mmHg with PEEP or CPAP ≥5 cmH_2O
Severe	PaO_2/FiO_2 ≤100 mmHg with PEEP ≥5 cmH2O

ARDS는 다양한 원인으로 발생하여 다장기부전을 일으키는 질환임, 증상 이후 일주일이 되기 전에 폐부종/무기폐/폐결절 으로 설명되지 않는 폐 침윤이 양측으로 발생하면서 저산소혈증이 발생하는 경우 임상적으로 정의함

2.치료

ARDS: duration <1 wk

1. PaO_2/FiO_2 ≤ 300 (corrected for altitude)
2. Bilateral (patchy, diffuse, or homogeneous)
3. No clinical evidence of left atrial hypertension

Oxygenation goal: PaO_2 55–80 mmHg or SPO_2 88–95%

Lung protective ventilation: Pplat ≤ 30 cmH2O
And VT 6 ml/kg PBW Optimal PEEP with PEEP table

FiO2	0.3	0.4	0.4	0.5	0.5	0.6	0.7	0.7
PEEP	5	5	8	8	10	10	10	12

FiO2	0.7	0.8	0.9	0.9	0.9	1.0
PEEP	14	14	14	16	18	18–24

Predictive body weight (PBW)

– Male: 50 + 0.91 [height (cm) – 152.4]
– Female: 45.5 + 0.91 [height (cm) – 152.4]

Acidosis management (pH <7.3)

If pH 7.15–7.30: Increase RR until pH >7.30 or PaCO2 <25 (Max set RR = 35)
If pH remains <7.15: Increase VT 1mL/kg until pH >7.15 (Pplat may be >30) Consider NaHCO3

| P/F ratio <150 mmHg | ▶ | Prone position | + | Recruitment | NM blocker before 48 hr |

| P/F ratio <80 mmHg, refractory hypoxemia/hypercapnia before <7 days of mechanical ventilation | ▶ | Consider wECMO |

그림 2-9-2 급성 호흡부전의 치료 프로토콜

IV. 기도유지와 기관내삽관

1. 기도유지

1) Head and jaw position

(1) 구강과 인후두를 확인, 이물질제거　　(2) Jaw thrust or head-tilt chin lift maneuver

2) Oral and nasopharyngeal airways

3) Laryngeal mask airway

(1) endotracheal tube with small mask　　(2) aspiration 예방, 일시적인사용

4) Mask-to-face ventilation

2. 기관내삽관(Endotracheal Intubation)

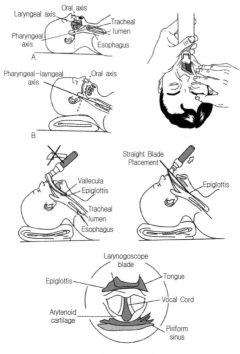

그림 2-9-3 기관내삽관

1) 방법

- 환자의 목과 구강상태에 대하여 전반적인 관찰: 치아, 의치, 경추상태, 구강 내 suction 상황
- "sniffing"position : 목flex, 머리extend, 후두부에 작은 베개

(1) Direct laryngoscopic orotracheal intubation: 신속함, 큰 tube 사용할 수 있음

(2) Blind nasotracheal intubation: 작은 tube를 사용하므로 kinking, obstruction 되기 쉽고, 중이염 부비동염 가능성

(3) Flexible fiberoptically guided orotracheal or nasotracheal intubation: Tracheal tube cuff pressure: Ischemic mucosal injury 예방을 위해서 capillary filling pressure (i,e.,< 26 mmHg) 이하

2) 튜브선택 및 주의사항

(1) 기관내삽관 튜브의 선택

① 성인 남자: 7.5-8.0 (내경), 삽관 깊이 21-23 cm

② 성인 여자: 7.0-7.5 (내경), 삽관 깊이 19-21 cm

(2) 주의사항

① 반드시 삽관전 미리 충분한 산소 투여후 시행

② 30초 이내 성공하지 못하면 다시 산소 투여후 시행

3) 기관내관의 정확한 삽관 확인

(1) 기관내관이 성대로 들어가는 것 직접 확인

(2) 청진

(3) 흉부엑스선

(4) Ambu bagging으로 인공호흡하면서 가슴의 운동 확인

(5) 기관지내시경으로 확인

(6) End-tidal carbon dioxide monitor: 청진으로 양쪽 폐야의 호흡음을 듣거나 흉부엑스선으로 확인하는 것이 정확하지 않은 경우도 있음. 만약 의심스러우면 발관하고 다시 삽관함

4) 부작용

(1) 부적절한 기관내관의 위치

① 가장 중요, carina 상방 3-5 cm에 tube의 끝이 위치하도록 함

② 복부팽만, 흉부에서 호흡음이 없음, 내관으로 위내용물 나오는 소견 있으면 부적절한 위치 확인

(2) 발치, 상기도손상, 두강내압상승

표 2-9-2 기관내삽관과 기계호흡에 사용되는 약제들

Drug	Bolus dose (IV)	Continous infusion	Onset	Duration after single dose
Succinylcholine	0.3–1 mg/kg		45–60 sec	2–10 min
Pancuronium	0.05–0.08 mg/kg	0.2–0.6 ug/kg/min	2–4 min	40–60 min
Vecuronium	0.08–0.1 mg/kg	0.3–1.9 ug/kg/min	2–4 min	30–45 min
Atracurium	0.4–0.5 mg/kg	5–10 ug/kg/min	2–4 min	20–45 min

Drug	Bolus dose (IV)	Continous infusion	Onset	Duration after single dose
Diazepam	2.5–5.0 up to 20–30 mg/kg	1–10 mg/hr	1–5 min	30–90 min
Midazolam	1–4 mg	1–10 mg/hr	1– 5 min	30–60 min
Morphine	2–5 mg	1–10 mg/hr	2–10 min	2–4 hrs
Fentanyl	0.5–1 ug/kg	1–2 ug/kg/min	30–60 sec	30–60 min
Thiopental	50–100 mg		20 sec	10–20 min
Methohexital	1–1.5 mg/kg		15–45 sec	5–20 min
Etomidate	0.3–0.4 mg/kg		10–20 sec	4–10 min
Propofol	0.25–1.0 mg/kg	50–100 ug/kg/min	15–60 sec	3–10 min

I. 알레르기 질환의 검사방법 및 해석

1. 혈청 IgE

1) 총 IgE: 200 U/ml 미만(2.4 ng/ml=1 U/ml by WHO)이 정상

2) 특이 IgE

(1) RAST, MAST, CAP system

(2) 피부단자검사에 비하여 감수성은 60-80%

(3) 선별검사로 사용이 힘들며 특이도가 높아 양성이면 IgE 매개 알레르기반응을 진단

2. 피부반응검사

1) 검사방법

(1) 피부단자검사: 항원을 한 방울 떨어뜨린 후 25 또는 26 게이지 바늘로 45도 각도로 살짝 피부를 자극

(2) 피내시험: 0.02-0.05 mL를 25에서 27게이지 바늘로 2-3 mm의 팽진을 만들도록 피내주사함

① 양성대조군: 히스타민 1 mg/mL - 단자검사 시, 0.1 mg/mL - 피내검사 시

② 음성대조군: 희석액

2) 영향을 미치는 요인들

(1) 검사 부위: 손목에서 5 cm 이상, 전주와에서 3 cm 이상 원위부

(2) 나이: 영아기부터 성인까지 증가하며 50세경부터 감소

(3) 성별 및 인종: 성별 차이 없으며 흑인이 백인에 비해 반응도 높음

(4) 일중변동 또는 계절적 변화 : 꽃가루알레르기 경우 꽃가루가 날리는 직후에 반응도 증가

(5) 질병: 만성신부전, 일부종양, 척추손상, 당뇨병성 신경염이 있는 경우 반응도 감소

(6) 약물

표 2-10-1 피부반응검사 전에 끊어야 하는 약물

H1 혹은 H2 차단제 72시간 이상
Fexofenadine (Allegra): 5~7일
Loratadine (Claritin): 7일
Cetirizine (Zyrtec): 7~10일
삼환계항우울제(dexepin): 7일
항정신병약제(risperidone, olanzapine, ziprasidone): 7일
베타 차단제: 24시간 이상

3) **판독:** 15분 후 판독

팽진 크기가 3 mm 이상이거나, 발적이 10 mm 이상이거나, 양성 대조액과 동일한 크기이상의 팽진이면 임상적 의미가 있음

4) **진단적 가치**

호흡기알레르기, 벌독이나 latex 알레르기는 단자시험으로 확인. 약물알레르기는 페니실린, 인슐린 등 일부 약제만 가능하고 식품알레르기는 일치하지 않는 경우가 많음

II. 알레르기 질환의 치료

1. 환경관리 및 회피요법

1) **집먼지진드기의 제거 및 회피 대책**

(1) 침구는 물세탁이 가능한 소재로 섭씨 55도 이상의 뜨거운 물로 최소 1주일에 1회 이상 세탁

(2) 베개는 동물의 털보다는 폴리에스테르를 넣은 베개를 사용하고 2주에 한 번 더운 물로 세탁

(3) 카페트와 헝겊 소파, 봉제 완구는 되도록 피함. 공기청정기 사용

(4) 실내온도보다는 습도를 40-60%로 유지함

2) **바퀴벌레**

환경관리 즉 음식물 찌꺼기를 제거. 살충제는 일시적인 효과

3) **꽃가루항원**

잡초화분은 8월에서 10월 사이, 목초화분은 4월에서 10월 사이에 조심함

4) **곰팡이**

낙엽, 건초더미, 목초나 천소파, 면 매트리스, 가구, 싱크대, 샤워 커텐 등을 자주 청소하고 건조시킴

2. 약물치료

1) **항히스타민제(H1-receptor antagonist)**

(1) 종류

표 2-10-2 항히스타민제

Generic name	Brand name(s)	Adult dosage
First generation		
Diphenhydramine	Benadryl	25–50 mg q4–6h prn
Chlorpheniramine	Chlor–Trimeton, others	4 mg q4–6h prn
Brompheniramine	Dimetapp, others	4 mg q4–6h prn
Hydroxyzine	Atarax, Vistaril	25–100 mg qd–qid prn
Second generation		
Cetirizine	Zyrtec	5 or 10 mg qd

Generic name	Brand name(s)	Adult dosage
Levocetirizine	Xyzal	5 mg qd
Fexofenadine	Allegra	60 mg bid or 180 mg qd
Loratadine	Claritin	10 mg qd
Desloratadine	Aerius	5 mg qd
Ebastine	Ebastel	10 mg qd
Azelastin	Azeptin	2 mg bid or 1 mg bid

(2) 부작용

① 가장 흔한 부작용은 졸리움이며, 2세대 항히스타민이 덜함

② 과용량 사용시 항콜린작용에 의한 흥분, 불안, 구갈, 빈맥, 소변저류, 변비가 발생할 수 있음

③ 드물게 혈액질환, 고열, 신경염, 두드러기 등이 나타날 수 있음

④ 임산부에 사용하는 경우 기형을 유발할 수 있음

⑤ 비진정성 항히스타민 중 terfenadine, astemizole은 심부정맥을 일으킬 수 있음

2) 약제에 따른 비염의 치료 효과

표 2-10-3 비강내 항히스타민제

	Sneezing	Rhinorrhea	Obstruction	Nasal itching	Eye Sx
Antihistamines					
oral	++	++	+	+++	++
intranasal	++	++	+	++	−
intraocular	−	−	−	−	
Corticosteroids					
intranasal	+++	+++	+++	++	++
Decongestants					
oral	−	−	+	−	−
intranasal	−	−	++++	−	−
Chromones					
intranasal	+	+	+	+	−
intraocular	−	−	−	−	++
Anticholinergics	−	++	−	−	−
Antileukotrienes	−	+	++	−	++

대한내과학회지 76권 3호 2009년

3. 면역요법

1) 치료방법

(1) 초기 치료(initial therapy): 저농도의 항원을 소량씩 투여하기 시작해서 환자가 감내할 수 있는 최대 량의 항원에 도달하기까지 점차로 증량해 나가는 단계

(2) 유지 치료(maintenance therapy): 최대량의 항원을 투여할 수 있게 된 뒤 그 양을 그대로 유지해서 장기간 투여

2) 적응증

(1) 알레르기비염, 알레르기천식, 벌독(hymenopteran) 아나필락시스 환자 중 회피요법 및 약물요법으로 증상 조절이 충분치 않은 경우나 원인 항원을 불가피하게 피할 수 없는 경우

(효능이 입증된 항원: 꽃가루, 집먼지진드기, 고양이와 개비듬과 털, 곰팡이(Alternaria, Cladosporium), 벌독)

(2) 식품알레르기, 두드러기, 아토피피부염은 아직 효과가 확인되지 않았음

3) 절대 금기증

심각한 면역질환이나 악성종양을 앓고 있는 환자, 심한 고혈압이나 관상동맥 질환이 있는 경우, 베타 길항제를 쓰고 있는 경우, 환자가 협조를 하지 않을 때나 혹은 심각한 정신질환을 앓고 있는 경우

III. 알레르기 질환별 접근법

1. 알레르기비염

1) 계절성 알레르기비염

코 주위 가려움증, 콧물, 재채기, 코 막힘(초봄이면 trees, 늦봄에서 여름은 grasses, 가을에 심하면 weeds가 원인인 경우가 많음)

2) 연중알레르기비염

(1) 집먼지진드기: 침실주변, 애완동물, 카페트, overstuffed furnishings

(2) 곰팡이: 습한 곳

(3) 직업성물질: bakers, health care workers, food handlers, horse fanciers, laboratory animal handlers

2. 두드러기

1) 두드러기: 소양감이 동반, 대부분 크기 작음. 수 시간 지속되지만 대개는 24시간을 넘지 않음

2) 혈관부종: 소양감 보다는 피부의 팽창감. 24시간에서 36시간까지 지속

3. 아나필락시스(Anaphylaxis)

1) 정의

(1) 가장 전격적이고 중한 반응으로 즉각적인 응급처치가 필요한 알레르기 질환

(2) 비만세포 및 호염구에서 유리되는 매개물질이 분비되어 즉각적인 전신 반응을 일으킴

> 아나필락시스로 분류할 수 있는 증상의 중등도에 대해서는 아직 확립된 바가 없음. 일부 학자들은 저혈압 및 cardiovascular collapse을 나타낼 때만 아나필락시스로 정의하지만, 다른 많은 학자들은 혈관부종과 같은 경증의 반응부터 후두부종으로 인한 상기도 폐쇄, 기도수축, 쇼크 및 심혈관 허탈 등 치명적인 상태에 이르는 다양한 증상을 모두 아나필락시스로 정의함

2) 흔한 원인 물질

(1) 약물: 베타락탐계 항생제, 아스피린, 혈관조영제, antilymphocyte globulin, chymopapain, thymidine, 인슐린, streptokinase, trypsin, vasopressin, 일부 근이완제

(2) 곤충독: 말벌, 불개미, 왕침 개미, 드물게 모기

(3) 음식물: 땅콩, 유제품, 달걀, 조개, 새우, 게, 생선, 밀가루, 메밀, 과일

(4) 기타: 라텍스, 운동, 특발성

3) 발생기전

(1) IgE 매개성반응: 페니실린, 음식물, 라텍스, 벌독

(2) 보체매개성반응: 수혈반응, 투석막

(3) 직접 비만세포 자극: opiate, vancomycin, 근이완제, mannitol, dextran

(4) 아라키돈산 대사이상에 의한 반응: 아스피린, 비스테로이드성 진통소염제

(5) 기전불명: 마취제, sulfite, 운동

    ① anaphylactic reaction: 면역반응에 의한 아나필락시스

    ② anaphylactoid reaction: 비면역반응에 의한 아나필락시스

4) 임상양상

(1) 초기전신증상: 수분에서 20-30분 내 증상 나타남(소양증, 열감, 저린감각, 불안초조감, 어지러움)

(2) 피부증상: 전신적인 발작, 담마진, 혈관부종

(3) 호흡기증상: 상부기도폐쇄증, 하부기도수축, 청색증, 질식

(4) 심혈관계: 저혈압, 쇼크, 심근기능저하, 부정맥, 심근허혈

(5) 위장관 증상: 오심, 구토, 복통, 설사

5) 진단 및 감별진단

(1) 진단

    ① 병력, 증상 및 증후를 근거로 진단

    ② 혈중 트립타제: 아나필락시스 반응이 일어난 지 45분 정도에 최고치에 도달하고 서서히 감소하여 연구용으로 검사할 수 있음

(2) 감별진단

    ① 혈관미주신경 반사(vasovagal reflex)

    ② 히스테리구 (globus hystericus): 상부기도폐쇄의 주관적인 증상 호소하는 경우

    ③ 유전성 혈관부종

    ④ 기타: 혈청병(serum sickness), 전신적 비만세포증, carcinoid 증후군

6) 급성기의 치료

초기증상을 인식하여 즉각적인 처치가 가장 중요

(1) 기도확보 및 산소공급

(2) 혈압유지

> ① 에피네프린(1:1,000)
> ⅰ) 0.01 mg/kg, 최대 0.5 mg 허벅지 전외측 근육에 근육주사; 5~15분 간격으로 주사
>   (최대용량: 6세 미만 소아 0.15 mg/회, 6세~12세 0.3 mg/회)
> ⅱ) 근육 투여에도 반응이 없을 경우 1:10,000 (1 ml + NS 9 ml mix, 1 ml) 에피네프린을 정맥투여 해 볼 수 있음
> ② 알파교감 신경자극제
>   에피네프린으로 혈압유지가 안되는 경우(예: dopamine 2~20 μg/min 정맥주사 또는 norepinephrine 4~8 μg/min 정맥주사)

(3) 기타 약제

  ① 항히스타민제

  담마진, 소양증 등의 증상 호전에 도움(예 : H1 차단제 diphenhydramine 1-2 mg/kg 와 H2 차
  단제 ranitidine 300 mg 정맥주사)

  ② 스테로이드

  급성 증상에 대한 즉각적인 효과는 없으나 후기반응을 억제하기 위해 투여(예 : prednisone
  20mg 경구투여 혹은 Solu-Medrol 40 mg 정맥주사)

  ③ 베타 2 자극제 및 aminophylline

  하부기도 수축이 있을 때

7) 예방

  (1) 원인물질 및 교차 반응이 있을 수 있는 것 회피

  ① 페니실린

  세팔로스포린계, imipenem, piperacillin 등은 페니실린과 교차반응 있음. monobactam 계열의
  aztreonam은 안전하게 사용가능

  ② 혈관조영제

  기왕력이 있는 환자에게 전처치 약물을 사용할 수 있음(13, 6, 1시간 전 prednisolone 50 mg
  po, 1 시간 전 항히스타민제 투여). 고 삼투압조영제 대신 등장성의 비이온성 혈관조영제 사용

  ③ 아스피린

  아스피린을 비롯하여 비스테이드성 항염증제 사용금지, acetaminophen, cyclooxygenase-2
  선택적 억제제는 사용 가능

  ④ 벌독

  외출 시 긴팔을 입고 방향성 화장품 사용 삼가, 면역치료가 효과적임

  (2) 에피네프린 자가주사

  원인물질을 완전히 피하기 어려운 경우, 아나필락시스의 재발을 예측하기 힘든 환자

  (3) 평소베타차단제, ACE 억제제 복용 금지

4. 약물알레르기

1) 정의

치료 목적으로 투여한 약이 원하지 않은 작용을 나타나는 경우를 약물부작용이라 함

약물알레르기란 약물부작용 중 면역학적 반응으로 인하여 나타나는 경우

2) 약물부작용의 분류

(1) 예측가능한 부작용: 부작용의 80%로, 용량에 비례하여 발생

① 적량초과(overdose)

② 부작용(side effect)

③ 누적독성

④ 지연독성

⑤ 조건적 효과(facultative effects)

⑥ 약물 상호작용(drug interaction)

⑦ 대사 변화(metabolic change)

⑧ 기형 유발(teratogenicity)

(2) 예측할 수 없는 부작용

① 불내성(intolerance)

② 특이반응(idiosyncrasy)

③ 면역학적약물반응(immunologic drug reaction) : 약물알레르기(drug allergy)

④ 위알레르기 반응(pseudoallergic reaction): 알레르기 반응과 유사하나 면역학적 기전에 의하지 않은 경우

3) 임상증상

(1) 특징

① 환자의 소수에서만 나타남

② 의심되는 약물에 노출된(sensitization) 병력이 있음(약1-2주)

③ 감작 후 약물은 소량만 투여하여도 과민반응이 야기되며 재현성이 있음

④ 약물의 독성이나 약리 작용과 다른 반응으로 나타남

⑤ 아래 증상의 한 형태로 나타남

• Type I (anaphylaxis): 두드러기, 혈관부종, 피부발진, 호흡곤란, 쇼크 등의 전형적인 알레르기 증상

• Type II (cytopenia, other cellular damage): Serum sickness (발열, 임파선종대, 관절통, 단백뇨 및 혈뇨)를 닮은 증상

• Type III (vasculitis, nephritis, drug fever): 열, 발진, 간기능 장애, 혈소판감소등 감염 증상을 닮은 증상

• Type IV (dermatitis, hepatitis): 호산구증가증, 폐 침윤, 루프스증후군

(2) 임상양상

① 여러 기관이 동시에 손상되는 경우 : 아나필락시스, 스티븐스-존슨 증후군, 독성표피괴사용해(toxic epidermal necrolysis), 혈청병, 혈관염, 약물에 의한 발열(drug fever)

② 간에 주로 발생되는 경우 : 담즙울체(cholestasis), 간세포성병변, 육아종성병변

③ 신장에 주로 발생하는 경우 : 막성사구체 신장염, 급성간질성신장염

④ 호흡기에 주로 발생하는 경우 : 비염, 천식, 기침, 호산구증가증을 동반한 폐침윤, 만성섬유화증

⑤ 혈액계에 주로 발생하는 경우: 호산구증다증, 혈소판 감소증, 용혈성빈혈

⑥ 신경계에 주로 발생하는 경우 : 간질발작, 뇌졸중, 귀머거리, 시신경염

⑦ 피부에 주로 발생하는 경우: 약진(drug eruption)

표 2-10-4 약진의 임상형태

피부에 주로 발생되는 경우
발진형(morbilliform or exanthematous) 약진: 바이러스나 세균의 감염에 의한 병변과 유사
두드러기(urticaria) 약진
고정(fixed) 약진: 계속하여 유사한 병변이 동일한 부위에 발생
광과민성(photosensitive) 약진: 햇빛에 노출되는 부위에 주로 발생
급성 전신성 발진성 농포증(acute generalized exanthematous pustulosis)
기타: 여드름이나 모낭염과 유사한(acneiform/pustular) 약진
습진과 유사한(eczematous) 약진
수포가 발생되는(vesiculobullous/bullous) 약진
다형홍반(erythema multiforme)
천포창과 유사한(pemphigus–like) 약진
전신피부가 벗겨지는(exfoliative) 약진
피하 지방층에 결절을 형성하는(erythema nodosum) 약진
태선양(lichenoid) 약진
홍반성낭창과 유사한 형태를 띠는(erythema nodosum) 약진
피부의 혈관이 터지는(purpuric) 약진
색소변화(pigmentary changes)
탈모(alopecia)
장미색 비강진과 유사한(pityriasis rosea–like) 약진

피부 이외 다른 여러 기관에도 증상 유발하는 경우
스티븐스–존슨 증후군 및 독성표피괴사용해
아나필락시스
과민성 증후군(hypersensitivity syndrome)
약에 의한 혈관염(drug–induced vasculitis)
박탈홍피증(exfoliative erythroderma)

4) 진단

(1) 병력 청취

① 증상발현 1달 전부터 환자가 복용한 모든 약물 목록

② 약물에 의하여 야기될 수 있는 증상이 발생했었는지 여부

③ 약물의 투여와 임상증상과의 관련성

④ 의심되는 약의 사용 금지

(2) 피부시험

  ① 위양성, 위음성이 있을 수 있으므로 참고할 수 있으나 이 결과만으로 진단해서는 안됨

  ② 피부시험이 진단에 도움되지 않는 약물 : 아스피린과 비스테로이드성 소염제

(3) 전신유발시험

  ① 가장 정확한 방법

  ② 응급처치가 준비된 상태에서 시행

  ③ 금기: 스티븐슨-존슨증후군, 독성표피괴사용해 등의 중증과민반응, 아나필락시스

(4) 실험실시험법

  ① ImmunoCAP

  ② 대식세포이동억제시험(macrophage migration inhibition test)

  ③ 림프구독성시험(lymphocyte transformation test)

  ④ 호염구탈과립시험(basophil degranulation test)

5) 체외검사

(1) 급성반응에 대한 처치

  의심약물중단, 항히스타민제, 스테로이드

(2) 대체요법

(3) 탈감작요법

  대체할 약제가 없을 때(Insulin, penicillin, heterologous anti-sera, tetanoid toxoid, sulfa, furosemide, MMR vaccine)

(4) 예방

  ① 분명한 적응증이 아니면 약물을 사용하지 않아야 함

  ② 약물 처방전에 약물 사용력을 정확히 청취해서 불리한 작용이 발생한 약물 및 이와 관련된 약물의 사용을 피해야 함

  ③ 약물알레르기를 예측 가능한 검사법이 있으면 시행하여 안정성 여부를 확인하고 투여함

  ④ 가급적 약물알레르기를 일으키지 않는 약물들을 사용함

IV. 호산구폐질환

1. 정의

폐조직에 호산구증가가 관찰되는 다양한 폐질환

표 2-10-5 호산구폐질환의 분류

특발성 호산구폐렴	폐국한성	simple pulmonary eosinophilia (Loffler's syndrome) 급성호산구폐렴(acute eosinophilic pneumonia) 만성호산구폐렴(chronic eosinophilic pneumonia)
	전신성	Churg–Strauss 증후군(allergic angiitis and granulomatosis) 특발성 과호산구증후군(idiopathic hypereosinophilic syndrome)
원인이 있는 호산구폐렴	기생충감염 기타감염 약물 알레르기기관지폐아스페르길루스증(allergic bronchopulmonary aspergillosis)	

2. Simple pulmonary eosinophilia (Löffler's syndrome)

: 경미한 임상증상, 말초혈액 호산구 증가, 흉부엑스선검사에서 이동성 폐침윤이 있는 경우

1) 임상증상: 거의 무증상

2) 흉부엑스선: 일측성 또는 양측성의 일과성, 이동성 폐침윤

3) 치료 및 예후: 보통 치료 없이 1개월내 저절로 치료됨

3. 급성호산구폐렴(Acute eosinophilic pneumonia)

: 급성병발, 약 1주일만에 회복이라는 급속한 임상 경과를 보이면서 폐 생검상 호산구 침윤이 관찰됨

1) 임상증상: 기침, 객담, 호흡곤란 등이 나타날 수 있으며 천식을 동반하는 경우가 많음

2) 흉부엑스선: 초기에는 미세한 간질성 폐침윤, 2일내 급격히 진행하여 폐포성 및 간질성 폐침윤이 혼합

3) 치료 및 예후: 비록 자연치유가 보고되고 있으나 대부분 점진적인 호흡부전에 빠지게 되고 결국 스테로이드 치료가 필요. 재발은 드묾

4. 만성호산구폐렴(Chronic eosinophilic pneumonia)

1) 임상 증상: 서서히 시작. 기침, 발열, 호흡곤란, 체중감소. 기관지천식병력(50%)

2) 흉부엑스선: 양측성 폐주변부 침윤(일명 photonegative pulmonary edema)

3) 치료 및 예후: 스테로이드에 반응하지만 재발이 빈번하여 장기간 치료를 요함

5. Churg–Strauss 증후군(Allergic angiitis and granulomatosis)

1) 임상 증상: 자반증, 점상출혈의 피부병변, 부비동염, 기관지천식

2) 흉부엑스선: 폐실질의 침윤, 늑막삼출

3) 폐생검: 혈관염 소견을 보이면서 간질과 혈관주위의 육아종이 관찰되고 간질과 폐포강 내 호산구 침윤

이 관찰됨)

4) 치료 및 예후: 스테로이드, azathioprine, hydroxyurea, cyclophosphamide

6. 특발성 과호산구증후군(Idiopathic hypereosinophilic syndrome)

1) 진단 기준

(1) 6개월 이상 지속되는 말초혈액 호산구 증가(1,500개/mm³ 이상)

(2) 기생충감염이나 알레르기질환 등의 호산구 증가를 유발할 만한 다른 질환이 없음

(3) 장기침범의 증거가 있음(침범되는 장기는 혈액, 심혈관계, 피부, 신경계, 호흡기, 비장, 간, 안구, 소화기 순)

2) 임상증상

(1) 야간의 발한, 식욕감소, 체중감소, 소양증, 기침, 발열

(2) 호흡기 침범은 약 40% 환자들에게 관찰되는데 객담을 수반하지 않은 만성기침이 가장 흔한 증상

3) 흉부엑스선: 다양하게 나타나며 흉막 유출이 가장 흔한 소견

4) 치료 및 예후: 스테로이드나 hydroxyurea, busulfan, cyclophosphamide 등이 이용됨. 재발이 흔함

7. 기생충감염

Ascaris species, Paragonimus westermani, Schistosoma species, Strongdyloides species 등이 폐 감염을 유발

8. Allergic bronchopulmonary aspergillosis (ABPA)

임상양상에 의한 8가지 진단 기준이 제시되어 있으나(표 2-10-6) 모든 환자들에서 관찰되지는 않음. 진단 기준 중 가장 특이도가 높은 것은 혈청 내 aspergillus에 대한 특이적 항체 존재와 흉부 방사선 사진 상의 기관지 확장증임

표 2-10-6 ABPA 진단기준

임상적 특징 혹은 검사소견
1. 천식
2. 흉부 방사선 침윤
3. Apergillus species에 대한 피부반응검사 ★
4. 총 혈청 IgE 상승
5. A.fumigatus에 대한 침전항체 양성
6. 말초혈액 호산구증다증 ★
7. A.fumigatus에 대한 혈청 IgE 혹은 IgG 상승 ★
8. 중심성 기관지확장증 (central bronchiectasis) ★

1) 임상증상: 기침, 객담, 호흡곤란 등이 나타날 수 있으며 천식을 동반하는 경우가 많음

2) 흉부엑스선: 일시적인 폐침윤, 중심성 기관지확장증(폐상부에 많으며 광범위함)

3) 치료 및 예후: 스테로이드, 재발이 흔함

표 2-10-7 호산구폐질환의 감별점

	AEP	CEP	ABPA	IHS	CSS
임상경과	급성	아급성	다양	아급성 만성	다양
알레르기/천식	+/-	+(30-60%)	거의 100%	-	100%
말초혈액 호산구증다증	없음	경함-중등도	전형적임	심하며 지속됨	심하나 변동이 있음
폐포세척액 호산구증다증	심함	심함	소량	심함	현저함
IgE 상승	중등도	중등도	현저함	중등도	중등도
병인	알려져 있지 않음	알려져 있지 않음	Aspergillus	알려져 있지 않음	알려져 있지 않음
흉부 영상	미만성, 폐포성 & 간질성침윤	변연부, 치밀 한 침윤	상부 폐엽, 중심성 기관지확장증	일과성, 국소적 혹 은 미만성 침윤	일과성, 이주성 (migratory)
폐기능검사	제한성	제한성, 폐쇄성	폐쇄성, 제한성	경도의 폐쇄성	경도의 제한성
혈관염	없음	가끔 있음	없음	없음	특징적임
폐외 증상	없음	없음	없음	순환기, 신경계, 소화기, 혈액등	순환기, 피부, 신경계, 소화기, 부비동염등

AEP : 급성호산구폐렴(acute eosinophilic pneumonia)
CEP : 만성호산구폐렴(chronic eosinophilic pneumonia)
ABPA : Allergic bronchopulmonary aspergillosis
HIS : 특발성 과호산구증후군(idiopathic hypereosinophilic syndrome)
CSS : Churg-Strauss 증후군(allergic angiitis and granulomatosis)

3

신장내과

제1-1절 신장질환의 이해 및 접근

Ⅰ. 신장병 환자 관리의 기본

신장의 기능 (표 3-1-1): 혈액과 세포외액과 세포내액을 포함한 모든 체액의 항상성(homeostasis)을 유지

1. 신장 기능 손상 시 체내 수분량 조절기능(섭취/배설), 전해질 균형, 산-염기 평형이 깨지며 이는 대개 시간이 지날수록 점점 진행

2. 신장병환자에서 모든 수액제 및 약물요법을 시행할 때, 체액량을 철저하게 평가하고 추적 확인 (monitoring)하면서 처방해야 함

표 3-1-1 신장기능 및 신부전 상태의 기본개념

- **과도한 수분 배설(수분 평형)** → 기능 상실되면 폐부종 및 고혈압 발생
- **전해질 및 산염기 평형 유지** → 기능 상실되면 고칼륨혈증 및 대사산증 발생
- **노폐물 배설 및 독소 및 약물 제거** → 기능 상실되면 요독뇌병증 발생
- **혈관긴장도 조절: 레닌–앤지오텐신–알도스테론** → 기능 상실되면 과도한 활성화 → 고혈압 발생
- **에리트로포이에틴 분비** → 기능 상실되면 신장 빈혈 발생
- **비타민 D 활성** → 기능 상실되면 혈장 칼슘 변화 및 신장성골형성장애(인 축적) 발생
- **펩티드호르몬들**(인슐린, 글루카곤, 부갑상선호르몬, 칼시토닌)의 분해 및 분해대사
- **기타 내분비기능**(프로스타글란딘, 칼리크레인–키닌 등)에 관여

Ⅱ. 신장질환의 흔한 임상증상

1. 부종(부종에 대한 관리는 신증후군 부분 참조)

1) 저단백질에 의한 교질 삼투압(oncotic pressure)의 감소로 인한 신증후군인지를 먼저 확인(단백뇨가 동반되어 있는지 확인)

2) 이외의 부종은 과량의 염분 섭취, 울혈성심부전, 간경화 및 갑상샘기능저하증을 고려

3) 약제에 의한 경우 가장 흔한 경우가 NSAIDs이며 스테로이드에 의한 염분 저류 흔함

4) 오목부종을 동반하지 않는 부종의 경우 림프관 폐색이나 갑상샘기능저하증을 감별

2. 혈뇨

1) 육안적 혈뇨: 옆구리 동통과 동반될 경우 요로결석을 먼저 생각

2) 무통성 육안적 혈뇨: 사구체신염과 신유두부괴사(renal papillary necrosis), 50세 이상인 경우 악성 종양(신장 및 방광, 전립선)을 확인(특히 다량 흡연자의 경우 위험도 증가)

3) 무증상혈뇨의 접근: 그림 3-1-1

4) 근래에는 드물지만 신장결핵의 경우 무증상 혈뇨로 발견 가능(흉부 사진의 결핵병변 확인)

5) 혈뇨이외 붉은 소변 원인: 혈색소뇨(용혈을 의미), 미오글로빈뇨(횡문근융해), 약제 원인(rifampin, sulfamethoxazole, nitrofurantoin 등), 급성 간헐포르피린증

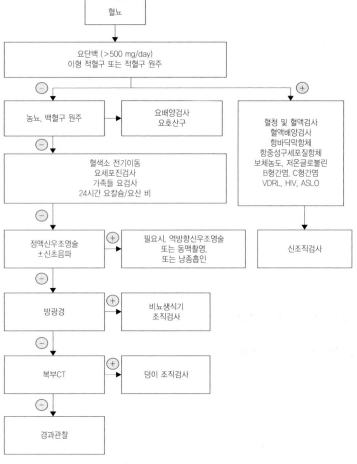

그림 3-1-1 무증상 혈뇨의 평가 및 치료

3. 단백뇨

1) 의미 있는 단백뇨(>150-300 mg/day): 사구체질환을 의미하므로 지속되면 신장 조직검사의 적응증
이 될 수 있음(그림 3-1-2)

2) 많은 단백뇨는 거의 육안적으로 거품뇨를 보이지만 거품뇨가 모두 단백뇨는 아님

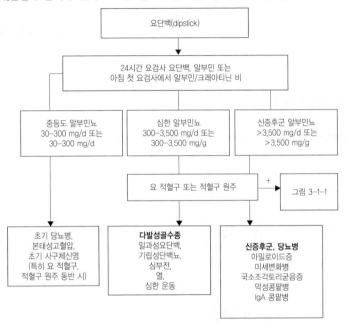

그림 3-1-2 무증상 단백뇨의 평가 및 치료

4. 세뇨관 질환 증상

1) 만성신장병 이외에는 대부분이 무증상

2) 드물게 저칼륨혈증(hypokalemia)에 의한 간헐적 마비증세(periodic paralysis)가 발생

5. 측부동통, 옆구리통증(flank pain)

1) 가장 흔한 측부동통은 하부 요로 감염 증상 및 발열과 동반되는 급성신우신염

2) 감염증상과 발열없이 혈뇨와 동반되는 경우 요로 결석을 의심

3) 상부 요로 결석의 경우 아래쪽(flank에서 perineum 방향)으로 뻗는 듯한 통증, 하부 요로 결석의 경우
위쪽(perineum에서 kidney 방향)으로 뻗는 듯한 통증이 전형적임

6. 측부 무통성 종괴(신체검사나 초음파로 발견되는 경우)

크기가 커진 신장낭종 특히 다낭성 신증, 드물게 신장 종양을 의심

7. 요로감염 증상

1) 하부요로 감염 즉, 세균성 방광염의 증상은 빈뇨, 잔뇨감, 탁뇨, 심하면 혈뇨 발생

2) 상부 요로감염: 하부 요로감염의 단계를 거치므로 상부 요로감염(급성신우신염)도 소변 증상이 동반
   되는지 확인해야 함

III. 병력 청취 및 신체검사

1. 신장질환이 의심될 경우 일반 병력 청취에 추가로 반드시 확인해야 할 사항

1) 체중 증가 혹은 감소(숫자로 확인하여 기록하여 둘 것!! 예: 몇 개월 간 몇 kg 변화)

2) 육안적 혈뇨 혹은 탁뇨, 거품뇨, 소변 횟수(빈뇨)

3) 부종 여부 및 위치(pitting vs. non-pitting, peripheral, facial, periorbital)

4) 소변량 유지 여부

5) 야간뇨(nocturia) 여부: 사구체여과율 저하 혹은 방광질환(소변저류)의 증상임

6) 약물(특히 진통제, 항생제, 한약) 사용여부

7) 과거 임신 시, 운동 시, 수술 시 부종, 혈뇨, 신장병력 여부

8) 가족력 중 만성사구체신염 혹은 다낭성신증, 당뇨병

2. 신장질환 환자 신체검사 시 주의점

1) 체내 수분량 평가(estimation of body water volume status): 경정맥(external jugular vein), 혀, 피부 긴
   장도, 부종, 복수, 수포음, 심잡음

2) 피부 질환 여부: 발진, 자반, 출혈점(petechia) (과거 병력도 확인)

3) 신장부위의 knocking tenderness (양쪽을 비교 확인)

4) 만성염증: 부비동염, 만성편도염(특히 만성사구체신염 경우)

IV. 신장환자의 섭취/배설 평가

1. 수분 및 불감손실(insensible loss)

1) 식사량 및 수분섭취량의 무게 중심으로 평가하며 기본적으로 환자의 몸무게를 기준으로 보아야 함

2) 환자의 불감손실(insensible loss)량은 70 kg 기준으로 하루에 600 ml 정도이지만 체온이 높을 경우 증
   가하고, 호흡 수가 많을수록 증가

3) 기도절개 후에는 수분손실이 현격히 증가하나 인공 호흡기를 적용하면 호흡으로 인한 수분손실은 매우 적음(인공 호흡기의 nebulizer)

2. 칼로리

신장병 환자는 신진대사 속도가 늦어지므로 칼로리 요구량이 저하됨

3. 염분

체내 수분량과 항상 같이 고려: 소변 내 염분 배출량을 평가하여 환자의 염분 섭취량을 추정

4. 칼륨

칼륨은 음식에 따라 함유량이 매우 큰 차이를 보이므로 제한이 필요한 신장병 환자는 음식 종류와 조리법에 대하여 영양 교육을 받도록 함

* 병원에서 처방되고 있는 식이종류와 각각의 성분표를 확인하고 이에 따라 칼로리 - 혈당조절, 단백뇨에 의한 단백소실, 소변으로의 나트륨, 칼륨 배설을 추정하여 치료에 적용함

표 3-1-2 병원에서 처방되고 있는 식이별 성분표(가톨릭중앙의료원 처방, 2018)

	열량(kcal)	탄수화물(g)	단백질(g)	지질(g)	나트륨(mg)	칼륨(mg)
일반 밥	2,100	290	95	60		
일반 죽	1,700	215	85	55		
일반 미음	1,250	220	35	25		
당뇨식 1,800 kcal	1,800	255	80	50		
당뇨신부전식 1,800 kcal	1,800	300	45	40	2,000	1,500
신부전식	1,800	310	40	45	2,000	1,500
신부전 경저염식	1,800	310	40	45	4,000	1,500
신증후군식	1,900	295	60	55	2,000	
신증후군 경저염식	1,900	295	60	55	4,000	
혈액투석식	1,850	285	60	55	2,000	2,400
당뇨혈액투석식 1,800 kcal	1,800	260	60	55	2,000	2,400
복막투석식	1,850	250	80	55	4,000	3,000
당뇨복막투석식 1,800 kcal	1,800	250	80	55	4,000	3,000

제1-2절 신장 기능검사 및 평가

I. 단순소변검사(simple or routine urinalysis)

표 3-1-3 단순소변검사의 평가

색/모양	milky: 산뇨 – 요산염결정, 알칼리뇨 – insoluble phosphates, infection (pus), spermatozoa, chyluria foamy: 단백뇨 green: 녹농균 pink or red: 혈뇨, 마이오글로빈뇨, 포르피린증 orange: 리팜핀, 유로빌리노겐뇨 yellow: conjugated bilirubin, riboflavin, mepacrine brown or black: hemoglobin (old form RBC hematuria), myoglobin, melanin, alkaptonuria, L–dopa

비중(Specific Gravity, SG): 1,005–1,030	• 소변의 농축정도를 의미
	• SG와 농도(osmolarity)
	  – 1,010 → 10×40 = 400 mOsm/kgH₂O
	  – 1,030 → 30×40 = 1,200 mOsm/kgH₂O

pH: 4.5–8.0	소변 알칼리화, 대사알칼리증 혹은 요로결석방지제 효과의 확인
Urine nitrite	세균이 nitrate를 nitrite로 환원시키므로 감염증을 의미
Glucose	혈당치가 180–200 mg/dL 이상이면 overflow glucosuria 발생 그 이하에서 양성이면 Fanconi syndrome 등 근위 세뇨관 질환을 의심
Ketone	장시간의 탄수화물 섭취가 없는 경우 양성 강양성이면 당뇨병케토산증을 의심
Protein (mainly albumin)	+: >30 mg/dL

Microscopic examination of urine sediment(소변 침사)	• fresh form RBC: RBC from low urinary tract
	• old form or dysmorphic RBC (acanthosis etc.): glomerular diseases
	• 적혈구(RBC): 정상은 <3 또는 5 /HPF임.
	  – 잠혈(occult blood) 소견이 많으면(예, ++ 또는 +++) 용혈(hemolysis)되어 나오는 적혈구가 많음을 의미하므로 혈뇨의 양에 반영하여 고려해야 함
	• 백혈구(WBC): 농뇨(pyuria) 정의는: male >2/HPF, female >5/HPF
	  – 요로감염을 의미하며 오염 여부를 확인하는 것이 중요함
	  – 감염 이외에도 심한 요세이질신염관의 경우에도 보일 수 있음
	• 원주(cast): 세뇨관에서 만들어지므로 세포성 원주가 많이 나오면 사구체질환 등 신장 자체 질환이 강력히 의심
	  – RBC cast: diagnostic for glomerular disease
	  – WBC cast: tubular disease, esp. pyelonephritis
	  – epithelial cell cast: ATN
	  – hyaline cast: highly concentrated urine
	  – waxy or broad cast: advanced renal failure
	• 상피세포(epithelial cells): 요로상피가 나온 것으로 초기 소변이나 말기 소변에 많이 섞이므로 중간뇨의 채취가 잘 안된 검체일 수 있음
	• 결정체(crystals): uric acid crystal, calcium oxalate, calcium phosphate – 고농축 소변, 소변 pH의 변화

II. 혈액과 소변의 생화학 검사

혈청크레아티닌을 일반적으로 측정하지만 혈청크레아티닌은 신기능 감소에 따라 초기에는 민감한 상승을 보이지 않는 반면에 후기에 급격한 상승을 보이는 단점이 있어서 초기와 후기 모두에 일정한 값의 변동을 보이는 사구체여과율을 사용하여 신장기능을 평가하도록 함(그림 3-1-3)

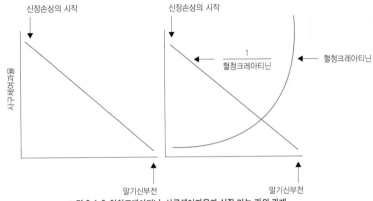

그림 3-1-3 혈청크레아티닌, 사구체여과율과 신장 기능 간의 관계

표 3-1-4 신장기능 평가를 위한 검사실 검사

- 소변 화학검사(Urine chemistry): 단백뇨, 크레아티닌청소율을 확인하며 소변 화학검사 결과 분석 전에 creatinine excretion (정상 범위 Male: 20~25 mg/kg, Female: 15~20 mg/kg of lean body weight)를 확인하여, 이보다 모자라는 경우는 소변수집이 잘못된 경우로 판단
- Protein/creatinine ratio of spot urine (mg/mg): 24시간 소변검사 대신 간편하게 단백뇨 양을 추정(정상 성인 기준, g/day로 간주)
- Albumin/creatinine ratio of spot urine (mg/mg): 24시간 소변검사 대신 간편하게 알부민뇨 양을 추정(정상 성인 기준, g/day로 간주)
- Creatinine clearance (Ccr; mL/min) = $\dfrac{\text{urine creatinine} \times \text{urine volume}}{\text{serum creatinine} \times \text{urine collection duration(min)}}$
- Cockcroft–Gault equation (Age related creatinine clearance)
  Prediction of Creatinine Clearance or Estimated Glomerular Filtration Rate (mL/min)
  $= \dfrac{(140 - \text{age}) \times \text{lean body weight (Kg)}}{\text{serum creatinine} \times 72}$ ($\times$ 0.85, if female)
- Modification of Diet in Renal Disease (MDRD) equation
  Estimated GFR (eGFR; mL/min/1.73 m^2) = 186.3 $\times$ (serum creatinine (−1.154)) $\times$ (age (−0.203)) $\times$ (0.742 if female) $\times$ (1.21 if black) (Normal range: 95~105 ml/min/1.75 m^2, www.nephron.com 혹은 www.nkdep.nih.gov/professionals/ 등에서 계산 가능)
- CKD–EPI equation
  eGFR (mL/min/1.73 m^2)= 141 x min(SCr/κ, 1)$^\alpha$ x max(SCr/κ, 1)$^{-1.209}$ x 0.993^{Age} x 1.018 [if female] x 1.159 [if Black]
  SCr (standardized serum creatinine) = mg/dL, κ = 0.7 (females) or 0.9 (males), α = −0.329 (females) or −0.411 (males), min = indicates the minimum of SCr/κ or 1, max = indicates the maximum of SCr/κ or 1, age = years

표 3-1-5 신장기능과 관계없이 BUN 치가 상승하는 경우(높은 BUN/Cr ratio, 정상치: 10:1-12:1)

- 체액 고갈
- 위장출혈
- 코르티코스테로이드
- 고단백식이
- 폐쇄요로병증
- 패혈증
- 조직 손상으로 인한 이화 상태(catabolic state)
- 대량 수혈(packed RBC, fresh frozen plasma, cryoprecipitate)

표 3-1-6 비교적 빠른 시간 내에 진행하는 신부전

- 폐쇄요로병증
- 악성고혈압
- 급속진행사구체신염(RPGN)
- 혈전혈소판감소자색반병(Thrombotic thrombocytopenic purpura, TTP)/용혈요독증후군(Hemolytic uremic syndrome, HUS)
- atheromatous embolic disease
- 양측신장동맥협착증
- scleroderma crisis
- 다발골수종

* 나이에 따른 정상 신기능의 변화: 위의 Cockcroft-Gault formula나 MDRD formula에서 가장 주요한 변화 요소는 혈청 creatinine치와 나이임. 즉, 나이의 증가에 따라 GFR은 매우 크게 감소. 특히 MDRD formula는 1.75 ㎡을 기준으로 하였으므로 우리나라 노인의 체구가 작은 것을 고려하면 정상 젊은 남자에 비하여 노인 여자의 GFR은 거의 절반 정도임

III. 방사선학적 검사

- 정맥신우조영술(Intravenous pyelography, IVP)과 전산화단층촬영(CT)은 방사선 조영제를 사용하므로 중등도의 신부전 환자(혈청크레아티닌 2.0-2.5 mg/dL 이상), 당뇨병환자, 노인환자의 경우에는 조영제에 의한 신 세뇨관 독성을 방지하기 위하여 충분한 수액요법을 시행하거나 다른 검사방법을 선택

표 3-1-7 신장과 요로계의 방사선학적 검사들

KUB & IVU (IVP)	신장 및 요관의 위치 크기, 요로결석 여부, 폐쇄성 요로병증 확진
Renal sonography	신장 크기, 신장 피질의 두께, Doppler 경우 혈류확인 가능
Kidney CT & MRI	신장암, 신장주위 농양 혹은 혈종 등 종괴 진단
제방향신우조영술(Antegrade pyelography, AGP) & 역방향신우조영술(Retregrade pyelography, RGP)	요로 협착의 진단 및 임시 치료(double J catheter insertion)을 비뇨기과와 협의하여 시행(조영제가 혈액내로 투여되지 않으므로 급성신손상이 발생하지 않음)
Renal angiography	신동맥 협착에 의한 신성 고혈압의 진단 및 치료(angioplasty)
99mTc-DTPA or DMSA renal scan captopril	투여 후 시행하여 신동맥 협착 진단 혹은 신 이식 후 평가

- 대부분의 만성 신부전의 경우 신장의 크기가 작아지나 이와 다르게 작아지지 않거나 커지는 만성 신부전도 있음: 당뇨병신장병증, 다발성 골수종(myeloma kidney), 유전분증(amyloidosis), 다낭성 신증(polycystic kidney), 폐쇄성 요로병증(obstructive uropathy) 등

1. 조영제 신독성 예방

1) 수액 투여: 신장기능이 저하된 환자에 대하여 반드시 조영제를 사용하여야 하는 경우 시술 12시간 전
후로 1 mL/kg의 생리식염수(심박출량이 40% 이하인 경우에는 0.5 mL/kg)로 감량)로 hydration을 시
행하는 것이 원칙

  (1) 실제 임상에서는 조영제 신독성의 위험군이 고령이나 심부전을 동반하는 경우가 많으므로 0.45%
  half saline으로 1 mL/kg로 시행하는 경우가 많음

  (2) 방사선 조영제 투여 직전과 그후로 N-acetylcysteine 600-1,200 mg 투여(정맥 내 N-acetylcysteine
  이 더 효과가 있다는 보고도 있으나 드물게 아나필락시스가 발생한다는 보고가 있어서 권장되지
  는 않음)

2) 혈액투석의 조영제 신독성 예방 효과

  (1) 혈액투석의 경우 조영제를 상당부분 제거할 수 있는 것으로 알려져 있지만, 신혈관 수축과 신허혈
  로 인하여 발생하는 조영제 신독성은 이미 신허혈을 발생시켰기 때문에 혈액투석으로 조영제를
  제거하는 것이 예방에 도움이 되지 못함

  (2) 일부 연구결과를 바탕으로 조영제를 투여함과 동시에 지속적 신대체요법(continuous renal
  replacement therapy, CRRT)를 하는 것이 고위험군에서 조영제 신독성을 예방할 수 있는 것으로
  여겨지나 실제 임상에서는 널리 사용되지 않고 있음

3) 조영제 신독성 기전

  (1) 신장에 직접적인 세포독성(direct tubular cell toxicity)을 갖거나 조영제 자체가 신혈관을 수축시켜
  신허혈을 유발하여 신손상을 일으키는 것으로 알려져 있음

  (2) 직접적 세포독성의 경우 과거에 사용되었던 고농도의 조영제(high osmolarity; 700-1,000 mOsm)에
  서 발생하므로 현재 사용하는 저농도(low osmolarity; 500-600 mOsm) 또는 등장성(iso-osmolarity;
  280 mOsm)의 조영제의 신독성은 신혈관 수축에 의한 신허혈이 발생하는 것으로 여겨짐

4) 조영제 신독성 발생 빈도

  (1) 정의에 따라 발생빈도가 달라 질 수 있음: 경피적 관상동맥 시술 후 발생한 조영제 신독성이 좋지
  않은 예후를 보이는 순환기내과의 연구에서 조영제 신독성은 기저 수치에서 0.5 mg/dL의 혈청 크
  레아티닌 상승을 의미하는 경우가 일반적임

  (2) 신장내과에서는 급성신부전의 초기 단계를 KDIGO 가이드라인에 따라 정의한다면, 혈청 크레아
  티닌의 0.3 mg/dL 또는 50%의 상승을 의미하는 경우를 의미함. 그러나 임상적으로 우려가 되는
  신대체요법을 받아야 될 정도의 급성 신부전의 경우 혈청 크레아티닌 2 mg/dL 미만의 경우에 비
  당뇨병성 만성콩팥병의 경우에는 0.04%, 당뇨병성 만성콩팥병의 경우에는 0.2% 정도에서만 발
  생하는 것으로 알려짐. 보다 진행된 만성 콩팥병의 단계에서도 당뇨병성 만성콩팥병의 경우가 비
  당뇨병성 만성콩팥병의 경우보다 조영제 신독성(신대체요법을 필요로 하는 심각한 정도를 포함)
  이 발생할 확률이 2-5배 높은 것으로 알려져 있음

신장내과

03

5) 조영제 신독성의 임상 경과

(1) 일반적으로 가역적인 신손상을 의미: 조영제 투여 후 3일째에 가장 높은 빈도를 보이며, 7일째까지 발생할 수 있으며 7-14일에 회복되는 것으로 알려져 있음

(2) 기저 신기능이 매우 저하된 진행된 만성 콩팥병 환자의 경우에는 비가역적인 손상으로 이어져 투석이 필요한 말기 신부전으로 진행되는 경우가 있음. 그 밖의 경우로 7-14일의 회복 기간을 넘어선 신손상이 발생한 경우에는 반드시 atheromatous embolic renal disease를 감별해야 함

2. 신장기원 전신섬유증(nephrogenic systemic fibrosis, NSF)

1) Gadolium 조영제를 사용하는 경우 전신경화증이 발생할 수 있음

2) 과거에 심각한 문제가 되었는데, 피부의 변화가 비가역적이라는 점이 매우 심각

3) 현재는 gadolium 조영제 중 안전하다고 알려진 저 위험도의 제품들만이 사용되고 있어(표 3-1-8), 그 발생빈도는 거의 없는 것으로 알려져 있음. 하지만 과거 발생하였던 피부의 비가역적 변화의 심각성을 고려하여 국제 신장학회(international society of nephrology, ISN)에서는 만성 콩팥병 3단계 이상의 환자에서 가능하다면 gadolium 조영제 사용을 피하도록 권고하며, 더욱이 역설적으로 조영제를 사용한 CT로 MRI 검사를 대체할 수 있다면 조영제 신독성의 경우 가역적인 경우가 많기 때문에 CT검사를 권고

표 3-1-8 Gadolium 조영제의 종류

NSF 위험도	조영제
높음	gadoversetamide (OptiMARK®), gadodiamide (Omniscan®), gadopentetic acid (Magnevist®, Magnegita®, Gado-MRT-ratiopharm®)
중간	gadofosveset (Vasovist®), gadoxetic acid (Primovist®), gadobenic acid (MultiHance®)
낮음	gadoteric acid (Dotarem®), gadoteridol (ProHance®), gadobutrol (Gadovist®)

4) 임상적으로는 MRI검사에서 조영제가 필요한 경우가 많고, 저 위험도의 gadolium 조영제가 사용되고 있는 현재의 상황을 고려하여 gadolium 조영제를 사용한 검사를 진행하고 있는 실정이며, 신장기능에 따라 gadolium 조영제에 노출되었을 때의 권고사항은 다음과 같음(표 3-1-8)

표 3-1-9 신기능에 따른 gadolium 조영제 노출 시 대처법

신기능상태	권고사항
만성콩팥병 3단계 (eGFR 30-60 mL/min/1.73 m²)	관찰
만성콩팥병 4단계 (eGFR 15-30 mL/min/1.73 m²)	혈액투석 접근로가 있다면 gadolium 조영제 노출 후 즉시 혈액투석을 시행 혈액투석 접근로가 없다면 혈액투석용 도관 삽입의 위험성을 고려하여 판단
만성콩팥병 5단계 (eGFR <15 mL/min/1.73 m²)	혈액투석 접근로가 있다면 gadolium 조영제 노출 후 즉시 혈액투석을 시행 혈액투석 접근로가 없다면 혈액투석용 도관 삽입을 시행
복막투석 상태	단기사용을 위한 혈액투석용 도관을 삽입하여 혈액투석을 시행하거나 48시간 동안 복강내를 비우지 말고 더 자주 복막투석을 시행
혈액투석 상태	Gadolium 조영제를 사용한 MRI 검사를 투석 직전으로 하거나 검사 직후 즉시 추가적인 혈액투석을 시행

제2-1절 수분 및 전해질 장애

Ⅰ. 수분 및 전해질의 체내 분포

1. 수분: 체내 가장 많은 구성 요소로 정상 성인 체중 약 60%를 차지
2. 전해질 분포
   1) 나트륨: 세포외액(ECF)의 주된 양이온, Cl^-와 함께 ECF 용질의 95%를 차지
   2) 칼륨: 98%가 세포내액(ICF)에 존재, ICF의 주 양이온
   3) Cl^-와 HCO_3^-: 대부분 ECF에 존재, ECF의 주 음이온
      HCO_3^-은 ICF에도 존재하지만 ECF에 약 3배 더 많음
   4) Mg^{2+}: ICF에 많음
   5) 유기산, 인산염, 단백질: 주로 ICF에 존재, 음전하를 띰으로서 전기적인 균형을 이룸
3. 세포막: 수분은 자유로이 통과, 대부분의 전해질은 선택적인 투과성을 보임
   ICF과 ECF 간 총 삼투질 농도는 같더라도 그 전해질의 조성은 매우 다름
4. 건강한 성인 체내에서는 혈액양과 나트륨 농도의 변동을 1% 미만의 범위 내에서 조절할 수 있는 각종 조절 기전이 작동

1. 체액의 구성

표 3-2-1 정상 성인의 체액 구성

총 체액량(TBW, total body water) = 2/3 of body weight		
세포내액 (ICF, Intracellular fluid) = 2/3 of TBW Cations: Na^+: 12~25 mEq/L, K^+: 150 mEq/L, Ca^{++}: 4.0 mEq/L, Mg^{++}: 15~34 mEq/L, Anions: Cl^-: 2~4 mEq/L, HCO_3^-: 6~12 mEq/L, protein: 54 mEq/L, Others: 90 mEq/L	**세포외액(ECF, Extracellular fluid)** = 1/3 of TBW Cations: Na^+: 142 mEq/L, K^+: 4.3 mEq/L, Ca^{++}: 2.5 mEq/L, Mg^{++}: 1.1 mEq/L Anions: Cl^-: 104 mEq/L, HCO_3^-: 24 mEq/L, protein: 14 mEq/L, Others: 5.9 mEq/L	
	간질액 (interstitial fluid) = 2/3~3/4 of ECF	**혈장 (plasma)** = 1/4~1/3 of ECF

2. 수분유지 요법

1) 하루 최소한의 수분 공급량

매일 용질의 부하를 배설할 수 있는 최소한의 소변량(약 500 ml) + insensible loss (약 500 ml) - endogenous water product (신체 수분 생산량; 약 250-350 ml)

2) 전해질

(1) 나트륨: NaCl의 형태로 매일 50-150 mEq 공급

(2) 칼륨: 신기능이 정상인 경우 매일 20-60 mEq 공급

  * 표 3-2-2에서 정리된 각수액의 전해질량과 소변으로 배설되는 전해질량(뇨화학검사)을 계산하여 수액처방을 작성

표 3-2-2 흔히 사용되는 수액제의 구성성분

Solution	Osmolality (mOsm/kg)	Glucose (g/L)	Na$^+$ (mEq/L)	Cl$^-$ (mEq/L)
5% D/W	252	50		
10% D/W	505	100		
0.45% NaCl	154		77	77
0.9% NaCl	308		154	154
3% NaCl	1026		513	513
5% D/S	560	50	154	154
5% albumin	1500		154	

3. 삼투질 농도(Osmolality)

1) Measured osmolality: osmometer로 측정하며 가장 정확함

2) Calculated osmolarity (mOsm/L H$_2$O) = $2 \times [Na^+] + \dfrac{glucose}{18} + \dfrac{BUN}{2.8}$

  * 정상인에서는 혈당(약 100 mg/dL)은 혈장 삼투질 농도에는 5.5 mOsm/L의 경미한 영향을 미치지만 당뇨병과 같은 고혈당증이 발생하면 혈장 삼투질 농도에 대한 영향↑

3) Effective osmolality = $2 \times [Na^+] + \dfrac{glucose}{18}$

  * BUN은 세포막을 자유로이 통과하여 유효 삼투압 형성에 영향을 적게 미침

4) Osmolar gap = measured osmolality - calculated osmolality

II. 체액량 결핍(Hypovolemia)

1. 원인

표 3-2-3 체액량 감소의 주요 원인

신장	신장외
절대적 체액량 감소	절대적 체액량 감소
이뇨제	출혈
삼투성 이뇨	호흡을 통한 수분 소실

신장	신장외
알도스테론 결핍	표피성 소실(화상, 발한)
요붕증(중추성 또는 신성)	위장관 소실(구토, 튜브 배액, 설사, 위장관루)
염분소실 세관 질환	
상대적 체약량 감소	상대적 체약량 감소
신증후군	심박출량 감소(심부전)
	저알부민혈증(간경화)
	3차 공간 소실(췌장염, 장관 경색, 근융해증, 패혈증)

2. 임상양상(일반적인 수분 감소 경우)

1) 증상

(1) 경증: 자세 현기증, 빈맥, 쇠약감

(2) 빠른 체액량 감소: 측와위 저혈압, 빈맥, 소변량 감소

(3) 중증의 체액량 감소: 핍뇨, 혈압측정불능, 빈맥, 사지한랭등 순환 허탈

2) 진찰소견: 기립성 저혈압, 빈맥, 맥압, 점안 건조, 피부 긴장도 감소 등

(1) 이완기 혈압이 기립 시 10 mmHg 감소→의미 있는 체액량 감소

(2) 수액 투여: 체액량 감소가 심박출량 감소에 끼친 영향 평가, 약 500 mL의 생리식염수를 1-3시간에 걸쳐 주입→맥박, 혈압, 소변량 확인

(3) Swan-Ganz 도관을 이용한 폐모세혈관쐐기압 또는 심박출량 측정: 심기능 저하 환자에서 이용

3) 검사소견

(1) 사구체여과율 감소 및 혈청크레아티닌과 BUN 증가

신전성 질소혈증(prerenal azotemia): BUN이 혈청크레아티닌에 비해 상대적으로 더 많이 증가

(2) 요중 나트륨 농도 및 FeNa (fractional excretion of filtered Na)

① 신외성 소실: 요중나트륨 농도 < 10 mEq/L, FeNa < 1%

② 신성 소실: 요중나트륨 농도 및 FeNa 모두 증가

* Renal salt wasting을 동반하는 사이 질 콩팥염: 요중 나트륨 농도 > 40 mEq/L, FeNa > 1%

3. 치료

1) 치료 목표: 유효 순환 체액량을 팽창시키는 것

2) 주어진 임상 상태에 따라 대체하는 수액의 종류, 총량, 공급 경로 및 속도 결정

(1) 생리 식염수 1L 투여→ 혈액량의 6% (300 mL) 증가

(2) 5% 포도당 용액 1 L 투여→혈관 내 용적 2% (75-100 mL) 정도만 증가

포도당 함유 용액을 대량 주입하면 혈장 포도당 농도 증가 → 당뇨 발생 → 나트륨과 수분의 신성 소실 발생→ 체액 소실 악화

(3) 알부민

① 화상과 같이 피부를 통한 단백질 소실이 상당하고 순환 허탈이 심한 경우 혈관 내 용적의급속

한 팽창이 필요시 유용

② 중증 질환자에서는 알부민 반감기가 4-6시간밖에 되지 않고 가격이 비쌈

(4) 수혈

대부분의 출혈은 농축 적혈구 수혈과 생리식염수 또는 교질 용액의 투여로 보충 가능하나 과도한 출혈성 쇼크 등에는 전혈 투여 고려

III. 체액량 증가(Hypervolemia)

1. 원인

1) 유효 순환 혈액량(effective circulating volume, ECV)이 증가되는 상황은 진행된 신부전 외에는 드물지만 ECF 중 간질 내 수분량 증가 혹은 제3의 장소로의 수분 증가로 인해 총체액량이 증가하는 경우는 흔한 임상적 증상임 → 부종, 복수, 흉수

* ECF는 증가하였지만 유효 순환 혈액량(ECV)이 감소하는 경우

: 삼투압(oncotic pressure)이 감소하는 경우 혹은 capillary integrity 감소(capillary leak) 경우 → 울혈성 심부전, 간기능 이상, 패혈증, 산증후군, 임신, 아나필락시스 등

2. 치료

1) 울혈성 심부전 치료: ECV overload에 대한 치료만 소개

(1) 식이 염분 제한: 전형적인 저염 식이는 하루 소금 약 5 g (나트륨 2 g, Na 86 mEq)

(2) 이뇨제: 요중 나트륨 배설을 증가시킴

표 3-2-4 자주 사용하는 이뇨제의 특징

이뇨제 종류	작용 부위	효과	이차적인 효과
탄산탈수효소억제제: acetazolamide	proximal tubule	block Na^+-H^+ exchange	K^+, HCO_3^- loss
고리이뇨제: furosemide, torasemide, bumetanide	thick ascending limb of loop of Henle	block $Na^+-K^+-2Cl^-$ channel transport	K^+ loss, H^+ & Ca^{++} secretion increase
티아지드: hydrochlorothiazide	distal convoluted tubule	block NaCl cotransport	K^+ loss, hyponatremia
알도스테론수용체길항제: spironolactone	cortical collecting duct	block Na^+ reabsorption	K^+ retention, H^+ secretion decrease
일차성나트륨통로차단제: triamterene, amiloride	cortical collecting duct	block Na^+ reabsorption	K^+ loss, H^+ secretion decrease

① 고리이뇨제: 저용량으로 나트륨 배설 증가(natriuresis)가 일어나지 않으면 최대 권장 용량에 이를때까지 반복적으로 2배씩 증량

* 이론상 고리이뇨제는 FeNa를 30%까지 원위곱슬세관 이뇨제는 9%까지, 나트륨통로차단제는 3%까지 올릴 수 있음

* 생체이용률: 50% for furosemide, 80-100% for bumetanide & torsemide

표 3-2-5 고리이뇨제의 최고 허용 용량

투여방법(mg)	Furosemide		Bumetanide	Torsemide
	주사	경구	주사 또는 경구	주사 또는 경구
만성신장병				
GFR 20–50 mL/min	80–160	160	6	50
GFR <20 mL/min	200	240	10	100
신증후군(정상 신기능)	120	240	3	50
간경화(정상 신기능)	40–80	80–160	1	20
울혈성 심부전(정상 신기능)	40–80	80–160	1	20

② 알도스테론수용체길항제: 고칼륨혈증 발생에 주의

2) 이뇨제 저항: 고리이뇨제를 최대용량으로 사용해도 조절되지 않는 경우

(1) 이뇨제 병합요법: 고리이뇨제에 덧붙여서 다른 종류의 이뇨제를 사용

표 3-2-6 이뇨제 병합 요법(최대 용량의 고리이뇨제와 함께)

원위곱슬세관(distal convoluted tubule) 이뇨제

Metolazone: 2.5–10 mg PO daily*

Hydrochlorothiazide: 25–100 mg PO daily

Chlorothiazide: 500–1000 mg IV

근위세관(proximal tubule) 이뇨제

Acetazolamide: 250–375 mg daily or up to 500 mg IV

집합관 이뇨제

Spironolactone: 100–200 mg daily

Amiloride: 5–10 mg daily

* metolazone은 일반적으로 제한된 기간, 즉 3–5일 동안 투여하고 ECF volume이 목표 수준까지 감소하게 되면 주당 3회까지 횟수를 줄여야 함

(2) 이뇨제 지속 주입법: 입원 환자들에서 사용 고려

표 3-2-7 고리이뇨제의 지속 주입법

이뇨제 종류	시작 용량 (mg)	주입 속도 (mg/hr)		
		GFR <25 mL/min	GFR 25–75 mL/min	GFR >75 mL/min
Furosemide	40	20 → 40	10 → 20	10
Bumetanide	1	1 → 2	0.5 → 1	0.5
Torsemide	20	10 → 20	5 → 10	5

(3) 초여과(ultrafiltration): 이뇨제 치료에 반응 없을 시

3) 신증후군(nephrotic syndrome)

(1) 이뇨제: 고리이뇨제를 초기 치료제로 선택

(2) 알부민: 신증후군환자에서의 알부민 투여는 비용도 비싸고 폐부종 유발 가능

(3) 알부민(6.25g) + 고리이뇨제(40 mg): 중증의 저알부민혈증 환자에서 고려해 볼 수는 있음

Ⅳ. 저나트륨혈증 (Hyponatremia)

1. 정의

혈장 나트륨의 농도 135 mEq/L 이하

2. 임상 양상

1) 증상: 주로 대뇌부종에 의한 신경학적 증세(두통, 오심, 구토, 권태감, 기면, 발작, 혼수 등)

   증상 정도는 나트륨 농도 감소 속도(급성 혹은 만성)와 절대 나트륨 농도 값에 따라 다름

2) 만성: 혈장 나트륨 농도 120 mEq/L 이하가 될 때까지는 대개 무증상

3) 급성: 이보다 높은 농도에서도 증상이 올 수 있으며, 영구적인 신경학적 손상이 발생 가능

3. 진단적 접근

1) 혈장 삼투압, 요중 삼투압, 체액량, 요중 나트륨 농도 평가(Sosm, Uosm, volume status, 및 U_{Na})

2) 약물 복용력

3) 혈중 ADH 농도에 영향을 줄 수 있는 오심, 통증 동반 유무에 대한 자세한 병력 청취

   • 혈장 삼투압 증가: 고혈당, 만니톨 투여

   • 혈장 삼투압 정상: 고단백혈증, 고지질혈증, 방광 세척

   • 혈장 삼투압 감소

(1) 요중삼투압 감소(Uosm < 100 mOsm/kg): primary polydipsia, reset osmostat

(2) 체액량 평가

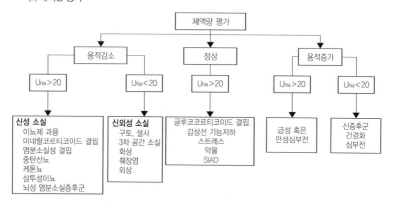

그림 3-2-1 저나트륨혈증의 진단적 접근

(3) SIAD 환자에서 혈중 요산(uric acid) 농도가 종종 감소되어 있음(< 4 mg/dL)

4. 저나트륨혈증의 치료

- 신경학적 증상 유무 및 정도에 따라, 응급치료 적응 여부와 치료 목표 설정
- 급성인지 만성인지 평가
- **치료에 대한 반응은 매우 예측 불가하므로 자주 모니터 해야함(2-4시간마다)**

1) Total sodium deficit (desired Na⁺) = 125 mEq/L로 함

(1) 남성: (desired Na⁺ - measured Na⁺) × 0.6 × Bwt

(2) 여성: (desired Na⁺ - measured Na⁺) × 0.5 × Bwt

2) 교정 속도: 매우 중요!! 저나트륨혈증이 오래 지속된 경우, 노인 경우 특히 주의

(1) 급성, 신경학적 증상을 동반하는 저나트륨혈증

교정 속도: 1-2 mEq/L/hr 이하, 첫 24시간 동안 12 mEq/L 이하

(2) 만성, 신경학적 증상을 동반하지 않는 저나트륨혈증

교정 속도: 첫 24시간 동안 8-10 mEq/L 이하, 첫 48시간 동안 18 mEq/L 이하

* 교정속도가 빠르면 치명적인 central pontine myelinolysis가 발생함

3) 교정시 사용할 수액제제

(1) euvolemia or hypervolemia: 3% NaCl (Na⁺ = 513 mEq/L)

(2) hypovolemia: 0.9% NaCl (Na⁺ = 154 mEq/L), 0.45% NaCl

4) 부적절항이뇨증후군(syndrome of inappropriate antidiuresis, SIAD)의 치료

(1) 수분제한: 800-1,000 mL/day

(2) 빠른 교정이 필요 할 때는 3% NaCl을 사용할 수도 있음

(3) 만성 SIAD: demeclocycline 150-300 mg tid or qid

Tolvaptan (AVP antagonist) 7.5-15 mg qd (수분 제한하지 않음)

(4) 원인 교정이 가장 중요

5) Central pontine myelinolysis (osmotic demyelination syndrome, ODS)

(1) 혈장 나트륨 농도 급속히 교정한지 2-6일 후에 경련 등의 신경학적 증세 발생

(2) CT or MRI (T2W image에서 뇌교내 대칭적인 abnormal high signal density)로 진단

발병 후 2주 후까지 MRI에서 나타나지 않을 수도 있음

(3) 예후 불량, 특별한 치료 방법 없음.

(4) 고위험군: 알콜중독, 영양실조, 저칼륨혈증, 간이식환자

V. 고나트륨혈증(Hypernatremia)

1. 정의

혈장 나트륨의 농도 145 mEq/L 초과

2. 임상양상

1) 뇌세포 용적의 감소에 의한 신경학적 증세(기면, 발작, 혼수 등)

2) 발병 속도에 비례하여 증상이 심하게 나타남

3) 혈장 나트륨 농도 160 mEq/L 이상으로 상승하는 경우 사망률 높음

3. 진단적 접근

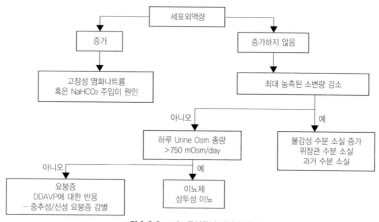

그림 3-2-2 고나트륨혈증의 진단적 접근

4. 치료

1) 혈청 나트륨 교정치는 최대 0.5 mEq/L/hr, 최대 10 mEq/L를 목표로

2) 48시간이나 72시간에 걸쳐 교정이 되는 것이 바람직함

3) 경구나 비강 영양관을 통해 이루어지는 것이 안전

4) 경우에 따라 5% 포도당 또는 0.45% 식염수로 교정할 수 있음

$$수분\ 결핍량 = \frac{(혈장\ Na^+ - 140) \times TBW}{140}$$

5) 교정 시 사용할 수액 제제

(1) Hypovlemia: isotonic saline → euvolemia 회복시킨 후 hyperosmolality를 치료→ 이후 0.45% saline 또는 5% dextrose로 남아 있는 free water deficit를 보충

(2) Euvolemia: water ingestion 또는 5% dextrose IV → 소변으로 excess sodium 배설 유발

(3) Hypervolemia

① 5% dextrose 수액으로 hyperosmolality를 낮춤

② 고리이뇨제: natriuresis를 유도하여 total body sodium을 낮출 수 있음

③ 혈액투석: 중증의 신장 질환 시 고려 가능

VI. 저칼륨혈증(Hypokalemia)

1. 정의

혈장 칼륨 농도 3.5 mEq/L 미만

2. 임상양상

1) K^+ < 3.0 mEq/L 대체로 증상 발생: 피로감, 근무력, 근육통

2) K^+ < 2.5 mEq/L: 사지마비, 테타니, 호흡마비, 횡문근융해, 부정맥

3) 심전도변화: flattening or inversion of T wave → prominent U wave → ST segment depression → prolonged PR interval → QRS widening

3. 저칼륨혈증의 진단적 접근(그림 3-2-3)

$$TTKG\ (transtubular\ K\ concentration\ gradient) = \frac{(urine\ K^+/\ urine\ Osm)}{(serum\ K^+/serum\ Osm)}$$

1) 피질집합관에서 K^+의 분비 과정, 즉 aldosterone의 작용 정도를 반영

2) TTKG >4는 혈장 K^+에 비해 피질 집합관 내강(cortical collecting duct lumen)의 K^+ 농도가 높다는 의미, 즉 K^+배설 증가에 의한 손실을 의미

3) TTKG >7: aldosterone effect (+), TTKG <2-3: aldosterone effect (-)

4. 치료

1) 경구치료

(1) 혈청 K^+ 1 mEq/L 감소는 체내 전체 200-400 mEq의 결핍을 의미

(2) 예방적 목적으로는 하루 20 mEq 정도의 경구제제로 충분

(3) 치료 목적으로는 하루 40-100 mEq 정도의 경구 복용(K-contin: 8 mEq/정)

(4) Dietary potassium은 거의 대부분 phosphate와 결합하기 때문에 이뇨제나 구토에 의한 chloride 결핍과 연관된 칼륨 소실을 교정하기 충분하지 않음

2) 정맥수액 치료

(1) 말초 정맥 주사: 최대 40 mEq/L 농도, 10 mEq/hr 속도로 투여 가능

(2) 중심 정맥 도관: 최대 20 mEq/hr 속도로 가능

(3) 지속적 심전도 추적 관찰 필요

(4) 혈청칼륨 측정: 매 3-6시간마다

(5) 포도당 포함 수액은 피함: 세포로 칼륨은 이동시킬 수 있으므로

(6) 마그네슘 결핍 교정

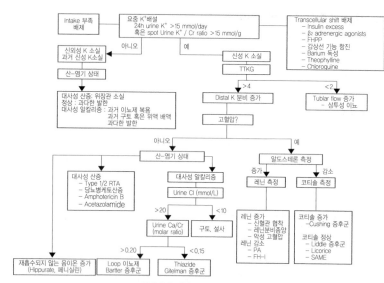

그림 3-2-3 저칼륨혈증의 진단적 접근

FHPP = familial hypokalemic periodic paralysis; PA = primary aldosteronism; FH-1 = familial hyperaldosteronism type I; SAME = syndrome of apparent mineralocorticoid excess

VII. 고칼륨혈증(Hyperkalemia)

1. 정의

혈장 칼륨 농도 5.5 mEq/L 이상

2. 임상양상

1) 근무력, 이완성 사지마비, 호흡마비, 심근반사감소, 착란, 부정맥
2) 심전도 변화: peaked T wave (가장 초기 변화) → Prolonged PR interval and QRS duration → arterioventricular conduction delay → Progressive widening of the QRS complex → Ventricular fibrillation or asystole

3. 고칼륨혈증의 진단적 접근(그림 3-2-4)

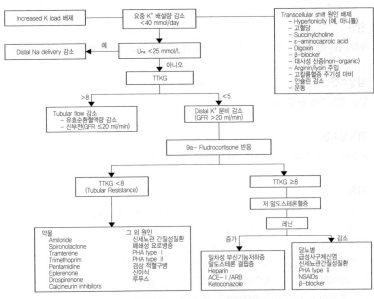

그림 3-2-4 고칼륨혈증의 진단적 접근

*Pseudohyperkalemia: Hemolysis, thrombocytosis, leukocytosis

4. 치료

표 3-2-8 고칼륨혈증의 응급 치료

기전	치료	용법	Onset	Duration
막 전위 안정화	칼슘	10% calcium gluconate 10 ml를 10분에 걸쳐 정주. 필요하면 5분 안에 반복 투여	1–3분	30–60분
세포내로 K+ 이동	인슐린	속효성 insulin과 50% 포도당 동시투여 (10 u RI + 50% DW 50 cc)	30분	4–6시간
	β₂ agonist	10–20 mg nebulized albuterol in 4 mL saline	30분	2–4시간
K+ 체외 제거	Furosemide	furosemide 20–250 mg IV (잔여 신기능 있는 경우)	15분	4–6시간
	Kayexalate	30–60 g PO in 20% sorbitol (치명적 colonic necrosis 유발할 수 있음)	6시간	?
	Hemodialysis	응급 혈액투석 처방 참조	즉각	

VIII. 고칼슘혈증(Hypercalcemia)

1. 칼슘 농도 보정

= 측정된 칼슘 + 0.8 × (4-알부민 농도)

2. 원인

부갑상선 기능 항진증, 다발성 골수종, 비타민D 독성, Immobilization, 밀크 알칼리 증후군, 악성 종양

3. 임상소견

탈수, 혼수, 기면, 근육마비

4. 검사실소견

serum Ca 〉 14 mg/dL, 심전도 상 QT interval 단축, 'coving' ST wave

5. 치료

1) Saline diuresis: 0.9% N/S 1L IV for 1 hour, then 100-200 ml/hr (소변량 확인)

2) Furosemide 40-60 mg IV q 4-6 hours: 반드시 hydration된 상태에서 투여

3) Bone caclium mobilization이 원인인 경우

   (1) 악성종양 혹은 중증 부갑상선기능항진증: bisphosphonate 치료

      ① zoledronic acid 4 mg IV over ~30 min

      ② pamidronate 60-90 mg IV over 2-4 hours

      ③ ibandronate 2 mg IV over 2 hours

        → 1-3일 이내로 치료 효과, 고칼슘혈증 재발하면 반복적 투여 필요할 수 있음

   (2) Denosumab 120 mg SC on days 1, 8, 15, and 29, and then every 4 weeks

     → bisphosphonate 효과 없을 때 시도 가능

   (3) 드문 경우 투석 치료가 필요할 수 있음

4) $1,25(OH)_2D$ mediated hypercalcemia의 경우

IV hydrocortisone (100-300 mg daily) 또는 oral prednisone (40-60 mg daily) for 3-7 days

IX. 저칼슘혈증(Hypocalcemia)

1. 원인

저알부민혈증, 다량의 수혈, 급성 췌장염, 저마그네슘혈증, 부갑상선절제술 후, 비타민D 결핍, 중증 조직 손상

2. 임상소견

테타니(tetany: carpopedal spasm, laryngeal muscle spasm with stridor, muscle cramps, seizure)
Chvostek's sign, Trousseau's sign

3. 검사실 소견

심전도상 QT prolongation 및 ST lengthening

4. 치료

1) 증상을 동반한 급성 저칼슘혈증 치료

10% calcium gluconate 20 ml for 10 min 투여 후, 10% calcium gluconate 60 ml + 5D/W 100 ml IV 6시간 동안

2) 저마그네슘혈증 동반 시 함께 교정

magnesium sulfate 1g IV tid 3-5일 간

3) 부갑상선기능저하증에 의한 만성 저칼슘혈증의 치료

(1) Calcium supplements (1,000-1,500 mg/d elemental calcium in divided doses)

Vit D_2 or D_3 (25,000-100,000 U daily) 혹은 calcitriol [1,25$(OH)_2$D, 0.25-2 μg/d]

다른 Vit D metabolites (dihydrotachysterol, alfacalcidiol) 가끔 쓰임

(2) Nutritional Vit D 결핍: vitamin D (50,000 U, 2-3 times per week for several months)

흡수장애에 의한 Vit D 결핍: Vit D 100,000 U/d 이상 필요할 수 있음

(3) 치료 목표는 혈청 칼슘을 정상 범위 내로 회복시키면서 고칼슘뇨증을 피하여 석회화증을 막는 것임

제2-2절 산염기평형장애

Ⅰ. 산염기장애 진단과정

- 기저질환 파악
- 동맥혈 가스검사(ABGA) & 전해질 검사
- 산-염기 장애 & 보상 규칙 이해하기
- 복합장애 유무 판단

1. 기저질환 확인

1) 산염기 장애 진단시 우선적으로 확인해야 할 사항은 기저질환임: 기저질환을 알아야 산염기 장애 종류를 쉽게 파악할 수 있기 때문

(1) 대사성산증: 신부전증 & 세뇨관 질환, 감염증(패혈증), 당뇨병, 약물중독, 설사, 약물중독

(2) 대사성알칼리증: 구토, 일차성 알도스테론혈증

(3) 호흡성산증: 만성폐쇄성폐질환, 천식

(4) 호흡성알칼리증: 과호흡, salycylate 중독

2. 동맥혈가스검사(ABGA) 및 전해질 검사

1) 동맥혈가스검사

표 3-2-9 정상 동맥혈검사소견

	pH	HCO_3^-	PCO_2
동맥혈	7.35–7.45	24	40

(1) 산염기 진단에 필수적인 검사법

(2) 동맥혈가스검사를 통해 pH, PCO_2, HCO_3를 측정

2) 동맥혈가스검사시 주의사항

(1) 채혈한 동맥혈이 공기에 노출되는 것을 피함 → CO_2가 소실됨

(2) 실온 보관 금지 → 혈구세포가 anaerobic glycolysis를 일으켜 organic acid가 생성되어 pH, HCO_3 감소

(3) 동맥혈내 공기방울 생성 금지 → PO_2는 증가, PCO_2는 감소

(4) 과도한 헤파린 사용 금지 → 혈액 용적의 5% 이하로 사용

3) 동맥혈가스검사가 적절하게 이루어지면 pH, HCO_3, PCO_2 값을 이용하여 H 농도와 pH가 일치해야 함(아래 표 참조)

4) 동맥혈가스검사의 정확성은 어떻게 판단하나?

(1) 동맥혈가스검사가 정확히 이루어지면 아래의 도표와 같이 정해진 pH 값에 해당하는 H^+값이 헨더슨-하셀바하 공식에 의거하여 PCO_2, HCO_3^-값과 일치해야 함

표 3-2-10 동맥혈 가스 검사의 정확도 판단

pH	$[H^+]$ nmol/L
7.80	16
7.70	20
7.60	26
7.50	32
7.40	40
7.30	50
7.20	63
7.10	80
7.00	100
6.90	125
6.80	160

◈ **pH값과 H^+농도가 일치해야 적절한 검사임**

$$H^+ = 24 \times \frac{PCO_2}{[HCO_3^-]}$$

5) Total CO_2 content = $[HCO_3^-]$ + $[CO_2]_{dis}$ + H_2CO_3

(1) 혈액 중탄산염을 측정하는 방법에는 헨더슨 공식을 이용하여 간접적으로 구하거나 직접 이산화탄

소분압을 측정하는 방법이 있음

(2) Total CO_2 content를 구하는 과정에서 H_2CO_3 농도는 매우 작으므로 생략될 수 있음

$[HCO_3^-]$ = total CO_2 content - $0.03PCO_2$

6) 동맥혈가스검사 외에 필요한 전해질검사

(1) 혈액검사: Na, K, Cl, Glucose, BUN, Albumin, Osmolarity

(2) 요검사: Na, K, Cl

3. 산염기장애 & 보상규칙 이해

1) 산염기장애 진단시 유의점

(1) 먼저 환자의 기저질환으로 대사성인지, 호흡성인지를 구분

(2) pH로 산증, 알칼리증을 구별

(3) HCO_3와 PCO_2로 각 장애에서 보상정도가 적절하게 이루어졌는지 계산

(4) 이때 PCO_2는 40, HCO_3는 24를 정상 값으로 함

2) 산염기장애 보상규칙

표 3-2-11 산염기보상반응의 규칙

	일차장애	보상	정도
• 대사산증	HCO_3^- ↓	PCO_2 ↓	1.25
• 대사알칼리증	HCO_3^- ↑	PCO_2 ↑	0.75
• 호흡성산증	PCO_2 ↑	HCO_3^- ↑	0.4
• 호흡성알칼리증	PCO_2 ↓	HCO_3^- ↓	0.4
• 호흡성산증(급성)	PCO_2 ↑	HCO_3^- ↑	0.1
• 호흡성알칼리증(급성)	PCO_2 ↓	HCO_3^- ↓	0.2

(1) 예를 들어 대사산증 시에 HCO_3가 14라고 가정하면 정상치 24에서 10이 감소했으므로 PCO_2는 10 x 1.25로 12.5로 정상치인 40에서 12.5가 감소, 즉 27.5가 되어야 정확한 보상이 이루어 졌으므로 진단명은 대사산증(with fully respiratory compensation)이 되는 것임. 만약에 PCO_2가 27.5보다 높다면 이는 충분한 보상이 이루어지지 않았으므로 대사산증에 호흡성 산증이 동반되었다고 진단하게 됨. 반대로 27.5보다 더 많이 감소하였으면 보상이 과다하게 이루어졌으므로 진단은 대사산증에 호흡성산증이 동반되었다고 진단하게 됨

3) 대사산증을 쉽게 계산할 수 있는 팁

ABGA: pH 7.30, HCO_3^- 24, PCO_2 ?

pH의 소수점 이하 숫자

PCO_2 값과 동일: 보상된 대사산증

더 크다: 대사산증과 호흡산증의 혼합

더 작다: 대사산증과 호흡알칼리증의 혼합

* 단 pH가 7.15 이상에서만 유효

4) 중복 산염기장애 예제

표 3-2-12 중복 산염기장애 예제

대사 및 호흡성 혼합

대사산증과 호흡성알칼리증

핵심: High- or normal-AG metabolic acidosis; prevailing Pa_{CO_2} *below* predicted value

예: Na^+, 140; K^+, 4.0 Cl^-, 106; HCO_3^-, 14; AG, 20; $Paco_2$, 24; pH, 7.39 (lactic acidosis, sepsis in ICU)

대사산증과 호흡성산증

핵심: High- or normal-AG metabolic acidosis; prevailing Pa_{CO_2} *above* predicted value

예: Na^+, 140; K^+, 4.0 Cl^-, 102; HCO_3^-, 18; AG, 20; $Paco_2$, 38; pH, 7.30 (severe pneumonia, pulmonary edema)

대사알칼리증과 호흡성알칼리증

핵심: Pa_{CO_2} dose not increase as predicted; pH higher than expected

예: Na^+, 140; K^+, 4.0 Cl^-, 91; HCO_3^-, 33; AG, 20; $Paco_2$, 38; pH, 7.55 (liver disease and diuretics)

대사알칼리증과 호흡성산증

핵심: Pa_{CO_2} higher than predicted; pH normal

예: Na^+, 140; K^+, 3.5 Cl^-, 88; HCO_3^-, 42; AG, 10; $Paco_2$, 367; pH, 7.42 (COPD on diuretics)

II. 대사산증

1. 대사산증의 감별진단 과정

표 3-2-13 대사산증 감별진단 과정

- Climical setting: most important
- Serum amion gap (AG)
- Serum osmolar gap (OG)
- $\Delta AG/\Delta HCO_3^-$ ratio
- Urine H^+ (ammonium) excretion
  - urine net charge (amion gap) (UAG)
  - urine osmolar gap (UOG)

1) 혈청음이온차이(serum anion gap, AG)

(1) 혈청음이온차이(AG)은 대사성 산증 장애에서 감별진단을 하기 위한 첫 단계임. 체내의 모든 양이온의 합과 음이온의 합은 같으며 이는 대표적인 양이온인 Na와 나머지 양이온 (unmeasured cation, UC)의 합은 대표적인 음이온 Cl와 HCO_3, 그리고 나머지 음이온 (unmeasured anion, UA)의 합과 같음. 이를 수식으로 표현하면

$$Na + UC = Cl + HCO_3 + UA$$

$$UA - UC \text{ (Anion gap)} = Na - (Cl + HCO_3)$$

(2) 즉 Serum AG = Na - (Cl + HCO₃)으로 정상 값은 8-10 mmol/L임. 그런데 AG은 음이온인 혈청 알부민에 따라 영향을 받는데 알부민치가 정상(4.5)에서 1 감소 시마다 2.5 감소하게 되므로 실제적으로 감소분을 보전해주기 위해 2.5를 더해주어야 함

$$\text{Corrected AG} = \text{measured AG} + 2.5 \times (4.5 - \text{measured albumin})$$

(3) 대사산증의 원인 질환들은 AG에 따라 high AG과 normal AG 2가지로 나뉨

　① 대사산증 중에서 측정되지 않는 ketoacid, lactate 등의 endogenous anion이나 methanol 등의 exogenous anion이 있는 경우에는 AG이 증가됨

　② renal tubular acidosis (RTA), 설사 등에서는 AG이 증가되지 않음

　③ AG을 구하면 대사산증의 원인들을 2가지로 크게 구분할 수 있음

(4) High AG 시에 감별 진단 과정

표 3-2-14 혈청 음이온차이에 따른 원인질환

증가	정상
• Lactic acidosis	• GI HCO₃⁻ loss
• Ketoacidoisi	– diarrhea
– Diabetic	• PTA I, II, IV
– Alcoholic	• K sparing drug
• Renal failure	– Spironolactone
• Toxin	– ACEI
– Ethylene glycol	– ARB
– Salicylate	
– Methanol	

　① High AG metabolic acidosis로 판정되면 다음 단계의 감별진단 과정은 serum osmolar gap임. serum osmolarity는 직접 측정하거나 2Na + glucose/18 + BUN/2.8로 계산할 수 있음. 그런데 alcoholic ketoacidosis, ethylene glycol, methanol 등에 의한 외부에서 osmolarity를 증가시키는 물질들이 유입되는 경우에는 측정값과 계산값에 차이가 나게 됨. 이를 osmolar gap이라 하며 15-20 mosm/L 이상인 경우에 양성으로 진단함

• Serum osmolar gap (OG)

$$\text{Measured Osm} = 2\text{Na} + \frac{\text{Glucose}}{18} + \frac{\text{Bun}}{2.8} + \text{unmeasured Osm}$$

$$- \text{Calculated Osm} = 2\text{Na} + \frac{\text{Glucose}}{18} + \frac{\text{Bun}}{2.8}$$

$$\text{OG} \quad = \quad \text{Unmeasured Osm} (\leq 10 \text{ mOsm/kg})$$

15-20 mOsm/L 이상시에 외부에서 고삼투압성 물질 유입 의미

• Mannitol
• Alcohols (ethanol, ethylene glycol, methanol)

2. High AG metabolic acidosis에 다른 대사산염기장애가 중복되어 있는 경우 감별 포인트

1) 혈청 $\triangle AG/\triangledown HCO_3^-$를 측정하여 아래 같이 동반 대사성 산염기 장애를 감별

표 3-2-15 High AG과 중복장애 판단

High AG시에 복합 산·염기 장애 동반 구분	혈청 $\triangle AG/\triangledown HCO_3^-$	
	Delta ratio	Metabolic disorder
	Less than expected range <1	High anion gap + normal anion gap metabolic acidosis Diarrhea 동반
혈청 $\triangle AG/\triangledown HCO_3^-$ $\triangle AG$ = Measured − Normal AG (10) $\triangledown HCO_3^-$ = Normal (24) − Measured HCO_3^-	Within expected range 1–2	High anion gap acidosis only
	Higher than expected range >2	High anion gap acidosis + metabolic acidosis Vomiting 동반

2) Normal anion gap metabolic acidosis 감별과정

(1) RTA, diarrhea 등과 같은 AG이 정상인 대사성 산증 감별진단을 위해서는 신세뇨관에서 암모늄 (NH_4^+) 배설 유무를 확인하는 과정이 필요함. 암모늄이 신세뇨관에서 정상적으로 배설하기 위해서는 신세뇨관에서 H 이온이 배설될 수 있어야 가능

(2) 요 암모늄 배설 검사를 확인하는 방법은 아래와 같이 urine anion gap과 urine osmolar gap이 있음. 요 암모늄 배설이 일어나면 urine anion gap은 음의 값을 나타내며 urine osmolar gap은 200 mOsm/L 이상임. 이 경우의 AG 정상인 대사성 산증에는 diarrhea와 RTA 중에 신세뇨관에서 H 이온 배설이 가능한 proximal RTA (type II)가 있음. 반대의 경우에는 distal RTA (type I) & type IV RTA 가 있음

3) Normal anion gap 감별 진단 요약

- Urine net charge (anion gap): U_{AG}

  $Na^+ + K^+ + NH_4^+ = Cl^- + A^-$

  $$NH_4^+ = -[Na^+ + K^+ - Cl^-] + A^- \; (<0 \; mmol/L)$$

- Urine osmolar gap: U_{OG}

  Measured Osm = $2[Na^+ + K^+ + NH_4^+]$ + Urea + Glucose

  - Calculated Osm = $2[Na^+ + K^+]$ + Urea + Glucose

  Oamolar gap = $2[NH_4^+] \; (>200 \; mmol/L)$

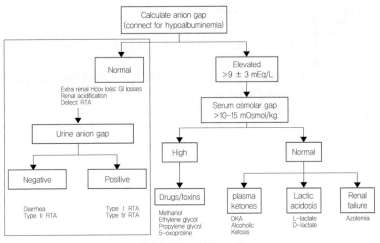

그림 3-2-5 Normal AG 감별진단

3. 대사산증의 치료

1) 급성 대사산증의 치료

표 3-2-16 급성 대사산증의 치료

1. 케톤산증 환자에서는 다음의 경우 base 투여를 고려
   1) 산혈증이 심할 때(pH<7.1)
   2) cardiovascular compromise 소견이 보일 때
   3) insulin과 수액으로는 산혈증을 빠르게 호전시키기 어려울 때
   : 혈액 pH 7.2를 목표로 하고 주의 깊은 모니터링을 시행

2. 젖산산증 환자에서는 다음의 경우 base 투여를 고려
   1) cardiovascular compromise 소견이 있는 환자의 혈청 pH<7.1인 경우
   : 혈액 pH 7.2를 목표로 하되 주의 깊은 모니터링 필요

3. 케톤산증 혹은 젖산산증 환자에서 목표치에 필요한 base를 최소한의 양으로 투여
   1) 다음의 공식을 이용하여 목표치까지 혈청 HCO_3^- 농도를 올리는데 필요한 base의 양을 추정
   Bicarbonate requirement = desired $[HCO_3^-]$ – $[HCO_3^-]$ × HCO_3^-space (HCO_3^-space = $[0.4 + (2.6 / [HCO_3^-])]$ × body weight)

4. sodium bicarbonate를 줄 때 등장성 용액(isotonic solution)으로서 투여
   1) 초기 용량은 ≤1–2 mEq/kg body weight로 제한

5. CO_2 retention이 있는 환자에서는 일시적인 alveolar ventilation을 고려
   1) barotrauma 발생 가능성을 모니터링

6. 산염기 상태를 매우 주의 깊게 모니터링
   1) central 혹은 mixed venous acid–base data 측정도 포함
   2) 특히 중증의 circulatory failure 환자 대상일 때

7. 신기능 장애 혹은 체액 과다 소견이 보이는 환자에서는 hemofiltration 혹은 dialysis 이용을 고려

8. CO_2 retention이 있지만 정상 신기능인 환자에서는 THAM 투여를 고려 (THAM = tris–hydroxymethyl aminomethane)

9. 고염소성 산증 환자에서는 혈액 pH<7.1일 때 base 투여를 고려
   1) 혈액 pH 7.2를 목표로 하되 주의깊은 모니터링 필요
   2) Amount of HCO_3^- = (25 − [HCO_3^-]) x weight (kg)/2
   3) type 4 RTA에서는 저칼륨식이, 티아지드(thiazide) 혹은 고리이뇨제(loop diuretics) 또는 sodium polystyrene sulfonate으로 고칼륨혈증을 치료하는 것이 bicarbonate 사용 없이도 urinary acidification을 개선시키는데 도움

2) 만성 대사산증의 치료: CKD 환자들에서는 1 mEq HCO_3^-/kg/day의 $NaHCO_3$를 투여하여 serum HCO_3^-를 20-22 mmol/L로 유지하도록 권고됨

표 3-2-17 만성 대사산증의 치료

1. Base 투여
   1) oral bicarbonate: 정상 신기능 혹은 투석 안하는 만성 신손상 환자에서 투여 가능
   2) sodium citrate (Shohl's solution): CO_2 발생으로 인한 복부 불쾌감을 호소하는 환자에서 투여
   3) potassium citrate: 저칼륨혈증이 동반된 환자에서 투여
      : base therapy는 기존의 고혈압을 악화시키고 체액 과다를 일으킬 수 있으므로 주의깊은 관찰이 필요

2. Mineralocorticoid 치료
   : hyporeninemic 상태인 환자에서 만성 대사성산증 치료시 사용
   : 기존의 고혈압 환자에서는 주의가 필요 → 대신, 이뇨제 혹은 sodium polystyrene sulfonate(Kayexalate)로 조절 가능

3. 투석 환자에서의 만성 대사성산증 치료
   : 높은 농도의 HCO_3^-를 가진 투석액(~40 mmol/L)을 사용하면 대개 충분
   : 복막투석 환자에서 고농도의 base를 가진 투석액을 사용

Ⅲ. 대사알칼리증

1. 정의와 특징

   1) 혈장 중 탄산염의 증가가 일차적인 상황임
   2) 일반적으로 대사 산증에 비해 호흡성 보상이 효과적으로 이루어지지는 않음

2. 구분

1) 염소반응대사알칼리증: 세포외 수분의 감소가 특징

   (1) 비신장성 원인
      ① 구토와 nasogastric tube를 통한 흡입 등이 주원인 수분 저하 및 저칼륨혈증이 특징이며 소변 내 염소가 저하되어 있음(Cl⁻ < 20 mEq/L)
      ② 저칼륨혈증은 소변 내 중탄산염의 배설증가와 수분저하로 인한 고알도스테론 혈증 등이 주 원인

표 3-2-18 대사알칼리증의 원인

신장성 원인	비신장성 원인	기타 원인
염소반응 저염소성 알칼리증 (urine Cl >20 mEq/L)	염소반응 저염소성 알칼리증 (urine Cl <20 mEq/L)	과도한 non-reabsorbable Anion 배설 저단백혈증
고리이뇨제	구토	
원위세관작용이뇨제	코위흡인	
바터증후군	염산염설사	
Gitelman 증후군	융모샘종	

신장성 원인	비신장성 원인	기타 원인
Posthypercapnic status	염소비반응 알칼리증	
염소비반응 세포외 팽창을	중탄산염나트륨	
동반한 알칼리증	아세트산염	
(urine Cl > 20 mEq/L)		
고알도스테론증(일차성 및 이차성)	구연산염	
Liddle 증후군	젖산염	

3. 대사알칼리증의 치료

1) 염소반응 환자: 중탄산염의 소변 배설을 증가시킴

2) 염소비반응 환자: 칼륨을 보충하거나 나트륨의 재흡수를 억제시킴

3) 중증의 경우, 혈액투석을 고려해 볼 수 있음

표 3-2-19 대사알칼리증의 치료

1. 염소 반응성 알칼리증
    1) 경도 내지 중등도 알칼리증: 염분 섭취를 자유롭게 하면서 염화칼륨 투여
    2) 칼륨 부족 예측: 혈청 칼륨 1 mEq/L 감소 시마다 적어도 100 mEq 부족(칼륨이 정상화되지 않으면 알칼리증의 완벽한 교정이 어려움)
2. Acetazolamide 투여
    1) 체액 팽창이 있는 알칼리증에서 조심스럽게 사용을 고려해 볼 수 있음
    2) 신부전이 없다면 250~500 mg q 8 hours IV
    3) 칼륨 소실 가능성이 높으므로 신기능과 전해질 모니터링 필요
3. 염소 비반응성 알칼리증
    1) 경구 spironolactone 25 mg부터 시작
    2) 경구 amiloride 5 mg부터 시작
    3) Indomethacin — 바터증후군 환자에서 prostaglandin E2를 방해하여 thick ascending limb에서 Na–Cl 재흡수를 가능하게 함
    4) 염화칼륨, 칼륨보존이뇨제 및 마그네슘(필요시) 병용: Gitelman 증후군 및 바터증후군에서 가장 효과적

IV. 호흡성산증

1. 원인

1) CO_2 narcosis: PCO_2가 60 mmHg 이상인 경우 신경학적 증상이 나타날 수 있음

2) 원인호흡기질환, 호흡중추의 기능 저하 및 호흡 근육피로 등을 일으키는 질환에서 발생

2. 호흡성 산증의 치료

1) 기저질환의 치료와 적절한 환기가 중요

2) 해독제(flumazenil 또는naloxone) 사용: 호흡성산증의 원인이 benzodiazepine이나 narcotic에 의한 것이라면 사용을 고려

3) 기타 치료법: inhaled bronchodilators, steroids, antiboitics 그리고 ventilator support를 원인에 따라 사용

4) nutrition support 관련 문제: 산증을 더 악화시킬 수 있는 overfeeding은 피함

V. 호흡성 알칼리증

1. 원인

1) 임상증상은 대개 PCO_2가 25 mmHg 이하인 경우 나타나며 뇌혈류의 감소 혹은 유리 칼슘의 저하와 관련이 있음

2) 신장에 의한 보상은 36-72시간 내에 일어나서 pH와 뇌혈류를 정상화시킴

2. 원인

1) 폐포 내 과도환기가 주된 기전

2) 호흡기질환, 심부전증 등에 의한 저산소증, 호흡중추의 직접적인 자극, 불안 및 salicylate 등의 약물 등에 의해 발생할 수 있음

3) 고도순응: 높은 고도에 갑작스러운 노출은 저산소증 유도 과호흡을 일으킴 → 보상작용은 적어도 수일이 걸리며 과호흡의 점진적인 증가, PCO_2 감소, PO_2의 증가가 일어남

3. 호흡성 알칼리증의 치료

1) 기저 질환 치료가 중요: 산소 공급 또는 원인 약물의 중단

2) acetate salts 혹은 기타 HCO_3^- precursor는 회피

I. 정의

48시간 이내에 혈액, 소변, 조직소견, 영상의학적소견에서 콩팥의 기능적 혹은 형태적 이상이 발생한 것으로 다음의 기준을 만족할 때

1. 혈청크레아티닌의 48시간 이내 0.3 mg/dL 이상 상승하거나 기저치의 50% 이상 상승한 경우, 또는
2. 소변량이 6시간 이상 0.5 mL/kg/hr 미만으로 감소한 경우

II. 분류

1. 신전성 질소혈증(Prerenal azotemia): 가장 흔함

신실질의 손상없이 신혈류의 감소로 발생

2. 내인성 질소혈증(Intrinsic azotemia)

신실질의 직접적인 손상으로 발생

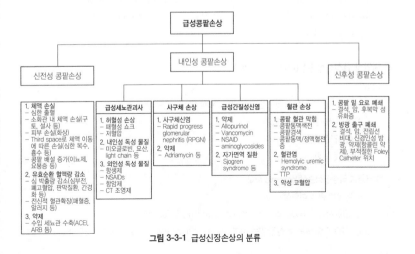

그림 3-3-1 급성신장손상의 분류

3. 신후성 질소혈증(Postrenal azotemia)

소변 배설의 차단으로 인해 발생

Ⅲ. 병인 및 병태 생리

1. 신전성 급성신장손상(Prerenal AKI)

- 신혈류가 회복되면 신실질의 손상없이 가역적임
- 심각한 신혈류 감소로 허혈이 오래 지속되면 신실질의 손상으로 급성세뇨관괴사(acute tubular necrosis, ATN)로 진행할 수 있음

1) 유효 순환량 감소(Hypovolemia)가 가장 흔한 원인
2) 유효 순환량 감소극복을 위한 Autoregulatory mechanisms에 장애가 오는 다음과 같은 경우 흔히 발생
   (1) 지속적인 심각한 저혈압(mean systemic BP < 80 mmHg)
   (2) 노인 및 신혈관 질환을 유발하는 질병을 가진 환자 (hypertensive nephrosclerosis, diabetic vasculopathy, renovascular disease)
   (3) 신장의 보상기전을 저해하는 약물을 복용한 경우
       ① cyclooxygenase inhibitor (NSAIDs): prostaglandin(afferent arteriole을 확장시킴) 합성을 억제
       ② ACE inhibitor or ARB: bilateral renal artery stenosis 또는 solitary functioning kidney에 unilateral artery stenosis인 경우 약 30%에서 급성 신장손상 유발
3) 간신장증후군(hepatorenal syndrome)
   진행된 간경화증 및 급성 간기능 상실에서 보이는 신장전 급성 신장 손상의 독특한 형태
   : splanchnic vasodilation & arteriovenous shunting → effective circulating volume 감소 → profound renal vasoconstriction

2. 내인성 급성신장손상(Intrinsic AKI)

원인
- 허혈성 혹은 신독성 요세관 손상(acute tubular necrosis, ATN)
- 신장 미세순환 및 사구체질환
- 요세관간질질환
- 신장혈관질환

1) 허혈성 급성신장손상(Ischemic AKI)
   (1) 특징: 신실질의 허혈성 손상
       ① 관류저하가 tubular epithelium에 ischemic injury를 줌(ATN)
       ② 신장 관류 회복 후 신장 기능 회복(tubule cell의 repair와 regeneration)에 1-2주 소요

(2) 양측 신장피질괴사(bilateral renal cortical necrosis)

① 허혈성 급성신장손상의 가장 심한 형태(비가역적인 신부전)

② 심장혈관 수술 또는 심한 외상, 출혈, 패혈증, 체액 부족이 있는 환자에서 발생

2) 신독성 급성신장손상(Nephrotoxic AKI)

* 노인, 기저 만성신장병, 혈량 저하, 다른 독소에 동반 노출인 경우에서 발생 빈도가 높음

* 신장내 혈관 수축 유발 약제: 조영제, cyclosporine, tacrolimus (FK506)

* 요세관상피 세포에 직접적인 독성을 가하거나 요세관 내 폐쇄를 일으킬 수 있는 약제: 항생제, 항암제

(1) Radiocontrast agent (contrast induced nephropathy)와 cyclosporine

① prerenal azotemia와 유사한 양상을 보이며 신장 내 혈관수축유발: 신장혈류 및 사구체여과율의 급격한 감소, 상대적으로 큰 변화 없는 소변 침전물 양상, low FENa

② Contrast induced nephropathy (CIN, 혹은 contrast induced AKI)

• 일반적으로 급격하게 발생하고(24-48 hr), 가역적임(3-5 days peak, 1주 이내 회복)

• 위험인자: 기존 만성신장병, 당뇨병, 심부전, 체액부족, 다발성골수종 환자

• 조영제의 용량↑, osmolality↑, ionicity(+) 시 빈도 증가

(2) 항생제와 항암제

① acyclovir, foscarnet, aminoglycosides, amphotericin B, pentamidine, cisplatin, carboplatin, ifosfamide

② Aminoglycosides

• 10-30%에서 발생하며 치료 용량에서도 발생할 수 있음

• 기전: proximal tubule cell에 축적되어 급성 신장 손상 유발

③ Cisplatin and carboplatin

• proximal tubule cell에 축적되어 급성신장손상 유발, 사용 7-10일 후에 발생

• 기전: mitochondrial injury, inhibition of ATPase activity and solute transport, cell membrane에 free radical injury, apoptosis and/or necrosis

④ Amphotericin B

• 용량과 관련된 급성신장손상을 유발

• 기전: 신장내 혈관 수축 및 근위 요세관에 직접적인 독성

(3) 내인성 신독성 물질(endogenous nephrotoxic): calcium, myoglobin, hemoglobin, urate, oxalate, myeloma light chain

① 고칼슘혈증

• 대개 신장 내 혈관 수축을 유도함으로써 사구체여과율을 떨어뜨릴 수 있음

• 신장 내 calcium phosphate 침착

② 횡문근융해와 용혈

i) 횡문근융해에 의한 급성신장손상: 횡문근융해의 30% 정도에서 발생

- 원인: 외상으로 인산 압궤손상, 급성 근육 허혈, 경련, 과도한 운동, 열사병, 악성고열, 중독(알콜, 코카인), 감염성 혹은 대사성 질환

　　　ii) 용혈에 의한 급성 신장 손상; 상대적으로 드물며 다량의 수혈후 발생가능

　　　iii) myoglobin, hemoglobin의 급성 신장 손상 기전

- 신장 내 산화스트레스를 촉진하고 요세관 내 원주 형성을 유도하여 요세관세포에 독성 효과를 발휘함

- 산화질소(nitric oxide) 활성의 강력한 억제제로 작용

- 신장 내 혈관 수축 및 허혈을 조장함

③ myeloma cast nephropathy

- 사구체로 여과된 면역관로불린 경쇄(immunoglobulin light chain)와 Tamm-Horsfall 단백으로 만들어지는 요세관내 원주 형성이 급성 신장 손상의 주요 유발 인자

- light chains; 요세관 상피세포에 직접적인 독성을 나타냄.

④ 심한 요산뇨(hyperuricosuria) 또는 고옥살산뇨(hyperoxaluria)

- 기전: 요산 혹은 옥살산염에 의한 요세관내 폐쇄가 급성 신장 손상 유발

- 급성요산신증: 전형적으로는 lymphoproliferative disorder 또는 myeloproliferative disorder의 치료시 발생

3) 급성 내인성 급성신장손상의 다른 원인들

(1) 신동맥죽종색전증에 의한 급성신장손상(atheroembolic AKI)

① 진행된 죽상경화증 환자에서 수술 또는 혈관성형술 동안 대동맥이나 신장 동맥의 처치 혹은 외상후 발생하며 드물게는 자발적으로도 발생

② 콜레스테롤 결정의 색전형성에 의하여 종종 비가역적임

(2) 알레르기간질신장염(allergic interstitial nephritis)

① 과립구(대개 호산구), 대식세포 및 /혹은 림프구의 요세관 간질 침범에 의해 발생하며 간질 부종을 동반

② penicillins, cephalosporins, trimethoprim, sulfonamide, rifampicin, NSAIDs

3. 신장후 급성신장손상(Postrenal AKI)

1) 방광목 폐쇄(bladder neck obstruction): postrenal AKI의 가장 흔한 원인

전립선질환, 신경성방광(neurogenic bladder), 항콜린제치료에 의해 발생

2) 요관 폐쇄(ureteric obstruction)

(1) 양측요관 폐쇄 혹은 단일 신장의 편측 요관 폐쇄

(2) 요관내 폐쇄(intraluminal obstruction): calculi, blood clots, sloughed renal papilae

(3) 요관 벽침윤: 신생물

(4) 외부압박: 후복막 섬유증(retroperitoneal fibrosis), 신생물, 농양, 수술적 결찰(operative ligature)

Ⅳ. 임상적 특징 및 감별 진단

1. 급성신장손상(AKI)과 만성신장병(CKD)의 감별

1) 급성신장손상: 최근 BUN과 크레아티닌 상승의 검사 소견

2) 만성신장병을 시사하는 소견: 빈혈, 신경병증, 신장성골형성장애(renal osteodystrophy) 혹은 small scarred kidneys의 영상 소견

* 단, 빈혈은 급성신장손상에서도 동반될 수 있으며, 당뇨병신장병증, 유전분증, 낭종성 신질환 등의 질환에서는 신장 크기가 정상 또는 증가할 수 있음

2. 급성신장손상으로 진단되면 아래와 같이 접근할 것

1) 급성신장손상의 원인을 식별

2) 유발하고 있는 원인 인자 제거

3) 요독성 합병증의 예방 및 관리

3. 임상평가

1) 신전성 급성신장손상

(1) 임상적 단서: 구갈 및 기립성 어지럼증과 함께 기립저혈압, 빈맥, JVP 감소, 피부긴장도 감소, 건조한 구강점막 그리고 액와 발한 감소 등의 신체 소견

(2) 의무기록 검토

　① 소변량과 체중의 점진적인 감소

　② NSAIDs 혹은 ACE 억제제 사용

(3) 원인질환 분석

　만성 간질환과 문맥 고혈압, 중증의 심부전, 패혈증, 기타 유효 동맥혈 용적을 감소시키는 상태

2) 내인성 급성신장손상

(1) 허혈성 급성신장손상(Ischemic AKI): 심한 혈량 저하, 패혈 쇼크 혹은 대수술 후

(2) 신독성 급성신장손상(Nephrotoxic AKI): 최근에 신장 독소나 조영제에 노출되었을 때

(3) 기타 신장 실질 질환

　① 중증의 사구체신염 혹은 신우신염

　② atheroembolization (cholesterol embolism)

　③ 급성 사구체신염 혹은 혈관염

　④ 악성 고혈압과 연관된 급성신장손상

　⑤ 알레르기성간질신장염(약물유발)

3) 신장후 급성신장손상(postrenal AKI)

(1) 증상: 방광 및 비뇨계의 팽창에 의한 치골상 및 옆구리 통증

(2) 진단: 영상검사를 시행하며 폐쇄 해결 시 빠른 호전을 보임

4. 요분석(Urinalysis)

1) 소변량

(1) 무뇨(anuria) → complete urinary tract obstruction, 심한 prerenal or intrinsic AKI

(2) wide fluctuation → intermittent obstruction의 가능성

(3) 다뇨(polyuria) → partial urinary tract obstruction (due to impairment of urine concentration)

2) 소변 침전물(WBC, RBC, cast, crystal)

(1) 신전성 급성신장손상: acellular, transparent hyaline casts (Tamm-horsfall protein)

(2) 신후성 급성신장손상: intraluminal obstruction or prostatic disease시 hematuria와 pyuria

(3) 허혈성 급성신장손상 또는 신독성 급성신장손상(20-30%에서는 cast가 없을 수 있음)

① pigmented 'muddy bronw' granular cast & cast with tubular epithelial cell

② microscopic hematuria 혹은 mild tubular proteinuria (< 1 g/day)와 동반

- RBC cast: glomerular injury 또는 acute tubulointerstitial nephritis (TIN)을 시사
- WBC cast and non-pigmented granular cast: interstitial nephritis (IN)을 시사
- broad granular cast: 만성 심장병에 특징적

(4) 허혈성 혹은 내인성 급성신장손상(~90%), 신동맥죽종색전증에 의한 급성신장손상

① lymphocyturia: NSAIDs에 의한 allergic IN시 나타남.

② uric acid crystals: prerenal AKI의 concentrated urine, acute urate nephropathy

③ oxalate & hippurate crystal: ethylene glycol ingestion & toxicity의 가능성

3) 단백뇨

(1) proteinuria < 1 g/day: tubular proteinuria 가능성

(2) proteinuria > 1 g/day

① glomerular ultrafiltration barrier의 손상, myeloma light chain의 배설 과다

② Intrinsic AKI에서의 heavy proteinuria (nephrotic range): NSAID에 의한 combined allergic interstitial nephritis와 MCD (~80%)

(3) 혈색소뇨(hemoglobinuria): red cells은 적고 dipstick test에서 heme에 대해 강한 양성

(4) 빌리루빈뇨(bilirubinuria): hepatorenal syndrome의 clue

5. Renal failure indices

1) Fractional excretion of sodium(FENa): 가장 유용

(1) 신전성 급성신장손상: 일반적으로 FENa < 1.0 %

(2) 허혈성 혹은 내인성 급성신장손상: 대게 FENa > 1.0%

(3) FENa > 1% 인 prerenal AKI

① 이뇨제사용

② bicarbonaturia

③ salt wasting이 합병된 기존의 만성 신장병

④ 부신부전(adrenal insufficiency)

(4) 대사알칼리증 환자들에서는 소변에서 나트륨의 절대 소실 발생

→ fractional excretion of chloride (FECl): 신전성 질소혈증을 발견하는데 있어 FENa보다 민감

표 3-3-1 신전성과 내인성 급성신장손상을 구분하는데 사용되는 소변 진단지표들

진단지표	급성신장손상에서 보이는 특징적인 소견들	
	신전성	내인성
Fractional excretion of sodium (%) $\dfrac{U_{Na} \times P_{Cr}}{P_{Na} \times U_{Cr}} \times 100$	<1	>1
Urine sodium concentration (mmol/L)	<10	>20
Urine creatinine to plasma creatinine ratio	>40	>20
Urine urea nitrogen to plasma urea nitrogen ratio	>8	<3
Urine specific gravity	>1,018	<1,015
Urine osmolarity (mosmol/kg H₂O)	>500	<300
Plasma BUN/creatinine ratio	>20	<10~15
Renal failure indexa $\dfrac{U_{Na}}{U_{Cr}/P_{Cr}}$	<1	>1
Urinary sediment	Hyaline casts	Muddy brown granular casts

6. 검사실 소견들

1) 혈청크레아티닌의 연속적인 측정: 급성신장손상의 원인 파악에 유용

(1) prerenal azotemia: hemodynamic function에 따라 혈청크레아티닌이 나란히 변화

(2) intrinsic azotemia (ischemia, atheroembolization, radiocontrast 후 24-48 hr에 발생)

① Contrast induced nephropathy (CIN): 최고 3-5일 → 5-7일 후에 기저치로 회복

② 허혈성 혹은 죽종색전증에 의한 급성신장손상: 최고 7 to 10일

(3) 요세관상피 세포 독소(아미노글리코시드, 시스플라틴) 유발 질소혈증

① 대개 혈청크레아티닌 증가가 치료 2주 후에 시작

2) 고칼륨혈증, 고인산혈증, 저칼슘혈증, 고요산혈증, CPK (MM)↑: 횡문근 융해를 시사

3) 고요산혈증(>15 mg/dl), 고칼륨혈증, 고인산혈증증, LDH↑: 급성 요산 신증, tumorlysis syndrome (화학요법 후)

4) Wide serum anion & osmolar gap (measured osmolality − calculated osmolality): 비정상적인 음이온 혹은 오스몰의 존재(ethylene glycol, methanol)

5) 전신호산구증가증: 알러지간질신염, 신동맥죽종색전증, 결절다발동맥염(polyarteritis nodosa)

7. 영상 소견

1) 초음파

(1) 신장후 급성신장손상을 배제하는데 유용,

만성신장병 동반 여부 확인에도 유용(kidney size, cortex의 contour)

(2) pelvocalyceal dilatation은 요로 폐쇄(sensitivity 98%)

2) Retrograde or antegrade pyelography: 폐쇄 부위를 확인하는데 유용하나 최근에 거의 사용 안하며 non-enhance abdominal CT로 신속한 진단 가능

3) 신장결석이 의심되는 경우 단순 복부 촬영이 유용한 초기 선별 검사

4) contrast enhance abdominal CT: 요로 폐쇄의 원인이 악성질환이 의심이 될 때, 혹은 AKI 원인 질환 진단을 위해 꼭 필요할 때(예: 패혈증을 동반한 복막염 등) 조영제 유발 급성신장손상의 위험을 감수하고서라도 contrast enhance abdominal CT를 촬영해야 함(물론 조영제 유발 급성신장손상 예방조치는 필수)

8. 신장생검(renal biopsy)

1) 신전성과 신후성 급성신장손상이 제외되고, 내인성 급성신장손상의 원인이 불명확할 때 시행

2) 특별한 치료가 요구되는 질환 의심 시: Glomerulonephritis, vasculitis, HUS, TTP, allergic interstitial nephritis

V. 합병증

1. 세포외액의 팽창(폐부종이 치명적)

1) 무뇨 및 소변 감소환자들에서는 염분 및 수분 배설 감소

2) 체중증가, bibasilar lung rales, raised JVP, dependent edema, 폐부종

2. 고칼륨혈증

1) 칼륨 배설 장애 및 손상 받은 요세관 상피에서 칼륨 방출

2) ↑↑대사산증, 횡문근융해, 용혈 HUS, tumor lysis syndrome

3) 중증의 고칼륨혈증(>6.0 mmol/L): 심전도 이상 혹은/또는 cardiac excitability↑

3. 대사산증

1) 정상인에서 식이 단백 대사로 50-100 mmol/day의 nonvolatile acid가 생성

2) 급성신손상에서는 산 대사의 장애로 대사 산증이 발생(↑혈청 음이온 간격)

3) 당뇨병케톤산증, 젖산산증, 간질환, 패혈증, ethylene glycol 또는 methanol 섭취 시 심화

4. 고인산혈증
중증의 경우 high catabolic state, 횡문근융해, 용혈, 종양융해 시사

5. 저칼슘혈증
1) 드문 경우이며 입주변 감각마비, 근육 마비, 경련, 환각, 혼수, 심전도상 QT 지연 T파 변화 소견 보임
2) 칼슘 보충 필요

6. 혈액 합병증
1) 빈혈: 비교적 경미하며 복합적인 원인: 조혈기능 장애, 용혈, 출혈, 희석, 적혈구 생존 능력 저하
2) 출혈성 경향: 경미한 혈소판감소증, 혈소판 능력 저하 혹은 응고인자 이상(factor VIII dysfunction)
3) 백혈구증가증: 패혈증, 스트레스 반응, 기타동반 질환

7. 감염
흔하며(50-90%), 심각한 합병증이 될 수 있음(사망원인의 75%까지 차지)

8. 심폐합병증
부정맥, 심근경색, 폐색전증, 심낭삼출

9. 위장출혈
흔하며(10-30%), 대개 위 혹은 소장 점막의 스트레스 궤양에 의함

10. 요독 증후군
중증 급성신장손상이 오래 끈 경우

11. 과도한 이뇨
회복기에 발생하며 혈관내 체액 부족을 초래하여 이차성 신전성 급성신손상으로 사구체여과율의 회복이 늦어질 수도 있음

12. 고나트륨혈증
저장성 소변(hypotonic urine)에 의한 수분 손실 보충부족, 부적절한 고장 식염수 주입

13. 기타 전해질 장애 (저칼륨혈증, 저마그네슘혈증, 저인산혈증, 고칼슘혈증)
대사 합병증으로는 덜 흔함

VI. 치료

1. 예방

1) 허혈성 또는 신독성 급성신장손상은 특별한 치료가 없어 예방이 중요

(1) 허혈성 급성신장손상

① 고위험환자: 패혈증, 고령, 이전 신기능 저하, 장시간 수술 후, 외상, 화상 또는 콜레라

② 위험인자: diuretics, cyclooxygenase inhibitor, ACE inhibitor, other vasodilator use in true hypovolemia, effective hypovolemia, renovascular disease

③ 허혈성 급성신장손상의 원인을 신속하고 정확히 파악 후 원인 인자를 제거하거나 치료하는 것이 중요

(2) 신독성 급성신장손상

① 신독성이 예상되는 약제는 사구체여과율에 따라 용량 조절(항암제, 항생제 등)

② 투여 중 혈중 약물수준에 따라 용량 조정이 필요한 약제: CsA 혹은 tacrolimus, vancomycin 등

③ 신장 관류 저하는 신독성 물질의 독성을 증가시키므로 적정 체액량을 유지

④ 고위험 환자에서 NSAIDs 복용은 피할 것을 권유하며 신독성이 상대적으로 적은 acetamino-phen, tramadol을 권유

⑤ 만성 신손상이 동반된 통풍 환자의 경우 통증 조절의 목적으로 NSAIDs 혹은 cholchichine 보다는 스테로이드 경구 복용 혹은 스테로이드 관절강 내 주사 등 단기간 사용하는 것을 권유

CIN (contrast induced nephroapthy) prophaylxis

1. 고위험 환자에서 조영제 신독성 예방 목적으로 시행(주의: MRI 조영제는 해당 안됨)
2. 영상의학과와 협의 가능하다면 고위험군 환자에서 조영제 용량을 100 ml 이하로 줄여 촬영
3. 방사선 조영제 노출전 3–12시간 전부터 노출 후 6–24시간까지 생리 식염수를 1.0–1.5 ml/kg/hr 속도로 IV (매우 중요)
3. 생리 식염수에 중탄선염을 섞어서 투여할 수도 있으나 아직 근거가 부족
4. acetycystein을 사용할 수 있으며 조영제 노출 전 600 mg bid, 노출 후 600 mg bid PO

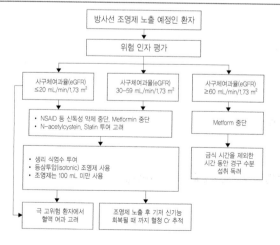

2) 알로퓨리놀과 알칼리이뇨 유도

(1) 화학요법 후, 고용량 MTX 치료 시, 횡문근 융해

(2) 요산생성을 제한시키고 신장 요세관에 요산염결정의 침착을 예방

3) Dimercaprol: chelating agent로서 heavy metal nephrotoxicity를 예방

4) 에탄올 (ethylene glycol intoxication 시 사용)

(1) 옥살산 및 기타 대사산물로의 ethylene glycol 대사 억제

(2) ethylene glycol 중독 시 혈액투석요법의 보조제 역할

2. 급성신장손상의 치료

1) 신전성 급성신장손상: 보충 수액은 손실된 수분의 조성에 따라 투여

(1) 출혈에 의한 중증의 혈량 저하: packed red cells

(2) 경도내지 중등도의 출혈 혹은 혈장 손실(췌장염, 화상): isotonic saline

(3) 소변 및 위장관으로의 체액 손실: 초기에는 hypotonic solution (0.45%), 중증의 경우 isotonic saline

(4) 혈청크레아티닌 및 산 염기 상태는 주의 깊게 관찰해야 함

(5) 심부전(cardiac failure): positive inotropes, 전후부하 감소 약제, 항부정맥약물, mechanical aids(intra aortic balloon pumps), 혈역학적 관찰이 필요

(6) 복수가 합병된 간경화증

① 완전히 진행한 간신장증후군(hepatorenal syndrome)인지 이뇨제의 과도한 사용 혹은 패혈증 (spontaneous bacterail peritonitis 등)의 true hypovolemia (effective hypovolemia)를 감별할 필요가 있음

② 수액 투여를 시도하여 평가(혈량 저하 여부를 확인)

• 회복 가능한 신전성 질소혈증인 경우는 소변량이 증가하고 혈청크레아티닌이 감소

• 간신장증후군의 경우에는 복수가 증가하고 폐부종이 악화

2) 내인성 급성신장손상

(1) 급성사구체염: glucocorticoid, alkylating agent, plasmapheresis

(2) 알레르기간질신장염: glucocorticoid

(3) malignant hypertensive nephrosclerosis, toxemia of pregnancy 및 기타 혈관질환: systemic arterial pressure의 철저한 조절

(4) 경피증(scleroderma)에 의한 고혈압과 급성 신장 손상: ACE inhibitor가 효과적

3) Postrenal AKI

(1) Obstruction 해소 시 신장기능이 회복되며 수일간 이뇨가 발생할 수 있음

(2) 5%에서는 transient salt wasting syndrome으로 혈압 유지를 위한 IV saline 필요

3. 보존적 치료

1) 체내 수분조절- hypovolemia를 교정 후 salt와 water intake는 loss에 맞춰서

2) 혈량과다증(hypervolemia)

(1) 염분과 수분제한 및 이뇨제 사용(only for hypervolemia control)

(2) 고용량의 고리이뇨제(furosemide (200-400 mg iv), bumetanide (~10 mg iv))

(3) 도파민(dopamine)의 sub-pressor 용량(low dose 또는 renal dose)

   ① 신장 혈류 및 사구체여과율을 증가시켜 염분과 수분 배설을 촉진하나 아직 임상 근거는 부족

   ② 임상시험들에서는 효과가 별로 없는 것으로 나타났으며 일부 환자들에서는 부정맥이나 급성 심장사(sudden cardiac death)를 유발하기도 함

(4) 투석(dialysis): 보존적 치료가 실패하는 중증의 혈량과다증일 때

3) 저나트륨혈증 및 저삼투질농도(hypoosmolality): 수분 제한

4) 고나트륨혈증: 수분공급 혹은 저장액(hypotonic solutions) 정맥 투여

5) 고칼륨혈증

(1) 칼륨의 식이제한(보통 <40 mmol/d)

(2) 칼륨 보충제 및 칼륨보존이뇨제(spironolactone 등) 중단

(3) Polystyrene sulfonate 투여

(4) glucose (50 mL of 50% 포도당) 및 인슐린(10 units RI)

(5) 중탄산염나트륨(보통 50-100 mmol)

(6) 글루콘산칼슘(10 mL of 10% solution 5분에 걸쳐 투여)

(7) 투석치료

6) 대사산증

(1) HCO_3: <15 mmol/L 또는 arterial pH <7.2 시 중탄산염 투여(oral or iv)

(2) 치료 부작용: 혈량과다증, 대사성 알칼리증, 저칼슘혈증, 저칼륨혈증

7) 고인산혈증

(1) 인산염의 식이제한

(2) 경구 calcium carbonate 투여(이전에는 aluminium hydroxide를 사용했으나 독성 때문에 최근에는 사용하지 않음) →위장 내 인산염의 흡수를 감소시킴

8) 저칼슘혈증: 중증인 경우에만 치료(예, 횡문근융해, 췌장염, 중탄산염 투여 후)

9) 고요산혈증: 단순 혈중 요산 농도를 기준으로 치료하는 것은 근거가 아직 부족함. 환자의 상태 고려하여 종합적으로 판단

10) 급성신장손상 지속기간 동안 영양지원

이화작용, 금식 그리고 케토산증을 피하기 위해 충분한 칼로리 제공

11) 빈혈

(1) 심하거나 회복이 느려지면 수혈이 필요할 수 있음

(2) 에리트로포에틴 사용: Hb 상승 속도가 비교적 느려 급성 신장손상에서 거의 사용되지 않음

12) 요독성 출혈: 빈혈의 교정, desmopressin 또는 estrogens의 투여, 투석에 일반적으로 잘 반응

13) 위장출혈: 제산제의 규칙적 투여가 효과적, H2 antagonists 또는 proton pump inhibitor

14) 감염증

(1) 정맥 삽입관, 방광도관, 기타 침습적 기구에 주의 필요

(2) 예방적 항생제: 감염증의 발생률을 낮추지 못함

4. 투석치료의 적응증 및 종류

1) 투석(renal replacement therapy)

(1) 투석요법은 tubular cell의 regeneration과 repair 동안 신기능을 대체

고식적 치료로 급성신부전이 해결되지 않을 경우 신속히 투석 여부를 판단해야 함

(2) 절대 적응증

① 요독증후군의 증상 및 징후

② 치료 저항성 혈량과다증, 고칼륨혈증, 대사성 산증

(3) BUN이 100 mg/dL 이상 시 경험적으로 투석을 시작하는 것은 근거가 부족함

① 신장 기능을 보호하기 위한 관리화 임상시험들에 의해 입증된 것은 아님

② 투석치료 문제점

- 저혈압과 반복되는 신장 관류저하를 유발하여 ATN을 악화시켜 신장기능 회복을 더디게 할 수 있음

- 백혈구가 투석막과 접촉하여 활성화되고, 투석막에 보체도 활성화되어 신손상을 악화시킬 수 있음

2) 혈액투석(conventional intermittent hemodialysis) 및 복막투석(peritoneal dialysis)

(1) 혈액투석과 복막투석은 급성신장 손상의 치료에 있어서 동등한 효과를 보이나 환자 개인의 상태 (도관 삽입의 용이성, 혈역학적 상태, 복부수술 병력 등 고려) 따라 결정

(2) 혈액투석 시 혈관통로: temporary double-lumen catheter (내경정맥, 쇄골하정맥 혹은 대퇴정맥)를 사용할 수 있으나 tunneled cuffed catheter를 강력 권장함

3) 지속적신대체요법(Continous renal replacement therapy)

(1) Continous venovenous hemodiafiltration (CVVHDF): 혈역학적으로 불안정한 급성신장손상 환자에 매우 유용하게 사용, 두개강내압이 상승된 환자의 경우 뇌압을 낮추는 역할을 할 수 있음

(2) 단점: 장시간 침상안정, 중환자실 입실, 항응고제 사용

신장내과
03

표 3-3-2 Continuous Renal Replace Therapy 처방 예(CRRT practice)

1. Prepare central dual lumen catheter and get permission
2. Priming of hemofilter
   a. 0.9% normal saline 1 L + heparin (HPRV) 10,000 IU로 2 L 준비
      − priming 은 venous line으로 2회 총 2 L 실시
      − 200−300 ml의 saline으로 washing 함
   b. Futhan: NS 500 ml + Futhan 20 mg로 1 L 준비
      − priming은 venous line으로 2회 총 1 L 실시
      − 200−300 ml의 saline으로 washing 함
3. Blood flow rate: (   ) ml/min (일반적으로 100−150 ml/min, range: 50−180)
4. Fluid removal rate : (   ) ml/hr (range: 10−1,000 ml/hr)
5. Replacement solution: (   ) ml/hr (일반적으로 500−1,000 ml/hr, range: 100−2,000)
6. Dialysate flow rate: (   ) ml/hr (일반적으로 500−1,000 ml/hr, range: 500−2,500)
7. Anticoagulation
   A. Heparin 사용하는 방법: Hemofilter는 AN69 filter 사용
      1) Initial bolus (   ) U IV (일반적으로 3,000U, range 2,000−5,000 U)
         Venous line을 통해 주사하며 2−3분 후 maintenance heparin을 IV
      2) Maintenance: 5−10 unit/kg/hr (if 70 kg, 350−700 unit/hr)
         예) NS 16 ml + heparin 4,000 U (4 mL) mix시 2 ml/hr= 400 U/hrNS 15 ml + heparin 5,000 U (5 mL) mix시 2 ml/hr= 500 U/hr
   B. Futhan 사용하는 방법: hemofilter는 HF1,000 filter 사용
      1) Maintenance: 20−50 mg/hr예 5DW 20 ml + Futhan 300 mg mix시 2 ml/hr= 30 mg/hr
   C. 간질환이 있는 경우, 수술후 환자, 출혈이 있는 환자, Heparin에 의한 혈소판 감소증이 있는 환자는 Heparin−free CRRT를 반드시 고려
8. Heparin 사용시 PTT monitering : 매 6시간마다 arterial blood line과 venous blood line에서 PTT를 측정
   A. Maintain arterial PTT: 40−45 sec
   B. Maintain venous PTT: 65 sec 이상
   C. If arterial PTT>45 sec, decrease heparin by 100 IU/hr
   D. If venous PTT<65 sec, increase heparin by 100 IU/hr, but only if arterial PTT <45 sec
   E. If arterial PTT<40 sec, increase heparin by 200 IU/hr
9. 과거에 clotting을 예방할 목적으로 시행하였던 arterial line으로의 saline infusion은 시행하지 않음
10. Filtration Fraction (FF) = ultrafiltrate/blood flow rate= [fluid removal (ml/hr) + replacement (ml/hr)] / blood flow rate(ml/min) × 60 FF가 0.2 이상 시 hemofilter의 clotting이 증가하므로 0.2 이하가 되도록 함

4) 치료 성적 및 예후

(1) 급성신손상 환자의 원내사망률은 >20-50%이며 급성신장손상을 유발하는 원인 질환 (나라별로 주요 원인 질환의 차이를 보임)에 따라 다름

(2) 경과: 급성신장손상 이후 생존한 환자 중 10-20% 정도는 유지 투석치료를 요함

Ⅰ. 만성신장병의 정의

1. 만성신장병은 신장 구조의 이상 또는 신기능의 이상이 3개월 이상 지속된 상태를 말하며 다음 두 가지 기준 중 1개 이상이 3개월 이상으로 존재 시 정의할 수 있음

   1) 사구체여과율의 감소(< 60 mL/min/1.73 m²)
   2) 신장손상의 근거가 1개 이상(24시간 알부민뇨 ≥ 30 mg 또는 소변 알부민-크레아티닌 비율 ≥ 30 mg/g, 요 침사의 이상, 세뇨관 질환에 의한 전해질 이상 또는 다른 이상, 신장 조직 검사에서 이상, 방사선학적으로 신장이상, 신장이식의 병력)

   * 알부민뇨와 단백뇨의 정의 *
   (1) 정상 알부민뇨: 24시간 알부민뇨 < 30 mg 또는 소변알부민-크레아티닌 비율 < 30 mg/g
   (2) 중등도로 증가된 알부민뇨(moderately increased albuminuria, 미세 알부민뇨 microalbuminuria): 24 시간 알부민뇨 30-300 mg 또는 소변알부민- 크레아티닌비율 30-300 mg/g
   (3) 중증으로 증가된 알부민뇨(severely increased albuminuria, 현성 알부민뇨 macroalbuminuria): 24 시간 알부민뇨 > 300 mg 또는 소변 알부민- 크레아티닌비율 > 300 mg/g
   (4) 정상단백뇨: 24시간 단백뇨 < 150 mg
   (5) 신증후군 범위의 알부민뇨(단백뇨): 24 시간 알부민뇨 $> 2,200$ mg (24시간 단백뇨 $> 3,500$ mg) 또는 소변 알부민- 크레아티닌비율 $> 2,200$ mg/g

표 3-4-1 만성신장병의 용어 정의

1. 질소혈증(Azotemia): BUN, 크레아티닌(Cr) 등의 저류
2. 요독증(Uremia): 고질소혈증 및 신부전에 의한 증상(symptom & sign)
3. 현증 신부전(Overt renal failure): 사구체여과율(GFR)이 정상의 20~25% 이하
4. 말기신부전(ESRD): GFR이 정상의 5~10%까지 감소, 신 대체 요법이 필요

표 3-4-2 만성신장병의 사구체여과율에 따른 분류

Stage	GFR categories decription	GFR, mL/min/1.73 m²
G1	Normal or high	≥ 90
G2	Mildy decreased	60 – 89
G3a	Mildly to moderately decreased	45 –59
G3b	Moderately to severely decreased	30 – 44
G4	Severely decreased	15 – 29
G5	Kidney failure	< 15

2. 사구체여과율은 혈청크레아티닌(Cr), 나이, 성별, 인종과 체중을 이용하여 사용하는 계산식을 사용: MDRD 혹은 CKD-EPI 공식 이용

1) **MDRD 공식:** Estimated GFR (mL/min per 1.73 m²) = 1.86 × (SCr)^{-1.154} × (age)^{-0.203} (multiply by 0.742 for women; multiply by 1.21 for African ancestry)

2) **CKD-EPI 공식:** GFR = 141 × min(SCr/κ, 1)^α × max(SCr/κ, 1)^{-1.209} × 0.993^{Age} (multiply by 1.018 for women; multiply by 1.159 for African ancestry; where SCr is serum creatinine in mg/dL, κ is 0.7 for females and 0.9 for males, α is -0.329 for females and -0.411 for males, min indicates the minimum of SCr/κ or 1, and max indicates the maximum of SCr/κ or 1)

II. 만성신장병의 원인

1. 만성신장병의 3대 원인

3대원인은 당뇨병, 고혈압 및 만성 사구체신염이며 이외 원인은 낭성 신질환, 만성신우신염이 있음

2. 감별

당뇨병의 병력(발병시기 및 치료방법), 고혈압의 발병시기, 혈뇨 및 단백뇨의 과거력 등 문진

표 3-4-3 우리나라 말기신부전의 원인 질환(대한신장학회 등록위원회 2018년 보고서)

1. 당뇨병신장병증(48.9%)
2. 고혈압(21.4%)
3. 사구체신염(7.5%)
4. 원인 불명(12.1%)

표 3-4-4 만성신장병에서 주요 원인 신질환의 임상적 감별

원인 신질환	임상적 특성
당뇨병신장병증	당뇨병 기왕력, 단백뇨, 당뇨병망막증
고혈압	혈압상승, 일반 요검사, 고혈압 가족력, 허혈성신장질환
비당뇨성 사구체질환	신염 혹은 신증후군의 증상 발현
낭종성 신질환	요로계 증상, 비정상적 요침사 소견, 방사선학적 이상 소견, 가족력(다낭신증)
요세관사이질신염	요로감염 병력, 역류, 장기 약제 복용, 신세뇨관 기능 이상소견(농축능 부전, 비정상 요검사)

III. 만성신장병 환자에 대한 접근

1. 급성 혹은 만성 여부 확인

처음 대하는 환자가 신기능의 저하가 있을 때 이러한 신기능의 저하가 급성인지 만성인지를 감별하는

것이 가장 중요하며 이는 향후 치료의 방향을 결정

표 3-4-5 만성신장병을 의심하는 임상소견 및 검사실 소견

1. 양측 신장 크기의 감소(직경 <8.5 cm)
2. 이전 신기능 검사에서 신기능의 저하
3. 요 검사에서 broad casts(현미경 침사소견)

2. 신장 크기

위의 감별진단에 있어 양측 신장 크기 감소가 가장 중요하나 만성신장병이면서 신장의 크기가 정상인 경우도 있으므로 반드시 감별하여야 함(표 3-4-6)

표 3-4-6 만성신장병이면서 신장의 크기가 작지 않은 경우

- 당뇨병신장병증
- 다발성골수종(myeloma kidney)
- 유전분증(amyloidosis)
- 낭종성 신질환(polycystic kidney)
- 폐쇄성요로병증(obstructive uropathy)

3. 신장조직검사 적응증

급성과 만성의 감별 진단이 어려운 경우

IV. 만성신장병에서 신기능 악화의 원인 및 치료

1. 신기능의 악화 원인

만성신장병환자에서 비교적 안정된 경과를 취하던 환자가 갑자기 신기능의 저하가 동반되는 원인 질환의 악화요인을 찾아서 교정하면 다시 원상태로 회복될 수 있으므로 악화요인, 진단 및 치료에 대하여 숙지하고 있어야 함

표 3-4-7 만성신장병에서 신기능의 악화 요인

1. 수분감소 및 탈수
2. 혈압의 급상승 및 혈압조절실패
3. 요로감염
4. 폐쇄성 신부전(요로결석, 신장 유두 괴사 등)
5. 신 독성약제(진통소염제등)
6. 방사선 조영제에 노출(CT, angiography, IVP 등)
7. 기저 신질환의 악화 또는 활성화

2. 감별

갑자기 신기능이 저하된 경우 최근에 설사, 구토, 혈압약 복용, 고열, 약물복용, 방사선검사 등에 대한 문진을 통해 악화 요인에 노출되었는지 확인하여야 하며, 혈압측정, 초음파 검사 등을 통하여 혈압 조절의 실패 및 폐쇄성 신부전을 확인하여야 함

3. 신장조직검사

만성신장병 환자에서도 concomitant 또는 superimposed active process (사이질신염이나 GFR의 빠른 감소 상황)가 의심되면 신장조직검사를 고려할 수 있음

V. 만성신장병에서 요독증의 병태생리 및 증상

1. 만성신장병에서 나타나는 여러 가지 증상에 대하여 자세히 문진하여 환자가 요독증이 있는지를 확인하여야 함

표 3-4-8 만성신장병에서 나타나는 요독증상에 대한 문진

1. 식욕감퇴, 구역질 및 구토가 나지 않습니까?
2. 최근 소변량이 줄어들지는 않았습니까?
3. 눈 주위와 다리가 붓지는 않았습니까?
4. 최근 시력이 저하되지는 않았습니까?
5. 계단을 오를 때 숨이 치지는 않습니까?
6. 다리에 쥐가 나지는 않습니까?
7. 몸이 가렵지는 않습니까?
8. 특별한 원인 없이 체중이 늘거나 혹은 체중이 줄지는 않았습니까?

VI. 만성신장병 환자의 일반적인 치료 원칙

1. 만성신장병 환자에서 향후 신기능 감소에 대한 위험인자로는 표 3-4-9에 정리하였으며 진행성 만성신장병 환자에서 신기능의 치료는 혈압 조절과 저단백식이, 혈당조절, 지방이상의 치료 등이 주 치료임(표 3-4-10)

표 3-4-9 신기능 감소에 대한 위험인자

1. 단백뇨	2. 고혈압
3. 기저 신질환	4. 남자
5. 비만	6. 당뇨병
7. 흡연	8. 고단백식이
9. 인산 저류	10. 대사산증

표 3-4-10 만성신장병 환자의 일반적인 관리 요법

1. 혈압조절
   - 단백뇨가 있는 만성신장병: 혈압 <130/80 mmHg
   1) 저염식이(염화나트륨 sodium chloride<5 gm/day, 나트륨<2 gm/day)
   2) 당뇨병신장병증과 24시간 알부민뇨>30 mg인 만성신장병에서 고혈압 치료시 우선적으로 앤지오텐신전환효소억제제(ACE inhibitor) 또는 앤지오텐신수용체길항제(Angiotension receptor blocker, ARB)를 선택 → ACE inihbitor 또는 ARB로 고혈압 치료시 크레아티닌의 증가가 투여 전 30% 이상 증가하는지 그리고 고칼륨혈증이 발생하는지 확인 필요
   3) 필요하면 칼슘통로차단제등도 사용하여 철저하게 조절: diltiazem 및 verapamil은 dihydropyridine계 칼슘통로차단제에 비하여 항단백뇨 효과가 있음.

2. 사구체여과율이 <30 mL/min/1.73 m²인 경우 저단백식이(<0.8 g/kg/day): high biological value protein으로 공급
3. 단백뇨 조절(저염식이, 저단백식이, 혈압조절)
4. 혈당 조절(HbA1C<7.0%)
5. 칼슘-인 대사조절(인 섭취제한, 칼슘염 복용)
6. 적절한 체액상태와 전해질(칼륨 등) 평형유지
7. 지질이상의 치료: 식이요법, 스타틴계 약물 사용
8. 신독성 유발 약제 노출 주의
9. 적절한 운동: 주 5회, 1회 30분 이상, 유산소운동
10. 금연, 금주, 적절한 체중 유지 (체질량지수 20~25 유지)

1) 고혈압의 치료: 24시간 알부민뇨 <30 mg 또는 소변 알부민-크레아티닌 비율 <30 mg/g인 만성신장병(당뇨성 또는 비당뇨성)에서 고혈압의 치료 목표는 <140/90 mmHg이며 24시간 알부민뇨 >30mg 또는 소변 알부민-크레아티닌 비율 >30 mg/g인 만성신장병(당뇨성 또는 비당뇨성)에서 고혈압의 치료 목표는 <130/80 mmHg임

(1) 비약물치료

① 저염식, 비만 교정, 규칙적인 운동, 고혈압을 유발하는 약제의 회피(nasal decongestants, NSAIDs), 스트레스의 완화, 금연, 고지혈증의 교정

② 투석환자에서 건체중(dry weight) 목표치를 구하고 달성 → 건체중은 투석 간 염분과 수분섭취를 제한하고 효과적인 투석으로 과잉 체액을 제거함으로써 유지할 수 있음

표 3-4-11 흔히 사용하는 이뇨제의 용량과 작용시간

약제	초기 용량	상용량	작용시간
ethycrynic acid	25	25–50 mg bid	6–8
furosemide	20	20–120 mg bid	6–8
torasemide	5	5–50 mg bid	8

(2) 약물치료: 당뇨병신장병증과 24시간 알부민뇨 >30 mg인 만성신장병에서 고혈압의 치료시 우선적으로 ACE inhibitor 또는 ARB를 선택해야 함

① 이뇨제: thiazide는 사구체여과율(GFR)이 20-40 mL/min 이하 시 효과가 없고, 고리이뇨제는 5-10 mL/min 이하 시 효과가 없으며 일반적으로 칼륨 보존 이뇨제는 만성신부전 환자에서는 일반적으로 금기

② 칼슘통로차단제: 간에서 대사되고 신장으로 배설되지 않고, 투석요법으로 제거되지 않아 투석환자에서 특별히 용량조절이 필요하지 않음

③ 베타차단제(β-blocker): propranolol과 metoprolol은 주로 간에서 대사되고 작용시간이 짧은데 반해 atenolol과 nadolol은 작용시간이 길고 주로 신장으로 배설되며 투석요법으로 제거됨. 주된 부작용으로 인슐린 저항성의 증가, 지질장애, 고칼륨혈증, 서맥, 피로, 발기부전, 심부전, 저혈당증세의 masking 등이 있음. labetalol은 용량 조절할 필요가 없고 기관지 수축의 빈도가 낮고 혈장 지질 수치에 영향이 없음

④ ACE inhibitor: captopril은 주로 신장에서 배설되므로 50% 감량해야 하나 fosinopril, benazepril 등은 간에서 일차적으로 제거되므로 만성신부전이 있더라도 과도하게 체내 축적이 안됨. enalapril, lisinopril, ramipril 등은 정상 권장량보다 초기에는 저용량부터 투여해 보는 것이 안전

함. 흔한 부작용은 기침, 투석 후 저혈압, 고칼륨혈증 등이 있고 특히 만성신장병 환자에서 erythropoietin의 작용을 감소시켜 빈혈을 악화시킬 수 있음. ACE inhibitor는 염분과 수분저류가 있는 환자에서는 별로 효과가 없는 반면에 심부전이 있는 환자, 혈장 레닌치가 높은 사람, 건체중이 잘 유지되는데도 혈압이 유지되지 않는 환자에게 선택할 수 있는 약물임

표 3-4-12 ACE inhibitor 종류

약제	초기 용량	상용량	작용시간, hr
enalapril	10	10–20 qd	12–24
lisinopril	5	50–100 qd	24
ramipril	2.5	2.5–20 qd/bid	24

⑤ ARB: losartan은 간에서 대사되고 신장으로는 4-7%만 배설되므로 용량 조절이 필요 없음

표 3-4-13 ARB 종류

약제	초기 용량	상용량	작용시간, hr
losartan	50	50–100 qd/bid	12–24
irbesartan	150	150–300 qd	24
candesartan	8	8–32 qd	24
telmisartan	40	40–80 qd	24
valsartan	80	80–160 qd	8–24

⑥ 중추신경계약물(central sympathetic agonist): clonidine, methyldopa과 같은 약물로서 신장으로 주로 배설되므로 만성신장병 환자에서는 용량조절이 필요하며 효과적이지만 구갈 등의 부작용이 있어 널리 쓰이지는 않음

⑦ 알파차단제(alpha adrenergic blocking agent): doxazocin, prazosin은 주로 간에서 대사되어 담즙으로 배설되므로 용량조절이 필요 없음. first-dose phenomenon으로 투석 중 과잉체액 제거시 저혈압이 올 수 있음. 대사 부작용이 없어 당뇨병, 고지혈증, 전해질 장애가 있는 환자에서 유용하고 전립선 비대증이 함께 있는 환자에서 유용

표 3-4-14 알파차단제 종류

약제	초기 용량	상용량	작용시간, hr
prazocin	1	2–5 bid/tid	6–12
doxazocin	1	2–4 bid	24

⑧ 혈관확장제(nonspecific vasodilator): hydralazine, minoxidil은 강력한 혈관확장제로 minoxidil은 주로 간에서 대사되므로 용량 조절이 필요 없음. 교감 신경계 활성화로 인한 빈맥이 동반되어 베타차단제와 같이 사용하는 것이 좋으며 심하고 조절되지 않는 고혈압 치료에 효과적이고 nitroprusside는 hypertensive crisis 때 쓸 수 있지만 대사산물인 thiocyanate가 신장으로 배설되기 때문에 만성신장병 환자에서는 축적되어 유산증, 중추신경계이상, 경련, 혼수 등의 심각한 부작용이 초래될 수 있어 일반적으로 금기임

표 3-4-15 혈관확장제 종류

약제	초기 용량	상용량	작용시간, hr
hydralazine	10	50–100 bid/tid	10–12
minoxidil	5	10–20 qd/bid	75

표 3-4-16 저항성 고혈압(Resistant Hypertension)의 원인

1. 환자의 순응도(compliance)가 안 좋을 때
2. 이차성 고혈압일 때
3. renal parenchymal hypertension
4. 신장혈관고혈압
5. 광물부신겉질호르몬 과잉 상태
6. 갈색세포종
7. 약물 유발 고혈압(cyclosporine 등)
8. 글루코코르티코이드 과잉 상태
9. 대동맥축착
10. 호르몬 장애
11. 신경학적 증상
12. secondary drug resistance
13. 이뇨제 저항성, 나트륨 섭취 과다
14. 약물 유발 반사빠른맥(reflex tachycardia)
15. RAS 자극 약물에 의한 말초혈관저항

2) 저단백식(low protein diet)

(1) 사구체여과율이 <30 mL/min/1.73 m^{2}인 경우 저단백식이(<0.8 g/kg/day)

(2) 고단백식(>1.3 g/kg/day)는 피해야 함

표 3-4-17 만성신장병 환자의 식이조절

	Protein	Energy	Phosphorus	Sodium
만성신장병				
1~3기(GFR>30 ml/min)	No Restriction	No Restriction	600~800 mg/day	<2 g/day#
4~5기(GFR<30 ml/min)	<0.8 g/kg/day	35 Kcal/kg/day*	600~800 mg/day**	<2 g/day
말기신부전				
혈액투석	>1.2 g/kg/day	35 Kcal/kg/day*	600~800 mg/day**	<2 g/day
복막투석	>1.3 g/kg/day	35 Kcal/kg/day*	600~800 mg/day**	<2 g/day

* 60세 이상에서는 30 Kcal/kg/day
** 인결합제 사용과 같이
\# 고혈압 동반 시

3) 빈혈치료

(1) 만성신장병에서 빈혈의 정의는 남자에서 혈색소(Hb) < 13 g/dL, 여자 < 12 g/dL임

표 3-4-18 만성신장병 환자에서 빈혈의 원인

적혈구 생성인자의 상대적 부족
적혈구 생존 감소
출혈경향
철분부족
부갑상선 항진증/골수섬유화
엽산 또는 비타민 B12부족
혈색소병증
동반질환: 갑상선 항진증/저하증, 임신, HIV연관 질환, 자가면역질환, 면역억제제

(2) 만성신장병 환자에서 빈혈에 대한 기초 검사(그림 3-4-1): complete blood Count (CBC), Iron, TIBC, Ferritin, Transferrin saturation, absolute reticulocyte count, vitamin B12, folic acid

(3) 철분(Iron) 치료 목표치

① Transferrin saturation (TSAT) ≥20%

신장내과

03

② Ferritin ≥200 ng/dL (혈액투석환자) ≥100 ng/dL (혈액투석 이외의 환자)

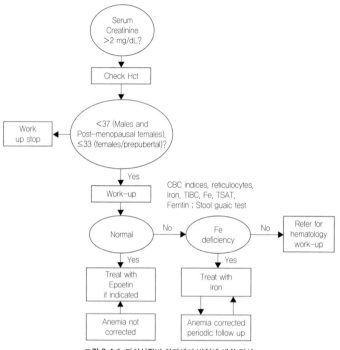

그림 3-4-1 만성신장병 환자에서 빈혈에 대한 검사

표 3-4-19 만성신장병 환자에서 빈혈의 치료 지침

Erythropoietin	
Starting dosage:	50–150 units/kg per week IV or SC
Optimal rate of correction	(once, twice, or three times per week)
	Increase Hb by 1–2 g/dL over 4-week period
Darbepoetin alfa	
Starting dosage	0.45 μg/kg as a single IV or SC once weekly
	0.75 μg/kg as a single IV or SC once every 2 weeks
Optimal rate of correction	Increase Hb by 1–2 g/dL over 4-week period

Iron

1. Monitor iron stores by percent transferrin saturation (TSAT) and ferritin.

2. If patient is iron-deficient (TSAT <20%; serum ferritin <100 μg/L), administer iron, 50–100 mg IV twice per week for 5 weeks; if iron indices are still low, repeat the same course.

3. If iron indices are normal yet Hb is still inadequate, administer IV iron as outlined above; monitor Hb, TSAT, and ferritin.

4. Withhold iron therapy when TSAT >50% and/or ferritin >800 ng/mL (>800 g/L)

(4) 철분공급(Iron supplement)

표 3-4-20 철분 공급 방법(administration of supplement iron)

- oral iron, 200 mg/day (bid/tid)
- to prevent iron deficiency and to maintain adequate iron store in conjuction with Epoetin therapy
- not able to maintain adequate iron status, 500–1,000 mg of iron dextron IV after initial one–time test dose of 25 mg

(5) 조혈자극제, Erythropoiesis stimulating agent (ESA)

① Erythropoietin 또는 Darbepoetin alfa

② ESA 치료의 목표치: 혈색소(Hb) 10.0-11.5 g/dL

③ ESA 치료는 암환자, 뇌졸중이 있었던 환자에서 주의가 필요

④ ESA 치료로 혈색소가 13 g/dL 이상으로 증가되어서는 안됨

⑤ ESA의 효과가 없는 경우

- 철분결핍(iron deficiency)가 가장 흔함
- 감염/염증(e.g. access infections, surgical inflammation, AIDS, SLE)
- 만성 실혈(blood loss)
- 섬유뼈염(osteitis fibrosa)
- 알루미늄 중독
- 혈색소병증
- 엽산 혹은 비타민 B12 결핍
- 다발성골수종
- 영양실조
- 용혈

4) 칼슘과 인산염 대사장애

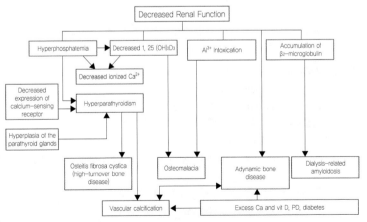

그림 3-4-2 만성신장병 환자에서 칼슘과 인산염 대사장애

표 3-4-21 만성신장병 환자에서 목표 iPTH

CKD stage	목표 iPTH 농도(pg/mL)
3	35~70
4	70~110
5 혹은 투석 환자	150~300

표 3-4-22 투석 환자에 목표 칼슘치

PO₄	3.5~5.5 mg/dL
Calcium	8.4~9.5 mg/dL
iPTH	150~300 pg/mL
Ca intake from supplements	<1,500 mg/day

(1) 사구체여과율 <45 mL/min/1.73 m²인 경우 혈청인은 정상 범위가 되도록 치료

(2) 사구체여과율 <45 mL/min/1.73 m²인 경우 골밀도 검사는 시행하지 않으며 사구체여과율 <30 mL/min/1.73 m²인 경우 biphosphonate 치료는 시행하지 않음

(3) 투석 환자에서 인조절

① 식이요법(인섭취 600-800 mg/일, 유제품, 견과류 주의)

② 칼슘 함유 인결합제(calcium acetate, calcium carbonate) 또는 칼슘 비함유 인결합제(sevalamer, Lanthanum)

(4) 투석 환자에서 부갑상선기능항진증의 치료

① Active vitamin D 또는 vitamin D analogs (calcitriol, paricalcitol)

② Calcimimetics (calcium sensing receptor-Cinacalcet)

③ 부갑상선절제술은 약물 치료에 반응하지 않는 경우 고려 가능

(5) 투석전 환자에서는 vitamin D 부족이 있는 경우에만 vitamin D 보충 또는 vitamin analogs의 치료를 고려 가능

5) 대사성 산증: 만성신장병 환자에서 혈청탄산수소나트륨(bicarbonate) 농도는 22 mEq/L 이상이 되도록 탄산 수소 나트륨 경구 치료

6) 요독성 심낭염(Uremic pericarditis)

(1) 급성신손상 또는 만성신장병 환자의 6-10%에서 발생

① Dialysis-associated pericarditis: 혈액투석 중인 환자 13%에서 발생

(2) 특징: 심전도상 diffuse ST and T wave elevation이 보이지 않음

(3) 치료

① 투석요법: Intensification of dialysis therapy (daily hemodialysis), 헤파린을 사용하지 않는 혈액투석

② 약물: NSAIDs (Indomethacin), 고용량의 코르티코스테로이드

③ 다량의 삼출액(>250 mL) 혹은 심장 눌림증 시 수술적 배액

7) 출혈성 경향(Bleeding diathesis)

(1) 원인: 요독증에 의한 혈소판 기능 이상(Bleeding time 증가)

(2) 치료

① 빈혈치료; 수혈 또는 ESA치료로 hemotocrit > 25-50% 유지 시 bleeding time 감소

② dDAVP (desmopressin): 50% 환자에서 유용, factor VIII과von Willebrand factor multimers의 증가 → dose: 3 μg/kg + NS 50 ml IV 또는 3 μg/kg intranasally (onset은 1시간 이내이고 작용시간은 4-24시간)

③ 적극적 투석(intensification of HD)

④ estrogen: 기전은 정확히 모르나 platelet reactivity를 증가, 용량은 0.6 mg/kg/d for 5 days (onset은 first day, peak은 3-7 days, 작용시간은 > 1 week)

⑤ cryoprecipitate: bleeding time 감소

8) 심혈관계 질환

(1) 모든 만성신장병 환자는 심혈관계의 위험이 증가되어 있다고 간주되어야 함

(2) 동맥경화의 위험성이 있는 만성신장병 환자는 출혈의 위험성이 없다면 항혈소판제제가 고려되어야 함

(3) 심부전과 체액량 평가를 위한 혈청 BNP/NT-BMP 농도는 사구체여과율 < 60 mL/min/1.73 m^{2}인 경우에는 주의를 가지고 해석되어야 함

(4) 급성관상동맥증후군 진단을 위한 혈청 Troponin 농도는 사구체여과율 < 60 mL/min/1.73 m^{2}인 경우에는 주의를 가지고 해석되어야 함

9) 만성신장병 환자에서의 약물 요법 및 용량 조절

(1) 모든 약물 치료 시 각 약물의 특성과 사구체여과율에 따라 용량이 조정되어야 함

(2) 사구체여과율 < 60 mL/min/1.73 m^{2}인 환자가 급성신손상의 위험성이 있는 심각한 질환이 발병 시에 신 손상의 위험성이 있거나 신장으로 배설되는 약제는 일시적으로 중단할 수 있음 (ACE inhibitor, 알도스테론 억제제, 이뇨제, NSAIDs, Metformin, Lithium, Digoxin 등)

(3) Metformin 치료는 사구체여과율 > 45 mL/min/1.73 m^{2}인 경우에는 지속할 수 있으나,

① 사구체여과율 < 30 mL/min/1.73 m^{2}인 경우에는 중단되어야 함

② 사구체여과율 30-45 mL/min/1.73 m^{2}인 경우에는 평가 후 사용되어야 하며 저용량 (< 1,000 mg)의 용량으로 사용되어야 함

제5-1절 혈액투석

Ⅰ. 말기신부전 환자에서 투석 치료의 적응증

1. 보존적인 요법만으로는 관리가 어렵고 투석치료 또는 신장이식의 신대체요법이 필요하게 되는 만성신장병 제4단계(사구체여과율 15–29 ml/min/1.73 m^2) 환자에게 혈액투석과 복막투석에 대한 장단점을 설명하고 투석방법을 결정해야 함

표 3-5-1 말기신부전 환자에서 투석 개시의 절대 적응증

1. 요독 증상
2. 이뇨제 치료로 조절되지 않는 지속적 체액 과잉상태
3. 약물 치료로 조절되지 않는 고칼륨혈증
4. 약물 치료로 조절되지 않는 산혈증
5. 요독증에 의한 출혈성 경향과 임상적 출혈
6. 사구체여과율 <10 ml/min/1.73 m^2

표 3-5-2 혈액투석과 복막투석의 비교

혈액투석(Hemodialysis)	복막투석(Peritoneal dialysis)
장점	**장점**
1. 의료진이 투석을 담당하므로 안전함	1. 혈역학적 변화가 적어 심혈관질환 환자와 혈압조절에 유리
2. 대사 장애 교정이 빠름	2. 잔여 신기능 보존에 유리
3. 요소 등 저분자량의 물질 제거에 효과적임	3. 항응고제 및 혈관 통로 필요없음
	4. 투석액에 insulin 첨가하여 혈당 조절가능
	5. 혈액투석에 비해 식사제한이 적음
	6. 환자 본인 스스로 할 수 있음
	7. 여행, 사회생활에 유리
단점	**단점**
1. 병원과 일상생활이 묶임	1. 하루 3–4회 교환해야 함
2. 투석간 음식, 수분조절이 필수적임	2. 감염 위험성(복막염)
3. 항응고제 사용	3. 수분과 노폐물의 제거가 느림
4. 혈관 통로(vascular access) 수술이 필요	4. 투석을 통한 단백 손실(10 g/day)
	5. 투석액을 통해 당이 체내로 흡수되어 혈당치 증가 및 대사 장애 유발

혈액투석(Hemodialysis)	복막투석(Peritoneal dialysis)
합병증	**합병증**
1. 혈관 통로 문제(~80%)	1. 감염증: 복막투석 실패의 가장 큰 요인(70%)
2. 전신적 항응고제 사용에 따른 출혈위험	2. 복막투석 도관과 연관된 기술적 합병증: 투석액 누출, 도관 폐색, 도관 이동
3. 저혈압, 부정맥	3. 복압 상승에 의한 합병증: 탈장, 치질, 직장 및 방관 탈출, 흉막 누출
4. 투석불균형증후군	
5. β2-microglobulin의 침착	4. 대사장애: 영양불균형, 체중 증가, 지질 증가
금기	**금기**
1. 혈역학적 불안정으로 투석 간 체중 증가를 견디기 힘든 환자	1. 만성폐쇄성 폐질환, 요통, 비만증이 심한 환자
2. 혈관 통로 형성이 어려운 환자	2. 복강 내 유착이 예상되는 환자(과거 복강 수술 등)
3. 출혈성 경향이 심한 환자	3. 순응도 부족(noncompliance)

II. 혈액투석

1. 혈액투석의 원리

1) 한외여과(ultrafiltration)에 의해 수분 제거, 확산(diffusion)과 대류(convection)에 의해 용질 제거

  (1) 한외여과(ultrafiltration)

  ① 투석기(dialyzer)에 있는 반투과막을 기준으로 혈액이 통과하는 부분에 양압을, 반투과막의 반대쪽에 음압을 가해 만들어진 정수압(hydrostatic pressure) 차이를 이용해 수분을 제거함

  ② 보통 혈액투석에서는 건체중에 비해 증가된 체중만큼의 수분을 제거함

  (2) 확산(diffusion)

  ① 투석기에 있는 반투과막을 사이에 두고 한쪽에 혈액이, 반대쪽에 투석액이 교차하면서 용질의 농도 차에 의해 농도가 높은 쪽에서 낮은쪽으로 이동하여 혈액의 용질을 제거함

  ② 분자량이 작은 소분자 물질은 청소율이 높으나 중분자, 대분자 물질은 청소율이 매우 낮음

  (3) 대류(convection)

  ① 혈액투석여과(hemodiafiltration)를 통해 용질이 제거되는 방법

  ② 한외여과로 수분이 투석기의 반투과막을 이동할 때 수분이 이동하는 힘을 빌려 용질이 함께 이동하며 중분자와 대분자 물질 제거에 효율적임

  ③ 한외여과로 제거되는 수분의 양을 늘려야 효율적인 대류가 활발히 일어나게 되기 때문에 혈액이 투석기를 통과하기 전이나, 통과 후에 대치용액(replacement fluid)을 인위적으로 공급함

2. 혈액투석의 구성요소: 투석기, 투석액, 전달장치

1) 투석기

  (1) 속이 빈 섬유(hollow fiber) 종류가 가장 많이 사용됨

  (2) 모세혈관모양의 관내음으로 구성되어 관 안쪽에는 혈액이, 바깥쪽에는 투석액이 흐르게 되어 있고 성인에서는 보통 표면적 1.2-2.0 m²의 투석기가 사용됨

2) 투석액

표 3-5-3 투석액 구성표

조성	농도(mM)	비고
Sodium	135–145	
Potassium	0–4	
Chloride	98–124	
Calcium	1.25–1.75	2.5–3.5 mEq/L
Magnesium	0.25–0.375	0.5–0.75 mEq/L
Acetate	2–4	
Bicarbonate	30–40	
Glucose	0–11	0–200 mg/dl
pH	7.1–7.3 units	

3) 전달장치

(1) 환자의 혈액을 투석기계로 연결하는 혈관통로(vascular access), 혈액이 투석기를 통과하여 다시 환자에게 돌아가게하는 혈액 전달 장치 및 투석액을 전달하는 투석액 전달 장치가 있음

(2) 혈관통로

① 혈액투석을 위한 굵은 주사바늘(주로 15 G)을 삽입하기에 적절한 혈관 통로가 필요

② 자가 동맥과 정맥을 연결한 자가 동정맥루(arteriovenous fistula), 동맥과 정맥사이에 인공혈관을 이식한 동정맥 인공혈관(arteriovenous graft) 및 중심정맥도관(central venous catheter)의 3종류가 이용됨

  i) 혈관통로를 만들기 전 검사: 상지정맥조영술과 도플러초음파 검사를 통하여 적절한 혈관을 선택함

  ii) 혈관통로의 선택

  - 동정맥루: 가장 좋은 혈관 통로, radial-cephalic fistula, brachial-cephalic fistula의 순서로 선호. 수술 후 최소 6주 이후에 사용

  - 동정맥 인공혈관: 동정맥루를 만들기에 혈관상태가 적합하지 않은 경우에 시행, brachial-median antecubital forearm loop graft가 가장 많이 사용됨. 투석치료가 예상되기 3-6주전 시행. 시간이 지날수록 협착과 혈전의 위험성 증가

  - 중심정맥도관: 합병증 유병율이 가장 높음. 혈관 수술을 할 수 없거나 즉시 혈액투석이 필요한 경우에 사용. 우측 내경정맥을 가장 먼저 선택. 대퇴 정맥도관은 감염의 위험이 높아 5일 이상 사용하지 않음

  iii) 혈관통로의 합병증과 중재술

  - 혈관 협착: 투석치료에 충분한 혈류량이 유지되지 않으면 혈관 협착을 의심하여 중재술을 시행함.

  - 도관 감염: 가장 흔한 원인균은 포도알균(staphylococcus)과 사슬알균(streptococcus)으로 경험적 항생제는 vancomycin이 추천됨. 터널식 도관인 경우 항생제 사용 후 48시간 내에 열이 내리고 임상적으로 안정화되면 3주 동안 항생제 정맥 투여를 시도해 볼 수 있

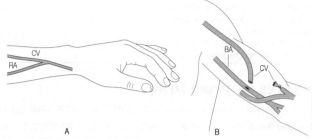

A : Radial-cephalic fistula, B : Brachial-cephalic fistula
CV : Cephalic vein, RA : Radial artery, BA : Brachial artery

그림 3-5-1 동정맥루

으나 혈역학적으로 불안정하거나, 발열이 지속되는 경우, 터널감염이 동반된 경우 및 전
신 감염이 합병된 경우는 반드시 도관을 제거해야 함. 비터널식 도관일 경우는 즉시 제거
함

- 도관 혈전증: 도관 기능 부전이 발생하면 urokinase를 사용하여 혈전용해를 시도해보고
  실패할 경우 도관을 교체

표 3-5-4 도관 폐쇄시 유로키나아제(urokinase) 사용법

NKF-K/DOQI 유로키나아제 주입 프로토콜

1. 막혀있는 도관 내경을 흡입하여 이전에 주입해 놓은 헤파린을 제거하려 시도함
2. 도관 내경을 충분히 채울 정도의 유로키나아제를 서서히 주입함(urokinase 5,000 U/mL).
3. 같은 방법으로 도관 내경의 나머지를 saline으로 채움(예: 도관 내경의 용량이 1.3 mL라면 1 mL urokinase와 0.3 mL
   saline을 주입)
4. 10분씩 두 번 0.3 mL saline을 주입하여 유로키나아제를 도관의 끝으로 밀어넣음
5. 도관을 흡입함
6. 필요시 반복

(3) 혈액 및 투석액 전달 장치

① 혈액 전달장치는 펌프를 이용하여 혈액이 혈관 통로에서부터 투석기를 통과하여 다시 환자에
게 돌아가게 함. 혈류량은 환자의 체격, 상태, 혈관 통로의 상태에 따라 250-500 ml/min로 조절
하며 투석액 유량은 보통 500 ml/min를 기준으로 필요에 따라 800 ml/min까지 조절할 수 있음

3. 투석적절도

1) 혈액투석치료가 적절한지 평가하기 위하여 urea reduction ratio (URR)나 Kt/Vurea를 계산하고, 혈액
투석은 1회 4시간 주 3회 실시하는 것이 표준이며 1회 4시간 투석할 때 투석량인 Kt/Vurea > 1.2,
URR > 65%이면 적절한 투석으로 판정

표 3-5-5 KDOQI 혈액투석적절도 가이드 라인 2015

환자의 well being sense, 체중, 전해질, 산염기 평형
치료: 주 3회 투석 시(spKt/V: single pool)

spKt/Vurea=-ln (Ct/C0-0.008×t)+(4-3.5Ct/C0)× ΔBW/BW,

K: urea clearance, t: time, V: volume of urea distribution,

Ct/C0: post-HD BUN/pre-HD BUN

URR=(pre-HD BUN-post-HD BUN)/pre-HD BUN

target delivered URR >65%, target delivered spKt/V ≥ 1.4

4. 처음 혈액투석을 하는 환자에서의 투석 처방

1) 투석을 시작하는 환자에서 BUN > 120 mg/dL 경우 삼투성 물질의 급격한 제거로 인한 투석 불균형증후군(disequilibrium syndrome)이 초래되어 저혈압, 경련, 의식장애 등이 발생할 수 있으므로 다음과 같이 처방하여 투석 불균형증후군을 예방함

표 3-5-6 처음 혈액투석시 투석처방

1. 투석치료 시간: 첫날 2시간(URR<40% 목표), 둘째 날 3시간, 하루 쉰 후 그 다음날 4시간

2. 혈류속도: 첫날 200 ml/min로 시작

3. 부종이 없는 경우 한외여과는 하지 않음

4. 투여약제: mannitol 20-30 g (투석 초기 30분 이내에 투여), solucortef 100 mg 정맥주사

III. 혈액투석 합병증

1. 혈액투석 중 저혈압

표 3-5-7 혈액투석 중 저혈압의 원인

1. 한외여과에 따른 체액량 감소	3. 심혈관계 이상
2. 혈관 수축능의 감소	① 심이완능의 이상(LVH 또는 IHD)
① acetate 투석액	② 심박수 증가 실패
② 지나친 투석액 온도의 증가	③ 심근 수축력의 감소
③ 투석 중 식사	
④ 조직 허혈	
⑤ 자율 신경염(autonomic neuropathy, 예: 당뇨병신경병증)	
⑥ 고혈압 약제	

표 3-5-8 투석 중 저혈압의 예방

1. ultrafiltration controller가 있는 투석기를 사용할 것

2. 환자의 염분 섭취를 줄일 것(weight gain<1 kg/day)

3. 환자의 건체중(dry weight)을 재평가, 재설정할 것

4. 투석액의 Na+ 농도를 올릴 것(sodium modeling, 투석 시작할 때 Na+ 농도를 145-155 mEq/L로 시작하여 140 mEq/L로 끝남)

5. 투석액 온도를 34-36℃로 낮출 것

6. 고혈압 약물은 투석 후에 투여

7. 빈혈치료(Hb>11 g/dL까지 교정)

8. 투석 중 음식물 섭취 제한

9. 투석 전 adrenergic agonist (midodrine 혹은 amezinium: Risumic) 투여

10. 투석시간 연장을 고려(천천히 한외여과 진행)

2. 혈액투석 환자의 고혈압

1) 혈압 조절 목표: 투석 전 < 140/90 mmHg, 투석 후 < 130/80 mmHg

2) 치료(체액증가가 주된 원인)

(1) 교육 및 영양사 면담　　　　(2) 저염식이(2-3 g/day)

(3) 초여과량 증가　　　　　　　(4) 투석 시간의 증가

(5) 투석 횟수의 증가　　　　　　(6) 소금 섭취 감소를 위한 약제 사용

3. 근육경련

1) 원인: 투석치료 중 근육 경련의 원인은 자세히 밝혀지지 않음

표 3-5-9 투석치료 중 근육 경련의 원인

1. 저혈압
2. 건체중 이하의 체액량 감소
3. 높은 한외여과율(투석 간 체중 증가가 많아 단시간에 많은 한외여과 필요할 때)
4. 나트륨 농도가 낮은 투석액 사용
5. 저마그네슘혈증
6. 저칼슘혈증

2) 치료

(1) 저혈압과 같이 발생한 근육 경련의 경우 0.9% NaCl을 투여할 수 있으나 고장액인 포도당(10% 또는 50%), 만니톨(mannitol) 및 3% NaCl을 투여하는 것이 더 효과적

(2) 혈압이 안정된 환자에서는 nifedipine (10 mg)을 투여하거나 발목을 위로 젖히는 것도 도움이 됨

3) 예방

(1) 한외여과량을 적절히 조절하여 저혈압이 발생하지 않도록 하고 투석액의 나트륨농도를 높이거나 sodium modeling (표 3-5-8 참조)도 도움이 됨

(2) 투석치료전 예방 목적으로 quinine (250-325 mg), carnitine, oxazepam (투석 2시간 전 5-10 mg) 등을 사용할 수 있음

제5-2절 복막투석

Ⅰ. 복막투석의 원리

1. 삼투압의 차이에 의하여 수분이 이동하는 한외여과: 삼투압의 차이는 복막투석액의 삼투성 물질에 의하여 형성되며, 주로 포도당이 이용되고, 그 외 아미노산, icodextrin이 사용됨

→ 1.5%, 2.5% 또는 4.25%의 포도당을 함유한 투석액을 복강 내로 주입하면 복막 모세혈관과 복강 내 투석액의 삼투압 농도 차이에 의해 복막모세혈관에서 복강 내로 수분이 이동

2. 용질 제거의 원리는 확산과 대류

1) 확산은 복막 모세혈관과 복막투석액 사이의 용질의 농도차에 의해 농도가 높은 쪽에서 낮은 쪽으로 이동하여 혈액의 용질이 복막투석액으로 이동되어 제거됨

2) 대류는 한외여과의 과정에서 수분의 이동과 함께 용질이 이동하는 현상으로 복막투석에서 한외여과 량은 1일 1-2리터 정도이므로 복막투석에서 용질의 제거는 대류보다는 주로 확산에 의해 이루어짐

3) 복막 모세혈관과 복막투석액의 삼투압 및 용질의 농도 차이가 없어지면, 즉, 혈장과 투석액 사이에 평 형상태를 이루면 한외여과와 확산은 중지되고 이때부터 수분과 용질들이 복막 또는 임파관을 통해 재흡수됨

II. 복막투석액

1. 표준 투석액

포도당과 젖산을 주성분으로 하는 표준 투석액은 높은 농도의 포도당과 젖산, 낮은 pH 및 포도당 분해 산물로 인하여 생체에 적합하지 않은 요인이 있음. 이로 인하여 생체적합성이 완벽하지 않은 투석액에 장 기적으로 노출되면 복막이 손상받게 됨

2. Icodextrin 투석액

1) Icodextrin

포도당을 연결하여 분자량을 크게 만든 포도당 중합체로 녹말을 가수분해하여 만들었으며 평균 분자 량은 16,800 Da이고 7.5% icodextrin의 삼투압은 혈장과 같은 285 mOsm/kg임

2) 특징

포도당 함유 투석액이 결정질 삼투압에 의하여 한외여과가 일어나는 것에 반하여, icodextrin 투석액 은 교질삼투에 의하여 한외여과를 일으킴

3) 장점

최고 16시간까지 지속적으로 한외여과가 발생하는 점과 복막이 포도당에 노출되지 않는 것이 장점 임. 교질삼투를 일으키고 주로 림프계를 통해 흡수되어 복막의 투과성이 증가된 환자(high transporter)에 효과적임. 지속적외래복막투석에서 포도당 투석액으로 장시간 저류시 한외여과량이 부족하거나 자동복막투석에서 낮에 장시간 투석액을 저류할 때 사용

4) 사용법

Icodextrin이 분해되면 혈중의 아밀라제에 의하여 말토오스, 말토트리오스로 분해되며, 이들의 축적 을 피하기 위해 하루 1회만 사용

III. 복막평형검사(Peritoneal Equilibrium Test)

복막투석 환자에서 복막의 투과기능을 반정량적으로 평가하는 방법

1. 2.5% glucose 2L를 복강 내 주입 후 0, 2, 4시간 후 혈액과 복막투석액을 채취하여 포도당과 크레아티닌의 농도를 측정함(0시간의 경우 복막투석액을 주입한 후 몸을 굴린 다음 소량 배액하여 측정). 이의 비율 계산 결과를 그래프에 그려 판정함(그림 복막평형검사 (PET)평가 그래프)

2. **왼쪽 그래프:** 0시간, 2시간, 4시간째 채취한 투석액의 포도당 농도/처음 투석액의 포도당 농도(2.5% 투석액이므로 2,500 mg/dL)의 비율

3. **오른쪽 그래프:** 0시간, 2시간, 4시간째 채취한 투석액의 크레아티닌 농도/투석시작 시 투석액 크레아티닌 농도의 비율. 투석액은 고농도의 glucose가 포함되어 있으므로 [교정 크레아티닌=측정된 크레아티닌 - 포도당농도×0.000531415]의 공식으로 보정

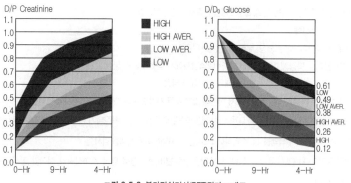

그림 3-5-2 복막평형검사(PET)평가 그래프

4. **결과 판정:** 복막의 용질 이동 속도가 높고 낮음에 따라 high, high average, low average, low transporter로 나눔

표 3-5-10 복막평형검사 결과에 따른 치료 선택

| 용질 이동속도 | 지속적외래복막투석에 대한 반응 | | 투석액 처방 |
	한외여과	용질제거	
High	불량	적절함	단시간 저류 또는 lcodextrin 사용
High average	적절함	적절함	표준 복막투석
Low average	양호함	적절함	표준 복막투석
Low	매우 양호함	부적절함	복막투석 교환횟수를 증가시키거나 혈액투석으로 전환

Ⅳ. 복막투석의 적절도

1. 복막투석의 적절도의 기준에 있어 환자의 임상적인 상태가 가장 중요하나, 객관적인 잣대로서 요소 제거율(KT/Vurea)을 사용함
2. 주당 KT/Vurea 값은 복막과 신장의 요소제거율을 합한 값으로 최소한 1.7 이상이어야 하므로 무뇨의 환자는 복막의 KT/Vurea 값이 1.7 이상이어야 함
3. 지속적외래복막투석 환자에서는 크레아티닌 청소율을 별도의 기준으로 필요하지 않으나 자동복막투석 환자에서는 크레아티닌 청소율이 45 L/week/1.73m²가 넘는 것을 권장함
4. 잔여 신장기능 및 복막투석의 적절도 검사는 4개월 간격으로 시행하는 것을 권장함

Ⅴ. 복막염

1. **복막염의 진단** - 다음 1), 2), 3) 중 2개를 만족하면 진단 가능함
   1) 혼탁한 투석액
   2) 복막염을 나타내는 증상: 복통, 발열, 설사 등
   3) 2시간이상 복강에 머문 초기 투석액 배액검사에서 백혈구 > 100/μL, 호중구 > 50%
   4) 투석액 배액의 그람염색이나 균배양 검사에서 양성
2. 복통이 있는 자동복막투석 환자에서 야간에 짧은 저류 시간으로 배액한 투석액 검사에서 백혈구 수가 100/μL 미만인 경우에도 호중구가 50% 이상이면 복막염으로 생각하고 확진되기 전 항생제치료를 시작하는 것이 좋음. 이 경우 투석액을 1 L 주입하여 1-2시간 후 배액하여 투석액을 검사함
3. 복통은 있으나 배액한 투석액이 혼탁하지 않은 경우 변비, 신장결석, 담석, 소화성궤양, 췌장염, 장천공 등을 감별해야 함
4. 투석액 배액이 혼탁한 경우 복막염과 감별할 질환은 표 3-5-11와 같으며 그람 염색은 복막염이 있는 경우에도 음성 결과가 많으나 이스트 등 진균이 발견될 수 있으므로 반드시 시행함

표 3-5-11 혼탁한 투석액의 감별 진단

• 배양 양성 감염성 복막염	• 복강출혈
• 무균배양 감염성 복막염	• 악성종양(드물)
• 화학적 복막염	• 유미 삼출액(드물)
• 호중구성 삼출액	• 건조한 복강에서 채취한 검체

5. **검체 배양 방법**
   검체 배양 방법은 배양 음성률을 낮추기 위해 다음의 2가지 방법을 함께 시행함
   1) 투석액배액 50 ml을 원심 분리하여 침전물을 배양
   2) 혈액배양 용기 2개에 배액을 5-10 mL 넣어 배양하되 원심분리가 불가능한 경우 혈액배양 용기에 직

접 넣어 배양

3) 야간에 복막염이 발생한 경우 환자가 배액을 병원에 가져올 때까지 냉장고에 보관하여 백혈구가 파괴되는 것을 방지하도록 교육

6. 경험적 항생제 치료

1) 투석액 배액이 혼탁하면 복막염을 의심하여 배액 검사 결과가 나오기 전 조기에 경험적 항생제 치료를 시작해야 하며 섬유소에 의한 도관폐색을 예방하기 위해 헤파린(500 U/L)을 투석액에 주입

2) 배양 결과를 얻기 전 항생제 치료는 그람 양성균에 대하여 vancomycin 또는 cephalosporin (cefazolin 또는 cephalothin), 그람 음성균에 대하여 3세대 cephalosporin (ceftazidime 또는 cefepime) 또는 aminoglycoside를 선택하고 cephalosporin에 과민반응이 있는 환자는 aztreonam을 대신 사용함

3) 정맥 투여보다는 복강내 투여가 효과적이며 간헐적 투여와 지속적 투여의 효과는 동등한데 즉, gentamicin을 복강 내 40 mg/2 L 1일 1회 투여하는 것과 10 mg/2 L 1일 4회 투여하는 것의 효과는 같으며 투석액으로 복강을 세척하는 것은 복통이 심한 환자에서 통증을 경감시키는 효과는 있으나 복막염 치료에는 전혀 도움이 되지 않으므로 복통이 심한 환자와 투석액이 심하게 혼탁한 환자에서만 1-2회 시행

7. 복막염 초기 치료

1) 복막투석 환자가 투석액이 뿌옇게 되어 내원하면, 진단이 나올 때까지 복막염이라고 간주하고 치료해야 함

2) 배양검사를 한 이후 경험적인 항생제 치료를 즉시 시작하며, 그람 양성 세균과 그람 음성 세균 모두에 대한 항생제이어야 함

3) 그람 양성 세균은 vancomycin 또는 1세대 cephalosporin으로, 그람 음성 세균은 3세대 cephalosporin 또는 aminoglycoside로 치료함

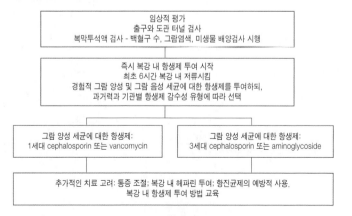

그림 3-5-3 복막염 초기 치료

8. 항생제 용량

1) 복막투석 복막염 치료 시 용법보다 복강 내 항생제 농도를 올리는데 복강 내로 항생제를 주입하는 것이 정주 효과적이어서 선호됨

2) 자동복막투석의 경우 아래 표 3-5-12에 나온 간헐적 용법으로 투여할 수는 있으나 복강 내 항생제 농도가 낮게 유지되는 문제가 생길 수 있어 지속적외래복막투석으로 바꾸기도 함

표 3-5-12 지속적외래복막투석 환자에서 복강내 주입되는 항생제의 권장 용량

	간헐적 용법 (하루 1회 주입)	지속적 용법 (매 투석액 교환 시 주입)
Aminoglycosides		
Amikacin	2 mg/kg	LD 25 mg/L, MD 12 mg/L
Gentamicin	0.6 mg/kg	LD 8 mg/L, MD 4 mg/L
Netilmicin	0.6 mg/kg	MD 10 mg/L
Tobramycin	0.6 mg/kg	LD 3 mg/kg, MD 0.3 mg/kg
Cephalosporins		
Cefazolin	15–20 mg/kg	LD 500 mg/L, MD 125 mg/L
Cefepime	1,000 mg	LD 250–500 mg/L, MD 100–125 mg/L
Cefoperazone	데이터 없음	LD 500 mg/L, MD 62.5–125 mg/L
Cefotaxime	500–1,000 mg	데이터 없음
Ceftazidime	1,000–1,500 mg	LD 500 mg/L, MD 125 mg/L
Ceftriaxone	1,000 mg	데이터 없음
Penicillins		
Amoxicillin	데이터 없음	MD 150 mg/L
Ampicillin	데이터 없음	MD 125 mg/L
Ampicillin/Sulbactam	1 g/2g 12시간마다	LD 75–100 mg/L, MD 100 mg/L
Penicillin G	데이터 없음	LD 50,000 unit/L, MD 25,000 unit/L
Piperacillin/Tazobactam	데이터 없음	LD 4 g/0.5 g, MD 1 g/0.125 g
Others		
Ciprofloxacin	데이터 없음	MD 50 mg/L
Ofloxacin	데이터 없음	LD 200 mg/L, MD 25 mg/L
Aztreonam	2 g 매일	LD 1,000 mg/L, MD 250 mg/L
Clindamycin	데이터 없음	MD 600 mg/bag
Daptomycin	데이터 없음	LD 100 mg/L, MD 20 mg/L
Imipenem/Cilastatin	500 mg 교대로 주입	LD 250 mg/L, MD 50 mg/L
Polymyxin B	데이터 없음	MD 300,000 unit (30 mg)/bag
Quinipristin/Dalfopristin	25 mg/L 교대로 주입	데이터 없음
Meropenem	1 g 매일	데이터 없음
Teicoplanin	15 mg/kg 5일마다	LD 400 mg/bag, MD 20 mg/bag
Vancomycin	15–30 mg/kg 5–7일마다	LD 30 mg/kg, MD 1.5 mg/kg/bag
Antifungals		
Fluconazole	IP 200 mg 24–48시간마다	데이터 없음
Voriconazole	IP 2.5 mg/kg 매일	데이터 없음

IP = intraperitoneal; LD = loading dose; MD = maintenance dose

표 3-5-13 복막염 치료에 대한 전신적 항생제 용량

	용량
항생제	
Ciprofloxacin	경구 250 mg b.i.d.
Colistin	정주 300 mg 로딩 후 150–200 mg 매일
Ertapenem	정주 500 mg 매일
Levofloxacin	경구 250 mg 매일
Linezolid	정주 또는 경우 600 mg b.i.d.
Moxifloxacin	경구 400 mg 매일
Rifampicin	체중 < 50 kg이면 450 mg 매일; > 50 kg이면 600 mg 매일
Trimethoprim/Sulfamethoxazole	경구 160 mg/800 mg b.i.d.
항진균제	
Amphotericin	테스트 용량 정주 1 mg; 시작용량 0.1 mg/kg/day 6시간 동안 정주; 4일에 걸쳐 0.75–1.0 mg/kg/day 목표로 증량
Caspofungin	정주 70 mg 로딩 후 50 mg 매일
Fluconazole	경구 200 mg 로딩 후, 50–100 mg 매일
Flucytosine	경구 1g/day
Posaconazole	정주 400 mg 12시간마다
Voriconazole	경구 200 mg 12시간마다

b.i.d. = 하루 2회;

표 3-5-14 복막염 용어 정의

Recurrent	치료 종결 4주 이내에 다른 원인균에 의한 복막염이 발생한 경우
Relapsing	치료 종결 4주 이내에 동일 원인균에 의하여 복막염이 발생한 경우 또는 무균배양 복막염 4주 이내에 복막염이 발생한 경우
Repeat	치료 종결 4주 이후에 동일 원인균에 의한 복막염이 발생한 경우
Refractory	적절한 항생제 사용에도 복막염이 호전되지 않는 경우
Catheter-related peritonitis	출구감염 또는 터널감염과 함께 동일한 원인균에 의한 복막염이 발생한 경우 또는 한 군데는 무균배양인 출구 감염 또는 터널감염과 동반된 복막염

Relapsing episode는 개별적인 복막염 횟수로 계산되어서는 안됨; Recurrent와 Repeat episode는 개별적인 복막염으로 계산되어야 함

표 3-5-15 복막투석 연관 감염증시 도관 제거의 적응증

- Refractory 복막염
- Relapsing 복막염
- Refractory 출구 감염 및 터널 감염
- 진균 복막염
- 다음의 경우에도 고려할 수 있음
  - Repeat 복막염
  - 마이코박테리아 복막염
  - 다발성 장내균에 의한 복막염

9. Coagulase-negative staphylococcus 복막염

1) S. epidermidis를 포함한 coagulase-negative Staphylococcus에 의한 복막염은 주로 접촉에 의함

2) 복강 내 적절한 항생제 농도를 유지하는 것이 중요하여 간헐적 투여보다 지속적 투여가 더 좋으며, 치료기간은 2주

3) 대부분 항생제 치료가 성공적이나 relapsing 복막염은 도관에 biofilm이 도관을 교체해 주어야 하고, 투석액이 깨끗해졌으면 동시 교체 가능함

10. Streptococcus와 Enterococcus species 복막염

1) 보통 Streptococcus에 의한 복막염은 항생제로 잘 치료되며 치료기간은 2주
2) Enterococcus는 세팔로스포린에 항상 내성이 있으므로 1세대 세팔로스포린에 감수성이 있다고 하여도 Enterococcus에 의한 복막염은 3주간의 복강 내 vancomycin으로 치료해야 함
3) Vancomycin 저항성 Enterococcus (VRE)에 의한 복막염도 배양 감수성 검사에서 합당하면 ampicillin을 복강 내 투여하는 것이 좋으나 감수성이 없으면 linezolid 또는 quinupristin/dalfopristin을 사용함

11. Staphylococcus aureus 복막염

1) Staphylococcus aureus는 심한 복막염을 유발하고 접촉에 의한 감염도 있으나 출구 또는 터널 감염이 동반되어 있을 때는 항생제 치료에 반응하지 않는 경우가 많아 관을 제거해야 함
2) Staphylococcus aureus에 의한 복막염이 재발 또는 반복되는 것을 예방하기 위해 rifampicin을 5-7 일간 사용할 수 있음
3) 치료기간은 3주

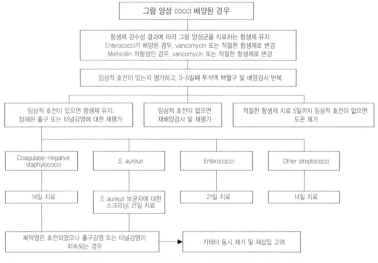

그림 3-5-4 투석액에서 그람 양성 cocci 배양된 경우의 치료 알고리즘

12. Corynebacterium 복막염

Corynebacterium에 의한 복막염의 치료기간은 3주

13. Pseudomonas 복막염

1) Pseudomonas aeruginosa가 가장 흔함

2) 작용기전이 다른 2개의 항생제를 사용해야 하며, 치료기간은 3주

3) Pseudomonas에 의한 복막염은 도관감염과 관련된 경우 도관을 제거해야 함

14. 세균 배양음성 복막염

1) 환자가 배양검사 전에 이미 항생제를 사용했는지 확인해야 되고, 3일 후 세균 배양 음성이면 재검사 하자고 복막염의 드문 원인균에 대한 특별한 방법의 배양을 고려해야 함

2) 임상적으로 대부분 항생제 치료에 반응하며 즉시 호전되면 2주간 항생제 치료를 지속하고 항생제 치료 5일 후에도 호전되지 않으면 도관을 제거해야 함

15. 기타 그람 음성균 복막염

Pseudomonas가 아닌 그람 음성세균에 의한 복막염의 치료기간은 3주

16. 여러 세균에 의한 복막염

여러 장내 세균이 배양되면, 임상적인 호전이 없는 경우 수술적 평가가 필요하며, metronidazole을 복강 내 vancomycin 과 aminoglycoside 또는 ceftazidime과 함께 사용해야 함. 치료기간은 최소 3주

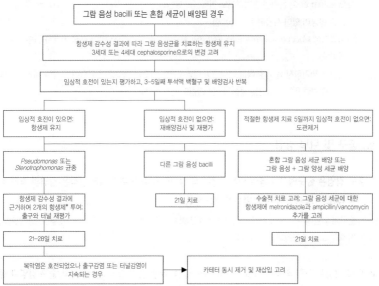

* Stenotrophomonas 균종에 대해서는 Trimethoprim/sulfamethoxazole이 선호됨

그림 3-5-5 투석액에서 그람 음성 bacilli 또는 혼합 세균이 배양된 경우의 치료 알고리즘

17. 진균 복막염

1) 진균에 의한 복막염이 그람 염색이나 배양검사로 확인되면 즉시 도관을 제거해야 함

2) 배양검사와 감수성 결과가 나올 때까지 초기 치료는 amphotericin B와 flucytosine 병합으로 시작하며 진균의 종류 및 감수성 결과에 따라 amphotericin B를 echinocandin (caspofungin 또는 anidulafungin), fluconazole, posaconazole 또는 voriconazole로 대치할 수 있고, amphotericin B를 복강내 투여하면 화학 복막염과 복통을 유발하기 때문에 정맥으로 투여해야 함

18. Mycobacterium 복막염

1) 복막염을 유발하는 Mycobacterium은 결핵균과 M. fortuitum, M. avium, M. abscessus, M. chelonae 등의 비결핵성 Mycobacterium이 있으며 복막염환자 중 세균 배양 결과 음성이고 항생제 치료에 반응하지 않으면 결핵성 복막염을 의심해야 함

2) Tuberculous 복막염의 진단을 위해 투석액 배액의 바른 표본 (smear)의 Ziehl-Neelsen 염색을 하는데 감수성을 높이기 위해 배액 50-100 mL을 원심 분리하고 고체 배지(Lowenstein-Jensen agar)와 액체 배지(Septi-Chek, BACTEC 등)를 모두 사용하는 것이 권장됨

3) 결핵성 복막염의 치료는 isoniazid, rifampicin, pyrazinamide, ofloxacin 4제로 시작하고 pyrazinamide와 ofloxacin은 2개월 복용 후 중단하고 isoniazid와 rifampicin은 12-18개월 복용함

   (1) Pyridoxine (50-100 mg/day)은 isoniazid에 의한 신경 독성을 예방하기 위해 투여함

   (2) Streptomycin은 용량을 감량하여도 이독성을 유발하여 사용을 하지 않으며, Ethambutol은 시신경염 위험성이 있어 사용에 유의해야 함

   (3) 비결핵성 Mycobacterium에 의한 복막염의 치료 방법은 확립되지 않았고 배양 검사 감수성 결과에 따름

   (4) 도관을 제거하지 않고 결핵성 복막염이 성공적으로 치료된 보고들이 있으나 도관을 제거하고 항결핵제 치료 6주 후 도관을 재삽입하는 방법이 흔히 사용됨

VI. 출구 및 터널 감염

1. 출구 감염은 출구에서 고름이 나오는 것으로 정의하며 출구 부위 피부 발적은 감염의 초기 소견일 수도 있고 단순히 피부 반응일 수도 있음

   1) 출구의 외형에서는 이상 소견이 없으면서 세균배양 양성인 경우 감염보다는 colony 형성으로 생각되어 출구 소독을 강화해야 함

2. 터널 감염은 피하 조직의 터널 부위를 따라 발적, 부종 및 압통으로 나타나고 출구 감염과 동반된 경우가 대부분이며 Staphylococcus aureus와 Pseudomonas aeruginosa에 의한 출구 및 터널 감염은 복막염을 흔히 유발하기 때문에 적극적으로 치료해야 함

3. 치료

1) Methicillin-resistant S. aureus (MRSA) 이외에는 경구용 항생제가 추천되며 경구용 항생제와 복강 내 항생제 투여의 효과는 같고, 출구 감염의 치료를 시작할 때 경험적 항생제는 S. aureus에 대한 항생제를 선택하며 과거에 Pseudomonas aeruginosa에 의한 출구 감염이 있었던 환자는 이 균에 대한 항생제를 선택함

2) 그람 양성균에 의한 출구 감염은 경구용 광범위 penicillin 또는 1세대 cephalosporin을 사용하고 S.aureus에 의한 출구 감염이 빨리 호전 되지 않으면 rifampicin 1일 600 mg을 추가함

3) Pseudomonas aeruginosa에 의한 출구 감염은 2개의 항생제를 사용함 첫째로 경구용 fluoroquinolone을 선택하고 다음으로 aminoglycoside, ceftazidime, cefepime, piperacillin, imipenem-cilastatin, meropenem 등을 사용함

4) 출구 감염에 대한 항생제 치료는 출구 외형이 정상으로 보일 때까지 지속하며 최소 2주간 치료하고 Pseudomonas aeruginosa에 의한 출구 감염은 3주간 치료하되 3주간 적절한 항생제로 치료해도 완전히 호전되지 않으면 도관을 교체해야 함

5) 복막염이 없는 상태에서는 도관제거와 재삽입을 동시에 할 수 있고, 출구 감염이 진행되어 복막염이 발생한 경우 즉시 도관을 제거해야 하지만 coagulase-negative Staphylococcus에 의한 감염은 항생제 치료에 반응하는 경우가 많기 때문에 치료 경과를 관찰 후 도관제거를 결정함

표 3-5-16 출구감염 또는 터널감염에 사용하는 경구용 항생제

Amoxicillin	250–500 mg b.i.d.
Cephalexin	500 mg b.i.d. to t.i.d.
Ciprofloxacin	250 mg b.i.d.
Clarithromycin	500 mg 로딩하고, 이후 250 mg b.i.d. or q.d.
Dicloxacillin	500 mg q.i.d.
Erythromycin	500 mg q.i.d.
Flucloxacillin(or cloxacillin)	500 mg q.i.d.
Fluconazole	200 mg q.d. 2일간 투여한 뒤, 이후 100 mg q.d.
Flucytosine	0.5–1 g/day 반응과 혈중 농도(25–50 μg/mL)에 따라 조절
Isoniazid	200–300 mg q.d
Linezolid	400–600 mg b.i.d.
Metronidazole	400 mg t.i.d.
Moxifloxacin	400 mg q.d.
Ofloxacin	첫날 400 mg, 이후 200 mg q.d.
Pyrazinamide	25–35 mg/kg 주 3회
Rifampicin	체중<50 kg인 경우 450 mg q.d.; >50 kg인 경우 600 mg q.d.
Trimethoprim/ sulfamethoxazole	80/400 mg q.d.

b.i.d = 하루 2회; q.d = 하루 1회; t.i.d = 하루 3회; q.i.d= 하루 4회

신장내과

03

제5-3절 신장이식

Ⅰ. 신이식 공여자 및 수혜자의 선택 기준

1. 신공여자는 생체 공여자(living donor)와 사체 공여자(deceased donor)로 나눌 수 있으며 다음의 사항은 생체 공여자로서 금기사항이며, 사체 공여자는 확장 기준(expanded criteria) 해당 여부에 따라 구분

2. 최근 미국 UNOS에서는 보다 세밀한 사체 공여자의 평가를 위하여 KDPI/KDRI 점수 체계를 개발하여 사용하고 있음.

표 3-5-17 생체 신장공여자의 금기사항

1. 나이>65세(일반적으로 금기이나 최근 그 기준이 완화되고 있음)
2. 내과적 질환(고혈압, 비만을 포함한 전신질환)
3. 신장질환(신석증, 혈뇨, 단백뇨): 혈뇨가 있는 경우 신조직검사 필요
4. 현증감염
5. AIDS양성
6. 요로이상
7. 당뇨병, 특히 양부모가 당뇨병인 경우
8. 가족력-다낭성 신종-공여자의 나이에 따라 가능 유무결정

표 3-5-18 확장 사체 신장공여자의 기준(Expanded criteria for deceased donor)

KONOS 기준

1. Non-heart neating donor
2. 저혈압 발생이 3회 이상
3. 공여자 연령이 60세 이상
4. 혈청크레아티닌이 3.0 mg/dL 이상 또는 CrCl 60 ml/min 이하
5. 2회 이상의 소변검사에서 단백뇨(++) 이상인 경우

표 3-5-19 신이식수혜자의 금기사항

1. 치료불가능한 정신이상자
2. 마약 등의 약물중독자
3. 예상 생명기간이 1년 미만인 환자
4. 나이가 60세 이상인 경우(상대적 평가)
5. 감염, 활동성폐결핵, 폐렴, 패혈증, 에이즈양성
6. 악성종양(치료가 안 된 경우)
7. 소화성 궤양(치료가 안 된 경우)
8. 심혈관계 질환: 관상동맥질환(치료가 안 된 경우), 뇌혈관 질환(발병 후 18개월 미만인 경우)
9. 요로계통이상: 방광요관역류(치료 후 가능)

II. 생체신이식 공여자 및 수혜자의 신이식 전 검사

1. 생체신이식 전 공여자의 검사

표 3-5-20 생체 신이식전 공여자의 검사

1. ABO and Rh
2. CBC
3. U/A
4. BT, PT, aPTT
5. Full BC 및 24시간 요화학검사
6. Viral marker: HBV (HBsAg, anti-HBsAb, HBeAg, anti-HBeAb, anti-HBc Ab) 및 HCV (anti-HCV), CMV, EBV, HIV
7. Chest PA & EKG
8. 복부초음파: 양측 신장크기측정
9. 혈청학적 검사(HbA1C, FANA, C3/C4, VDRL)
10. HLA typing
11. IVP
12. DTPA scan: 양측신장의 사구체여과율 측정
13. Renal angiography (또는 MR angiography)

2. 신이식 전 수여자의 검사

표 3-5-21 신이식전 수여자의 검사

1. ABO and Rh
2. CBC
3. Full BC
4. U/A, 24시간 요화학검사
5. BT, PT, aPTT
6. Viral marker: HBsAg, anti-HBsAb, HBeAg, anti-HBeAb, anti-HBc, anti-HCV, anti-HIV
7. Serologic marker: iPTH, C3/C4, CRP, FANA, VDRL, CMV, EBV
8. 잠혈반응검사
9. Chest PA
10. 심전도
11. 복부 초음파
12. 면역학적검사(HLA typing, cross matching, panel reactive antibody (PRA))
13. 복부 CT (필요시)
14. 위내시경, 대장내시경(필요시)
15. 방광경
16. 골밀도검사
17. 심장초음파, 24시간 혈압측정(필요시)
18. 폐기능검사
19. 치과, 이비인후과, 산부인과 협진의뢰

3. 신이식 전 병력 청취: 신이식 전 병력에 대하여 자세히 문진하여야 함

표 3-5-22 신이식전 문진

1. 혈액형과 체중
2. 원인 신장질환-조직검사유무를 확인하여 정확한 조직학적 진단필요
3. 여성: 임신유무 및 횟수

4. 과거 수술여부
5. 과거 질병유무—결핵, 간염, 종양 등
5. 당뇨병의 가족력
6. 신장질환의 가족력—다낭신
7. 수혈유무 및 최근 수혈시기
8. 투석유무, 투석방법 및 투석기간과 과거 이식 시행 여부

Ⅲ. 면역검사의 종류와 이해

1. 신이식 전 면역학적 검사를 통하여 항HLA 항체(Anti-HLA antibody)의 존재여부, 즉 감작 정도를 판단하며, 필요 할 경우 탈감작 치료(Desensitization) 시행 후 이식을 진행해야 함

표 3-5-23 감작의 위험이 높은 환자군

1. 재이식(특히 첫 번째 이식시 거부반응으로 6개월 이내에 이식신의 기능을 소실한 경우)
2. 다산 및 유산의 경험
3. 다수의 수혈받은 기왕력

표 3-5-24 신이식전 면역검사

1. ABO and Rh
2. HLA typing
3. Panel reactive antibody (PRA)
4. Cross matching (Flowcytometry, CDC)
5. Anti-HLA antibody (Luminex Single Antigen Assay)
6. Complement binding assay (C1q, C3d assay)

1) ABO and Rh

(1) 신이식 시 혈액형은 수혈과 동일하고 AB형은 universal recipient이며 O형은 universal donor이며 과거에는 혈액형 불일치는 이식의 금기였으나, 최근에는 탈감작 요법의 적용으로 혈액형 불일치 이식이 가능해졌고, 외국뿐 아니라 국내에서도 점차 증가 추세를 보이고 있음

(2) Rh 항원의 경우 신장 조직에 표현되어 있지 않아 일치하지 않아도 이식이 가능

2) HLA typing

HLA의 기능은 자신과 남을 구별하는 것이며 HLA legion은 group으로 유전하며 각 개인은 각각 haplotype의 HLA를 부모로부터 한 개씩 받음

(1) 임상적 의의: HLA matching정도는 급성 거부 반응 빈도 및 이식신의 생존율과 관련이 있음

(2) HLA typing의 판독: 공여자의 HLA항원이 거부반응의 원인이 되므로 HLA 불일치는 공여자 항원의 숫자로 결정. 과거에는 HLA-A, B, DR에 대해서만 불일치의 중요성이 인정되었으나, 최근 들어 HLA-A,B,C,DR,DQ 5가지 항원에 대하여 HLA typing할 것이 권고되고 있음

〈HLA 부적합 판정례〉

① Donor: A1, A29; B5, B7; DR1, DR4

Recipient: A1, A29; B7, B27; DR1, DR3

해석: HLA 불일치A(0) B(1) DR(1)

② Donor: A2, A3; B8, B14; DR3, -

Recipient: A2, -; B27, B13; DR3, DR4

해석: HLA 불일치: A(1) B(2) DR(0)

3) Cross matching (교차반응 검사)

- 교차반응검사는 신이식후 초급성거부반응을 예측하는 중요한 인자
- Preformed anti-HLA antibody를 측정하여 이식 후 발생할 수 있는 초급성거부반응을 예측하는데 중요한 지표로 이용하며 대개 다음의 3가지 방법을 이용하여 검사(서울 성모 병원의 예)

(1) CDC (complement-dependent cytotoxicity)

공여자임파구에 발현되어 있는 HLA항원에 대한 항체가 수여자 혈청 내에 존재한다면(anti-HLA antibody) 항원-항체반응이 일어나며 이때 보체를 넣어주면 임파구가 죽게 되는데 이를 확인하는 검사가 교차 반응 검사

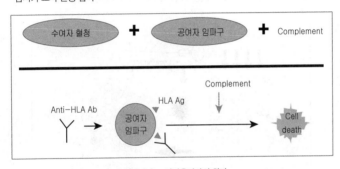

그림 3-5-6 교차반응검사의 원리

(2) AHG-CDC (anti-human globulin complement-dependent cytotoxicity)

AHG-CDC 교차반응은 CDC 교차반응과 원리는 같으나 anti-human globulin을 이용하여 보체반 응의 민감도를 높인 검사 방법

(3) Flow cytometry

① flow cytometry는 complement를 이용하지 않고 형광항체를 이용하여 수혜자의 항체를 검출하는 방법

② 교차 반응 검사시기: 신이식전 2차례 시행하며, 이식 준비과정에서 한차례, 이식 2-3일 직전 한 차례 더 시행함

③ 교차 반응 검사 결과 T 임파구에 대하여 양성반응이 나오면(CDC 또는 flow cytometry) 신이식 고위험군에 해당되며 최근 이를 극복하는 방법이 제시되고 있음(감작된 환자의 신장 이식 참조)

표 3-5-25 교차반응검사의 해석

	CDC		Flow cytometry		해석
위험도	T임파구	B임파구	T임파구	B임파구	
+++	Positive	Positive	Positive	Positive	Abundunt anti-class I Ab
++~+++	Negative	Positive	Positive	Positive	Anti-class I Ab
+~++	Negative	Negative	Positive	Positive	Low titer anti-class I
0~+	Negative	Positive	Negative	Positive	Anti-class II and/or
					very low titer anti class I
					and/or IgG autoAb

4) Panel reactive antibody (PRA)

- Anti-HLA antibody 유무를 screening하는 방법으로 신이식전 감작도를 평가하는데 주요한 지표로 이용되며 아래 그림에서처럼 각각의 well에 HLA antigen이 담겨 있어 anti-HLA antibody가 있는 수혜자의 혈청을 첨가하면 해당 well에서 항원-항체 반응이 발생
- PRA의 해석: 10% 이하: non-sensitized, 11-50%: sensitized, 〉50%: highly sensitized

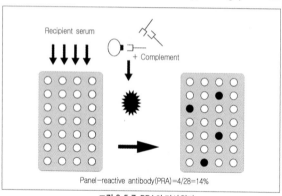

그림 3-5-7 PRA의 검사원리

5) 공여자 특이항체(Donor-specific anti-HLA antibody or HLA-DSA)의 검출

- PRA screen은 각각의 well에 여러 HLA antigen이 존재하여 감작 정도는 파악할 수 있으나 수혜자의 anti-HLA antibody의 종류를 정확히 확인하기는 어려우므로 최근 들어 각각의 Luminex bead에 하나의 HLA antigen만 부착되어 있어, anti-HLA antibody 종을 정확히 알 수 있는 Luminex Single Antigen Assay가 도입되어 사용됨 → 본 방법은 anti-HLA antibody를 동정 후 공여자의 HLA typing 결과와 조합하여 공여자 특이항체(HLA-DSA) 인지 여부를 판정하며 교차 반응 음성이더라도 공여자 특이항체가 검출되면 이식 후 거부 반응의 위험도가 증가

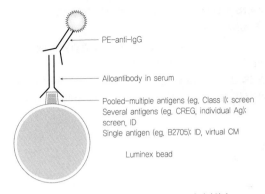

그림 3-5-8 Luminex single antigen assay의 검사원리

6) 위의 검사결과를 바탕으로 면역학적 위험도를 판단하며, 교차반응 음성이더라도 강한 공여자 특이항체가 존재하면 이식 전 면역학적 검사 진행은 다음과 같음

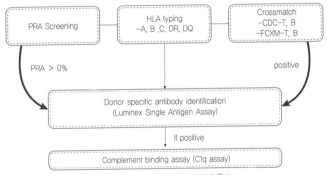

그림 3-5-9 면역학적 검사의 흐름도

7) **Complement binding assay (보체 활성화 검사)**

공여자 특이 항체 중 보체(complement)와 결합함으로서 면역반응을 활성화시킬 수 있는 항체를 선별할 수 있는 검사. 측정 대상에 따라 C1q assay (C1q ScreenTM (One Lambda, CA, USA))와 C3d assay (Lifecodes C3d detection (Immucor Transplant Diagnostics, Inc., Stanford, CT, USA)) 두 가지 방법이 사용되고 있음

2. 신이식 수술전 내과적 준비(pre-operative evaluation)

이식에 필요한 검사 이외에 다음의 검사가 행하여져야 함

1) 교차반응 검사를 이식 직전에 시행

2) 혈액투석은 수술 전 24시간 이전에 시행하는데 지나친 초여과를 피하고 체중은 건체중보다 약간 높게 정하는데 요독의 제거라는 개념으로 투석을 시행

3) 수술 전 serum Na, K, Cl, BUN, Cr, blood sugar, BT, PT, aPTT를 시행

4) Hematocrit은 30% 이상으로 유지

5) 생체신이식의 경우 수여자의 면역 억제제는 이식 수술 48시간 전부터 시행

6) 모든 항고혈압제는 수술 전 6-12시간 전에 중단

7) 수술전에 환자의 신이식전 order를 확인

8) 당뇨병 환자의 경우 이식 수술 아침에 평소 인슐린 투여양의 절반만 피하 주사

Ⅳ. 면역억제

1. 면역억제제 종류

표 3-5-26 신장이식에 사용하는 면역억제제의 종류

1. 스테로이드(steroid: 프레드니솔론, 칼코트, 프란딘)
2. 아자치오프린(azathioprin: Imuran)
3. 사이클로스포린(cyclosporine A: 뉴오랄, 사이폴엔)
4. FK506 / 타크로리무스(tacrolimus: Prograf, Tacrobell)
5. 마이코페놀레이트(mycophenolate mofetil: CellCept, Myfortic
6. 미조리빈(mizoribine: Bredinin)
7. 항임파구 항체(OKT3, ALG, ATG, Simulect, Zenapax)
8. mTOR inhibitor (sirolimus, everolimus)
9. CTLA4Ig (Belatacept)

사이폴-엔	DCSJ100	100 mg
	DCSJ25	25 mg
	DCSJ250J	250 mg (IV)
네오랄	DCS10	100 mg
	DCS25	25 mg
	DCS250J	250 mg (IV)
프로그랍	DTCLM	1 mg
	DTCLM0.5	0.5 mg
	DTCLM5J	5 mg (IV)
타크로벨	DJTCLM1	1 mg
	DJTCLM0.5	0.5 mg
	DTCLMJ5J	5 mg (IV)
솔론도	H-LON	5 mg
칼코트, 프란딘	H-DFZ	6 mg
마이렙트	DMMF250	250 mg
브레디닌	DMIZ50	50 mg
	DMIZ25	25 mg
이뮤란	DJAZP50	50 mg
라파뮨(Sirolimus)	DSIRM1	1 mg
서티칸(Everolimus)*		

* 간이식, 심장이식에서만 보험적용 가능.

표 3-5-27 신이식 후 유지면역억제제의 부작용

면역억제제	작용기전	부작용
Glucocorticoids	IL-1, -2, -3, -6, TNF-alpha, IFN-gamma 의 합성억제	Hypertension, glucose intolerance, dyslipidemia, osteoporosis
Cyclosporine(CsA)	IL-2 생산억제, cyclophilin과 결합, calcineurin inhibitor	Nephrotoxicity, hypertension, dyslipidemia, glucose intolerance, hirsutism/hyperplasia of gums
Tacrolimus (FK 506)	IL-2 생산억제, FKBP-12와 결합, calcineurin 억제	Similar to CsA, but hirsutism/hyperplasia of gums unusual, and diabetes more likely
Azathioprine	purine 합성억제	Marrow suppression (WBC>RBC>platelets)
Mycophenolate mofetil(MMF)	purine 합성억제	Diarrhea/cramps; dose related liver and marrow suppression is uncommon
mTOR inhibitor	임파구증식 억제	Delayed wound healing, hyperlipidemia, proteinuria, synergistic nephrotoxicity with CNI

2. 면역억제 요법의 실제

1) Cyclosporine (CsA)

(1) 혈중 농도를 수술 후 1-2주에는 300-400 ng/ml, 3-4주에는 200-400 ng/ml을 유지시키며 치료 범위를 벗어날 때는 현재 용량에서 25-50 mg씩 증량 하거나 감량

(2) Cyclosporine은 경구복용이 가능하면 IV로 투여하진 않음. 만약 IV로 투여할 경우는 하루 총용량의 1/3을 24시간 동안 지속적으로 주입

2) Tacrolimus (Prograf, Tacrobell): 혈중 tacrolimus 혈중농도 목표치: 이식초기(3개월까지)는 8-12 ng/ml을 유지하고, 이후에는 4-8 ng/ml을 유지

3) Mycophenolate Mofetil (Myrept, Myfortic): 신기능과 상관없이 750 mg bid PO로 시작하며 백혈구 수치가 3,000/mm³ 이하이거나 위장 장애가 있는 경우 약제를 감량 또는 중단해야 함

표 3-5-28 면역억제요법(서울 성모병원 장기 이식센터 프로토콜)

3제 요법: CsA+steroid+MMF(Imuran), FK506+steroid+MMF(or Imuran)

4제 요법: IL-2 receptor antibody(Simulect)+3제요법

	CsA	FK506	Steroid	MMF
수술 이틀전	7 mg/kg PO	0.16 mg/kg #2	H-SMV 125 mg IV	
수술 하루전	10 mg/kg PO	0.16 mg/kg #2	125 mg IV q 12 hrs	
수술 당일	12 mg/kg #2 PO	0.16 mg/kg #2	250 mg IV q 6 hrs	1.5 g #2
술후 1병일	12 mg/kg #2	0.16 mg/kg #2	100 mg IV q 8 hrs	1.5 g #2
2병일	12 mg/kg #2	0.16 mg/kg #2	80 mg IV q 8 hrs	1.5 g #2
3병일	12 mg/kg #2	0.16 mg/kg #2	60 mg IV q 8 hrs	1.5 g #2
4병일	12 mg/kg #2	0.16 mg/kg #2	H-LON 30 mg #2	1.5 g #2

3. 거부 반응의 치료

1) 스테로이드 충격 요법: 모든 이식 거부 반응 치료, 특히 첫 거부 반응시에는 다음과 같이 스테로이드 충격요법을 시행

(1) Methylprednisolone (Solu-Medrol) 250 mg IV q12h (×6)

(2) Prednisolone 1 mg/kg #2 for 5일간 이후 유지용량이 0.5 mg/kg/day 될 때까지 3-5일 간격으로 10 mg씩 감량

2) Anti–thymocyte globulin (ATG) 치료

(1) 적응증과 준비

① 적응증

- 스테로이드 충격 요법에도 불구하고 진행되는 거부 반응
- 반복성 거부 반응

② 치료 전 준비

- 중심정맥관 삽입
- 환자에게 ATG 사용 후 올 수 있는 과민반응 증상(발열, 오한, 근육통, 호흡곤란, 천명, 흉통)을 미리 설명
- 헤파필터가 있는 격리방으로 이실
- 아나필락시스 반응에 대비해 에피네프린, 기도삽관 등의 응급처치기구가 구비되어 있는지 확인
- 혈액 검사 소견에서 이상 유무(특히, 백혈구 감소)를 확인하고 Chest PA를 촬영하여 감염 유무를 확인
- Tacrolimus와 mycophenolate는 ATG 투여 당일부터 절반 용량으로 감량하고 ATG 투여 전 스테로이드 충격요법을 시행한 경우라면 prednisolone을 0.5 mg/kg/day로 감량

(2) ATG administration

① Premedication: acetaminophen (AAPER) 650 mg, pheniramine 4 mg iv, hydrocortisone (HSCV) (Solucortef) 100 mg iv

② ATG 1-1.5 mg/Kg iv + 5% D/W 500 ml(mix) for 6hrs

③ Bactrim 2T #2 p.o

④ Fluconazole syrup 50mg #1 p.o

⑤ Acetaminophen 650 mg p.o, if fever > 38℃

⑥ Demerol 50 mg IM if shivering, chilling, etc.

(3) ATG 용량 및 치료기간

첫날 투여 후 특별한 문제가 없다면 5-10일간 유지하고, 매 투여 방법은 위와 동일하며 다만, ATG 투여시간을 4시간 정도로 단축할 수 있음

(4) ATG 주사 후 처치

① 활력징후 체크: 15분마다(×4), 30분마다(×2), 4시간마다(×2)

② Daily CBC를 시행하며 이상 소견이 관찰될 경우 다음과 같이 투여 용량을 감량

표 3-5-29 투여 기간 중 ATG 용량변경

WBC 2,000~30,00/mm³ or PLT <50 K ~75 K/mm³	1/2 dose reduction
WBC <2,000/mm³ or PLT <50 K/mm³	hold ATG

(5) Ganciclovir는 ATG 치료 전체기간 동안 사용

　〈Ganciclovir 추천 용량〉

　① Calculated creatinine clearance

　　50 to 80 mL/min: 5 mg/kg every 24 hours

　　24 to 50 mL/min: 2.5 mg/kg every 24 hours

　　<25 mL/min : 1.25 mg/kg every 24 hours

　② 혈액투석환자: 1.25 mg/kg 매 투석 후 혈중 Ganciclovir 혈중농도는 혈액투석 4시간 뒤 50%감소하므로 매 투석한 뒤 재주입 해야함

(6) 마지막 주사 후 Cyclosporine, Tacrolimus, Mycophenolate를 거부반응이전 또는 조절한 용량으로 증량

(7) 부작용(싸이토카인 유리 증후군): 발열, 오한, 호흡곤란(폐부종), 천명, 오심, 구토, 흉통, 설사, 진전, 신기능감소, 경련

V. 특수한 경우의 신장이식

1. 감작된 환자의 신장이식

1) Plasmapheresis (×7 times, EOD)

　(1) 이식 전날 끝나게끔 일정을 정함

　(2) 교차반응음성, 공여자 특이항체 MFI가 5,000 미만으로 감소할 때까지 시행

2) IVIG 0.1 g/kg, one hour after plasmapheresis

3) Rituximab: 신이식전 2-3주 전, 혈장 반출술 시작 전에 투여

4) Cross matching and HLA-DSA just before renal transplantation: Plasmapheresis시작 전과 5차례 plasmapheresis를 마치고 다시 확인(이식 전 주 금요일)

5) Immunosuppressants: 신이식전 일주일 전부터 투여

6) Tacrolimus: 0.10 mg/kg/day (12시간 간격)

7) Methylprednisolone 125 mg/day

8) MMF 1.5 g/day (12시간 간격)

9) 추가 medication: 이식하기 일주일 전부터-이식 후 6개월

　(1) Fluconazole syrup 50 mg #1

　(2) S-BTR 400/80 2T #2

　(3) Valtrex: 이식 전 1,500 mg/day, 이식 후 Ccr 따라 용량 조절

10) Simulect-신이식 2시간 전과 POD#4에 투여

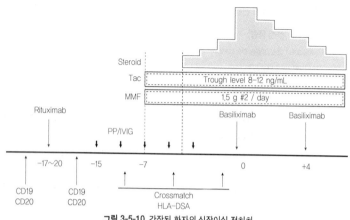

그림 3-5-10 감작된 환자의 신장이식 전처치

2. 혈액형 불일치 신장이식

1) Plasmapheresis (EOD)

(1) 이식 전 Plasmapheresis 횟수는 기전 항체역가에 따라 결정됨

(2) 이식 후 항체역가가 1:32 이상으로 반등시에만 선택적으로 시행

2) IVIG 0.1 g/kg, one hour after plasmapheresis

3) Rituximab—신이식전 1개월전에 투여

4) Plasmapheresis는 5% albumin 2회, FFP 1회의 비율로 시행하며, 수술 전날의 plasmapheresis는FFP 를 사용하게끔 스케줄 조정

5) FFP는 공여자의 혈액형에 맞춰서 결정하며, (B→A의 경우 B형 FFP, A→B의 경우 A형 FFP를 사용, 수 혜자가 O형의 경우, AB형 FFP를 사용. 혈색소수혈이 필요한 경우는 Washed RBC O형을 사용

6) 매 plasmapheresis 시행 후 isoagglutinin titer를 확인하여 1:8 미만이 될 경우 이식 시행

(1) A형→B 형, O형: anti-A IgG

(2) B형→A 형, O형: anti-B IgG

(3) AB형→O형: anti-A IgG, anti-B IgG

7) Immunosuppressants: -신이식전 7일 전부터 투여

8) Tacrolimus: 0.1 mg/kg/day (12시간 간격)

9) Prednisolone 30 mg/day

10) MMF 1.5 g/day (12시간 간격)

11) 추가 medication-이식하기 7일 전부터

(1) Fluconazole syrup 50 mg #1

(2) S-BTR 2T #2

(3) Ranitidine 2T #2

12) Simulect: 신이식 2시간 전과 POD#4에 투여

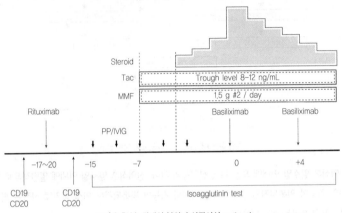

그림 3-5-11 혈액형 불일치 신장이식 protocol

VI. 신이식후 시기별 환자 관리

1. 신이식 직후 발생하는 핍뇨 또는 무뇨에 대한 접근신 이식 직후 요량은 여러 요인에 의해 무뇨, 핍뇨, 다뇨의 3가지 임상양상을 보이는데, 일반적으로 생체 신이식을 한 경우 신이식 수술 후 핍뇨 또는 무뇨인 경우는 드물고 사체신이식을 한 경우 신이식 수술 후 핍뇨 또는 무뇨를 경험하게 됨

1) 신이식직후 무뇨 또는 핍뇨의 원인을 진단 또는 치료방법을 설정하기 전에 가장 먼저 행하여 할일은 수액공급정도의 평가와 요로도관의 폐색유무를 확인하는 일이므로 요로도관을 먼저 세척하여 혈액응고로 인하여 요로도관이 폐색됨으로써 요량이 감소되었는지 확인해야 함

2) 요로도관에 문제가 없고 환자가 체액이 과다(hypervolemia)하다고 판단되면(흉부x-선 소견상 폐부종, 중심정맥압의 상승 등) furosemide를 정맥주사하며 이와 반대로 체액이 부족하면(hypovolemia)등장성 생리 식염수(isotonic saline)를 250-500 mL bolus로 주사하며 이와 같은 방법으로 요량이 회복되면 volume-to-volume으로 수액을 공급

3) 만약 위와 같은 방법으로 요량의 증가가 없는 경우 다음과 같은 방법을 이용하여 단계적인 진단 및 치료를 시행

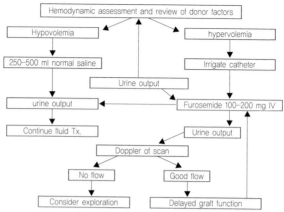

Algorithmic approach to post-transplant oliguria

그림 3-5-12 신장이식 후 핍뇨에 대한 접근

2. 신이식후 일주일 이내에 오는 이식 신기능의 저하: 신이식후 일주일 이내에 일반적으로 이식신의 기능이 회복되지만 일부에서는 서서히 기능이 회복되거나 이식 초기에 시작된 핍뇨나 무뇨가 계속되는 수가 있음(delayed graft function)

표 3-5-30 이식 신장기능의 지연에 대한 감별진단(differential diagnosis of delayed graft function)

① Acute tubular necrosis	② Intravascular volume depletion
③ Arterial occlusion	④ Venous thrombosis
⑤ Ureteric obstruction	⑥ Catheter obstruction
⑦ Urine leak	⑧ Hyperacute rejection
⑨ Nephrotoxicity	⑩ Thrombotic microangiopathy(TMA)

1) Delayed graft function의 원인을 규명하는 것은 임상적으로 쉽지 않지만 정기적인 Doppler ultrasonography와 renal scan이 요로폐색 또는 혈전증의 진단에 도움이 되며 이식신의 조직검사는 급성세뇨관괴사와 급성거부반응을 진단하는데 도움을 줄 수 있음

3. 신이식후 3개월 이내에 발생하는 임상적 문제: 신이식후 2-3주면 환자는 퇴원하게 되고 집에서 생활하게 되는데 이때 발생하는 이식관련 합병증으로 응급실 또는 외래를 방문하는 흔한 경우는 다음과 같음

표 3-5-31 신이식후 3개월 이내에 발생하는 임상적 문제

① 발열: 거부반응 또는 감염을 우선고려
② 혈청크레아티닌의 상승: 거부반응, 감염, calcineurin inhibitor독성, 요로폐색(lymphocele, urinoma)
③ 이식신 압통: 급성신우신염과 거부반응 고려
④ 체중 증가와 부종: 거부반응과 calcineruin inhibitor독성
⑤ 소변량 감소: 거부반응과 calcineruin inhibitor독성

4. **이식 후 6개월 경과 후 발생하는 신기능의 저하(만성이식신기능저하증):** 이식 후 6개월 이상 지난 후 신기능의 점진적인 저하와 단백뇨를 동반하는 경우 가장 흔한 원인은 만성거부반응 인데 만성거부반응은 주로 면역학적인 요인을 강조할 경우 쓰여지는 용어이며 비면역학적 요인(또는 alloantigen-independent factor)에 의한 경우를 포함하는 경우 만성이식 신기능저하증(chronic allograft dysfunction) 이라고 표현

1) **만성이식 신기능 저하증을 의심해야 할 임상적 소견:**
   이식 1년 이후 발생한 요단백, 고혈압의 발생, 점진적인 이식신의 기능 저하 등

2) 만성항체 매개성 거부 반응은 이식 후 발생하는 항-HLA 항체에 손상을 의미하며 이식신 기능 저하의 중요한 면역학적 원인이고 최근 체액성 면역반응을 타깃으로 한 치료 프로토콜들이 개발되어 좋은 성적을 보여주고 있음(서울성모병원에서는 리툭시맙과 고용량 면역글로불린을 이용한 치료 방법을 사용 중)

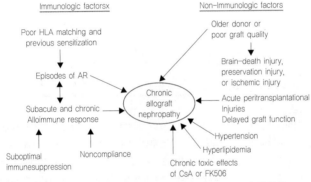

만성 이식신 기능저하증의 원인. Pascual M et al, N Engl J Med 346:580,2002

그림 3-5-13 만성 이식신 기능저하증의 원인

표 3-5-32 만성이식신기능저하에 예방 및 치료에 대한 일반적인 원칙

면역학적 요인	비면역학적요인
① HLA 조직형이 잘 맞는 공여자 선택	① 허혈성 손상예방
② 충분한 면역억제	② 고혈압, 고지질혈증치료
③ 급성거부반응의 예방	③ 면역억제재(CsA, FK506)의 신독성감소

5. **신이식후 흔한 기회감염(시기별로 다르므로 감별이 중요)**

1) **CMV 감염**
   (1) CMV는 이식환자에서 가장 중요한 바이러스감염증의 하나로 대부분 이식 후 재활성화에 의해 증상을 나타내고 수여자 항체 양성인 환자에서 거부반응 치료로 antithymocyte globulin(Polyclonal)를 사용한 경우 감염증을 일으킬 확률이 65%로 가장 높으며 바이러스 감염에 의한 직접효과(Direct effect)에 의해 나타나는 증상은 발열, 백혈구/혈소판 감소증, 단핵구증, 폐렴, 간염, 위장관

염, 내막염(endothelialitis), 맥락망막 염(chorioretinitis) 등이 있음 항원항체검사는 이식 후 활용도가 떨어지므로 Antigenemia와 함께 real time PCR로 정량적 검사를 시행하여 양성인 경우 치료를 시 작하고 경과판정은 추적검사로 확인

(2) Active CMV infection인 경우 Ganciclovir를 정맥으로 2-3주간 투여하며 용량은 신기능을 고려하여 투여

표 3-5-33 신이식 후 흔한 기회감염(Common opportunistic infections in the renal transplant recipient)

이식전후(1개월 미만)	이식초기(1-6 개월)	이식후기(6개월 이후)
창상감염	Pneumocystis carini	Aspergillus
Herpes virus	Cytomegalovirus	Nocardia
Oral candidiasis	Legionella	BK virus(polyoma)
요로 감염	Listeria, Hepatitis B, Hepatitis C	Herpes zoster, Hepatitis B, Hepatitis C

표 3-5-34 CMV 감염 진단 방법

CMV DNA PCR
DNA hybridization
Antigenemia assay (CMV pp65 Antigen대한 세포면역화학법)
Shell vial culture
IgM or IgG CMV antibody-IgM titer가 증가하거나 IgG가 음성에서 양성으로 전환
Immunopathology-anti-CMV antibody를 이용한 Immunohistochemistry
Real time PCR
Real time NASBA (Nucleic acid sequence based amplification)

2) BKV 감염

(1) BK 바이러스는 Polyoma 바이러스군에 속하며 과면역저하시에 질병을 유발하는 것으로 알려져 있는데 BK virus에 의한 감염이 임상적으로 문제가 되는 이유는 첫째, 거부반응과의 감별은 어렵고, 둘째, 거부반응과 동반되어 나타나는 경우 치료의 방향이 서로 다르기 때문이며 즉, 치료에 반응하지 않는 거부반응이 지속되어 면역억제를 강화하면 BK virus 감염이 악화될 수 있고, BK virus 감염치료를 위해 면역억제제를 줄였을 때 거부반응이 발생할 수 있기 때문이며 셋째, BK virus에 의한 신병증에 대한 특별한 치료약제가 없기 때문에 이미 진행된 경우 회복하기가 어려움

(2) 아직까지 확실한 치료방법은 없으나 치료원칙은 면역억제제의 양을 줄이거나 항바이러스 제제를 투여하는 것이며 일반적으로 BK viremia가 있는 경우는 면역억제제재양의 조절을 통하여 치료하며 조직학적으로 확진 된 BK nephropathy인 경우 이외에 항바이러스 제제를 시도해 볼 수 있고 거부 반응이 합병되어 있는 경우에는 우선 거부반응을 치료하고 나서 바이러스를 치료하는 것을 권장

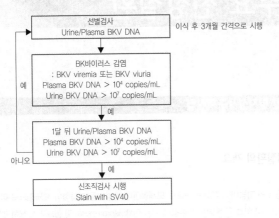

그림 3-5-14 BK virus 진단검사 프로토콜(서울성모병원)

표 3-5-35 BKV 감염 시 면역억제제 조절 프로토콜

① MMF/azathioprine를 끊음	② FK506를 투약 중인 경우 CsA로 대체
③ CsA의 약물농도를 낮춤(trough level <100–150 ng/mL)	④ 스테로이드를 감량(prednisolone <10 mg/day)

표 3-5-36 BKV 감염 시 항바이러스 치료 프로토콜

① IVIG (IV immunoglobulin) 20 g/day or (500 mg/kg)/day을 7일간 투여

② Cidofovir: 0.25~0.33 mg/kg/dose q two weeks

③ Leflunomide: 초기용량; 100 mg/day for 7 days, 유지용량; 20–50 mg/day (약물농도를 측정하여야 하나 국내에서는 측정 가능하지 않음)

④ Gatifloxacin: 400 mg/day

제6-1절 일차성사구체신염

Ⅰ. 사구체질환의 개요

1. 사구체는 콩팥의 기능이 시작하는 곳으로 모세혈관에서 혈장을 여과하여 세뇨관으로 이어지는 구조를 가지고 있으며 이 여과 구조 기능의 손상에 의한 단백뇨(proteinuria) 및 혈뇨가 발생하고 이어 진행되면 사구체경화증에 의한 여과율의 저하(신부전)가 발생할 수 있으며 이 사구체에 손상을 일으키는 질환은 당뇨병신장병증 및 고혈압성 사구체경화증을 제외하고는 대부분 면역학적 질환

2. 임상적으로 의미 있는 단백뇨(significant proteinuria)는 거의 모두 사구체의 손상에 의한다고 생각할 수 있음

Ⅱ. 사구체질환의 임상 양상

- 사구체질환은 임상적으로 nephritic symptom과 nephrotic symptom으로 발현되며,

1. 신염 형태(nephritic type): 콩팥 염증 증상이 주된 경우(조직학적으로 사구체내 염증세포 침착)이며 단백뇨와 혈뇨가 있으며 급격한 경우 통증이, 심한 경우 신기능 저하가 동반될 수 있음

2. 신증후군 형태(nephrotic type): 다량의 단백뇨가 주된 병리인 경우로 부종이 뚜렷하나 혈중크레아티닌 및 GFR은 거의 정상

표 3-6-1 사구체콩팥병의 다섯가지 임상양상과 주요 질환

임상양상	원인 사구체질환
무증상 혈뇨 및 단백뇨 (asymptomatic hematuria & proteinuria)	약한 활성도의 만성사구체신염 혹은 thin membrane disease, Alport's syndrome등 드문 유전 질환
신증후군(nephrotic syndrome)	Idiopathic nephrotic syndrome, diabetic nephropathy
급성사구체신염(acute glomerulonephritis)	Post-streptococcal GN, Sepsis-associated nephritis
만성사구체신염(chronic glomerulonephritis)	IgA nephropathy, 기타 드문 일차성사구체신염
급속진행형사구체신염 (rapid progressive glomerulonephritis: RPGN)	ANCA associated GN, 루프스신염 등 주로 autoimmune vasculitis associated GN

III. 사구체질환의 진단

1. 임상증상

임상증상이 뚜렷하지 않은 경우가 많으며 심한 경우 적갈색 육안적 혈뇨(cola color urine, coffee color urine), 부종, 옆구리 동통(심한 급성인 경우), 심한 거품뇨 등으로 의심

2. 단순 소변 검사(simple urinalysis)에서 확인할 수 있는 사구체질환의 증거

소변침전물(urine sediment)에서 보이는 적혈구 원주(erythrocyte cast), 변형적혈구(dysmorphic erythrocyte, old form RBC), 많은 양의 알부민 단백뇨(significant proteinuria or albuminuria, 대개 0.5 g/day 이상)

3. 혈액검사, 소변검사, 소변화학 검사

콩팥질환의 검사 항목 참조

4. 추가검사(additional laboratory data)

많은 양의 단백뇨와 전신적 질병 없이 creatinine이 상승하는 신기능 저하가 보이는 환자의 경우 면역학적 질환에 대한 중점적 screening이 매우 중요함

표 3-6-2 사구체콩팥병이 의심되는 경우 추가 검사 항목

- basal renin aldosterone level
- FBS / Hb A1c: Diabetic nephropathy
- Anti-nuclear antibody / Anti-DNA antibody: Lupus nephritis
- Complement level: Immune complex mediated nephritis
- Hepatitis B / C virus: Hepatitis virus associated glomerulonephritis
- ASO (anti-streptococcal) titer: Post-infectious GN
- Selectivity index (urine transferrin/IgG ratio): Minimal change disease
- Anti-Neutrophil Cytoplasmic Antibody: autoimmune vasculitis, Wegener's granulomatosis: proteinase 3 (PR3, C-ANCA), microvasculitis associated GN: myeloperoxidase (MPO, P-ANCA)
- Anti-GBM antibody: anti-GBM nephritis
- serum & urine protein electrophoresis, immunoelectrophoresis : multiple myeloma

5. 콩팥조직검사(Kidney Biopsy)

1) 적응증(kidney biopsy indication) 콩팥질환을 진단하기에 임상소견이나 검사실 소견으로는 부족할 경우 risk-benefit을 평가하여 시행(예후의 판정이 중요한 경우, 적절한 치료의 결정이 필요할 경우)

표 3-6-3 콩팥조직검사 적응증

- Nephrotic syndrome in adult
- Unknown cause or complicated Acute Kidney Injury (with insidious onset, heavy proteinuria, prolonged oliguria)
- Suggested active chronic glomerulonephritis (proteinuria)1 g/day)
- Asymptomatic persistent hematuria / proteinuria (병역판정)
- Rapid progressive renal failure
- Suggested interstitial nephritis, vasculitis, sarcoidosis
- Lupus nephritis, renal involvement of systemic autoimmune diseases
- Diabetic nephropathy with rapid progression (atypical course)
- Suggested multiple myeloma
- Transplanted kidney (Rejection or CNI toxicity etc.)

* 콩팥조직검사 금기증: Bleeding tendency, single kidney, severe hypertension, large cyst, active infection, contracted kidney due to chronic kidney disease

2) 콩팥조직검사 방법: 일반적으로 초음파유도(Sono-guided)로 시행하며 14 혹은 16 gauge needle을 가진 biopsy gun을 이용하거나 Vim-Silvermann needle을 사용하여 실시하며 대개 왼쪽 콩팥을 검사

- 콩팥조직 검사 후 출혈(Post renal biopsy bleeding): 콩팥 조직 검사 직후 시술자에 의한 직접 압박이 매우 중요하며 최소 6시간의 침상 절대 안정을 하도록 하고 심한 육안적 혈뇨(gross hematuria)가 발생하거나 배뇨장애가 있는 경우 Foley catheter를 삽입한 후 수액을 투여하면서 출혈량을 평가하며 복통이 심한 경우나 혈압이 저하될 정도의 출혈이 있으면 가능한 한 빠른 시간 내에 복부 CT를 실시하여 출혈량을 평가하거나 선택적 동맥혈관 촬영(selective angiography) 및 동맥 색전술(embolization with coil)로 추가 출혈을 멈추게 해야 함

3) 얻은 콩팥조직의 진단을 위한 염색 방법

(1) 광학 현미경용 염색(Light microscopy: LM, hematoxylin & eosin, PAS, methenamine -silver,trichrome stain 등) - formalin 용액에 고정, paraffine embedding 함

(2) 면역 형광 염색(Immunofluorescent stain: IF, stain with anti human IgG, IgA, C3, fibrinogen) - 조직을 얻은 후 가능한 한 빠른 시간 내에 동결시킴

(3) 전자현미경 검사(electron microscopy: EM): 별도의 EM용 고정액이 필요함

4) 콩팥조직검사 후 합병증 및 빈도

(1) 일시적 현미경적 혈뇨: 거의 모든 환자

(2) 콩팥주위 혈종 혹은 콩팥내 혈종: 60-80%, 대부분 안정하면 자연 흡수됨

(3) 육안적 혈뇨: 3-10% (깊게 조직 검사가 된 경우 혹은 동정맥루 형성된 경우)

(4) 수술이 필요할 정도의 출혈: 0.1-0.4% (arterial embolization or surgical)

(5) 신적출 수술이 필요한 경우: 0.06%

Ⅳ. 일차성사구체질환(Primary glomerulonephritis)

1. 정의

원인을 모르거나(idiopathic), 어느 정도 밝혀졌어도 콩팥사구체에 국한되어 병변이 진행되는 질환

2. 흔한 일차성 사구체질환

만성적으로 진행되는 IgA 신장염(IgA nephropathy)이 가장 흔하며 임상적으로 급성사구체신염 중에서는 사슬알균감염후사구체신염(post streptococcal glomerulonephritis, PSGN)이 대표적이고 급속진행형 사구체신염(RPGN)도 임상적으로 모두 급성사구체신염 증상(acute glomerulonephritis syndrome: 육안적 혈뇨, 단백뇨, BUN/Cr 상승, 일시적 고혈압, 부종)으로 발견되므로 감별이 매우 중요

표 3-6-4 사구체질환의 감별

		급성 혹은 만성 사구체질환 증상 및 검사 소견에 따른 감별진단 (다량의 단백뇨, 혈뇨, 부종, 신부전 등의 증상 감별진단)				
혈청지표	C3	정상	저하	정상	저하	정상
	ANCA	음성	음성	양성	음성	음성
	Anti-DNA Ab	음성	음성	음성	양성	음성
	Anti-GBM Ab	음성	음성	음성	음성	양성
조직소견		Granular IgA/G deposit (mesangial area)	IgG deposit (subepithelial)	Crescent No immune deposit	IgG dominant MGN/MPGN	Linear IgG on GBM
나이		Young: 15-30	All age	About 50-60	Young: 15-30	Young: 15-30
임상증상		반복적 혈뇨, 지속성 단백뇨 (가장 흔한 만성사구체신염)	육안적혈뇨, Cr 상승 (감염 후 발생)	약한 부종 Cr 상승 호흡기 육아종증	Female dominant Fever, rash, arthralgia	Male dominant Fever, pulm. hemorrhage
진단		IgA nephropathy	PSGN Septic GN	Vasculitis / ANCA associated GN	Lupus nephritis	Anti-GBM GN (Goodpasture's syndrome)

3. IgA 신증(Ig A Nephropathy)

1) IgA 신증은 우리나라를 포함하여 전세계적으로 가장 흔한 진행성 사구체신염이며 IgA의 기본 기능이 점막(mucosa, respiratory and/or gastrointestinal)의 면역기능을 담당하는 면역체이므로 이곳을 자극하는 항원의 제거가 우선 치료로 생각되고 있음. 즉, 만성 편도선염, 만성 부비동염, 기타 감염증 등의 유무의 진단, 치료가 필요하며 콩팥 조직 검사로 확진되면 연관 질환의 유무를 확인하고 단백뇨량과 콩팥손상 진행 정도에 따라 면역학적 치료 여부를 결정

2) 연관 질환: 호흡기와 소화기계 감염증, Ankylosing spondylitis, Sjogren syndrome 등

3) 예후: 약 20-30%의 환자에서 차차 진행하여 말기신부전으로 될 수 있음. 불량 예후 인자는, (1) 나이가 많은 경우, (2) 남자, (3) 육안적 혈뇨가 없는 경우, (4) 고혈압, (5) 상당량의 단백뇨(1 g/day 이상)가 지속되는 경우, (6) 발견당시 신부전이 있는 경우, (7) 조직검사 상 증식성 소견이나 세뇨관 손상이 보이는 경우(병리학적 높은 활성도), (8) 가족력이 있는 경우 등

4) 치료: 급성적인 사구체신염 증상이 반복되는 경우 원인이 되는 감염증을 찾아 제거하는 것이 원칙이며(대표적인 질병이 만성편도염: chronic tonsillitis), 동반되는 고혈압 조절 및 앤지오텐신전환효소억제제(ACEI) 혹은 앤지오텐신수용체차단제(ARB)의 사용이 추천됨. 면역억제제(steroid,

cyclophosphamide, cyclosporin등) 사용의 효과는 아직 확정되지 않았으나 조직 검사상 반월상 병변
이 보이거나 단백뇨량이 많으면 면역억제 치료를 시도

(1) 단백뇨량 0.5 g 미만: ARB 포함하여 혈압조절

(2) 단백뇨량 0.5-1.0 g: 크레아티닌 증가하면 면역억제 치료

(3) 단백뇨량 1.0 g 이상: steroid (prednisolone), Cyclosporin, MMF 사용

4. 감염후사구체신염 (Post infectious GN)

Streptococcal infection (인후염, 피부감염)이 뚜렷한 사슬알균감염후사구체신염(PSGN)의 경우 감염이
남아 있지 않으며 치료가 필요 없으나 패혈증, 장기 내 농양등과 연관되어 단백뇨가 지속되고 콩팥기능이
회복되지 않으면 콩팥조직학적 확인 후 적극적 항생제 치료와 면역억제 치료가 필요할 수 있음

5. 반월상사구체신염과 급속진행형사구체신염
(Crescentic Glomerulonephritis & Rapid Progressive Glomerulonephritis, RPGN)

1) 급속진행형사구체신염: 조직 검사상 대부분 반월상 병변을 보이며 이러한 사구체신염을 일으키는 질
환은 주로 낭창성신염(lupus nephritis) 및 혈관염, anti GBM glomerulonephritis, ANCA associated
GN 등 자가 면역 질환임

(1) 현미경적다발혈관염(Microscopic polyangiitis: MPA, microscopic polyarteritis, leukocytoclastic
angiitis): anti-MPO antibody (myeloperoxidase, P-ANCA) positive, with arthritis, skin involvement,
associated with HLA-DQ

(2) 다발혈관염을 동반한 육아종증(Granulomatosis with polyangiitis: GPA, Wegener's
granulomatosis): anti-PR3 antibody (proteinkinase 3, C-ANCA, associated with HLA-DP) positive,
RPGN with chronic granuloma in respiratory tract, necrotizing vasculitis affecting medium size
vessels

(3) 다발혈관염을 동반한 호산구육아종증(Eosinophilic Granulomatosis with polyangiitis: EGPA,
Churg-Strauss syndrome): small vessel vasculitis associated with peripheral eosinophilia,
cutaneous purpura, mononeuritis, asthma, allergic rhinitis. IgE elevation

(4) 항사구체기저막질환(Anti-GBM disease): noncollagenous-1 (NC1) domain of type IV collagen에
대한 항체에 의하여 사구체의 기저막이 손상되고 이어 증식성 혹은 반월상사구체신염으로 진행되
는 사구체신염이며 이 항체가 폐 모세혈관의 기저막에도 손상을 가하여 폐 출혈 및 각혈을 일으킴
(Pulmonary-Renal syndrome: Goodpasture's syndrome)

2) 강력한 면역억제치료가 필요: 우선 항체역가가 높으면 plasma exchange를 적용하며 이어서 강력한
steroid (methyl predisolon pulse therapy)와 cyclophosphamide 혹은 cyclosporine, MMF 등으로 치료

(1) Crescentic RPGN 치료 예

① plasma exchange (six 3 L plasma exchange on alternative days: 자기항체 추적검사필요)

② methylprednisolone 15 mg/kg bolus IV for 3 consecutive days

③ cyclophosphamide PO (2.5 mg/kg/day for 8 wks): 최근에는 잘 사용하지 않음

④ prednisolone (prednisone PO 1 mg/kg for 4 wks, cyclosporine, tacrolimus, MMF 유지 투여

V. 신증후군(Nephrotic Syndrome)

1. 정의

사구체질환(사구체 여과 구조의 손상)에 의하여 1) 다량의 단백뇨(체표면적 1.73 m²당 3.5 g/day 이상의 단백뇨), 2) 저알부민 혈증(3.0 g/dL 이하), 3) 고지질혈증(total cholesterol over 300 mg/dL), 4) 함요 부종 (pitting edema)이 발생하는 질환

2. 합병증

1) 응고능 항진(hypercoagulability)에 의한 신정맥혈전증(renal vein thrombosis), 폐색전증(pulmonary embolism) 등 발생 가능성에 대하여 chest CT, D-dimer 수치 등으로 확인 필요

2) 심한 단백질 소실에 의한 단백질 영양 실조: 필요시 경정맥 투여

3) transferrin의 소실에 의한 철분에 반응하지 않는 microcytic hypochromic anemia

4) 저칼슘증

5) 갑상선기능저하

표 3-6-5 신증후군의 원인 분류(Causes of nephrotic syndrome)

I. 일차성사구체질환(Idiopathic or primary nephrotic syndrome)	
• minimal change disease	10–15%
• focal segmental glomerulosclerosis	20–25%
• membranous nephropathy	25–30%
• membranoproliferative glomerulonephritis	5%
• other proliferative or sclerosing GN	15–30%

II. 이차성사구체질환(Secondary nephrotic syndrome)
• Systemic Dis.: DM, SLE, amyloidosis, vasculitic–immunologic dis. (Wegener's granulo., polyarteritis nodosa, H–S purpura, RPGN, Sarcoidosis, Goodpasture's synd.)
• Infections: – Bacterial (PSGN, syphilis, SBE, shunt nephritis)   – Viral (HBV, HCV, HIV, CMV, infectious mononucleosis)   – Parasitic (malaria, toxoplasmosis, schistosomiasis, filariasis)
• Drug–related: Gold, mercury, penicillamine, NSAIDs, lithium, captopril, heroin, rifampin
• Neoplasm: Hodgkin's lymphoma, leukemia–lymphoma – minimal change dis., Solid tumors – membranous nephropathy
• Hereditary & metabolic dis.: Alport's synd., Fabry's dis., Sickle cell dis., Congenital (Finnish type) Nephrotic synd., Nail–Patella synd.
• Others: Pregnancy–related (preeclampsia), transplant rejection, serum sickness, accelerated hypertensive nephrosclerosis, massive obesity–sleep apnea

신장내과

03

3. 신증후군(nephrotic syndrome)의 치료 원칙

1) 조직검사 등으로 확진 하여 치료, 이차성인 경우 가능하면 원인 치료

2) 단백뇨의 감소를 위한 치료

3) 합병증 방지를 위한 치료

(1) 단백뇨 감소를 위한 앤지오텐신전환효소억제제(ACE inhibitor) 혹은 앤지오텐신 수용체 길항제 (ARB)

(2) 부종조절을 위한 염분 섭취 제한과 이뇨제

(3) 고지혈증 조절약제(장기간 지속되는 경우)

(4) 응고항진 합병증의 방지 치료를 위한 항응고제 치료

4. 부종조절(edema control)

1) 임상적 지표(monitoring indicators)

(1) 체중: 매일 일정한 시간에 같은 조건으로 동일체중계로 측정

(2) 신체검사: pretibial pitting edema, ext. jugular vein engorgement, third space fluid shifting (bowel or ascites, pleural effusion 확인)

(3) 정확한 섭취/배설량(I/O) 측정

2) 임상처방

(1) 일반처방: (절대)안정 + 저염식이(salt 4-6 g/day) + 신장소실에 따른 높은 생체이용율을 가진 단백 보충

(2) 고리이뇨제: oral or IV (shooting or continuously dripping) furosemide는 iv의 경우 같은 용량의 po 의 약 2배 정도 효과가 있으며 신기능이 정상 인 경우 IV 투여 후 5분에 작용이 시작되고 30분 내 최대효과를 나타내며 2시간 정도 작용이 지속되나 신부전 환자에서는 작용시간이 연장됨. 20-40 mg을 IV 투여하여 효과를 확인한 후 소변량을 확인하며 용량을 증가시키며 저알부민 혈증이 심하 여 이뇨효과가 낮을 때는 환자 몸무게당 5 mg 정도까지 증량 할 수 있으며 고용량의 furosemide (120-240 mg) 투여 시에는 수액(5DW)에 섞어 점적 투여하여야 함(장기 투여 시 이독성 발생함)

(3) 고리이뇨제 + 알부민: 심한 신증후군의 환자의 경우 알부민은 투여 후 바로 콩팥으로 배설되므로 투여 효과가 적을 수 있으나 albumin 투여와 동시에 이뇨제를 투여하면 일시적 이뇨 효과의 증대 를 기대할 수 있음

(4) 고리이뇨제 + 도파민: dopamine의 효과에 대하여는 아직 논란이 있으나 낮은 용량(renal dose)의 dopamine은 이뇨 효과에 도움이 될 수 있음

(5) 이뇨제 추가(thiazide and/or spironolactone): 고용량의 이뇨제가 필요한 경우 추가로 1-2 T/day로 사용하면 furosemide와 synergic effect가 있음

(6) Ultrafiltration with hemodialysis 혹은 CRRT: 위의 약제에 잘 반응치 않고 폐부종 등이 있는 심한 환 자의 경우 혈액투석 시행함

5. 신증후군 치료 중 신기능 저하

표 3-6-6 신증후군 치료 중 신기능 저하의 원인

1. Volume depletion – prerenal acute renal failure
2. Infection esp., urinary tract infection
3. Drug-induced interstitial nephritis
4. Renal vein thrombosis esp., membranous GN or lupus asso. nephrotic syndrome
5. Superimposed crescentic GN (not controlled underlying diseases)
6. Miscellaneous: obstruction, uncontrolled hypertension, electrolyte imbalance

6. 신증후군의 각론

1) 미세변화형사구체신염

(minimal change disease, nil disease, lipoid nephrosis, foot process disease)

(1) 가장 흔한 신증후군의 원인

(2) 대부분이 원인을 알 수 없으나 과로, stress와 연관되며 드물게 약제(NSAIDs, rifampin, interferon alpha 등)나 Hodgkin's lymphoma 등과 연관되는 경우가 있음

(3) 다량의 단백뇨와 심한 부종을 보이나 높은 선택성(high selectivity - nearly pure albuminuria)을 보이며 selectivity는 IgG clearance/ transferrin clearance 비율로 계산하거나 소변 단백 전기영동의 결과로 확인($< 10\%$: highly selective, $> 20\%$: Nonselective proteinuria)

(4) 20-30%에서 현미경적 혈뇨가 보이나 고혈압이나 신기능부전은 드묾

(5) 검사실 검사상 정상 보체치와 serologic test를 보임

(6) 치료

① 초기 glucocoriticoid 치료

   - predinisolone: 1 mg/kg 매일 혹은 2 mg/kg 격일 4-8주간 사용하면서 관해(remission: 단백뇨 0.3-0.5 g/day 이하, 부종소실)가 되면 2주 더 사용한 후 서서히(10-20 mg/2주 속도) 감량 → 4주 사용 경우 50% 정도에서, 20-24주까지 연장하면 90%에서 관해를 보임

② 재발(relapse: 성인의 경우 steroid 중단 후 약 50%에서 재발)하면 위의 방법을 다시 사용하며 steroids-dependent (steroid 중단 후 바로 재발), frequently relapsing (일년에 3회 이상 재발) 경우 혹은 steroid 부작용이 심한 경우 cyclosporine (4-6 mg/kg/day, target trough level 200-400 ng/ml)도 60-80%의 환자에서 관해를 보이나 재발이 많고, 최근에는 mycophenolyate mofetil(MMF)를 사용하기도 함

2) 초점성분절성사구체신염(focal segmental glomerulosclerosis, FSGS)

(1) 50% 미만(focal)의 사구체의 일부분(segmental)에서 유리화를 동반한 사구체경화증 (glomerulosclerosis with hyalinosis)이 특징인 질환

(2) 원인은 대부분이 특발성이나 당뇨병, HIV 감염 등의 전신질환 혹은 nephron의 소실에 의한 장기적인 사구체모세혈관의 고혈압과 연관되어 발생

(3) 임상 양상: 특발성 FSGS의 약 2/3에서는 신증후군으로 발견되며 1/3에서는 subnephrotic proteinuria with mild renal insufficiency or urinary abnormalities로 발견되며 단백뇨는 대부분 선택

성이 없음(non-selective). 또한 혈중보체와 혈청학적 검사는 정상으로 보임

(4) 치료: 자연치유는 거의 없음

① 8주간의 steroid 치료에 관해 되는 경우는 약 20-40%이며 16-24주까지 지속적으로 사용하는 경우 70%에서 관해를 보임

② cyclophosphamide나 cyclosporine으로 약 50%에서 관해를 보이나 고혈압이 있거나 다량의 단백뇨, 신기능의 저하 등이 있는 경우 예후가 나쁘고, 신이식후에도 약반수에서 재발

3) 막성사구체신염(membranous nephropathy)

(1) 주로 사구체기저막에 병변이 있어 신증후군으로 발현되는 질환이며 미국의 경우 성인의 신증후군에서 가장 많은 원인(30-40%)이고, 30-50세에서 가장 많으며 남녀비는 2:1 정도

(2) 막성사구체 신염의 원인은 대부분이 특발성이나 이차성인 경우가 있으며 특히 나이가 많은 환자의 경우 악성종양과 연관되어 있을 가능성이 높으므로 이에 대한 주의가 필요

표 3-6-7 막성신증후군과 연관된 질환(conditions associated membranous nephropathy)

- infection: HBV, HCV, syphilis, malaria, schistomiasis, leprosy, enterococcal endocarditis
- systemic immune diseases: SLE, RA, Sj gren syndrome, Graves' dis., Hashimoto's thyroiditis, mixed connective tissue dis., ankylosing spondylitis, etc.
- neoplasia: carcinoma of breast, lung, stomach, esophagus; melanoma, renal cell ca., neuroblastoma
- drugs: gold, penicillamine, captopril, NSAIDs, probenecid, chlormethimazole
- misc.: sarcoidosis, DM, Crohn's dis., Guillain–Barre synd., Fanconi's synd.

(3) 임상증상

① 막성사구체신염 환자 중 발견 시 신증후군이 있는 경우가 80% 이상이며(non- selective proteinuria), 약 10-30%에서 고혈압이 약 50%에서 현미경 적혈뇨가 보임

② 보체와 자가 면역항체: 정상

③ 응고능이 증가(hypercoagulability)하여 합병증인 renal vein thrombosis가 잘 발생(flank pain,deterioration of renal function, symptoms of pulmonary disease(pulmonary thromboembolism)

(4) 치료와 예후

① 자연 치유가 최대 30-40%까지에서 보일 수 있으나 30-40%에서는 반복 재발되며 최종적으로 10-20%에서는 진행하여 10-15년 후에 말기 신부전이 됨

② 나쁜 예후인자: 남성, 고령, 고혈압, 심한 단백뇨와 고지혈증, 신기능 저하

③ glucocorticoid, cyclophosphamide, chlorambucil, cyclosporine를 사용하나 controlled trial에 의하여 증명되지 않았음

4) 막증식성사구체신염(membranoproliferative GN)

사구체 GBM의 비후와 증식성 병변이 특징적

(1) Type I MPGN: Immune complex glomerulonephritis

① 병리소견: subendothelial and mesangial deposits - C3, IgG or IgM

② 임상소견: 다량의 단백뇨 혹은 신염 증후군, active urinary sediment, 정상 혹은 낮은 GFR, C3: 대체로 감소, C1q & C4: 정상 혹은 감소

③ 연관질환: 감염증(e.g. bacterial endocarditis, HIV, HBV, HCV), 전신면역 복합체 질환 (예: SLE, cryoglobulinemia), 악성질환(예: leukemia, lymphoma)

④ 예후 및 치료: 대체로 양호한 예후, 70-85%의 환자가 임상적으로 심각한 신기능 저하 없이 생존, corticosteroids & 다른 면역억제제를 사용할 수 있으나 효과는 증명되지 않았음

(2) Type II MPGN: dense deposit disease - autoimmune disease

① 병리소견: electron dense deposit in GBM, mainly C3 (little or no Ig)

② 발병기전: C3 nephritic factor: IgG autoantibody로 C3 convertase (C3bBb)와 결합 → C3 metabolism 차단 → alternative pathway의 지속적인 자극

③ 검사소견: C3 level 항상 감소, C4 정상

④ 임상적으로 신증후군의 임상양상을 보이나 보이나 가끔 사구체신염이나 급속진행성사구체 신염 혹은 재발성 혈뇨

5) 혈관사이질증식성사구체신염(mesangioproliferative glomerulonephritis)

(1) 일차성신증후군의 5-10%에서 진단되며 glomerular cellularity의 증가(주로 mesangial & endothelial cells)와 monocyte infiltration을 보이는 경우

(2) immune deposit는 IgA, IgM, IgG, C3 등이 다양할 수도 있고 거의 없을 수도 있음

(3) 병리 기전: 확실하지 않으나 MCD or FSGS의 variant or resolving form of immune - complex and pauci-immune GN으로 추정

(4) 계속적으로 많은 단백뇨가 나오면 장기적으로는 말기신부전으로 진행됨

제6-2절 당뇨병신장병증

I. 중요성

1. 역학

1) 대한당뇨병학회에서 발표한 2016년 국민건강영양조사 통계에 의하면 우리나라 전체 당뇨병 환자에서 알부민뇨의 빈도는 23.9%, 사구체여과율 60 ml/min/1.73 m² 미만인 만성신질환 환자의 빈도는 12.5%이고, 제2형 당뇨병 환자에서 말기신부전 유병률은 1.2%임

2) 대한신장학회의 통계에 따르면 2017년에 발생한 말기신부전 환자의 원인 신 질환 비율을 보면 당뇨병성 신병증 48.9%, 고혈압성 사구체경화증 21.4%, 만성사구체신염 7.5%, 기타 22.2%로 말기신부전 환자의 거의 절반 정도가 당뇨병신장병증에 의함

3) 당뇨병신장병증은 전 세계적으로도 가장 흔한 말기신부전의 원인이며 동양계에서 특히 증가율이 높다고 발표되고 있음(USRDS data)

2. 치료 원칙

1) 당뇨병신장병증의 진행 차단에 가장 중요한 것이 초기에는 혈당 조절이지만 후기에는 혈압조절, 특히 안지오텐신 전환효소 억제제(ACE 억제제) 또는 안지오텐신 수용체 차단제(angiotensin receptor blockers, ARBs)를 사용한 철저한 혈압조절이 중요한 것으로 되어 있음

2) 최근 당뇨병 조절과 신기능 및 심혈관 보호효과가 있는 것으로 알려진 인크레틴(incretin: DPP-4 차단제 (dipeptidyl peptidase-4 inhibitor)와 GLP-1 효현제(glucagon-like peptidase-1 agonist))과 SGLT-2 차단제 (sodium/glucose co-transporter-2 blockers)의 사용이 신기능에 따라 사용이 가능

II. 당뇨병신장병증의 단계

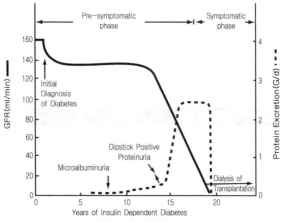

그림 3-6-1 당뇨병신장병증의 단계

표 3-6-8 당뇨병신장병증의 단계

stage I	renal hypertrophy and hyperfiltration (renal blood flow elevated 9~14%)
stage II	"silent", GFR remains elevated
stage III	microalbuminuria or incipient nephropathy (mesangial expansion, GBM thickening, arteriolar hyalinosis)
stage IV	overt nephropathy, proteinuria & decrease GFR (mesangial nodule: Kimmelsteil-Wilson lesions, tubulointerstitial fibrosis)
stage V	end stage renal disease

III. 선별검사

표 3-6-9 당뇨병신장병증 선별검사

1. 당뇨병 유병기간이 3~5년 된 제1형 당뇨병 환자는 매년 미세알부미뇨 검사를 시행하여야 함
2. 모든 제2형 당뇨병 환자는 진단 당시와 매년 미세알부미뇨 검사를 시행하여야 함
3. 미세알부미뇨 검사는 가능한 이른 아침 소변에서 미세알부미뇨와 크레아티닌을 정량 측정하여 그 비율(알부민/크레아티닌 비)을 계산하여 이용함. 경우에 따라 다른 시간 대의 무작위 소변에서 시행하는 것도 가능하고 의료기관의 여건에 따라 정성검사를 이용할 수 있음
4. 알부민/크레아티닌 비가 30 mg/g 이상인 경우 3~6개월 이내 두 번 반복검사를 통해 총 3회 중 2회 이상인 경우에 한하여 미세알부미뇨로 진단
5. 모든 성인 당뇨병 환자는 미세알부미뇨에 여부에 관계없이 혈청크레아티닌을 매년 측정하여야 함. 혈청크레아티닌 농도만으로 신장 기능을 평가해서는 안되고 사구체여과율(estimated GFR) 계산하여 만성 신장질환의 병기를 결정하여야 함

IV. 당뇨병신장병증의 특징과 관리 시의 주의점

표 3-6-10 당뇨병신장병증 치료원칙

일반원칙

1. 당뇨병신장병증의 발생과 진행을 억제하기 위하여 혈당조절을 최적화하여야 함. 고혈당의 정도는 당화혈색소로 평가
2. 당뇨병신장병증의 발생을 예방하기 위하여 혈압을 130/80 mmHg 미만으로 조절
3. 당뇨병신장병증이 진단된 경우, 특히 단백뇨가 하루 1 g 이상에서는 신증의 진행을 억제하기 위하여 혈압을 125/75 mmHg 미만으로 유지하여야 함

시기별치료원칙

1. 인슐린을 사용한 철저한 혈당 조절 및 충분한 혈압조절
2. 신장기능 Stage I에서 III: 자각증상이 전혀 없으므로 정기적 추적검사로 철저한 혈당 조절 및 혈압조절을 하면서 단백뇨의 발생여부를 잘 관찰하고 단백뇨가 발생하면 더욱 철저한 혈압조절이 필요
3. 혈압조절에 사용하는 약제는 반드시 사구체 여과압을 조절하는 ACEI 혹은 ARB를 포함
4. 신장기능 Stage IV에서 발견되는 환자의 경우 당뇨병신장병증은 반드시 다른 기관의 혈관 합병증과 동시에 진행하므로 사구체 손상이 당뇨병에 의한 것인지 확인하기 위하여 안저검사를 하여 망막증을 확인하는 것이 판단에 도움
5. 신장기능 Stage IV 이후에 신장기능이 저하되면 혈당조절에 필요한 인슐린 양은 사구체여과율 감소에 따라 차차 감소하는 경향이 있으므로 저혈당에 주의
6. 당뇨병 환자는 요독증에 잘 견디지 못하고 대사성 산증이 심하므로 다른 원인의 신부전보다 일찍 투석을 실시(근육량이 저하되어 있으므로 실제 사구체여과율 보다 혈청크레아티닌이 낮아 보임)
7. 사구체여과율이 30 ml/min/1.73 m² 이상인 2형 환자에서 인크레틴과 SGLT-2 차단제의 사용이 당뇨병 조절, 신기능 보호 및 혈관질환 보호를 위해 사용 가능

표 3-6-11 당뇨병신장병증의 위험 요소 및 치료

제2형 당뇨병에서 신기능 악화의 위험 요소	• Elevated blood pressure • Albuminuria or proteinuria • Poor glycemic control (high level of insulin resistance) • Smoking • High dietary intake of protein • Hyperlipidemia

당뇨병신장병증의 악화를 예방하기 위한 방법	• Glycemic control (HbA1c less than 7%); avoid hypoglycemia • Maintain BP in mid-normal range (125/75 mm Hg), preferably with ACEI or ARB • Reduce the level of proteinuria (therapeutic goal: less than 1 g per day) • Stop smoking • Restrict dietary protein intake to approx. 0.8 g /Kg of BW per day (preferentially by reducing the intake of animal proteins), except among patients with preterminal renal failure

V. 당뇨병신장병증의 진행 및 예후

1. 그림 3-6-2과 같은 사구체여과율의 감소 경과를 보임

1) 임상적으로는 그림 3-6-2와 같이 당뇨병이 진단된 이후 약 25년에 50%의 환자에서 단백뇨가 발견되고 단백뇨가 발견된 후 약 5년에 약 50%에서 신부전이 발견됨

2) 영국에서의 연구(UK prospective diabetes study)에 의하면 표 3-6-2와 같이 8.4년간 당뇨병 환자의 추적한 결과 철저한 혈압조절이 여러 가지 합병증의 발생을 현저히 낮추었음(예: 철저한 혈압 조절로 뇌졸중 44% 감소)

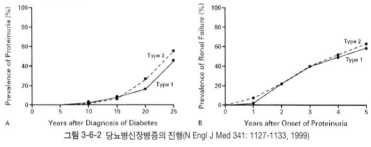

그림 3-6-2 당뇨병신장병증의 진행(N Engl J Med 341: 1127-1133, 1999)

3) 결론적으로 정상과 가까운 혈당조절은 미세 알부민뇨의 발생 및 미세 알부민뇨와 현증 단백뇨의 진행을 지연시키는 것으로 알려졌음

4) 초기 철저한 당뇨병 조절의 중요성은 세포들이(미토콘드리아) 대사기억(metabolic memory) 기능이 있으므로 당뇨병 혈관합병증의 치료와 예방을 위해서 반드시 필요(DCCT-EDIC study)

5) 당뇨병신장병증의 진행속도는 환자에 따라 매우 다양하며, 말기신부전 이행에 가장 중요한 위험인자로는 반복적인 급성신장손상이 가장 중요하며, 당뇨병신장병증에 동반된 신장질환, 혈관질환, 고요산혈증, 전신 또는 국소 염증 및 지나친 고농도의 혈당도 중요한 역할을 하는 것이 알려짐

표 3-6-12 혈압 조절과 당뇨병신장병증의 예후

Variables	Tight Blood Pressure control (N=758)	Less Tight Blood Pressure Control (N=390)
Target blood pressure – mmHg	<150/85	<180/105
Actual blood pressure – mmHg	144/82	154/87
Death	−32 (−51 to −6)	

Variables	Tight Blood Pressure control (N=758)	Less Tight Blood Pressure Control (N=390)
Diabetes–related end points	−24 (−38 to −8)	
Stroke	−44 (−65 to −11)	
Microvascular end points	−37 (−56 to −11)	

* Reduction in the risk of end points in the tight–control group as compared with the less–tight control group ~ % (95% confidence interval)

표 3-6-13 근거 중심 의학에 의한(evidence-based) 당뇨병신장병증의 치료

1. 미세알부민뇨와 현성 단백뇨의 치료에는 임신기간을 제외하고는 ACE 억제제나 ARB를 사용
2. 제1형 당뇨병 환자에서 고혈압과 미세알부민뇨/현성 단백뇨가 있는 경우 ACE 억제제가 당뇨병신장병증의 진행을 억제시킴
3. 제2형 당뇨병 환자에서 고혈압과 미세알부민뇨가 있는 경우 ACE 억제제나 ARB가 현성 단백뇨로 진행을 억제함
4. 제2형 당뇨병 환자에서 고혈압과 현성 단백뇨, 그리고 신기능부전(혈청크레아티닌 >1.5 mg/dL)이 있을 경우 ARB가 당뇨병신장병증의 진행을 억제시킴
5. 제2형 당뇨병 환자에서 경한 신기능 저하가 있는 경우 인크레틴과 SGLT–2 차단제가 당뇨병신장병증의 진행을 억제하고 심혈관질환의 보호효과로 보임
6. 한 계열 약제에 부작용이 생기면 다른 계열의 약제로 변경
7. 당뇨병 환자에서 초기 만성신장병의 초기에는 단백질 섭취를 0.8–1.0 g/kg/일로 하고, 만성신장병의 후기에는 0.8g/kg/일 미만으로 제한
8. 미세알부민뇨/현성 단백뇨나 당뇨병신장병증이 있는 환자에서 ACE 억제제나 ARB를 사용할 수 없는 환자는 non–DCCBs, 베타차단제 또는 이뇨제를 사용
9. ACE 억제제, ARB, 또는 칼륨–보전형 이뇨제를 사용하는 경우 고칼륨혈증이 발생할 수 있으므로 혈청 칼륨치를 검사
10. 치료에 대한 반응과 질병의 진행을 평가하기 위하여 미세알부민/단백뇨 검사를 지속적으로 시행
11. 사구체여과율이 60 mg/min/1.73 m² 미만이거나, 고칼륨혈증, 또는 고혈압을 조절하기 어려운 경우는 당뇨병신장병증을 전문으로 보는 의사에게 의뢰

VI. 당뇨병신장병증에 의한 말기신부전의 특징

표 3-6-14 당뇨병신장병증에 의한 말기신부전의 특징

1. 당뇨병 합병증. 즉. 심혈관계 질환 및 망막증. 말초신경병증. 자율신경 실조 등이 동반되므로 다른 원인의 말기신부전보다 전신상태가 매우 나쁨
2. 요독증에 잘 견디지 못하고 대사성 산증이 심하므로 다른 원인에 의한 신부전 보다 일찍 투석요법을 실시하여야 함
3. 고혈압의 조절이 어려우며 저혈당도 흔히 발생
4. 고칼륨혈증이 말기신부전이 되기 전에도 흔히 발생 (type IV RTA)
5. 다른 말기 신부전보다 사망률이 훨씬 높은데 이는 동반된 허혈성 심장병 및 뇌혈관 합병증의 빈도가 높기 때문임
6. 혈액투석의 경우 동정맥루의 유지와 혈압조절이 매우 어려우며 투석간의 체중 증가에 의한 심혈관계 합병증의 위험도가 높음
7. 복막투석의 경우 혈당 조절이 어렵고 당뇨병 위마비(gastroparesis) 등에 의한 경구섭취 부족으로 단백질의 소실에 대한 보상이 어려움
8. 신대체요법으로 가장 좋은 것은 신이식임

VII. 전문가에게 의뢰

1. 진찰소견으로 조절되지 않는 고혈압, 체중증가를 동반한 부종, 혈뇨를 동반한 단백뇨, 매우 심한 단백

뇨, 사구체여과율이 60 ml/min/1.73 m² 미만이거나, 고칼륨혈증을 동반하고, 기저 신질환의 원인이 불명확한 경우에 신질환을 전문적으로 보는 의사에게 의뢰하는 것을 고려하여야 함

2. 특히 사구체여과율이 30 ml/min/1.73 m² 미만일 때 신장내과 전문의에게 의뢰하는 것이 비용을 줄이고 치료의 질을 올리며 환자가 투석하지 않고 지낼 수 있는 기간을 늘린다고 보고됨

제6-3절 요세관사이질신염

I. 세뇨관 및 간질의 생리학적기능 및 구조

1. 신세뇨관의 구성 및 기능

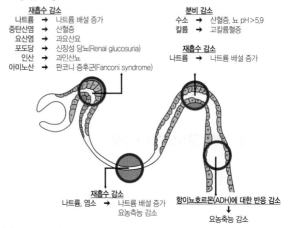

재흡수 감소
나트륨 → 나트륨 배설 증가
중탄산염 → 산혈증
요요산 → 과요산뇨
포도당 → 신장성 당뇨(Renal glucosuria)
인산 → 과인산뇨
아미노산 → 판코니 증후군(Fanconi syndrome)

분비 감소
수소 → 산혈증, 뇨 pH>5.9
칼륨 → 고칼륨혈증

재흡수 감소
나트륨 → 나트륨 배설 증가

재흡수 감소
나트륨, 염소 → 나트륨 배설 증가
요농축능 감소

항이뇨호르몬(ADH)에 대한 반응 감소
요농축능 감소

그림 3-6-3 Functional Consequences of Tubulointerstitial Disease (Clinical Nephrology 2nd, ed)

II. 급성요세관사이질성신염

급성사이질신염(acute interstitial nephritis)은 급성요세관사이질신염(acute tubulointerstitial nephritis)이라고도 하며 병리학적으로 신간질에 림프구를 비롯한 세포의 침윤과 부종 등을 특징으로 하며 임상적으로는 주로 급성신부전증의 임상경과를 보이는데 원인이 감염, 면역복합체, 약제등 다양함

1. 병인

면역학적 기전이 주 병인으로 알려져 있고 발병원인은 다양하며 가장 흔한 원인은 약제와 감염임 → 약제 특히 항생제가 널리 사용되기전에는 감염이 주된 원인이었으나, 항생제를 비롯하여 많은 약제들의 사용이 증가하면서 약제에 의한 급성사이질신염이 많이 증가됨

1) 급성간질성신염을 일으키는 주요 약물

(1) 항생제: β-lactam, Vancomycin, Rifampin

(2) 항바이러스: Acyclovior

(3) 이뇨제

(4) Allopurinol

(5) NSAIDs, COX-2 억제제

2. 임상양상

1) 발열, 피부발진, 관절통

2) 요량유지(>500 ml/day)

3) 약제 중단 후 대부분 회복

4) 일차성 급성 사이질신염의 경우 고혈압과 부종이 드묾: 세뇨관에서 Na 재흡수장애

3. 검사실 소견

1) 말초 혈액 중호산구 증가

2) 혈중 BUN, 크레아티닌치의 상승

3) 단백뇨(<1.0 g/day), 현미경학적 혈뇨

4) 무균성 농뇨

4. 치료

1) 유발 가능한 약제의 투여 중단

2) 보존적 치료: 영양공급, 혈압조절

3) 스테로이드 투여 적응증

(1) 약제 중단 후 대부분 회복 뚜렷한 과민반응

(2) 급격한 신기능의 저하

(3) 적응증이 될 경우 초기에 투여 prednisolone 1 mg/kg 후 서서히 감량함

4) 초기에 유발약제를 중단하는 경우 예후는 양호

신장내과

03

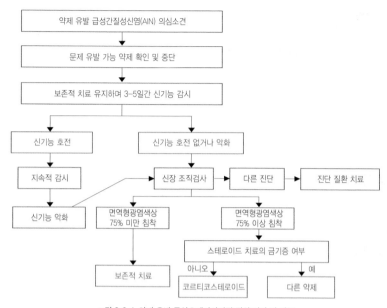

그림 3-6-4 약제 유발 급성요세관사이질 질환 진단 및 치료

Ⅲ. 만성요세관사이질질환

만성요세관사이질신염은 간질의 진행성 섬유화와 신세뇨관의 위축, 대식세포와 림프구의 침윤 등을 특징으로 하는 일련의 병리학적 질환군인데 진통제콩팥병증(Analgesic nephropathy), 요산염콩팥병증(Uric acid nephropathy), 사르코이드증(Sarcoidosis), 방사선신염(Radiation nephritis), 만성폐쇄성요로병변과 같이 주병변이 신간질에서 관찰되는 이들이 질환군에 해당

1. 원인

1) 독소: 진통제콩팥병증, 납콩팥병증(lead nephropathy)

2) 감염: 만성신우신염(chronic pyelonephritis)

3) 자가면역질환: 쇼그렌증후군, 전신홍반루푸스

4) 대사물질: 고요산혈증, 고칼슘혈증

5) 방사선

6) 유전성신장병: 상염색체다낭성신질환

7) 종양: 백혈병, 다발성골수종

2. 검사실소견

1) 사구체여과율의 점진적 감소(요독증)

2) 근위세뇨관 손상에 의한 판코니증후군(Fanconi syndrome)

3) 비신증후군성(non-nephrotic range) 단백뇨

4) 고칼륨혈증

5) 나트륨 소실 혹은 고혈압

6) 요농축 장애: 등장뇨, 다뇨, 요붕증 등

7) 심한신성 빈혈

3. 치료

1) 원인요소 및 악화 인자를 찾아 내어 제거

2) 일반적 신부전과 같이 신기능의 진행 예방을 위해 혈압 치료 등의 보존적 치료

(1) 저단백 식이

(2) 앤지오텐신수용체차단제 혹은 ACE 억제제를 투여하여 혈압조절

(3) 요로 폐쇄에 대한 주의가 필요

IV. 원인에 따른 만성요세관사이질질환의 종류

1. 진통제콩팥병증(analgesic nephropathy)

만성적인 진통제(aspirin, acetaminophen, phenacetin, caffeine 등)의 남용으로 신 간질의 섬유화가 진행되고, 말기신부전에 이르기도 하는 질환

2. 요산염콩팥병증(Gouty nephropathy)

전통적으로 만성적인 고요산혈증 환자나 통풍성관절증 환자에서 만성간질성신염의 형태의 병변

3. 고칼슘혈증

부갑상선기능항진증, sarcoidosis, 다발성골수종 등의 만성적인 고칼슘혈증에서 간질성 신손상과 진행성 신부전을 일으킬 수 있음

4. 저칼륨혈증에 의한 콩팥병증(Hypokalemic nephropathy)

장기간의 지속적이며 반복적인 저칼륨혈증에 의해서만 유발될 수 있음

5. 한약콩팥병증(Chineses herbs nephropathy)

6. 납콩팥병증(lead nephropathy)

7. 방사선신염(radiation nephropathy)

V. 유전성 요세관질환(바터증후군 및 지틀만증후군)

1. Bartter씨 증후군

1) 임상특징

(1) 대사성 알칼리증을 동반한 저칼륨혈증

(2) 다뇨, 다음, 뇨농축능의 감소

(3) 소변 칼슘 증가, 혈청 Mg 정상 혹은 약간 감소

(4) 심한 경우 발육 부전

2) 발병기전

(1) 헨레고리(Henle's loop) 내강막의 Na-K-2Cl cotransporter(NKCC2)의 결함

(2) 내강의 칼륨 채널(Luminal potassium channael)의 결함

(3) 기저측면막의 염소 채널(Basolateral chloride channel)의 결함

3) 감별진단

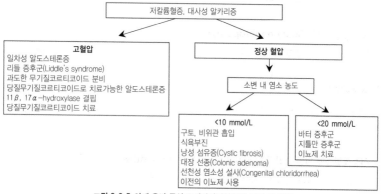

그림 3-6-5 약제 유발 급성 요세관사이질 질환 진단 및 치료

표 3-6-15 Bartter 증후군과 Gitelman 증후군의 비교

	바터 증후군	지틀만 증후군
시작 연령	유아/소아	소아/성인
다뇨, 다음(polydipsia)	있음	드물다
탈수	가끔 발생	없음
강직(tetany)	드물다	있음
성장지연	있음	없음
소변내 칼슘	정상 혹은 상승	저하
신장내 석회화	드물다	없음
혈청 마그네슘	가끔 저하	저하
소변 프로스타그란딘	상승 혹은 정상	정상
indomethacin에 대한 반응	좋다	드물다

4) 치료

(1) 저칼륨혈증의 교정: 레닌-앤지오텐신-알도스테론과 키닌-프로스타글란딘 축을 방해함

(2) 칼륨, 마그네슘 보충

(3) Aldosterone 길항제(spironolactone): 칼륨 소모를 억제

(4) 프로스타글란딘 억제(aspirin or indomethacin)

(5) 앤지오텐신전환효소억제제제

2. Gitelman씨 증후군

1) 임상특징

(1) 저칼륨혈증, 대사 알칼리증

(2) 다뇨, 야간뇨, 그러나 농축능은 정상

(3) 소변 칼슘 감소, 심한 저마그네슘혈증

2) 기전: 원위세관의 Thiazide-sensitive Na-Cl cotransporter (NCCT)의 결함

제6-4절 신혈관질환

I. 신동맥협착증(Renal artery stenosis)

1. 정의

신장혈관협착은 혈관 조영술을 시행 받은 환자 중 20-45%에서 발견되는 것으로 알려져 있는데 이러한 신혈관협착은 70-80%에 이르렀을 때에 혈역학적으로 그 의미를 가짐. 신혈관협착은 궁극적으로 신허혈을

조장하여 레닌-앤지오텐신-알도스테론 체계(renin-angiotensin-aldosterone system; RAAS)의 활성화를 유도하여, 혈압 상승으로 이어지는데, 이러한 경우를 신혈관고혈압(renovascular hypertension)이라 하고 신허혈에 따른 비가역적인 신기능 감소가 동반되는 경우를 허혈성신질환(ischemic nephropathy)이라 함

2. 유병률

전체 고혈압의 0.6-3%: 치료 불응성 고혈압 환자만을 대상으로 하는 경우에는 20%에 이를 수도 있음

3. 원인

1) 섬유근이형성증(fibromuscular dysplasia, FMD): 주로 30-50세 여성에서 발현
2) 동맥경화증(Atherosclerosis)
  (1) 고령에서 흔하며 다른 말초혈관 질환을 동반하는 경우가 많음
  (2) 협착이 대동맥에서 신동맥이 기원하는 부위에 인접해 발생하므로 병변이 FMD에 비해 근위부에 발생

4. 임상양상

1) 고혈압
  (1) 젊은 연령에서 발생하거나 고령에서 단기간내에 급격히 발생 또는 악화되는 경우
  (2) 3가지 이상의 약제를 통한 적극적인 치료에도 반응하지 않는 경우

2) 신기능 저하
  (1) 설명할 수 없는 신부전
  (2) 앤지오텐신전환효소억제제(ACE inhibitor) 또는 앤지오텐신수용체차단제(ARB) 사용과 관계된 신부전

3) 한쪽만 크기가 작은 신장
  (1) 설명할수 없는 저칼륨혈증
  (2) 복부 잡음이 있는 경우
  (3) 심한 망막증
  (4) 경동맥, 관상동맥 또는 말초혈관질환이 있는 경우
  (5) 설명할 수 없는 심부전 또는 급성폐부종

5. 진단

1) Doppler ultrasound
  (1) 협착이 있는 근위부 신동맥 peak systolic velocity >180 cm/sec 또는 대동맥 혈류 속도와의 비 >3.5
  (2) 협착 후 신장내 궁상동맥(arcuate artery)에서 'parvus and tardus'의 도플러파형을 보이는 경우

(3) Resistive index (RI) > 0.8

2) Captopril renography: 99mTc-DTPA 신스캔을 이용하여 ACE inhibitor인 captopril 경구 투여 후 신관류, 사구체여과율이 현저히 감소함을 확인하며, 음성예측도(negative predictive value)가 우수한 것으로 알려져 있고, 이뇨제, ACE inhibitor 또는 ARB는 검사 4-14일 전에 중단하는 것이 바람직함

3) Computed tomographic (CT) angiography: 민감도와 특이도 모두 우수하나, 칼슘 침착이 많은 경우 정확도가 떨어지고 조영제신독성 발생 위험이 존재

4) Magnetic resonance angiography (MRA): Gadolinium은 조영제 신독성의 위험은 낮으나 비가역적인 신성전신경화증의 위험성이 존재하므로 최근에는 조영제를 사용하지 않으면서 해상도를 높이는 촬영 기술을 개발 중임

5) Renal arteriography: 협착을 직접 확인하는 단계로 중재 시술과 함께 이루어짐

6. 치료

1) 내과적 치료

(1) 우선적으로 시행되어야 하며 수술이나 시술적 치료 후에도 반드시 계속되어야 하는 부분으로 금연, 체중 감량, 운동, 확실한 항고혈압과 statin 등의 항고지혈증 약물 치료가 반드시 지속적으로 이루어져야 함

(2) Artherosclerotic lesion의 경우 항혈소판제제를 aspirin 75-300 mg once daily 용량으로 시작하도록 권유

2) 혈관성형술

(1) FMD: 풍선확장술(balloon angioplasty)만으로도 시술후 양호한 경과를 보이며, 35-50%에서 완치

(2) Atherosclerotic lesion: 우연적으로 RAS가 발견된 무증상 환자에서는 권유되지 않음

① 항고혈압제 3가지 이상 사용시에도 조절되지 않는 고혈압, 양측성 RAS, RAS of single functioning kidney, 반복적인 급성 폐부종 등 상황에서 고려

② Balloon angioplasty만으로는 재협착이 빈번하여 스텐트 삽입이 병행하여 이루어지며 이후 clopidogrel 75 mg once daily 유지치료가 필요

3) 외과적 수술

제한된 항고혈압제 약물과 혈관내 시술이 발달되지 않았던 과거에는 여러 가지 우회 수술과 치료 저항성 고혈압에 대해서는 신절제술(nephrectomy)도 이루어졌으나 수술 후 높은 합병증과 사망률이 높아 현재는 대부분 혈관내 시술로 대체되고 있음

7. 예후

1) 현재 다양한 항고혈압제 발달로 인하여 신동맥협착으로 인한 신혈관고혈압은 많은 경우에서 약물 치료에 양호한 반응을 보임

2) 신동맥 협착에 따른 신 허혈로 인한 신기능 감소의 회복을 위하여 혈관내 시술이 시도되었으나 아직

그 유용성을 입증하지 못한 상태이고 오히려 혈관내 시술이나 수술 과정 중 약 20%에서 죽종 색전 (atheroma embolism)과 재관류 손상(reperfusion injury)에 따른 신기능 악화가 발생하는 것으로 알려 져 있음

3) 최근 색전 예방을 위한 다양한 혈관내 기구들의 발달과 함께 허혈성신질환에 대한 조기진단이 이루 어진 경우 신기능의 회복과 악화를 효과적으로 차단할 수 있다는 연구들이 있으므로 대상 환자에 대 한 적극적인 진단적 평가를 통해 조기치료가 이루어지는 것이 바람직할 것으로 여겨짐

II. 신동맥혈전색전증(Thromboembolic diseases of the renal arteries)

1. 원인

1) 동맥경화증, 신동맥류(renal artery aneurysm), 섬유근이형성증(FMD), 대동맥박리(aortic dissection) 등 에 의하여 신동맥내 혈전이 발생

2) 감염 또는 염증에 의한 혈관염에 이차적으로 혈전이 발생하는 경우

   (1) 타가야수동맥염(Takayasu's arteritis), 베체트병(Behcet's disease), 결절다발동맥염(polyarteritis nodosa, PAN)

3) 심장기원의 혈전

   (1) 심실세동이 있는 경우 심장 혈전색전증 발생 확률이 4배 증가

   (2) 신동맥혈전색전증은 약 2%에서 발생

4) 대동맥기원의 혈전

   (1) 대동맥류(aortic aneurysm)의 혈관내 치료(endovascular repair) 후 발생

5) 선천적 또는 후천적 과다응고상태(hypercoagulable state)에서 대개 정맥 혈전이 호발하나 동맥에 발 생할 수 있음

   (1) Factor V Leiden mutation, heparin induced thrombocytopenia, 항인지질증후군(antiphospholipid syndrome; APS), hyperhomocystinemia, 신증후군

2. 임상양상

1) 폐색에 따른 신손상의 정도에 따라 증상이 다양함

2) 복통이나 옆구리 통증, 압통, 육안적 혈뇨, 발열, 고혈압, 백혈구증가

   (1) Lactate dehydrogenase (LDH) 수준 증가

   (2) 양측혈전에 의한 경우- 급격한 신기능 저하

   (3) 신경색 증후 고혈압: 경색부위 신허혈에 따른 레닌 증가가 원인

3) 진단: Renal arteriography, CT 또는 MRA

3. 치료

1) 신허혈에 있어서 골든타임(golden time)은 60-90분으로 알려져 있음

   (1) 외과적 또는 혈관내 시술을 통한 색전 제거술

   (2) 동맥내혈전 용해제 치료(intraarterial thrombolytic treatment): streptokinase 이용

2) 항응고요법

   (1) Heparin (LMWH)으로 시작해서 와파린 치료 지속

   (2) 병변 정도에 따라 6개월에서 평생 유지

   (3) INR 2.0-3.0을 목표로 치료

4. 외상성 신동맥 혈전증(Traumatic thrombosis of renal artery)

1) 복부둔기외상(blunt trauma)에 의해 발생, 왼쪽에 호발

2) 예후가 좋지 않음(사망률 44%)

III. 신동맥류(Renal artery aneurysm)

1. 유병률

1) 전체 인구의 0.01%: 신혈관조영술을 시행 받은 환자들을 대상으로 하는 경우에는 1%

2) 20%에서 양측성

2. 분류

동맥경화나 신동맥협착이 동반되어 있는 경우가 적지 않음

1) 소낭성동맥류(Saccular aneurysm)

   (1) 60-90%로 가장 흔함

   (2) 50대에 진단되는 경우가 많음

2) 방추형 동맥류(Fusiform aneurysm)

   (1) 섬유근이 형성증 여성에 동반되는 경우가 흔함

   (2) 타가야수 동맥염(Takayasu's arteritis), 베체트병(Behcet's disease), 결절다발동맥염(polyarteritis nodosa, PAN), Ehlers-Dalnos 증후군, 진균성 동맥류(mycotic aneurysm)에 동반되는 경우

3) 신장내동맥류(Intrarenal aneurysm)

   (1) 10-15%, 다발성

   (2) 선천적, 외상후발생(예: 신장조직검사후)

   (3) 결절다발동맥염에 동반되는 경우

신장내과

03

3. 임상양상

1) 신혈관협착에 대한 평가 과정에서 무증상으로 발견되는 경우가 많음

2) 옆구리 통증이 있는 경우 동맥류의 크기가 증가하는 것을 의미하거나 동맥류 파열이나 박리, 동맥류 내혈전 생성과 이로 인한 신경색을 의심

3) 2 cm 이하에서 파열은 드문 반면 4 cm 이상에서는 그 위험이 높음

4) 임산부에서 신낭종의 파열 위험이 일반인에 비하여 유의하게 높음

4. 치료

1) 동맥류 절제술과 혈관 재개통술

(1) 외과적 또는 혈관 내시술을 통한 색전 제거술

　　5%에서 합병증으로 예기치 못한 신절제술로 이어질 수 있음

(2) 따라서 2 cm 이하는 경과 관찰, 적어도 3 cm 이상에서 수술적 치료를 고려

5. 박리성신동맥류(Dissecting aneurysm of renal artery)

1) 만성의 경우 신혈관 고혈압의 임상 양상

2) 40-60대의 연령, 남성, 우측 신동맥에 호발하나 20-30%에서는 양측성

3) 동맥경화나 섬유근이 형성증에 의한 병변에 이차적으로 발생

4) 혈관 내시술과 관련되어 합병증으로 발생하는 경우

IV. 신동맥죽종색전증(Atheroembolic disease of the renal arteries)

1. 원인

1) 복부동맥이나 신동맥에 외과적 수술 또는 혈관 내시술 후 혈관벽에서 떨어져 나간 콜레스테롤 결절이 신장 내 작은 동맥에 다발성으로 색전증을 유발하는 경우

2) 조영제 신독성과의 감별이 필요한데, 조영제 신독성의 경우는 1-2주 내에 회복하는 경향을 보이는 반면, 신동맥죽종색전증의 경우는 그 이상의 경과 기간을 보임

2. 증상

1) 피부병변이 관찰됨: 망상 피반 발가락의 자줏빛 변색 발가락 괴저

2) 타장기의 색전증: 망막, 뇌혈관, 급성췌장염, 허혈성대장염

3) 신허혈에 따른 고혈압이 발생

4) 소변검사: 단백뇨, eosinophiluria

5) 적혈구 침강 속도(erythrocyte sedimentation rate, ESR)의 증가, 보체감소(hypocomplementemia)가 관찰되기도 함

3. 치료

1) 입증된 효과적인 치료는 없음
2) 다만 statin 등의 콜레스테롤 저하 치료가 죽종반(atheromatous plaque)의 안정화를 통하여 색전을 막는 것으로 여겨지고 있어서 심혈관계 질환환자에서 장기간 statin 치료는 권고되고 있음
3) 보다 많은 색전이 발생할 수 있으므로 항응고요법은 금기
4) 30-50%의 환자에서 혈액투석이 시행됨

V. 신정맥혈전증(Renal vein thrombosis)

1. 원인

1) 외상, 외부적 압박(임파선, 대동맥류, 종양), 탈수(남성, 영유아), 임신 또는 oral contraceptives, 막성 신증(membranous glomerulonephritis, MGN)과 막증식사구체신염(membranoproliferative glomerulonephritis; MPGN)의 신증후군(nephrotic syndrome), 아밀로이드증(amyloidosis), 항지질 항체증후군(antiphopholipid syndrome), 스테로이드 사용
2) 신증후군의 경우 혈전성향(thrombophilic state)은 알부민뇨와 저알부민혈증의 정도와 비례
3) 좌측에 더 흔히 발생, 2/3 양측에서 발생

2. 임상증상

- 발생 부위의 정도와 급만성 여부에 따라 다름
1) 급성: 어린이에서 전형적: 발열, 오한, 요통(신장의 크기 증가와 더불어), 백혈구증가, 혈뇨를 동반한 갑작스런 신기능 저하
2) 만성적인 경우 특히 노인에서는 고혈압의 악화나 폐색 전이 재발하는 소견만을 보임

3. 진단: Doppler sonogram, contrast-enhanced CT (100% 민감도), MRI

4. 치료

1) 항응고요법
2) 혈전용해치료: 양측 신정맥혈전과 같은 급성 신손상이 발생한 경우
3) 체액 감소에 의해 발생한 소아환자에서는 수분과 전해질 공급이 필수
4) 저알부민혈증(<2.0-2.5 g/dL)의 신증후군환자에서 예방적 항응고 또는 항혈소판요법이 추천됨
5) 생명을 위협하는 합병증 발생 시 신절제술(nephrectomy) 고려

신장내과

03

제6-5절 혈전미세혈관병증

Ⅰ. 혈전미세혈관병증(thrombotic miaroangiopathy, TMA)

1. 혈전미세혈관병증 분류

1) Shiga toxin-producing Escherichia coli (E. coli O157)-hemolytic uremic syndrome (STEC-HUS, 과거 전형적 용혈성 요독 증후군(typical hemolytic uremic syndrome, typical HUS) 또는 햄버거병 (Hamburger disease)

2) 비전형적 용혈성 요독 증후군(atypical hemolytic uremic syndrome, aHUS)

3) 혈전성 혈소판감소성 자반증(thrombotic thrombocytopenic purpura, TTP)

4) 감별진단 질환: 파종성 혈관내 응고 증후군(disseminated intravascular coagulation, DIC), 패혈증 (sepsis)와의 감별진단이 필요

2. TTP와 aHUS 구분

1) TMA는 최근 진단의 개념이 다소 변경되어 과거에 typical HUS 또는 설사연관 HUS의 분류는 E. coli 가 확인되면 STEC-HUS로, ADAMTS13 활성도가 저하되어 있으면 TTP로, 두 진단명이 배제된 TMA 환자를 aHUS로 진단함

2) aHUS는 최근 유전자 변이 및 자가항체와의 연관성이 높은 것으로 알려짐

3. 증상, 검사 소견 및 원인

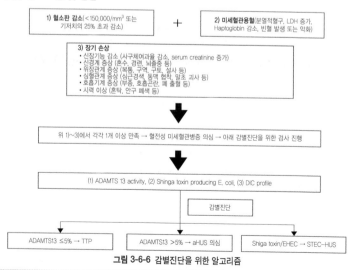

그림 3-6-6 감별진단을 위한 알고리즘

1) 고전적으로 혈전미세혈관병증을 대표하는 증상 및 검사소견은 symptom triad로 알려진 "급성신부전증, 용혈성빈혈, 혈소판감소증"였으나, 최근에는 아래 알고리즘을 통하여 혈전미세혈관병증 환자에서 TTP, aHUS, STEC-HUS를 감별진단함

2) TMA가 발생하는 데 최근 보체계 활성화, 특히 alternative pathway의 활성이 중요한 것으로 알려짐

3) TMA 발생 원인으로 감염, 악성종양, 자기면역질환, 사구체신염, 임신 합병증, 악성고혈압, 고형장기 및 골수이식, 수술 및 외상, 여러 종류의 약물이 알려짐

표 3-6-16 TMA의 발생 원인

1) 특발성
2) 이차성
  • 감염
  • 악성종양(위암, 대장암, 유방암, 폐암 등)
  • 자기면역질환(SLE, 전신성 경화증, 혈관염 등)
  • 임신 합병증(전자간증, 자간증, HELLP syndrome)
  • 악성고혈압
  • 고형장기이식, 골수이식
  • 수술
  • 외상
  • 약물: 면역억제제(cyclosporine, tacrolimus, mTOR inhibitors), 항암제(mitomycin, gemcitabine), 혈소판응집억제제(ticlopidine, clopidogrel), 항바이러스제, 피임약 등

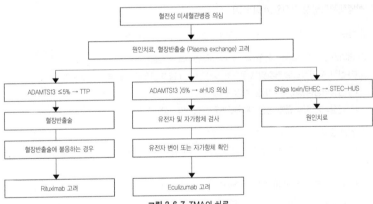

그림 3-6-7 TMA의 치료

4) 유전적인 요인

(1) 현재 알려진 유전 요인은 complement factor H의 mutation이 가장 많고 membrane cofactor protein, complement factor I, C3, complement factor B, thrombomodulin 등이 알려짐

(2) 유전자 변이와 자가항체가 확인된다면 조기에 eculizumab 치료를 고려함

제6-6절 신낭종질환

Ⅰ. 신낭종질환

1. 신낭종의 분류

1) 유전성낭종성 질환

(1) 상염색체우성다낭성 신질환(autosomal dominant polycystic kidney disease)

(2) 상염색체열성다낭성 신질환(autosomal recessive polycystic kidney disease)

(3) 결절성 경화증(tuberous sclerosis)

(4) von Hippel Lindau disease

2) 비유전성낭종성 신질환

(1) 다낭신(multicystic disease)

(2) 단순 신낭종(simple renal cyst)

(3) 해면신(medullary sponge kidney)

(4) 후천성 신낭종(acquired renal cystic disease)

2. 상염색체다낭성 신질환(ADPKD)

1) **빈도:** 1/200-1/1,000 (가장 흔한 유전성 신질환, 전체 만성신부전증의 10%)

2) **병리소견:** polycystin-1 혹은 polycystin-2의 변이로 확인됨

(1) 신장: 육안적으로 커져있고 무수히 많은 낭종이 양측 신장에서 발생

(1) 신장외낭종 발현: 간, 비장, 췌장, 난소

(1) 신장질환 이외 합병 질환: 대뇌동맥류, 심장판막이상(mitral valve prolapse)

3) **임상 증세**

(1) 대부분 무증상으로 신낭종의 크기가 점차 커지면서 종괴 효과에 의한 증상 발현: 측복통, 복부 종괴

(2) 육안적 혈뇨: 낭종 파열(측복통동반)

(3) 고혈압: 레닌-안지오텐신계 활성화

(4) 요로감염: 낭종 감염

4) **진단:** 초음파, 전산화단층촬영으로 대부분 진단 가능

5) **치료**

(1) 혈압조절: 120/75 mmHg 이하로 철저하게 조절, 레닌-앤지오텐신계 억제제를 우선적으로 사용 (angiotensin converting enzyme inhibitor 또는 angiotensin receptor blocker)

(2) 요로감염(낭종벽을 투과하는 quinolone계, trimethoprim-sulfamethoxazole 항생제 우선 사용) 및 요로 결석 조기 발견, 치료 및 예방 필요

(3) 대뇌동맥류 스크리닝 및 치료(MRA는 cost-effectivenss를 고려)

(4) 유전적 상담(가족력 확인)

6) 예후: 50%의 환자에서 70세 이전에 말기신부전증으로 진행

7) 감별진단: 다발성 단순 낭종과는 초음파/CT로 쉽게 감별되며 그 이외에는 표 3-6-17 참조

표 3-6-17 상염색체 우성 다낭성 신질환과 감별하여야 할 낭종 질환

상염색체 열성 다낭성 신질환	가족력이 없는 경우가 많음 주로 소아에서 발현하여 신부전으로 진행 간섬유화증에 의해 문맥압 항진증, 식도정맥류, 간비대 등이 나타남
다낭성 이형성 신질환	대개 일측성, 출생시부터 존재함
해면신	50%에서 신석회화 동반, 경정맥요로조영술에서 집합관의 확장소견
후천성 신낭종	낭성 신질환의 과거력이 없는 환자에서 장기간 투석 치료 이후에 양측 신장에 5개 이상의 낭종이 존재

제6-7절 폐쇄성 요로병증

I. 폐쇄성요로병증의 원인

1. 요관

1) 요로결석   2) 종양   3) 염증성 협착   4) 후복막강 섬유증식증   5) 방광요관역류

6) 임신 자궁   7) 기타(대동맥류, 자궁근종, 골반염, 비의도적 수술적 결찰)

2. 방광출구

1) 전립선비대증   2) 전립선암   3) 방광종양   4) 방광결석   5) 방광경부수축

3. 요도

1) 요도협착   2) 요도결석   3) 포경

II. 폐쇄성요로병증의 임상 증상

1. 동통

1) 급성 상부 요로폐색의 가장 흔한 증상으로 주로 측복부동통이 나타남

2) 육안적 혈뇨를 동반하기도 함

2. 배뇨장애, 요량 감소, 요로 감염, 요독증

III. 폐쇄성요로병증의 진단

1. 병력

동통, 육안적 혈뇨, 배뇨장애, 요량변화 등이 있을 시에 폐쇄성 요로병증을 고려

2. 신체검사

복부의 종물유무, 늑골척추각의 압통, 직장 내 촉진을 통한 전립선 이상 확인

3. 검사실 소견

혈뇨, 혈청크레아티닌, 혈중요소 질소의 상승

4. 방사선소견: 진단에 가장 중요

1) 단순요로촬영(KUB): 신장의 크기, 비정상적인석회화음영
2) 초음파검사: 수신증, 결석, 요로확장
3) 경정맥요로조영술(IVP): 정확한 요로폐색의 위치와 정도 확인
4) 역행성요로조영술: 신부전으로 경정맥 요로조영술이 불가능한 경우에 시행
5) 하행성요로조영술: 경정맥요로조영술과 역행성요로조영술에 실패하거나 도움되지 않는 경우 시행
6) 전산화단층촬영: 요로폐색의 원인 질환을 확인하는데 유리함

IV. 폐쇄성요로병증의 치료

1. 폐색의 제거: 원인 질환을 찾아서 각각의 질환을 적절하게 해결
2. 요로전환술(urinary division): 요독증이 있거나 폐색의 제거가 곤란한 경우
3. 콩팥창냄술(percutaneous nephrostomy, PCN): 방광 이상 폐쇄
4. 방광창냄술(cystostomy): 방광 이하 폐쇄
5. 신적출술: 반대쪽 신장 기능이 정상이고 폐색된 신장이 비가역적인손상을 받은 경우
6. 감염의 치료

V. 폐쇄 교정 이후의 막힘후 이뇨(postobstructive diuresis)

1. 정의: 심한 요로 폐색으로 신부전이 발생하여 BUN이 상승된 상태에서 폐색이 교정된 직후에 발생하는 이뇨 현상
2. 발생기전: 요농축 능력 장애, 저류된 요소에 의한 삼투성 이뇨, 염분의 재흡수장애
3. 치료
   1) 경미한 경우에는 경구 수분 섭취만으로 충분
   2) 요량이 시간당 200 ㎖ 이상 나오는 경우에는 요량의 2/3에 해당하는 수액을 정맥 주사

제6-8절 신결석

I. 신결석의 정의, 종류, 구성성분 및 생성기전

1. 정의 및 유병률

1) 신장 내의 요로 통로인 신우, 신배에 발생하는 결석
2) 유병률: 유전적 요인, 수분섭취, 연령 및 성별, 음식 등에 따라 유병률은 다양하게 보고되는데 서구에서 유병률은 4-8%로 알려짐

2. 종류 및 구성 성분

1) 칼슘염: 75-85%,   2) 스트루바이트: 10-15%,   3) 요산: 5-8%,   4) 시스틴: <1%

3. 생성기전

1) 포화 및 과포화: 요중에 요석을 구성하는 성분이 많아지면서 결정이 생성
2) 핵화: 과포화상태가 계속되면서 결절이 점점 커지고 서로 합해지면서 결석이 생성
3) 결정화 억제물질: 구연산염, 마그네슘, 황산염, pyrophosphate, phosphocitrate 등의 결정화 억제물질이 결핍되면 신결석의 생성 가능성이 높아짐

II. 신결석의 임상증상

1. 무증상

유두의 표면이나 집합관에 위치하여 요배출에 지장을 초래하지 않는 경우

2. 증상 유발

1) 상부요로결석: 신우요관 접합부나 요관을 막는 경우 심한 측복부 산통과 늑골척추압통 및 혈뇨, 오심, 구토 등을 동반
2) 하부요관 결석: 빈뇨, 잔뇨감 등 배뇨 증상

III. 신결석의 진단

1. 기본검사

소변검사, 단순요로촬영(KUB) (cf. Cystine 및 요산결석: 방사선 투과성으로 KUB에서 관찰되지 않음)

2. 확진

경정맥 요로조영술(IVP), 조영제 사용이 어려운 경우 역행성 요로조영술(RGP)이나 전산화단층촬영(CT)을 시행함

3. 초음파

수신증 진단에 유리

IV. 신결석의 치료

1. 통증치료

buscopan (10-20 mg IM 혹은 IV) 등의 항경련제 효과가 없으면 demerol을 투여

2. 수액요법

5 mm 이하의 작은 결석은 90% 이상에서 자연 배출됨

3. 결석제거

심한폐색, 감염, 심한 통증, 출혈이 있는 경우 체외충격파쇄석술(ESWL), 경피적 신쇄석술 등이 이용됨

V. 신결석 예방을 위한 식이요법

표 3-6-18 신결석 환자의 식이요법

내용	구체적인 지시사항
충분한 수분섭취	매 식사 시, 식간에, 그리고 취침 전에 일일 2 L 이상의 수분 섭취 권장
염분섭취 제한	일일 100 mEq 이하로 제한
수산(oxalate) 섭취 제한	고수산 음식: 시금치, 땅콩, 초콜렛, 홍차, 양배추, 파, 딸기, 당근
단백질섭취 제한	단백질 섭취를 일일 1 g/kg 이하로 제한
칼슘섭취	칼슘 섭취는 제한하지 않음
구연산함유음식	구연산 함유 음식 섭취 격려(오렌지 쥬스)

Ⅰ. 임신 시 정상적인 신장 및 요로계의 변화

1. 임신 6주 이후 전신혈관 저항성의 감소 및 동맥 compliance 증가로 인한 변화가 나타남
2. 사구체여과율과 신혈류량은 임신 20주에 최고치, 사구체여과율은 출산 후 6-8주, 신혈류량은 출산 후 1주에 정상화

표 3-7-1 정상 임신시의 신장 및 체액 변화

혈장량(plasma volume)	Δ 30–50% 증가, 'physiologic anemia', ECF Δ 4–6 L 증가
혈압	임신 전보다 Δ 10 mmHg 감소(~2nd trimester), 이후 정상화
심박출량	임신 전보다 Δ 30–50% 증가
심박동수	임신 전보다 Δ 15–20회/분 증가
신혈류량(RBF)	임신 전보다 Δ 50–80% 증가
사구체여과율	임신 전보다 Δ 40–50% 증가(150–200 ml/min)
혈색소	임신 전보다 Δ 2g/L 감소, dilutional physiologic anemia
혈중 creatinine	0.4–0.5 mg/dL까지 감소
혈중요산	2.0–3.0 mg/dL로 감소(임신 22–24주까지), 이후 임신전 수치로 회복
혈중산염기	경한 호흡성 알칼리증(pH ~7.44, Pco2 27–32 mmHg)
혈중 sodium 농도	임신 전보다 Δ 4–5 mEq/L 감소(135 mEq/L)
혈중삼투압(Osm)	임신 전보다 Δ 10 mOsm/L의 감소(270 mOsm/L)
해부학적 신장 크기	장축으로 1–1.5 cm 이상 증가
요로계 모양 변화	80% 임산부 경한 수신증(hydronephrosis)동반 : RK >LK

표 3-7-2 임신시 흔한 방광증상 및 방광용량 (Cystometry)

방광증상	발견빈도		임신시	정상시
야간뇨(Nocturia)	87%	첫 요의	154 ml	169 ml
빈뇨(Frequency)	65%	정상 요의	221 ml	264 ml
배뇨통(Dysuria)	40%	강한 요의	316 ml	372 ml
절박뇨(Urgency)	27%	절박 요의	371 ml	441 ml
요실금(Stress incontinence)	19%	최대방광용량	416 ml	488 ml

II. 임신시 요로감염(Urinary tract infection)

- 임신 중 가장 흔한 내과적 합병증 (방광염, 요도염, 무증상 세균뇨, 급성신우신염 등)
- 급성 신우신염은 전체 임신의 약 1-2%에서 발생: 고연령, 다산모(high parity), 낮은 사회 경제적 환경, 과거 요로 감염, 당뇨병 환자에 빈발

1. 증상: 비임신과 유사

1) 방광염 및 요도염: 빈뇨, 잔뇨감, 절박뇨(urinary urgency), 배뇨통(dysuria), 육안적혈뇨
2) 급성 신우신염 또는 신장 농양: 심한 발열 및 측복부동통, 요로증상 선행

2. 진단: significant bacteriuria, 배양검사상 >10^5 CFU(colony forming unit)/ml

임산부의 경우 증상이 있으면서 10^3-10^4 CFU/ml 경우 치료 대상, 호발 균주는 비임신과 유사

3. 무증상 세균뇨(asymptomatic bacteriuria): 임신의 4-7%, 신우신염으로 진행 40%

세균 배양 및 항생제 감수성 검사하고, 추적 검사상 지속되는 경우 1-2주 간 항생제 치료

4. 치료: 비임신과 같으나 급성신우신염의 경우 입원치료가 원칙

1) 임신의 경우 재발 혹은 재감염 확률 높음, 최대 4-6주간의 항생제 치료가 필요 할 수도 있음
2) 항생제 FDA category A 혹은 B에 속하는 항생제 사용
   (1) ciprofloxacin, tetracycline 계통의 약제는 금기
   (2) aminoglycoside: 임신 초기에는 사용하지 않음
   (3) sulfonamide (Bactrim 또는 nitrofurantoin): 신생아 핵황달(kernicterus), 태아 신경계 발생 이상

표 3-7-3 임신시 요로감염에 대한 항생제 치료

- 무증상 세균뇨 및 급성방광염:
  Amoxicillin (dimer of ampicillin) 500 mg bid or tid po for 7–10 days
  ampicillin–clavulanate (Unasyn) 2T #2 po for 7–10 days
  cephalexin 500 mg bid or tid po for 7–10 days

- 급성신우신염의 1차 치료:
  cefazolin or cephradine: 1.0 g bid iv (AST), 7–14 days
  ampicillin–clavulanate: 1–2 vial tid iv (AST), 7–14 days

- 급성신우신염의 2차 치료:
  cefoperazone: 1.0–2.0 g iv q 8–12 hrs iv (AST)
  cefotaxime or ceftizoxime: 1.0–2.0 g iv q 8–12 hrs iv (AST)
  ceftazidime: 1.0 g iv q 8–12 hrs iv (AST) for pseudomonas infection

신장비뇨기과

03

III. 임신시 진단 및 치료에 목적 방사선학적 시술과 요로결석 (Urolithiasis, Nephrolithiasis)

1. 임신시 방사선 검사의 위험도

1) **National Council on Radiation Protection (NCRP):** 50 mGy 이하는 태아에 영향 경미, 150 mGy 이상 시 태아 기형의 위험증가

2) **American College of Obstetricians and Gynecologist (ACOG)**

(1) 단일시술에 의한 방사선 노출은 큰 해가 없음: 특히 50 mGy 미만인 경우

(2) duplex Doppler imaging를 포함한 초음파- 태아에 미치는 부작용 없음

(3) MRI 촬영시의 자기장이나 전자기파: ① 1st trimester 가능 ② MRI 조영제의 안정성(-)

3) **태아가 많은 방사선에 노출:** 방사선에 의한 태아기형, 악성종양, 돌연변이

(1) 200 mGy 이상시 발병, 가능하면 초음파와 조영제 미사용 MRI 실시

(2) 일반적인 전산화단층촬영: 방사선 노출량이 너무 많아 사용하지 않음

표 3-7-4 태아에 미치는 방사선량

검사 종류	태아 피폭량(cGy)
경추, 사지 단순 방사선 검사	<0.001
흉부 단순촬영(PA, Lat)	0.002
흉추(AP, Lat)	0.003
단순 복부사진(AP) 21 cm/33 cm 두께	1 / 3
요추 단순 사진(AP, Lat)	1
제한적 경정맥요로조영술(21 cm, 4장)	6
소장조영술/바륨 장 조영술	7
전산화단층촬영 두부/흉부/관상동맥 조영	0 / 0.2 / 0.1
전산화단층촬영 복부, routine	4
전산화단층촬영 복부/골반, routine	25
전산화단층촬영 대동맥 조영(흉부~골반)	34
핵의학 전신 검사(WBBS)	5 (1st trimester)
핵의학 전신 PET	15 (1st trimester)
핵의학 갑상선 검사	0.2 (1st trimester)

4) **임신 중 요로결석:** 그림 3-7-1과 같은 방법으로 접근

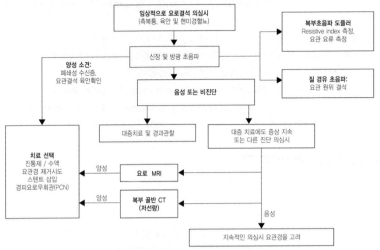

그림 3-7-1 임신 중 요로 결석의 진단 및 치료

IV. 임신 중 사구체질환 및 신증후군

(Chronic nephropathy and Nephrotic syndrome)

1. 임신 중 사구체질환 의심 증상(단백뇨, 혈뇨, 고혈압 등) 발생 시 자간증과의 감별이 우선

표 3-7-5 사구체질환과 자간증 감별

임신시 증상	자간증 (preeclampsia)	임신 전 신질환이 있는 경우
단백뇨	임신 20주 이후	대개 임신 20주 이전
혈뇨	(−)	동반될 수 있음
요중 Cast	드물게 나타남	흔하게 보임
고혈압	임신 20주 이후	대개 임신 20주 이전
혈소판 감소	중등도 이상의 자간증에서 보임	보통 동반되지 않음
간기능 저하	중등도 이상의 자간증에서 보임	보통 동반되지 않음

2. 임신시 신장 조직 검사의 적응증(임신 32주 이전, 가급적이면 분만 후 시행)

1) 원인이 불분명한 급속진행형 사구체신염(RPGN) 의심되는 경우

2) 증세가 심한 신증후군 경우

3) 진행되는 교원성 질환(scleroderma, periarteritis 등)이 의심

3. 자간전증(preeclampsia) 임산부 5%, 20주 이후 발병.

1) 진단 기준: 임신중 고혈압(≥140/90 mmHg)과 단백뇨(≥300 mg/24 hr urine collection)

(1) 혈소판 감소 (≤10^5/mm³), 혈청크레아티닌 1.1 mg/dL 이상, double LFT, 폐부종, 시각 또는 중추 신경 증상

2) 출산이 유일한 치료, 출산 후 3~6개월 이후에도 단백뇨 지속 시 신장내과 의뢰

3) 위험군: 만성고혈압, 당뇨병, 만성신질환, 비만, 항인지질증후군, 이전 자간전증병력, 다태아임신, mole, 태반비대, trisomy13, 시험관수정 임신, 고령산모(〉40세)

4) 자간증 (Eclampsia): 간질발작, vasogenic edema on white matter of parieto-occipital area

5) HELLP 증후군 (hemolytic anemia, elevated liver enzymes, low platelet count): severe variant of preeclampsia, 자간증, 태반파열, 신부전, 파종성혈관내응고(DIC), 폐부종, 간출혈 또는 파열

4. 임신성 미세혈관병증(HUS, TTP)

1) 용혈성빈혈(hemolytic anemia), 혈소판 감소증(thrombocytopenia), 급성신부전이 특징
   - uncontrolled complement activation이 병리기전

2) 주로 분만 후 1일-10주에 발생

3) 증상: 대부분의 환자에서 고혈압 동반, 초기증상: 몸살증상(flu-like symptoms)으로 시작

4) 치료: 적극적인 혈장 반출법(plasmapheresis)과 항응고제(heparin) 사용

표 3-7-6 임신관련 질환 감별진단 (HUS/TTP vs HELLP vs AFLP)

	HUS/TTP	HELLP 증후군	AFLP (임신성 지방간)
용혈성 빈혈	+++	++	±
혈소판 감소증	+++	++	±
혈액응고장애	−	±	+
중추신경 증상	++	±	±
신부전	+++	+	++
고혈압	±	+++	±
단백뇨	±	++	±
AST 상승	±	++	+++
Bilirubin 상승	++	+	+++
혈청 암모니아 수치	정상	정상	증가
출산 이후 질병 경과	변화없음	회복	회복
치료	혈장교환술	보존치료, 출산	보존치료, 출산

표 3-7-7 임신 시 처방 가능한 혈압약(FDA class)

	약 종류		장점	단점
1차 약제	경구	Methydopa (B) Labetalol (C) Nifedipine (C) long-acting	1차약제, 안전성 data 비교적안전 (β & α차단)	반감기 짧아 bid or tid 반감기 짧아 bid.
	정주	Labetalol (C) Nicardipine (C)	Good safety data 분만시 효과적, 안전	
2차 약제	경구 /정주	Hydralazine (C) Metoprolol (C) Verapamil (C), diltiazem (C)	광범위 임상결과 하루 한번 복용 가능 태아부작용 보고 없음.	모친저혈압, 태반파열위험 Labetalol보다 data적음 Limited data

	약 종류	장점	단점
피할 것	이뇨제 Atenolol Nitroprusside	태아부작용 보고 없음	혈장량 감소 우려 태아 성장 저해
금기	ACE inhibitors Angiotensin receptor antagonists		태아 기형 태아 기형

5. 만성사구체신염(chronic glomerulonephritis)

1) IgA 신증: 조직검사상 class III 이상, GFR 70 ml/min 미만, 고혈압 지속 → 분만 후 악화

2) 미세변화신증, 초점분절성사구체경화증, 막성사구체신염 등 → 분만 후 악화 가능성

3) 신증후군(nephrotic syndrome): 태아 성장지연, 조산, 태아절박가사 등의 위험

(1) Choice of Tx: Prednisolone 1 mg/kg QD 혹은 2 mg/kg EOD in MCD, FSGS, lupus nephritis

(2) 식이요법: 염분 섭취 제한 및 고급 단백질(high biological value protein) 공급 필요

(3) Optional Tx: heparin, 이뇨제 주의 furosemide (Lasix)

4) 루푸스신염(SLE, lupus nephritis)

(1) 임신 시 루푸스 활성도 악화, 루푸스 신염도 특히 분만 직후에 악화

(2) 조산 및 선천성기형 등 합병증 위험, 임신전 최소 6개월 이상 활성도 안정 선행 권유

표 3-7-8 임신시 고려되는 면역억제제제

면역억제제제	FDA	임산시 사용 관련 특징
Corticosteroid	C	well established efficacy. 내당능장애, premature labor
Hydroxychloroquine	none	안전 용량(200~400 mg/day), 루푸스 신증에서 효과적.
Cyclosporine	C	자간증, 신기능저하, 고칼륨혈증 위험 증가
Tacrolimus	C	자간증, 신기능저하, 고칼륨혈증 위험 증가
IV immynoglobulin	C	안정성의 데이터 부족
Rituximab	C	안정성 및 효과 데이터 없음
Azathioprine	D	심장기형과 조산이 위험 증가
Mycophenolate mofetil	D	기형유발, 임신 전 최소 6주 전에 중단
Cyclophosphamide	D	기형유발, 임신중 금기
Methotrexate	X	기형유발, 임신중 금기, 임신 전 최소 3개월 전에 중단

V. 임신과 만성신질환, 투석과 이식

1. 만성 신질환(chronic kidney disease)

1) 신장손상이 임신기간과 분만 후에도 진행, 임신 전보다 신장 기능 악화

2) 임신 전에 내과적, 산부인과적 평가 및 상담이 반드시 필요

3) 임신 전 2.0 mg/dL 신부전환자의 경우 임신 및 분만 후 일년 이내에 1/3이 투석으로 진행

4) 임신 시 혈청크레아티닌 0.8 mg/dL 이상 시 신장 손상을 의심

표 3-7-9 임신 전 신부전 평가 및 예후

경증 신부전 (Cr < 1.4 mg/dL)	거의 정상인과 다름이 없음. 임신 중에 사구체 여과량이 늘었으며 큰 합병증이나 후유증 없이 임신과 분만이 진행
중등도 신부전 (Cr 1.4~2.8 mg/dL)	30~50% 환자에서는 임신에 의한 사구체 여과량의 증가가 거의 없고, 혈압의 상승과 동시에 사구체 손상으로 진행되어 단백뇨량이 증가
진행된 신부전 (Cr 2.8~3.0 mg/dL 이상)	임신 자체가 어려운 경우가 있고 임신이 되더라도 고혈압 및 전자간증으로 진행되어 태아의 생존이 어려움은 물론 산모도 투석으로 이행

* 합병증: 고혈압, 뇌출혈, 태반조기박리, 급성콩팥손상, 태아 성장 지연(고혈압 환자의 35%에서 발생), 조산(preterm birth); 신부전 환자의 약 반수에서 발생, 태아절박가사(fetal distress)

2. 투석환자와 신장이식환자의 임신

1) 말기신부전 환자의 경우 요독증으로 임신 자체가 어려움

2) 신장이식 환자에서는 임신 및 분만이 충분히 가능: 면역억제제 등의 약제 및 해부학적 상태(이식신장이 iliac fossa에 심어 있음) 고려 필요

3) 신장이식 환자의 임신 합병증

(1) 모성: 고혈압, 이식신 거부반응, 감염증 및 패혈증, 고혈당, 자궁파열 및 모성사망

(2) 태아: 태아 성장 지연, 조산, 호흡 곤란 증후군, 패혈증, 간기능부전, 부신기능부전

표 3-7-10 신장 이식 환자의 임신 가능 기준

① 임신 전 최소 6개월~2년간 전신상태가 양호
② 해부학적 혹은 산과적 이상이 없는지를 확인
③ 단백뇨가 없음
④ 이식신장거부반응의 증거가 없음
⑤ 이식신의 신우의 확장 증가(no evidence of pelvocalyceal distention)가 없음
⑥ 혈장 creatinine이 2 mg/dl 이하
⑦ 면역억제제; prednisolon의 양을 15 mg 이하로 사용
⑧ 고혈압이 없어야 함

4) 신장이식 환자의 임신예후

(1) 약 30%의 증례에서 첫 trimester 이전에 유산(15%의 증례에서 자연유산)

→ 첫 trimester를 넘기면 95%에서 성공적인 분만으로 진행

(2) 모성 고혈압이 30%에서 발견

(3) 조산이 45-66%, 태아성장부전이 약 40%에서 발견

(4) 이식신의 신장 기능이 좋을수록, 면역 억제제의 사용량이 적을수록 예후 좋음

Ⅰ. 신장병 환자에서 약물 선택의 원칙

1. 신부전 환자 혹은 노인 환자의 경우 신장으로 배설되는 약물을 사용하려면

1) 환자별 정확한 신장 기능의 평가(환자별 수분량 평가, 특히 급성 신장 손상 시 신기능의 악화시기와 회복시기에 같은 크레아티닌 수치라도 용량 배설량이 다름)

2) 각 약제의 약물 역학을 이해하여 용량 조절

3) 여러 가지 약제 사용 시 상호 작용도 고려

4) 신장독성 약물의 종류 및 기전을 이해하여 선택 및 용량 조절이 필요

Ⅱ. 약물 역동학의 원리 및 약물 대사의 기전

1. 약물 역동학적 지표

1) Bioavailability (F): 체순환 및 활성부위 약물 용량의 결정

2) Volume of distribution (V_D): 부하 용량 결정

3) Clearance (Cl): 유지 용량 결정

4) Half-life (t1/2): 혈청농도를 안정되게 유지하는데 필요한 시간 결정

2. 약제 배출의 계산식들

1) Total body drug clearance =Drug dose/AUC

2) Renal clearance = Total amount of drug in urine/plasma drug concentration

3) Total amount of drug in urine = Drug x volume of the sample collected in a fixed time

4) Drug half-life (t1/2) = $V_D \times 0.693$/Clearence

AUC: Area under the concentration curve for the drug

V_D: volume of distribution(dose/blood concentration)

III. 잔여 신기능에 따른 약물 용량 및 투여 간격 조절

* 신부전 환자에서 약물 용량 조절의 단계

병력 및 신체검사 → 신기능 측정 → 정상 용량 결정 → 최초 투여 용량 → 용량 분할 또는 증량 → 유지 용량 → 반응 관찰 → 용량 재평가

1. 병력 및 신체검사

2. 신장 기능 측정

3. 최초 투여 용량 계산

Loading dose = V_D (ml/kg) × desired plasma concentration (mg/ml)

V_D = volume of distribution of the drug

4. 유지 용량 계산

Dose rate in renal impairment / Dose rate in normal renal function

= (1 - fe) x (1 - Fraction of remaining renal function)

fe: the fraction of active drug excreted unchanged in urine

5. 용량 조절(감량)의 방법

1) Interval method

2) Dose method

3) Combination method

Ⅳ. 각 치료 약물의 혈청 농도 측정 및 적정 기준

표 3-8-1 콩팥 기능에 따른 약물 투여량 권고(Brenner & Rector's The Kidney, 10th ed.)

약제	용량 감량 혹은 투여 간격 조정			신대체요법 환자에서 권고용량		
	GFR >50 mL/min	GFR 10–50 mL/min	GFR <10 mL/min	혈액투석	복막투석	CRRT
Acetaminophen	q 4h	q 6h	q 8h	Dose as GFR < 10	Dose as GFR < 10	Dose as GFR 10–50
Acetazolamide	q 6h	q 12h	q 24h	Dose as GFR < 10	Dose as GFR < 10	Dose as GFR 10–50
Acetylsalicylic acid	q 4h	q 4–6h	Avoid	As normal GFR	As normal GFR	Dose as GFR 10–50
Acyclovir	5 mg/kg q 8h	5 mg/kg q 12–24h	2.5–5 mg/kg q 24h	Dose as GFR < 10	Dose as GFR < 10	Dose as GFR 10–50
Allopurinol	100%	50%	33%	Dose as GFR < 10	Dose as GFR < 10	Dose as GFR 10–50
Amantadine	q 24h	q4 8–72h	q 7days	Dose as GFR < 10	Dose as GFR < 10	Dose as GFR 10–50
Amikacin *	5–6 mg/kg q 12h	3–4 mg/kg q 24h	2 mg/kg q 24–48h	5 mg/kg after HD	15–20 mg/L/ day	7.5 mg/kg q24h
Amiloride	100%	50%	Avoid	NA	NA	NA
Amphotericin B	q 24h	q 24h	q 24h	Dose as GFR < 10	Dose as GFR < 10	Dose for GFR 10–50
Amphotericin B lipid	q 24h	q 24h	q 24h	Dose as GFR < 10	Dose as GFR < 10	Dose as GFR 10–50
Ampicillin	250 mg–2 g q 4–6h	250 mg–2 g q 6h	250 mg–1 g q 6h	Dose as GFR < 10	Dose as GFR < 10	Dose as GFR 10–50
Atenolol	100% q 24h	50% q 24h	25% q 24h	Dose as GFR < 10	Dose as GFR < 10	Dose as GFR 10–50
Azathioprine	100%	75%–100%	50%–100%	Dose as GFR < 10	Dose as GFR < 10	Dose as GFR 10–50
Bisoprolol	100%	100%	50%	Dose as GFR < 10	Dose as GFR < 10	Dose as GFR 10–50
Bleomycin	100%	75%	50%	Dose as GFR < 10	Dose as GFR < 10	Dose as GFR 10–50
Bupropion	100% q 24h	100% q 24h	100% q 24h	Dose as GFR < 10	Dose as GFR < 10	Dose as GFR 10–50
Captopril	100% q 8–12h	75% q 12–18h	50% q 24h	Dose as GFR < 10	Dose as GFR < 10	Dose as GFR 10–50
Carboplatin	100%	50%	25%	Dose as GFR < 10	Dose as GFR < 10	Dose as GFR 10–50
Cefaclor	100%	100%	50%–100%	250–500 mg q8h	250 mg q8–12h	Dose as GFR 10–50

약제	용량 감량 혹은 투여 간격 조정			신대체요법 환자에서 권고용량		
	GFR >50 mL/min	GFR 10–50 mL/min	GFR <10 mL/min	혈액투석	복막투석	CRRT
Cefazolin	q 8h	q 12h	50% q 24–48h	15–20 mg/kg after HD	Dose as GFR 10–50	Dose as GFR 10–50
Cefepime	q 12h	50%–100% q 24h	25%–50% q 24h	Dose as GFR < 10	Dose for GFR < 10	1–2 g q 12h
Cefixime	100%	75%–100%	50%	Dose as GFR < 10	Dose for GFR < 10	Dose as GFR 10–50
Cefotaxime	q 6h	q 6–12h	1g q 8–12h	Dose as GFR < 10	Dose as GFR < 10	1–2 g q12h
Cefotetan	q 12h	q 24h	q 48h	1 g after HD	1 g q 24h	Dose as GFR 10–50
Cefoxitin	q 6–8h	q 8–12h	q 24–48h	1 g after HD	1 g q 24h	Dose as GFR 10–50
Cefpodoxime	100%	100%	100–200 mg q 24–48h	Dose as GFR < 10	Dose as GFR < 10	As normal GFR
Cefprozil	100%	50% q 12h	50% q 12h	250 mg after HD	Dose as GFR < 10	Dose as GFR < 10
Ceftazidime	100%	1–2 g q 24h	0.5–1 g q 48h	1 g after HD	0.5–1g q 24h	1–2 g q 12h
Ceftizoxime	q 8h	q 12h	q 24h	1 g after HD	0.5–1.0 g q24h	Dose as GFR 10–50
Cefuroxime (IV)	100% q 8h	q 8–12h	750 mg q 12h	Dose as GFR < 10	Dose as GFR < 10	Dose as GFR 10–50
Cetirizine	100%	100%	50%	Dose as GFR < 10	Dose as GFR < 10	As normal GFR
Chloroquine	100%	100%	50%	Dose as GFR < 10	Dose as GFR < 10	As normal GFR
Chlorpropamide	50%	Avoid	Avoid	Avoid	Avoid	Avoid
Chlorthalidone	q 24h	Avoid	Avoid	Avoid	Avoid	Unknown
Cimetidine	100%	50%	50%	Dose as GFR < 10	Dose as GFR < 10	Dose as GFR 10–50
Ciprofloxacin	100%	50%–100%	50%	250 mg q 12h	250 mg q 8h	200 mg IV q 12h
Cisplatin	100%	75%	50%	Dose as GFR < 10	Dose as GFR < 10	Dose as GFR 10–50
Clarithromycin	100%	75%	50%–75%	Dose as GFR < 10	Dose as GFR < 10	Dose as GFR 10–50
Clofazimine	100%	100%	100%	Dose as GFR < 10	Dose as GFR < 10	Dose as GFR 10–50
Clomipramine	100%	Start at lower dose, monitor effect	Start at lower dose, monitor effect	Dose as GFR 10–50	Dose as GFR 10–50	Dose as GFR 10–50

약제	용량 감량 혹은 투여 간격 조정			신대체요법 환자에서 권고용량		
	GFR >50 mL/min	GFR 10–50 mL/min	GFR <10 mL/min	혈액투석	복막투석	CRRT
Clonidine	q 12h	q 12–24h	q 24h	As normal GFR	As normal GFR	As normal GFR
Clopidogrel	100%	100%	100%	Dose as GFR < 10	Dose as GFR < 10	Dose as GFR 10–50
Codeine	100%	75%	50%	As normal GFR	As normal GFR	As normal GFR
Colchicine	100%	100%	50%	Dose as GFR < 10	Dose as GFR < 10	Dose as GFR 10–50
Cyclophosphamide	100%	75%–100%	50–75%	Dose as GFR < 10	Dose as GFR < 10	Dose as GFR 10–50
Cycloserine	q 12h	q 12–24h	q 24h	Dose as GFR < 10	Dose as GFR < 10	Dose as GFR 10–50
Daunorubicin	100%	75%	50%	Dose as GFR < 10	Dose as GFR < 10	Dose as GFR 10–50
Digoxin *	100% q 24h	25%–50% q 24h	10–25% q 24–48h	Dose as GFR < 10	Dose as GFR < 10	Dose as GFR 10–50
Dobutamine	100%	100%	100%	As normal GFR	As normal GFR	As normal GFR
Emtricitabine	q 24h	q 48–72h	q 96h	Dose as GFR < 10	Dose as GFR < 10	Dose as GFR 10–50
Ertapenem	100%	100%	50%	Dose as GFR < 10	Dose as GFR < 10	Dose as GFR 10–50
Erythromycin	100%	100%	50%–75%	Dose as GFR < 10	Dose as GFR < 10	As normal GFR
Ethambutol	q 24h	q 24–36h	q 48h	Dose as GFR < 10	Dose as GFR < 10	Dose as GFR 10–50
Etoposide	100%	75%	50%	Dose as GFR < 10	Dose as GFR < 10	Dose as GFR 10–50
Famciclovir	100%	q 12–24h	50% q 24–48h	Dose as GFR < 10	Dose as GFR < 10	Dose as GFR 10–50
Famotidine	100%	50%	20 mg q 24h	Dose as GFR < 10	Dose as GFR < 10	Dose as GFR 10–50
Fentanyl	100%	75%	50%	Dose as GFR < 10	Dose as GFR < 10	Dose as GFR 10–50
Fexofenadine	q 12h	q 12–24h	q 24h	Dose as GFR < 10	Dose as GFR < 10	Dose as GFR 10–50
Flecainide	100%	50%	50%	Dose as GFR < 10	Dose as GFR < 10	Dose as GFR 10–50
Fluconazole	100%	100%	50%	Dose as GFR < 10	Dose as GFR < 10	As normal GFR
Foscarnet	28 mg/kg/q 8h	15 mg/kg/ q 8h	6 mg/kg/ q 8h	Dose as GFR < 10	Dose as GFR < 10	Dose as GFR 10–50

신장학 03

약제	용량 감량 혹은 투여 간격 조정			신대체요법 환자에서 권고용량		
	GFR >50 mL/min	GFR 10–50 mL/min	GFR <10 mL/min	혈액투석	복막투석	CRRT
Gabapentin	400 mg q 8h	300 mg q 12–24h	300 mg q 48h	As normal GFR	As normal GFR	As normal GFR
Gallamine	75%	Avoid	Avoid	NA	NA	Avoid
Ganciclovir	2.5–5 mg/kg q 12h	1.25–2.5 mg/kg q 24h	1.25 mg/kg q 24h	Dose as GFR < 10	Dose as GFR < 10	2.5 mg/kg q 24h
Gemfibrozil	100%	75%	50%	Dose as GFR < 10	Dose as GFR < 10	Dose as GFR 10–50
Gentamicin *	5–7 mg/kg/day	2–3 mg/kg/day by levels	2 mg/kg q 48–72h by levels	3 mg/kg after HD by levels	3–4 mg/L/day by levels	Dose as GFR 10–50
Gliclazide	50%–100%	20–40 mg/day	20–40 mg/day	Dose as GFR < 10	Dose as GFR < 10	Dose as GFR 10–50
Hydralazine	q 8h	q 8h	q 8–12h	Dose as GFR < 10	Dose as GFR < 10	Dose as GFR 10–50
Hydroxyurea	100%	50%	20%	Dose as GFR < 10	Dose as GFR < 10	Dose as GFR 10–50
Hydroxyzine	100%	50%	50%	Dose as GFR < 10	Dose as GFR < 10	Dose as GFR 10–50
Idarubicin	100%	75%	50%	Dose as GFR < 10	Dose as GFR < 10	Dose as GFR 10–50
Ifosfamide	100%	75%	50%	Dose as GFR < 10	Dose as GFR < 10	Dose as GFR 10–50
Iloprost	100%	100%	50%	Dose as GFR < 10	Dose as GFR < 10	Dose as GFR 10–50
Imipenem	100%	50%	25%	Dose as GFR < 10	Dose as GFR < 10	Dose as GFR 10–50
Indobufen	100%	50%	25%	Unknown	Unknown	Unknown
Isoniazid	100%	100%	75%–100%	Dose as GFR < 10	Dose as GFR < 10	As normal GFR
Kanamycin *	7.5 mg/kg q 12h	7.5 mg/kg q 24–72h	7.5 mg/kg q 48–72h	50% the normal dose	15–20 mg/L/day	Dose as GFR 10–50
Ketorolac	100%	50%	50%	Dose as GFR < 10	Dose as GFR < 10	Dose as GFR 10–50
Lamivudine	100%	50–150 mg q 24h	25–50 mg q 24h	Dose as GFR < 10	Dose as GFR < 10	50 mg q 24h
Levofloxacin	100%	50%	25%–50%	Dose as GFR < 10	Dose as GFR < 10	Dose as GFR 10–50
Lisinopril	100%	50%–75%	25%–50%	Dose as GFR < 10	Dose as GFR < 10	Dose as GFR 10–50
Lithium carbonate *	100%	50%–75%	25%–50%	Dose as GFR < 10	Dose as GFR < 10	Dose as GFR 10–50

약제	용량 감량 혹은 투여 간격 조정			신대체요법 환자에서 권고용량		
	GFR >50 mL/min	GFR 10–50 mL/min	GFR <10 mL/min	혈액투석	복막투석	CRRT
Melphalan	100%	75%	50%	Dose as GFR < 10	Dose as GFR < 10	Dose as GFR 10–50
Meropenem	500 mg–2 g q 8h	500 mg–1 g q 12h	500 mg–1 g q 24h	Dose as GFR < 10	Dose as GFR < 10	Dose as GFR 10–50
Metformin	100%	50%–avoid	Avoid	Avoid	Avoid	Avoid
Methotrexate	100%	50%	Contraindicated	Contraindicated	Contraindicated	Dose as GFR 10–50
Metoclopramide	100%	75%	50%	Dose as GFR < 10	Dose as GFR < 10	Dose as GFR 10–50
Midazolam	100%	100%	50%	Dose as GFR < 10	Dose as GFR < 10	As normal GFR
Midodrine	5–10 mg q 8h	5–10 mg q 8h	2.5–10 mg q 8h	Dose as GFR < 10	Dose as GFR < 10	Dose as GFR 10–50
Milrinone	100%	100%	50%–75%	No data	No data	Dose as GFR 10–50
Mitomycin C	100%	100%	75%	Dose as GFR < 10	Dose as GFR < 10	As normal GFR
Morphine	100%	75%	50%	Dose as GFR < 10	Dose as GFR < 10	Dose as < 10
Mycophenolate mofetil	100%	50%–100%	50%–100%	Dose as GFR < 10	Dose as GFR < 10	As normal GFR
N –Acetylcysteine	100%	100%	75%	Dose as GFR < 10	Dose as GFR < 10	Dose as GFR 10–50
Neostigmine	100%	50%	25%	Dose as GFR < 10	Dose as GFR < 10	Dose as GFR 10–50
Nicotinic acid	100%	50%	25%	Dose as GFR < 10	Dose as GFR < 10	Dose as GFR 10–50
Nitroprusside	100%	100%	Avoid	Avoid	Avoid	Dose as GFR 10–50
Ofloxacin	100%	50%	25%	Dose as GFR < 10	Dose as GFR < 10	Dose as GFR 10–50
Oxcarbazepine	100%	75%–100%	50%	Dose as GFR < 10	Dose as GFR < 10	Dose as GFR 10–50
Paroxetine	100%	50%–75%	50%	Dose as GFR < 10	Dose as GFR < 10	Dose as GFR 10–50
Penicillamine	100%	Avoid	Avoid	Avoid	Avoid	Avoid
Penicillin G	100%	75%	20%–50%	Dose as GFR < 10	Dose as GFR < 10	Dose as GFR 10–50
Pentoxifylline	q 8–12h	q 12–24h	q 24h	Dose as GFR < 10	Dose as GFR < 10	Dose as GFR 10–50

신장내과 03

약제	용량 감량 혹은 투여 간격 조정			신대체요법 환자에서 권고용량		
	GFR >50 mL/min	GFR 10–50 mL/min	GFR <10 mL/min	혈액투석	복막투석	CRRT
Phenobarbital	q 8–12h	q 8–12h	q 12–16h	Does as GFR < 10	Dose as GFR < 10	Dose as GFR 10–50
Piperacillin	q 6h	q 6–12h	q 12h	Dose as GFR < 10	Dose as GFR < 10	Dose as GFR 10–50
Pregabalin	100% q 8–12h	50% q 8–12h	25% q 24h	Dose as GFR < 10	Dose as GFR < 10	Dose as GFR 10–50
Primidone	q 12	q 12–24h	q 24h	Dose as GFR < 10	Dose as GFR < 10	Dose as GFR 10–50
Procainamide	q 4h	q 6–12h	q 8–24h	Follow levels	Dose as GFR < 10	Dose as GFR 10–50
Propylthiouracil	100%	75%	50%	Dose as GFR < 10	Dose as GFR < 10	Dose as GFR 10–50
Pyrazinamide	100%	100%	50%–100%	Dose as GFR < 10	Dose as GFR < 10	Dose as GFR 10–50
Pyridostigmine	100%	35%	20%	Dose as GFR < 10	Dose as GFR < 10	Dose as GFR 10–50
Ramipril	100%	50%	25%	Dose as GFR < 10	Dose as GFR < 10	Dose as GFR 10–50
Ranitidine	100%	100%	50%	Dose as GFR < 10	Dose as GFR < 10	Dose as GFR 10–50
Ribavirin	100%	Avoid	Avoid	Avoid	Avoid	Avoid
Rifampin	100%	50%–100%	50%–100%	Dose as GFR < 10	Dose as GFR < 10	As normal GFR
Rivaroxaban	100%	Avoid	Avoid	Avoid	Avoid	Avoid
Simvastatin	100%	100%	10 mg q24h	Dose as GFR < 10	Dose as GFR < 10	As normal GFR
Sitagliptin	100%	50%	25%	Dose as GFR < 10	Dose as GFR < 10	Dose as GFR 10–50
Sotalol	100%	25%–50%	25%	Dose as GFR < 10	Dose as GFR < 10	Dose as GFR 10–50
Spironolactone	100%	50%	Avoid	Dose as GFR < 10	Dose as GFR < 10	Dose as GFR 10–50
Sulfamethoxazole	q 12h	q 18h	q 24h	1 g after dialysis	1 g/day	Dose as GFR 10–50
Sulindac	100%	50%–100%	50%–100%	Dose as GFR < 10	Dose as GFR < 10	Dose as GFR < 10
Tazobactam	100%	75%	50%	Dose as GFR < 10	Dose as GFR < 10	Dose as GFR 10–50
Teicoplanin	q 24h	q 24–48h	q 48–72h	Dose as GFR < 10	Dose as GFR < 10	Dose as GFR 10–50

약제	용량 감량 혹은 투여 간격 조정			신대체요법 환자에서 권고용량		
	GFR >50 mL/min	GFR 10–50 mL/min	GFR <10 mL/min	혈액투석	복막투석	CRRT
Tetracycline	100%	100%	50%	Dose as GFR < 10	Dose as GFR < 10	Dose as GFR 10–50
Thiazides	100%	100%	Avoid	Dose as GFR < 10	Dose as GFR < 10	NA
Thiopental	100%	100%	75%	NA	NA	NA
Tobramycin *	5–7 mg/kg/day	2–3 mg/kg/day	2 mg/kg q 48–72h	3 mg/kg after HD	3–4 mg/L/day	Dose as GFR 10–50
Tolvaptan	100%	100%	Avoid	Avoid	Avoid	Avoid
Topiramate	100%	50%	25%	Dose as GFR < 10	Dose as GFR < 10	Dose as GFR 10–50
Topotecan	75%	50%	25%	Dose as GFR < 10	No data	No data
Tramadol	100%	50–100 mg q 8h	50 mg q 8h	Dose as GFR < 10	Dose as GFR < 10	Dose as GFR 10–50
Tranexamic acid	50%	25%	10%	Dose as GFR < 10	Dose as GFR < 10	Dose as GFR 10–50
Trazodone	100%	100%	Avoid/50%	Dose as GFR < 10	Dose as GFR < 10	Dose as GFR 10–50
Trimethoprim	q 12h	q 12h	q 24h	Dose as GFR < 10	Dose as GFR < 10	Dose as GFR 10–50
Valganciclovir	50%–100%	450 mg q 24–48h	450 mg q 72–96	Avoid	Avoid	450 mg q48h
Vancomycin *	1 g q 12–24h	1 g q 24–96h	1 g q 4–7d	Dose as GFR < 10	Dose as GFR < 10	Dose as GFR 10–50
Venlafaxine	100%	50%	50%	Dose as GFR < 10	Dose as GFR < 10	Dose as GFR 10–50
Vigabatrin	100%	50%	25%	Dose as GFR < 10	Dose as GFR < 10	Dose as GFR 10–50

CAPD, Continuous ambulatory peritoneal dialysis; CRRT, continuous renal replacement therapy; HD, hemodialysis; NA, not applicable.
* Adjust dose to achieve desired serum concentrations using measured serum concentrations and pharmacokinetic modeling principles.

4

위장관 및 췌담도

Handbook of Internal Medicine

I. 상부위장관내시경 검사

1. 적응증

1) 위장질환 관련 증상: 상복부 통증, 속쓰림, 소화불량, 구역, 구토 등

2) 위장관 출혈, 상부위장관 촬영(UGIS)에서 비정상 소견

3) 체중감소, 빈혈

4) 부식성 물질 섭취 후 급성 손상 정도의 평가(부식물 섭취 48시간 이내)

5) 치료내시경: 상부위장관 이물(생선가시, 동전) 제거, 종양 절제(용종절제, EMR, ESD), 협착부위의 풍선 확장, PEG, 출혈지혈술, POEM(경구 내시경 근절개술)

2. 금기증

1) 절대적 금기증

치매 및 간성 혼수 등으로 의료진의 지시에 따르지 못하는 경우

2) 상대적 금기증

(1) 심장부정맥	(2) 급성 심근경색 발병 3주 이내	(3) 심부전
(4) 호흡 곤란이 동반된 고도의 호흡기 질환		(5) 경추부의 과도한 기형
(6) 식도 압박이 동반된 대동맥류	(7) 급성부식성 식도손상	(8) 젠커씨 게실
(9) 근위부식도 또는 인두 폐쇄	(10) 위장관의 천공	(11) 위염전

II. 대장내시경 검사

1. 적응증

1) 이중조영바륨관장술에서 대장 이상 소견(협착, 충만 결손 등)

2) 원인이 불분명한 위장관 출혈, 대변잠혈 검사 양성

3) 철결핍성 빈혈   4) 원인 불명이면서 3주 이상 만성적으로 계속되는 설사

5) 장기간 지속된 염증성 장질환 환자에서 대장종양의 감시

6) 치료내시경: 종양 절제(용종절제, EMR, ESD), 출혈지혈술, 협착부위의 풍선 확장, 대장암으로 인한 내강 폐색에서 스텐트 삽입, 급성 비독성거대결장 혹은 S상결장 염전의 감압

** 혈변없는 급성 장염 혹은 흑색변+출혈 원인이 상부위장관내시경에서 발견된 경우는 대장내시경

을 시행하지 않음

2. 금기증

1) 중증 급성 게실염　　　2) 전격성 대장염　　　3) 장천공 의증　　　4) 복막염

5) 장폐색의심 환자: 대장정결제 복용시 장천공 위험이 있음

6) 항문의 급성 염증성 질환　　　7) 혈역학적 불안정, 급성 심근경색 3주 이내의 경우

III. 역행성담췌도조영술(ERCP)

1. 적응증

1) 총담관담석 제거　　2) 담즙 정체와 황달의 평가　　3) 담관 협착의 진단 및 담도배액술

4) 췌관질환의 평가　　5) 오디조임근 기능이상과 내압 평가　　6) 유두부종양의 진단 및 선종 절제술

2. 금기증

1) 상부위장관내시경 금기증에 해당되는 경우

IV. 캡슐내시경

1. 적응증

1) 원인불명의 소화관 출혈　　　2) 협착을 동반하지 않은 염증성 장질환

3) 소장종양 및 용종증　　　4) 흡수불량 증후군　　　5) 단백상실성위장증

6) NSAID에 의한 소장 점막손상의 평가　　　7) 만성 소화 장애증(Celiac disease)

2. 금기증

1) 장폐색　　2) 소아 (9세 미만)　　3) 연하장애　　4) 임산부　　5) 심박동기 이식 환자

V. 소장내시경

1. 적응증

1) 원인불명의 위장관 출혈 환자

2) 대변 잠혈 반응 양성 환자 또는 만성 철결핍성빈혈과 같은 잠재 출혈 환자

3) 크론병이 의심되는 환자와 소장 협착이 있거나 의심되는 환자

4) 소장종양이 의심되는 환자와 용종증 환자의 감시

5) 흡수 장애 증후군이 의심되거나 불응성 흡수장애 환자, 만성 소화 장애증(celiac disease)

6) 위장관 수술로 구조적 변형이 생겨 일반내시경으로 검사할 수 없는 경우

2. 금기증

1) 환자 협조가 되지 않을 때　　2) 전신상태가 불량한 환자　　3) 위장관 천공이 의심될 때

4) 원인 불명의 복막염　　5) 심한 출혈이 있는 환자　　6) 파열 위험이 높은 식도 정맥류

VI. 내시경 초음파

1. 기구 및 장비

1) Radial scan 시스템

(1) 내시경의 축에 수직으로 360도 환상의 영상을 얻음. 탐촉자는 5, 7.5, 12, 20 MHz를 교차 사용

(2) 탐촉자 주위에 물을 채울 수 있는 풍선이 위치, 탐지자와 소화기계의 벽사이에서 매질 역할

2) Linear-array 시스템

(1) 내시경축에 종적인 105도 2차원 영상

(2) 생검채널이 있어서 이를 통해 보조적인 기구의 삽입이 가능

3) 내시경 초음파 유도하 세침 흡입 생검

(1) 선형 타입의 내시경 초음파를 이용해 종격동 병변, 점막하 종양, 복부 림프절, 췌장종양, 작은 간 전이암, 부신종양의 진단에 있어서 90%정도의 충분한 표본을 얻을 수 있음. 악성종양에 대한 민 감도와 특이도는 77%, 100%

(2) 전체적인 합병증은 0.5% 정도로 비교적 안전한 술기

2. 적응증

1) 담낭/담도질환(담석증, 악성질환)　　2) 췌장질환(악성질환, 낭성병변, 자가면역췌장염)

3) 복강내 림프절질환　　4) 유두부질환　　5) 위장관 점막하 종양

VII. 위장관내시경 합병증

1. 천공

1) 진단내시경시 <0.1%, 치료내시경시 0.5-10%

2) 내시경 후 복통이 심하거나 용종절제 혹은 점막하박리술 후 반드시 chest PA 촬영(꼭 앉거나 서서 촬

영하여 free air 유무를 확인)

3) 치료: 통증이 심하지 않고 발열 없으면 금식 및 항생제(ceftriaxone+metronidazole iv) 투여 등의 보존
적 치료, 통증이 심해지고 발열 및 혈액 검사에서 백혈구 증가되면 수술 고려

2. 출혈

1) 용종절제술 후 0.3% (시술 당일 및 다음날 발생 빈도가 가장 높고, 약 10일 후까지도 지연출혈 가능)

2) 위 점막하박리술(ESD) 후 출혈 예방: PPI 투여

3. 구토

의식하 진정내시경에 사용하는 진정제 혹은 대장내시경시 투여하는 마약성 진통제에 의해 유발

4. 복부팽만감

내시경시 주입된 공기에 의해 발생

5. 용종 절제 후 응고 증후군(coagulation syndrome)

용종 절제시 전기응고에 의하여 점막에 급성 염증이 발생하면서 복통 및 발열이 발생, 대부분 금식 및
항생제 투여로 호전됨

6. 협착

식도 혹은 유문부의 점막하박리술 후 발생. 협착 증상 발생 시 풍선확장술 혹은 수술

7. 위내시경 후

앞니 손상, 급성위점막 병변, 캄톤 주머니(Campton's pouch: 귀밑이하선 부위의 부종과 압통. 5-6시간
후 자연적 호전)

8. 역행성담췌관조영술 후 췌장염

1) 위험인자: 젊은 연령, 여성, 정상 혈청 빌리루빈 수치, 이전에 시술 후 췌장염 병력, 췌관에 조영제 주
입, 췌관 괄약근 절개술, 예비절개술, 담도 괄약근에 대한 풍선확장술, 오디괄약근 기능장애

2) 진단: 시술 후 amylase, lipase 확인

3) 예방: 위험인자가 있으면 췌관 배액관 삽입, 시술 전 직장 indomethacin 투약

4) 치료: 일반적인 급성 췌장염 치료를 시행

VIII. 의식하 진정내시경 검사

1. midazolam 등의 진정제 주사 후 의식이 있는 진정(conscious sedation) 상태에서 검사
   1) 내시경 도중 의료진의 지시(눈 떠보세요…)에 따를 수 있는 정도로 진정 상태를 유지해야 하며, 검사 전 동의서 받을 때 수면 상태 혹은 마취 상태로 검사하는 것이 아니라고 설명해야 함
   2) 대부분의 환자가 내시경 후 내시경 당시의 기억을 잃어버려, 환자는 편안히 자면서 검사했다고 생각함
2. 역설적 반응(paradoxical reaction): 일부 환자에서는 진정상태가 유도되지 않고 오히려 심한 몸부림을 치기도함
3. 평소 예민하거나, 신경정신과 약을 복용하거나, 술을 잘·자주 마시는 사람에서는 진정 상태 유도가 되지 않기도 함
4. 부작용: 1) 일회호흡량(tidal volume) 감소, 호흡수 감소, 무호흡 2) 저혈압 3) 주사 부위 통증
   4) 딸꾹질 5) 황홀감(euphoria)에 의한 midazolam 중독 6) 중증 간질환 환자에서 간성 혼수
5. 검사 도중 및 진정 상태가 완전히 회복될때까지 산소포화도 모니터가 필요함
6. midazolam의 길항제: flumazenil, naloxone
7. propofol: 0.5-1 mg/kg
   1) 장점: 진정 효과가 좋고 회복 시간이 빠르며, 회복 후 오심 등의 부작용이 적음
   2) 단점: 안전역이 좁고 길항제가 없어 호흡 곤란에 의한 심각한 저산소증 유발 가능성 있어서 주의 깊게 투약해야 함. 회복시까지 지속적인 산소포화도 모니터가 필요함
   3) 대부분의 병원에서 midazolam과 병합 요법으로 투여

IX. 항콜린성 진경제

내시경 검사 도중 연동운동이 심하여 점막 관찰이 어려울때 algiron 2.5-5 mg iv (투여 후 맥박수와 혈압 상승을 잘 관찰해야 함)

X. 색소내시경 검사

1. 목적

색소 산포: 미세한 요철, 색조의 변화, 점막 기능등을 자세히 관찰

2. 분류

1) 산포대조법: 점막표면의 요철을 강조하여 형태 관찰용이; 예) 인디고-카르민(청색)

2) 염색법: 점막에 색소가 흡수, 침윤되는 것을 이용하여 점막 병소 진단

　　예) 메틸렌블루: 장상피화생부위 청색 염색

3) 반응법: 점막의 분비물이나 세포성분과 색소와 특이한 반응을 이용

　　예) 루골용액: 식도 정상점막의 글리코겐과 반응하여 갈색으로 변색/식도암, 이형상피, 재생 상피에는
염색이 안됨

XI. 내시경 시술 전 후 항생제 예방적 투여

표 4-1-1 내시경 시술시 항생제 예방

환자 상태	내시경 검사 종류	검사 전 후 예방적 항생제 투여
모든 심장 질환	모든 내시경 검사	투약하지 않음
담도염이 없는 담도폐쇄	역행성담췌도조영술, 적절한 담도배액	권고되지 않음
담도염이 있는 담도폐쇄	역행성담췌도조영술, 부적절한 담도배액 (원발 경화성 담관염, 간문부협착)	권고됨 *1
췌관과 통해있는 무균성 췌장주위 액체고임 (가성낭종, 괴사)	역행성담췌도조영술	권고됨
무균성 췌장주위 액체고임	내시경적 배액술	권고됨
상부위장관의 고형병변	내시경 초음파유도 흡인술	권고되지 않음
하부위장관의 고형병변	내시경 초음파유도 흡인술	데이터 부족
위장관의 낭종성 병변	내시경 초음파유도 흡인술	권고됨 *2
모든 환자	경피적 위조루술/식도 확장술	권고됨 *3
간경변+급성 위장관 출혈	모든 내시경 검사	입원하여 투약 *4
인조혈관이식 비판막심혈관인조기구	모든 내시경 검사	권고되지 않음
인공관절	모든 내시경 검사	권고되지 않음

*1: 담도세균총(biliary flora; 그람음성 장내세균, 장구균)에 효과적인 항생제 투약
*2: fluoroquinolone(시술 후 3~5일간 투약)
*3: cefazolin 주사(시술 30분 전 투약)
*4: ceftriaxone 주사 또는 경구 norfloxacin (ceftriaxone allergy 환자)

XII. 내시경 전 후 항응고제와 항혈소판제 조절

1. 아스피린

모든 시술에서 유지 가능하나, 혈전색전증 저위험군은 출혈 고위험 시술인 점막하박리술(ESD) 혹은 점막절제술(EMR)시 아스피린 5-7일 중단 고려

2. 내시경 시술의 출혈 위험도

표 4-1-2 내시경 시술의 출혈 위험도

저위험	고위험
진단내시경±생검	용종절제술, 점막절제술, 점막하박리술, 유두부절제술
괄약근 절제술 없는 역행성담췌도조영술	괄약근 절제하는 역행성담췌도조영술, 내시경적 위조루술
진단적 내시경 초음파, 진단적 풍선소장내시경	내시경적 위장관 협착 확장술
확장술하지 않는 담도/췌도 스텐트 삽입술	정맥류 치료, 내시경 지혈술
	내시경 초음파+세침흡인
	식도, 장관, 대장 스텐트 삽입술
	치료적 풍선소장내시경

3. 심혈관 혈전색전증 위험도

표 4-1-3 항혈소판 제제 복용 환자에서 심혈관 혈전색전증 위험도

저위험군	고위험군
관상동맥 스텐트 없는 허혈성 심질환	12개월 이내 관상동맥 약물 방출 스텐트 삽입술
뇌혈관 질환	1개월 이내 관상동맥 금속 스텐트 삽입술
말초혈관 질환	

표 4-1-4 항응고제 복용 환자에서 심혈관 혈전색전증 위험도

저위험군	고위험군
대동맥의 기계판막	이첨판의 기계판막
이종이식(xenograft) 인공심장판막	인공심장판막+심방세동
판막질환 없는 심방세동	이첨판협착증+심방세동
혈전색전증 발생 3개월 초과	혈전색전증 발생 3개월 이내
혈우병 증후군(혈액내과와 상의 필요)	

4. 계획된 내시경 시술 전 항응고제와 항혈소판제의 조절

	약제	내시경 출혈 위험도	
		낮음	높음
심혈관 혈전색전증 위험도	낮음 항혈소판제	1. 아스피린/NSAIDs 계속 투여 2. P2Y12 수용체 길항제 계속 투여	1. 아스피린: 5–7일 중단 고려*1 2. P2Y12 수용체 길항제: 5일전 중단 3. 2제(dual) 투약시 P2Y12 수용체 길항제는 5일 전 중단+아스피린은 계속 투여
	항응고제	1. 와파린은 계속 투여(PT INR이 치료범위 내에 있는지 확인) 2. NOAC은 시술 당일 아침에는 투여 안함	1. 와파린: 시술 5일전 중단+ PT INR <1.50이면 시술+시술 당일 저녁 투여 재개 2. NOAC: 적절히 지혈될 때까지 재개 연기
	높음 항혈소판제	1. 아스피린/NSAIDs 계속 투여 2. P2Y12 수용체 길항제 계속 투여	1. 아스피린: 계속 투여 2. P2Y12 수용체 길항제: 5일전 중단*2+아스피린 투여 3. 2제(dual) 투약시 P2Y12 수용체 길항제는 5일 전 중단+아스피린은 계속 투여
	항응고제	1. 와파린은 계속 투여(PT INR이 치료범위 내에 있는지 확인) 2. NOAC은 시술 당일 아침에는 투여안함	1. 와파린: 5일전 중단+와파린 중단 2일 후부터 bridge 치료 시작*3+시술 당일 저녁 투여 재개 2. NOAC: 시술 48시간 이전까지만 복용*4 적절히 지혈될 때까지 재개 연기

P2Y12 수용체 길항제: 클로피도그렐, 프라수그렐, 티카그렐러

NOAC (novel oral anticoagulant): 리바록사반, 아픽사반, 에독사반, 다비가트란

*1 혈전색전증 저위험군은 출혈 고위험 시술(ESD, EMR)시 아스피린 5–7일 중단 고려

*2 관상동맥 약물 방출 스텐트 삽입술 12개월 이후 또는 관상동맥 금속 스텐트 삽입술 1개월 이후인 경우

*3 bridge 치료: 시술 5일 전부터 와파린 사용 중지하고, 와파린 중지 2일 후부터(INR이 치료 범위보다 떨어질 동안) 헤파린(LMWH) 사용. 시술 24시간 전 헤파린 중지 시술 6시간 후 헤파린 다시 시작, PT INR이 치료범위에 도달할 때까지 헤파린 유지. 시술 당일 밤 와파린 투여 시작

*4 다비가트란 복용하는 경우 CrC (eGFR) 30–50 ml/min이면 72시간 전까지 복용

I. 상부위장관 출혈의 원인

1. 소화성궤양(31-67%): NSAID 혹은 항응고제, 항혈소판 제제, 스테로이드 복용 환자에서 생각
2. 식도/위정맥류(6-39%): 간경변 혹은 간암 환자, 간질환 의심 소견을 가진 환자(간염바이러스 보유 병력, 알콜 중독자, 흉부의 거미상 혈관, 황달, 혈소판 감소)에서 생각
3. Mallory-Weiss 열상(2-8%)　　　4. 위십이지장 미란, 미란성식도염, 위암·식도암 등 악성종양
5. 혈관기형(Dieulafoy's ulcer, vascular ectasia)　　6. 치료내시경(ESD, EMR…) 후 치료 부위 출혈

II. 하부위장관 출혈의 원인

1. 대장암, 직장암　　　　2. 대장폴립/폴립 제거 후　　　3. 치핵, 치열
4. 대장염: 감염성, 허혈성, 궤양성, 방사선 치료 후　　　5. 대장게실
6. Meckel's diverticulum　　　　　　　　　　　　　　7. 혈관형성이상(angiodysplasia)

III. 위장관 출혈의 종류

1. 토혈(Hematemesis)

1) Treitz 인대 상부(식도, 위, 십이지장)에서의 위장관 출혈
2) 토혈의 색은 출혈량, 출혈 속도, 출혈 부위, 위산 농도, 위산이 혈액과 접촉한 시간에 따라 달라짐
3) 출혈량이 많으면 흑색변도 동반됨
4) 토혈과 구분해야 할 객혈의 특징

   (1) 출혈 전 기침과 객담 증상　　　　　　(2) 출혈의 색이 보통 선홍색이며 거품이 있음
   (3) 청진시 폐 또는 심장에 이상소견　　　(4) 가슴-X선에서에서 이상소견
   (5) 출혈 후에 기침 또는 혈액을 동반한 객담

2. 흑색변(Melena)

1) **정의:** 흑색의 혈액이 대변과 혼합되어 항문으로 유출되는 것

2) 출혈 병변의 위치

(1) 대부분 상부위장관 출혈

(2) 공장, 회장 또는 상행결장 출혈에서 위장관 통과 시간이 지연되는 경우

3) 특징: 약 60 ml의 장관 출혈이 있을 때 1회의 흑색변이 나타 날 수 있음

4) 출혈 이외의 흑색변의 원인들

철분섭취(철분제, 선지해장국), bismuth 제제(알비스정), 감초섭취, 비트(채소)섭취

3. 혈변 배설(Hematochezia)

1) 정의: 위장관 출혈로 인하여 붉은색의 혈액이 항문을 통하여 유출되는 것

2) 출혈의 위치

(1) 트라이츠인대 하부의 출혈, 특히 회맹판 하부의 출혈(90%)

(2) 식도, 위, 십이지장으로부터 다량의 출혈(10%)

IV. 위장관 출혈 환자의 평가

1. 병력청취

1) 위장관 출혈이나 소화성 궤양 병력

2) 속쓰림, 소화불량, 명치 통증 등의 증상

3) 구토 여부 (특히 음주 후)

4) 소염진통제/아스피린 등의 약제사용력

5) 간경변증의 기왕력

6) 복통/설사/배변 습관의 변화 등의 증상

7) 치핵/치열 병력

8) 수술 또는 내시경시술의 기왕력

2. 신체검사

1) 구강, 비강, 인후부 진찰

2) 간질환 유무: 황달, 간비종대, 복수, 거미상혈관종, 여성형유방

3) 모세 혈관 확장증(Osler-Weber-Rendu syndrome), 구강주위 색소침착(Peutz-Jegher syndrome), 자반증(혈관염)

4) 직장수지검사: 흑색변/혈변 등을 확인하고, 치열이나 직장암 등을 감별

3. 혈액 및 혈청학적 검사

1) 말초혈액 검사: 혈색소, 적혈구용적률, 적혈구형태, 평균 적혈구 용적율

2) 혈액응고 검사(PT, PTT, 혈소판)　　　3) 수혈 준비: ABO/Rh

4) 신기능 검사: 쇼크에 의한 신기능 저하 확인, 요독증에서 출혈이 더 조장됨

5) BUN/Cr 비율이 상승하면 위장관 출혈 의미　　6) 간기능 검사　　　7) 대변잠혈반응 검사

8) 심혈관 질환 병력, 60세 이상, 흉통이 있는 환자는 심전도 및 심근효소 측정을 통해 심근 경색 여부를 확인

4. 방사선 검사

가슴-X선, 복부-X선(혈액 흡인성 폐렴 유무와 장 천공 진단에 도움)

5. 비위관 세척

1) 출혈의 유무 및 활동성 출혈 등을 확인할 수 있으며, 내시경시 시야 확보에 도움이 됨
2) 상부위장관 내시경 전 반드시 시행할 필요는 없음
3) 십이지장 출혈의 경우는 비위관 흡입물에 혈액이 섞이지 않을 수도 있음

V. 출혈의 중증도와 실혈양을 예측 평가하는 방법

1. 맥박수 및 혈압

초기 출혈량을 반영하는 가장 민감한 지표
1) 순환 혈액의 10-15% 실혈: 맥박수 >15회/분 증가 혹은 수축기 혈압 10 mmHg 감소
2) 순환 혈액의 20-40% 이상의 실혈: 저혈압, 의식상태 변화, 쇼크

2. 혈색소 및 적혈구 용적률 측정

1) 출혈 초기: 혈장과 적혈구가 함께 소실되므로 혈액 농축에 의하여 혈색소 및 적혈구 용적률 수치 변화가 적고, 이 수치만으로는 출혈의 양과 중증도를 판단할 수 없음
2) 출혈 6-8시간 경과 후: 세포외 체액의 평형이 이루어진 후에 초기보다 혈색소, 적혈구 용적률수치가 감소하므로 이 시기의 수치로 수혈 치료의 목표를 설정

VI. 위장관 출혈의 치료: 혈역학적 안정성 확보, 출혈 치료, 재출혈의 방지

1. 혈역학적 안정성 유지 및 소생술: 수액주사, 성분혈액수혈, 중심정맥확보

1) 체액보충

(1) 2부위 이상 말초 정맥 확보(18G 카테터) 혹은 중심정맥도관 확보
(2) 생리식염수 혹은 Hartmann 용액을 가능한 한 빨리 정주하여 수축기 혈압 >100 mmHg, 맥박수 <100회/분으로 유지

2) 농축적혈구 수혈

(1) 환자의 기저 질환 및 출혈 속도에 따라 수혈 목표치를 개별화 해야함

(2) 대개 혈색소 7-9 g/dL 이상이 목표. 빈혈에 의해 합병증 발생가능성이 높은 불안정성 협심증 환자나 활동성 출혈이 계속되는 환자는 9 g/dL 이상으로 유지. 단, 정맥류 출혈에서는 혈색소 9 g/dL 넘지 않도록 주의해야 함(필요 이상으로 수혈시 재출혈 조장 가능성)

3) 응고 장애 교정

(1) 항응고제 투여 중단, 지혈 치료 후에 가능한 한 빨리 재투여 시작

(2) 농축적혈구에는 응고인자가 없으므로 농축적혈구 4개 수혈시마다 신선동결혈장(FFP) 1개 수혈

(3) 비타민 K 주사(10 mg SC or IM): 와파린 치료나 간질환으로 인해 PT 연장이 있을 경우

(4) Protamine 주사: 헤파린 투여로 인해 응고장애 발생시 투여

(5) 혈소판 수혈: <50,000/mm^{3}인 경우 시행

2. 약물치료

1) 내시경 시행 전에는 궤양 출혈과 정맥류 출혈이 구분되지 않으므로, 토혈/흑색변 환자에서 프로톤 펌프 억제제(PPI)를 투여하고, 만성 간질환 병력(간경변/간암)이 있거나 신체진찰에서 만성 간질환이 의심되면 혈관 수축제도 투여함. 내시경 후 원인에 맞게 약물 조정

2) 소화성궤양 출혈시: 고용량 PPI를 72시간 동안 iv (high dose PPI iv 보험기간임)

(1) 초기 loading: pantoprazole 80 mg+생리식염수 50 mL 용액을 30분간 iv

(2) 유지: 72시간 동안 pantoprazole 80 mg+생리식염수 100 mL 용액을 8 mg/hr (10 mL/hr) 속도로 continuous infusion: 〈주의점〉 pantoprazole 용액은 조제 후 12시간 이내에 사용해야 함

(3) 72시간 후 계속 금식이 필요하면 PPI 하루 2회 iv, 식이 시작되면 경구 PPI를 하루 한알 투여

(4) sodium alginate (라미나지액) 경구 투여

3) 정맥류 출혈시

(1) 혈관 수축제

① terlipressin 2 mg iv loading → 이후 72시간 동안 6시간마다 1 mg iv

② terlipressin은 부정맥, 심부전등의 부작용이 있으므로 허혈성 심질환 동반 환자에서는 somatosan 투여

③ somatosan 250 μg iv bolus (5분 동안) → 이후 72시간 동안 250 μg/hr continuous infusion

(2) 일주일 동안 3세대 cephalosporin iv

(3) sodium alginate (라미나지액) 경구 투여

3. 환자 모니터링

1) 활력 징후를 자주 모니터링

2) 혈색소 및 적혈구 용적율은 수치가 안정될때까지 매 4-8시간마다 측정

3) 도뇨관을 삽관: 소변량 모니터링

4) 환자가 토혈을 지속하거나 의식 수준의 변화가 발생하면 흡인성 폐렴 예방을 위해 기도 삽관을 반드시 고려

5) 항혈소판제제 및 항응고제 투여받던 환자의 약제 재개 시점: 심장내과의와 상의하여 지혈이 확인되면 항혈소판제 2제(dual Tx)환자는 aspirin을 단독으로 투여 시작하고, 와파린, NOAC 투여 환자도 가능한한 빨리 약제 투여를 재개해야 함

4. 내시경 지혈술

1) 혈역학적인 소생 후에 가능하면 빨리(24시간 이내에 시행)

2) 출혈점을 찾아 여러 방법으로 지혈술 시행: Forrest 분류 Ia, Ib, IIa, IIb가 대상(표 4-2-1)

   (1) 소화성 궤양 출혈: 헤모클립, argon plasma coagulation(APC), 주사요법(에피네프린+3% 고장식염수), heater probe coagulation: 주사요법은 단독으로 시행하지 않고 다른 술기와 병행함

   (2) 정맥류 출혈: 정맥류 결찰(EVL), histoacryl 주사

   (3) 위·식도접합부 열상(Mallory-Weiss tear)

     ① 금식+PPI 주사+라미나지 투여로 대개 지혈됨

     ② 출혈양이 많고 점막 손상이 깊으면 EVL용 밴드 결찰술 혹은 헤모클립핑 시행

5. 중재적 영상의학적 치료

1) 소화성궤양 출혈시: 혈관 촬영 및 색전술(내시경 지혈술이 불가능하거나 실패한 경우)

2) 정맥류 출혈시

   (1) Percutaneous transjugular intrahepatic portosystemic shunt (TIPS)

     ① 난치성/재발성 정맥류 출혈시 시행

     ② 시행 후 간성 혼수가 반복됨을 미리 설명해야 함

   (2) Balloon occluded retrograde transvenous obliteration (BRTO)

     ① 위정맥류의 내시경치료가 불가능하거나 실패시 시행

     ② 간성 혼수 빈도 증가는 없음

     ③ gastro-renal shunt가 있어야 시행 가능: 간 CT 시행하여 미리 확인해야 함

     ④ 간문맥 혈전이 있으면 금기

6. 정맥류 출혈시 Balloon tamponade: 대량 출혈로 활력 징후가 불안정 할 때

1) Sengstaken–Blakemore (S–B) 튜브 삽입

   (1) 위 balloon에 공기 250-300 cc 주입하여 당겨서 위식도 접합부에 걸리게 한 후 견인 고정하고(전용 헬멧 등에), 식도 balloon은 40 mmHg 유지

   (2) 식도 괴사를 예방하기 위해 2시간 간격으로 식도 ballooning을 풀었다가 다시 부풀려야 함

   (3) 튜브 제거시 ballooning을 풀고 물을 몇 모금 삼키게 한 후 제거

7. 소화성궤양 출혈에서 수술

색전술이 실패한 경우, 혈역학적으로 불안정한 대량의 활동성 출혈

VII. 소화성궤양 출혈 환자의 내시경 소견, 지혈 치료 대상, 재출혈율, 사망률

표 4-2-1 Forrest 분류

등급	재출혈율(%)	내시경치료 후 재출혈율(%)	사망률(%)
F I 활동성 출혈(지혈치료 대상)			
Ia 동맥분출성 출혈	90%	15~30%	11%
Ib 삼출성 출혈	10%	0~5%	11%
F II 최근 출혈 흔적(stigmata)			
IIa 출혈없는 노출혈관	50%	15~30%	11%
(지혈치료 대상)			
IIb 궤양저에 응고혈 부착	33%	0~5%	7%
(clot 제거 후 지혈치료)			
IIc 편평반점(적색 혹은 검은색)	7%		3%
F III 깨끗한 궤양 바닥	3%		2%

VIII. 상부위장관 출혈의 임상 위험도 평가

1. AIMS65 점수

응급실 도착 시점에 측정. 병원내 사망률 예측 체계(0점 = 3.2%, 5점 = 24.5%)

표 4-2-2 AIMS65 점수

변수		점수
A.	알부민 <3 g/dL	1
I.	INR (international mnormalization ratio) >1.5	1
M.	의식상태변화 (Altered mental status)	1
S.	수축기혈압 <90 mmHg	1
65.	나이 >65세	1
점수 합계		0~5

점수 합계가 2점 이상이면 고위험군

2. Rockall 점수

내시경 검사 후 측정. 재출혈과 사망 예측 체계(2점 이하는 저위험군으로 외래 치료가 가능하며, 8점 이상은 고위험 군으로 재출혈률이 29%, 사망률은 25%)

표 4-2-3 Complete Rockall Scoring System: 내시경 후 예후 예측

점수	0	1	2	3
연령	<00세	60~79세	≥80세	
쇼크 (맥박수, 수축기혈압)	없음 <100회/분+ ≥100 mmHg	빈맥 ≥100회/분+ ≥100 mmHg	저혈압 <100 mmHg	
동반질환	없음	없음	울혈성심부전 허혈성심질환 기타주요질환	신부전 간부전 전이성 악성종양
진단	MW 열상, 출혈점 없음	기타질환	위장관 악성종양	
내시경소견	출혈점이 없거나 검은점(dark spot)		위장관내 혈액, 응고혈부착, 노출혈관, 혈액분출혈관	

점수총계: 0~11점, 3점 이하: 예후 좋음/ 8점 이상: 사망률 높음

IX. 하부위장관 출혈의 진단과 치료

1. IV. 위장관 출혈 환자의 평가 및 V. 위장관 출혈의 치료 내용을 시행
2. 내시경 치료: 비정맥류성 상부위장관 출혈의 내시경적 지혈 치료와 동일

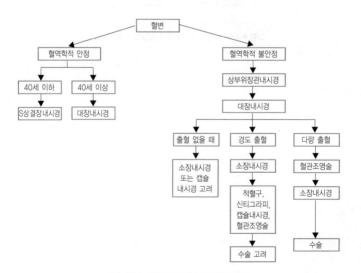

그림 4-2-1 하부위장관 출혈의 진단과 치료

소화기관 및 췌담도

04

X. 원인 미상(obscure)의 활동성 출혈

1. 상부위장관내시경 및 대장내시경 검사에도 불구하고 출혈 원인 병변이 발견되지 않는 경우
2. 십이지장각 이하부터 회맹판 사이의 출혈인 경우가 많음
3. 원인: 혈관이형성증, 출혈성 모세혈관 확장증, 소염제나 아스피린의 사용에 의한 소장궤양, 출혈 경향 환자
4. 검사법: 반복적 내시경검사, 소장 조영술, 캡슐내시경, 소장내시경, 혈관조영술, 적혈구 신티그라피, CT

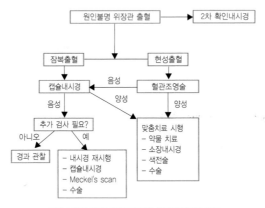

그림 4-2-2 원인 미상의 위장관 출혈의 진단과 치료

I. 식도염

1. 위식도 역류질환(Gastroesophageal reflux disease)

1) 정의

위내용물의 역류로 인하여 임상 증상이나 합병증이 발생한 상태

2) 분류

(1) 미란성 식도염(Erosive esophagitis): 내시경에서 점막손상(mucosal break) 동반

(2) 비미란성 위식도 역류질환(Non-erosive reflux disease): 내시경에서 점막 손상 없이 전형적인 증상 동반

(3) 합병증 동반 위식도 역류질환(Complicated erosive reflux disease): 협착, 출혈, 바렛 식도, 식도 선암 동반

3) 병태생리 기전: 하부식도 괄약근의 이상과 관련된 위산 역류

(1) 하부 식도괄약근의 일과성 이완   (2) 낮은 하부 식도괄약근압

(3) 해부학적 구조의 손상으로 발생한 식도 열공탈장 등

4) 임상양상

(1) 가슴 쓰림(heartburn)과 산역류(acid regurgitation)가 가장 전형적인 증상

표 4-3-1 전형적인 가슴쓰림(heartburn)의 임상적 특징

특징	타는 듯한, 가슴이 조이는 듯한, 신물이 오르는 양상
시작부위	검상돌기나 흉골 아랫부분
전파	목, 턱, 어깨, 팔, 뒷가슴
유발인자	식사 후, 누울 때, 몸을 구부릴 때
완화인자	프로톤펌프 억제제(PPI) 혹은 제산제

(2) 흉통, 연하곤란(식도협착), 연하곤란의 악화와 체중감소(바렛식도 및 선암발생), 출혈(식도점막 미란 및 궤양)

(3) 식도 외 증상: 비계절성 천식(기침), 인두 이물감(종괴감), 후두염, 만성적 쉰 목소리, 흡인성 폐렴, 심야질식(nocturnal choking)

5) 감별진단

감염성 식도염, 약인성 식도염, 식도 운동질환, 위염, 소화성궤양, 기능성소화불량증, 담도질환, 관상동맥질환

6) 진단검사

(1) 전형적인 증상을 호소하는 경우 병력만으로 진단 가능

(2) 상부위장관내시경

　① 식도염의 정도 평가: 점막손상(mucosal break)을 증명. 약 50%의 위식도 역류환자에서는 식도 소견이 정상임(비미란성)

　② 다른 기질적 원인을 배제(암, 궤양 등): 경고증상(연하곤란, 연하통, 체중감소, 위장관출혈 등)이 있으면 반드시 검사

(3) 24시간 보행성 식도 산도 검사

　① 위산 역류 빈도와 정도를 알아보고, 증상과 연관성을 평가

　② 환자의 불편감과 위음성등이 단점

(4) 시험적 PPI 투여: 경고증상이 없는 전형적인 역류 증상과 비심인성 가슴통증에서는 PPI를 투여해보는데, 이 경우 저용량 PPI만 보험 인정됨

표 4-3-2 미란성 역류성 식도염의 내시경적 분류: 로스엔젤레스(LA) 분류법

Grade A	길이가 5 mm 미만인 식도 점막 손상(mucosal break)이 하나 또는 그 이상 있을 때
Grade B	길이가 5 mm 이상인 식도의 점막 손상이 하나 또는 그 이상 있을 때
Grade C	식도 점막 손상들이 서로 합쳐져 있으나 식도 둘레의 75% 이하일 때
Grade D	식도 점막 손상들이 서로 합쳐져 있으며 식도 둘레의 75% 이상일 때

표 4-3-3 24시간 보행성 식도 산도 검사의 적응증: 4-6은 possible indication

1. 역류 증상을 가지고 있으나, 내시경 검사에서 정상 혹은 불확실한 소견을 보이면서 PPI 치료에 반응하지 않는 환자
2. 내시경 검사는 정상이나 외과적 항역류 수술을 고려하는 환자에서 비정상적인 식도 산 노출을 증명
3. 항역류 수술 시행 후 지속적인 역류가 의심되는 환자
4. 흉통이 있는 환자에서 심장 검사가 정상인 경우 역류의 진단
5. 4주 이상 PPI 투여 후에도 후두염, 인두염, 만성 기침 등 위식도 역류질환의 이비인후과적 증상이 있는 환자
6. 역류유발성 천식이 의심되는 성인 발병형 비알레르기성 천식 환자에서 동반된 위식도 역류질환의 검사

7) 치료

(1) 목표: 역류 증상을 완화, 증상 재발을 예방, 합병증을 예방하는 것. PPI로 성공적 치료를 해도 투여중지하면 다수의 환자에서 재발함

(2) 비미란성 역류질환이나 LA 분류 A, B의 경미한 미란성 식도염 환자의 경우

　비미란성 역류질환은 최소 4주간, 경미한 미란성 식도염은 8주간 표준 용량의 PPI 투여 후 증상이 호전되면 약을 끊고 관찰 → 증상이 재발하면 초치료에 사용하였던 약물을 재 투여, 증상 호전시 step-down 치료로 약의 용량을 줄여 유지요법을 시행하거나, PPI를 증상 있을 때만 복용하는 on-demand 요법을 시행

(3) LA 분류 C, D와 같은 심한 미란성식도염 환자의 경우

　식도염의 재발을 방지하거나 식도 협착을 예방하기 위해서는 PPI 외의 약제는 효과가 없으므로 지속적으로 PPI를 유지

(4) 경구 PPI 종류; 아침식전 30분에 복용

　① esomeprazole 40 mg qd, 유지 용량 20 mg qd

② lansoprazole 30 mg qd, 유지 용량 15 mg qd

③ dexlansoprazole 60 mg qd, 유지 용량 30 mg qd

④ pantoprazole 40 mg qd, 유지 용량 20 mg qd

⑤ ilaprazole 20 mg qd or bid, 유지 용량 10 mg qd

⑥ rabeprazole 20 mg qd or bid, 유지 용량 10 mg qd or bid

⑦ tegoprazan 50 mg qd

(5) 위장관운동 촉진제(itopride, levopride, domperidone, mosapride, motilitone..): PPI와 병합투여로 복부 팽만감 증상 조절에 도움을 줌

(6) 히스타민 수용체 억제제 혹은 제산제: PPI로 치료 중인 환자의 돌파 증상(breakthrough symptom) 호전에 도움(이 경우 PPI는 아침 식전 30분에 한알+ 히스타민 수용체 억제제는 저녁 식후 30분 또는 취침전에 한알)

(7) 생활 습관 개선의 치료 효과에 대한 임상자료는 부족하나, 치료 후 증상이 소실된 환자에서 증상 재발을 방지할 수 있음

① 금연, 금주, 저지방 식이, 카페인, 탄산음료 섭취 자제

② 취침 2-3시간 전에는 식이를 금하고, 누울 때는 10-15 cm가량 머리 부위 높이기

③ 과체중 환자는 체중 감량

(8) 수술

① 역류증상이 PPI 치료에 반응하지만 PPI에 intolerance를 보일 때 고려

② 복강경위저부 주름술(fundoplication)이 표준 치료법

2. 감염성 식도염

1) 기저질환

(1) 면역 결핍 상태(AIDS, 면역 억제제 투여 중인 장기 이식 환자)

(2) 식도 저류(식도 운동 이상 혹은 식도 협착)

(3) 암(특히 혈액암), 당뇨, 광범위 항생제, SLE, 갑상선 기능 저하증 등

(4) 정상 면역 상태에서도 감염성 식도염 발생 가능

2) **임상양상:** 연하곤란 및 연하통

3) 바이러스 식도염

(1) 단순포진 바이러스(herpes simplex virus, HSV)

① 진단: 면역 결핍환자에서는 1형 또는 2형 HSV가, 정상 면역 상태에서 주로 1형 HSV가 식도염을 일으킴. 코나 입술 주위의 포진성 수포가 진단에 도움. 내시경 검사에서 작고 산재하는 양상의 punched-out superficial ulcer가 관찰, 진행시 미만성 미란 및 궤양 관찰. 궤양 edge에서 조직 검사 시행

② 치료

• acyclovir: 400 mg, 1일 5회, 경구, 14-21일/ 연하 곤란이 심한 경우 5 mg/kg, 8시간마다 정

맥주사, 7-14일

- valacyclovir 1 g, 1일 3회 경구, 7일
- foscarnet: acyclovir 내성 균주에서 90 mg/kg, 12시간마다 정맥주사, 2-4주

(2) 거대세포 바이러스(cytomegalovirus, CMV)

① 면역결핍 환자에서만 발생

② 내시경소견은 HSV에 비해 크고 깊은 궤양. 조직검사는 궤양의 바닥에서 시행

③ 치료

- ganciclovir: 5 mg/kg, 12시간 마다 정맥주사, 2-4주
- valganciclovir: 900 mg, 1일 2회 경구, 2-4주
- foscarnet: ganciclovir 내성 균주에서 90 mg/kg, 12시간마다 정맥주사, 2-4주

4) 칸디다 식도염

(1) *Candida albicans*는 구강 내 normal flora이며, 진균 식도염의 가장 흔한 원인. 면역 기능이 저하된 환자에서 잘 생기지만, 알콜리즘, 만성 위식도역류 환자, 스테로이드 흡입제 사용 천식 환자에서도 발생

(2) 증상: 연하통과 연하곤란. 면역기능이 정상인 환자에서는 무증상이 많음

(3) 진단: 내시경으로 진단. 배양검사나 식도 조영술은 도움이 안됨

① 내시경소견: 점막에 단단히 붙은 우유 찌꺼기 같은 흰색의 부착물질들이 있으며, 조직 생검 검체를 PAS 혹은 Silver 염색하면 균사와 효모덩어리가 관찰됨

(3) 치료

① fluconazole: 첫날 200 mg qd, 다음날부터 100 mg qd, 7-14일

② 국소비흡수용제; 정상 면역기능 환자에서 투여가능, 부작용 적음

- nystatin: 경구 suspension (100,000 units/mL) 10-20 mL, 1일 4회, 14일
- clotrimazole: 10 mg buccal troche를 입안에서 녹여 투여, 1일 5회, 7일

③ 정맥주사: 경구 투여 불가능한 환자, 경구용제에 반응이 없는 환자, 과립구 감소증 환자

- amphotericin B: 0.3-0.5 mg/kg/d, 6시간 동안 투여, 일 1회, 7~10일간 정맥 투여 후 과립구가 회복되고, 열과 증상이 호전되면 fluconazole로 바꿔 10-14일 더 치료
- caspofungin: 50 mg, 1일 1회, 7-21일

5) 기타 식도염

(1) 방사선조사 후 식도염(Radiation esophagitis)

① 폐암, 종격동암, 식도암에 대한 방사선 치료시 발생. 빈도와 심한 정도는 조사한 방사선의 양과 항암제(radiosensitizing drugs; doxorubicin, bleomycin, cyclophosphamide, cisplatin) 동시 투여에 따라 증가. 치료 종료 수 주 - 수개월 뒤 연하 곤란과 연하통이 발생

② 치료: 리도카인겔 등으로 통증 완화. 효과적 예방 약제 없음

③ 식도 협착이 발생하면 내시경 확장술 필요

(2) 약제 유발 식도염(Pill-induced esophagitis)

  ① 원인: tetracycline등의 항생제(HP 2차 제균시), ascorbic acid, potassium chloride, 철분제, NSAID, bisphosphonate 등

  ② 치료: 리도카인겔(통증 완화), sucralfate 등의 점막도포제, PPI

  ③ 예방: (특히 취침전)약 복용 시 상체를 세우고, 충분한 양(>120 mL)의 물과 함께 복용, 약을 삼키고 바로 눕지 않고 약 5-10분간 앉아 있도록 권유함

II. 부식제 섭취에 의한 손상(산, 알칼리손상)

1. 부식성 약제의 종류

표 4-3-4 부식성 약제의 종류

강알칼리	수산화나트륨(구리환원시험약제, 하수관 청소용 세제, 양잿물)
	수산화칼륨(원반형 전지), 수산화암모늄(냉각제, 화학 비료)
	수산화리튬(사진 현상액, 알카라인 전지), 수산화칼슘(석회), 수산화바륨
강산	빙초산, 황산(전지, 산, 공업용 하수관 청소제), 염산, 질산
산화제	차아염소산나트륨(표백제), 삼산화크롬, 과망간산칼륨

2. 부식성 약제 손상의 병태생리

  1) **점막 손상 정도:** 약제의 농도, 섭취량 및 성상에 따라 다름

  2) **산 손상:** 주로 식도보다는 위에 손상

  응고성괴사(coagulation necrosis)가 발생하면서 가피 형성 → 약제의 조직 침투 및 손상의 진행이 제한됨

  3) **알칼리 손상:** 위에 도달하기 전 주로 식도에서 충분히 손상을 유발함

  조직 침투가 산에 비해 매우 빠름. 30.5% NaOH 용액 1 mL의 경우 1초면 식도 전층을 침투. 알칼리는 점막 및 점막하층의 지단백층에 강력한 용제로 작용하여 액화괴사(liquefaction necrosis) 및 비누화를 초래 → 주변혈관의 혈전증으로 괴사가 더욱 진행. 5-7일 후 괴사부가 탈락하면서 섬유화가 진행 → 식도 협착 발생

  4) **식도 협착 호발 부위:** 부식성약제가 고이는 부위인 윤상 인두부, 중부 식도(대동맥과 기도에 의한 생리적 협착부) 및 위-식도 접합부

3. 진단방법

  1) **방사선 검사**

  (1) 가슴-X선 및 복부-X선 촬영: 위장관 천공 여부 확인(종격동 기종, 흉수, 기복증)

  (2) 컴퓨터 단층 촬영

2) 상부위장관내시경 검사: 점막 손상 범위와 정도를 평가, 인두의 괴사 또는 호흡 곤란 동반시 내시경 금지
부식제 섭취 후 24-48시간 내에 내시경 시행. 음용 후 5-14일 사이의 치유기는 손상된 조직이 가장
약한 시기라 천공 위험 커서 내시경 금지

4. 치료

1) 즉시 충분한 양의 찬물로 구강만 세척, 위 세척 및 비위관 삽입 금기
2) 기도 확보 및 산소 공급, 심전도, 산소 포화도 감시
3) 협착음 또는 호흡 곤란이 있으면 즉시 후두경을 시행 기도 삽관이나 기관 절개의 필요 유무 확인
4) 정맥 수액 공급
5) Sucralfate 등의 점막 도포제와 히스타민 수용체 억제제 투여
6) 숯제제(charcoal) 및 중화제(약알칼리 혹은 약산) 투여 안함: 비효과적, 장기 손상 유발 가능
7) 스테로이드 투여 및 예방적 항생제 투여는 추천되지 않음
8) 방사선 검사에서 천공 소견이 보이면 즉시 수술

5. 추적검사

음용 2-4주 후 식도 협착 판정 위해 식도 바륨 조영술 시행

III. 식도 운동질환

1. 증상

1) 연하곤란(초기부터 고형식, 유동식 모두에서 나타남), 흉통, 역류 증상
2) 대표 질환: 식도 이완 불능증(achalasia), 미만성 식도 경련(diffuse esophageal spasm)

2. 검사

1) 바륨 식도 조영술   2) 식도 내압 검사   3) 상부위장관내시경 검사

3. 식도 이완 불능증(Achalasia)

하부 식도 괄약근의 불완전 이완, 식도 체부 연동 운동 소실

1) 진단

(1) 흉부 단순 촬영: 종격동에 air-fluid level
(2) 바륨 식도 조영술: 식도 확장, 식도 하부의 정상적 연동 운동 소실, 위 식도 연결 부위가 새 부리 모
양으로 좁아짐
(3) 상부위장관내시경: 위암을 포함한 종양에 의한 이차적 원인 배제 위해 시행

(4) 식도 내압 검사

　① 기저(basal) LES pressure 정상 혹은 증가　　② 삼킴시 LES relaxation이 없거나 감소

　③ 삼킴시 정상적인 연동 운동 소실, 동시 수축이 발생　④ 식도 체부 resting pressure 상승

(5) 치료

　① nitrate 혹은 calcium channel blocker: 일시적 증상 완화, 지속적 효과 없음

　② 풍선 확장술: 약 85%에서 효과, 천공합병증(3~5%)

　③ 내시경 보툴리눔 독소 주입: 90% 이상에서 증상 호전, 적은 부작용, 50% 이상에서 6개월 - 1년 이내에 재발 → 반복 주입이 필요. 고령 또는 수술적 치료의 고위험군 환자에서 시행

　④ 수술적 근절개: 장기 치료 효과가 가장 큼

　⑤ 경구 내시경 근절개술(Peroral Endoscopic Myotomy, POEM): 중기 치료 효과 90% 이상, 초치료 또는 타치료법 시행 후 재발시 시행

4. 미만성 식도경련(Diffuse esophageal spasm)

1) 식도 내압 검사

(1) 정상 LES relaxation　　(2) 삼킴 후 20% 이상의 식도 수축이 동시 수축

2) 치료

설하 nitroglycerin, calcium channel blocker, 내시경 보툴리눔 독소 주입, POEM

IV. 식도암

1. 역학

1) 전체 암 발생의 약 1.1%

2) 식도는 장막이 없고 주위에 림프절이 많아서 조기에 주위 조직 침윤 및 림프절 전이가 발생 → 예후가 매우 불량 (5년 생존율 <10%)

2. 원인

표 4-3-5 식도암의 원인

음주 및 흡연	편평상피암 빈도 증가
발암 물질 섭취	nitrate (nitrite로 전환), smoked opiates, 절인 야채에 함유된 진균 독소
물리적 요인에 의한 점막 손상	양잿물, 방사선에 의한 식도 협착, 식도 이완 불능증(achalasia)
숙주의 감수성	설염과 철분 결핍을 동반한 식도 web (Plummer-Vinson or Paterson-Kelly syndrome), 선천성 과각화증 및 손, 발바닥의 pitting (tylosis palmaris et plantaris)
섭취 결핍	Molybdenum, Zinc, Vitamin A
바렛 식도	식도샘암 빈도 증가

3. 진단

1) **임상 증상:** 연하곤란(유동식보다 고형식에 연하곤란). 관강의 2/3 이상 폐쇄되었을 때 발생. 소수에서는 연하 곤란 없이 주위 장기로 전이되어 발견

2) **식도조영술**

3) **식도(색소)내시경:** Lugol 액을 식도 점막에 산포 후 조직 생검

(1) 정상 상피는 갈색으로 염색(글라이코겐 과립을 분비)

(2) 식도염, 이형성 및 식도암 부위는 염색되지 않음 (글라이코겐 과립의 분비가 감소하거나 소실)

4) **내시경 초음파:** 암침윤 깊이, 국소 림프절 전이(T, N 병기) 진단시 CT보다 정확

5) **흉부 및 복부 CT:** 종격동 확산 정도 및 대동맥 주위 림프절 평가

6) **PET-CT**

4. 표재성 식도암

주위 림프절 전이에 상관없이 점막과 점막하층에 국한된 식도암

1) 림프절 전이 빈도

① 상피층(m1) 및 점막고유판(m2)에 국한된 점막암: 3.3%

② 점막근층(m3) 침범암: 12.2%

③ 점막하층(sm)암: 26.5-45.9%

** m3 이상의 침윤 식도암: 근치적 치료를 위해 수술, 방사선+항암 동시 요법 등을 시행해야 함

5. 진행성 식도암

고유근층 이상을 침범한 식도암

6. 식도암의 TNM 분류

교과서 참조

7. 식도암의 내시경 치료(식도암의 기타 치료는 7장 종양학 7절 기타암 참조)

1) 근치적 내시경 점막하 박리술(Endoscopic submucosal dissection; ESD) 적응증

(1) well or moderately differentiated type

(2) 상피층(m1) 또는 점막고유판(m2)에 국한(절대 적응증)

(3) 2 cm 미만의 크기

(4) 혈관 또는 림프절 침윤 없음

(5) 식도 원주의 2/3 미만을 침범(시술 후 협착의 위험성 고려)

2) 고식적 내시경 치료(palliative therapy)

(1) 식도 스텐트(Stent) 삽입

종양에 의한 내강의 협착, 식도-기도 누공의 치료: 자가 팽창성 금속 스텐트 이용

(2) 식도 확장술(Dilation therapy): polyvinyl dilator (Savary-Guilliard) 또는 풍선 확장술

(3) 접촉성 열소작술(Contact thermal therapy)

electrosurgical tumor probe (BICAP tumor probe)를 이용하여 식도 내강을 침범한 종양 파괴

(4) 광역동학적 요법(Photodynamic therapy)

선택적으로 종양 조직에 침착하는 광 감수성 물질(photosensitizer)과 레이저 광선 방사 (photoradiation)로 생기는 광화학적 반응을 이용하여 암 조직을 치료. 식도암을 포함한 소화기암 의 고식적 완화 요법 및 근치적 치료로 이용

(5) 내시경적 레이저치료(Endoscopic laser therapy)

Nd:YAG를 이용한 비접촉성 열소작술로, 수술의 위험이 높을 때 효과적인 치료법.

(6) 아르곤 플라즈마 응고술(Argon plasma coagulation)

이온화된 아르곤 가스를 이용한 전기 소작술로 표층(2 mm)에만 효과

(7) 항암제 국소주사요법

내시경을 통해서 항암제를 식도 병변 부위에 직접 주사함으로써 암조직과 주변 림프 조직으로 전 이된 암을 치료하는 방법. 항암제를 정맥 주사하는 것보다 전신 부작용 적음. 발열, 흉통, 연하 곤 란, 복통 등의 합병증 발생 가능

I. 위염

'위염'은 조직학적 진단, 소화불량증 증상이나 내시경적 소견에 따른 진단이 아님.

위염의 병리학적 평가와 내시경적 평가를 포괄하는 Updated Sydney System (그림 4-4-1)이 널리 쓰이고 있음(임상에서는 내시경적 관찰을 근거로하는 위축성위염 Kimura-Takemoto 분류도 아직 쓰이고 있음)

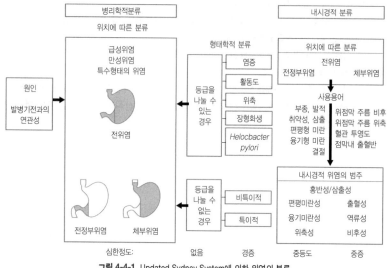

그림 4-4-1 Updated Sydney System에 의한 위염의 분류

2. 급성 위염

1) **정의:** 조직의 염층 침윤 세포가 중성구가 주된 경우 급성 염증으로 진단(그러나, 실제 급성 위염의 시기는 매우 짧아서 내시경 관찰과 조직 검사로 증명하기 어려움. 대부분, 림프구와 형질 세포 등이 침윤한 만성 염증의 배경에 급성 염증 세포의 침윤이 있고, 이 경우를 활동성 위염이라고 함)

2) **원인:** *Helicobacter pylori* (Hp) 감염이 가장 흔함. 기타 감염(세균, 바이러스, 고래회충, 마이코박테리움, 진균 등), NSAIDs등 약물, 알콜, 방사선, 화학물질, 스트레스 등

3) **증상:** 상복부의 통증, 구역, 구토가 주 증상이지만, 증상이 없는 경우가 대부분

4) **진단:** 내시경 검사와 위의 조직 검사

5) 내시경 소견: 점막의 부종, 점상출혈, 미란, 삼출물 등

6) 치료

(1) 임상 양상과 내시경 소견 및 조직 소견이 관련이 적으므로 증상에 따른 대증 치료; 위산분비억제제 (히스타민 수용체 차단제, PPI), 제산제, 위점막 보호제(cytoprotectant), 위장관운동 촉진제

(2) 화농성 위염(phlegmonous gastritis): 위절제 또는 위배액 및 광범위 항생제 주사

3. 만성 위염

1) 정의: 염증의 주된 침윤 세포가 형질세포와 림프구로 구성되어 있으며, 중성구 침윤은 드문 경우 만성 위염으로 진단

2) 증상: 대부분 무증상이거나 비특이적 증상을 호소(소화불량 증상을 호소하는 Hp 감염이 있는 경우를 Hp 연관 기능성소화불량증으로 분류하기도 함)

3) 원인: 대부분 Hp 감염, 자가면역질환 등

표 4-4-1 만성 위염의 분류

만성 위축성 위염	A형: 체부우위성, 자가면역성
	B형: 전정부우위성, H. pylori연관성
	미결정형
림프여포성 위염=결절성 위염(lymphfollicular gastritis=nodular gastritis)	
림프구성 위염	
호산구성 위염	
육아종성 위염: 크론병성 위염, 사르코이드증	
Russell body 위염(RBG)	

4) 진단

(1) 상부위장관내시경 조직 생검을 통한 병리학적 검사

(2) 자가면역성 위염의 진단: 벽세포와 내인자(Intrinsic factor)에 대한 자가 항체

5) 내시경 소견: 위점막 위축 및 유백색 변화, 결절성 병변(장상피화생) 등

6) 치료: 특별한 치료법 없음

(1) 증상에 따른 대증적치료 및 약물치료. 악성빈혈이 동반되면 비경구적으로 비타민 B12 투여

(2) Hp 제균 치료(Hp 검사 및 제균약물은 환자 본인부담 100%), 염분섭취량 감소가 위암으로의 진행을 막는지는 아직 확실하지 않음

4. 그밖의 위염

1) 림프여포성 위염=결절성 위염(lymphfollicular gastritis=nodular gastritis)

(1) 임상적 중요성: Hp 감염에 따른 변화로 20대와 30대 여성에서 흔함 → 최근 미분화형 위암 발생과 관련성이 주장되고 있음

(2) 내시경 소견: 닭살 모양의 작은 결절들이 전정부와 위각에 주로 분포

(3) 조직병리 소견: 점막판 림프여포의 형성과 선와상피의 과형성

(4) 치료: Hp 제균(Hp 진단 검사 및 제균 치료 비용은 환자 본인 부담 100%)

2) 호산구성 위염: 호산구성 위장관염의 한 형태

(1) 임상 증상: 복통, 오심, 구토, 설사, 체중 감소, 단백소실 장병증(protein-losing enteropathy), 장천공, 위장관 출혈로 인한 빈혈

(2) 검사실 소견: 말초혈액의 호산구증가(정상인 경우도 있음), 빈혈, 저단백혈증

(3) 내시경 소견: 위점막비후, 결절성병변, 궤양, 유문륜 폐쇄 등

(4) 조직병리 소견: 점막 및 고유근층까지 호산구 침윤이 관찰될 수 있고, 농양, 괴사, 상피 재생 등이 관찰되기도 함

(5) 치료: 스테로이드

II. *Helicobacter pylori* (Hp)

1. 세균학적 측면

1) 여러 개의 편모를 가진 운동성이 있는 그람음성, 미세호기균

2) 요소분해효소(urease)를 생산 → 암모니아를 만들어 위내 산성 환경을 중성화 함

2. 역학

1) 세계적으로 가장 흔한 감염: 전세계인의 약 50%가 감염

2) 국내 혈청학적 검사: 성인의 50% 이상에서 양성, 20대 이하에서는 약 10%만 양성

3) 감염 경로: 인체에서 인체로, 분변-경구, 경구-경구, 내시경등을 통한 전염으로 추정

3. Hp 감염이 유발하는 질환

1) 위염: 만성 활동성 위염, 만성 위축성 위염, 장상피화생을 동반한 위염

2) 기능성 소화불량증의 일부

3) 위질환: 소화성궤양, 위암, MALT 림프종(Hp 감염 환자의 10-15%에서만 질환이 발생)

4) 위 외 질환: 특발성 혈소판감소성자반증(ITP), 소아의 철결핍성빈혈

4. 진단법

표 4-4-2 *H. pylori* 진단법

방법	장점	단점	민감도/특이도
내시경 기반 검사			
조직학적 검사	추가적인 조직학적 평가 가능	관찰자의 경험이나 염색 방법에 따라 차이 발생	80–90%/>95%

신속요소분해효소검사	빠르고 단순	PPI나 항생제 사용에 영향을 받음. 제조사에 따라 민감도에 차이가 있음	88~90%/95~100%
배양	항생제 감수성 추정 가능	비용이 많이듦. 경험에 따른 정확도가 차이가 많음	
PCR 또는 유전자서열검사	항생제 감수성 추정 가능	실험실의 여건에 따라 영향을 받음	최근의 연구에서는 90%이상의 민감도 예민도가 있다고 보고됨
비침습적 방법			
혈청학적 검사	간편하고 저렴	제균 후에도 양성으로 지속. 요소호기검사에 비해 부정확	>80%/>90%
요소호기 검사 13C	현성 감염을 반영. 제균 후 평가에 유용	금식이 필요. PPI와 항생제에 의해 위음성 영향	>90%/>90%
분변항원 검사	현성 감염을 반영. 제균 후 평가에 유용	PPI와 항생제에 의해 위음성 영향. 검체 획득이 불편	>90%/>90%

5. 치료

1) 제균 치료 대상(2017년 보건복지부 고시 근거)

(1) 요양급여대상

① 반흔을 포함한 소화성 궤양

② 조기 위암의 절제술 후

③ 위 MALT 림프종(extranodal B-cell lymphoma of mucosa-associated lymphoid tissue)

④ 특발성 혈소판 감소성 자반증

(2) 환자 전액 부담 대상

① 위선종의 내시경절제술 후

② 위암 가족력(부모, 형제, 자매(first degree)의 위암까지)

③ 위축성 위염

④ 기타: 진료시 제균요법이 필요하고 환자가 투여에 동의한 경우

2) 치료법

(1) PPI와 감수성이 있는 항생제를 병합하여 사용

(2) PPI의 역할

① 위내 pH를 상승시킴: Hp를 활동기에 머물게 하여 Hp의 항생제 감수성을 높임

② 높아진 위내 pH는 항생제의 약물 안정성을 높임

③ PPI 자체가 Hp에 대한 억제 효과

(3) 항생제의 병합은 해당 지역 균주의 항생제 감수성과 내성을 고려하여 제균율이 80-90% 이상을 목표로 하여 결정

(4) clarithromycin 내성이 15%보다 높은 지역에서는 항생제 감수성 검사를 시행하거나 clarithromycin 이 포함되지 않은 조합을 선택(2017년 Maastricht V 가이드라인)

(5) *H. pylori* 1차 제균 요법

표 4-4-3 *H. pylori* 1차 제균 요법

조합약어	약제 조합	기간	참고사항
OAC	PPI (full dose) bid Amoxicillin 1g bid Clarithromycin 500 mg bid	14일>7일	Clarithromycin 내성이 제균 결과에 영향을 줌. 페니실린 알러지 환자에서는 amoxicillin 대신 metronidazole로 변경
OAM	PPI (full dose) bid Amoxicillin 1 g bid Metronidazole 500 mg tid	14일>7일	
OBMT	PPI (full dose) bid Bismuth 300 mg qid Metonidazole 500 mg tid Tetracycline 500 mg qid	10–14일	기존의 2차 제균 조합이었으나, clarithromycin 내성이 높은 지역에서 1차로 선택할 수 있음
동시치료	PPI (full dose) bid Amoxicillin 1g bid Clairthromycin 500 mg bid Metronidazole 500 mg bid	7일>5일	평균 제균성공률은 88% metronidazole은 하루 두번

PPI: lansoprazole 30 mg, pantoprazole 40 mg, rabeprazole 20 mg, esomeprazole 20 mg

(6) 제균 여부의 확인

① 제균치료 종료 후 최소한 4주 후에 시행

② 효과 판정시 PPI는 적어도 2주 이상 중지 필요, 히스타민 수용체 차단제는 중단할 필요 없음

③ 비침습적인 방법으로 요소 호기 검사를 선택

(7) 1차 제균 후 균 양성시 2차 치료 요법(표 4-4-4)

표 4-4-4 *H. pylori* 2차 제균 요법

조합약어	약제 조합	기간	참고사항
OBMT	PPI (full dose) bid Bismuth 300 mg qid Metonidazole 500 mg tid Tetracycline 500 mg qid	10–14일	기존의 2차 제균 조합이었으나, clarithromycin 내성이 높은 지역에서 1차로 선택할 수 있음
OAL	PPI (full dose) bid Amoxicillin 1 g bid Levofloxacin 500 mg qd	7–14일	제균률 79%

① 1차 제균에 bismuth 4제 요법을 시행한 경우, 1차 치료에 사용하지 않은 항생제 2개 이상을 포함한 요법 사용

(8) 제균 치료의 최근 경향

① 기존 표준 제균 요법(3제요법/4제요법)의 제균률이 감소함에 따라, 다양한 약제와 다양한 용법을 이용한 임상결과가 보고되고 있음. 최근에는 동시치료 요법이 기존의 표준 요법에 비해 우월한 결과를 보고 하고 있음

② 동시치료: PPI + amoxicillin + clarithromycin + metronidazole을 4제 병합하여 7일간 투여

III. 소화성궤양

1. 정의

소화관의 점막 손상이 진행되어 결손된 부위가 점막근판을 넘어 점막하층 이하의 조직이 노출된 경우

2. 원인 및 위험인자

1) Hp 감염(위궤양의 30-60%와 십이지장궤양의 50-70%가 Hp 관련), 아스피린 및 비스테로이드계 소염제(NSAID)가 2가지 주된 원인

2) *Helicobacter heilmannii*, CMV, HSV 감염, 약물(항암제, 항혈전제, bisphosphonate, 코카인, mycophenolate mofetil, 염화칼륨정제, 스테로이드), 흡연, 신체적 또는 심리적 스트레스, 방사선 치료, 크론병이나 호산구성 위장관염 등의 전신 질환

표 4-4-5 NSAID 사용과 관련된 소화성궤양 발생의 위험 인자

명확한 요인(definite)	고령, 소화성 궤양의 기왕력, 항응고제 병용, 스테로이드 병용, 아스피린 병용
	여러 가지 NSAIDs의 중복 사용, 고용량의 NSAIDs 사용
추가적 위험요인(additive)	H. pylori의 감염
우려되는 요인(controversial)	clopidogrel 병용, SSRI 병용, 심혈관 질환

3. 소화성궤양의 다른 원인

1) 졸링거-엘리슨 증후군(Zollinger-Ellison's syndrome; gastrinoma)

NSAID를 복용하지 않는 환자에서 발생한 다발성 위궤양, 십이지장 제2부의 궤양 또는 거대 궤양 등이 있거나 약물 치료에 잘 반응하지 않는 궤양이 있을 때 혈중 가스트린 측정. 반드시 다발성내분비종양(multile endocrine neoplasia)의 가능성을 고려해야 함

2) 전신비만 세포증(systemic mastocytosis): 히스타민 과분비로 궤양 유발

3) 전신질환: 크론씨병, α-1항트립신 결핍증, 만성폐질환, 만성콩팥병 등

4. 임상양상

1) 상복부통증, 속쓰림, 소화불량 등 비특이적 증상

2) 제산제 투여 후 증상 완화

3) 합병증이 없는 경우 신체 진찰소견은 대부분 정상

5. 진단

1) 상부위장관내시경

위벽 점막의 윤곽뿐 아니라 색조, 윤택 등 미세한 변화를 관찰하고, 필요한 경우 조직 생검이 가능. 위장관 내강의 병소에 대한 지혈, 주사, 절제, 제거, 삽입등 내시경적 치료 가능

2) CT 위조영술(CT gastrography)

위장관의 내강의 전체적 형태를 3차원으로 재구성하여 위벽-외복부 구조물과 인접 장기에 대하여 평가가 가능. 위수술전 병기 평가에 유용

3) 상부위장관 조영술(UGIS)

진단적 민감도는 낮음. 궤양의 유무를 판단하기 위한 1차 검사로 부적절하나, 위장관의 전체적 형태와 운동을 가늠하고, 폐쇄, 협착, 누공 등의 합병증 발생 시 발생 부위를 평가하는데 도움이 됨

6. 특별한 형태의 궤양

1) Cameron 궤양: 거대한 열공 헤르니아에 의한 기계적 손상 및 허혈로 위의 상부에 발생하는 선형 궤양 또는 미란

2) Curling 궤양: 중환자실 입원환자 등 스트레스에 의해 발생

3) Cushing 궤양: 두개강내 압력증가로 인해 발생하는 위궤양

4) Dieulafoy 병변: 궤양저 없이 1-3 mm의 커다란 점막하 동맥이 점막으로 돌출되어 대량의 출혈을 유발하는 혈관 병변. 병리적으로 궤양이 아닌 혈관 이형성증의 한 가지이지만, 관습적으로 궤양의 한 형태로 말함

7. 치료

1) 위산분비 억제제와 제산제

(1) PPI: 최우선으로 처방

① 종류: dexlansoprazole (60 mg), lansoprazole (30 mg), pantoprazole (40 mg), rabeprazole (20 mg), esomeprazole (40 mg) 등

② 작용 기전: 벽세포에서 위산분비의 마지막 단계인 $H+$ 이온을 방출하는 양성자펌프에 비가역적으로 결합하여 위산 분비를 억제함

③ 부작용 및 약물 상호 작용: 고가스트린혈증, 위내 pH 증가로 케토코나졸(ketoconazole), 디곡신(digoxin) 등의 흡수 억제

(2) Potassium competitive acid blocker (P-CAB)

① 종류: tegoprazan, vonoprazan

② 작용 기전: 벽세포의 $H+K+ATPase$에 가역적으로 결합하여 산 분비 기능을 억제. PPI와 달리 분비세관에서 위 산에 의한 protonation과정이 필요하지 않음

③ 비고: 2018년 우리나라에서의 식약처 허가(2019년 3월 현재 역류성식도염 치료에만 허가를 받았으나, 추후 소화성 궤양 치료 및 헬리코박터 제균에도 허가를 받을 예정)

(3) 히스타민 수용체 차단제

① 종류: cimetidine (400 mg bid), ranitidine (150 mg bid), famotidine (20 mg bid), nizatidine (150 mg bid), lafutidine (20 mg bid)

② 궤양에서는 일반적으로 PPI를 처방하므로 최근 역할이 줄어듦

(4) 제산제: PPI 보조제

① 작용기전: Al(OH)$_3$/Mg(OH)$_2$의 혼합제로 위내로 이미 분비된 위산을 중화시킴

② 부작용 및 주의사항: 만성콩팥병환자에서 신경독성, 설사로 인한 탈수 등이 유발될 수 있으므로 주의

2) 점막 보호제

(1) 수크랄페이트(sucralfate)

① 작용기전: 궤양 기저의 단백질과 결합하여 조직 손상 방지, 프로스타글란딘 합성 촉진, 뮤신 및 중탄산염 분비 촉진

② 주의사항: 위내 pH가 증가하면 작용이 억제되므로 원칙적으로 위산분비 억제제와 같이 투여하지 않음

(2) 비스무스(bismuth)

① 작용기전: 궤양 기저를 도포하여 조직 손상 방지, 프로스타글란딘, 뮤신 및 중탄산염 분비 촉진, Hp에 대한 항균 효과

② 부작용: 장기간 고용량 사용시 신경 독성 발생

(3) 프로스타글란딘 유도체(미소프로스톨 misoprostol 200 μg tid)

① 작용기전: 점막의 구조 유지, 복구, 뮤신 및 중탄산염 분비 촉진, 점막의 혈류 유지

② 부작용 및 주의사항: 복통, 설사, 자궁출혈. 임산부에게 절대 금기

(4) 방어인자증강제

① 종류: 레바미피드(rebamipide 100 mg tid), 유파틸린(eupatillin 1T tid), 폴라프레징크(polaprezinc 75 mg bid), 테프레논(teprenone 50 mg tid), 에카베트(ecabet 1 g bid), 설글리코타이드(sulglycotide 200 mg tid) 등

② 작용기전: 프로스타글란딘 생성 촉진, 산소 유리기 제거, 뮤신 및 중탄산염 분비 촉진, 상피 세포의 재생촉진

3) *H. pylori* 양성 궤양

(1) Hp 양성 궤양의 1차 치료는 제균(표 4-4-3과 표 4-4-4)

(2) Hp 제균 후 위궤양 치유를 위해 추가적으로 PPI 투약 필요

4) 비스테로이드계 소염제(NSAID) 유발성 궤양

(1) NSAID 사용에 관련된 위점막손상의 대처와 치료(표 4-4-6)

① NSAID를 중단하는 것이 가능하다면, 중단하는 것이 1차 치료 전략

② NSAID를 중단하면 히스타민 수용체 차단제, PPI가 모두 효과적

③ NSAID를 중단할 수 없는 경우 PPI가 히스타민 수용체 차단제, 미소프로스톨, 수크랄페이트에 비해 궤양 치료 효과가 우월함

④ NSAID를 장기간 투여 시작하기전에 Hp 제균하면 궤양의 발생율을 낮춤

표 4-4-6 비스테로이드계소염제 관련 소화장애와 위점막손상의 치료 권고

임상 질환	권고
소화장애 (dyspepsia)를 호소 경우	약제의 변경, 용량 감소, H2RA 또는 PPI의 경험적 사용
활동성 소화성 궤양이 있으며, NSAID 투여중단이 가능한 경우	H2RA 또는 PPI의 투여
활동성 소화성 궤양이 있으나, NSAID 투여가 지속되어야 하는 경우	PPI의 투여
예방적 조치가 필요한 경우	PPI 또는 missoprostol과 NSAID를 병합 투여하거나, cyclooygenase-2 selective inhibitor 로 변경

5) 난치성궤양

(1) PPI를 8주간 투여 후에도 치유되지 않는 궤양

(2) 환자의 약제 순응도, Hp 감염, 비스테로이드계 소염제 복용, 흡연, 치료 기간, 졸링거-엘리슨 증후군, 천공 등으로 인한 주위 장기 침범, 악성 궤양 여부 등을 고려

8. 합병증

1) 출혈: 제2절 위장관 출혈 참조

(1) 임상적 중요성: 소화성궤양의 가장 흔한 합병증, 소화성 궤양으로 인한 가장 흔한 사망 원인(우리나라의 소화성궤양 사망발생율은 1-5%).

(2) 증상 및 증후: 토혈, 흑색변, 혈변

(3) 내과적 치료: 기도확보, 경정맥수액요법, 수혈, PPI 정맥 투여

(4) 내시경적 치료: 에피네프린 점막하 주입, 지혈 클립, 아르곤 소작, 열응고 지혈술(한가지 보다는 두가지 이상 병합의 지혈 성공율이 높음)

(5) 수술적 치료: 내시경적 지혈 실패 또는 반복적인 재출혈이 있는 경우

(6) 예후: AIMS65 점수 및 Rockall 점수(표 4-2-2와 표 4-2-3)

2) 천공

(1) 증상: 갑자기 심한 복통과 복막 자극 증상, 촉진시 경직된 복부 근육, 등쪽으로 방사되는 통증

(2) 진단: 가슴-X선 또는 복부-X선에서 복강내 유리된 공기 음영 관찰. 십이지장궤양의 후벽측 천공은 후복막쪽 발생하므로 복강내 유리공기 음영이 안보일 수 있으므로 CT가 도움이 됨

(3) 내과적 치료: 수술 전 혈역학적 상태의 안정을 위하여 수분 및 전해질 공급, 광범위항생제 투여, 비위관 삽관/배액

(4) 수술적 치료: 외과적 응급으로서 1차봉합 또는 위와 미주신경절제술을 시행함

3) 폐쇄

(1) 주로 전정부궤양으로 인한 반흔으로 발생

(2) 증상: 식사 후 통증악화, 서서히 진행되는 구토

(3) 진단: 상부위장관 내시경검사, CT, 상부위장관조영술

(4) 내과적 치료: 혈량저하, 저칼륨혈증, 저염소혈증, 대사성 알칼리증이 발생하므로 수분 및 전해질 공급, PPI 주사 투여하여 위산분비를 감소시킴. 비위관 삽관/배액

(5) 내시경치료: 풍선확장술

(6) 수술: 내과적 및 내시경치료 실패시 고려

05 | 위용종 및 위암

+ 진단과 치료를 위한 핵심사항

- 진단: 상부위장관내시경: 조직 확진 및 임상 병기
  내시경 초음파: 조기 위암에서 종양의 위벽침윤 정도와 국소 림프절 전이 평가
  복부CT: 림프절 및 타 장기 전이 평가
- 위 용종 및 조기위암의 내시경 치료: 용종절제술(polypectomy), 점막절제술(EMR), 점막하박리법(ESD)

표 4-5-1 위종양의 조직학적 분류(WHO Histologic Classification of Gastric Tumors)

1. 신생물(neoplastic)
   1) 상피성(Epithelial tumors)
      (1) 상피내 신생물(intraepithelial neoplasia): adenoma
         ① 관상(tubular)
         ② 유두상(papillary)
      (2) 샘암(adenocarcinoma) (by Lauren classification)
         ① 장형(intestinal type)
         ② 미만형(diffuse type)
      (3) 소세포암(small cell carcinoma)
      (4) 유암종(carcinoid tumor)
      (5) 전이암(metastatic cancer)
   2) 비상피성(Nonepithelial tumors)
      (1) 평활근종(Leiomyoma)
      (2) 신경집종(Schwannoma)
      (3) 과립세포종양(Granular cell tumor)
      (4) 평활근육종(Leiomyosarcoma)
      (5) 위장관 간질종양(Gastrointestinal stromal tumor, GIST)
      (6) Kaposi육종(Kaposi's sarcoma)
      (7) 기타
2. 비신생물(nonneoplastic)
   1) 과형성성(hyperplastic)
   2) 과오종성(hamartomatous)
      (1) 포이츠-예거(Peutz-Jeghers)
      (2) 소아(juvenile)
      (3) 위저선(fundic gland)
   3) 염증성(inflammatory)
      (1) 염증성 잔류(inflammatory retention)
      (2) 크론카이트-카나다 증후군(Cronkhite-Canada syndrome)
      (3) 염증성 섬유양 용종(inflammatory fibroid polyp, Eosinophilic granuloma)
   4) 이소성(heterotopic)
      (1) 이소성 췌장(ectopic pancreas)
      (2) 이소성 브루너샘 과증식(ectopic Brunner's gland hyperplasia)
      (3) 샘근종(adenomyoma)

I. 위용종(Gastric polyp)

1. 정의

1) 넓은 의미로 주변의 점막면보다 내강 내 돌출된 모든 병변
2) 좁은 의미로 점막에서 기원한 종양에 국한하여 사용
3) 위용종은 인구 중 1% 미만에서 발견되며 대부분 무증상

2. 용종의 분류

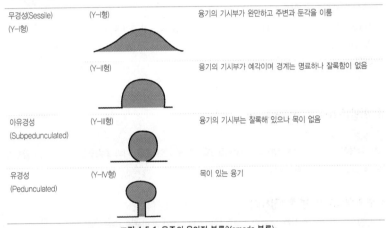

무경성(Sessile) (Y-I형)	(Y-I형)	융기의 기시부가 완만하고 주변과 둔각을 이룸
	(Y-II형)	융기의 기시부가 예각이며 경계는 명료하나 잘록함이 없음
아유경성 (Subpedunculated)	(Y-III형)	융기의 기시부는 잘록해 있으나 목이 없음
유경성 (Pedunculated)	(Y-IV형)	목이 있는 융기

그림 4-5-1 용종의 육안적 분류(Yamada 분류)

1) 과형성성 용종

(1) 위점막상피층의 과도한 증식으로 생기는 가장 흔한 용종(90%)
(2) 크기가 큰 경우 드물게 암이 발견되기도 함

2) 샘종성 용종

(1) 악성화 가능성 있는 용종으로, 위용종의 5-10%을 차지함
(2) 고도(high grade)와 저도(low grade) 이형성으로 분류
(3) 저도 이형성의 10-20%는 고도 이형성으로 진행
(4) 고도 이형성은 절제 후 약 30%에서 위암진단
(5) 고도 이형성은 2년 내 약 75%에서 샘암으로 진행

3. 증상

일반적으로 무증상이며, 일부환자에서 소화불량, 구역 또는 출혈이 있을 수 있음

4. 진단

상부위장관내시경 검사로 진단, 주변부와 경계를 이루는 종양으로 관찰됨

5. 치료

1) 악성화 가능성이 있는 모든 샘종성 용종은 내시경 절제술로 제거

2) 절제술의 방법은 내시경 용종절제술(endoscopic polypectomy), 내시경 점막절제술(endoscopic mucosal resection, EMR), 내시경점막하 박리법(endoscopic submucosal dissection, ESD)

6. 내시경 절제술 후 치료

1) 위산분비 억제제(PPI 혹은 H2RA): 시술 후 출혈 위험도 감소 및 궤양 치유 향상

2) 금식

3) 필요에 따라 24-48시간 후 추적 내시경

II. 위암(Gastric adenocarcinoma)

위악성신생물중 샘암종(adenocarcinoma)은 90-95%로 가장 흔함. 이외에 림프종이 약 4%, 유암종이 약3%, 중간엽종양(mesenchymal tumors)이 약 2% 차지

1. 한국 역학(2016년 통계청자료)

1) 전체 암 중 13.3% 차지, 남자 암 발생률 1위(17.1%), 여자 암 발생률 4위(9.2%)

2) 전체 위암 5년 생존율 61%(국내 보건복지부통계(2007년))

2. 원인

표 4-5-2 위암 발생의 위험 인자

명확한 위험 인자(definite)
    헬리코박터 파이로리 감염, 만성 위축성 위염, 장상피화생, 위샘종/이형성, 흡연, 과거의 위절제술,
    1촌 가족의 위암(first-degree relative with gastric cancer): 위암 발병율이 3배 정도 높음.
    가족샘종폴립증(familial adenomatosis polyposis, FAP),
    유전적 비용종성 대장암(hereditary nonpolyposis colorectal cancer),
    Peutz-Jeghers 증후군, 소아 폴립
높은 가능성의 위험 인자(probable)
    과도한 소금(소금으로 절인 음식, 비만(분문부 위샘종에만 해당), 위궤양 과거력, 악성 빈혈(pernicious anemia)
낮은 가능성의 인자(possible)
    낮은 사회경제적 계층, 메네트리씨 병(Menetrier's disease, 비후성 위병증; hypertrophic gastropathy),
    신선한 야채, 채소의 섭취 부족, 비타민 C의 섭취 부족

의심되는 인자(questionable)

과형성 용종, 질산염 과다섭취 적은 양의 녹차(많은 양의 녹차는 위암 발생을 낮춤)

기타 인자

혈액형 A: 점액분비의 차이로 발암인자에 대한 점막방어기전 변화, CDH1 유전자 변이(germline mutation): 가족성 위암

표 4-5-3 위암의 원인인자로서 질산염-전환 세균

질산염-전환 세균의 외부 원인

세균에 오염된 음식, 헬리코박터 파이로리 감염

위내에서 질산염-전환 세균의 성장을 돕는 내부요인

위산도의 감소, 과거 위절제술(아전위절제술) (15~20년 후), 위축성 위염 그리고/또는 악성빈혈, 위산분비 억제제에 장기간 노출

3. 병리, 병인, 유전학

1) 병리학적 구분(Lauren 분류)

(1) 장형(intestinal type): 전형적으로는 위 전정부에 발생하고, 전구 병변이 선행

(2) 미만형(diffuse type): 일반적으로 장형보다 나쁜 예후. 전형적으로는 위 분문부와 체부에 발생. 광범위한 위벽비후, 좁은위내강, 위주름 소실, 공기 주입에도 잘 펴지지 않음(가죽주머니형, linitis plastica) 등의 소견. 가죽주머니형으로 보일 수 있는 다른 병변으로는 림프종, 결핵, 매독, 유전분증(amyloidosis) 등이 있음

2) 위암에서 중요한 조직 병리학적 특징

(1) 분화정도   (2) 위벽침윤도   (3) 림프절 전이여부

(4) 종양자체 내부에 반지세포(signet-ring cell)의 존재 유무

3) 헬리코박터 파이로리

(1) WHO에서는 헬리코박터 파이로리를 위암종 유발인자로 분류(그림 4-5-2). 헬리코박터 파이로리에 의한 위암종 위험도 증가의 주된 가설은 위염 유발

(2) 만성 헬리코박터 파이로리 감염은 만성 위축성 위염을 일으키고, 이로 인해 무산증이 유발되면, 질산염(음식 성분)을 아질산염으로 전환시킬 수 있는 세균 성장에 좋은 조건이 됨. 여기에 아질산염이 유전적 인자와 복합되면 비정상적인 세포 증식과 유전적 돌연변이가 촉진되어 결국 암으로 진행되는 것으로 설명

(3) Mucosa-Associated Lymphoid Tissue (MALT) 림프종의 90%에서 헬리코박터 파이로리 감염과 연관성이 있으며 제균 치료 시 약 80%에서 호전

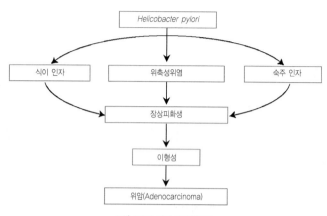

그림 4-5-2 위암 발생의 모델

4) 위암의 분자적 분류(그림 4-5-3)

(1) Ebstein Barr Virus 관련

(2) 유전자 불안정(chromosomal instability)

(3) 미세위성불안정(microsatellite instability)

(4) 유전적 안정(genomically stable)

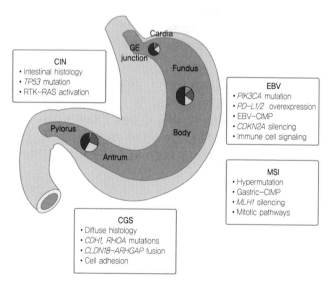

그림 4-5-3 위암의 분자적 분류

Molecular/genomic characterization of subtypes of gastric carcinomas. CIMP, CpG-island methylator phenotype; CIN, chromosomally unstable; EBV, Epstein-Barr virus-associated; GS, genomically stable; MSI, microsatellite instability-associated.

4. 임상양상

1) 증상

(1) 초기: 대부분 무증상. 비특이적인 증상

(2) 후기: 상복부불편감, 식후포만감, 지속되는 복통, 식욕감소와 구역질, 체중감소(80%). 폐쇄가 비교적 이른 시기에 발생할 수 있는 날문암에서는 구토와 구역이, 들문부 위암에서는 삼킴 곤란증이 나타남. 등쪽으로의 방사통은 췌장까지 종양 침윤이 진행되었음을 시사

2) 징후

(1) 출혈: 빈혈, 쇠약, 피로, 권태, 심혈관합병증

(2) 천공: 위암과 연관된 천공은 드묾

(3) 우상복부 통증: 간으로 전이된 경우

(4) 기침, 딸국질, 각혈: 폐로 전이된 경우

(5) 복막 암종증은 이뇨제에 반응하지 않는 악성 복수 발생

(6) 뼈통증: 골전이 가능성

3) 신체검사

(1) 초기: 비특이적

(2) 후기: 악액질(cachexia), 상복부 종괴

(3) 간전이: 황달과 복수를 동반한 간 비대

(4) 비장비대: 문맥 또는 비장 정맥 침윤

(5) Virchow's node: 좌측 쇄골상부림프절 전이

(6) Sister Mary Joseph's node: 배꼽 주위 림프절전이

(7) Blumer's shelf: perirectal pouch로 전이

(8) Krukenberg tumor: 난소전이

4) 신생물 딸림 증후군(paraneoplastic syndrome): 드묾

트루소 증후군(Trousseau's syndrome, 과응고로 발생하는 반복적인 이동성 표재성 혈전 정맥염), 흑색극 세포증(acanthosis nigricans, 굴곡부에 생기는 융기성의 과색소 침착 피부 병변), 감각경로와 운동경로에 침범된 신경 근육 병증, 정신상태의 변화와 운동실조를 동반한 중추 신경계 침범, 막성 신병증, Leser-Trelat sign(seborrheic keratosis, 지루각화증), 피부 근육염(Dermatomyositis)

5) 검사실 소견

(1) 철 결핍성 빈혈

(2) 거대적 아구성 빈혈: 악성 빈혈이 선행한 경우

(3) 미세 혈관성 용혈성 빈혈

(4) 간기능 검사의 이상: 일반적으로 전이성 질환을 암시

(5) 저알부민혈증: 영양 부족의 지표

(6) 단백-소실 장병증: 드물지만 전구 병변인 메네트리씨병에서 나타날 수 있음

(7) CEA: 진단검사로 추천하지 않음. 외과적 절제 후의 추적 관찰에 유용

5. 진단

1) 상부위장관 조영술

(1) 양성위궤양: 궤양바닥이 매끄럽고 주변이 규칙적

(2) 악성궤양: 주변 종괴, 불규칙한 주름과 궤양 바닥

2) 상부위장관내시경

방사선 조영술의 특징적 소견들이 양성과 악성 궤양을 예측하는 데 도움이 되지만, 발견된 모든 위궤양은 반드시 조직검사로 병리 진단을 하여야 함. 내시경을 이용한 조직검사의 위암 진단 정확도는 95-99%

3) 복부CT

병기 설정을 위해 복부 전산화단층촬영을 시행. 림프절 전이 및 간, 폐, 부신, 난소 등 다른 장기로의 전이 평가에 유용

4) 내시경초음파

병기판단의 요소 중 위벽과 국소 림프절 침범 확인은 CT와 비슷(약80%). 내시경초음파 유도하 흡인 생검을 이용하여 림프절의 악성 전이 유무 판단 가능. 간 좌엽의 작은 전이 병변 및 소량의 복수 확인 가능

5) 복강경

복강내 전이가 의심될 경우에 시행

6. 병기

1) 조기위암(Early gastric cancer)

(1) 정의: 림프절 전이 유무와 관계없이, 점막 또는 점막하층에만 국한된 위암

(2) 림프절전이와 예후 약 10-20% 정도에서 림프절 전이 관찰됨 예후: 5년 생존율 95% 이상. 림프절 전이 유무와 위암의 심달도에 따라 차이를 보임

(3) 조기 위암의 육안적 분류(그림 4-5-3)

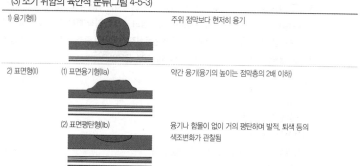

1) 융기형(I)   주위 점막보다 현저히 융기

2) 표면형(II)   (1) 표면융기형(IIa)   약간 융기(융기의 높이는 점막층의 2배 이하)

              (2) 표면평탄형(IIb)   융기나 함몰이 없이 거의 평탄하며 발적, 퇴색 등의 색조변화가 관찰됨

(3) 표면함요형(IIc)　　　점막층 범위의 함요

3) 함요형(III)　　　궤양의 변연에 암이 국한

그림 4-5-4 조기 위암의 육안적 분류

(4) 양성궤양과 악성궤양의 내시경 감별

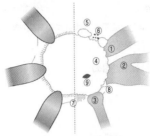

그림 4-5-5 양성궤양과 악성궤양의 내시경 감별

주름	전원주를 따라 매우 균일 중심의 한 개 점으로 집합 변연이 평활	전원주에 균일하지 않은 경우가 많음 중심이 한 개 점이 아닌 경우가 많음 변연은 중도 절단 ① 융합 ② 곤봉상비대 ③
변연	거의 평활 재생상피는 균일, 동일함 깨끗한 나무울타리상	부정이나 벌레먹은 상 ④ 불규칙한 요철이나 소결절 ⑤ 불규칙한 발적이나 퇴색 ⑥ 부분적인 재생상피의 재생 ⑦ 백태가 비어져 나옴 ⑧
궤양면	균일한 백태	백태가 약간 불균일 섬모양의 재생상피섬 ⑨

2) 진행 위암(Advanced Gastric Cancer)

(1) 진행 위암의 육안분류(Borrmann 분류)

Borrmann I: 융기형		국한성의 발육을 보이는 융기형 암. 표면에 분명한 궤양형성이 없음
Borrmann II: 궤양국한형		국한성 발육을 보이는 암으로 큰 궤양형성. 궤양의 주위는 제방 모양으로 융기하고, 융기 기시부까지 암 침윤이 있음

| Borrmann III: 궤양침윤형 | | 주위의 침윤성 발육을 보이는 궤양형성형의 암 |
| Borrmann IV: 미만형 |  | 미만성의 침윤발육. 궤양은 있어도 적은 병소의 일부에 국한 |

그림 4-5-6 진행 위암의 육안분류(Borrmann 분류)

(2) 해부학적 위치에 따른 분류

분문부, 체부 그리고 전정부 암으로 구분. 위치에 따라서 외과적 절제 방법과 범위를 결정(식도위 절제술, 전체절제술 또는 부분절제술)

3) 위암의 TNM 병기(7장 종양학 5절 위암 참조)

7. 치료

1) 조기위암의 내시경 절제술

(1) 위장관 점막병소의 내시경 치료법

표 4-5-4 위장관 점막병소의 내시경 치료법

1) 조직절제법: 내시경 점막절제술(EMR) 또는 점막하박리술(ESD). 절제한 조직을 회수하여 병리학적으로 검토하여 진단 및 치료의 결과를 비교적 정확히 평가. 위장관 점막병소에 대한 일차적인 내시경 치료법

2) 조직파괴법: 일반적으로 조직절제법을 이용한 점막병소의 치료 후 잔여 조직에 대한 추가적인 치료 혹은 고식적인 목적으로 사용. 조직을 회수하지 못하므로 치료의 적절성을 평가할 수 없으며, 불완전 제거 가능성 높음

(2) 내시경절제술의 일반적인 적응증

① 조기위암

② 샘종

③ 겸자 조직 생검으로 병리 진단이 어려운 경우, 보다 많은 조직으로 정확한 진단을 내리기 위해

(3) 내시경 절제술 시행 전 고려 사항

① 양성 병변은 크기와 무관하게 절제 가능

② 조기위암은 국소적 절제완치 가능 조건인 림프절전이가 없어야 함

(4) 조기위암의 내시경 절제술 자료(표 4-5-5)

2019년 위암학회에서 발표한 내시경 절제술 관련 내용은 다음과 같음

① 내시경 절제술은 고분화 혹은 중등도 분화의 관상선암 혹은 유두상 조기 위암으로 내시경으로 추정된 종양 크기가 ≤ 2 cm, 점막암이면서 궤양을 동반하지 않는 경우에는 강력히 추천

② 내시경 절제술은 고분화 혹은 중등도 분화의 관상선암 혹은 유두상 조기 위암으로 점막에 국한된 경우에, 내시경으로 추정한 종양 크기가 >2 cm 이면서 궤양을 동반하지 않는 경우나, <3 cm이나 궤양을 동반한 경우에 시행해 볼 수 있음

③ 내시경 절제술은 분화도가 나쁜 관상선암 혹은 미분화 암이면서 점막에 국한되어 있고 궤양을

동반하지 않은 경우, 내시경으로 추정한 종양의 크기가 ≤ 2 cm이면 시행해 볼 수 있음

④ 내시경 절제술 후의 병리 결과 림프-혈관에 암이 침윤되어 있거나, 완전 절제술의 범위 밖의 경우에는 추가적 수술을 권유(표 4-5-6)

(5) 내시경 절제술의 금기증

① 내시경절제술은 합병증을 동반할 수 있고, 일부의 합병증은 수술이 필요함

전신마취하의 개복 수술에 대한 절대적인 금기증을 가진 환자는 내시경 절제술은 매우 주의 요함

② 중증의 출혈 경향을 가진 환자

③ 다른 장기의 중요 질환을 동반하여, 짧은 생존기간이 예상되는 환자

④ 고령, 전신질환 등으로 전신 마취하 개복수술의 위험성이 높은 환자는 상대적인 금기증이지만, 환자에 따라 선택적 시도 가능

(6) 조기위암의 내시경 절제술 전후 관리

① 수술 전: 동의서(informed consent)

② 수술 직후: 천공 확인(흉부엑스선검사), 출혈예방(위산분비 억제제)

③ 시술 1-2일: 2차 내시경으로 섬유소막(fibrin coat)으로 덮인 궤양을 확인하고 식사 시기를 결정. 최근의 경향은 작은 병변은 2차 내시경 시행하지 않음

④ 헬리코박터 제균: 헬리코박터 양성환자는 제균 후 재발 위험도 감소

⑤ 추적검사 시기는 정해져 있지 않음. 일반적으로 시술 4-12주 후에 그 이후에는 1년에 1-2번 정도 시행. 병변이 분할 절제된 경우는 보다 자주 추적 검사를 시행

(7) 내시경 절제술의 합병증

통증, 출혈과 천공이 가장 흔하며, 드물게 균혈증도 가능함

2) 진행 위암의 치료

(1) 기능적 장애

진행 위암에 의한 기능적 장애는 내시경 시행으로 어느 정도 예측 가능. 치료적 절제술을 시행할 수 없는 환자에서 위 출구부 폐색, 위 분문부 협착 등의 기능적 장애는 내시경 또는 방사선적인 방법으로 스텐트 삽입 등의 내시경 치료 시도. 이러한 방법으로 기능적 장애가 호전되지 않으면 고식적 수술(palliative surgery)도 고려. 근치적 절제가 불가능한 진행 위암의 병변에서 광범위한 괴사나 궤양으로 인한 출혈이 심각한 경우는 고식적인 절제가 환자의 삶의 질 향상

(2) 진행 위암의 화학 요법(종양내과 항암치료편 참조)

06 | 설사, 변비 및 과민성장증후군

I. 설사

1. 급성설사

1) 원인

(1) 감염성: 급성설사의 90% 이상이 감염성 원인(바이러스 50-70%, 세균 15-20%, 기생충)

(2) 기타원인

① 약제(laxatives, antacids, digitalis, quinine, colchicine, antimicrobial agents)

② 허혈성대장염, 게실염, 이식편대숙주질환(GVHD)

표 4-6-1 설사의 기전에 따른 증상 및 원인균

염증성 원인	비염증성 원인
• Salmonella, Shigella, EHEC, EIEC, Entamoeba histolytica, Yersinia	• ETEC, Clostridium, Staphylococci 등 일부 세균과 바이러스
• 주로 이질 증상. 대변은 소량씩 자주, 뒤무직, 고열, 심한 복통 동반	• 수양성설사가 특징적이며 보통 열이 없고 복통이 심하지 않음
• 대변에 잠혈이나 백혈구(+)	• 대변에 잠혈이나 백혈구(-)

표 4-6-2 감염성 설사 및 식중독에서의 역학

감염 매개물	병원균(체)
물(이러한 물에서 세척된 음식물 포함)	Vibrio cholerae, calciviruses (Norwalk agent), Giardia, and Cryptosporidium
음식물	
Poultry	Salmonella, Campylobacter, and Shigella species
Beef, unpasteurized fruit juice	EHEC
Pork	Tapeworm
Seafood and shellfish	V.cholerae, V.parahemolyticus, and V.vulnificus,
(including raw sushi	Salmonella and Shigella species; hepatitis A and
and gefilte fish)	B viruses; tapeworm; and anisakiasis
Cheese, mild	Listeria species
Eggs	Salmonella species
Myonnaise–containing foods	Staphylococcal and clostridial food poisoning
Fried rice	Bacillus cereus
Canned vegetables or fruits	Clostridium species
싹, 발아	EHEC, Salmonella species
사람과의 접촉(성접촉 포함)	All enteric bacteria, viruses, and parasites
영, 유아원	Shigella, Campylobacter, Cryptosporidium, Giardia
병원, 항생제	C.difficile
수영장	Giardia, Cryptosporidium species
외국여행	E.coli of various type; Salmonella, Shigella, Campylobacter, Giardia, Cryptosporidium, E.histolytica

표 4-6-3 설사를 유발할 수 있는 약재 및 Toxin

Acid-reducing agents (H2-receptor antagonists, PPI)
Antacid (Mg 함유제재)
Antiarrhythmics (e.g quinidine, digitalis)
Antibiotics (most)
Anti-inflammatory agents (e.g 5-ASA, gold salts, NSAIDs)
Antihypertensives (e.g beta-adrenergic receptor blocking drugs)
Antineoplastic agents (many)
Antiretroviral agents
Antidepressants
Colchicine
Heavy metals
Herbal products
Prostaglandin analogs (e.g. misoprostol)
Theophylline
Vitamin & mineral supplements

References.) Sleisenger and Fordtran's Gastrointestinal and Liver Disease, Ninth Edition table 15-5 (p. 217): 내용 추가 변형 수록.

2) 급성설사 환자에 대한 접근(그림 4-6-1)

(1) 자세한 병력: 음식, 약제, 또는 독소 섭취 가능성에 대한 자세한 문진

(2) 어떠한 급성 설사환자에서 검사를 시작할 것인가?

① 탈수 ② 혈성설사 ③ 38.5℃ 이상의 고열

④ 48시간 이상 증상지속 ⑤ 최근 항생제복용 ⑥ 70세 이상

⑦ 50세 이상에서 심한 복통이 동반된 경우 ⑧ 면역저하 환자

(3) 진단적 검사

① 대변잠혈반응 및 백혈구검사

② 대변세균배양검사 및 대변미생물검사

③ 면역검사: bacterial toxin (C. difficile), viral antigen (Rotavirus), protozoal antigen (Giardia, Entamoeba histolytica)

④ S상결장경 또는 대장내시경, 복부전산화단층촬영

설사가 지속되는 경우 Giardia, C. difficile, E. histolytica, Cryptosporidium, Campylobacter 등의 감염 또는 염증성장질환, 비감염성 설사를 배제하기 위해 시행

★ 모든 검사를 시행하여도 감염성 설사의 20-40%에서는 원인이 발견되지 않음

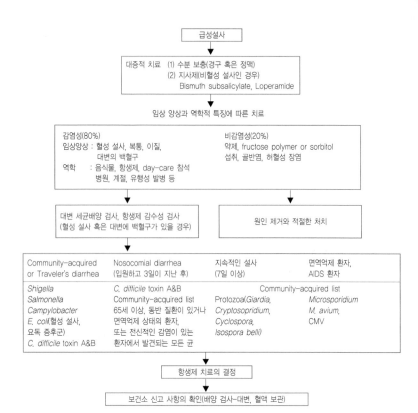

그림 4-6-1 급성 설사환자의 진단적 접근

표 4-6-4 급성 감염성 설사의 원인균에 따른 임상양상

원인균	잠복기	구토	복통	발열	설사
Toxin producers					
Preformed toxin					
Bacillus cereus	1–8h	3–4+	1–2+	0–1+	3–4+, watery
Staphylococcus aureus	8–24h				
Clostridium perfrigens					
Enterotoxin					
Vibrio cholera	8–72h	2–4+	1–2+	0–1+	3–4+, watery
enterotoxigenic E.coli					
K.pneumoniae					
Aeromonas species					
Enteroadherent					
enteropathogenic and	1–8d	0–1+	1–3+	1–2+	1–2+, watery
enteroadherent E.coli					
Cryptosporidiosis, helminths					

원인균	잠복기	구토	복통	발열	설사
Cytotoxin-producers					
Clostridium difficile	1–3d	0–1+	3–4+	1–2+	1–3+, usually watery occasionally bloody
hemorrhagic E.coli	12–72h	0–1+	3–4+	1–2+	1–3+, initially watery quickly bloody
Invasive organisms					
Minimal inflammation					
Rotavirus, Norwalk agent	1–3d	1–2+	2–3+	3–4+	1–3+, watery
Variable inflammation					
Salmonella, Campylobacter	12h–11d	0–3+	2–4+	3–4+	1–4+, watery or bloody
Aeromonas species					
Vibrio parahemolyticus,					
Yersinia					
Severe inflammation					
Shigella species	12h–8d	0–1+	3–4+	3–4+	1–2+, bloody
enteroinvasive E.coli					
Entamoeba histolytica					

3) 합병증

표 4-6-5 감염성 설사의 합병증

합병증	원인균
탈수	Cholera; ETEC; Rotavirus; Salmonella (rare)
심한 구토	food poisoning (Staphylococcal); rotavirus; Norwalk virus
출혈성 장염	EHEC; Shigella; Vibrio parahemolyticus; Campylobacter; Salmonella
독성거대결장, 장천공	Shigella, EHEC, Clostridium difficile (rare); Campylobacter (rare) Yersinia (rare); Salmonella (rare)
HUS, TTP	EHEC; Shigella; Campylobacter (rare)
반응성 관절염	Shigella; Salmonella; Yersinia; Campylobacter
원격전이성 감염	Salmonella; Yersinia (rare); Campylobacter (rare)
영양실조	Various infectious diarrheas
Guillain-Barre 증후군	Campylobacter jejuni (rare)

4) 치료

(1) 일반적 치료

① 수액과 전해질 보충

- 주스나 카페인이 없는 탄산음료, 게토레이 등의 스포츠음료
- 경구수분 보충액: 정제된 물 1리터에 NaCl 3.5 g, KCl 1.5 g, NaHCO$_3$ 2.5 g, glucose 20 g 포함

② 장운동억제제 및 항분비제제

- 장운동억제제를 투여하면 설사의 횟수를 감소시키는 등 증상의 개선에 도움됨

- 단, 열이 있는 이질 환자에 투여하면 질환의 경과를 지연시킬 수 있기 때문에 금해야 함
- 특히 EHEC 감염에서 장운동억제제가 용혈성요독증후군을 초래할 수 있으므로 주의!

표 4-6-6 감염성 설사의 항생제 치료

	1차 약제	2차 약제
증상이 있는 경우 치료		
Shigella	Ampicillin, 500 mg PO qid or 1g IV q6h Ampicillin resistant: TMP-SMX, 10 mg/kg/d TMP and 50 mg/kg/d SMX x5days	Flouroquinolone, Nalidixic acid
C. difficile	Metronidazole 500 mg PO tid or vancomycin 125-500 mg PO qid x10 days	
Traveler's diarrhea	Ciprofloxacin 500 mg PO bid x3 days	TMP-SMX, other flouroquinolone
EPEC, EIEC	TMP-SMX, as for Shigella	
Typhoid fever	Chloramphenicol 500 mg PO or IV qid x14days	Ampicillin, 1 g PO qid X14 days Ciprofloxacin 500 mg PO bid x3 days TMP-SMX, 3세대 cepha
Cholera	Tetracycline 40 mg/kg/d in four doses (max 4 g/d) x2 days	TMP-SMX, norfloxacin, furazolidone
Salmonella (unusual)	Ampicillin 50-100 mg/kg/d in four doses x10-14 days Ampicillin resistant: TMP-SMX, 8 mg/Kg/d TMP and 40 mg/Kg/d SMX x14 days	Ciprofloxacin 500 mg PO bid x14 days
Amebiasis	Metronidazole 750 mg PO tid x10 days then iodoquinol 650 mg PO tid x20 days or paromomycin 500 mg PO tid x7 days	Tetracycline 500 mg PO qid x14 days and dehydromethine 0.5-0.75 mg/Kg IM q12h X5 days
Giardiasis	Metronidazole 250 mg PO tid x5 days	Quinacrine, furazolidone, paromomycin
일반적으론 치료하지 않으나, 면역저하환자, 세균혈증환자, 중증환자의 경우에 치료		
Campylobacter	Erythromycin 250-750 mg PO tid x7 days	Ciprofloxacin 500 mg PO bid x7 days
Yersinia	Flouroquinolone, TMP-SMX, Chloramphenicol	Aminoglycosides, tetracycline
Aeromonas	TMP-SMX, 3세대 cepha, flouroquinolone	Tetracycline, Chloramphenicol
Vibrio, noncholera	Tetracycline	
EPEC, EHEC	TMP-SMX	
항생제 치료하지 않음		
ETEC Viral diarrhea		

③ 항생제
- 대부분 자연 치유되므로 항생제 투여는 필요하지 않음
- 면역저하, 악성종양, 심장질환이나 혈관질환, 정형외과적 인공보철물을 가진 환자, 용혈성 빈혈, 고령 환자에서는 감염성 설사의 원인에 관계없이 항생제를 고려
- 중등도 내지 중증의 열성 이질인 경우, 임상적으로 세균에 의한 감염이 의심되거나 대변 도 말검사에서 잠혈/백혈구가 다수 관찰될 때, 설사가 2주 이상 지속되는 경우 경험적으로 quinolone (ciprofloxacin 500 mg bid for 3-5 days) 투여
- 면역저하, 염증성 장질환, 혈색소 침착증, 무산증환자 등 급성 설사의 임상 양상이 심하게 나타날 수 있는 환자가 고위험국가로 여행하는 경우 예방적 항생제 투여

- E.coli 0157: H7과 같은 Shigatoxin을 생산하는 균주에 의한 설사에서는 항생제 사용이 권장되지 않음

2. 만성 설사: 4주 이상 지속된 설사

1) 원인에 따른 분류 및 임상양상

(1) 염증형(Inflammatory) 만성설사

① inflammatory bowel disease (Crohn's disease, UC), microscopic colitis, immunodeficiencies, food allergy, eosinophillic gastroenteritis, GVHD, radiation injury

② 임상양상: 흡수장애와 직장출혈 등

(2) 삼투형(Osmotic) 만성 설사: 금식하면 증상 호전되는 경우 많음

① 삼투성 완하제(Mg2+, PO4-3, SO4-2)

② 소화장애에 의한 경우: 이탄당 분해효소결핍

③ 비흡수성 탄수화물(sorbitol, lactulose, polyethylene glycol)

(3) 분비형(Secretory) 만성설사

① 자극성 하제, 만성 ethanol 섭취, 기타 약제, endogeneous laxatives (dihydroxy bile acids), 신경내분비종양(VIP, gastrin, serotonin, calcitonin, prostaglandin), bowel resection(decreased absorption), Addison's disease

② 임상양상

ⅰ) 전해질 장애동반: VIPoma의 경우 저칼륨혈증과 산증동반

ⅱ) 굶었을때도 설사 지속

ⅲ) 지방변, 혈변의 소견이 없음

ⅳ) 혈장에서 VIP, gastrin, calcitonin 측정. 24시간 소변에서 5-HIAA 등 측정

(4) 지방 변증형(Steatorrheal) 만성 설사: 췌장외분비 기능 부전, 세균과다증식, 비만수술, 간질환

(5) 의인성 원인: 담낭절제술, 부교감신경손상, 회장절제, Bariatric surgery, fundoplication

(6) 운동장애

① 과민성장증후군

② 신경병증 또는 근병증(당뇨, 피부경화증)

③ 갑상선항진증

(7) 인위적(Factitial) 원인: 문하우젠증후군(Munchausen), 섭식장애환자

2) 만성 설사환자에 대한 접근(그림 4-6-2, 그림 4-6-3)

3) 치료

(1) 원인제거 및 억제

① 대장암 → 수술

② Whipple's disease → 항생제투여

③ 유당분해효소결핍 → 유당제거식이, celiac sprue → gluten 제거식이

④ IBD → 스테로이드 또는 항염증제   ⑤ 회장담즙 흡수불량 → cholestyramine

⑥ 가스트린종 → 양성자펌프억제제   ⑦ 악성 유암종 → octreotide

⑧ 갑상선 수질암 → 프로스타글란딘억제제   ⑨ 췌장기능부전 → 췌장효소투여

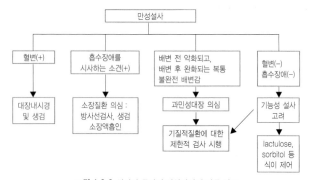

그림 4-6-2 설사와 동반된 임상양상에 따른 접근

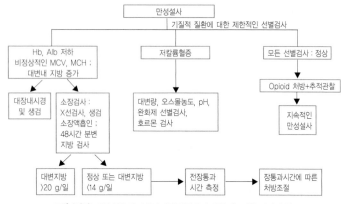

그림 4-6-3 만성 설사 환자에서 기질적 질환이 의심되는 경우 진단적 접근

(2) 특별한 원인이나 기전을 모르는 경우 경험적 치료가 유용

　① 마약성제제(diphenoxylate, loperamide)

　　• 심하지 않은 분비형 설사에서 유용, 감염성 설사에서는 금기

　　• 중증 염증성장 질환에서는 독성 거대결장을 일으킬 수 있음

　② codeine 또는 opium tincture - 더욱 심한설사에서 유용할 수 있음

　③ clonidine - alpha 2-adrenergic agonist- opiate 중단에 의한 설사나 당뇨병성 설사에서 유용

(3) 만성지방변증 → 지용성비타민 투여

II. 변비

> **✚ 진단과 치료를 위한 핵심사항**
>
> 1. 문진
>   ① 이차성 원인의 배제(우울증, 항문주위질환, 갑상선 기능저하증, 당뇨, 척수질환, 약제)
>   ② 젊은 여자의 경우 음식을 적게 먹어 생기는 변비가 흔함
> 2. 검사
>   ① 우선 기질적원인을 배제: 복부-X선, 직장수지검사, S자결장경 또는 대장내시경
>   ② 대장 통과시간의 측정: 정상이면 더이상 검사 필요없음, 변비형 과민성 장증후군으로 간주, 대장통과가 느리면 서행성 변비와 배변장애의 감별을 위해 직장항문기능검사를 추가
> 3. 치료
>   ① 약제: 식이(20~30 g/day 섬유질과 물), 약물요법- 부피형성 완화제 → 삼투성 완화제 → 자극성 완화제 순으로 시도, 심한 변비나, 배변 저류가 있는 경우 삼투성 완화제부터 시도해야 함
>   ② 새로운 약제: Procalopride (Resolor), Lubiprostone, Linaclotide
>   ③ 배변장애: 바이오피드백

1. 정의

일반적으로 주3회 미만의 배변으로 정의, 배변 횟수의 감소뿐 아니라 단단한변, 불완전 배변감, 배변 시 과도한 힘주기, 항문 폐쇄감, 배변을 유도하기 위하여 수지 조작이 필요한 경우 등으로 정의(만성기능성변비의 진단과 치료 임상 진료지침 개정안 2015)

- **진단기준: 로마 기준 IV의 진단 기준을 사용(2016년 개정)**

  로마 IV 기준의 가장 중요한 변화는 기능성 위장관 질환들의 일부분이 서로 중복되어 존재한다는 개념으로 접근하여 각각의 질환이 별개가 아니라 증상 스펙트럼으로서 존재할 수 있음을 반영함. 기능성 변비와 변비형 과민성 장 증후군(IBS-C)이 한 스펙트럼내에 존재하도록 했음. 로마 III 기준에서는 기능성 변비 환자는 복통이 없어야 했는데(있으면, IBS-C로 진단 바뀜), 로마 IV 기준에서는 복통(abdominal pain) 또는 배부품(bloating)이 있을 수 있으나, 주 증상(predominant symptom)이 아닌 것으로 바뀌었고, IBS 진단 기준을 만족하지 못한다는 항목으로 정리됨

표 4-6-7 기능성 변비에 대한 로마기준 IV (2016)

1. 아래 6가지 증상 중 2가지 이상이 있을 때
   ① 배변할 때 과도한 힘주기(straining)가 4회 중 1회(25%) 이상
   ② 딱딱한 변(lumpy or hard stool, BSFS1~2)이 4회 중 1회(25%) 이상
   ③ 불완전한 배출감(sensation of incomplete evacuation)이 4회 중 1회(25%) 이상
   ④ 직장항문 폐색감(sensation of anorectal obstruction/blockage)이 4회 중 1회(25%) 이상
   ⑤ 원활한 배변을 위해 부가적인 처치가 필요(예: 수지 관장이나 골반저의 압박 등)한 경우가 4회 중 1회(25%) 이상
   ⑥ 일주일에 3회 미만의 배변
2. laxative 사용 없이는 묽은 변(loose stool)을 거의 보지 않음(rarely present).
3. 과민성 장 증후군의 진단 기준을 만족하지 못함
   ** 적어도 진단 6개월 전에는 증상이 시작되고, 지난 3개월 이상 진단 기준을 만족해야 함
   * BSFS: Bristol Stool Form Scale (그림 4-6-7)

2. 배변의 생리(그림 4-6-4)와 변비의 병태생리(그림 4-6-5)

1) 소장에서 소화되고 남은 죽형태의 찌꺼기 약 1,000 cc가 대장으로 들어옴

2) 대장운동으로 반죽하면서 수분을 흡수하여 변의 형태를 만들고 직장으로 변을 모아줌

3) 직장에 변이차면 골반 근육과 항문 괄약근이 조이고 있어 변이 새지 않도록 함

4) 숨을 참고 힘을 주어(복압을 올려) 대변을 밀어내며 조여져 있던 골반근육과 항문괄약근이 열리면서 대변을 배출(그림 4-6-5)

5) 성공적으로 변을 보기 위해서 첫째, 충분한 대변양, 둘째, 적절한 대장의 운동으로 변괴를 직장으로 보내주어야 하고 셋째, 변을 배출시키는 골반 및 항문괄약근의 운동이 정상이어야 함

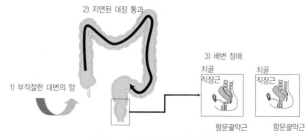

그림 4-6-4 기능성변비의 병태생리학적 구분

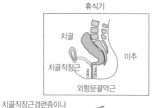

그림 4-6-5 배변억제의 생리적 기전과 배변할 때의 변화

3. 원인과 진단적 접근(그림 4-6-6)

1) 우선 이차성 변비를 배제

(1) 변비를 일으킬 수 있는 대표적인 전신질환, 약물과 조건들이 있는지 조사(표 4-6-8, 표 4-6-9)

표 4-6-8 이차성 변비를 일으키는 원인들

기계적 폐색	대장암, 양성협착, 영아의 항문 막힘증, 선천적 또는 후천적 거대 결장
내분비 대사 질환	당뇨병, 갑상샘저하증, 부갑상샘항진증, 범뇌하수체저하증, 만성콩팥병, 갈색세포종 (Pheochromocytoma), 글루카곤종
신경 및 근육 병증	척수손상, 다발경화증(Multiple sclerosis), 파킨슨병, 치매, 뇌종양, 뇌졸중, 말초 신경 또는 근병증
교원혈관병	아밀로이드증, 전신경화증, 혼합결합조직병(MCTD)
정신질환	우울증
약물	
항콜린작용제	항히스타민제, 항우울제, 파킨슨병 약재

진통제	아편제(로마 IV 기준에서는 별도의 진단(OIC)으로 분리), 비스테로이드소염제
화학요법약	빈카 알칼로이드(Vinca alkaloids)
담즙격리제	콜레스티라민(Cholestyramine)
심혈관계 약	칼슘통로차단제, 이뇨제, 항부정맥제
항경련제	
금속성 이온 또는 무기물질	칼슘, 제일철(ferrous), 바륨, 알루미늄 제산제, 납, 비소
수크랄페이트	

(2) 복부 X선, 직장수지검사, S자결장경, 대장내시경 시행하여 기질적 원인이 있는지 조사. 대변 매
　복, 협착, 직장탈출, 직장 종괴, 고립성직장궤양, melanosis coli 등을 진단

표 4-6-9 경고 증상(Alarm symptom)

혈변(Hematochezia), 비의도적 체중 감소, 대장암 또는 염증성 장질환의 가족력, 빈혈,
분변 잠혈검사 양성 소견(Positive fecal occult blood test), 50세 이상 노인의 급성 발병한 변비
변비 증상의 악화(Worsening of constipation)

** 경고 증상: 대장암의 증상일 수 있으므로 대장내시경을 해야 할 기준
** 경고 증상이 없는 경우, 변비 증상이 대장 선종이나 대장암이 진단될 확률을 높이지 않음

2) 일차성 변비

(1) 이차성 원인이 배제된 변비는 병태생리에 따라 다음 3가지로 분류할 수 있음. 난치성 변비의 경우
　대장통과시간과 직장항문 기능 검사를 하여 원인 병태 생리를 확인할 수 있음
　기능성 변비는 3개 아형으로 나뉨
　① 배변장애형 변비(defecatory disorder): 과도한 힘주기, 불완전 배출감, 수지관장 등 처치의 필요
　　가 흔함: anorectal manometry/balloon expulsion test 이상
　② 서행성 변비(slow transit constipation): 배변 횟수 감소, 배변 시 급박증상 소실, fiber나 laxative
　　반응 불량, 전신증상(e.g. malaise, fatigue), 젊은 여성에 흔함: colon transit time delay.
　③ 정상 통과형 변비(normal-transit constipation): 불완전 배출감, 복통은 있을 수 있으나, 주 증상
　　은 아님: 기능 검사 정상
　　* 서행성 변비와 배변 장애가 동반되는 경우도 있음

(2) 변비 기능 검사
　① 대장 통과 시간(Colon transit time)
　　만성 변비 환자에서 서행성 변비와 배변 장애형 변비를 구분하는데 유용함. 방사선투과 표지
　　자를 이용하여 측정하는 방법으로, 저렴하고 널리 사용. 국내에서는 Kolomark (M.I. Tech,
　　Korea)와 Sitzmarks (24개 표지자, Konsyl Pharmaceuticals, Texas, TX, USA)가 주로 사용. 연
　　속된 3일 동안 일정 시간에 표지자가 들어 있는 캡슐을 1개씩 복용하고 4일째와 7일째 복부 X-
　　선 촬영을 시행. 대장 분절별 통과 시간은 서행성 변비와 배변장애형 변비를 구분하는데 유용.
　　간편법으로 방사선 비투과 표지자 캡슐 한 알을 복용하고 5일째에 KUB를 찍어 4개(20%) 미만
　　의 표지자가 남아있는 경우 정상, 20% 이상 남아 있으면 느린 통과 시간으로 진단할 수 있음.
　　배변 장애 환자 중 50% 이상에서 느린 대장 통과 시간을 보이므로, 대장 통과 시간 측정만으로
　　배변 장애를 배제할 수는 없음

② 해석

국내 성인의 정상 대장 통과 시간은 남자 22.3 ± 16.1시간, 여자 30.1 ± 21.4시간.

- 대장 통과 시간이 정상이면 functional bowel disease로 간주하고 치료
- 대장 통과 시간이 느리면 서행성 변비와 배변장애 가능성이 모두 있으므로, 이 중에서 배변 장애를 감별하기 위해 직장 항문기능 검사를 실시
- 대장 통과시간 검사 전에 고섬유소 식이요법을 우선 시도하기도 함

3) 서행성 변비

(1) 원인: 장관 신경총이나Interstitial cell of Cajal의 해부학적 이상(당뇨병, 공피증, 아밀로이드증 등)이나 기능의 이상(스트레스, 정신적 요인, 저섬유 식이, 약물 등)

(2) 치료: 원인을 교정, 약물 치료(삼투성 완화제, 자극성 완화제, 위장운동 촉진제)배변장애가 동반되면 biofeedback으로 배변장애를 교정해야 하며, 약물에 전혀 반응 없는 colonic inertia (장무력증)는 수술을 고려

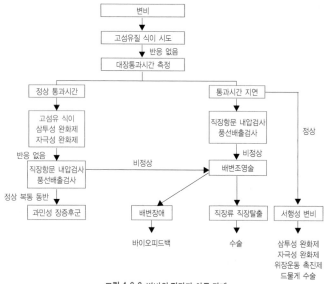

그림 4-6-6 변비의 진단과 치료 단계

4) 배변장애 또는 배출장애(Functional defecation disorders)

(1) 정의: 배변 시도시, 골반저 근육이 부적절하게 이완되거나, 역설적으로 수축함. 또는 부적절한 배출력(propulsive forces)를 보이는 질환

(2) 로마 IV 진단 기준 (2016)

F3. Functional defecation disorder의 진단 기준
** 증상 시작이 적어도 진단 6개월 전에 시작되고, 최근 3개월 동안 기준을 충족해야 함

1. 환자는 반드시 기능성 변비(functional constipation) and/or 변비 우세형 과민성 장증후군(IBS-C)의 진단 기준을 만족해야 함

2. 배변 시도를 반복적으로 할 때, 배출 장애(impaired evacuation) 증상이 있어야만 하며, 다음 3가지 기능 검사 중, 2개 이상의 이상 소견이 증명되어야 함

   ① 풍선 배출 검사(Balloon expulsion test) 이상 소견

   ② 항문직장내압검사(Anorectal manometry) 또는 항문근 근전도(anal surface EMG)의 이상 배출 소견

   ③ 영상검사(Deficography; 배변조영술)에서 배출 이상 소견

3. FDD는 다음의 F3a와 F3b로 아형이 분류됨

   F3a,: inadequate defecatory propulsion, F3b,: Dyssynergic defecation

(3) 직장 수지 검사

이차성 변비의 감별 진단(직장항문종괴, 직장 탈출 및 직장류 등)과 배변 장애를 예측하는데 유용함. 직장 수지 검사 중, 부적절한 회음부 하강, 항문조임근 이완이 없거나, 역설적 수축이 있다면, 배변 장애 가능성을 염두에 두어야 함. 모의 배변을 시켰을 때 항문관 압력이 떨어지면 배변 장애 가능성이 떨어짐. 직장수지검사 정상이라도 배변장애를 완전히 배제할 수는 없지만, 선별 검사로서 효과적임

(4) 직장항문기능검사: 배변장애의 진단

① 직장항문내압검사, 풍선배출검사: 배변장애를 진단할 수 있음. Hirspuring씨병의 진단

② 배변조영술: 작장류(rectocele), 직장탈출 등의 해부학적 원인을 진단할 수 있음

③ 기타영상검사: 골반자기공명촬영, 초음파, perineometry

(5) 행동 치료: 바이오 피드백 치료(biofeedback)

환자가 모니터를 보면서 복압이 올라가는지 괄약근의 이완이 제대로 일어나는지를 직접 보면서 배변 훈련을 하는 방법. 배변 장애형 변비 환자의 70%에서 효과적. 2년 이상 장기간 효과 지속. 부작용 없음. 안전히 반복적 시행 가능 완하제 사용을 감소. 단순 서행성 변비에서는 효과가 거의 없음

4. 변비의 치료(표 4-6-10)

1) 신체 활동

신체활동 저하는 만성 변비와 연관될 수 있으며, 치료에 있어서 신체 활동의 효과는 다양하게 나타남. 활동량이 적은 노인 변비에서 호전을 가져올 수 있지만, 정상적 신체활동을 하는 젊은 변비 환자의 운동의 효과는 명확하지 않음

2) 식이요법(하루 20~30 g의 섬유질과 물의 섭취)

(1) 식이 섬유는 만성 변비 환자에서 배변 횟수를 증가시킬 수 있음. 대변굳기를 줄이거나, laxative 사용빈도를 감소시키는 지는 명확하지 않음

(2) 말린 프룬 섭취는 차전차에 비해 자발적 배변 횟수를 증가시키고 대변 굳기를 호전시킴

(3) 식이 섬유는 경도 및 중등도의 변비 호전에 도움이 되나, 심한 변비에는 효과가 없음. 오히려 종종 변비 관련 증상을 악화시킬 수 있으며, 이 경우 심한 서행성 변비나 배변장애형 변비의 가능성을 고려해야 함. 대변 저류가 있을 경유, 식이섬유로 인해 경련성 복통이 유발될 수 있으므로, 식이섬유 섭취 전 삼투성 완하제 처방을 고려해야 함

(4) 적당한 운동, 정서적 안정 및 심리적 지지, 올바른 배변 습관이 중요

3) 약물치료

(1) 부피형성 완화제 → 삼투성 완화제 → 자극성 완화제 순으로 시도

표 4-6-10 변비의 약물치료

부피 형성 완화제 섬유소제제	현미, 밀기울(bran), 차전자(psyllium(아기오), Mutacil), 해초, 카라야(karaya), 한천, 메틸셀룰로우스(methylcellulose), 폴리카보필(polycarbophil)	(1) 하루 평균 20~30 g의 섬유질섭취가 권장 (2) 가장 안전하고 효과적 (3) 충분한 양의 물과 함께 식전이나 취침전 복용 (잡협착, 장폐쇄 환자에서 사용해서 안됨) (4) 단점–복부팽만과 방귀, polycarbophil이 적음
삼투성 완화제	1) 염류성 완화제–수산화마그네슘(마그밀)	부작용–신부전환자와 소아에서 고마그네슘혈증 주의
	2) 고삼투성완화제–락툴로우스, 솔비톨 관장, 글리세린	(1) 락툴로우스의 특징 ① 전신부작용이 없고, 혈당에 영향 없어 당뇨환자에 투약가능 ② 유소아, 임산부, 분만후변비, 노인변비에 효과 ③ 장내독성물질 생성감소, 혈중암모니아 제거 작용이 있어 약물투여로인한 변비, 간성혼수에 사용 (2) 단점–복부팽만과 방귀
	3) Polyethylene glycol	안전하여 최근 사용증가
자극성완화제	1) 안트라퀴논(anthraquinone)제제 : 알로에(aloe), 카산스라놀(casanthranol), 카스카라(cascara), 센나(senna–아락실)	(1) 효과–카스카라 <센나 <알로에 (2) 안트라퀴논제제 장기 사용 : 대장흑색소증 유발 (3) 폴리페놀제제 : 담도폐쇄 환자에서 사용 제한 (4) 장기 변비, 심한 복부팽만, 일시적 완화 목적으로 단기간 사용 : 장기 사용 금지 (5) 장기사용시 수분/전해질손실, 2차성 알도스테론증, 지방변, 단백 소실 위장염, 완하제성 대장(cathartic colon)유발의 부작용
	2) 폴리페놀(polyphenol,diphenylmethane) 제제 – 페놀프탈레인(phenophthalein), 비사코딜(bisacodyl–둘코락스)	
	3) 계면활성제–피마자기름(castoroil), 도큐세이트(docusate calcium, docusate potassium, docusate sodium), 디하이드로콜린산(dehydrocholic acid)	

(2) 새로운약제

① Prucalopride (highly selective 5-HT4 agonist; Resolor®)

위약에 비해 배변 횟수, 굳기를 개선, rescue medicine 복용 빈도 감소, 통증 감소, 변비 증상 감소. 노인도 효과적. 효과는 18개월까지 지속. 2 mg/day 투여. 65세 이상, 신기능 저하(GFR <30 ml/min/1.73 m²), 중증 간질환(child-pugh C)의 경우 1 mg/day 감량 사용. 두통(가장 흔한 부작용), 구역, 복통, 설사가 5% 발생. 심각한 심장 독성은 보고되지 않음. 임산부/수유부에게 권고되지 않음(category C). 전통적 laxative 불응성 환자에서 사용할 수 있음. 투약 4주내 효과 없으면, 재평가를 요함

② Lubiprostone (selective type-2 Chloride channel agonist, 24 mcg PO bid)

장내강으로 수분 분비를 증가시킴, 장관 통과시간을 빠르게 하고 배변 횟수와 굳기를 호전시키고 배변중 힘주기를 감소시킴. (linaclotide와는 달리) visceral sensitivity에 영향은 없음. 주요 부작용 설사, 오심(15%), dyspnea. 신기능에 따른 용량조절 없으나, child-pugh B-C의 간질환에서는 감량. 임산부 금기(category C), 미국 FDA 허가, 아직 국내 사용 어려움

③ Linaclotide (guanylate cyclase C agonist)

enterocyte내 intracellular cGMP level증가 → luminal bicarbonate/chloride secretion 증가, visceral analgesic action. 변비 증상 개선에 도움. 통증 감소 효과. 주요 부작용 설사(20%, severe diarrhea 2%). 아직 국내 사용 어려움

4) Biofeedback: 배변장애(배출장애)

5) 수술적 치료: 대장 절제술은 배변 장애가 없고, 약물치료에 반응하지 않는 서행성 변비 환자에서 도움이 될 수 있음. 치료 성공률이 86%이며, 전대장 절제술 및 회장-직장 문합술이 난치성 변비에서 주로 시행.

6) 국소치료: 관장 및 좌약

관장은 직장을 확장될 때 관장액이 대장 점막을 자극하여 수축을 유발하여 대변을 제거. 관장 치료는 바이오피드백을 포함한 내과 치료에 반응 없는 경우 분변매복 예방에 효과적. 관장은 직장 점막 손상 또는 전해질 불균형 등의 합병증을 유발할 수 있으므로 신중하게 사용해야 함. 좌약은 대변 배출 시작할 때 도움이 될 수 있으나, 체계적인 효과 연구가 부족하므로 지속적 사용시 주의를 요함

7) 기타 비약물 치료

(1) 천수 신경 자극술(sacral nerve stimulation)

(2) 체외 자기자극 치료(extracorporeal stimulation therapy)

(3) 전기자극 치료(electrical stimulation therapy)

III. 과민성장증후군

✚ **진단과 치료를 위한 핵심사항**

1. 문진, 신체검사를 통하여 진단이 가능
   : Rome IV 진단기준, 경고증상(발열, 체중감소, 위장관출혈, 빈혈, 가족력(결장암, 염증성 장질환 등))증상의 중증도와 지속기간, 정신 사회학적 요인을 고려
2. 기질적 원인을 배제하기 위한 검사가 필요
   : CBC, BC, ESR, Thyroid function test, stool occult blood, stool parasite 50세 이상에서는 대장암의 screening 검사가 필요
3. 증상에 따른 아형 분류(설사형, 변비형, 혼합형)

---

1. 정의와 진단기준

1) 정의(로마 기준 IV 2016)

반복적 복통이 배변(defecation) 또는 배변 습관 변화(change in bowel habits)와 관련되어 있는 기능

성 장 질환. 배변 습관 장애(disordered bowel habit)는 배부품(abdominal bloating/distension) 같은 증상과 같이, 전형적으로 존재함(변비, 설사 또는 양자 혼합). 증상 시작이 적어도 진단 6개월 전에 시작되고, 최근 3개월 동안 진단 기준을 충족해야 함

표 4-6-11 로마기준 IV (2016년)

C1. 과민성 장증후군의 진단 기준.

반복적 복통(recurrent abdominal pain)이 최근 3개월 이상, 적어도 주 1회 이상 존재하며, 다음 항목중 2개 이상과 관련되어야 함
　　1. 배변과 관련(related to defecation)
　　2. 배변 횟수의 변화와 관련(associated with a change in frequency of stool)
　　3. 변의 성상의 변화와 관련(associated with a change in form(appearance) of stool)
　** 증상 시작이 적어도 진단 6개월 전에 시작되고, 최근 3개월 동안 진단 기준을 충족해야 함

2) 로마기준 III (2006년)에서 로마 기준 IV (2016년)로 변화

(1) 진단에 가장 중요한 증상에 '복통'이 필요. 로마 III 기준의 불편감(discomfort) 용어는 모호한 용어이므로 삭제, 명확한 복통으로 표기

(2) '한달에 3회 이상' 기준도 '3개월 이상 기간 동안 주 1회 이상'으로 빈도 상향 조정(2014년 Rome normative GI symptom survey)

(3) '배변 후 증상 호전'이라는 어구도 '배변과 관련'으로 변경. 많은 IBS 환자에서 복통이 배변에 의해 호전되는 것이 아니라, 악화되는 경우가 보고되기 때문

(4) 복통의 'onset' 용어 삭제. 통증의 발생 시기가 배변 횟수(frequency)나 분변 성상(form)의 변화 발생 시기와 일치하지 않기 때문

- 대변의 형태와 굳기는 Bristol stool form scale (그림 4-6-7)을 이용(1-2형은 slow transit time을 시사함)

①형　②형　③형　④형　⑤형　⑥형　⑦형

Type 1 : Separate hard lumps, like nuts (hard to pass)
Type 2: Sausage-shaped but lumpy
Type 3: Like a sausage but with cracks on its surface
Type 4: Like a sausage or snake, smooth and soft
Type 5: soft blobs with clear-cut edges (pass easily)
Type 6: Fluffy pieces with ragged edges, a mushy stool
Type: 7 Watery, no solid pieces and entirely liquid

그림 4-6-7 대변의 형태와 굳기(The Bristol Stool Form Scale, BSFS)
** 배변 횟수보다는 대변의 형태가 대장 통과 시간과 더 높은 상관성을 보이며, 대변의 형태는 대장 통과 시간을 예측하는데 도움이 됨
　BSFS type 1-2: slow transit time을 시사함

과민성 장증후군의 아형 분류(로마기준 Ⅳ): BSFS에 의해 분류. 25% rule

과민성 장증후군의 아형(subtype) 진단 기준
주된 배변 습관(predominant bowel habit)은 적어도 1회 이상의 비정상 배변(abnormal bowel movement)이 있는 날의 분변 성상 (form)에 의함
① IBS with predominat constipation (IBS–C): 4회중 1회(25%) 이상 배변에서 BSFS type 1–2 그리고 4회중 1회(25%) 미만 배변 시 BSFS type 6–7. 대체진단기준: 환자가 주로 변비라고 보고하거나, BSFS 그림에서 type 1–2를 보고할 때
② IBS with predominant diarrhea (IBS–D): 25%이상 배변에서 BSFS 6–7, 그리고 25% 미만 배변에서 BSFS 1–2, 대체진단기준: 환자가 주로 설사라고 보고하거나, BSFS 그림에서 type 6–7 보고 시
③ IBS with mixed bowel habit (IBS–M): 25% 이상 BSFS type 1–2 그리고 25% 이상 BSFS type 6–7. 대체진단기준: 변비와 설사, 1/4이상 변비, 1/4 이상 설사라고 기술하거나, BSFS 그림을 보고 환자가 보고
④ IBS unclassified (IBS–U): IBS 진단 기준은 충족하나, 배변 습관은 앞선 3가지 분류에 들어가지 못하는 경우

** 임상 시험 시: 아형 분류에는 적어도 2주 이상 매일 작성한 배변 다이어리 데이터에 의해야 하며, 25% rule을 이용

** IBS의 아형 분류(IBS–C, IBS–D and IBS–M)는 배변 습관 이상을 치료하기 위한 약물 투약이 없는 상태에서 결정되어야 함

2. 기전

장의 운동이상, 내장 과감각 및 중추신경장애(central neural dysfunction), 정신적요인(psychological disturbances), 점막염증(mucosal inflammation), stress, 장관내요인들(luminal factors)에 의해 발생

1) 소화관 운동이상(Gastrointestinal Motor Abnormalities)

자극을 주지 않는 상태에서 IBS 환자의 colonic myoelectrical & motor activity는 정상적이나, 자극을 가하는 상태에서는 대장 운동 이상이 관찰됨. 환자에서 식후 3시간 내 increased rectosigmoid motor activity를 보일 수 있으며, rectal balloon inflation으로 인한 marked and prolonged distention-evoked contraction acitivity를 보일 수 있음. 고진폭 전파형 수축파(high amplitude propagating contractions;HAPC)가 복통과 관련 되며, IBS-D 환자는 rapid colonic transit time과 관련됨

2) 내장 과민성(Visceral Hypersensitivity)

과민성 장증후군 환자의 직장에 풍선을 위치시킨 후 공기를 넣어 확장시키면 정상인에 비해 적은 공기양을 주입하여도 통증을 느낌. 내장과민성의 proposed mechanisms

(1) increased end-organ sensitivity with recruitment of silent nociceptors

(2) spinal hyperexcitability with activation of NO & other neurotransmitters

(3) endogenous (cortical and brainstem) modulation of caudad nociceptive transmission

(4) over time, the possible development of long-term hyperalgesia due to development of neuroplasticity, resulting in permanent or semipermanent changes in neural responses to chronic or recurrent visceral stimulation

3) 감염 후 과민성 장증후군(Post-Infectious IBS)

(1) 감염성 장염에서 회복된 일부 환자(3.6-36.0 %)에서 과민성 장증후군이 발생

(2) 염증이 장운동이나 구심성 감각신경에 변화를 초래

(3) 위험 인자: in order of importance, prolonged duration of initial illness, toxicity of infecting bacterial strain, smoking, mucosal markers of inflammation, female gender, depres-sion, hypochondriasis, and adverse-life events in the preceding 3 months, Campyobactor infection

(4) protective factors: age >60 years.

(5) 일반적인 IBS 환자들에 비해 좋은 예후를 보임

4) 뇌장관 상호작용(Brain-gut interaction)

(1) emotional disorders 및 스트레스에 의해 증상이 악화

(2) functional brain MRI: mid-cingulate cortex activation, prefrontal lobe: increased perception of visceral pain

5) 면역반응 이상

6) 장내세균과 소장 세균과 증식

IBS 환자에서 소장 세균과 증식(small intestinal bacterial overgrowth, SIBO)의 빈도가 높게 나타나며, 이는 hydrogen breath test로 알 수 있음

7) 정신 사회적 요인

8) 기타: 유전이상, 자율신경이상 및 음식 과민성

3. 진단과 치료

1) 초기평가

(1) 기질적 원인의 경고증상을 찾음: 혈변, 지방변, 변실금, 직장출혈, 대변내 잠혈, 체중감소, 구토, 심한설사, 빈혈, 대장암 가족력

(2) 40세 이상에서 대장암 발견을 위한 선별검사(대장내시경, 바륨관장+ S자결장경 검사) 시행

(3) 배변 습관에 따라 설사 우세형, 변비 우세형, 통증과 가스 팽만을 호소하는 아형군으로 분류하여 진료

(4) 설사형 환자의 평가

  ① 문진: 설사의 기간과 주기성, 악화 음식물, 약물 복용과의 관계, 설사를 일으키는 내과적 질환을 배제

  ② 신체검사: 흡수장애 소견, 자율신경계의 이상 소견, 종괴 나압통을 진단

  ③ 직장수지검사: 직장류(rectocele), 직장암, 대변매복, 장중첩, 변실금, 직장탈출, 치골직장근 연축(puborectalis spasm), 과도한 회음부 이행, 변실금과의 감별진단

(5) 변비형 환자의 평가

2) 치료의 원칙

(1) 전형적인 증상이 있으면서 경고 증상이 없는 경우 시험적 치료를 시도함

(2) 환자를 정신적으로 안심시키고, 장관의 운동과 감각을 자극하는 음식이나 증상 유발 인자를 조사하여 교정하는 일반적인 요법을 먼저 시행함

(3) 일반적 요법에도 반응하지 않는 환자들에게는 가장 불편한 증상을 목표로 하는 약물요법을 시행함

표 4-6-12 경고증상(Alarm Features Considered Potentially Relevant in the Diagnosis of Organic Disease as Opposed to IBS)

과거력	분변내 혈액 검출
	대장암, 염증성장질환 또는 복강병(celiac disease)의 가족력
	발열
	50세 이상에서 증상 발생
	야간 증상(수면 중 증상으로 인한 각성)
	만성 설사(Chronic diarrhea)
	연하곤란의 진행(progressive dysphagia)
	반복되는 구토(recurrent vomiting)
	심한 만성 변비
	비교적 최근의 증상 발생(short history of symptoms)
	기생충 창궐지역의 여행력
	체중 감소
이학적 소견	복부 덩이(abdominal mass)
	활동성 관절염
	헤르페스모양피부염(dermatitis herpetiformis) 또는 괴저화농피증(pyoderma gangrenosum)
	직장수지검사에서 혈액 관찰, 혹은 잠혈 검사 양성
	빈혈, 장관 폐색, 장관내 흡수장애, 갑상샘 기능 이상

Olden KW. Diagnosis of irritable bowel syndrome, Gastroenterology 2002;122:1701-14 변형게재.

3) 과민성 장증후군 치료의 임상진료지침: 대한소화기기능성질환운동학회(Korean J Gastroenterol 2011;57:82-99), 요약 및 일부 내용을 변형 게재함

(1) 식이: 증상을 악화시키는 음식의 제한은 과민성 장증후군의 치료에 도움을 줄 수 있음. 음식 알레르기등도 IBS 증상과 관련될 수 있으며, 제한 식이요법의 증거 수준은 아직 낮음

** low FODMAP diet:

FODMAPs는 fermentable, oligo-, di-mono-saccharides, and polyols의 첫 글자의 약자.
장내에서 발효되기 쉬운 올리고당, 이당류, 단당류, 폴리올을 의미함. 짧은 사슬 탄수화물은 사람의 장내에서는 쉽게 흡수되지 않아서 삼투압을 증가시키는 역할을 하지만, 장내 세균에 의해 쉽게 분해되어 가스를 발생. 아직 증거 수준은 낮지만 IBS 환자에서 low FODMAP diet 의 유용성이 보고되고 있음

(2) 부피형성 하제: 식이섬유 및 부피형성 하제(차전차피(psyllium))는 IBS의 일부 증상(변비, 복통 등)의 치료에 도움을 줄 수 있음

(3) 삼투성 하제: 변비형 과민성 장증후군 환자에서 삼투성 하제(PEG solution)는 배변 횟수를 증가시키는데 도움을 줄 수 있으나, 통증을 감소시키지 못함

(4) 진경제: 진경제는 복통 및 복부 불편감의 치료에 효과적임. trimebutine, cimetropium bromide, pinaverium bromide, peppermint oil, otilonium bromide, hyoscine 등단기 투여시 복통/불편감 호전 효과. 진경제 종류별 효과의 차이에 대한 연구는 부족

(5) 지사제: 지사제(loperamide)는 IBS에서 배변 형태를 호전시키고 배변 횟수를 줄이는데 도움을 줌. 변비형 환자에서는 금기. 전반적 증상의 개선이나 복통/불편감 호전시키지 못함

(6) 5HT3 receptor antagonist (Alosetron, Ramosetron): 세로토닌 3형 수용체 길항제는 설사형 과민성 장 증후군의 치료에 도움을 줌. Ramosetron (Irribow Tab. 5 μg)은 심각한 부작용 없이 사용되고 있음

(7) 5HT4 receptor agonist (Prucalopride): 세로토닌4형 수용체 작용제는 변비형 과민성 장증후군 환

자의 치료에 도움을 줌. Prucalopride (Resolor)는 임상연구에서 심혈관계 부작용이 적은 것으로 판명되어 최근 유럽에서 만성 변비 및 변비형 IBS에서 사용이 승인되었음. 흔한 부작용은 두통, 오심, 복통과 설사로 10%에서 발생

(8) 비흡수성 경구용 항생제(Rifaximin): 비흡수성 경구용 항생제의 단기간 사용은 일부 과민성 장증후군 환자의 치료에 도움

Target 1/2 trial: 변비가 없는 IBS 환자에 rifaximin 550 mg tid 2주 간 투약 후, 10주간 관찰. 4주 내 증상 개선 보고함(N Engl J Med, 2011;364(1):22)

(9) 프로바이오틱스: 프로바이오틱스는 일부 과민성장증후군 환자의 치료에 도움을 줄 수 있음

(10) 선택적 염소통로 활성제(CIC-2, chloride channel activator-Lubiprostone): 선택적 염소통로 활성제는 변비형 과민성장증후군 환자의 치료에 효과적

(11) 항우울제: 삼환계 항우울제(tricyclic antidepressant)와 선택적 세로토닌 재흡수 억제제(selective serotonin reuptake inhibitor)는 일부 과민성장증후군 환자의 치료에 도움

(12) 정신과적 치료: 인지-행동 요법(cognitive behavioral therapy), 역동정신요법(dynamic psychotherapy), 최면 요법(hypnotherapy)은 일부 과민성장 증후군 환자의 치료에 도움

제7-1절 염증성 장질환(Inflammatory bowel disease, IBD)

염증성 장질환이란 장에 발생하는 만성적인 염증성질환을 말하며 다양한 장외증상이 나타날 수 있다. 일반적으로 궤양성대장염과 크론병을 의미하지만 장형 베체트병을 포함하기도 함

✚ 진단과 치료를 위한 핵심사항

1. 궤양성 대장염
   - 임상 증상: 혈성설사, 복통, 점액질 분비, 뒤무직(tenesmus)
   - 내시경소견: 점막 부종, 발적, 출혈, 미란, 궤양이 직장부터 연속해서 근위부로 진행
   - 질환의 범위와 중증도 확인 후 치료방침 결정
2. 크론병
   - 임상증상: 설사, 복통, 가끔 혈변, 발열, 체중 감소
   - 발생부위: 회맹부에 호발하나 입부터 항문까지 어디나 발생. 항문병변이 비교적 흔함. 병변은 비연속적 비대칭적으로 분포
   - 병변의 부위와 임상적 중증도 평가 후 치료방침 결정

I. 궤양성 대장염(Ulcerative colitis)

1. 개요

육안적으로 점막의 부종, 발적, 출혈, 미란, 궤양이 나타나며 직장부터 연속해서 근위부로 나타나는 것이 특징적임. 염증이 점막에만 국한되어 있으며 선와(crypt) 내로 중성구가 포함된 염증세포가 나오는 선와농양(crypt abscess)이 흔하지만 궤양성 대장염 외에 다른 장질환에서도 이와 같은 선와염(cryptitis) 혹은 선와농양이 조직검사에서 나올 수 있어 조직검사만 가지고 확진할 수는 없음. 혈성설사, 복통이 주 증상이며 점액질이 분비되거나 뒤무직(tenesmus)이 나타날 수 있고, 증상은 질병의 범위에 따라 달라질 수 있으며 관해와 악화를 반복하는 경우가 많음

2. 진단

궤양성 대장염의 질병 특유의 임상, 내시경, 병리학 소견은 없으며 모든 소견을 종합하고 다른 질환을 배제하여 진단

표 4-7-1 궤양성대장염의 내시경소견 및 병리소견

내시경소견

- 거의 대부분 직장을 침범
- 직장에서 병변이 시작하여 근위부로 연속적으로 이어짐
- 점막의 부종, 발적, 삼출, 혈관투견상 소실(loss of vascular transparency), 과립상(granularity), 미란, 궤양

조직소견

- 점막 혹은 점막하층을 침범하는 만성염증, 선와농양, 선와염

3. 내시경 소견 및 임상 증상에 의한 중증도 평가

표 4-7-2 임상증상 및 내시경소견에 따른 중증도

	경증1)	중등도	중증2)
배변횟수	<4회/일	4-6회/일	>6회/일
혈변	Small	Moderate	Severe
열(체온)	정상	평균체온<37.5℃	평균체온>37.5℃
빈맥	정상	<90 mean pulse	>90 mean pulse
빈혈	Mild	>75%	≤75%
ESR	<30 mm		>30 mm

1) 경증은 위의 6가지 조건을 모두 만족
2) 중증은 하루 6회 이상의 설사와 혈변을 항상 동반. 그 외 전신증상 중 발열과 빈맥 중 하나를 반드시 포함하여 2개 이상을 만족

내시경 소견	발적	심한발적	자가출혈
	혈관상 감소	거친 과립상변화	궤양성 변화
	미세한 과립성변화	혈관상 소실	
		접촉성 출혈	

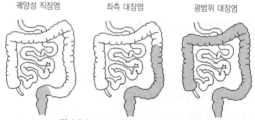

궤양성 직장염　　　좌측 대장염　　　광범위 대장염

그림 4-7-1 궤양성 대장염의 범위에 따른 분류

4. 검사실 소견

1) ESR, CRP, 백혈구 및 혈소판상승, 혈색소 및 혈청 알부민 감소

2) pANCA (60-70%), ASCA (10-15%)

궤양성 대장염 진단을 위한 기본 검사 항목

① 임상 증상, 병력
② 신체 검진
③ 혈액 검사: 일반혈액 검사, 혈청 생화학검사, ESR, CRP
④ 대변검사: 대균 세균배양, 기생충 및 충란 검사, clostridium difficile 배양 및 독소 검사
⑤ S자결장경/대장내시경 검사
⑥ 대장조직검사

5. 합병증

대량출혈, 독성거대결장, 천공

6. 장외 증상

표 4-7-3 염증성 장질환의 장외증상

- 영양결핍*, 성장장애*
- 철결핍성 빈혈*, 엽산결핍성 빈혈*
- 관절 및 골 병변(25%): 관절염*, 강직척추염, 천장골염(sacroilitis), 골다공증, 골연화증(osteomalacia)
- 피부병변(15%): 결절홍반(erythema nodosum), 괴저농피증(pyoderma gangrenosum), 아프타성 궤양(aphthous ulcer)
- 안구병변(5%): 상공막염(episcleritis)*, 포도막염(uveitis)*
- 비뇨기병변: 요로결석, 폐쇄성 요로질환, 누공, 아밀로이드 침착
- 간담도병변: 간기능이상, 원발성경화성담도염(primary sclerosing cholangitis), 지방증(steatosis), 만성간염, 담석증

*염증성 장질환이 활동성인 경우 악화됨

7. 치료

1) 원칙

궤양성 대장염 치료의 목표는 증상과 대장 점막의 염증을 호전시켜 관해를 유도하고 가능하면 오랜 기간동안 관해를 유지하여 환자의 삶의 질을 높이는 것. 궤양성 대장염의 치료방법을 결정하는 중요 요인은 질병의 범위와 중증도 및 임상양상

2) 약물

(1) 5-Aminosalicylic acid (5-ASA)

표 4-7-4 여러 가지 5-ASA 제제의 특성

성분명 및 제형	상품명	구조	용량	작용부위
Prodrugs				
Sulfasalazine	Azulfidine® Salazopyrin®	Sulfapyridine+5-ASA (azo bond)	2–6 g	결장 이하
Olsalazine	Olsalazine®	2개의 5-ASA가 azo bond로 결합	1–3 g	결장 이하
Balsalazide	Colazal®	5-ASA +4-ABA (azo bond)	6.75 g	결장 이하
Mesalamine preparations				
Mesalamine	Asacol®	Eudragit-S 피막	2.4–4.8 g	회장 이하
Mesalamine	Salofalk®	Eudragit-L 피막	0.75–4 g	회장 이하
	Pentasa®	Ethylcellulose microgranules	1.5–4g	위 이하
Mesalamine enema	Pentasa® Asacol® Rowasa®	5-ASA 직접 작용	1–4 g	비만곡부 이하

소화관 및 췌담관

04

성분명 및 제형	상품명	구조	용량	작용부위
Mesalamine suppositories	Pentasa® Asacol® Salofalk® Rowasa®	5-ASA 직접 작용	0.5-1.5 g	상부직장 이하

(2) 스테로이드

① 증등도 또는 중증 궤양성 대장염의 관해 유도에 1차 치료제

② 용법 및 용량: 경구 prednisone 40-60 mg/day 또는 0.5-1.0 mg/kg에 해당하는 용량을 사용

- 정주: hydrocortisone (200-300 mg/day), methylprednisolone (40-60 mg/day)
- 경구: prednisolone (최대 60 mg/day: 이 이상은 이득 없음), budesonide (최대 9 mg/day)
- 관장 및 좌약제제

③ 스테로이드를 사용해야 하는 환자는 반드시 감염 질환 유무를 확인해야 함

④ 관해 유지에는 일반적으로 사용하지 않음

⑤ 활동기 궤양성 대장염에서 3주 미만의 스테로이드 투여는 조기 재발의 위험이 있고, 초치료로 하루 prednisolone 15 mg 미만은 일반적으로 효과 없음

(3) 면역 조절제

① Azathioprine (AZA) or 6-mercaptopurine (6-MP)

ⅰ) 용량: AZA (2.0-2.5 mg/kg/day), 6-MP (1-1.5 mg/kg/day)이나 실제로는 부작용(백혈구 감소증, 췌장염 등) 때문에 이 용량을 쓰지 못하는 경우가 많으며 국내에서는 다소 적은 용량 (AZA, 1.5-2.5mg/kg/day 및 6-MP, 0.75-1.5 mg/kg/day)을 권장

ⅱ) 적응증: 스테로이드 의존성 환자에서 스테로이드 용량을 줄이기 위해(steroid sparing effect), 5-ASA나 스테로이드에 대해 반응이 없거나 부작용으로 사용할 수 없는 경우, cyclosporine A로 유도한 관해를 유지하고자 하는 경우

ⅲ) 단점 및 부작용

- 효과가 나타나기 까지 최소 1-2개월이 필요, AZA을 관해유도 목적으로 하지 않음.
- 백혈구감소증으로 말초 혈액검사를 주기적으로 시행해야 함
- 부작용(약15%): 구역, 구토, 췌장염(3.3%), 골수억제(2-5%), 알러지 반응(2%), 감염성합병증(7%)

② Cyclosporine A (CSA)

ⅰ) 중증 궤양성 대장염서 스테로이드 불응성인 경우 사용을 고려할 수 있음

ⅱ) 부작용: 신기능 손상, 떨림 및 발작, 고혈압, 잇몸비후, 기회감염, 다모증 등

ⅲ) 최근에서 생물학적 제제라는 대안이 있어 잘 사용하지 않음

③ Methotrexate: 궤양성 대장염에서 일반적으로 추천되지 않음

(4) 항생제

① 궤양성 대장염의 관해유도와 관해유지에 효과 없음

(5) 생물학적 제제(biologic agent)

- 기존 치료에 반응 없는 중등도 또는 중증의 궤양성 대장염에 사용

- 5-ASA, 스테로이드, 면역조절제 중 2가지 이상을 사용해도 염증이 조절되지 않거나 약제의 부작용이 있는 경우 보험적용 가능
- 항-TNF (Anti-TNF-alpha) 제제 사용

① Infliximab (Anti-TNF-alpha, Remicade®, Remsima®)

   i) 용법: 관해 유도(0, 2, 6주에 5 mg/kg), 관해유지(8주 간격으로 5 mg/kg)

   ii) 기존 용량에 반응이 떨어지는 경우 10 mg/kg 로 올려볼 수 있음

   iii) 부작용: hypersensitivity, tuberculosis reactivation or sepsis, lupus-like syndrome, infusion reaction

② Adalimumab (Anti-TNF-alpha, Humira®))

   i) 용법: Week 0에 160 mg을 투여(하루에 4번 주사하거나 이틀에 걸쳐서 2번씩 주사), week 2에 80mg을 투여, 이후 2주 간격으로 40 mg 투여

   ii) 기존 용량에 반응이 떨어지는 경우 1주 간격으로 40 mg 투여 고려해 볼 수 있음

   iii) 부작용: infliximab과 유사하나 피하주사여서 infusion reaction은 infliximab보다는 덜함

③ Golimumab (Anti-TNF-alpha, Simponi®)

   i) 용법: week 0에 2개 투여, week 2에 1개, 이후 4주 간격으로 1개 투여

표 4-7-5 질환의 중증도에 따른 관해 유도요법 및 관해 유지요법

관해 유도요법			관해 유지요법
경증	중등도	중증	
5-ASA 국소(원위부염증) 경구(원위부/광범위염증)	5-ASA 국소(원위부염증) 경구(원위부/광범위염증)	IV 스테로이드	5-ASA 국소(원위부염증) 경구(원위부/광범위염증)
	스테로이드 국소(원위부염증) 경구(원위부/광범위염증)	IV Cyclosporine	면역조절제 (AZA or 6-MP)
	면역조절제 (AZA or 6-MP)	생물학적 제제	생물학적 제제

3) 수술적 치료

표 4-7-6 수술의 적응증

응급수술	심한 출혈 천공 독성거대결장
예정수술	내과적 치료에 반응이 없는 경우 부작용이 심해 약물을 사용할 수 없는 경우 치료에 듣지 않는 합병증 대장암의 위험성이 높은 경우

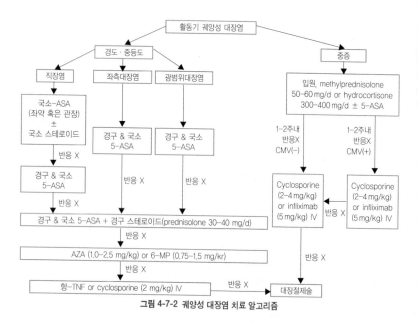

그림 4-7-2 궤양성 대장염 치료 알고리즘

8. 대장내시경을 통한 감시

장기간의 염증은 대장암의 위험인자, 광범위 대장염의 경우 발병 8-10년 후, 좌측 대장염의경우 12-15년 후부터 매년 혹은 2년에 한번 정기적으로 대장내시경 검사 필요

II. 크론병(Crohn's Disease)

1. 개요

입부터 항문까지 위장관 어디에나 발생할 수 있으며 호발부위는 회맹부임. 궤양성 대장염과 달리 비연속적, 비대칭적, 다발성으로 발생하며 장의 전층을 침범하며 육아종성 병변이 특징임. 설사와 복통이 주증상이며 임상경과가 궤양성 대장염에 비해 좋지 않음. 주로 서구 선진국에 흔한 질환이나 최근 우리나라를 비롯한 동양권의 역학 연구를 살펴보면 크론병의 발병률은 지속적으로 증가하는 추세를 보이고 있고, 이에 따라 크론병에 의한 사회, 경제적 부담도 점차 증가하고 있음

표 4-7-7 크론병의 내시경소견과 조직소견

내시경소견
– 회맹부에 호발
– 항문병변이 흔함
– 비연속적, 비대칭적 병변분포
– 종주성 궤양(longitudinal ulcer)
– 아프타성 궤양

> – 조약돌 점막상 (cobblestone appearance)
> – 가성용종, 누공, 협착, 치열

조직소견

> – 장 전층을 침범하는 만성염증
> – 비건락성 육아종(non-caseating epitheloid cell granuloma) (30-50%)

2. 진단

표 4-7-8 크론병의 진단기준(1996년 일본후생성)(內科1998;82: 239-246)

- **주 소견**

  a. 종주성 궤양*
  b. 조약돌 점막상**
  c. 비건락성 육아종***

- **부 소견**

  a. 종주성 혹은 부정형의 아프타성 궤양(longitudinal or irregular shaped aphthous ulcer)
  b. 상, 하부 위장관 모두에 발생한 부정형의 아프타성 궤양(irregular shaped aphthous ulcer involving both upper & lower intestine)

- **확진**

  1. 주 소견 하나(A 또는 B)
  2. 주 소견 C와 부 소견 하나

- **의진**

  1. 주 소견 C만 있는 경우
  2. 주 소견 하나(A 또는 B)이면서 궤양성 대장염이나 허혈성 장염을 감별할 수 없는 경우

* 종주성 궤양의 경우 허혈성 대장염이나, 궤양성 대장염을 감별하여야 함
** 조약돌 점막상의 경우 허혈성 대장염을 감별하여야 함
*** 육아종의 경우는 결핵성 장염과 감별하여야 함
# 부 소견에서 궤양은 3개월 이상 지속되어야 함

3. 혈청표지자

ASCA (60-70%), pANCA (5-10%)

4. 임상적중증도 평가

표 4-7-9 CDAI; Crohn's disease activity index

소견	가중치
무른 변의 총 횟수*	2
복통(0, 없음; 1 또는 2, 중간 정도; 3, 심한 복통)*	5
전반적인 상태(0, 좋음; 1, 2 또는 3, 중간; 4, 나쁨)*	7
합병증(한 가지 당)	
관절통 또는 관절염	
홍채염 또는 포도막염	
결절성 홍반염, 괴저성 농피증 또는 구내 궤양	
항문 주위의 열상, 누공 또는 농양	
다른 부위의 누공	
고열(37.8 ℃ 이상)	각각 20

소견	가중치
지사제의 사용(0, 사용하지 않음; 1, 지사제가 필요함)	30
복부 종괴(0, 없음; 2, 의심됨; 5, 확실함)	10
적혈구 용적율	
남자 47−검사치; 여자 42−검사치	6
표준체중에 대한 차이의 백분율	1

* 1주일 동안의 합

– 직접 계산을 하면 틀리는 경우가 있어 인터넷에서 자동계산기를 이용하는 것이 편하고 정확함. (예) http://www.ibdjohn.com/cdai/

– CDAI <150: 관해, 150∼220: 경증, 220∼450: 중증도, >450: 중증

5. 분포

1) 소장만 침범(30%)

2) 소장과 대장 침범(40%)

3) 대장만 침범(25%)

　대장내시경 검사에서 말단회장에 궤양이 없더라도 대장내시경만으로 도달하지 못하는 더 근위부 소장에 궤양이 있을 가능성 있어 대장내시경 검사에서 정상이라도 크론병을 배제할 수 없음

6. 치료

1) 원칙

(1) 크론병은 그 병인이 명확하지 않고, 아직 완치 할 수 있는 방법도 뚜렷하지 않음

(2) 약물 치료 또는 수술로 완치되지 않으므로 증상을 개선하고 삶의 질을 높이기 위한 관해유도와 유지가 치료의 일차 목적

2) 약물

(1) 5-ASA

① Sulfasalazine 4-6 g/day은 경증 또는 증등도의 대장 크론병에서 관해를 유도하는데 효과가 있으나 mesalamine 제제들의 효과는 확실치 않음

(2) 스테로이드

① 크론병 활동기의 관해유도에 중요한 역할을 함. 그러나 장기간 유지하는 것은 안전지도 효과적이지도 않음

② 용법 및 용량

ⅰ) 정주: hydrocortisone (100 mg IV every 8hrs), methylprednisolone (40-60 mg IV qd)

ⅱ) 경구: prednisolone (최대 60 mg/day), budesonide (최대 9 mg/day)

ⅲ) 기타관장 및 좌약제제

ⅳ) 감량은 6-12주에 걸쳐 서서히

③ 치료지침

ⅰ) 유효용량을 사용: 처음부터 충분한 용량을 사용

ⅱ) 과용량을 사용하지 않음: 경구 60 mg 에도 효과가 없는 환자는 용량을 올리거나 오래 사용

해도 이득을 보기 어려우므로 정맥주사나 생물학적 제제등 다른 치료를 고려

iii) 너무 짧은 기간만 사용하지 않음: 증상이 조절되었다고 너무 빨리 감량하지 않아야 함
스테로이드를 너무 짧은 기간(3주 이내) 사용하면 rebound flare가 일어나기 쉬움

iv) 너무 오랜 기간 동안 사용하지 않음: 스테로이드 감량에 실패하는 경우 면역조절제 사용을
반드시 고려

v) 장기간 고용량의 스테로이드 사용시 동반될 수 있는 부작용에 대해 사전 설명이 필요

(3) 면역조절제

① AZA or 6-MP

ⅰ) 용량: AZA (2.0-2.5 mg/kg/day), 6-MP (1-1.5 mg/kg/day)

ⅱ) 크론병의 관해유도와 관해유지 모두에 효과 있음

ⅲ) 적응증: 스테로이드 의존성이나 불응성, 항생제 치료에 반응이 없거나 항생제 치료를 하지
못하는 누공이 있는 경우, 수술 후 재발의 예방

② Methotrexate: 스테로이드 의존성인 활동성 크론병에서 스테로이드를 감량하면서 관해 유도를
위해 사용, Methotrexate에 반응을 보이는 크론병에서 유지요법(주 1회 15-25 mg IM)으로 사
용, 엽산과 함께 투여, 임산부는 금기

(4) 항생제

① 종류: 경구용 metronidazole 1일 750-1,500 mg/day 최대 3개월 간 또는 ciprofloxacin 1일
1,000 mg

② 적응증: 경증 또는 중등증크론병 환자(누공성, 항문주위병변), 크론병의 화농성 합병증

③ 부작용: 말초신경염(metronidazole 장기 사용 시 매우 주의 필요), 구역, 구토, 불쾌한맛

(5) 생물학적 제제(biologic agent)

① 궤양성 대장염에서 사용하는 항-TNF (Anti-TNF-alpha) 사용 가능

② 적응증: 기존 치료에 반응이 없는 중등도 또는 중증의 크론병과 누공성 크론병 환자

③ 사용방법은 궤양성 대장염과 동일

④ Ustekinumab (Stelara®): 2018년 크론병에서 사용 허가 받음, IL-12와 IL-23의 신호전달 경로를
동시에 차단, 완전 인간 클론 항체, 초기 1회 정맥 투여로부터 8주 후 피하주사, 이후 12주 간격
의 피하주사

3) 수술적 치료

(1) 적응증: 복강내 농양, 내과적 치료에 반응하지 않는 누공, 폐색 증상을 보이는 협착, 독성 거대 결
장, 출혈, 암, 내과적 치료에 불응하는 환자

(2) 합병증의 유무, 단장증후군의 발생 가능성 유무에 따라 부분절제(segmental resection) 혹은 협착
성형술(strictureplasty)할 지 결정, 협착의 경우 내시경을 통한 풍선확장술(balloon dilatation)을 시도
해 볼 수 있음

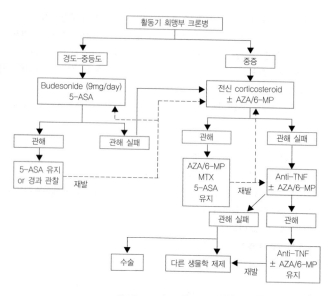

그림 4-7-3 궤양성 대장염 치료 알고리즘

제7-2절 기타 장질환

I. 장결핵(Intestinal tuberculosis)

1. 발병기전

장관에 먼저 생기는 1차성 장결핵과 폐결핵 등의 병소에 의해 속발하는 2차성 장결핵으로 분류되며, 1차성 장결핵이 점차 증가

2. 분포

회맹부, 상행결장, 횡행결장, 공회장, S자결장, 하행결장, 직장 순

3. 진단(표 4-7-12)

1) 대장내시경 소견

(1) 궤양형: 횡행궤양(transverse ulcer; 장축에 직각을 이루는 궤양), 가성용종, 회맹판의 변형

(2) 비후형: 종괴, 다발성소결절

(3) 궤양비후형: 크론병과 유사한 조약돌 모양(cobble stone appearance)으로 크론병과 감별 어려움

2) 조직학적 소견: 건락궤사(caseation necrosis, 0-17%), 항산성염색 양성(Positive AFB stain, 37%),

* 실제 장결핵환자가 조직 검사를 통해 장결핵이 확진되는 경우는 20% 미만

3) 경험적 항결핵치료를 통한 진단

(1) 임상적으로 장결핵이 의심되나 확진되지 못한 경우, 일단 2-3개월 간 항결핵제 투여 후 추적 대장
내시경 실시 → 이전보다 현저한 궤양의 호전 소견을 보이면 장결핵으로 확진 가능

(2) 일반적으로 항결핵제 투여 10일 이내 상태 호전, 발열이나 복통 3주내 호전

(3) 장결핵 치료에 반응이 없는 경우, 1차 약제 내성균이나 지연 반응의 가능성보다 크론병의 가능성
을 염두해야 함

4) 복강경하 생검: 복막결핵인 경우 고려

표 4-7-10 장결핵의 진단기준

확진(definite diagnosis)

조직에서 건락성 육아종(+), 조직에서 항산균(+), 조직배양에서 M. tuberculosis(+)

임상적 진단(probable diagnosis)

경험적 항결핵치료에 임상적, 내시경적 호전을 보이면서 다음과 같은 소견을 보이는 경우
① 이전 결핵감염력   ② 특징적인 대장내시경 소견   ③ 결핵이 의심되는 조직소견
④ tuberculin 피부반응검사 혹은 감마인터페론(IGRA) 검사 양성
⑤ 활동성 혹은 비활동성 결핵 소견을 보이는 가슴-X선

4. 감별진단

표 4-7-11 장결핵과 크론병의 감별

	결핵	크론병
① 회맹부침범	흔함	덜 흔함
② 궤양 형태	윤상 지도상	종주형
③ 궤양반흔	++	드묾
④ 협착의 길이	짧음(3 cm 이하)	길
⑤ 누공	드묾	흔함
⑥ 항문부병변	드묾	대단히 많음

5. 치료

폐결핵에 사용되는 6개월 표준처방에 준해서 치료

II. 약제에 의한 장염(Drug-induced enterocolitis)

항생제, 소염진통제, 항암제 등에 의한 급성 대장염으로 급성 출혈성 대장염과 위막성 대장염이 대부분
이며, 그 외에도 대장내시경 소견에 이상을 볼 수 없거나 경한 미란, 아프타성 궤양을 보이는 것도 있음

표 4-7-12 약제성 장염의 분류

항생제관련 장염	항생제 이외의 약제에 의한 장염
위막성 장염/Clostridium difficile infection (CDI) 급성출혈성장염 그 외의 장염	경구약제에 의한 장염: 경구피임약, 진통소염제, 항암제, digitalis 제제, KCL 제제, 금제제 등 경항문약제에 의한 장염: 진통소염제, 비눗물 관장, 방사선조영제 등 경정맥약제에 의한 장염: vassopression, 항암제 등

1. 항생제 관련 장염(C. difficile infection을 중심으로)

1) 정의

항생제 투여 중 혹은 투여 중단 4주이내에 발생한 설사/장염

질병의 중등도에 따른 분류

(1) 장염소견 없는 설사

(2) 장염을 동반한 설사(백혈구증가 및 발열 등을 동반)

(3) 위막성 대장염: 가장 중한 형태로 독성거대결장, 장천공 등의 합병증 발생가능, 거의 100%에서 C. difficile과 연관

2) 원인

항생제 투여에 의해 장내 세균총의 정상 균형이 깨짐 → 항생제에 내성인 C. difficile의 이상 증식 → enterotoxin, cytotoxin의 생산→장점막 장애

위험인자

(1) 고령(65세 이상)

(2) 광범위항생제 사용(clindamycin, cephalosporin, penicilline, fluoroquinolone 등)

(3) 면역억제상태(항암치료, 면역조절제)

(4) 기타: 산분비억제제, 위장관 수술 등

3) 증상

설사, 복통, 농이 섞인 변, 발열, 점혈변, 대부분 항생제 치료시작 4-10일 후에 증상발생

4) 진단을 위한 검사

(1) 임상 증상으로부터 의심(항생제 복용 후 , 하루 3회 이상, 2일 이상 지속)

(2) S자결장경검사: 위막 확인

(3) 대변C. difficile 독소(A, B, binary) 검사: 위음성 나올 수 있으므로 반복검사가 도움이 됨

(4) C. difficile 배양검사 및 PCR 검사

5) 치료

(1) 의심되는 항생제 투여 중지

(2) 수액, 저단백혈증, 전해질이상교정

(3) 설사 및 통증을 조절하기 위한 anti: peristaltic agents, opiates 등의 사용은 독성거대결장의 위험성을 증가시킴

(4) 경구metronidazole 500 mg tid × 10-14 days (경정맥 투여는 일반적으로 효과 없음)

(5) 경구vancomycin 125 mg qid × 10-14 days (경정맥 투여는 일반적으로 효과 없음)

6) 예후

(1) 15-30%의 환자에서 재발(특히 65세 이상 고령 환자, 계속 입원치료가 필요한 환자)

(2) 첫 번째 재발한 경우에는 metronidazole이나 vancomycin 모두 효과적

(3) 반복하여 재발하는 경우에는 장기간의 vancomycin요법, probiotics 병용치료, rifaximin 등 새로운 항생제, 경정맥 면역 글로블린 투여 등을 고려할 수 있음

(4) 최근에는 약제에 호전되지 않거나, 재발이 자주 되는 경우 대변이식(fecal transplantation)을 을 시행, 90% 이상에서 효과적이고 신속한 치료가 가능

III. 대장 게실성 질환(Colonic diverticulosis)

1. 빈도 · 역학

1) 서양: 60세 이상 인구의 약 50%에서 게실 발견되며, 그 중 20%에서 증상 발생

2) 한국: 5-10% 전후로 보고 되고 있으나 증가하는 추세

3) 저개발국가에선 드물지만, 미국 등 선진국으로 이주한 이민자들에서 게실증 빈도 증가
   (식이섬유, 거친 음식 등 식이습관이 중요한 역할을 할 것으로 추측)

2. 해부 · 병리

1) 진성게실 vs. 가성게실

표 4-7-13 진성게실과 가성게실 비교

진성게실	가성게실
근육층을 포함한 장벽의 전층이 돌출	점막과 점막하층만 근육층을 뚫고 돌출
선천성	후천성(압출성 게실)
우측대장	좌측대장
동양인	서양인

2) 가성게실의 발생: 변비나 고지방식이, 나이가 들수록 조직이 약해지는 것등이 관계

3) 변석(fecalith) 등이 게실에 정체되거나 입구를 막으면 → 게실염(diverticulitis), 변석 등에 의해 혈관이 눌려서 미란이 발생하면→출혈

3. 증상과 증후

1) 게실 그 자체로는 무증상인 경우가 많으며 가끔 복통, 배변 이상을 호소

2) 급성게실염: 동통, 압통, 발열, 백혈구 증가

→ 서양에서는 S상결장 게실염이 흔하므로 "좌측충수염"이라고 불리기도 함

→ 동양에서는 우측게실이 흔하므로 우하복부 통증을 호소하는 경우가 대부분(급성충수염과의 감별이 어려움)

3) 출혈: 대량 출혈하는 경우 많음, 이로 인한 혈역학적 불안정상태 발생가능

(1) 저절로 멎는 경우가 많음

(2) 출혈이 멎지 않거나 반복적으로 출혈하는 경우 출혈하는 게실을 찾아 내시경적 지혈치료(내시경 클립 지혈술), 혈관조영술 및 색전술, 수술적 치료를 고려해 볼 수 있음

(3) 혈관조영술 및 색전술 시 출혈은 멈추나 색전술로 인한 이차적인 장궤사가 올 수 있어 사전에 이와 같은 합병증 가능성에 대한 설명 반드시 필요

4. 급성게실염의 진단

1) 복부단층촬영: 게실염 및 농양등 합병증의 진단에 있어 가장 좋은 방법

2) 염증의 급성기에는 천공의 위험이 높으므로 대장 조영술이나 대장 내시경은 금기

5. 합병증

게실염과 관련하여 일어나는 경우가 많음

1) 천공: 비피복성인 경우는 범발성 복막염

2) 농양과 누공형성: 결장-방광루등

3) 장폐쇄: 급성 염증시에 볼 수 있는 일과성인 경우와 장협착시의 만성적인 경우가 있음

6. 치료

1) 급성 게실염의 치료

(1) 내과적 치료: 입원환자의 대부분이 내과적 치료로 호전

① 금식 및 수액 공급, 전해질교정

② 광범위항생제(7-10일간 투여): 호기성 그람음성균과 혐기성균의 혼합 감염에 대해 치료

• 병합요법:

(혐기성균) metronidazole or clindamycin	+	(그람음성균) aminoglycoside, monobactam or 3세대 cephalosporin

• 단일요법: 2세대 cephalosporin or beta-lactamase inhibitor combinations (ampicillin/sulactam 등)

③ 2-4일이면 증상의 호전(열 떨어지고 백혈구 감소) 보임

(2) 외과적 치료의 적응증

　① 내과적 치료에 반응하지 않는 경우

　② 합병증이 생긴경우: 복강내농양, 누공 등

3) 재발성 게실염

　재발을 한 경우에도 예후가 나쁘지 않으므로 일반적으로 다시 내과적 치료, 내과적 치료 이후에 재발의 빈도가 높은 경우 수술적 치료를 고려

IV. 허혈성 장질환

✛ 진단과 치료를 위한 핵심사항

1. 병력 청취: 복통, 구토, 변비, 설사, 혈변, 약물복용력(경구피임제, digitalis, vasopressin, α-adrenergic agonist etc), 기저전신질환(부정맥, 심부전, 심근경색, 종양 등)
2. 신체검사: 활력징후
3. 시행할 검사: 복부-X선검사, 대변잠혈반응, S자결장경 또는 대장내시경검사, CBC, BC, PT, PTT, 혈액응고인자검사, 복부CT, 혈관조영술
4. 진단: 장간막 허혈 / 허혈성 대장염의 구분이 중요함
5. 치료: 장간막 허혈은 수술적 치료를 하며, 허혈성 대장염은 대부분 보존적 치료를 함

---

* 장허혈의 3가지 형태

　1) 급성 장간막허혈: 심방세동이나 류마티스심질환에 관련된 동맥색전

　2) 만성 장간막허혈: 복강동맥과 상장간막동맥의 동맥 경화

　3) 허혈성 대장염: 저혈류상태

1. 급성 장간막허혈(Acute mesenteric ischemia)

- 급성 장간막허혈은 상장간막순환에 있어 동맥혈(드물게는 정맥혈)의 감소에 의해 발생함
- 허혈의 원인
　① 폐쇄성(75%): 동맥색전(2/3), 동맥혈전(1/3), 정맥혈전(5%)
　② 비폐쇄성(25%): 체순환저혈압, 심장부정맥, 심부전, digitalis, 탈수, 내독소혈증(endotoxemia) 등

1) 임상증상

(1) 복통: 대개 급성 산통(colicky)이며 초기에는 배꼽 주위에서 발생하고 진행하면서 지속적이고 미만성으로 변함. 그러나 경색(infarction)이 일어나기 전까지는 신체검사나 영상검사에서 명확한 소견이 나타나지 않을 수 있어 진단이 늦어질 수 있으므로 주의 요함

(2) 전신증상: 구토와 설사, 변비, 식욕감소 등이 동반될 수 있음

(3) 신체검사: 복부에 팽만과 압통이 있으나 장음은 대개 정상

2) 진단

(1) 말초혈액 검사: 백혈구증가

(2) 복부-X선검사: 공기-액체음영과 팽만

(3) 대변잠혈: 경한출혈로 인해 대변잠혈이 양성인 경우가 흔하나, 육안적 출혈은 허혈성장염을 제외하면 드묾

(5) 응급 상장간막동맥 혈관조영술: 급성 장간막 허혈은 치사율과 이환율이 매우 높은 질환으로 진단이 의심되면 즉시 시행

(6) 전산화단층촬영: 장벽의 비후, 동정맥의 혈전, 장벽 또는 장간막 정맥이나 간문맥 내 기체의 소견을 관찰할 수 있음. 그러나 초기의 소견은 비특이적인 경우가 있음

(7) 복강경: 혈관조영술이 금기인 경우 유용. 특히, 동맥폐쇄성인 경우 진단과 치료에 Gold standard

3) 치료

외과적 치료가 중요, 일반적 원칙으로 ① 진단은 장관의 경색이 일어나기 전에 이루어져야 하고 ②혈관 조영술로 확진한 후 ③ 혈관 수축이 교정되어야 함. 비가역적 괴사나 괴저가 발생하기 이전에 정상순환이 회복(심부전의 호전, 저혈압-저혈량 상태의 교정, 부정맥의 교정 등)된다면 장관의 완전한 회복이 가능하나 경색이나 전층의 괴사가 생긴 이후라면 절제술이 필요 동맥 또는 정맥 혈전은 외과적 제거가 어려우므로 대개 장관의 절제가 필요하며 비폐쇄성의 경우도 비슷

(1) 광범위 항생제

(2) 혈관 조영술용 카테터(상장간막동맥)를 통한 papaverin의 주입, 30-60 mg/hr (1 mg/ml)

(3) 혈관 조영술용 카테터를 통한 혈전용해제(streptokinase, urokinase, tissue plasminogen activator)의 주입

(4) 개복술: 혈관촬영을 통하여 색전의 위치를 파악하고 색전 제거술/ 혈전제거술/ 동맥혈 우회술을 시행

(5) 장 절제: 단분절 → 생존 불가능한 부위를 절제광범위 분절 → 명확히 괴사된 분절만 절제한 뒤 12-24시간 후 재조사(re-exploration, 2nd look operation)를 행함

(6) 항응고제: 색전제거술 또는 동맥재건 전 사용(IV heparin)을 시작하여 수술 직전 중단하며 수술 후 24-48시간부터 재사용

2. 만성 장간막허혈(Chronic mesenteric ischemia, abdominal angina)

1) 임상증상

(1) 대부분 동맥경화가 원인이며 내장 혈류(splanchnic blood flow)의 증가가 요구되는 상황, 즉 식사 후에 통증이 유발

(2) 간헐적으로 둔하거나 경련성의 통증 이식 후 15-30분에서 시작되어 수시간 동안 지속

(3) 식후 통증으로 인한 식사량 감소, 만성 허혈에 따른 장점막 손상과 흡수장애로 체중 감소 발생

2) 진단

임상양상과 혈관조영술 소견을 바탕으로 진단. 만성 허혈은 장 경색으로 진행하기 때문에 동맥조영

술을 통하여 혈관 수술의 적절한 대상자를 평가

3) 치료

혈관수술/ 풍선성형술/ 동맥우회술

3. 허혈성 대장염(Ischemic colitis)

- 허혈성 대장염은 주장간막동맥(major mesenteric artery)의 폐쇄가 없는 가역성 대장 허혈성 질환으로 급성 장간막허혈보다 흔하고 대개 일과성의 장출혈이 특징
- 질환의 발생빈도는 성별의 차이는 없고 노인에서 흔하며(60세 이상이 90%) 비폐쇄성이 대부분
- 50세 이하에서 발생할 경우 응고장애 질환에 대한 검사가 필요
- 호발부위는 비만곡부, 하행결장, S자결장

1) 분류 및 병인(그림 4-7-4)

(1) 일과성형, 협착형, 괴사형 3가지로 분류

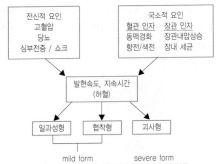

그림 4-7-4 허혈성 대장염의 발병 기전 및 분류

(2) 발병 기전: 내장혈행 역학, 내장벽의 국소적 순환장애, 장관내압, 대장균총 등 복합적 혈관요인에 의한 이차적인 저산소증으로 보고 있으며, 이런 허혈성 대장염의 발병 원인으로는 고혈압, 당뇨병 등의 기초 질환에 의한 동맥경화, 변비등 여러 요인이 복합적으로 작용

2) 증상 및 증후

(1) 복통에 이은 혈성 설사가 특징: 일반적으로 허혈이 일어난 장관에 해당하는 부위에 갑작스런 복통이 출현. 하행결장 혹은 S자결장에 호발하기 때문에 좌측 및 좌하복부에 통증을 느낌 → 대부분 심한 통증이 1-2시간 계속되다가 조금씩 가라앉아 둔통으로 바뀌어 지속 → 복통에 이어 변의를 느끼는데 처음에는 묽은 변 내지 설사이지만 나중에는 암흑색 변이 되고 이어서 혈성 설사가 출현

(2) 허탈감, 쇠약감, 병변부의 압통을 동반

3) 진단

(1) 복부CT

(2) S자결장경검사

① 종주미란, 종주궤양이 특징적

② 점막의 부종 및 출혈, 혈관수축에 의한 paler area가 있고 심한 경우 궤양, 괴사 등의 소견을 보임

(3) 대장내시경검사

① S자결장경검사로 도달하기 어려운 하행결장 혹은 비만곡부(splenic flexure)를 침범한 경우 진단에 도움이 될 수 있음

② 질환으로 인한 통증이 심한 경우 검사 중 합병증 우려 있어 일반적으로 시행하지 않음

4) 치료 및 예후

치료는 일과성형인지 협착형인지, 또는 괴사형으로 진행하는지 등 질병의 진행상황에 따라 달라짐

(1) 일과성형: 보존적 치료로 대개 1주일 이내에 증상이 소실됨, 예후도 양호

① 경정맥 수액 요법과 금식 　　② 광범위 항생제 　　③ 심부전과 부정맥의 교정

④ 장간막 혈관 수축을 피함(digitalis, vasopressors 등은 투여하지 않음)

(2) 협착형: 발병 후 3-4주 후 협착이 형성되는데 장폐색을 일으킬 정도로 심한 경우도 있음

(3) 괴사형: 초기부터 증상이 심해서 집중적인 치료 및 관찰이 필요하며 장마비, 복부압통, 복막자극 증상, 고열등 복막염 소견이 보이면 즉시 긴급절제수술이 필요. 예후는 아주 불량

I. 대장용종

1. 개념

육안적으로 평탄한 점막에서 융기해 있는 병변을 임상적으로 총칭하는 용어

2. 조직학적 분류

1) 대장용종은 상피성 용종과 비상피성 용종으로 나뉨

2) 상피성 용종: 선종(종양성 용종) 및 과형성 용종, 염증성 용종(비종양성 용종)으로 분류

3) 선종: 관상 선종, 융모상 선종, 관상융모상 선종으로 분류, 암으로 변화될 수 있음

4) 진행성 선종(advanced adenoma): >1 cm 또는 융모상 선종 또는 고도 이형성(high grade dysplasia)의 경우

5) 톱니모양 용종(serrated polyp): 과형성 용종의 특징인 crypt 구조의 톱니모양 변화(serration)를 보이는 용종들을 통틀어 말함(sessile serrated adenoma, traditional serrated adenoma 등이 포함)

3. 형태학적 분류(그림 4-8-1)

Protruded type	Pedunculated (Ip)	
	Semipedunculated(Ips)	
	Sessile	
Flat elevated type	Flat elevated (IIa) Flat elevated with depression (IIa+IIc)	
Flat type	Flat IIb	
Depressed type	IIc IIc+IIa	
Laterally spreading type	IIc IIc+IIa	

그림 4-8-1 대장용종의 형태학적 분류

4. 선종성 용종의 악성화 가능성

1) 육안 소견: 무경성 > 유경성

2) 조직학적 소견: villous adenoma > tubular adenoma

3) 크기가 클수록, 이형성(dysplasia) 정도가 심해질수록

5. 용종 절제술

1) 적응증

(1) 대장암 발생의 위험도가 증가하는 경우: 선종과 같은 전암성 병변, 악성용종, 전암성 병변은 아니지만 발암 위험도가 증가할 수 있는 Peutz-Jegher 용종 등

(2) 증상이 있는 경우: 과형성 용종이라도 출혈이 동반된 경우, 거대 용종으로 장폐색 또는 장중첩증 등을 유발하는 경우

2) 방법

(1) 생검: 5 mm 이하의 작은 용종

(2) 올가미 용종 절제술(Snare polypectomy): 5 mm 이상의 용종

(3) 점막절제술 또는 점막하 박리법: 큰 용종의 일괄 절제에 이용

3) 합병증

(1) 출혈: 약 1.5%. 시술시 발생하는 출혈은 대부분 내시경적 지혈술로 치료 가능. 드물게 지연 출혈이 발생

(2) 천공: 약 0.28%. 대부분 시술 즉시 발견, 72시간까지 지연 발생하는 경우도 있음. 천공의 크기가 작고 국소적인 경우 클립봉합술을 시행한 후 항생제 및 금식 등으로 치료 가능. 천공의 크기가 크거나 며칠 경과한 경우에는 반드시 수술이 필요

(3) 용종절제 후 응고 증후군(Postpolypectomy coagulation syndrome): 약 0.5-1.0%

① 장막을 자극할 정도의 전벽성 열상에 의해 발생

② 뚜렷한 천공은 없으나, 국소적인 염증 반응. 용종절제술 후 6시간-5일까지 관찰됨

③ 증상: 복통, 발열 및 백혈구 증가. 환자의 약 20%에서는 급성 복막염 증상인 rigidity, 복부 경직을 보이기도 함

④ 치료: 금식, 수액 및 항생제 투여. 20% 정도에서는 입원이 필요하지만 증상이 미하면 외래에서 미음과 경구 항생제 투여로 치료. 증상은 대부분 2-5일 이내에 소실됨

⑤ 퇴원시: 지연 천공의 가능성에 대해 충분한 설명이 필요함

6. 대장용종 절제 후 추적 대장내시경 검사

1) 경과 관찰: 국소 재발과 새로 발생하는 종양성 병변의 유무 확인 위해

2) 환자의 연령, 동반질환을 고려하여 개별화해서 시행 결정

3) 진행성 선종 또는 3개 이상의 다발성 용종의 경우: 3년 이내에 추적 대장내시경

4) 많은 수의 선종, 악성 용종, 크기가 큰 무경성 용종, 대장정결이 불완전했던 선종 환자의 경우 단기간 내에 시행

5) interval cancer

(1) 대장 내시경적 완전 용종절제술 시행 후 발생하는 암. 3-5년 후 약 0.3-0.9% 발생

(2) missed lesion, 불완전 용종절제, 새로 생기는 용종이 원인

표 4-8-1 대장용종의 추적 대장내시경 검사

대장용종 제거 병력이 있는 환자
1) 선종 2개 이하, 1 cm 미만의 관상선종 그리고 저등급의 이형성: 5년 이후에 대장내시경을 시행
2) 진행성 선종이거나 3~10개의 선종: 3년 후에 대장내시경 시행
3) 10개 이상의 선종: 3년 이내 대장내시경 시행
4) 불완전 절제된 가능성이 있는 무경성의 큰 용종: 2~6개월 사이에 대장내시경 시행
5) 추적검사에서 용종이 없는 경우: 5년 이후에 대장내시경 시행

대장직장암 환자
1) 수술 중 제거 가능한 전이 병변이 있는 경우: 수술 후 3~6개월 후 대장내시경
2) 근치적 절제술을 시행한 경우: 1년 후 대장내시경

대장용종 혹은 대장암 가족력이 있는 환자
1) 직계가족이 60세 이전에 혹은 어떤 연령이든 2명 이상의 직계가족이 대장암, 선종 진단   40세 또는 진단된 직계가족의 나이보다 10년 전부터 대장내시경 시작, 5년마다 대장내시경
2) 직계가족이 60세 이후에 대장암이나 선종이 있는 경우 : 40세에 대장내시경 시작, 이후로는 일반인과 같은 간격으로
3) 삼촌, 사촌이 대장암이나 선종이 있는 경우 : 일반인과 동일하게 선별검사 시행

고위험군
FAP: 1) 유전적 검사 시행 2) 10~12세부터 S상결장검사 시작, 용종이 발견되면 장절제술
HNPCC: 20~25세 또는 가족이 진단받은 나이보다 10년 전부터 대장내시경 시작, 정상이면, 1~2년마다 대장내시경검사, 40세 이후로는 매년 대장내시경검사

직계가족(First-degree relatives): 부모, 형제, 자녀 포함
삼촌(Second-degree relatives): 조부모, 삼촌, 이모, 고모 포함
사촌(Third-degree relatives): 증조부, 증조모, 사촌 포함

II. 대장암

대장암의 대부분은 선종성 용종에서 발생하는 것으로 추정하고 있음

1. 역학

1) 주요 암종 발생분율에서 남, 녀 모두에서 3위(2015년 국가암등록통계)
2) 대장암 발생률은 2013년 이후로 감소 추세임(2015년 국가암등록통계)

2. 대장암의 분포

직장 45%, 우측대장 24%, S상대장 18%, 좌측대장 8%, 횡행대장 5%

3. 증상

조기에는 무증상인 경우가 많고, 진행암인 경우 발생부위, 진행정도에 따라 다름

1) 우측대장암: 빈혈, 복통, 종괴촉지, 무른변

2) 좌측대장암: 혈변, 설사와 변비가 교대하는 배변이상, 배변 습관 변화, 가는변(pencil-like stool), 장폐쇄, 복통

3) 직장암: 혈변, 뒤무직(tenesmus), 통증

4. 진단

1) 대변잠혈 검사: 대장암이 있어도 음성으로 나오는 경우가 있어, 이 검사만으로는 충분치 못함

2) 이중조영바륨관장술: apple-core sign이 특징적

3) 대장내시경: 대장암의 확진에 필수적

4) CEA: 민감도가 낮아 진단에는 쓰이지 않으나, 대장암 수술 후 추적 관찰시 증가하면 재발 의심

5) 복부 및 흉부 CT: 병기 결정

6) 가상대장내시경검사(CT colonography, CTC): 대장내시경검사대신 CT를 이용하여 대장 내강을 검사할 수 있는 검사법이며, 대장밖의 림프절이나 원격 전이 여부를 알 수 있음

7) 골반 MRI: 직장암의 국소 침윤 정도 및 림프절 병기 판정

5. 대장암의 내시경적 치료

1) 조기암

(1) 점막내암: 림프절 전이가 드물기 때문에 내시경적 절제(polypectomy, EMR, ESD)만으로 충분

(2) 점막하층암: 일부에서 림프절 전이가 있기 때문에 암 침윤의 정도에 따라 치료 방침을 세움

① 내시경 소견을 관찰하여 점막하 침윤 깊이가 <1,000 μm로 추정되는 경우: 내시경적 절제술 시행

② 점막하 침윤 깊이가 >1,000 μm 으로 추정할 수 있는 특징: 이 경우엔 수술 치료

• 내시경 육안 소견: 단단함, 종양 중심부의 팽창, 주름집중, 무구조 함몰면 등

• 색소내시경 후 확대 관찰시 점막표면 선구형태(pit pattern)가 VN형인 경우

2) 내시경적 절제술 후 추가 수술이 필요한 경우

(1) 불완전 절제, 미분화암

(2) 절제연을 암세포가 침범한 경우

(3) 혈관 또는 림프관 침윤

(4) 침윤 깊이가 sm1이상의 침윤(muscularis mucosae로 부터 >1,000 μm 침윤)

3) 내시경적 확장술(스텐트 삽입)

(1) 진행성 대장암에 의한 급성 장폐색증이 발생시에는 외과적 응급 수술을 시행하여야 하나, 환자가 수술을 거부하거나 전신 상태가 불량하여 수술에 대한 위험이 높은 경우

(2) 암종괴로 인해 내강의 기계적 폐색이 있는 경우 정확한 병기 파악에 걸리는 기간 동안 또는 환자가 정규 수술을 받을 수 있을때까지 일시적 감압을 위해 스텐트 삽입

* 그 이외의 치료

수술, APC 혹은 Nd-YAG laser 치료, photodynamic therapy, radiotherapy, immunotherapy

6. 예후

표 4-8-2 대장암 수술 후의 불량한 예후 인자

종양의 림프절 전이 (+), 전이된 림프절의 갯수 ↑, 종양이 장관벽을 관통,
조직의 분화도가 불량한 경우: mucinous, scirrhous histology, 천공 및 장 폐쇄, 인접 기관 침범, 정맥 침범, 림프, 신경 침범 (+),
수술 전 CEA 상승(>5.0 ng/mL), 비배수체(aneuploidy), 염색체 이상(예, 염색체 18번의 이상)

7. 대장암의 선별검사(screening): 2016년 대한소화기학회 가이드라인

1) 시행 시기: 평균위험군(average risk group)에서 50세부터 시작(단 대장암의 경고 증상이 있는 경우 50세 이전에 시행)

2) 검사 방법: 대변잠혈 검사, CT 대장조영술, 이중조영바륨관장술, 대장내시경(권고)
   (1) 대변잠혈 검사: 50세 이상의 평균위험군에서 대장암 사망률을 유의하게 감소시킴. 대규모 인구집단에 대장암 선별 검사. 결과가 양성일 때 대장내시경 검사 시행
   (2) CT 대장조영술: 이 검사에서 6 mm 이상의 용종이 발견된 경우 대장내시경검사 권고
   (3) 이중조영바륨관장술: 이 검사에서 6 mm 이상의 용종이 발견된 경우 대장내시경검사 권고
   (4) 대장내시경: 첫 선별 대장내시경검사가 일정 질 수준 이상으로 이루어졌다면 대장암이나 대장선종이 발견되지 않은 경우 5년 이후 추적 대장내시경검사 권고. 단, 대장암 경고증상이 새롭게 발생한 환자를 포함하여 추적기간 내 중간암의 우려가 있다고 의사가 판단하는 경우 5년 이내라도 추적검사를 시행할 수 있음

3) 우리나라 대장암 조기검진 프로그램
   (1) 대상: 만50세 이상
   (2) 검진 주기: 1년 간격
   (3) 방법: 대변잠혈 검사 → 유소견시 추가 검사(이중조영바륨관장술 혹은 대장내시경) 진행

8. 대장암의 예방

표 4-8-3 대장암을 예방하기 위한 식이와 생활양식

식이	생활양식
칼로리 중 지방의 양을 20~30% 이하로 섭취	정상 체중 유지
과일과 야채의 양과 다양성 높이기	매일 운동하기
매일 20~30 g의 섬유(fiber) 섭취	금연
매일 3 g의 칼슘 탄산염(calcium carbonate) 섭취	과도한 음주하지 않기

제9-1절 급성췌장염

✚ **진단과 치료를 위한 핵심사항**

1. 진단(아래 세가지 중 2가지 이상일 경우)
   1) 상복부의 급성복통과 압통
   2) 혈청 아밀라아제 수치고/혹은 리파제 수치가 정상상한치의 3배 이상 증가
   3) 복부초음파, 복부 CT(중등도 판단과 국소 합병증의 진단에 가장 유용), 복부 MRI에서 급성 췌장염의 소견
2. 예후 평가(중등도 평가)
   1) 가슴-X선, 혈청 CRP, 혈청 BUN, 혈청 Creatinine: 객관적인 검사 필요
   2) 조영 증강 CT: 중등도(CT severity index) 평가 필요
3. 치료
   1) 적절한 체액균형을 유지하기 위한 수액공급(소변량 >0.5~1 ml/kg/hr): 가장 중요
   2) 진통제(심한 통증시 투여: 필요 시 마약성 진통제(pethidine 25~50 mg/IV) 사용
   3) 금식: 복통과 압통이 사라지고 장음이 회복될 때까지만 금식
   4) 경비위 흡인: 구토나 마비성 장폐쇄증 환자에서만 사용
4. 급성 췌장염의 국소적 합병증
   1) 괴사성 췌장염
      (1) 무균성 췌장 괴사: 보존적(내과적) 치료 최우선
      (2) 감염성 췌장 괴사: 광범위 항생제 사용
      (3) 호전 없는 췌장 괴사: 내시경적 혹은 경피적 중재술, 수술적 치료 필요(step-up approach)
   2) 췌장의 가성낭종: 임상적 증상이나 합병증 동반 시 배액술 실시

I. 임상적 특징과 분류

1. 특징

1) 급성췌장염은 췌장의 급성 염증과정으로 복통과 혈청 아밀라아제와 리파제수치의 상승이 특징임
2) 만성 췌장염의 급성악화는 급성 췌장염과 감별이 어려우며, 급성 췌장염처럼 치료함
3) 급성 췌장염은 저절로 호전되는 부종성 췌장염으로부터, 전신적인 임상증상을 유발하는 괴사성 췌장염에 이르기까지 다양함

2. Severity grade

1) **Mild**: 장기부전, 합병증 없음
2) **Moderately severe**: 장기부전 있으나 2일 내 호전됨, 합병증 발생 가능함
3) **Severe**: 2일 이상 지속되는 장기부전이 있음

II. 원인

- 담석과 알코올이 80% 이상
- 담석과 알코올이 아닐 때 확인해야할 피검사: Lipid profile, calcium, IgG/G4 level

표 4-9-1 급성췌장염의 원인

흔한 원인
담석(미세담석을 포함), 알코올, 고중성지방혈증, ERCP 후(Post-ERCP), 외상, 수술 후, 약재(azathioprine, 6-mercaptopurine, sulfonamides, estrogens, tetracycline, valproic, acid, anti-HIV medications 등)
드문원인
허혈성 장애 및 혈관염, 결체조직질환, 췌장암, 고칼슘혈증, 분할췌장, 자가면역(예, 쇼그렌 증후군, 자가면역 췌장염)
명확한 원인 없이 급성췌장염 반복시 고려해야 할 원인
담관 또는 췌관의 잠재 질환(예, 미세담석, 담즙찌꺼기), 약물 및 알코올, 고중성지방혈증, 분할췌장, 췌장암, 오디괄약근기능장애, 특발성(idiopathic)

III. 임상증상

1. 전형적인 양상: 심와부의 지속적인 통증. 복부의 다른 부분이나 등으로 전파될 수 있음
2. 통증: 시작 후 15분에서 1시간 내에 최고조에 도달하게 되며 지속적임
   상체를 구부리거나 무릎을 굽히면 경감됨
3. 장음: 감소되거나 없어 질 수 있으며 장마비가 발생 할 수 있음
4. 황달: 담석성 췌장염이 아니더라도 부종이 심한 췌장 두부가 총담관을 압박하여 발생함
5. 중증의췌장염: 저혈압, 빈호흡, 빈맥과 고열 등의 속이 발생 할 수 있음
   열은 보통 38.5℃ 이하임
6. 심한 괴사성 췌장염: 복강내출혈로 인해 피하출혈반점이 배꼽주위(Cullen 징후)나 옆구리(Turner 징후)에 나타나기도 함. 중증 시사함

IV. 진단

**다음의 세가지 중 2개 이상을 만족 하는 경우

1. 급성복통(지속적이며 심한 상복부의 통증, 등으로 퍼질 수 있음)
2. 혈청리파제 또는 아밀라제의 정상 상한치 3배 이상 상승
3. CT, MRI, 초음파에서 특징적인 소견

1. 검사실 검사

1) 혈청 아밀라아제

(1) 복통이 동반된 환자에서 혈청 아밀라아제치가 정상치의 3배 이상 증가 시 췌장염 시사함

(2) 경도의 증가는 췌장 이외의 장기(이하선, 소장, 담관 및 난관)에 병변이 발생한 경우에도 볼 수 있음

(3) 전형적으로 췌장염 발병 후 첫 2-12시간에 급격히 증가하고 3-5일 후 천천히 정상 수치로 감소함

(4) 7일 후에도 높은 경우에는 가성낭종, 췌장 괴사와 같은 합병증을 의심해야 함

(5) 고중성 지방혈증에 의한 급성 췌장염이나 만성 췌장염과 동반된 급성 췌장염에서는 혈청 아밀라아제 수치가 올라가지 않을 수 있음

2) 혈청리파제

(1) 혈청 아밀라아제와 같이 초기에 상승하며, 더 오랜 기간 지속됨

(2) 아밀라아제가 정상을 보여도 췌장염의 진단에 도움이 되며 췌장 특이도가 높음

2. 영상진단

1) 가슴-X선 및 복부-X선 촬영

(1) 횡격막하의 공기소견이 관찰되면 감별 진단인 장천공의 진단에 중요함

(2) 소장폐쇄 소견인 sentinel loop, 또는 결장폐쇄 소견인 colon cut-off sign을 보이기도 함

(3) 췌장의 석회화 소견은 만성 췌장염 진단에 도움이 됨

2) 복부초음파 촬영

(1) 주 목적은 담낭 담석이나 총담관 담석에의 의한 총담관 확장을 확인하는데 있음

(2) 췌장의 비대, 췌장 주변의 염증 변화, 복수 등 급성 췌장염의 소견을 관찰할 수 있음

3) 복부 CT

(1) 췌장염의 중증도 판단과 국소 합병증의 진단에 가장 유용한 검사임

(2) 높은 치사율을 보이는 괴사성 췌장염의 진단과 중증도 판정에 중요함

(3) 정상 아밀라제를 보여도 CT에서 급성 췌장염의 소견을 보일 수 있고, 경한 췌장염에서는 정상 CT 소견을 보일 수 있음

4) 복부 MRI

(1) 담석성 췌장염이 의심되는 경우 자기공명담췌관조영술(MR cholangiopancreatography; MRCP)이 비침습적 방법으로 유용함

(2) 임산부나 조영제에 알러지의 기왕력이 있는 환자에서 전산 단층 촬영 대신 시행함

5) 역행성담췌도조영술

(1) 급성 췌장염의 1차 진단을 위한 목적으로 시행하지 않음

(2) 담석성 췌장염에 한해서 내시경 치료를 고려하여 시행할 수 있음

(3) ERCP 시행 후 5-10%에서 췌장염이 발생할 수 있음

V. 예후평가(중증도 평가)

1. 임상검사를 통한 중증도 평가 – 안 좋은 예후 인자들

1) Hematocrit: 입원 시 hematocrit ≥ 44% 이상이거나 입원 후 24시간 이내에 hematocirt이 감소되지 않는 경우

2) CRP: 발생 48시간 이후 측정 시 15 mg/dl 이상일 때

3) BUN: 입원 시 BUN ≥ 20 mg/dl와 입원 24시간 이후 BUN이 상승한 경우

4) Creatinine (Cr): 입원 시와 입원 24시간 이내의 혈청 Cr >2.0 mg/dL인 경우

5) 가슴-X선촬영: 흉수가 있거나 흉부내 침윤 소견이 있을 때

6) 신체질량지수(Body Mass Index; BMI): 30 kg/m^2 이상인 경우

2. 중증도 판정 기준(scoring system)을 이용한 평가

1) Ranson 기준(표 4-9-3): 가장 잘 알려짐. 초기와 48시간으로 나뉨

2) 급성 생리 및 만성 건강 평가 점수 체계(APACHE II): 반복 측정 가능함

3) BISAP (bedside index of severity in acute pancreatitis) score: (B) BUN >25 mg/dL, (I) impaired mental status, (S) SIRS: ≥2 of 4 present, (A) age >60, (P) pleural effusion

표 4-9-2 Ranson 기준

RASON CRITERIA
A. 입원당시
1. 나이 >55세
2. 백혈구 >16,000/mm^3
3. AST >250 IU/L
4. LDH >350 IU/L
5. 혈당 >200 mg/dL
B. 입원후 48시간 까지
1. 적혈구용적률 감소 >10%
2. BUN증가 >5 mg/dL
3. 칼슘 <8 mg/dL
4. 동맥혈 PO2 <60 mmHg
5. 염기결핍 >4 mEq/L
6. 수액저류 >6 L

◆ Ranson 기준의 요소
   1) 0–2개: 사망률은 1% 이하
   2) 3–5개: 사망률은 10–20%, 합병증의 임상경과를 예고함
   3) 6개 이상: 사망률은 50% 이상, 췌장의 괴사와 감염의 빈도가 증가

3. 영상 검사를 통한 중증도 평가 – 전산화 단층촬영술(CT)

1) CT 중증도 지표(CT severity index, 표 4-9-3)는 Ranson기준과 비교적 잘 일치함

2) CT severity index: 췌장 괴사의 유무, 괴사 범위 및 염증 변화의 범위 등을 결합하여 수치화 함

3) 특히 contrast enhanced dynamic CT는 췌장 괴사의 유무와 정도의 평가에 유효

표 4-9-3 전산화단층촬영 중증도

췌장염등급	전산화단층촬영소견	점수
A	정상췌장	0
B	췌장비대	1
C	췌장염증	2
D	췌장주위 액체고임이 1개	3
E	췌장주위 액체고임이 2개 이상	4
괴사등급	없음	0
	<1/3	2
	1/3~1/2	4
	>1/2	6

CTSI (CT severity index): 췌장염등급 + 괴사등급
Mild 0~3점(사망률 3%), Moderate 4~6점(사망률 6%), Severe 7~10점(사망률 17%).

VI. 치료

- 급성췌장염 환자의 80%는 경증이고 합병증 없이 치료 시작 후 3-7일 내에 저절로 좋아짐
- 환자를 금식시키고 적절한 수액 공급을 조기에 식시하는 것이 가장 중요함

1. 보존적 치료

1) **금식:** 복통과 압통이 사라지고 장음이 회복 될 때까지. 장기적인 금식은 불필요함

2) **혈관내 혈량의 유지를 위한 정맥내 수액제 사용:** 가장 중요함

   (1) 특히 췌장주위로 삼출액의 유출, 구토, 비위관 흡인 등으로 혈량 저하가 있을 경우 즉각적인 교정이 필요함

   (2) 적절한 수액공급에도 저혈압이 지속되면 중심정맥관을 삽입하여 보다 정확한 수액과 전해질 교정이 필요함

   (3) 수액 종류: Ringer's lactate solution (Hartmann's solution)이 가장 효과적인 수액요법. 단 고칼슘혈증이 동반된 경우에는 Normal saline을 사용함

   (4) 목표: 평균 혈압 65 mmHg 이상, 소변량 >0.5~1 ml/kg/hr을 유지할 수 있도록 공급해야 함

   (5) 일본 지침의 경우 첫 24시간 내에 소변량 등을 지표로 60~160 ml/kg/day를 초기에 공급하고 이 중 1/2~1/3을 첫 6시간 이내에 투여할 것을 권고함

3) **통증:** 필요시 마약성 진통제를 사용함. Meperidine (pethidine) 25-50 mg 3-4시간마다 정맥 내 주사

4) **경비위흡인:** 췌장 분비를 억제할 목적으로 사용함. 경증의 췌장염에서는 필요하지 않으며, 구토나 마비성 장폐쇄증 환자에서 사용함

5) **단백효소 분해 억제제:** 췌장 손상을 줄이는 효과가 있음

Gabexate (Foy) / Nafamostat (Futhan) Ulinastatin (Ulistin) 등이 있음

6) **항생제**

(1) 합병증이 없는 급성 췌장염에서는 예방적 항생제의 사용은 필요치 않음

(2) 급성 괴사성 췌장염 환자에서 예방적 항생제의 사용은 패혈증을 감소시키고 사망률을 감소시키므로 초기에 예방적 항생제를 사용해 볼 수 있음

(3) 폐혈증이 의심 되는 경우 광범위 항생제 사용함

7) 스트레스 궤양 출혈에 대한 위험 요인이 있으면 위산분비억제제가 필요함

2. 담석성 췌장염

십이지장 팽대부에 담석이 감입된 담석성 췌장염 환자의 경우 24-48시간 내 응급 ERCP를 시행하여 유두절개술과 담석 제거술을 시행해야 함

3. 급성췌장염에서 수술이 필요한 경우

1) 장천공과 같은 급성 외과 질환이 동반될 때

2) 담석성 췌장염이 완화된 후 선택적 담석수술이 필요할 때

3) 감염성 췌장괴사에서 비수술적치료에 반응하지 않는 경우

4) 가성낭종 혹은 감염으로 배액/농술을 시행하였으나 호전되지 않을 때

VII. 합병증

췌장염이 호전 없이 지속될 때 감염성 췌장 괴사, 가성낭종, 십이지장 팽대부에 감입된 담석을 감별해야 함

1. 급성췌장염의 국소적 합병증

1) **괴사성 췌장염:** 중증 췌장염에서 생기며 CT에서 췌실질의 사멸로 조영 증가 안됨

(1) 무균성 췌장 괴사

① 무균성 췌장 괴사는 첫 2-3주 동안에는 보전적(내과적) 치료가 최우선

② 무균성 췌장 괴사 환자에서 보존적 치료에도 불구하고 그 이후 복통이 지속되거나 다장기 부전이 발생하면 괴사제거술이 필요함

(2) 감염성 췌장괴사

① 중등도 또는 중증 급성췌장염환자에서 임상 증상이 악화되고, 38.5℃ 이상의 새로운 열이 발생하거나 백혈구 증다증이 현저 혹은 혈액 배양검사에서 양성, 패혈증의 소견이 있는 경우 의심함

② 염성 췌장 괴사가 의심 되면 조영증강 CT를 확인하고, 초음파 유도하 세침흡인으로 얻은 검체에서 Gram's stain과 배양이 필요

③ 환자의 상태가 안정된 감염성 췌장 괴사의 경우에는 항생제 치료와 보존적 치료를 하면서 추적 관찰함

④ 감염성 췌장 괴사 환자에서 보전적 치료에도 불구하고 임상적 상황의 악화나 패혈증이 보이면 중재적 배액술이니 과사 제거술을 시행함

2) 췌장의 가성낭종: 비상피성벽으로 둘러싸인 췌장액 고임

(1) 대개 급성 췌장염 시작 후1-4주 후에 환자의 10-20%에서 일어남

(2) 복부초음파촬영이나 복부 전산 단층촬영으로 쉽게 진단됨

(3) 약 85%는 췌장의 체부와 미부, 15%는 두부에 생김

(4) 치료: 작은 가성 낭종은 특별한 치료없이 흡수됨

① 배액술의 적응증: 임상적 증상을 유발하는 낭종, 크기가 커지는 낭종, 합병증이 발생한 낭종

② 배액: 내시경적 배액술(초음파 내시경 유도), 경피적 배액술, 수술적 배액술

3) 가성동맥류

(1) 췌장염 환자에서 특별한 원인 없이 상부위장관 출혈이 있거나 CT검사에서 가성 낭종의 내부나 근처에 조영증강병변이 나타는 경우 의심해야하고 비장동맥이 가장 흔하게 침범됨

(2) 확진: 동맥조영술

(3) 치료: 동맥색전술

2. 급성췌장염의 두 가지 중요한 전신적 합병증

1) 신부전

혈액량 감소와 신장혈류의 감소로 생김. 예방과 치료를 위해서 수액 공급과 전해질 이상의 교정 필요

2) 호흡 부전

중증의 급성 췌장염 환자에서 종종 처음 2-3일경 PaO₂ <70 mmHg의 저산소혈증이 나타나지만 췌장염의 급성기가 지나면 대부분 회복됨. 일부에서는 성인성 호흡곤란증후군으로 진행함

제9-2절 만성췌장염

✦ 진단 및 치료를 위한 핵심사항

1. 진단
복통이 흔한 증상이며 복부-X선 촬영에서 석회화 병변을 보이며 복부 CT에서 췌관결석 및 췌관확장이 관찰됨.
2. 치료
통증의 조절 및 췌장 효소제의 공급이 필요함. 내시경적 중재술이나 수술이 필요하기도 함.

I. 정의와 원인

지속적으로 췌장에 염증 및 섬유화가 생겨서 비가역적인 췌장의 구조적 변화, 외분비 및 내분비기능의 장애를 일으키는 질환

II. 임상증상

복통, 외분비기능부전(지방변증), 내분비기능부전(당뇨)

III. 진단

1. 검사실 검사

1) 혈청 아밀라제나 리파제는 복통이 악화될 때만 약간 상승되지만 급성 췌장염의 상승폭보다 낮음
2) 당불내증, 당뇨를 보일 수 있음

2. 방사선학적 검사

1) 단순 복부촬영 사진: 췌장의 석회화
2) 복부 CT 또는 MRCP: 췌관의 확장, 췌관내 결석, 췌장샘의 위축 혹은 부종, 불규칙한 췌장샘 경계, 가성 낭종 그리고 췌장실질의 음영 변화
3) EUS: 췌장 섬유화에 대한 예민도와 특이도는 80% 이상임

IV. 임상양상과 자연경과

1. **복통**: 대부분 동반됨. 식욕 감소와 체중감소 및 영양실조로 이어짐. 심한 통증은 삶의 질을 떨어뜨리고 사회활동을 제한하며, 마약성 진통제에 중독될 위험성도 있음
2. **지방변증**: 췌장의 외분비기능이 10% 이하로 남아 있거나 췌관이 막힌 경우 발생함
3. **당뇨병**: 오랜 추적 관찰 시 최종적으로 40-80% 정도에서 당뇨병 발생함
4. **췌장석회화**: 만성 췌장염의 가장 특징적인 소견이기도 하며, 석회화의 진행속도는 흡연, 음주습관 및 유전적 요인과 연관되어 있음
5. **가성낭종**: 만성 췌장염 환자의 25%에서 발생하며 주로 알코올성 만성 췌장염 환자에서 발견됨. 췌장염의 가성낭종은 발견 당시에 성숙 되어 캡슐이 형성되어 있는 경우가 대부분이므로 치료가 필요하다면 치료를 연기할 필요가 없음

6. **가성동맥류**: 만성 췌장염 환자에서 혈관조영술을 시행하였을 때 21% 정도에서 발견됨. 가성동맥류가 발견이 되면 출혈발생 여부와 관계없이 치료해야 함

7. **담관 폐쇄**: 원위부 담도는 췌두부의 후방에서 췌장실질에 둘러싸여 있기 때문에 만성 췌장염에 의해 췌두부에 염증성 및 섬유성 변화가 발생하였을 때 압박될 수 있음. 담도협착은 만성 췌장염 환자의 10% 정도에서 발생하며 내시경적 담관 스텐트 삽입이 필요함

8. 마약성진통제에 의한 중독이 흔히 나타남

V. 치료

가장 어려운 점은 복통의 조절임

1. 진통제의 투여

1) 비마약성 진통제와 보조적인 통증 완화제를 투여하고 통증이 조절되지 않으면 마약성 진통제를 효과가 낮은 것부터 투여하는 것이 추천됨

2) 장기간의 마약성 진통제의 투여는 내성 및 의존성을 유발할 수 있으므로 피할 수 있으면 피하는 것이 좋음

3) 마약성 진통제의 사용을 줄이기 위하여 삼환계 항우울제, gabapentin, pregabalin, 선택적 세로토닌 억제제 등이 사용됨

2. 소화효소제의 투여

외분기 기능 부전에 대한 치료

3. 역행성담췌도조영술

췌관 결석이나 협착, 담관 협착 시

4. 외과적 수술

내과적 치료에도 반응이 없는 만성 통증 시 시행함. 측측 췌공장 문합술을 많이 시행함

VI. 자가면역성 췌장염

1. 대부분이 Immunoglobulin G4 (IgG4) 연관 질환의 췌장 침범(제1형 자가면역성 췌장염)임
2. 우리나라에서는 전체 만성췌장염의 약 2% 이내임
3. 영상 검사에서 췌장의 전반적인 부종 혹은 종괴상과 췌관의 협착이 특징임

4. Serum IgG4 상승이 동반되기도 함(50~70%)

5. 스테로이드치료에 잘 반응하나, 재발도 흔함

제9-3절 췌장낭종성 질환

전체 낭종의 85%는 가성낭종으로 알려져 있으며, 췌장의 낭종성종양은 약 15%를 차지하지만 최근 빈도가 증가하고 있음

종류	위치	악성화	호발연령	호발성별	특징	cyst fluid analysis
Pseudocyst	Evenly	Non	Variable	남>여	– 주로 1개 낭종. 췌장염 기왕력	amylase high
Serous cystic Neoplasm (SCN)	Evenly	Rare	40–50대	여>남	– honeycomb, microcystic (classic) 66% – central scar, sunburst calcification 있음.	묽은 낭종액 CEA low amylase low
Mucinous cystic Neoplasm (MCN)	Body, tail	Moderate to high	40–50대	대부분 여	– single cyst 가 흔함. – large cyst with septum – 농축된 mucin	끈적한 낭종액 CEA high amylase low
Intraductal Papillary Mucinous Neoplasm (IPMN)	Head	Low (branch-duct, BD) to high (main-duct, MD)	60–70대	남>여	– MD: irregular P duct dilatation – BD: cyst가 P duct와 연결됨. – ERCP에서 mucin확인 되기도함.	끈적한 낭종액 CEA high amylase high
Solirary Pseudopapillary Epitherlial Neoplasm (SPEN)	Evenly	Low	20–30대	대부분 여	Solid papillary component in the cyst	

I. 낭종성 병변의 추적 관찰 요령

1. High-risk stigmata가 있는가? 있으면 수술함

1) Obstructive jaundice

2) Enhancing mural nodule ≥5 mm

3) Main pancreatic duct ≥ 10 mm

2. **Worrisome feature가 있는가? 있으면 초음파내시경을 시행하고 나서 수술 여부를 결정함**

1) cyst ≥ 3 cm
2) Enhancing mural nodule < 5 mm
3) Thickened/enhancing cyst walls
4) Main duct size 5-9 mm
5) Abrupt change in caliber of pancreatic duct with distal pancreatic atrophy
6) Lymphadenopathy,
7) Increased serum level of CA19-9
8) Cyst growth rate > 5 mm / 2 yr

3. **추적 관찰: CT, MRI or EUS을 통해서 시행함**

1) 크기 1 cm 이하: 6개월 1번, 이후 2년마다
2) 크기 1-2 cm: 6개월 2번, 1년 2번, 이후 2년마다
3) 크기 2-3 cm: 3-6개월 간격으로 1년간, 이후 1년 간격으로. 젊은 환자 수술 고려
4) 크기 3cm 이상: 3-6개월마다 계속. 젊은 환자 수술 강력히 고려

✚ 진단과 치료를 위한 핵심사항

1. 문진: 심하고 지속적인 상복부/우상복부 통증, 발열여부, 담석, 총담관석 및 이에 동반된 합병증의 과거력 유무 확인
2. 신체검사: 우상복부 압통, Murphy's sign의 확인, 황달, 발열의 유무, 쇽(shock) 및 패혈증의 징후 확인
3. 진단적 검사
   1) 기본적인 혈액검사, 생화학적 검사
      : 백혈구 증가, 간효소, 빌리루빈수치 상승, 아밀라아제 증가, ALP/γ-GTP의 상승
   2) 응급 복부초음파 또는 복부 CT
      : 담석이나 총담관석의 확인, 담관의 확장과 담낭의 상태를 확인
4. 치료
   1) 금식, 수액 및 항생제 치료
   2) 쇽 및 패혈증의 징후가 동반된 경우 내과적 응급상황
      (1) 세균배양검사 시행 후 광범위 항생제 사용
      (2) 응급으로 내시경 역행성담췌도조영술(ERCP)이나 경피적 배액술(PTBD or PTGBD)

I. 담석(Gallstone)

1. 종류 및 병태생리

1) 콜레스테롤 담석

(1) cholesterol monohydrate를 50% 이상 함유

(2) 발생기전: 콜레스테롤 과포화(supersaturation), cholesterol monohydrate crystals의 핵형성(nucleation), 담낭 운동이상

(3) 선행 요인: 인종 또는 유전요인(북유럽, 북미 >아시아), 비만, 대사증후군, 체중감소, 임신, 에스트로겐(피임약 등), 경정맥 영양 등

2) 색소성 담석: 동양인에 흔함

(1) 흑색담석: calcium bilirubinate가 주성분, 만성용혈성질환, 간경화, 길버트증후군, 소장질환 등

(2) 갈색담석: 주로 담관염 등 감염과 연관

2. 임상양상

1) 무증상 담석(Silent gallstone)

(1) 매년 2-3%에서 증상 발생

(2) 담낭염, 췌장염 등 합병증은 매년 0.1-0.3%, 대부분 합병증 발생 전에 경고 증상이 있음

(3) 25년까지 추적 관찰시 60-80%에서 무증상, 15년까지 무증상이면 증상이 거의 생기지 않음

2) 담도산통(Biliary colic)

우상복부와 상복부 통증이 갑자기 발생하여 30분-5시간까지 지속, 오심과 구토, 어깨 부위로 방사통을 동반할 수 있음

3. 진단

1) 단순 복부X선 사진

(1) 콜레스테롤 담석의 10-15%, 색소성 담석의 50% 발견

(2) 기종성담낭염, 담석성장폐쇄(gallstone ileus) 등 합병증 진단

2) 복부초음파: 일차적 검사, 2 mm 이상인 경우 진단 가능

4. 치료

1) 무증상의 담석

(1) 경과관찰

(2) 예방적 담낭절제술이 필요한 경우(= 담석 관련 합병증 or 담낭암 발생 위험이 높은 경우)

　① 담낭용종 동반(특히 1 cm 이상의 용종)

　② 석회화 담낭(porcelain GB)

　③ 3 cm 이상의 담석

　④ 총담관 담석 동반

　⑤ 이식환자

　⑥ 만성용혈성증후군

　⑦ 췌담관합류이상 등의 선천적 기형동반

2) 증상이 있는 담석

(1) 복강경 담낭 절제술(laparoscopic cholecystectomy): 표준 치료법

　① 일상생활에 영향을 주는 통증이 발생하거나 담낭염, 췌장염 같은 합병증이 발생한 경우

　② 수술 후 합병증 4%, 담관 손상 0.2-0.6%, 사망률 <0.1%, 개복으로의 전환률 5%

(2) 담석 용해: 우리나라는 순수한 콜레스테롤 담석보다는 색소성 담석의 비중이 높아 환자 선택이 용이하지 않음

　① 적응증: 담낭 기능 정상, 방사선 투과성 담석, <10 mm

　② 6개월-2년 치료하면 50%까지 용해되나 5년 내에 50%까지 재발

　③ Ursodeoxycholic acid (UDCA) 10-15 mg/kg/day

　④ 색소성담석에서 UDCA는 효과 없고 pinene 제제(로와콜) 일부 효과

II. 급성 담낭염(Acute cholecystitis)

1. 정의

담낭의 염증, 90-95%에서 담석에 의한 담낭관 폐쇄가 원인

2. 병태생리

1) 기계적 염증: 담석에 의한 담낭관(cystic duct) 폐쇄 → 담낭벽의 압력 증가, 팽창, 허혈

2) 화학적 염증: lysolecithin과 기타 국소조직 인자

3) 세균감염: 급성 담낭염의 50-85% (E. coli, Klebsiella spp., Streptococcus spp., Clostridium spp.)

3. 임상양상

1) 문진: 오심, 구토, 발열, 심하고 지속적인 상복부/우상복부통증, 60-70%에서 이전에 통증 경험

2) 신체검사: 우상복부압통, Murphy's sign

3) 검사실소견: 백혈구증가, 경미한 간효소, 빌리루빈 수치 상승(<5 mg/dL)

4. 진단

1) 특징적 병력과 신체 검진 소견(우상복부 압통, 발열, 백혈구 증가)

2) 복부초음파 검사: 담낭염 의심될 때 우선 시행

(1) 90-95%에서 담석 발견

(2) 담낭벽의 부종, pericholecystic fluid, sonographic Murphy's sign

3) CT: 담낭염의 합병증 및 임상양상이 유사한 질환 감별

4) Radionuclide (HIDA, DISIDA) biliary scan

(1) 담낭관 폐쇄시 방사선 핵종이 담낭으로 들어가지 않아 담낭 음영이 관찰되지 않음

(2) 응급검사로는 부적절

표 4-10-1 담낭염의 진단(Tokyo guideline 2018)

A. 국소적 염증의 징후
(1) Murphy's sign, (2) 우상복부 통증/압통/종괴(팽창된 담낭)
B. 전신적 염증의 징후
(1) 발열, (2) CRP 상승, (3) 백혈구 증가
C. 영상 검사 소견
급성담낭염의 특징적인 영상 소견

담낭염 의심(suspected diagnosis): A에서 1개 + B에서 1개
담낭염 확진(definite diagnosis): A에서 1개 + B에서 1개 + C

5. 치료

1) 내과적 치료

(1) 금식, 비위관(구토 심한 경우), 수액 및 전해질 교정, 통증조절(meperidine or NSAIDs)

(2) 항생제: 염증 초기에는 세균 감염이 없을 수 있으나 심한 담낭염에 대부분 필요

(3) 경피적 담낭배액술(cholecystostomy, PTGBD): 내과적 문제로 수술 위험도가 높은 경우

2) 수술적 치료

(1) 복강경 조기 담낭절제술(early elective laparoscopic cholecystectomy)

　① 합병증 없는 급성담낭염에서 표준술식

　② 진단 후 48-72시간 이내, 내과적 치료로 환자상태가 안정된 후에 시행

(2) 응급담낭절제술(emergency cholecystectomy)

　① 급성담낭염의 합병증인 화농성/기종성 담낭염, 천공이 있는 경우 고려

(3) Delayed cholecystectomy(진단 후 6주 이상 지난 후)

　① 전신 상태나 내과적 문제로 조기 수술 위험도가 높은 경우(PTGBD 우선 시행)

　② 급성 담낭염 진단이 불확실한 경우

표 4-10-2 담낭염의 항생제 치료

1. 경증 급성 담낭염
: cephalosporin
2. 혐기성 균주 의심(괴저성, 기종성 담낭염)
: piperacillin + tazobactam, ceftriaxone + metronidazole, levofloxacin + metronidazole
3. 심한 패혈증 동반, 중증의 급성 담낭염, 다른 약제 반응 없는 경우
: imipenem, meropenem

6. 예후

1) 급성담낭염의 75%는 내과적으로 호전

2) 수술하지 않고 내과적으로 호전된 75% 중 25%는 1년 내, 60%는 6년 내 담낭염이 재발

III. 급성 무담석성 담낭염(Acute acalculous cholecystitis)

1. 정의

담석을 동반하지 않는 급성담낭염(급성담낭염의5-10%)

2. 위험인자

1) 50% 이상에서 원인을 알 수 없음

2) 심한 외상이나 화상, 장시간의 산통, 수술, 장기간의 비경구적 영양법, 혈관염, 당뇨, 담낭 염전, 감염

(Leptospira, Streptococcus, Salmonella, or Vibrio cholerae), 기생충 감염, 담낭암에 의한 담낭관 폐쇄, 기타 내과적 전신 질환

3. 임상양상

담석을 동반한 담낭염과 같음

4. 진단

초음파 또는 복부CT에서 팽창되고, 수축이 없는 무결석 담낭을 관찰

5. 치료

1) 급성 담낭염의 치료와 동일
2) 괴저와 천공의 발생률이 담석성 담낭염보다 높아 응급 담낭절제술 필요할 수도 있으나 경피적 배액 (PTGBD)으로 대부분 호전 가능
3) 원인이 교정되면 재발이 많지 않아 배액관을 통한 cholangiogram이 정상이면 수술없이catheter 제거 해 볼 수 있음

IV. 무담석성 담낭증(Acalculous cholecystopathy)

1. 정의

담낭의 운동기능의 이상으로 인해 담석이 없는 환자에서 우상복부동통이 재발되는 질환

2. 임상양상

1) 반복되는 전형적인 우상복부 통증(Biliary colic)
2) CCK 주입시 통증 발생

3. 진단

1) 초음파와 경구동위원소 담낭촬영은 정상, 우상복부동통이 재발하면 의심함
2) 특징적으로 CCK 주사 15분후에 담낭 조영술상(CCK cholescintigraphy) 담낭의 박출계수가 40% 이하

4. 치료

담낭절제술

V. 총담관 결석증(Choledocholithiasis)

1. 정의

담관결석을 갖고 있는 경우, 담낭 담석을 가진 환자의 약 10-15%에서 발견

2. 임상양상

1) 무증상인 경우도 있음, 담관 폐쇄가 생기면 biliary pain이나 황달 발생, 장기간 폐쇄가 있는 경우 2차적 간경화(secondary biliary cirrhosis)
2) 검사실소견: 빌리루빈과 ALP 상승, 담석이 십이지장으로 배출되면서 일시적으로 AST/ALT, 아밀라제 급격히 상승
3) 합병증: 담관염, 췌장염, 담낭염, 담관협착

3. 진단

1) 복부초음파: 담관의 확장
2) EUS: 민감도와 특이도가 약 98%, 2 mm 이하의 담석이나 슬러지도 진단 가능
3) MRCP: 1 cm 이상의 총담관결석은 95% 이상에서 확인
4) ERCP: 담관담석 진단과 치료 동시에 가능
5) 경피적 담관조영술(Percutaneous transhepatic cholangiography)

4. 치료: ERCP

1) 총담관 결석은 담관염, 췌장염 등 심각한 합병증을 일으킬 수 있어 발견시 제거
2) 담석의 크기가 2 cm 이상이거나 포획이 어려운 경우 기계적 쇄석술, 전기수압 쇄석술(EHL), 체외충격파 쇄석술(ESWL) 시도

VI. 담관염(Cholangitis)

1. 정의

총담관의 폐쇄와 급성 염증, 감염의 동반(E. coli, Bacteroides, Klebsiella, Clostridium)

2. 원인

1) 총담관결석증
2) 담관협착
3) 담관암, 췌장암
4) 기생충 감염(Clonorchis sinensis, Opisthorchis viverrini)

3. 임상양상

1) Charcot's triad: 담도산통+황달+발열/오한(spiking fever)

2) Reynolds'pentad: Charcot's triad+쇼크+의식이상

3) 담석 등에 의해 폐쇄된 담관에 압력이 높아지고 농이 차게되면(suppurative cholangitis) 의식저하, 균혈증, 패혈성 쇽이 발생할 수 있음

4. 진단

1) 담석 환자에서 황달이나 췌장염, 간수치 이상, 초음파 또는 MRCP에서 담관 확장, 담석이 있으면 의심, 담낭염에서 빌리루빈 >5 mg/dL이면 의심

2) 복부초음파: 총담관결석 및 담관확장 확인

3) CT: 담석의 합병증 감별에 유용하나 담석 자체의 진단율은 떨어짐

4) MRCP: 초음파, CT에서 진단이 부정확하거나 원인이 불분명할 때

5) ERCP: 총담관결석, 담관염의 진단 및 치료의 gold standard

표 4-10-3 담관염의 진단(Tokyo guideline 2018)

1. 전신 염증
A-1. 발열 ± 오한
A-2. 검사실 소견: 백혈구, CRP

2. 담즙 정체
B-1. 황달
B-2. 검사실 소견: 간수치 이상(ALP, r-GTP, AST/ALT)

3. 영상 검사
C-1. 담관 확장
C-2. 담관염을 일으킬 수 있는 병변: 협착, 담석, 스텐트 등

담관염 의심(suspected diagnosis): A에서 1개 + B 또는 C에서 1개
담관염 확진(definite diagnosis): A에서 1개 + B에서 1개 + C에서 1개

5. 치료

1) 원인 치료, 항생제, 조기 담관 배액

2) 항생제치료

(1) 경증: cephalosporin 단독

(2) 중증: piperacillin-tazobactam, cefepime, imipenem, meropenem

3) 담관 배액

(1) 중증 담관염의 경우 패혈성 쇽이 올 수 있어 응급 감압이 필요

(2) 역행성 역행성담췌도조영술을 우선 고려, 환자 상태에 따라 경피적 담관 배액술(PTBD)

4) 담낭결석이 동반된 담관염은 재발 방지위해 복강경하 담낭 절제술을 고려

5

간질환

✛ 간질환 환자의 접근법

• 임상적 병력 청취
　1. 약물, 음주, 음식섭취(조개류, 버섯 등)
　2. 당뇨, 비만 등의 기왕력
　3. 간염의 가족력, 간염환자나 황달환자와 접촉한 기왕력
　4. 수혈의 기왕력, 주사나 투약을 받은 기왕력
　5. 직업
　6. 체중감소, 발열, 오심이나 구토 등의 증상
　7. 소변색이나 대변색의 변화
　8. 복부통증, 가려움증 등의 증상

• 신체검사
　나이와 성별, 의식상태, 피부병변, 복부검사, 직장 수지검사 등 전반적인 신체검사 실시

• 시행할 검사
　1. 생화학적검사(AST, ALT, 빌리루빈, alkaline phosphatase, γ-GTP, albumin)
　2. 프로트롬빈 시간(정맥으로 vitamin K를 투여하기 전, 후)
　3. 혈액학검사(CBC)
　4. 소변검사 & 대변검사
　5. 흉부 X선 사진, 복부 초음파, 전산화단층 촬영, 내시경적 역행적 췌담도조영술(ERCP)
　6. 간조직 생검

I. 간질환의 원인

표 5-1-1 간질환의 원인

선천성 고빌리루빈혈증	자가면역성간염
Gilbert 증후군	경화성담관염
Crigler-Najjar 증후군, I 형과 II 형	Overlap 증후군
Dubin-Johnson 증후군	전신질환에 의한 간질환
Rotor 증후군	Sarcoidosis
바이러스간염	Amyloidosis
A형 간염	Glycogen storage disease
B형 간염	Celiac disease
C형 간염	Tuberculosis
D형 간염	Mycobacterium avium intracellulare
E형 간염	담즙정체성 증후군
기타(단핵구증, herpes, adenovirus 간염)	Benign postoperative cholestasis
잠복간염	Jaundice of sepsis
자가면역성 간질환	Total parenteral nutrition-induced jaundice
원발성담도성간경변	Cholestasis of pregnancy

Cholangitis and cholecystitis
Extrahepatic biliary obstruction (stone, stricture, cancer)
Biliary atresia
Caroli's disease
Cryptosporidiosis
이식편대숙주반응
동종절편 거부반응
유전적 간질환
α1-antitrypsin 결핍증
혈색소증
윌슨병
Benign recurrent intrahepatic cholestasis (BRIC)
Familial intrahepatic cholestasis (FIC), types I-III
기타: galactosemia, tyrosinemia, 낭성섬유증,
Newman-Pick 질환, Gaucher씨 병
알코올성 간질환
급성지방간
급성지방간염
Laennec's 간경변
비알코올성 지방간
지방증
지방간염

임신 급성 지방간
약인성 간질환
간세포형(isoniazid, acetaminophen)
담즙정체형(methyltestosterone)
혼합형(sulfonamides, phenytoin)
Micro-and macrovesicular steatosis (methotrexate fialuridine)
혈관 손상
Venocclusive disease
Budd-Chiari syndrome
Ischemic hepatitis
Passive congestion
Portal vein thrombosis
Nodular regenerative hyperplasia
종괴 병변
Hepatocellular carcinoma
Adenoma
Focal nodular hyperplasia
Metastatic tumors
Abscess
Cysts

II. 간질환의 진단적검사

가장 기본적인 검사 항목은 AST, ALT, alkaline phosphatase, 빌리루빈, 알부민, 프로트롬빈시간임. 검사항목에 따라 간세포성과 담즙 정체성 형태, 급성과 만성 간질환인지를 구별하고, 간경변과 간부전 상태인지를 확인할 수 있어야 함

표 5-1-2 간질환의 진단적검사

질환	진단적검사
A형 간염	Anti-HAV IgM
B형 간염(급성)	HBsAg, anti-HBc IgM
B형 간염(만성)	HBsAg, HBeAg and/or HBV DNA
C형 간염	Anti-HCV, HCV RNA
D (delta)형 간염	HBsAg, anti-HDV
E형 간염	Anti-HEV
자가면역성 간염	ANA 또는 SMA, 상승된 IgG 수치, 합당한 조직소견
원발성담도성간경변증	미토콘드리아 항체, 상승된 IgM 수치, 합당한 조직소견
원발성경화성담관염	p-ANCA, cholangiography
약인성 간질환	약물 복용력
알코올성 간질환	과음력과 합당한 조직소견
비알코올성 지방간염	초음파와 전산화단층촬영에서 지방간소견, 합당한 조직소견
α1-antitrypsin 결핍증	α1-antitrypsin 수치 감소, PiZZ 또는 PiSZ 표현형
윌슨병	혈중 ceruloplasmin 감소와 소변내 구리 증가, 증가된 간내 구리 수치
혈색소증	증가된 철분 포화능과 혈중 저장철, HiFE 유전자 변이 검사
간세포암	알파태아단백질 수치 >200 ng/ml: 전산화단층촬영, 자기공명영상 또는 간동맥조영술에 합당

III. 만성 간기능 이상의 진단적 접근

간질환의 임상적 분류는 간세포성, 담즙정체성, 혼합형으로 크게 분류하고 진단을 위한 접근 방법은 다음과 같음

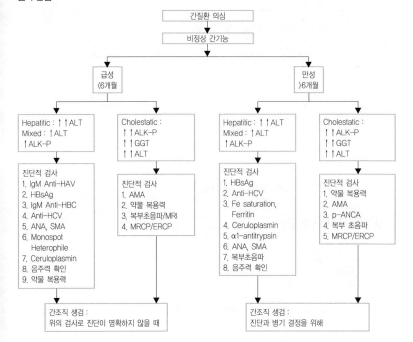

IV. 간기능 검사의 해석

1. ALT가 이상 소견을 보일 때

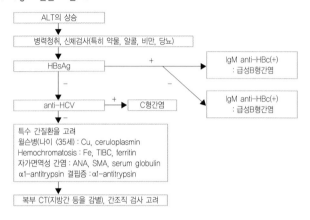

2. 급성간염이 의심되는 경우

3. 만성간염이 의심되는 경우

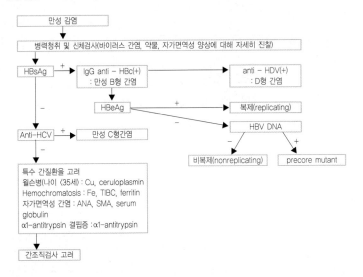

4. Alkaline phosphatase가 상승되어 있는 경우

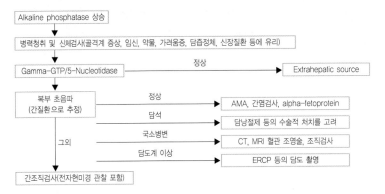

5. Gamma-GTP가 상승되어 있는 경우

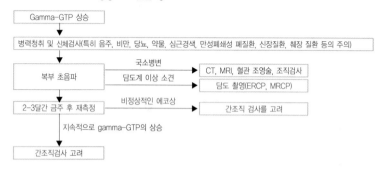

6. 빌리루빈이 상승되어 있는 경우

✚ 고빌리루빈 혈증의 진단시 최초 검사

① 임상적 병력청취 – 직업, 가족력, 황달환자와 접촉한 적이 있는지? 주사나 투약을 받은 적이 있는지? 음주력은? 음식 섭취(조개류나 버섯 등)는? 체중감소는? 오심이나 구토 등의 전구증상이 있었는지? 소변색이나 대변색의 변화가 있는지? 복부통증이 있었는지? 등의 자세한 병력청취를 함

② 신체검사 – 나이와 성별, 의식상태, 피부병변, 복부 검사(direct tenderness, Murphy's sign for R/O cholecystitis, 간-비장 촉지 등), 직장 수지 검사 등 전반적인 신체검사를 실시함

③ 소변검사 & 대변검사(UA, stool 검사)

④ 생화학적 검사(total bilirubin, direct bilirubin, AST, ALT, alkaline phosphatase, r-GTP, albumin)

⑤ 혈액학 검사(CBC)

⑥ Prothrombin time(정맥으로 vitamin K를 투여하기 전, 후)

⑦ 흉부X선 사진

혈중 빌리루빈의 표준범위- 총빌리루빈 0.3-1.2 mg/dL, 직접 빌리루빈 0-0.2 mg/dL

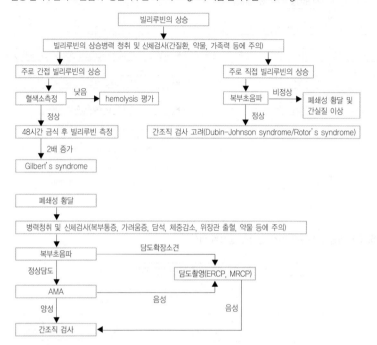

7. 전반적으로 간 수치가 약간씩 상승되어 있는 경우

1) 특수 간질환에 대한 검사

(1) 바이러스성 또는 독성간염(알콜성간염도 포함)

① 일반적인 바이러스성염 (A형 간염, B형 간염, C형 간염), Ebstein-Barr virus, Cytomegalovirus, Herpesvirus

(2) 자가면역성간염

① 원발성 담즙성 간경변: antimitochondrial antibody (AMA)

② 자가 면역성 간염: anti-nuclear antibody, anti-smooth muscle antibody, anti-liver/kidney microsomal antibody

(3) 유전성 대사질환

① 혈색소증: Iron, Transferrin level, ferritin

② alpha1-antitrypsin 결핍증

③ Wilson씨병: 혈중 ceruloplasmin, 24시간 urine copper

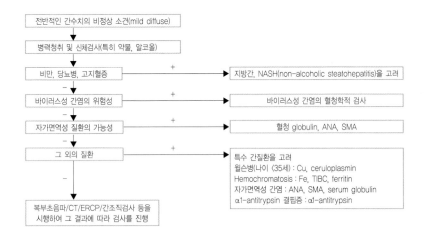

8. 간이식을 받은 환자에서 간기능 검사의 이상

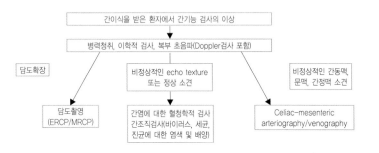

V. 다른 간기능 지표

알부민(albumin)	프로트롬빈시간(prothrombin time, PT)
1. 간에서만 생산됨	1. Extrinsic & Common pathway를 반영
2. 혈중 반감기 - 21일	2. Factor VII, X, V, prothrombin, fibrinogen
3. 급성 간기능 이상을 평가하기 어려움	3. 반감기가 1일이 되지 않으므로 간합성기능의 변화에 빠르게 반응
	4. PT 연장 - Vitamin K 부족 또는 간질환

* **혈청알파태아단백(정상치: <10 ng/ml)**
  - 간암: ≥200 ng/ml 혹은 doubling time이 빠른 경우
  - 급성, 만성간질환: -10 ng/ml, 가끔 200-400 ng/ml로 상승되는 경우도 있음

VI. 간조직 검사

표 5-1-3 간조직 검사의 적응증과 금기증

적응증	금기증
1. 알콜성간염, 비알콜성 지방간염, 자가면역성 간염의 진단, grading, staging	1. 절대적 금기
2. 만성 B형 간염, C형 간염의 grading & staging	1) 비협조적인 환자
3. 혈색소 침착증의 진단	2) 원인미상의 출혈의 기왕력이 있는 경우
4. 윌슨병의 진단	3) 출혈성 경향이 있는 경우
5. 담즙정체성 간질환의 평가(primary biliary cirrhosisprimar sclerosing cholangitis)	(1) PT ≥ 3~5초 연장
6. 혈청학적 검사상 음성이거나 결론이 나지 않는 이상 간기능 소견의 평가	(2) 혈소판 <50,000/mm³
7. 치료 약물의 효과 및 부작용에 대한 평가	(3) Bleeding time 연장(≥10분)
8. 간종양에 대한 진단	(4) 7~10일 이내에 NSAID을 사용
9. 간이식후 상태에 대한 평가 또는 이식 전 공여자에 대한 평가	4) 수혈을 할 수 없는 경우
10. 불명열에 대한 평가(조직 배양검사도 포함)	5) 혈관종이나 다른 혈관종양이 의심되는 경우
	6) 타진이나 초음파로 적절한 검사 위치를 정할 수 없는 경우
	7) 간에 echinococcal cyst가 의심되는 경우
	2. 상대적 금기
	1) 병적비만, 복수, 혈우병
	2) 우측 흉강내 혹은 우측 가로막 밑에 염증이 있는 경우

✛ 진단과 치료를 위한 핵심사항

- 임상적 병력 청취
  1. 약물, 음주, 음식섭취(조개류나 버섯 등)
  2. 간염의 가족력, 간염 환자나 황달 환자, day care center에서 어린이와 접촉한 기왕력
  3. 수술 및 수혈의 기왕력, 주사나 투약을 받은 기왕력
  4. 직업, HAV가 유행하는 지역으로의 여행력
  5. 간염의 기왕력

- 신체검사
  나이, 피부병변, 복부검사(압통, 간 비장 종대 등

- 검사실 검사
  1. CBC, PT, BC, IgM anti-HAV 항체
  2. HBsAg, IgM anti-HBc, anti-HCV(다른 급성 간염 배제 및 동반 감염)
  3. 복부 초음파

- 치료 - 대증요법

* 국내에서는 제군 감염병으로 지정되어 환자 발생시 즉시 관할 보건소에 신고, 황달 발생 후(황달이 없는 경우 입원일로부터) 1주간 접촉 격리함

---

1. 전파경로

1) **Fecal-oral route**: 사람간 전파, 오염된 음식물이나 물을 섭취

2) **가족 및 집단내전파**: 흔함

3) **성접촉(sexual)에 의한 전파**: 드물지만 동성간의 성관계로 인해 감염되는 경우가 종종 보고됨

4) **경피적(percutaneous) 접종, 수혈에 의한 전파**: 드묾

5) **역학**

   (1) 저개발사회: 유년 시기에 무증상감염

   (2) 산업화된 사회: 어린이의 감염이 적으나 성인으로 갈수록 유병률이 높아지고 임상적 감염으로 나타남

   (3) 폐쇄적 환경의 집단에서 집단발병의 형태로 나타남

   *국내에서는 제1군 감염병으로 지정되어 환자 발생 시 즉시 관할 보건소에 신고, 황달 발생 후(황달 없는 경우 입원일로부터) 1주간 접촉 격리함

2. 임상양상

1) **잠복기**: 무증상(황달 없음) - 보통 4주

2) **임상적 감염(황달)**

(1) 전구증상(피로, 쇠약감, 오심, 구토, 복통, 발열, 두통, 관절통, 근육통, 설사) → 진한 소변, 황달, 간 비종대, 임파선종대(2개월에서 6개월까지 지속됨)

(2) 황달이 나타나면 감염력이 감소함

3) **전격성간염(fulminant hepatitis) (0.1%)**: 노년층과 만성 간질환을 가진 사람에서 호발. 35% 정도는 저절로 회복되나 나머지는 간이식을 받지 못하면 사망. 위험인자로는 나이(40세 이상), 동반된 만성 간질환(B, C형 간염, 자가면역성간염)

3. 진단

급성간염에 합당한 증상이 있거나 무증상이지만 AST/ALT가 상승한 환자에서 IgM anti-HAV 양성을 보일 때

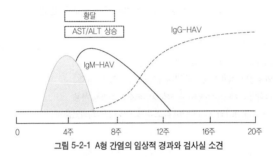

그림 5-2-1 A형 간염의 임상적 경과와 검사실 소견

4. 검사실소견

1) IgM anti-HAV: 확진. 예민도와 특이도는 100%에 이를 정도로 신뢰성이 있으나, 증상이 나타나는 초기에는 음성으로 판독될 수가 있어서 1-2주 후에 재검사가 필요

2) IgG anti-HAV: 과거 감염과 면역력 획득을 의미함

3) HBsAg, IgM anti-HBc, anti-HCV, ANA, SMA, heterophile, ceruloplasmin 등의 급만성, 간질환을 감별

4) 빌리루빈은 간 효소수치가 최고조에 도달한 후 서서히 감소하여 2개월 내에 대부분 정상화됨

표 5-2-1 급성간염의 혈청학적 진단

진단	선별검사	추가검사
A형 간염	IgM anti-HAV	필요 없음
B형 간염	HBsAg, IgM anti-HBc	HBeAg, anti-HBe, HBV DNA
C형 간염	Anti-HCV by EIA	HCV RNA by PCR
D형 간염	HBsAg	anti-HDV
E형 간염	병력, anti-HEV	HEV RNA by PCR
Mononucleosis	병력, 백혈구 분획수	EBV (VCA) IgM
약인성 간염	병력	

5. 경과

1) 보유자나 만성간염과 같은 합병증 없이 발병 후 2개월 이내 완전히 회복함
2) 비전형적 임상양상: 재발성간염, 담즙정체성간염, 급성 신부전 등
   (1) 재발성간염(relapsing hepatitis): 급성간염의 회복 후 증상의 재발, 간 효소 수치의 상승, 간혹 황달이 발생함. 간염 바이러스의 분변 내 배출
   (2) 담즙정체성간염(cholestatic hepatitis): 3개월 이상 지속되는 담즙 정체성 황달과 소양감
   (3) 급성 신부전(acute kidney injury): 1.5-4.7%에서 발생하고 황달 및 면역복합체 등에 의한 신독성에 의해 발생하여 혈액 투석이 필요할 수 있음

6. 치료

1) 대증요법   2) 절대 침상 안정이 반드시 필요하지는 않음
3) 고칼로리 식사
   (1) 하루 중 오후에 오심, 구토증세가 나타나기 때문에 아침에 주요한 칼로리를 섭취하는 것이 좋음
   (2) 급성기에 구토가 심할 경우 경정맥 영양 시행
4) 담즙 정체와 같은 부작용이 있거나 간에서 대사되는 약물은 피함
5) 소양감이 심하면 cholestyramine (bile salt-sequestering resin) 사용
6) 퇴원: 증상이 호전, ALT와 빌리루빈이 감소 추세, PT가 정상화되었을 때

7. 예방접종

1) 면역글로불린을 사용한 수동 면역
   (1) 가정, 성적, 기관 내에서의 친밀한 접촉 후 예방(Post-exposure prophylaxis of intimate contacts)
   (2) 노출 즉시 면역글로불린 0.02 mL/kg 투여(노출 후 2주 이내에 투여해야 효과 있음)
   (3) 예방이 필요 없는 군
      ① 이미 HAV 백신을 접종한 사람   ② 일상적 접촉 시(사무실, 공장, 학교, 병원 등)
      ③ 고령(대부분 면역이 되어 있기 때문에) ④ 혈청내 anti-HAV 있는 환자
   (4) HAV 빈발 지역으로 여행시 면역 글로불린 예방
      ① 여행기간이 3개월 미만이면: 0.02 mL/kg 투여
      ② 여행기간이 3개월 초과되면: 0.06 mL/kg 매 4-6개월마다 추가

2) 불활성화 백신
   (1) 적어도 1세 이상에서 접종: 2015년 이후 12-36개월 사이 소아를 대상으로 전국민 무료 접종
   (2) 접종 후 4주는 지나야 예방이 가능
   (3) 노출 전 예방 수단으로 주로 사용함
   (4) 여행이 긴박하면 백신을 투여하고 다른 주사 부위에 면역글로불린(0.02 mL/kg) 투여
   (5) 장기적 예방이 가능함(항체의 예방적 농도가 백신 후 20년 후에도 지속됨)
   (6) 2회 접종: 첫 접종 후 6-18개월 사이에 2차 접종

✤ B형 간염바이러스

1. Hepadnavirus에 속함
2. 3.2 kb partially single-strand, partially double-strand DNA virus
3. 4개의 overlapping 유전자(S, C, P, X)를 가지고 있음
   1) Pre S1 + Pre S2 + S = large envelope protein
   2) Pre S2 + S = middle envelope protein
   3) S = major envelope protein = HBsAg
   4) Pre C + C = HBeAg (nucleocapsid, soluble, secreted protein)
   5) C = HBcAg (nucleocapsid, intracellular core protein)
   6) P = DNA polymerase (RNA-dependent reverse transcriptase, DNA-dependent DNA polymerase)
   7) X = HBxAg (transactivation of IFNr and class I MHC gene, apoptosis, carcinogenesis와 연관)

✤ B형 간염환자 접근법

- 임상적 병력 청취
   1. B형 간염바이러스 보유기간
   2. 약물, 음주, 음식섭취(조개류, 버섯 등)
   3. 간염의 가족력, 간염환자나 황달환자와의 접촉 기왕력
   4. 수술 및 수혈 기왕력, 주사나 투약을 받은 기왕력
   5. 직업
   6. 체중감소, 발열, 오심이나 구토 등의 증상
   7. 소변색이나 대변색의 변화
   8. 복부통증, 가려움증 등의 증상

- 신체검사
   나이와 성별, 의식상태, 피부병변, 복부 검사(압통, Murphy's 증후, 간 비장 촉지 등), 직장 수지 검사

- 검사실 검사
   1. CBC, PT, BC(AST, ALT, TB, DB, Alb 등), IgM/IgG anti-HBc, HBsAg, Anti-HBs
   2. HBeAg/anti-HBe status, HBV DNA 정량 - HBV 증식성 평가
   3. anti-HCV, anti-HAV, anti-HEV, anti-HDV - 다른 원인의 간질환 배제 및 동반 감염 확인
   4. 복부초음파, AFP - 간암 스크리닝
   5. 간조직검사 - 간질환의 등급 평가

- 치료
   1. 급성간염: 대증요법
   2. 만성간염
      1) 면역조절제: 인터페론, 페그인터페론
      2) 항바이러스제: 테노포비어, 엔테카비어, 라미부딘, 텔비부딘, 아데포비어, 클레부딘

I. 급성 B형 간염

1. 전파 경로

1) 전파 경로

(1) 주로 비경구적인 경로나 친밀한 개인적인 접촉

(2) 모체로부터의 수직 감염

(3) 가족내 감염

2) 고위험군

(1) 고풍토지역에서 출생한 자

(2) 동성애 남자

(3) 경피적 약물 사용자

(4) 혈액 투석자

(5) HIV 감염자

(6) 임산부

(7) B형 간염 환자의 가족, 동거인, 성적접촉자

2. 임상 양상

1) 오심, 식욕부진, 피로감, 미열, 우상복부/심와부 통증, 황달, 근육통, 관절통, 두드러기, 간종대, 진한 소변

2) 1-3개월에 대부분의 증상은 사라짐(단, 피로감은 오래 지속될 수 있음)

3. 진단

1) 급성간염에 합당한 증상(약물, 알코올, 타질환에 대한 문진으로 감별 진단이 필요)

2) AST/ALT 상승- 수백~ 20,000 IU/L

3) HBsAg과 IgM anti-HBc 양성

4) IgG anti-HBc 양성 또는 IgM anti-HBc 동시 양성인 경우는 만성 B형 간염의 급성악화도 꼭 함께 고려 (특히 B형 간염 보유 유무를 몰랐을 경우, 가족력 등을 문진)

* **B형 간염바이러스 표지자 해석표**

HBsAg	Anti–HBs	Anti–HBc	HBeAg	Anti–HBe	해석
+	−	IgM	+	−	급성B형 간염(전염력 높은 상태)
+	−	IgG	+	−	만성B형 간염(전염력 높은 상태)
+	−	IgG	−	+	1. 급성B형 간염의 후기 또는 만성B형 간염(전염력 낮은 상태)
					2. HBeAg음성-만성B형 간염(precore mutant)
+	+	+	+/−	+/−	1. HBsAg 아형과 heterotypic anti–HBs 공존상태
					2. HBsAg to Anti–HBs로 혈청전환상태(드묾)
−	−	IgM	+/−	+/−	1. 급성B형 간염
					2. Anti–HBc window

HBsAg	Anti-HBs	Anti-HBc	HBeAg	Anti-HBe	해석
–	–	IgG	–	+/–	1. Low-level viremia(잠재감염) 2. remote past infection(과거감염)
–	+	IgG	–	+/–	B형 간염으로부터의 회복
–	+	–	–	–	1. 백신접종 후 상태(면역화상태) 2. 위양성

4. 검사실소견

1) 필요한 검사 항목: HBsAg/Ab, IgM anti-HBc, HBV DNA, HBeAg/anti-HBe, CBC, PT, blood chemistry (AST/ALT, electrolyte, albumin, alkaline phosphatase, gamma-GTP, bilirubin을 포함)

2) 빌리루빈의 상승: 간효소 수치가 상승되기 시작한 지 1-2주 후에 상승하기 시작, 일반적으로 20 mg/dL 이하

3) 경한 빈혈

4) 상대적 림프구 증가증(relative lymphocytosis)

5) Alkaline phosphatase의 경한 상승

6) 심한 경우: PT 연장, 혈중 알부민 감소

5. 방사선학적 검사

1) 복부초음파 검사: 간실질의 이상, 복수, 담도폐색, 종양 등의 감별에 도움이 됨

2) CT, MRI: 담도폐색, 종양이 의심될 때 시행함

6. 경과

1) 급성, 자연치유(self-limited): 전형적인 양상

2) 만성간염

(1) 남자, 면역이 저하되어 있는 경우 만성으로 진행 될 확률이 높아짐

(2) 감염 당시 나이에 따라 달라짐: 신생아(90%), 영아(30%), 성인(10% 미만)

3) 전격성간염

(1) 나쁜 예후와 관련된 인자: 고령, 기저 간질환, core promoter/precore mutant에 의한 감염

7. 치료

1) 대증적 치료

2) 항바이러스제투여는 추천되지 않음

(다만 급성 간부전이나 장기간에 걸친 심한 간염을 동반하는 경우 고려)

II. 만성 B형 간염

1. 진단

표 5-3-1 만성간염의 혈청학적 진단

만성 B형 간염	비활동성 B형 간염 보유자	B형 간염 완치
a. HBsAg(+) > 6개월 b. HBeAg(+) CHB : HBV DNA 　≥ 20,000 IU/mL(≥ 10⁶ copies/mL) 　HBeAg(−) CHB : HBV DNA 　≥ 2,000 IU/mL(≥ 10⁴ copies/mL) c. 지속적 혹은 간헐적 AST/ALT의 상승 d. 간조직검사상 　만성간염(necroinflammatory score 　≥4)	a. HBsAg(+) > 6개월 b. HBeAg(−), anti-HBe(+) c. 혈중 HBV DNA < 2,000 IU/mL 　(< 10⁴ copies/mL) d. 지속적으로 정상 AST/ALT level e. 간조직검사상 유의한 간염의 소견이 　없음(necroinflammatory score < 4)	a. 이전에 급성 혹은 만성 간염의 기왕력 　이 있거나 항체(nti-HBc±anti-HBs)가 　있음 b. HBsAg(−) c. 혈중 HBV DNA가 측정되지 않음 d. 정상 ALT level

2. 만성 B형 간염 환자의 평가

최초 평가

　1. 병력 청취 및 신체검사
　2. 검사실 검사 – CBC, PT, BC
　3. HBeAg/anti-HBe, HBV DNA – HBV의 증식을 평가
　4. anti-HCV, anti-HDV – 동반된 다른 간질환을 확인하기 위함
　5. 복부초음파, AFP – HCC를 스크리닝하기 위함
　6. 간조직검사 – 만성간염의 진단에 합당한 경우에 간질환의 단계와 등급을 평가하기 위함

치료를 고려하지 않는 환자에 대한 경과 관찰

증식성 B형 간염 보유자	비활동성 B형 간염 보유자
• HBeAg+, HBV DNA >20,000 IU/mL, 정상 ALT 상태 • 대개 6개월 간격으로 검사하고, 증상 있는 경우 수시로 　검사 • ALT >1~2×ULN로 상승하면 1~3개월 마다 재검 • ALT >2×ULN인 상태가 3~6개월 이상 지속되면서 e항원 　혈청전환이 되지 않는 경우 치료시작을 고려 • 남자 35세 이상, 여자 40세 이상인 경우는 복부초음파, 　AFP 시행 – 간암을 선별하기 위해 6개월마다 검사	• HBeAg(−)/HBeAg(+), HBV DNA<2,000 IU/mL, 정상 ALT • reactivation되는 경우가 있으므로 대개 6개월 간격으로 검 　사하고, 증상 발현시 수시로 검사 • ALT 상승시 HBeAg/Ab 및 HBV DNA검사, 다른 간질환의 　원인을 배제 • 복부초음파, AFP 　– 간암을 스크리닝하기 위해 6개월마다 검사 　– 35세 이하의 경우 임상경과가 매우 좋으면 복부초음파 　　시행 간격을 융통성 있게 늘릴 수 있음

3. 치료

1) 치료 약제의 비교(HBeAg양성 간염 환자의 경우)

표 5-3-2 치료약제의 비교표

	Peg-interferon	Lamivudine	telbivudine	Entecavir	Adefovir	tenofovir
치료기간	48주~52주	≥ 1년	≥ 1년	≥ 1년	≥ 1년	≥ 1년
투약경로	피하주사	경구복용	경구복용	경구복용	경구복용	경구복용

투여량	180 μg 주당1회	100 mg 매일 복용	600 mg 매일 복용	0.5 mg 매일 복용	10 mg 매일 복용	300 mg 매일 복용
HBV DNA <60~80 IU/ml (1년째)	7~14%	36~44%	60%	67%	13~21%	76%
e항원혈청전환 (1년)	29~32%	16~18%	22%	21%	12~18%	21%
약제내성	없음	약 70%(5년째)	25.1%(2년째)	1.2%(5년째)	15%(4년째)	0%(7년)

현재 초치료 환자에게서 페그인터페론알파, 엔테카비어, 테노포비어가 1차 약제로 권고됨

(1) 페그인터페론(Pegylated interferon 또는 Peg-interferon)

① Pegylated interferon-alpha: 신장청소율을 감소시켜 주1회 투여, 180 ug씩 48주 치료

② HBeAg 혈청 전환률이 경구 용제제에 비하여 높은 편이고 HBsAg 소실을 기대해 볼 수 있어 간 기능이 좋고, 젊고 약제 부작용을 견딜 수 있을 만한 환자에서 고려

③ 경구용 항바이러스제와 병합요법으로 표면항원 소실이 증가된다는 보고가 있음

(2) 라미부딘(Lamivudine)

① 매일100 mg씩 복용- 초기반응은 좋으나 장기간 사용시 내성 바이러스 출현이 문제가 됨

② YMDD 돌연변이

i) 장기간 치료를 하는 경우에 높은 빈도로 발생함

ii) 야생형(wild type)보다 복제가 비효율적이고 병원성이 적다고 생각됨

iii) 매년 약 20~25%의 내성이 발생하여 치료 시작 4-5년 후에는 약 70%가 발생

(3) 아데포비어(Adefovir dipivoxil)

① 매일 10 mg 복용- 야생형과 라미부딘 내성 B형 간염 바이러스에 모두 효과를 보임

② 초치료 환자에서 라미부딘보다 내성률은 낮으나 치료기간에 따라 내성이 증가함. 그러므로 라미부딘 내성시 아데포비어로의 전환(switch)이나 추가(add-on)보다는 테노포비어로 치료로 전환하는 것이 권고됨.

③ 부작용: 신독성, 전해질 이상, 골감소증이 나타날 수 있음

(4) 엔테카비어(Entecavir)

① 매일 0.5 mg씩 복용(공복상태에 복용): 엔테카비어 48주간 치료할 때 라미부딘 보다 e항원 반응을 제외하고, 조직학적 호전과 바이러스적, 생화학적 반응 모두 우수한 결과를 보임

② 초치료 환자에서 엔테카비어 내성 바이러스 출현은 거의 없으나, 라미부딘 내성환자에서는 엔테카비어 내성이 흔함

③ 라미부딘 내성환자에서 매일 엔테카비어 1.0 mg씩 단독 복용은 더 이상 권장되지 않음

(5) 클레부딘(Clevudine)

① 초치료 시 엔테카비어와 비슷한 정도의 바이러스학적 반응률을 보이나 라미부딘과 교차 내성이 있으며, 2년 치료에 내성률이 24% 정도로 높음

② 높은 내성율 및 근병증 발생 위험의 문제점으로 최근에는 거의 사용하지 않음

(6) 텔비부딘(Telbivudine)

　① 라미부딘보다 초기 바이러스 억제가 우수하지만 내성이 문제가 됨(2년에 25% 정도 발생)

　② 라미부딘, 클레부딘과 교차 내성이 있음

　③ 미국 FDA class B로 분류되어 임산부에게 투약이 필요할 때 시도할 수 있는 경구 약제임

(7) 테노포비어(Tenofovir)

　① 아데포비어와 유사한 구조와 비슷한 작용기전을 가지나 아데포비어보다 좋은 반응을 보임

　② 테노포비어 48주간 치료할 때 바이러스적, 생화학적, 조직학적 호전, e항원 반응 모두 우수한 결과를 보여 초치료 환자에게 권고됨

　③ 아데포비어와 교차 내성이 있으나 현재 8년까지의 연구에서 내성이 발견되지 않음

　④ 아데포비어처럼 드물게 신독성, 골감소증이 나타날 수 있음

　⑤ 미국 FDA class B로 분류되어 임산부에게 투약이 필요할 때 시도할 수 있는 경구 약제임

　⑥ 라미부딘 계열 내성 환자에 사용시 단독 투여가 인정되고 있으며, 다약제내성 환자에서 엔테카비어 병합요법 또는 단독요법으로 사용 가능함

　⑦ 최근 TDF(비리어드, viread)의 부작용을 완화시킨 신약 TAF(베믈리디, vemlidy)가 개발되어 사용되고 있음

2) 만성 B형 간염의 치료 시작 기준(대한간학회 가이드라인 2018)

(1) HBeAg 양성이며, HBV DNA ≥10^7 IU/mL으로 매우 높고, 지속적으로 정상 ALT를 보이며, 간생검에서 염증 및 섬유화가 없는 면역관용기의 경우 항바이러스 치료대상이 되지 않음(B1)

(2) 혈청 HBV DNA ≥20,000 IU/mL인 HBeAg 양성 또는 혈청 HBV DNA ≥2,000 IU/mL인 HBeAg 음성간염의 경우, ALT가 정상 상한치의 2배 이상이면 항바이러스 치료를 시작함(A1)
ALT가 정상 상한치의 1-2배 사이인 경우, 추적 관찰하거나 간생검을 시행하여 중등도 이상의 염증 괴사 혹은 문맥주변부 섬유화 이상의 단계를 보이면 항바이러스 치료를 시작(A1). 간생검이 곤란한 경우 비침습적 방법의 간섬유화 검사로 평가할 수 있음(B1)

(3) 혈청 HBV DNA ≥2,000 IU/mL인 대상성 간경변증의 경우에는 ALT에 관계없이 항바이러스 치료를 시작함(A1). 혈청 HBV DNA <2,000 IU/mL이더라도 혈청 HBV DNA가 검출되는 대상성 간경변증의 경우에는 ALT에 관계없이 항바이러스 치료를 고려함(B1)

3) 항바이러스 내성 치료의 원칙

(1) 내성발생을 피하기 위하여 초치료부터 내성발생이 적은 약제 페그인터페론, 엔테카비어, 테노포비어 중 하나로 치료함

(2) L-nucleoside 계열의 약제(라미부딘, 텔비부딘, 클레부딘)의 내성이 발생했을 경우: 엔테카비어를 사용하지 말고(내성이 증가하게 됨), 테노포비어로 전환하거나 nucleotide약제(아데포비어, 테노포비어) 한 가지를 병합 치료할 것을 권장함

(3) 아데포비어 내성: 라미부딘에 내성을 보여 아데포비어를 사용한 경우: 아데포비어를 중단하고 테노포비어로 전환 또는 테노포비어와 nucleoside 유사체(라미부딘 또는 엔테카비어 1 mg)를 병합함

(4) 다약제 내성: 테노포비어와 엔테카비어 1 mg 병합 치료를 고려함

4. 예방접종

1) 대상: 모든 신생아와 어린이, 그리고 고위험군에 속해 있는 성인

2) 추가접종: 최근에는 추천되지 않고 있으나, 고위험군에 속해 있는 사람 중 anti-HBs의 역가가 10 IU/mL 이하인 경우 고려 대상(예, 혈액취급자, 혈우병환자, 투석환자 등)

3) 사후예방(postexposure prophylaxis)

(1) B형 간염 산모로부터 태어난 신생아: 생후 즉시 a 0.5 mL single dose of HBIG, 이후 백신 접종

(2) 비경구적 노출(parenteral exposure)시: a single IM dose of HBIG, 0.06 mL/kg 노출된 후 가능한 한 빨리 투여, 이후 백신 접종 실시

표 5-3-3 예방접종

Group	접종 횟수	접종 계획(월)	Recombivax-HB	Energix-B
영아	3	0, 1, 6	5.0 ug (0.5 ml)	10 ug (0.5 ml)
영아(모체가 HBsAg+)	3	0*, 1, 6	5.0 ug (0.5 ml)	10 ug (0.5 ml)
어린이(1~10세)	3	0, 1, 6	5.0 ug (0.5 ml)	10 ug (0.5 ml)
청소년(11~19세)**	3	0, 1, 6	5.0 ug (0.5 ml)	10 ug (0.5 ml)
성인	3	0, 1, 6	10 ug (1.0 ml)	20 ug (1.0 ml)
투석중인 성인***	4	0, 1, 2, 6	40 ug (1.0 ml)	40 ug (2.0 ml)

* B형 간염항체(HBIG)과 최초의 예방접종을 태어난지 12시간내에 시행하여야 함
** 11~15세의 청소년의 경우 접종 0개월과 4~6개월에 각각 10 ug (1.0 ml) 씩 접종하는 방법도 있음
*** Recombivax-HB 는 40 ug/ml (dialysis formulation)이 사용가능함, Energix-B는 1.0 ml 씩 2차례 주사해야 함

(3) 즉시 B형 간염 예방접종을 실시

(4) 급성 혹은 만성간염환자와 성접촉이나 가족내접촉(household contact) 환자: 예방접종만으로 충분함(단, 급성 B형 간염 환자에게 노출된 경우는 HBIG를 동시에 추천하는 경우도 종종 있음)

(5) HBIG와 백신은 동시에 투여할 수 있으나 각각 다른 부위에 접종해야 함

✦ **진단과 치료를 위한 핵심사항**

• 임상적 병력 청취
  1. C형 간염 보유 기왕력, 이전 (페그)인터페론 치료 기왕력
  2. 수술 및 수혈의 기왕력, 검증되지 않은 시술을 받은 기왕력
  3. 약물, 음주
  4. 간염과 간암의 가족력
  5. 비만, 당뇨 등의 기왕력
  6. 직업

• 시행할 검사
  ALT 수치, HCV RNA 정량과 HCV genotyping, HIV 동반 유무, 복부 영상 검사(초음파/CT), 간 섬유화 평가를 위한 Fibroscan
  또는 간조직검사

• 치료
  Direct acting antiviral (DAA) 제제

I. 역학 및 자연경과

1. 3군감염병 지정(2017년 6월 3일): 전수감시로 전환, 진단 시 신고 필수

신고를 위한 진단 기준: HCV RNA 양성

2. 전파경로

비경구적으로 이루어짐

1) 오염된 혈액 또는 혈액제제의 수혈(1995년 이전)

2) 주사용 약물 남용

3) 불안전한 주사나 의료시술(피어싱, 침술, 문신)

4) 오염된 주사바늘에 찔린 경우(우발적 노출)

5) HCV 감염자와의 성접촉: 이성간 단일 상대방과의 성접촉 전염 가능성 매우 낮음, 단 성 상대방이 다
수, 남성 간의 성행위에서는 전염위험 증가

6) 신생아로의 수직감염: 주산기 감염(1-6.2%)도 가능

태아에서 anti-HCV Ab가 수동적으로 전파되므로 생후 18개월 이후에 HCV RNA를 측정

3. 유병률

   1) 혈청 유병률: 약 1.6% (전세계), 약 0.78% (우리나라 전체)

   (1) 국내역학: 남자(0.75%), 여자(0.83%), 60세 이상 높은 유병률

   (2) 고위험군 유병률

   국내정맥주사 약물 남용자의 48.4-79.2%, 국내HIV 감염자의 5.0-6.3%

4. 급성 HCV 감염

   1) 급성 HCV 감염 후 1-3주 HCV RNA 상승, 4-12주 혈청 ALT 증가

   2) 대부분 무증상이나 2-12주 사이 인플루엔자 유사증상 등 비특이적 증상, 20%에서 황달동반

   3) 54-86% 만성간염으로 이행, 20-50%는 자연적 제거로 회복

5. 만성 C형 간염의 경과

   1) 일단 만성간염으로 이행되면 자연적 회복 드물고, 간경변증과 간암으로 진행

   2) 대부분 증상 없음(60-80%), 일부 복부 불편감, 피로, 오심, 근육통, 관절통, 체중감소

   3) 만성간염환자의 15-56%에서 20-25년 후 간경변증 진행

   4) 간경변증 환자의 경우 연간 1-4.9%의 간세포암종 발생, 연간 3-6% 비대상 간경변증 진행

   5) 알코올, 비만, 인슐린 저항성은 질병의 진행과 연관

II. 진단

1. 선별검사: HCV 항체 검사(anti-HCV Ab)

   1) 급성 또는 만성간염이 의심되면 HCV 감염 여부를 확인하기 위해 HCV 항체 검사

   2) HCV 항체는 중화항체가 아니며, 과거 감염과 현재 감염 모두에서 양성

   3) HCV 감염 후 검출까지 평균 약 8-9주 소요, 6개월 이내에 양전

2. 바이러스검사: 항바이러스 치료 전 HCV RNA 정량검사와 HCV 유전자형 검사 시행

   1) HCV RNA 검사: HCV 항체 양성자에서 HCV 감염 확진을 위한 필수검사

   (1) 검사법: Real-time quantitative PCR, 정량 검사로 진단 및 치료반응평가

   (2) 정량 하한값 12-15 IU/mL, 정량 상한값 7-8 log IU/mL

   (3) 위음성 anti HCV Ab: 급성 C형 간염 의심 또는 면역억제 상태에서 원인 미상의 간질환이 있으면
   혈중 HCV RNA 검사 시행하여 확인

   (4) 혈중 HCV RNA 농도는 간의 염증, 섬유화 정도와 상관관계 없음

   (5) 항바이러스 치료하지 않는 경우 시간에 따른 농도 변화 거의 없음

간질환

05

표 5-4-1 C형 간염에 대한 혈청학적 표지자의 해석(2015 대한간학회 진료 가이드라인 table 3 편집)

Anti-HCV	HCV RNA	해석	다음 검사
Positive	Positive	급, 만성 C형 간염	HCV 유전자형(genotype)검사
Positive	Negative	과거 C형 간염 회복, 급성C형 간염의 저바이러스 혈증기, 위양성 HCV 항체 검사, 위음성 HCV RNA 검사	3-6개월 간격 HCV 항체 및 HCV RNA 검사 재검
Negative	Positive	초기급성C형 간염, 면역억제상태에서의 만성C형 간염, 위양성 HCV RNA 검사	3-6개월 간격 HCV 항체 및 HCV RNA 검사 재검

2) HCV 유전자형(genotype) 검사: 항바이러스 치료제 결정에 우선적 고려

(1) 1형부터 6형까지 6개의 유전자형: 유전자형에 따라 31-33% 이상 염기 서열 차이가 남

(2) subtype은 소문자로 표시 예) 1b, 2a/c

(3) HCV 유전자형 분포: 1, 2, 3, 4, 5, 6형(국내 흔한 유전자 1b형(45-59%), 2a형(26-51%))

3) HCV 감염혈액이나 체액에 노출 시

(1) 노출 즉시 anti-HCV Ab와 ALT 검사

(2) 조기 진단을 위하여 노출 4-6주 이내 HCV RNA 검사시행

(3) 초기 검사가 모두 음성일지라도 노출 4-6개월에 anti-HCV Ab와 ALT 추적

4) HCV 약제내성검사

(1) HCV 내성관련변이(resistance-associated variants, RAV)

자연발생 RAV 양성인 경우가 있어 치료 전 약제의 선택에 있어 확인이 필요하나(NS5A inhibitor, Daclatasvir에 대한 RAV 11.2% 양성, 유전자형 1b형 환자) 최근에는 RAV와 상관없이 높은 완치율을 보이는 약제들이 출시되어 일반적으로 필요하지 않음

3. 간 중증도 평가: 항바이러스 치료 전 간강변증 유무에 따라 치료 전략 상이

간 생검 또는 비침습적 섬유화 검사

4. 간외합병증

B형의 경우보다 드물지만 진성혼합한랭글로불린혈증(essential mixed cryoglobulinemia)은 더 흔하며 그 외 관절염, 피부반점, 혈관염, 사구체신염, 재생불량성빈혈, 편평태선(Lichen planus), 지연피부포르피린증(Porphyria cutanea tarda), 비호지킨성림프종(non-Hodgkin's lymphoma) 등이 발생할 수 있음

III. 치료

1. 치료 목표

지속적 바이러스 반응(sustained virologic response, SVR)의 성취로 간경변 및 간세포암을 포함한 간 관련 합병증과 이로 인한 사망률을 줄이는 것이 치료의 목표

2. 치료 대상

1) 적응증: 간 외 타장기 질환으로 인해 기대수명이 짧은 환자를 제외한 HCV에 감염된 모든 환자(HCV RNA detection)

2) 즉각적인 치료 적응증

(1) 간섬유화 또는 간경변증(대상성, 비대상성) 동반 시(METAVIR score F2, F3, F4)

(2) 간외합병증 동반 시(II-4. '간외합병증' 참조)

(3) 간이식 후 재발 시

(4) 다른 동반질환으로 인한 간기능악화 우려 시(간 외 장기이식, 골수이식, HBV 동반감염, 당뇨 등)

(5) HCV 전파 위험이 높은 자(주사용 약물 남용자, 성 상대방이 다수인 자, 가임기 여성, 혈액투석 환자 등)

3. 치료반응의 정의

1) 치료 목표: 지속적 바이러스 반응(sustained virologic response, SVR) 달성

2) 지속적 바이러스 반응(sustained virologic response, SVR): 치료 종료 후 12주 또는 24주에 혈청 HCV RNA가 검출되지 않는 것(≤15 IU/ml)

4. 치료 약제

1) 약물상호작용

새로운 Direct acting agent (DAA)의 경우 함께 투약하는 여러 약제들과 약물상호작용을 유발할 수 있으므로, 치료 전에 사용하고 있는 모든 약제에 대하여 상호작용 여부를 반드시 확인해야 함

참고: www.hep-druginteractions.org

2) 치료약제 및 용량

Product	상품명 / 1Tablet(capsule) 용량	용법
Sofosbuvir*	SOVALDI® / 400mg	1 tablet once daily
Sofosbuvir/ledipasvir	HARVONI® / 400mg, 90mg	1 tablet once daily
Daclatasvir	DAKLINZA® / 60mg	1 tablet once daily
Asunaprevir	SUNVEPRA® / 100 mg	1 cupsule twice daily
Grazoprevir/elbasvir	ZEPARIER® / 100 mg, 50 mg	1 tablet once daily
Ombitasvir/paritaprevir/ritonavir	VIEKIRAX® / 12.5 mg, 75 mg, 50 mg	2 tablet once daily
Dasabuvir	EXVIERA® / 250 mg	1 tablet twice daily
Glecaprevir/pibrentasvir	MAVYRET® / 100 mg, 40 mg	3 tablet once daily
Ribavirin	VIRAMID®	체중 ≥ 75 kg → 1,200 mg 체중 < 75 kg → 1,000 mg

* eGFR <30 ml/min의 만성콩팥질환자에서 sofosbuvir는 투약 불가

Genotype	Liver disease	SOF	SOF/LDV	SOF/DCV	DCV/ASV	GZR/EBR	OBV/PTV/r +DSV	GLE/PIB
1a	CH	No	12w	12w	No	12w*	12w+R	8w
	Com LC	No	12w	12w+R	No	12w*	24w+R	12w
	Dec LC	No	12w+R	12w+R	No	No	No	No
1b	CH	No	12w	12w	24w**	12w	12w	8w
	Com LC	No	12w	12w+R	24w**	12w	12w	12w
	Dec LC	No	12w+R	12w+R	No	No	No	No
2	CH	12w+R	No	No	No	No	No	8w
	Com LC	16w+R	No	No	No	No	No	12w
	Dec LC	16w+R	No	No	No	No	No	No

CH, chroic hepatitis; com LC, compensated liver cirrhosis; dec LC, decompensated liver cirrhosis; SOF, sofosbuvir; : LDV, ledipasvir; DCV, daclatasvir; ASV, asunaprevir; GZR, grazoprevir; EBR, elbasvir; OBV, ombitasvir; PTV, paritaprevir; r, ritonavir; DSV, dasabuvir; GLE, glecaprevir; PIB, pibrentasvir; R, ribavirin
*NS5A의 RAS 검사를 시행하고, RAS 검출 시 ribavirin을 추가하여 16주간 치료(4주 비보험)
**NS5A의 RAS 검사를 시행하고, RAS 검출 시 다른 약제로 변경해야 함.

3) 치료의 부작용

① DAA: 치료 중 ALT 수치가 정상 상한의 10배 이상 상승 시 치료 중단

② Ribavirin: Hb < 10 g/dl - 200 mg/day 감량

Hb < 8.5 g/dl: 투약 중단

I. 알코올 간질환

- 음주에 의해 발병하는 지방간, 간염, 간경변증 및 간세포암의 다양한 범주(spectrum)를 포함하는 질환군
- 유의한 알코올 섭취량이 최근 2년간 남자의 경우 주당 210 g, 여자의 경우 주당 140 g을 초과하는 경우

1. 알코올 간질환의 위험인자(대한간학회 알코올 간질환 진료 가이드라인 2013)

1) **음주량:** 남, 여 모두 하루 30 g 이상의 음주 시 알코올 간질환의 위험도 증가
2) **음주 습관:** 매일 마시는 경우 증가
3) **술의 종류:** 술의 종류보다는 마신 알코올의 총량과 관련성이 높음
4) **성별:** 남성보다 여성에서 간손상 빈도가 높음
5) **인종:** 알코올 간경변증의 빈도는 흑인과 라틴아메리카 남성에서 백인 남성보다 높음
6) **영양 결핍:** 간경변증 합병증 발생 및 사망률과 매우 밀접한 관련
7) **비만:** 알코올 유발 간손상의 중증도 및 간경변증 발생 위험 증가
8) **유전인자:** 알코올 간질환은 유전적 감수성이 있음
9) **바이러스인자:** 만성바이러스간염 환자에서 간 손상 증가
10) **흡연:** 알코올 간경변증의 위험인자이며 간섬유화의 진행 촉진
11) **커피:** 커피 소비량이 증가할수록 알코올 간질환의 위험성 감소 및 발생 억제

2. 임상증상

1) 대부분은 무증상이며 허약, 무력감 호소
2) 상복부 불편감, 피로, 식욕부진, 권태, 압통이 동반된 간종대, 황달, 발열
3) 급성 중증 알코올간염이나 간경변증 : 복수, 하지부종, 간성뇌증, 식도정맥류 출혈

3. 생화학적 검사

1) AST, ALT 상승(AST/ALT > 1): 보통 300 IU/L를 넘지는 않음
2) γ-GTP 상승: 음주량 증가와 관련 있으나, 알코올 간질환에 특이적이지는 않음
3) 진행됨에 따라 albumin 감소, bilirubin 상승, 프로트롬빈 시간 연장, 혈소판 감소

4. 알코올간염의 예후 예측 지표

1) modified Discriminant Function (mDF)

(1) 4.6 × [Prothrombin time - control (second)] + bilirubin (mg/dL)

(2) 중증 알코올간염: mDF score ≥32 : 4주 이내 사망률 30-50%

2) MELD: $9.57 \times \log[Cr (mg/dL)] + 3.78 \times \log[bilirubin (mg/dL)] + 11.20 \times \log(INR) + 6.43$

3) 기타: GAHS, ABIC, Lille model

5. 치료

1) 금주 필수

2) 충분한 영양공급과 전해질 교정 및 thiamine 보충

3) 중증 알코올간염의 약물치료(mDF≥32점, MELD>21점 또는 간성뇌증)

   (1) 스테로이드: 가장 널리 쓰임

     ① prednisolone 40 mg 경구 투여, 1일 1회, 4 주간 투여 후 감량

     ② 위장관 출혈, 패혈증, 신부전, 췌장염 등의 동반된 다른 질환이 없어야 함

   (2) 펜톡시필린(Pentoxifylline): 스테로이드 치료의 금기인 경우

     ① 기전: 선택적 phosphodiesterase 저해제, 비특이적 TNF-α 저해제

     ② 감염이나 신부전이 있는 환자에서도 사용 가능

     ③ 400 mg 경구 투여, 1일 3회 4주간

   (3) 항 TNF-α 제제(infliximab, etanercept): 권고되지 않음

4) 간이식: 내과적 치료에 반응하지 않는 중증 알코올간염 환자는 조기 간이식을 고려

   장기 생존율의 호전 여부를 명확히 하기 위한 추가 연구가 필요

II. 비알코올 지방간질환(nonalcoholic fatty liver disease)

1. 정의 및 분류

1) 유의한 알코올 섭취, 지방간을 초래하는 약물의 복용, 동반된 다른 원인에 의한 간질환 등이 없으면서
   영상의학 검사나 조직검사에서 간 내 지방침착의 소견을 보이는 질환

2) 비알코올 지방간에서 비알코올 지방간염, 비알코올 지방간연관 간경변증을 포괄하는 진단명

표 5-5-1 비알코올 지방간질환의 분류

비알코올 지방간질환 (nonalcoholic fatty liver disease ; NAFLD)	비알코올 지방간에 비알코올 지방간염, 비알코올 지방간연관 간경변증까지 포함. 간조직 검사에서 5% 이상의 간세포에 지방이 침착된 경우
비알코올 지방간 (nonalcoholic fatty liver ; NAFL)	간세포의 5% 이상에서 지방침착을 보이지만 간세포 손상(풍선변성) 및 섬유화의 소견은 없는 경우
비알코올 지방간염 (nonalcoholic steatohepatitis ; NASH)	간 내 지방침착을 보이면서 간세포 손상(풍선변성)을 동반한 염증소견이 있는 경우. 섬유화를 동반하기도 함

비알코올 지방간 연관 간경변증 (NASH cirrhosis)	조직학적으로 비알코올 지방간이나 지방간염의 소견이 동반된 간경변증, 혹은 과거 조직학적으로 증명된 비알코올 지방간, 지방간염 환자에서 발생된 간경변증

2. 유발 원인

비만, 제2형 당뇨병, 이상지질혈증, 급격한 체중 감량, 특정한 약물

3. 유병률 및 자연 경과

1) 유병률: 국내 건강검진에서 16-33% (초음파를 이용하여 진단)

2) 자연경과

(1) 비만인 사람의 60-80%에서 NAFL 동반

(2) NAFL 환자의 10-20%에서 NASH로 진행

(3) NASH환자의 약 10%에서 NASH cirrhosis로 진행

(4) 이중 연간 2.6%에서 간세포암 발생

4. 병인

1) 인슐린 저항성과 산화적 스트레스(oxidative stress)에 의해 지방간염(steatohepatitis) 유발

2) 대사증후군(비만, 당뇨, 고중성지방혈증, 고혈압)과 관련 높음

3) 유전: PNPLA3 유전자 변이

4) 섬유화 진행의 위험인자: 40-50세 이상, 비만, 제2형 당뇨병

5. 진단

1) 유의한 알코올 섭취량(최근 2년간 남자의 경우 주당 210 g, 여자의 경우 주당 140 g을 초과)이 없음

2) 다른 만성 간질환의 원인이 없는 환자에서 AST, ALT 상승

3) 간조직검사: 지방간질환의 진단에 기준이 되며, 섬유화 정도를 평가하고 예후 예측에 도움

6. 임상증상

대개 무증상, 피로감, 상복부 불편감

7. 영상학적 검사

(1) 초음파검사: 주관적이며 간내 지방이 30% 미만인 경우 민감도 70% 미만

(2) CT: 특이도는 높으나 민감도가 낮음

(3) MRI, MRS (magnetic resonance spectroscopy): 정확성은 높으나 고가의 검사로 제한적

(4) Transient elastography (TE, Fibroscan): 높은 민감도와 특이도. 비만인 경우 정확성이 떨어짐

(5) Magnetic resonance elastography (MRE): 지방간, 지방간염, 섬유화 감별에 유용. 고비용

간질환

05

8. 치료

  1) 생활 습관 교정: 체중감량(7-10% 체중감량), 식이요법, 운동요법(2회/주 이상, 30분 이상)

  2) 약물치료

    (1) 체중 감량 약물: orlistat (Xenical ; 장내 리파아제 억제제) : 근거부족

    (2) 항산화제

      ① 비타민 E (vitamin E, alpha-tocopherol) : 장기간 투여시 안전성 우려

      ② N-acetylcysteine, betaine (glutathione), probucol, viusid, silibinin (milk thistle): 근거부족

    (3) 인슐린 저항성 개선 약물(insulin sensitizers)

      ① Thiazolidinediones (TZDs): 치료제로 사용될 수 있으나 부작용에 대한 연구 필요

      ② Metformin: 비알코올 지방간질환 환자에서 당뇨병 치료제로 우선 고려

    (4) 지질강하 약제: Statins, fibrates, Omega-3, Ezetimibe : 심혈관계 합병증 개선

    (5) 기타: Pentoxifylline, UDCA, angiotensin-II receptor blockers, silymarin 제재, biphenyl dimethyl dicarboxylate : 추가 연구 필요

  3) 비만수술(bariatric surgery)

    (1) BMI >35 kg/m^{2}이면서 고혈압이나 당뇨병 동반

    (2) BMI >40 kg/m^{2}인 경우

✚ **진단과 치료를 위한 핵심사항**

• 임상적 병력 청취
  현병력, 과거력, 음주력 및 철저한 약물 복용력(종류와 복용한 시기 및 기간)

• 신체검사소견
  간외 증상 유무(발진, 림프절병증, 호산구 증가증)

• 시행할 검사
  급성간염의 생화학적 소견, 다른 간염 원인의 배제(바이러스성 간염, 자가면역성 간염 배제), 혈중 약물 농도

• 측정
  1) 복부 초음파, CT: 담도 폐색 배제
  2) 간조직검사: 치료방향 결정

• 치료
  원인 약물 중단, 수액 및 영양 공급, 간이식

I. 분류

1. 간독성기전에 따른 분류

표 5-6-1 약인성 간손상의 기전에 따른 분류

직접적인 간독성 약제(용량의존성 약제)	특발성 약제(면역매개성, 대사성)
1) 비교적 짧은 잠복기	1) 약제에 재노출 시 다양한 반응
2) 용량 의존성	2) 용량과 무관, 증상 발현까지 시간이 다양
3) 숙주의 감수성과는 무관	3) 개개인에 따라 반응의 정도가 다양
4) Acetaminophen, 사염화탄소(CCl4), Amanita phalloides(독버섯), Chloroform, Bromobenzen, Tetracycline, Yellow phosphorus	4) Halothane, Isoniazid, Chloropromazine, Fenofibrate, Penicillin, Phenytoin, Valproic acid, Sulfonylureas, Quinidine, Statins

2. 간기능 검사 결과에 따른 분류

표 5-6-2 약인성 간손상의 간기능 검사 결과에 따른 분류

	간세포성(Hepatocellular)	담즙정체성(Cholestatic)	혼합성
검사결과	ALT >3 x UNL ALT/Alk-p ratio >5	Alk-p >2 x UNL ALT/Alk-p ratio <2	ALT >3 x UNL Alk-p >2 x UNL ALT/Alk-p ratio 2-5

II. 대표적인 간 손상 유발 약제

표 5-6-3 약인성 간손상의 다빈도 약제

Autoimmune (attack on cell surface markers) – lovastatin, methyl-dopa, nitrofurantoin

Cholestatic (attack on bile ducts) – anabolic steroids, estrogen, erythromycin, amoxicillin/clavulanic acid, carbamazepine

Fibrosis (activation of stellate cells leads to fibrosis) – methotrexate, vitamin A excess

Granulomatous (macrophage stimulation) – allopurinol, diltiazem, nitrofurantoin, quinidine, sulfonamide

Hepatocellular (damage to smooth endoplasmic reticulum and immune cell surface) – acetaminophen, Amanita poisoning, diclofenac, isoniazid, lovastatin, nefazodone, trazodone, venlafaxine

Immunoallergic (cytotoxic cell attack on surface determinants) – Halothane, phenytoin, sulfamethoxazole

Mixed – amoxicillin/clavulanate, carbamazepine, cyclosporine, herbs, methimazole

Oncogenic (hepatic adenoma formation) – oral contraceptives, androgenic agents

Fatty liver – large droplet: ethanol, corticosteroids
           – small droplet: amiodarone, allopurinol, tamoxifen

Vascular collapse (ischemic damage) – cocaine, Ecstasy, nicotinic acid, 6-thioguanine, herbs (senna, comfrey), anabolic steroids

Veno-occlusive disease (endothelitis of sinusoidal endothelial cells) – busulfan, cyclophosphamide

** 개별약제에 대한 간독성발생 및 양상에 대한 참고 site

- http://livertox.nih.gov/

표 5-6-4 간독성을 흔히 보이는 약제

간독성 약제	병인	조직 소견	임상증상	특징	치료
Acetaminophen	용량의존성	Zone 3 괴사 소견	– 초기 (12시간 이내): 오심, 구토 – 후기 (24시간 이후): 간부전, 신부전, 심근 손상	– 간독성을 갖는 NAPCI (N-acetyl-p-aminobenzoquinone imine)이 글루타치온과 결합하여 무해	– 30분 이내 위세척, charcoal, styramine – acetaminophene의 혈중농도가 높은 경우, N-acetylcystein을 36시간 이내에 투여 – 간이식
halothane	특발성	전반적 괴사, 바이러스성 간염과 유사	– 마취 후 12시간 – 6주 사이 – 노출 1주 후 발열, 백혈구 증가, 호산구 증가	– 유전적 소인 – 호발: 성인, 비만, 여성	– enflurane 또는 isoflurane으로 대치
Methyldopa * ACE inhibitor, ARB (losartan): 일부 보고	용량의존성/특발성	바이러스성 간염과 유사	– 약 중단 않고도 호전 – 발열, 식욕감퇴 등이 황달보다 선행 – 15% 가교성 괴사, 결절 등의 심한 만성간염 소견		– 약 중단으로 호전
Isoniazid	용량의존성/특발성	바이러스성 간염과 유사	– 10%에서 첫주에 상승, 치료 시작 2개월 내 발생 – 약 알러지 증상 드묾	– 가중 요인: 알코올, 리팜핀, pyrazinamide, 고령 – CYP450으로 생성된 acetylhydrazine	– ALT 200 IU/dl 이하: 약 중단 않고 수 주 내 정상 – 고령이거나 B형 간염 환자에서는 주의 깊게 간기능 관찰

간독성 약제	병인	조직 소견	임상증상	특징	치료
Valproate	용량의존성/ 특발성	미세수포, 가 교성 괴사	– 무증상 간효소 증가 – 황달, 드물게 간성 혼수	– 4-pentenoic acid (직접 간독성 대사물은 아님)	– 중단
Phenytoin	특발성	바이러스성 간염과 유사	– 드물게 전격성 간부 전 가능 – 치료 후 2개월 내 – 호산구 증가	– Immunologic + metabolic	– 중단
Amiodarone	용량의존성/ 특발성	알코올성 간질환과 유사	– 사용자의 50% 미만 에서 간수치 상승함	– 직접 독성: 흔함 – 특발성: 드묾	– 중단: 간손상 지속
Erythromycin		담즙울혈 특발성	– 담즙울혈 소견	– 치료 후 2–3주 – 급성 담낭염 또는 담관 염과 유사	– 중단 후 수일 내 호전
경구피임약	담즙울혈성	담즙 플러그 발생	– 소양증, 황달, 간효소 상승		– 약 중단 후 회복 – 소양증의 가족력, 과거력 있는 경우는 금기
HMG–CoA reductase 억제제 (statin)	특발성: 간세포성	급성간염, 중심소엽괴사/ 담즙울혈성	– 1–2%에서 발생 – 무증상, 간효소치 상승 (3배 이상)		– 첫 수 주 동안 – 지속적 비정상일 경우 중단
대체 요법 (미즐토, 캄푸리, 한방차)	정맥 폐쇄성 (veno- occlusive)	급성간염/ 지방간	– 경증에서 전격성 간 부전까지 다양한 간 염소견	– Pyrrolizidine alkaloids	– 중단
HARRT*	용량 의존성/ 특발성반응, 혼합성	지방간	– 여러 약제 병용 시 10%에서 발생	– HARRT와 HBV/HCV 감염은 서로 영향을 줌	

* HAART, highly active antiretroviral therapy

07 간경변증 및 합병증

제7-1절 간경변증

✢ 진단과 치료를 위한 핵심사항

- 임상적 병력 청취
  바이러스성 간염의 과거력, 약물 복용력, 수혈 기왕력, 자가면역질환의 유무, 음주력, 유전성 및 만성 간질환의 가족력
- 신체검사 소견
  만성피로, 체중감소, 식욕감퇴, 가려움증, 황달, 간비대, 거미혈관종 및 손바닥 홍반, 여성형 유방증, 복수 및 말초부종, 간성뇌증
- 시행할 검사
  간염바이러스 검사, 간기능 검사, 초음파 또는 CT 검사, 내시경

I. 간경변증과 만성 간질환의 원인

표 5-7-1 간경변증의 원인

Alcoholism	Cardiac cirrhosis
Chronic viral hepatitis	Inherited metabolic liver disease
Hepatitis B	Hemochromatosis
Hepatitis C	Wilson's disease
Autoimmune hepatitis	Antitrypsin deficiency
Nonalcoholic steatohepatitis	Cystic fibrosis
Biliary cirrhosis	Cryptogenic cirrhosis
Primary biliary cholangitis	
Primary sclerosing cholangitis	
Autoimmune cholangiopathy	

II. 간경변 정도에 따른 분류(Child-Turcotte-Pugh 분류법)

표 5-7-2 CTP (Child-Turcotte-Pugh) 분류법

	1	2	3
복수	없음	이뇨제로 조절	이뇨제에 무반응
간성 혼수	없음	1-2 등급	3-4 등급
빌리루빈(mg/dl)	<2.0	2.0-3.0	>3.0
알부민(g/dl)	>3.5	2.8-3.5	<2.8
프로트롬빈시간(sec)control)	<4	4-6	>6
INR	<1.7	1.7-2.3	>2.3
		분류	
	A	B	C
총점	5-6	7-9	10-15

제7-2절 간경변증의 합병증

I. 문맥압 항진(Portal hypertension)

1. 정의 및 병인론

1) 문맥(portal vein)의 정상 압력 : 5~10 mmHg

2) 문맥압 항진

(1) 10 mmHg 이상

(2) 간정맥압차(hepatic venous pressure gradient): 5 mmHg 이상

= 쐐기간정맥압(wedged hepatic venous pressure) - 자유간정맥압(free hepatic venous pressure)

3) 원인

(1) Prehapatic: 간문맥혈전이나 비장정맥혈전, 거대 비장증(massive splenomegly, Banti's syndrome),

과응고상태(hypercoagulable state)에서 유발 가능

(2) Intrahepatic

① Intrasinusoidal: 간경변증이 가장 흔한 원인, 임상적으로 간경변증 환자의 60%에서 항진소견

보임

② Presinusoidal: 주혈흡충증(schistosomiasis), 선천성 간섬유화(congenital hepatic fibrosis)

③ Postsinusoidal: 간정맥협착질환(hepatic veno-occlusive disease)

(3) Posthepatic: Budd-Chiari syndrome, Inferior vena caval webs, 심장 원인

2. 진단

1) 상부위장관 내시경: 정맥류가 있으면 문맥압 항진을 간접적으로 시사함

2) Percutaneous transhepatic skinny needle catheterization이나 transjugular cannulation을 통해 간정맥

가지에 카테터를 넣어 hepatic sinusoidal pressure 측정

II. 정맥류출혈(Variceal bleeding)

1. 역학

1) 간경변증 환자의 식도 정맥류 유병률: 24-80%, 사망 원인의 1/3

2) 정맥류출혈 확률: 진단 후 2년 내 19-40%

3) 첫 발병 후 재출혈 위험도: 70% (대개는 6개월 이내)

4) 출혈에 따른 사망률: 30-50%

2. 병인론

1) HVPG가 10-12 mmHg일 때 정맥류 형성, >12 mmHg일 때 출혈 위험

2) 호발부위: 위식도 접합부

3) 정맥류출혈의 위험요소

   (1) 정맥류 크기

   (2) 내시경적 소견: red wale 또는 cherry-red spots

   (3) 복수나 간성뇌증 같은 간기능 부전 상태

   (4) 정맥류의 위치

   (5) 급성 알코올섭취

   (6) 크기가 큰 간세포암

3. 임상양상 및 진단

1) 대부분 분명한 선행요소 없이 일어나며 대량의 토혈을 보임

2) 이전에 정맥류 출혈이 있었던 환자에서도 다른 위장관 질환으로 인한 출혈이 있을 수 있으므로 다른 출혈 원인에 대한 평가가 중요함

3) 상부위장관 내시경: 가장 중요하고 적절한 진단 및 치료 도구

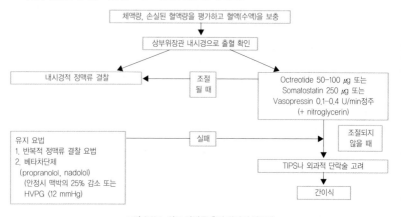

그림 5-7-1 식도 정맥류 출혈 환자의 접근법

4. 치료

1) 생명을 위협하는 응급 상황임을 인지

2) 중환자실에서 치료 : 중심정맥압(CVP) 또는 폐모세혈관 쐐기압(PCWP), 소변량, 전신 상태의 모니터가 중요

3) 우선적인 적절한 수액 주입과 수혈을 통하여 혈역동학적 안정을 유지해야 하고 신속한 지혈(내시경과 약물치료)이 필요함

4) 항생제 7일 동안 투여: 세균 감염률 감소와 생존율 향상

5) 치료방법

　(1) 신속한 평가 및 혈액손실에 대한 보충 : 과도한 수액 공급 및 수혈은 문맥압을 증가시켜 출혈을 더
　　　초래할 수 있음(Hemoglobin 8 mg/dL로 유지)

　(2) 신선동결혈장(FFP)으로 혈액 응고인자 보충

　(3) 내과적 치료: 혈관수축제+ 내시경적 치료 - 가장 효과적인 치료

　　　① 혈관수축제(vasopressin 또는 somatostatin/octreotide): 내시경 검사 전이라도 정맥류 출혈이
　　　　　의심되는 경우 바로 시작

　　　② 내시경치료
　　　　　약물치료를 시작하면서 가능한 빠른 시간 안에(12시간 내) 시도해야 할 우선적 치료법

　　　　　ⅰ) 내시경적 식도 정맥류 결찰 요법(endoscopic variceal ligation)

　　　　　　 - 경화요법에 비해 지혈 효과가 우수하여 우선 시행

　　　　　　 - 효과: 90% 이상에서 지혈 효과, 모든 정맥류가 없어질 때까지 반복적으로 시행

　　　　　　 - 내시경 검사 시 활동성 출혈이 없는 경우에도 정맥류에서 출혈한 흔적이 있거나 정맥류
　　　　　　　　가 있고 다른 출혈 병소 없이 위장에 혈액이 있으면 내시경 치료를 시행

　　　　　ⅱ) 내시경적 식도 정맥류 경화요법(endoscopic variceal sclerotherapy): 시술 후 뇌경색, 폐색
　　　　　　　전, 비장괴사, 후위농양, 문맥색전 등의 부작용 발생 가능하므로 면밀한 관찰을 요함

　　　③ Balloon tamponade

　　　　　ⅰ) 적응증: 내시경을 바로 시행하지 못하거나 대량 출혈의 경우에 효과적인 치료가 이루어질
　　　　　　　때까지 일시적으로 "교량요법"으로 사용(rescue therapy)

　　　　　ⅱ) 기구: triple-lumen (Sengstaken-Blakemore) 튜브 및 four-lumen (Minnesota) 튜브

　　　　　ⅲ) 시술 방법

　　　　　　 - 주의사항: 기도 흡인의 위험성이 높기 때문에 기관내 삽관을 먼저 고려

　　　　　　 - 삽입 길이: 최소 50 cm

　　　　　　 - 튜브 위치 확인: 공기 흡인, 청진, X-ray로 확인

　　　　　　 - 투여 공기량 및 압력: 위 200-350 cc, 식도 25-45 mmHg

　　　　　　 - 지속시간: 식도점막 손상방지를 위해 식도 최대 24-36시간, 위 48-72시간까지

　　　　　ⅳ) 효과: 활동성 출혈의 90%에서 효과적인 지혈 가능

　　　　　ⅴ) 합병증 : 심한 불편감, 흡인성 폐렴, 식도 파열 등이 15% 이상에서 발생

　(4) 경정맥 간내 문맥단락술(transjugular intrahepatic porto-systemic shunt, TIPS)

　　　① 적응증: 내시경 치료가 가능하지 않은 경우나 내시경 치료, 약물 치료로 출혈이 조절되지 않고
　　　　　재발하는 식도/위정맥류 환자에서 고려

　　　② 장점

　　　　　ⅰ) 95%에서 지혈가능

　　　　　ⅱ) 간문맥압을 조절할 수 있음

　　　　　ⅲ) 급성 위장관 출혈시에도 시행할 수 있음

③ 단점

i) 협착 발생: 재출혈 발생, 이차적 TIPS 혹은 기타 다른 치료 방법을 필요로 함

ii) 간성뇌증

iii) 문맥혈전증

(5) 풍선 폐쇄 역행성 경정맥 폐쇄술(balloon-occluded retrograde transvenous obliteration, BRTO)

① 효과: 위신단락이 있는 위정맥류 치료에 효과적, 5년 재발률 2.7%로 낮음

② 단점: 식도 정맥류의 악화 가능

(6) 외과적 치료: 문맥-전신 순환 단락술(portosystemic shunt)

5. 예방

1) 초출혈의 예방

(1) 비선택성 베타차단제

① 약물: propranolol

② 급성 출혈에서는 추천되지 않음

③ 고위험의 정맥류를 가진 환자에서 초출혈을 40-50% 예방할 수 있으며, 생존기간을 연장시킴 (간경변증 환자에서 정맥류에 대한 내시경 선별검사가 필요한 이유)

④ 적정 용량: 안정시 심박수의 25% 감소 혹은 심박수가 분당 55회에 이를때까지, 또는 간정맥압 차가 12 mmHg 이하로 감소할 때까지(30-160 mg)

(2) 내시경적 정맥류 결찰요법: 고위험의 정맥류가 있으나 비선택성 베타차단제를 쓸 수 없는 상태일 때 고려. 베타차단제와의 비교에서 생존율에서는 차이가 없었으나, 초출혈은 조금 더 예방하는 효과가 있음

2) 재출혈의 예방

(1) 복합요법: 최선의 치료, 비선택성 베타차단제 + 정맥류를 소실시키기 위한 내시경 치료

(2) 재출혈 예방을 위한 내과치료에 실패한 경우, Child-Pugh A/B 환자는 경경정맥간내문맥전신단락술(TIPS) 혹은 수술치료를 권하며 Child-Pugh B/C 환자는 간이식을 고려함

III. 복수

1. 원인

1) 유발 요인: 약 85%가 간경변증

2) 그 외: 심부전, 협착 심장막염(constrictive pericarditis), 결핵성 복막염, 복막내 악성 종양, 췌장질환, 신증후군 등

2. 병인론

1) underfilling 이론

문맥압 항진 → nitric oxide에 의한 내장혈관 확장 → 유효 순환 혈액용적 감소

→ 신장은 이 상태를 혈관내 체적 감소(underfilling)로 감지하여 수분과 염분을 체내에 축적

2) overflow 이론: 혈액량의 감소없이 신장에 의해 과다한 수분과 염분이 축적

3) 말초동맥 확장가설: 동맥 저혈압+ 심박출량 증가+ 혈관수축 물질의 증가

3. 임상양상

1) 복부둘레증가: 횡격막 상승으로 호흡 곤란을 유발할 수 있음

2) 신체검사소견: 복수량이 1.5 L를 초과하면 이동 둔탁음(shifting dullness), 액체파(fluid wave) 또는 옆구리의 확장 등이 나타날 수 있음

3) 초음파검사

(1) 소량의 복수도 발견할 수 있음(100 ml)

(2) 신체검사에서 복수의 유무가 모호할 때

(3) 최근에 발생한 복수의 원인이 분명하지 않을 때 시행함

4. 진단

1) 복수를 가진 간경변 환자에서 복수 천자를 해야 하는 경우

(1) 복수가 새로이 진단된 경우

(2) 복수가 증가하여 입원한 경우

(3) 복수 감염이 의심되거나 감염의 전신 증상/징후가 있는 경우

(4) 원인 미상의 임상적 악화(예, 간성뇌증, 신기능 악화 등)를 보이는 경우

2) 검사 항목: 혈구수와 분획(cell count와 differential), 알부민, 총 단백질이 포함되어야 하며, 혈청-복수 알부민 차(serum-ascites albumin gradient; SAAG)를 구해야 함.

복수 감염이 의심되면 혈액배양용기에 배양을 권장함.

3) SAAG와 복수내 총단백질양에 따른 복수의 원인 감별

표 5-7-3 복수의 원인 감별

SAAG ≥1.1 g/dL(문맥고혈압과 관련)		SAAG <1.1 g/dL(문맥고혈압과 관련 없음)
복수내 총단백질 <2.5 g/dL	복수내 총단백질 ≥2.5 g/dL	
간경변	심장질환(심부전, 심막염)	담즙 유출
후기 Budd-Chiari 증후군	초기 Budd-Chiari 증후군	신증후군
대량 간전이(massive hepatic	하대정맥 폐색	췌장염
metastasis)	Sinusoidal obstruction syndrome	복막암
		결핵성 복막염

SAAG : Serum to ascites albumin gradient

5. 치료

1) 복수가 최근에 발생했거나 악화되었을 때 찾아보아야 할 유발 요소들

과도한 염분 섭취, 이뇨제 복용 거부, 감염증 합병, 간기능 저하, 문맥 혈전증, 간세포암 발생 및 악화

2) 복수조절의 목표

(1) 복수 및 사지 말단 부종이 있을 때: 하루 1.0 kg 이하

(2) 복수만 있을 때: 하루 0.5 kg 이하

3) 기저 간질환의 치료

(1) 금주: 알코올 간질환 환자

(2) 항바이러스제: B형 간염바이러스, C형 간염바이러스가 검출되는 비대상성 간경변증 환자

4) 염분제한

(1) 하루 염분 5 g (2 g NaCl, 88 mEq) 이하로 제한

(2) 염분 제한만으로도 복수 조절 효과가 있는 경우

   ① 최근에 발생한 복수

   ② 원인 간질환이 가역적인 경우

   ③ 유발인자가 교정 가능한 원인인 경우

   ④ 소변내 나트륨 배설이 하루 25 mmol 이상일 때

   ⑤ 신기능이 정상일 때

5) 수분 제한: 이뇨 효과는 거의 없지만 저나트륨혈증(serum Na < 125 mmol/L)이 있을 때는 1-1.5 L/day로 수분제한을 해볼 수 있음

6) 이뇨제: 염분 제한만으로 이뇨와 체중감소에 실패한 경우에 처방

(1) 원위세뇨관 작용 이뇨제(spironolactone)

   ① 1차 선택약

   ② 시작용량: 50-100 mg/day

   ③ 3-5일 간격으로 용량 조절, 최대 400 mg/day까지 증량

   ④ K ≥5.5 mEq/L → 용량 감량, K ≥6.0 mEq/L → 중지

   ⑤ 부작용: 고칼륨혈증, 여성형 유방, 유방통, 성욕감퇴, 발기부전

   ⑥ Amiloride: 이뇨 효과는 떨어지나 항안드로젠 작용이 적어 spironolactone으로 통증이 있는 여성형 유방 호소 시 spironolactone의 1/10 용량으로 사용

(2) 근위세뇨관 작용 이뇨제(furosemide, torasemide)

   ① Spironolactone을 사용해도 조절이 안될때 추가사용 또는 처음부터 같이 사용

   ② 20-40 mg/day로 시작하여 160 mg/day까지 증량

   ③ 통상 spironolactone: furosemide=100:40의 비율로 처방하고, K 농도에 따라 비율 조절

   ④ K ≤3.5 mEq/L → 줄이거나 중지

   ⑤ Torasemide: furosemide보다 반감기와 작용 시간이 긺. furosemide의 1/4 용량으로 사용

⑥ 합병증: 혈장량 감소, 신부전, 저칼륨혈증, 간성뇌증

(3) 치료 반응의 평가

① 24시간 소변내의 Na 배설량 >78 mEq이면 저염식을 지키지 않는다고 판단할 수 있고, ≤78 mEq이면 이뇨제 용량이 부족하므로 이뇨제를 증량

② Spot urine Na/K ratio >1 이면 저염식을 지키지 않는다고 판단

(4) 탈수, 전해질 불균형, 간성뇌증, 근육경련, 신장애 동반시에 주의를 요하며, NSAIDs 신기능을 감소시킬 수 있으므로 사용을 피함

(5) 이뇨제 합병증 관리

① 전해질 불균형, 간성뇌증, 신부전 등의 합병증을 조기에 발견하도록 함

② 혈청 전해질과 요소 질소, 크레아티닌을 처음에 측정하고, 이후 적절한 간격으로 추적 검사. 소변 전해질 측정도 도움이 됨

③ 이뇨제 사용에 의한 근육경련은 유효 혈류량의 감소와 관련하여 발생하며 심한 경우 이뇨제를 줄이거나 중지해야 하고, 알부민 등을 사용할 수 있음

7) 단순 복수의 조절

복수의 정도
Grade 1: 복부초음파 등의 영상검사에 의해서만 확인이 가능한 소량의 복수가 있는 상태
Grade 2: 시진 및 촉진으로도 쉽게 복수의 존재를 인지할 수 있는 경우
Grade 3: 육안적으로도 현저한 복부팽만을 보이는 대량 또는 긴장성 복수

(1) Grade 1 복수의 조절: 대부분의 경우 염분 섭취 제한만으로 조절 가능

(2) Grade 2 복수의 조절

① 염분섭취 제한과 함께 이뇨제를 초기 치료로 사용

② 이뇨제에 대한 반응은 매일 체중을 측정하여 평가, 말초 부종이 있는 경우 하루 1kg, 부종이 없는 경우 하루 0.5 kg의 체중 감소

③ 체중 감소가 충분하지 않은 경우 소변 나트륨 배설량을 측정

하루 78 mEq 이상의 나트륨을 배설하면서도 체중 감소가 충분하지 않은 경우

→ 염분 제한을 지키지 않는다고 판단

하루 78 mEq 이하의 나트륨 배출을 보이는 경우 → 이뇨제 증량

(3) Grade 3 복수의 조절

① 치료적 대량 복수 천자를 일차적으로 시도할 수 있으며, 염분 제한과 이뇨제 투여를 병행

② 일회의 전량 복수 천자도 시도할 수 있음

③ 대량 복수천자를 시행할 때 혈장량을 보존하는 조치를 취해야 하며, 천자량 1 L마다 8-10 g의 알부민 정맥 투여 권장

④ 이뇨제 사용과 관련된 지침은 Grade 2 복수 조절의 권고사항을 따를 것

⑤ 간이식을 고려할 수 있음

8) 난치성 복수(refractory ascites)

(1) 염분제한 식이와 최대용량의 이뇨제(400 mg/day spironolactone과 160 mg/day furosemide)에도

불구하고 반응이 없거나 치료적 복수 천자 후에도 빠르게 재발하는 복수

(2) 치료

① 대량복수천자(large volume paracentesis)와 알부민 병용 투여

알부민 병용 투여: 복수 1 L 천자 시 알부민 8-10 g 투여

→ 20% 알부민 100 ml 정주시 3-4 L의 복수천자가 가능함

② 염분 제한과 이뇨제

③ TIPS나 간이식 고려

IV. 자발성 세균성 복막염(Spontaneous bacterial peritonitis)

1. 발생기전

1) 정상적으로 박테리아로부터 보호를 해주던 옵소닌 단백질과 알부민의 저하

2) 자발적 세균성 복막염 발생에 기여하는 박테리아는 장으로부터 기원하여 장벽과 림프계를 통해 혈행성 경로로 복수내에 퍼짐

3) 발생의 위험요인: 복수내 단백질 농도 < 1 g/dL, 정맥류출혈, 자발성 세균성 복막염 기왕력

2. 임상양상

1) 갑작스러운 발열 및 오한, 복통(드물게 반동압통)

2) 임상적 증상은 거의 없을 수도 있어서, 어떤 환자들은 복통호소 없이 황달 악화 혹은 간성뇌증만 보이기도 함

3. 진단

1) 시험적 복수 천자

표 5-7-4 자발성 세균성 복막염의 아형

Subtype Ascites	PMN count (cells/mm³)	Ascites culture	치료
Spontaneous peritonitis (SBP)	≥ 250	one organism	치료
Culture-negative neutrocytic ascites (CNNA)	≥ 250	(−)	치료
Monomicrobial non-neutrocytic bacterascites (MNB)	< 250	one organism	감염 증상이 있으면 치료

2) 이차성 복막염을 의심할 수 있는 소견

(1) 백혈구 수 > 10,000 cells/L

(2) 그람염색과 균배양에서 여러 개의 균주가 배양

(3) 복수 내 총 단백질량 1 g/dL 이상, 복수 내 LDH가 혈청 내 LDH의 정상 상한치 이상, 복수 내 glucose ≤ 50 mg/dL

(4) 48시간 이상 치료 후에도 호전 없을 때

4. 치료

1) 원인

(1) 대부분 장내 그람음성균

(2) 드물게 폐렴연쇄구균 및 다른 그람양성균

2) 경험적 치료

(1) 3세대 cephalosporin (e.g. cefotaxime 2 g IV q 6-8 hr, 또는 ceftriaxone 2 g IV daily, 신기능에 따라서 용량 조절), 또는 quinolone (ciprofloxacin, 400 mg IV q 12 hr)

(2) 48-72시간 내에 임상적 호전이 없을 경우에 복수 검사를 재시행해야 하며, 특히 처음 시행한 결과가 음성일 경우에는 반드시 재검사가 필요함

3) 알부민 정주: 신부전 발생률을 낮추고 생존율을 증가시킴

4) 기간: 5-10일

5) 흔한 재발: 70%의 환자가 첫 발병한 해에 재발함

6) 예방적 요법: 자발성 세균성 복막염 과거력, 복수단백 < 1.5 g/dL : norfloxacin 400 mg/d

V. 간신증후군

1. 정의 및 병인론

1) 입증된 신장의 기능 부전 없이 핍뇨, 검사상 신기능 악화, 질소혈증이 나타남

2) 정확한 근거는 명확치 않으나 변화된 신혈역동성이 연관된 것으로 생각됨

3) Endothelin-1 증가: 신혈류량, 신피질관류, 사구체여과율(GFR)을 저하시켜 병인에 결정적인 역할

4) Arachidonic acid (프로스타글란딘, thromboxane) 대사 산물의 불균형이 병리적 원인

2. 임상양상

1) 악화되는 질소혈증, 저나트륨혈증, 진행하는 핍뇨

2) 심한 위장관출혈, 패혈증, 과도한 이뇨제 투여, 대량 복수천자가 원인이되지만 이들 없이도 발생 가능

3) 신전질소혈증, 저혈증(reduced blood flow)에 의한 급성신괴사, 출혈로 인한 질소과부하 및 약인성 신독성(aminoglycoside, 조영제) 등의 다른 원인을 배제하는 것이 중요

3. 간신증후군의 진단 기준

1) 복수가 동반된 간경변증

2) 혈청크레아틴 > 1.5 mg/dL, 1형 간신증후군은 sCr이 2주 이내 두배 이상으로 증가하여 2.5 mg/dL일 때

3) 알부민(체중 1 kg당 1 g의 알부민 투약, 하루 최대 100 g까지)을 사용하여 혈장량을 늘리고 최소 2주

이상 이뇨제를 중단한 후에도 sCr의 호전(1.5 mg/dL 이하로 감소)이 없을 때

4) 전신적인 쇼크가 없어야 함

5) 최근에 신독성이 있는 약제 또는 혈관확장제를 사용하지 않아야 함

6) 단백뇨(≥500 mg/day), 혈뇨(≥50 RBC/HPF) 등의 신질환이 없어야 하고 신초음파에서 정상소견

4. 치료와 예방

1) 간신증후군

(1) 간신증후군의 비약물적 치료

① 비대상성 간경변증에 속발된 1형 간신증후군에서는 가능한 신속히 기저질환을 치료하거나 간이식을 고려

② 간신증후군의 잔여 생존 기간을 고려해 약물치료와 더불어 TIPS를 간이식 전 가교치료로서 고려할 수 있음

③ 내과적 치료에 반응하지 않는 폐부종, 심한 고칼륨혈증, 대사성 산증의 발생 시 신대체 요법을 고려할 수 있음

(2) 간신증후군의 약물적 치료

① 1형 간신증후군의 일차 약물치료: 혈관수축제와 알부민 정맥주사를 병용 투여

 - terlipressin과 알부민을 병용 투여하면 신기능 호전을 기대할 수 있음

 - midodrine, octreotide, 알부민 병용요법을 사용할 수 있음

(3) 간신증후군의 예방

① 간경변증과 자발성 세균성 복막염이 있는 경우 알부민 정맥주사를 고려

VI. 간성뇌증

1. 정의

복잡한 신경정신과적 증후군으로 의식과 행동의 장애, 인격 변화, 신경학적 소견의 변동, asterixis (flapping tremor) 등의 특징적인 증상을 보임

2. 간성뇌증의 흔한 선행요인: 선행 요인의 교정만으로도 호전될 수 있어 이를 찾는 것이 중요

1) 질소부하 증가: 위장관 출혈, 식이단백 과잉, 변비

2) 전해질대사 불균형: 저칼륨혈증, 알칼리증, 저산소증, 저나트륨혈증, 혈량 저하

3) 약물: 마약, 신경안정제, 진정제, 이뇨제

4) 기타: 감염, 수술, 중복 급성 간질환, 진행성 간질환, 문맥-전신단락

3. 임상양상 및 진단 : 병력과 임상 양상으로 진단

1) EEG: 심한 간성뇌증에서 양측성으로 동시에 발생하는 높은 전압과 느린 삼상파가 관찰될 수 있으나 뇌파 검사만으로 간성뇌증을 진단할 수는 없음

2) 뇌척수액 & 뇌전산단층촬영: 정상

3) 급성 간성뇌증: 전격성 간부전에서 발생, 뇌부종이 주요 기전, 사망률 높음
만성 간성뇌증: 간경변증에서 발생

4) 임상양상: 신경학적 기능 이상(지능이나 성격장애, 기억력 감소, 구성행위상실증, 의식소실), 신경근 육계 이상(자세 고정 불능증(asterixis), 과다 반사증, 근경련증), 드물게는 파킨슨양 증후군(Parkinson-like syndrome), 진행성 마비

5) 간성뇌증의 임상적 등급

표 5-7-5 간성뇌증의 임상 병기(West Haven Criteria)

등급	인지기능	신경학적 특징
1	환락감 또는 우울증, 경도의 착란, 불분명한 발음, 수면장애	tremor, mild asterixis
2	기면상태(lethargy), 중등도 착란	obvious asterixis, slurred speech
3	심한 착란, 앞뒤가 맞지 않는 언어, 자고 있으나 깨울 수 있음	muscular rigidity, clonus, hyperreflexia
4	혼수상태, 처음에는 자극에 반응하지만 나중에는 무반응 상태	decerebrate posturing

6) 치료: 조기진단과 즉각적인 치료가 필수적

(1) 유발인자의 제거가 필수(위장관 출혈, 감염, 변비, 단백질 과다섭취 등)

(2) 혈중 암모니아 감소

① 비흡수성 이당류: 락툴로오스(lactulose) or 락티톨(lactitol)

ⅰ) 작용

- 삼투성하제(osmotic laxatives): 암모니아 생성/흡수 감소
- 장내 pH 감소: 장내 암모니아 생성 감소, 대장에서 암모니아 흡수 감소

ⅱ) 투여 방법

- 하루 2-3회 묽은변을 볼 정도로 대개 15-45 ㎖을 하루 2-3회 경구 투여
- 관장 : 의식 저하가 심한 환자에서 lactulose 300 ㎖와 물 700 ㎖를 섞어 관장 가급적 관장액이 전 대장에 골고루 퍼지도록 하며 30분 이상 관장액이 장내에 머물러 있도록 함

② 비흡수성 항생제 경구 투여: rifaximin (400 mg 하루 3회)

③ L-ornithine-L-aspartate (LOLA): 혈중 암모니아 농도 감소, 간성뇌증 호전 기대

④ Flumazenil (short acting benzodiazepine antagonist): benzodiazepine에 의해 유발된 간성뇌증의 경우 투여 고려

(3) 간이식: 치료에 반응하지 않는 심한 간성뇌증 환자, 초기증상으로 간성뇌증을 보인 급성 간부전 환자

(4) 재발 방지

① lactulose 또는 rifaximin 투여

② 단백 식이 제한(하루 < 60 g): 식물성 단백질이 동물성 단백질보다 더 좋음

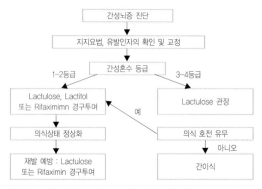

그림 5-7-2 간성뇌증의 치료(2011년 대한간학회 간성뇌증 환자의 치료 흐름도)

VII. 문맥 고혈압성 위병증(Portal hypertensive gastropathy)

1. 임상 양상

진단 내시경 검사상 충혈되고 손상받기 쉬운 위점막 양상을 보이며 지연성 점막 출혈이 일어날 수 있음

2. 치료: β차단제(propranolol)

H2 receptor 억제제나 다른 위염 치료 약제는 대개 도움이 되지 않음

VIII. 흉수(Hydrothorax)

1. 간경변증 환자의 5-10%에서 나타나며, 횡경막의 결함이나 림프관을 통하여 복수가 늑막강내로 이동하여 발생
2. 많은 복수가 없이도 발생할 수 있으며, 주로(70%) 우측에 누출액으로 나타남
3. 다른 원인을 찾기 위해 흉부 CT가 필요한 경우도 있음
4. 치료: 대부분 복수가 호전되면 함께 호전됨. 이뇨제, 흉강천자, TIPS 등

IX. 복벽탈장

1. 장파열이나 교액(strangulation)이 되는 경우 생명이 위험할 수도 있음
2. 적절한 복수 조절을 통한 예방이 최선

X. 응고장애(Coagulopathy)

1. **혈소판 감소증**: 비장 항진증, 알코올 간경변증에서는 에탄올에 의한 직접적인 골수 억제도 원인
2. **단백질 합성감소**: Fibrinogen (factor I), 프로트롬빈, factor V, VII, IX, X 생산 감소(factor V 외의 모든 인자
   의 감소는 담즙울체로 인한 비타민K 흡수장애에 의하여 악화)

XI. 저산소혈증과 간폐증후군

경한 저산소혈증은 만성 간질환 환자의 1/3에서 발생

1. **저산소혈증의 기전**: 폐 혈관의 확장에 의한 폐내의 우좌단락에 의한 것
2. **간폐 증후군의 증상**: 저산소혈증, platypnea, 좌위저산소증(orthodeoxia)
3. **진단**: 조영제를 사용한 심초음파나 ^{99m}Tc-MMA (technetium-99m-labeled macroaggregated albumin)
   를 이용한 폐관류스캔
4. **치료**
   1) 간이식: 미국간학회 가이드라인에서 권고
   2) 경경정맥 간 내 문맥-전신 단락술 (TIPS): 공식적으로 권장되지 않음
   3) 효과적인 약물 없음

08 급성 간부전과 간이식

I. 급성 간 부전(Acute Liver failure)

1. 정의

기저 간질환이 없는 환자에서 다양한 원인에 의한 급성 간손상으로 황달, 혈액응고장애, 간성 뇌증이 발생하여 다장기부전에 이르는 질환

2. 원인

1) 미국, 유럽: 약인성(Acetaminophen - 50%, idiosyncratic drug reaction - 12%)

2) 국내: 가장 흔한 원인은 간염바이러스, 술, 약제 등

3) 기타: Budd-Chiari 증후군, Herpes simplex 감염, 윌슨병, 허혈성 간질환, 임신과 연관된 급성 간부전, 자가면역성간염, 악성 종양의 간침범 등

3. 임상 양상

1) 간성 뇌증, 혈액응고장애, 황달이 특징적인 임상 양상임

2) 초기 증상은 구토나 전신 피로감 등으로 다양하며 황달이 발생하고 수일 안에 혼수로 진행함.
후기에는 빈맥, 저혈압, 빈호흡, 발열 등이 발생할 수 있음

4. 치료

1) 간이식: 효과적인 유일한 치료

2) 질환별 치료

(1) 아세트아미노펜 중독: N-acetylcysteine

(2) 헤르페스성간염: acyclovir

(3) acute fatty liver of pregnancy/HELLP syndrome: 분만

(4) amanita phalloides 중독: oral charcoal and IV penicillin

(5) steroid: 효과 없음

3) 중환자실 환자의 치료

(1) 혈액응고장애: 침습적 혹은 진단적 시술시 FFP, recombinant factor VII 사용

(2) 위장관 출혈: H2 receptor antagonist, PPI제제

(3) 신부전: 핍뇨가 지속되거나 고질소혈증이 발생하면 신대체요법(CRRT) 시행

(4) 간성뇌증

① 유발인자가 있을 경우 치료(예: 위장관 출혈, 저칼륨혈증, 패혈증).

② 락툴로스 투여(비위관이나 직장을 통해서 투여).

(5) 초조(agitation): propofol과 benzodiazepine을 사용할 수 있음

(6) 경련(seizure): phenytoin

(7) 뇌부종(brain edema)과 두개 내압 항진(intracranial hypertension)

① 뇌부종의 흔한 증상이 나타나는지 잘 관찰해야 함

(고혈압, 서맥, 과호흡, 대뇌 제거자세와 같은 신경학적 증상, 비정상적 동공 반사 등)

② CT scan으로 다른 두개 내 병변을 감별

③ 두개 내압을 모니터 할 수 있다면 20 mmHg 이하로 유지하도록 함

④ 두개 내압 항진의 초기치료

ⅰ) 머리를 상승시킨다(20-30도 정도).

ⅱ) volume expansion을 피하고 발열 조절

ⅲ) mannitol (100 to 200 mL of a 20% solution IV over 5 minutes)

- mannitol은 혈장삼투압이 320 mOsm/L 이하인 경우에만 투여

- 신부전이 있는 경우 신중하게 투여해야 함

- 대개 투석이나 지속적 신대체요법(CRRT)과 함께 투여되어야 하는 경우도 있음

4) 급성 간부전의 기타 보조적 치료

(1) 치료적 저온요법(therapeutic hypothermia)

두개 내압 항진치료

(2) 고용적 혈장 분리 교환술(large volume plasmapheresis)

(3) 체외 알부민 투석(extracorporeal albumin dialysis)

① 이식전 교량 역할로 주로 사용

② albumin에 부착된 독소의 제거

5. 질환별 예후

1) 예후가 좋은 경우: 아세트아미노펜, A형 간염, 임신, 쇼크

2) 예후가 나쁜 경우: 비아세트아미노펜 약제, B형 간염, 자가면역간염, 윌슨병, Budd-Chiari syndrome, 악성종양, 원인 미상의 경우

II. 간이식

1. 말기 간질환의 중등도 평가와 이식시점

1) 말기 간질환의 중등도

입원한 간경변증 환자에서 MELD와 3개월 사망률의 관계	
MELD	사망률(%, 숫자/총원)
≤9	4(6/148)
10∼19	27(28/103)
20∼29	76(16/21)
30∼39	83(5/6)
≥40	100(4/4)

(1) MELD 점수는 Child-Pugh 등급(5-15점)에 비교하여 5-40점까지 다양하게 분포
   중등도의 변별력에 장점이 있고 객관적이며 3개월 내 사망률 예측에 효과적

(2) 과거에는 뇌사자 공여간 수혜자의 우선 순위를 Child-Pugh 등급, 혈액형에 따라 판단
   미국에서는 2002년 2월부터 MELD 체계가 적용
   국내에서도 2016년 6월부터 MELD 체계가 적용

2) 간이식의 시기 선정

생체부분 간이식의 경우 MELD 점수가 15점 이상에서 이식하는 비교위험도가 간이식을 하지 않은 간경변증 환자의 비교위험도보다 낮고, 25점 이상에서 이식을 한 경우 간이식 후 3개월 내 사망률의 비교 위험도가 오히려 증가함

따라서 MELD점수가 15점에서 25점 사이에 이식하는 것이 간이식 후 환자의 장기 생존에 도움이 되고 수술로 인한 사망률도 낮아 간이식의 장점이 증가한다고 예상할 수 있음

3) 간경변증 환자에서의 간이식

(1) CTP score 5, 6점(Child A)이면서 문맥 고혈압성 출혈이나 자발성 복막염의 기왕력이 없는 경우
   5년 생존율이 80% 정도이므로 간이식 대상은 아님

(2) Child B, C이면서 임상적으로나 생화학적으로 간기능의 비대상성 악화가 있는 경우 간이식 대상임
   ① 재발성 또는 중증의 간성뇌증
   ② 치료에 반응하지 않는 복수
   ③ 자발성 세균성 복막염
   ④ 재발성 문맥 고혈압성 출혈
   ⑤ 간신증후군의 발생

4) 간세포암 환자에서의 간이식(Milan criteria)

(1) 간절제를 시행할 수 없는 진행된 간경변증 환자로

(2) 간외전이의 증거가 없고, 림프절 전이나 혈관 침범이 없으며,

(3) 종괴가 한 개이면서 최대 직경이 5 cm 이하이거나

(4) 종괴가 3개 이하이면서 각각의 최대 직경이 3 cm 이하인 경우

5) 급성 간부전 환자에서의 간이식

(1) 간이식 후 원발성 이식편 비기능(primary graft nonfunction), 간이식 직후 간동맥 혈전증(hepatic artery thrombus)으로 간부전에 빠진 경우 수일 내에 응급 간이식이 필요함

(2) 급성 간부전시 흔히 쓰는 간이식을 위한 기준

표 5-8-1 급성 간부전 환자에서 King's College의 간이식 적응증

급성 간부전 환자에서 King's College의 간이식 적응증
1. 아세트아미노펜 중독환자
1) pH<7.3 또는
2) 프로트롬빈 시간>6.5 (INR) 그리고 혈청 크레아티닌>3.4 mg/dL, 간성뇌증 3~4단계
2. 아세트아미노펜 중독 이외의 환자
프로트롬빈 시간>6.5 (INR)이거나
1) 나이<10세 또는>40세
2) 원인: A, B형 간염바이러스가 아닌 경우, 할로탄간염, 특이약물반응
3) 혼수 이전에 황달기간>7일
4) 프로트롬빈 시간>3.5 (INR)
5) 혈청 빌리루빈>17.5 mg/dL
1)~5) 중에서 3가지 이상인 경우

6) 공여자와 수혜자 사이의 필요 조건

(1) 혈액형(standard ABO compatibility rules): 혈액형 적합/부적합 간이식 모두 가능

(2) 몸 크기: 공여자와 수혜자의 몸무게 차이가 20% 이내이면 가능

2. 간이식 후 원발 질환의 재발

1) 간이식후 재발이 없는 질환

(1) 선천성 해부학적 이상: 담도 폐쇄증(biliary atresia), 다발성 낭종성 간질환(polycystic liver disease), Caroli's disease, Alagille's syndrome, 선천성 간섬유화(congenital hepatic fibrosis)

(2) 대사성 질환: 윌슨병(Wilson's disease), α1-antitrypsin deficiency

2) 가장 재발이 잦은 질환: 만성 B형 간염

➕ 진단을 위한 핵심사항

- 간세포암종의 영상학적 진단
    - 제1 조건: 간세포암종 고위험군(만성 B형 간염, 만성 C형 간염, 간경변증)에서
    - 제2 조건: 크기 1 cm 이상의 결절이
    - 제3 조건: 일차 영상검사에서 '전형적 영상소견'을 보이면, 간세포암종으로 진단
    - 추가 조건: 일차 영상검사에서 불확실한 경우, 추가 영상검사를 시행하여 '전형적 영상소견'을 보이면 진단

※ 간세포암종 진단을 위해 일차 영상검사로 시행할 수 있는 검사 종류
  : 역동적 조영증강 CT, 또는 역동적 조영증강 MRI, 또는 간세포 특이 조영제 MRI

※ 추가 영상검사로 시행할 수 있는 검사 종류
  : 일차 영상검사 종류 + 혈관내조영제 조영증강 초음파

I. 간담도 종양의 분류 및 방사선학적 특징

표 5-9-1 간담도 종양의 방사선학적 특징

종양	방사선학적 특징
양성종양(추적관찰)	
혈관종	지연기에 주위에서 중심부로 채워지는 조영증강이 특징적
초점성 결절 증식증	동맥기에 조영증강이 빨리 나타나며 정맥기에는 주위 실질과 동음영이 됨 (영양혈관을 동반한 중심부 반흔이 보일 수 있음)
단순 간낭종	초음파상에 저음영
초점성 지방변이	MRI의 in and out of phase에서 가장 특징적으로 나타남
혈관지방종(angiolipoma)	조영제를 이용한 방사선 소견상 동맥기에 조영증강
양성종양(추가검사 및 치료가 필요)	
간세포선종	빠른 동맥기 조영증강을 특징으로 하는 불균일한 병변
결절성 재생과증식	특이소견 없이 다양함
낭샘종	초음파상 낭종벽 증강과 고형 구조물을 동반한 낭종성 병변, 격막을 형성하기도 함
간농양	초음파상 낭종성 병변
염증성 가성종양	조영제를 이용한 방사선 소견상 비특이적 조영증강
에키노칼 낭종	낭종성 병변으로 격막, 석회화된 테두리, 딸 낭들(daughter cysts)을 동반함

악성종양(적절한 치료가 필요)

간세포암종	동맥기 조영증강과 문맥기에 조영제가 빠져나가는 소견
담관암종	조영증강이 문맥기까지 지속됨
혼합성 간세포담관암종	조영증강이 초기에서 후기까지 나타남
전이성 간암	종양 주위의 조영증강이 일반적으로 양엽에 걸쳐서 다발성으로 나타남
낭샘암종	낭종내에 증강되어 나타나는 고형성 병변
육종	동맥기에 조영증강되는 고형성 병변
혼합성 간종양	동맥기에 조영증강되는 고형성 병변: 석회화 병변을 동반할 수 있음
비호지킨 림프종	간세포암종 보다는 다소 약한 동맥기 조영증강
	산재성 병변이거나 정맥을 침범한 간세포암종과 비슷할 수 있음

II. 양성 간종양(감별진단)

표 5-9-2 양성 간종양의 감별진단

	간세포 선종	초점성 결절 증식증	혈관종(가장 흔함, 0.5~7%)
성별	여성, 20~30 대	여성	여성
호발부위	우엽	우엽	우엽
원인	경구 피임제(90%)	불명	불명
임상 양상	통증, 촉진 종괴	무증상	무증상
진단	초음파, CT, MRI, biopsy	초음파, CT, MRI, biopsy	초음파, CT, MRI
치료	피임제 중단, 수술(큰 크기)	관찰	관찰
예후	10% 악성화	악성화되지 않음	악성화되지 않음

III. 간세포암종

1. 개론

1) 역학

(1) 남자: 여자 = 2:1 ~ 4:1

(2) 발생 평균 연령

① high incidence (>15 cases/인구 10만 명) & HBV high prevalence area: 60세 이전

② intermediate or low incidence area (<15 cases/인구 10만 명): 60세 이후

(3) 우리나라 간암 사망률(2016년): 21.5명(남 31.5명, 여 11.6명)/인구 10만 명(폐암에 이어 2위)

(4) 우리나라 연간 간암 조발병률: 32명/인구 10만 명, 연령 표준화 발병률: 19.9명/인구 10만 명

(5) 우리나라 연간 간암 조발병률과 연령 표준화 발병률이 차이가 나는 이유

: 인구조성이 급격이 노령화되고 있고, 간암 발생 평균 연령이 증가하고 있기 때문

표 5-9-3 간암 발생의 위험인자

1. 간경변증 : 원인에 관계없이 간암의 위험인자. 매년 약 2~5% 간암으로 진행
2. B형 간염 바이러스 : 우리나라에서 가장 흔한 원인. 60세 이전의 간암의 흔한 원인
3. C형 간염 바이러스 : 60세 이후의 흔한 원인
4. 알코올
5. 아플라톡신
6. 경구피임약, 안드로젠
7. 만성간질환 : α1-antitrypsin deficiency, Hemochromatosis, Tyrosinemia
8. 기생충감염 : Schistosomiasis, Clonorchiasis, Echinococcus
9. 기타화학물질 : Thorium dioxide, Vinyl chloride

2. 간세포암종 원인 및 예방

1) 우리나라 간세포암종의 원인: HBV (62.2%), 알코올성 및 원인 미상(27.4%), HCV (10.4%)

2) 1차 예방

(1) 모든 신생아에서 B형 간염 예방접종

(2) 소아 및 성인에서 혈청 HBsAg, anti-HBs, IgG anti-HBc가 모두 음성이면 B형 간염 예방접종

(3) 개인간 B형/C형 간염바이러스 전염 예방

(4) 알코올 남용을 피하며, 비만, 당뇨와 같은 대사질환을 적절히 조절

3) 2차 예방

(1) 만성 B형 간염 혹은 만성 C형 간염에 대한 항바이러스 치료

(2) 만성 간질환 환자에서 커피 음용(대개 하루 2-3잔 이상)

4) 3차 예방

(1) 만성 B형 간염과 연관된 간세포암종의 근치적 치료 후 항바이러스제 치료

(2) 만성 C형 간염과 연관된 간세포암종의 근치적 치료 후 DAA 치료는 아직 근거 부족

3. 감시검사

1) 감시검사 대상: 간세포암종 고위험군[만성 B형 간염, 만성 C형 간염, 간경변증] 환자

2) 감시검사의 방법과 주기

(1) 간 초음파검사와 혈청 알파 태아단백검사를 6개월마다 시행

(2) 간 초음파검사를 시행할 수 없는 경우, 역동적 조영증강 CT 또는 역동적 조영증강 MRI 등 시행

4. 진단(adapted from 2018 간세포암종 진료 가이드라인, 대한간암학회-국립암센터)

1) 간세포암종 진단 알고리즘 및 경과관찰 전략

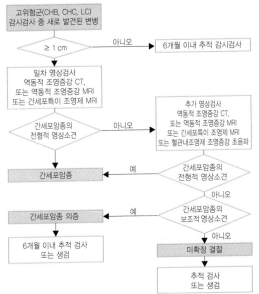

그림 5-9-1 간세포암종 진단 알고리즘(adapted from 2018 간세포암종 진료 가이드라인, 대한간암학회-국립암센터)

2) 병리학적 진단

(1) 위험인자가 없거나, 간세포 암종의 전형적인 영상소견을 보이지 않는 경우, 생검을 통해 병리학적 진단을 할 수 있음

(2) 드물게 0.5-2.0%에서 종괴 파종(seeding), 출혈, 검체 획득 실패 등이 발생할 수 있어 간이식 예정 환자에서는 시행하지 않음

3) 종양표지자

(1) Alpha-fetoprotein (AFP): 60-80%에서 상승하지만, 소간세포 암종의 경우 20-30%만 상승

200 ng/ml 이상인 경우, 특이도는 95-100%, 종양의 크기에 비례

종양의 진행이나 치료 후 재발에 대한 모니터링에 유용함

(2) PIVKA-II (protein induced by vitamin K absence II): 주로 5 cm 이상의 간암의 종양표지자로서 유용함

AFP과 함께 종양의 진행이나 치료 후 재발에 대한 모니터링에 이용됨

(3) 기타: AFP-L3, Isozyme of alkaline phosphatase (variant ALP), Isozyme of γ - glutamyl transpeptidase (novel γ -GTP)

5. 간암의 병기

1) 병기설정에 필요한 인자

종양의 크기 및 개수, 임파선전이 유무, 원격전이 유무, 종양의 형태, 복수, 문맥혈전 유무, 알부민, 빌리루빈 수치, Child-Pugh score, AFP 수치

2) 병기 설정을 위하여 필요한 검사

(1) 혈액학적 검사: CBC, BC (알부민, 빌리루빈 등 포함)

(2) 종양표지자 검사: AFP, PIVKA-II

(3) 방사선학적 검사: 복부 CT, 흉부 CT, Bone scan (종양의 크기, 형태와 원격전이 유무를 평가함), PET-CT (수술전 간외전이 진단에 유용)

※ 간암의 호발 전이부위: 폐 > 임파선 및 부신 > 근골격계

3) 간암의 병기

(1) TNM stage (modified UICC staging)

※ T factors: ① 단일결절 ② 종양크기 < 2 cm ③ 혈관 또는 담도 침범 없음

- T1: T factor 3개 만족
- T2: T factor 2개 만족
- T3: T factor 1개 만족
- T4: T factor 0개 만족

표 5-9-4 TNM stage (modified UICC staging)

Stage I	T1	N0	M0
Stage II	T2	N0	M0
Stage III	T3	N0	M0
Stage IVa	T4	N0	M0
	any T	N1	M0
Stage IVb	any T	any N	M1

(2) TNM stage (8th AJCC staging)

① T1a: 2 cm 이내의 단일결절

② T1b: 2 cm 초과이며 혈관침범이 없는 단일결절

③ T2: 2 cm 초과이며 혈관침범이 있는 단일결절 또는, 모두 5 cm 이내의 다발성 결절

④ T3: 적어도 하나가 5 cm 초과인 다발성 결절

⑤ T4: 문맥 1차 분지나 간정맥을 침범한 경우 또는, 담낭 이외의 주변 장기로의 직접 침윤이나 복막의 침윤 및 천공

표 5-9-5 8th AJCC staging system for HCC

Stage IA	T1a	N0	M0
Stage IB	T1b	N0	M0
Stage II	T2	N0	M0
Stage IIIA	T3	N0	M0
Stage IIIB	T4	N0	M0
Stage IVA	Any T	N1	M0
Stage IVB	Any T	Any N	M1

(3) Barcelona Clinic Liver Cancer (BCLC) staging classification

표 5-9-6 BCLC staging classification (adapted from Nat Rev Dis Primers 2016;2:16018)

Stage	Performance status (PS)	Tumor status	Child–Pugh class
Stage 0 : Very early HCC	0	Single nodule ≤2cm	A
Stage A : Early HCC	0	Single or ≤3 nodules ≤3 cm	A~B
Stage B : Intermediate HCC	0	Multinodular	A~B
Stage C : Advanced HCC	1~2	Portal invasion or Extrahepatic spread	A~B
Stage D : Terminal HCC	3~4	Any	C

6. 간세포암종의 치료

1) BCLC stage에 따른 치료 전략

표 5-9-7 BCLC stage에 따른 치료 전략(adapted from Hepatology 2018:68(2);723-750)

		Stage 0	Stage A	Stage B	Stage C	Stage D
Level of Evidence	A	Resection		TACE	TACE+EBRT Sorafenib (1L) Lenvatinib (1L) Regorafenib (2L) Cabozantinib (2L)	
	B	RFA MWA	Resection OLT RFA MWA TARE TACE SBRT	TARE Downsize OLT	Nivolumab (2L)	OLT BSC
	C				TACE TARE	
Median Survival		>5 years		>2.5 years	>1 year	3 months

MWA, microwave ablation; BSC, best supportive care; 1L, first–line therapy; 2L, second–line therapy.

2) 간절제술

(1) 문맥압항진증과 고빌리루빈혈증이 모두 없는 Child-Pugh 등급 A의 환자에서 간에 국한된 단일 간 세포암종은 간절제가 일차 치료법

(2) 경미한 문맥압항진증 또는 경미한 고빌리루빈혈증을 동반한 Child-Pugh 등급 A 및 B7 등급의 간 세포암종은 제한적 간절제를 선택적으로 시행 가능

(3) 간기능이 잘 보존된 환자에서 간문맥, 간정맥, 담도 침습 등이 있더라도 주간문맥(main portal trunk) 침습이 없으면, 간에 국한된 3개 이하 간세포암종은 간절제를 고려

(4) 좌외측 구역과 전하방에 위치하여 접근이 용이한 간세포암종은 복강경 절제술을 고려

(5) 수술 전 평가

① 대부분의 간절제는 ECOG 수행능력 0~2이며 Child-Pugh 등급 A인 환자에서 시행

② Indocyanine Green15분 정체율(ICG-R15)

: 우간절제 이상의 대량 간절제는 ICG-R15이 14% 이내의 환자에서만 권고

* ICG-R15 test (Indocyanine Green Test)

: 유효 간 혈류량과 간세포의 색소 섭취 능력을 나타내는 색소부하 검사

주입 후 15분의 혈중 잔존 ICG 양을 주입시의 이론적인 혈중 ICG농도에 대한 비율로 나타냄

* ICG (Indocyanine Green)

: 간에서 포합(conjugation) 없이 담즙으로 배설되어 장-간 순환을 거치지 않는 색소

③ 수술 후 남는 잔존 간용적(future liver volume, FLV)

: 정상간의 경우 전체간의 70-80%까지 절제 가능

간경변증의 경우 일반적으로 전체 간의 40% 이상의 간을 남기는 것을 권장

(6) 수술 후 추적관찰

① 주로 CT, MRI 등의 영상의학적 검사와 혈청 종양표지자 검사가 추천

② 혈청 AFP는 수술 전 상승되어 있었던 경우, 수술 후 간기능 정상화가 이뤄지면 추적에서도 재발 여부를 판단할 수 있는 유용한 지표

(7) 수술 후 재발과 관련된 위험인자

표 5-9-8 수술 후 재발과 관련된 위험인자

종양관련 위험인자	기저 간질환 관련 위험인자
종양의 크기와 개수	간경변증
미세혈관 침습	높은 혈청 HBV DNA
좋지 않은 암 분화도	활동성 간염 상태
높은 혈청 알파태아단백(AFP) 또는 PIVKA-II	
^{18}F-FDG PET 양성	

3) 간이식

(1) 간세포암종 환자에서 간절제가 불가능하면서 영상학적 혈관침범과 원격전이가 없는 5 cm 이하의 단일종괴 또는 3 cm 이하이며 3개 이하의 종양(밀란척도)인 경우 간이식이 일차 치료법

(2) 간이식에 적응이 되는 간세포암종 환자 중 이식시기를 예측하기 어려운 경우 국소치료 또는 경동맥 화학색전술 등을 먼저 시행하는 것이 추천

(3) 간이식 적응증을 벗어나는 밀란척도 이상의 간세포암종 환자에서 국소치료, 경동맥 화학색전술, 혹은 기타 치료 등에 의해 병기가 감소되면 간이식을 고려

4) 고주파열치료(radiofrequency ablation, RFA)

(1) 작용기전: 초음파 유도하에 전극이 부착된 바늘을 간 종양에 삽입하여 고주파 에너지를 투여 간암 세포의 이온들끼리 충돌하여 순간적으로 발생한 고열로 종양을 괴사시키는 방법

(2) 직경 3 cm 이하의 단일 간세포암종에서 간절제와 비교하였을 때 생존율은 동등하고, 국소재발률

은 높으며, 합병증 발생률은 낮음

(3) 종양 괴사효과나 생존율에서 에탄올 주입술보다 우수하지만 직경 2 cm 이하의 간세포암종인 경우 두 치료법의 효과는 유사

(4) 고주파 열치료의 적응증

① 간암 혹은 고도의 이형성 결절로 확인된 환자 중 수술이 불가능한 경우

② 수술을 거부하는 경우

③ 단발성 종양의 경우 종양크기가 5 cm 이하, 다발성일 경우 주로 3 cm 이하 3개 이하의 종양에서 시술됨

④ 수술적 치료를 적용하기 어려운 직경 3-5 cm 간세포암종에 대해 고주파 열치료술 단독치료에 비해 고주파 열치료술과 경동맥 화학색전술의 병행치료는 생존율을 증가시킴

(5) 고주파 열치료의 합병증

① 혈복강, 간농양, 피부화상, 피하 혹은 복강내 전이, 장 천공

② 드문 합병증: 혈흉, 폐색전, 횡경막 마비, 급성 간부전, 심한서맥, 급성 담낭염, biloma, hepatic infarction

5) 경피적 에탄올 주입술(percutaneous ethanol injection, PEI)

(1) 작용기전: 무수 에탄올을 초음파 영상 유도하에 종양내로 주입하여 탈수와 응고성 괴사, 허혈성 괴사를 일으킴

(2) 알코올 주입술의 적응증

① 종양이 3개 이하이어야 하며, 종양이 하나인 경우 크기가 3-4 cm 이하

② 종양이 2-3개인 경우는 모두 3 cm 이하 (2 cm 이하 종양에서 효과 우수)

③ 초음파 검사에서 종양이 잘 보여야 함

(3) 합병증: 주입 부위의 통증(흔함), 안면홍조, 취기, 혈복강, 혈종, 간농양 등(드묾)

6) 기타 국소치료법

(1) 고주파열치료술과 비슷한 치료법으로서 초단파소작술(microwave ablation) 및 냉동소작술(cryoablation)의 이용이 증가하고 있음

(2) 초단파소작술과 냉동소작술은 고주파열치료술과 비교하여 유사한 생존율, 재발률, 합병증 발생률 등을 기대할 수 있음

7) 경동맥화학색전술(transcatheter arterial chemoembolization, TACE)

(1) TACE의 종류

① cTACE (conventional TACE, 통상적 경동맥화학색전술): 리피오돌 이용

② DEB-TACE (drug eluting bead TACE): 약물방출미세구를 이용

(2) 간절제, 간이식, 국소치료를 적용하기 어려운 간세포암종 중 수행상태가 양호하고 주혈관 침범이나 간외 전이가 없을 때 통상적 경동맥화학색전술(cTACE)이 추천됨

(3) 간문맥침범이 있는 간세포암종 중 잔존 간기능이 좋고, 종양이 간내 국소적인 경우 cTACE 단독 또는 cTACE와 체외 방사선치료의 병행치료를 시행할 수 있음

(4) 약물방출미세구를 이용한 경동맥화학색전술(DEB-TACE)은 cTACE와 비교하여 치료 효과는 유사하지만 색전후 증후군이 적음

표 5-9-9 경동맥화학색전술의 금기

환자 인자	종양 인자
* 현저한 arterio–portal or venous shunt는 금기 * 조절되지 않는 복수, 혈청 빌리루빈 >3.0 mg/dl 금기 * ICGR15 >40% 금기 * AST, ALT가 300 IU/l이상 금기 * 심기능, 신기능 장애는 상대적 금기 * iodine 과민증 환자는 금기 * 급성간염 환자는 상대적 금기	* 종양점거부위가 전체간의 60%는 상대적 금기 * 육안분류상 미만형으로 AP shunt가 심하면 상대적 금기 * 혈관조영에서 종양 staining을 얻을 수 없는 예는 적응 제외

〈합병증〉

색전술 후 증후군

색전을 시행하는 부위에 동통, 발열, 오심, 구토 증상이 생김

간암의 크기, 투여한 lipiodol-항암제의 주입량에 따라서 빈도의 차이가 있음

발열의 원인 : 대부분 종양 괴사에 의한 흡수열 → 색전술 후 2~3일간 지속됨

7일 이상 지속되면 → 급성 담낭염, 간경색, 간농양과 패혈증 등 감염성 합병증을 고려

〈색전술 전·후 환자관리〉

* 시술전 PT, 혈소판 수치를 검사하고 혈소판은 50,000~60,000/mm³ 이상, PT는 60% 이상으로 유지함 (필요시 혈소판 수혈, FFP를 투여)
* 색전술 이후 약 3일간 항생제 투여
* 발열시 먼저 혈액검사와 혈액배양, 소변배양, ESR/CRP, 증상에 따른 검사를 시행
* 모든 발열 검사에서 음성이면 post-embolization syndrome, metabolic fever 등을 고려하고 후자의 것이면 naproxen 등을 투여 고려
* 시술 후와 시술 다음날 대퇴동맥 부위를 관찰하여 혈종 등의 발생을 확인하고, 족배동맥부위의 박동, 피부온도 색깔 등 확인

8) Yttrium-90 (^{90}Y) 미세구를 이용한 경동맥방사선색전술(transarterial radioembolization, TARE)

(1) 방사성 동위원소를 포함하고 있는 미세구(microsphere)를 간동맥으로 주입하여 체내 방사선 조사를 통해 종양을 치료하는 방사선요법의 일종

(2) ^{90}Y는 순수한 고에너지의 베타선(β ray)을 방출

반감기는 2.67일이며, 투과력은 평균 2.5 mm (최대 11 mm)

(3) 치료 부위와 투여할 방사선량을 결정하고, 간 이외의 다른 장기로의 유출 위험과 정도를 측정하기 위해 ^{99}mTc-MAA를 이용한 사전 영상검사가 필요

특히, 간-폐 단락(hepatopulmonary shunt)에 의한 폐선량이 중요

치료당 폐선량이 30 Gy, 누적 폐선량이 50 Gy가 넘지 않도록 조절

(4) 경동맥화학색전술 대상 환자들 중 간기능이 좋고 색전술 후 증후군의 경감이 필요한 경우 경동맥방사선색전술(TARE)을 대체 치료법으로 고려

9) 체외 방사선치료(external beam radiation therapy, EBRT)

(1) 간절제, 간이식, 국소치료 또는 경동맥 화학색전술이 어려운 간세포암종에서 고려

(2) 간기능이 Child-Pugh 등급 A 또는 B7이고, 전산화 방사선치료 계획에서 30 Gy 이하를 조사받는 체적이 전체 간부피의 40% 이상인 경우 시행

(3) 경동맥 화학색전술에 불완전한 반응을 보이는 간세포암종에서 체외 방사선치료 시행을 고려

(4) 간문맥 침범을 동반하는 간세포암종에서 체외 방사선치료를 경동맥화학색전술과 병행할 수 있음

(5) 간세포암종 전이암의 완화 목적 또는, 국소치료 후 재발한(불응성) 간세포암종에서 체외 방사선치료를 시행할 수 있음

10) 전신치료(systemic therapy)

(1) 간세포암종의 전신치료 약물 종류

① 세포독성화학요법제(cytotoxic chemotherapy): doxorubicin, cisplatin, 5-FU 등

② 분자표적치료제(molecularly targeted agent)

- 1st line: Sorafenib, Lenvatinib

- 2nd line: Regorafenib, Cabozantinib

③ 면역치료제 중 하나인 면역 관문 억제제(immune checkpoint inhibitor): Nivolumab

(2) 소라페닙

① Child-Pugh 등급 A의 간기능과 ECOG 0-1의 양호한 전신상태를 가진 간세포암종 환자

② 국소 림프절, 폐 등의 간외 전이가 있거나 간혈관 침범이 있는 경우

③ 다른 치료법들에 반응하지 않고 암이 진행하는 경우 고려

(3) 렌바티닙

Child-Pugh 등급 A의 간기능과 ECOG 0-1의 양호한 전신상태를 가지고 종양면적이 전체 간의 50% 미만인 간세포암종 환자에서 국소 림프절, 폐 등의 간외 전이가 있거나 간문맥 일차분지 이내의 침범이 있는 경우. 또는 다른 치료법들에 반응하지 않고 암이 진행하는 경우

(4) 2nd line systemic therapy: regorafenib, cabozantinib, Nivolumab 등을 고려

(5) 분자표적치료제의 대표적 합병증: hand-foot skin reaction (HFSR), 설사, 고혈압, 피로감 등

10 자가면역성간염 및 대사성 간질환, 기타 간질환

제10-1절 자가면역성간염

I. 역학

1. 모든 연령에서 발생 가능하나 10대와 40-60대에 더 많으며, 여성에서 남성보다 3배 정도 흔함. 최소 25%에서는 간경변증과 같이 발현
2. 약 25%에서 급성으로 발현하며 바이러스성간염과 유사
3. 전격성 급성 간부전, 무증상성 ALT증가 등 다양한 형태로 발현

II. 진단

1. 특징적 조직 변화: plasmocytic inflammation of portal triads with interface hepatitis
2. 자가 항체 존재
3. 바이러스, 약물, 술에 의한 간손상 배제

표 5-10-1 진단에 필요한 자가 항체

ANA (antinuclear antibody) (제1형)
anti-SMA (anti-smooth muscle antibody) (제1형)
anti-LKM1 (anti-liver/kidney muscle type 1) (제2형)
anti-LC1 (anti-liver cytosol type 1) (제2형)
anti-SLA/LP (anti-soluble liver antigen) (제3형)
AMA (antimitochondrial antibody) negative

표 5-10-2 자가면역성간염 진단을 위한 점수체계(scoring system)

분류	인자	점수	분류	인자	점수
성별	여성	+2	면역 질환	Thyroiditis, colitis, synovitis, others	+2
ALP/AST	>3	−2	치료에 대한 반응	완전관해	+2
	<1.5	+2		재발	+3
Gamma globulin 또는 IgG levels above normal	>2.0	+3	조직학적 소견	Interface hepatitis	+3
	1.5–2.0	+2		Plasmacytic	+1
	1.0–1.5	+1		Rosettes	+1
	<1.0	0		None of above	−5
				Biliary changes	−3
				Other features	−3

ANA, ASMA, 또는	>1:80	+3	기타 간과 관련된 자가항체	Anti-SLA/LP,	+2
anti-LKM1 역가	1:80	+2		antiactin, anti-LC1,	
	1:40	+1		pANCA	
	<1:40	0			
AMA	양성	−4	치료 전 Score		
바이러스 표지자	양성	−3	Definite diagnosis		>15
	음성	+3	Probable diagnosis		10–15
약물복용력	있음	−4	치료 후 Score		
	없음	+1	Definite diagnosis		>17
알코올	<25 g/day	+2	Probable diagnosis		12–17
	>60 g/day	−2			
HLA	DR3 or DR4	+1			

AMA, antimitochondrial antibody; ANA, antinuclear antibody; anti-LC1, anti-liver cytosol type 1; anti-LKM1, anti-liver/kidney muscle type 1; anti-SLA/LP, anti-soluble liver antigen/liver pancreas; ALP, serum alkaline phosphatase level; pANCA, perinuclear antineutrophil cytoplasmic antibodies; ASMA, anti-smooth muscle antibody

III. 분류: 자가면역성간염 아형 분류의 임상적 의미는 크지 않음

1. 제1형: ANA and/or SMA
2. 제2형: anti-LKM1, LKM3 and/or LC-1
3. 제3형: anti-SLA/LP

IV. 치료

1. 치료의 적응증

표 5-10-3 치료의 적응증

	절대적 적응증	상대적 적응증	해당 없음
임상 소견	일상생활에 지장을 줄 정도로 심한 증상 급격한 임상증상의 악화	증상이 없거나 경미한 경우	검사실 소견상 경한 변화를 보이면서 무증상인 경우 이전에 스테로이드와/또는 아자티오프린(azathioprine)에 불내성을 보인 경우
검사실 소견	AST ≥ 정상치의 10배 AST ≥ 정상의 5배 & gamma globulin ≥ 정상의 2배	AST가 정상치의 3–9배 AST < 정상의 5배 & gamma globulin < 정상의 2배	AST < 정상의 3배 Severe cytopenia
조직 소견	Bridging necrosis Multilobular necrosis	Interface hepatitis	Inactive cirrhosis Portal hepatitis 정맥류출혈을 동반한 비대상성 간경변

2. 내과적 치료

Prednis(ol)one monotherapy 또는 prednis(ol)one/azathioprine combination therapy로 치료

표 5-10-4 약물 처방 지침

병합 요법		단일 요법
프레드니손(mg/day) + 아자티오프린(mg/day)		프레드니손(mg/day)
30 mg x 1주	50 mg x 치료 종결 시까지	60 mg x 1주
20 mg x 1주		40 mg x 1주
15 mg x 2주		30 mg x 2주
10 mg x 치료 종결시까지		20 mg x 치료종결 시 까지

3. 치료 경과

1) 관해(remission)

(1) 빌리루빈, 면역글로불린, AST/ALT 수치의 정상화, 증상 소실, 조직학적 변화의 해소

(2) 약물치료: 최소 3년간 유지. 혈청 AST/ALT와 IgG 수치가 정상화된 후 최소 24개월간 유지

2) 재발(relapse): 치료 중단시 50-90% 정도에서 재발하며, 보통 치료 중단 12개월 이내에 재발

3) 치료 시작 후 관해를 보이면 azathioprine monotherapy (2 mg/kg/day)로 유지치료

　azathioprine치료가 어려운 환자들에서 Prednis(ol)one monotherapy를 사용할 수 있음

4. 간이식

1) 말기 간질환 환자에서 고려: 급성 간부전 또는 비대상성 간경변 발생시

2) 간이식후 10년 생존률: 약 75%

제10-2절 원발성 담즙성 담도염

I. 원인과 병인론

1. 원인 불명이나 면역반응 이상과 관련될 것으로 추정
2. 흔히 자가면역 질환과 관련: CREST 증후군(Calcinosis, Raynaud's phenomenon, Sclerodactyly, Telangiectasia), 건조증후군, 자가면역성 갑상선염, 1형 당뇨병, IgA 결핍증

II. 조직학적 소견: 4단계로 나눔

1. 병기 I: 만성 비화농성 파괴성 담도염

2. 병기 II: 염증성 침윤 감소, 담도 숫자 감소, 쓸개 소관 증식

3. 병기 III: 소엽 사이 담도 감소, 간세포손실, 결체조직반흔의 망상조직내로 문맥 주위 섬유화 팽창

4. 병기 IV: 소결절성 또는 대결절성 간경변증 발생

III. 임상적 소견

1. 많은 환자들이 무증상이고 alkaline phosphatase의 상승으로 처음 발견되며, 90%는 여자

2. 소양증, 피로감 발생 수개월 혹은 수년 후에 황달 발생 및 피부의 노출부위가 점점 검어짐(흑피증)

3. 담즙 배설 결여에 의한 증상: 지방성 설사, 지용성 비타민 흡수장애, 콜레스테롤 상승

4. 골질환 : 비타민D 흡수 감소로 발생

5. 건조증후군: 환자의 75%, 자가면역성 갑상선 질환의 혈청학적 증거 25%

6. 경과는 매우 다양하여 10년 이상 무증상일 수도 있고, 5-10년 이내에 간부전으로 사망할 수도 있음
   진행하는 경우 일반적인 간경변증의 합병증을 보임

IV. 검사실 소견

1. Alkaline phosphatase: 2-5배 상승
   - 빌리루빈, AST/ALT는 보통 정상, 병이 진행함에 따라 점진적으로 상승

2. Antimitochondrial antibody (AMA) 양성: 90% 이상(특이적이고 예민)
   - 직접적인 병인론적 역할에 대해서는 불확실함

3. 고지혈증, 지방용해성 비타민 흡수결여, 프로트롬빈 시간 연장

V. 진단

중년 여성에서 설명이 안되는 소양증, 혈청 alkaline phosphatase 상승, AMA 양성, 간생검 소견

VI. 치료

1. Ursodeoxycholic acid (UDCA) 13-15 mg/kg

2. 소양증: 콜레스틸아민(8-12 g/d), 리팜핀, 오피에이트 길항제, 온단세트론, 혈장대치술, 자외선

3. 지방설사: 저지방 식이, 식이의 긴 사슬트리글리세라이드를 중간 사슬로 대치

4. 지용성비타민 A, K: 정기적으로 비경구로 투여(야맹증과 프로트롬빈시간 연장 방지)

5. 골연화증과 골다공증: 경구 비타민 D와 칼슘 보충, 주기적 골밀도 검사

에스트로겐, 비스포스포네이트

6. 간이식: 완치를 할 수 있는 유일한 방법. 다른 간 질환보다 간이식의 치료 성적은 좋음

제10-3절 대사성 간질환 및 기타 간질환

I. 윌슨병(Wilson's disease)

> **✚ 진단과 치료를 위한 핵심사항**
> • 병력청취: 가족력조사-상염색체열성유전, 젊은 연령에서의 증상발현(평균연령: 6-20세)
> • 신체검사소견: 신경정신학적 증상, 슬릿-램프검사상 Kayser-Fleischer rings
> • 시행할 검사: 혈중 ceruloplasmin, free copper, 24시간 요중 copper
> • 방사선학적 검사: 뇌 이미지
> • 간조직 검사: copper치 증가 여부-진단에 도움, 조직학적 변화 – 비특이적
> • 치료: copper-킬레이트약제(Zinc salts, Penicillamine, Trientine, Tetrathiomolybdate), 간이식

1. 개념

1) 상염색체 열성(ATP7B라는 윌슨병 유전자가 염색체 13번에 위치) 질환

구리가 간, 뇌, 신장, 각막에 침착됨

2) 발병률: 1 : 30,000

3) 전격성간염, 만성간염, 간경변증의 드문 원인 질환

2. 임상증상

1) 젊은 연령에서 발생, 가족력

2) 신경 정신학적 증상: 비대칭적 진전, 구음장애, 운동 실조 등

3) 간외증상: 슬릿-램프검사상 Kayser-Fleischer rings (각막 주위에 녹갈색 고리) 관찰, 용혈성 빈혈, 신세뇨관산증, 관절염, 골감소증

3. 진단

1) 혈중 ceruloplasmin < 20 mg/dL, 24시간 요중 copper > 100 mg, Kayser-Fleischer rings

2) ATP7B mutation 검사

3) 간조직 검사(gold standard for diagnosis)

: copper level > 200 μg/g (dry weight of liver)시에 진단을 강력히 시사함

4. 치료

1) Anti-copper treatment

(1) Zinc salts: 50 mg (tid), 간부전 또는 신경정신학적 증상이 없는 경우 사용(TOC)

(2) Trientine: 1-2g/day (bid or qid), Penicillamine 보다 독성이 적음

(3) Penicillamine: 1-2 g/day (bid or qid) + 피리독신 25 mg/day, 독성으로 잘 사용하지 않음

(4) Tetrathiomolybdate (TM)

① 120 mg/day (20 mg tid with meals and 60 mg at bedtime without food)

② 신경학적 증상을 동반한 환자에게 치료

③ 부작용: 빈혈, 백혈구감소증, 치료중 경미한 ALT 상승

2) 간이식

간부전으로 진행할 경우 Nazer prognostic index로 환자 상태의 평가

(1) < 7: 약물치료를 우선

(2) > 10: 응급 간이식의 적응증

(3) 7-9: 임상적 판단에 따름

II. 선천성 혈색소 침착증(Hereditary hemochromatosis)

> **✚ 진단과 치료를 위한 핵심사항**
> • 병력청취: 가족력 조사-상염색체 열성 유전
> • 임상증상: 피부색 변화 및 동반질환
> • 시행할 검사: 공복 시 transferrin saturation
> • 방사선학적검사: Liver MRI
> • 간조직검사: 질환의 병기를 알아보는데 가장 유용함
> • 치료: 정맥 절개술(phlebotomy), deferoxamine (환자가 정맥 절개술을 하기 힘든 경우), 간이식(간경변증 동반시)

1. 개념

1) 상염색체 열성(염색체 6번 HEE 유전자) 질환

십이지장에서 철의 비정상적인 흡수로 간, 심장, 췌장, 피부, 내분비계에 철이 침착함

2) 백인에서 흔함

3) 중년(40-60세)이 될 때까지 보통 진단되지 않음

2. 임상 증상

1) 무증상에서 간경변증까지 다양함

2) 청동색피부(bronze skin), 당뇨병, 심근병증, 관절염, 생식샘 기능 저하증, 간기능 저하

3) 간경변증이 동반된 경우에는 치료를 하더라도 간세포암을 일으킬 위험이 높음

3. 진단

1) transferrin saturation $\geq$ 45% and/or serum ferritin > 300 μgL

2) HEE 유전자 변이: C282Y: 가장 흔한 유전자 변이

3) Liver MRI: 방사선학적 검사 중 가장 우수함

4) 간조직 검사: 병기결정에 가장 효과적(특히 간섬유화나 간경변증의 위험이 있는 환자에서 유용)

4. 치료

1) 정맥 절개술(phlebotomy)

(1) 500 mL blood/주: serum ferritin < 50 ng/mL, transferrin saturation < 40% 될 때까지 시행

(2) 유지 요법으로의 정맥 절개술: 1-2 unit blood (3-4 times/년)

2) Deferoxamine

철-킬레이트약제로 유리철에 결합하여 소변으로 배출됨, 환자가 정맥 절개술을 하기 힘들 때 사용

5. 예후

1) 간경변증이 발생하지 않은 환자의 경우 적절한 치료 시에 생존율이 정상인과 동일함

2) 간이식 성적은 다른 간이식 환자들과 비교하여 1년 및 5년 생존율이 더 낮음

III. α1-Antitrypsin 결핍증(α1-Antitrypsin deficiency)

> ✦ 진단과 치료를 위한 핵심사항
> • 병력청취: 가족력조사–상염색체 열성 유전
> • 임상증상: 담즙정체, ALT 상승, 간경변증
> • 시행할검사: 혈중 α1-antitrypsin 수치(정상의10~15%), 혈중 전기영동에서 감소된 α1-글로블린수치, α1 -AT 표현형검사
> • 간조직검사: 진단에 필수적
> • 치료 : 특별한 치료약제 없음. 간이식

1. 개념

1) 상염색체 열성(염색체 14번 유전자)으로 간세포의 세포질세망(endoplasmic reticulum)에 α1-antitrypsin이 축적됨

2) 발병률: 1 : 1,600

3) 가장 흔한 allele - protease inhibitor M (PiM-normal variant)

다음으로 PiS, PiZ (deficient variant)

2. 임상 증상

1) 신생아 담즙정체, 연령이 지나면서 만성간염, 간경변증, 또는 간세포암으로 나타남

2) 담즙정체, ALT의 경미한 상승, 간경변증

3) Pizz 표현형 환자의 10-15%는 20세 이전에 만성간염, 간경변증, 또는 간세포암으로 진행

3. 진단

1) 낮은 혈중 α1-antitrypsin 수치(정상의 10-15%)

2) 혈중 전기영동상 감소된 α1-글로불린 수치

3) α1-AT 표현형 검사

4) 간조직 검사: 진단에 필수적

특징적 periodic acid-Schiff(+), 문맥 주위부 diastase-resistant globules

4. 치료

1) 특별한 치료 약제 없음, 향후 치료로 α1-AT deficiency에 대한 유전자 치료가 기대

2) 간이식: 1년 생존율 90%, 5년 생존율 80%

제10-4절 기타 간 질환

I. 허혈성간염(Ischemic hepatitis)

1. 동의어: shock liver, hypoxic hepatitis

2. 원인: 간의 관류저하(hypoperfusion)

3. 발생 가능성 있는 임상 조건: 출혈량과다, 심한화상, 심부전, 열사병, 패혈증, sickle cell crisis 등

4. 진단

1) 임상 양상: 저혈압성 삽화 동안 혹은 이후에 급성, 일과성으로 나타나는 간효소 상승

2) 검사실 소견: 상기 발생 가능한 임상조건 1-3일 이내에 혈청 AST, ALT의 상승(>1,000 IU/L)

LDH의 상승이 있으며, 원인이 교정되면 AST, ALT의 감소가 서서히 나타남

빌리루빈, ALP, INR은 처음에는 정상이지만, 이후에 재관류성 손상의 결과로 상승될 수 있음

3) 간조직 검사: 일반적으로 진단을 위해 필요하지 않음. centrilobular necrosis와 zone 3 (central area)의

염증 세포의 침착을 동반한 sinusoidal distortion이 특징적인 조직 소견

5. 치료: 순환허탈(circulatory collapse)을 유발하는 선행 요인의 교정이 필요

6. 원인 선행 요인에 대한 빠르고 효과적인 치료에 따라 예후가 결정

II. 혈관성 질환

간으로의 혈액 유입의 2/3는 간문맥(portal vein), 1/3은 간동맥(hepatic artery)

1. 간정맥 혈전증(hepatic vein thrombosis) − 일명 "Budd−Chiari's syndrome"

1) 원인

혈전증: 골수증식성 질환, 항인지질 항체 증후군(antiphospholipid antibody syndrome), PNH(발작성 야간 혈색소뇨증), factor V Leiden deficiency, protein C & S deficiency, 피임약 복용 하대정맥의 막성 폐쇄(membranous obstruction of IVC), 임신, 산후에 발생가능, 20%의 경우는 특발성

2) 진단

(1) 임상 양상: 복수, 간종대, 우상복부 통증, 황달, 간성혼수, 위장관 출혈, 하지부종

(2) 검사실 소견
  - SAAG >1.1 g/dL
  - 혈청 알부민, 빌리루빈, AST, ALT, PT: 경한 비정상 소견을 보일 수 있음
  - 혈전유발의 원인에 대한 혈청학적 검사가 필요

3) 영상학적 검사

(1) Doppler 초음파 검사를 선별 검사로 이용할 수 있음

(1) 확진: MRI 또는 간정맥 혈관 촬영술

4) 치료

(1) 비수술적 방법: 항응고제, 혈전용해제, 이뇨제, 혈관성형술, 스텐트, TIPS

(2) 간이식

2. Sinusoidal obstruction syndrome (SOS)

1) 이전 명칭: veno-occlusive disease (VOD)

2) 혈관 폐색 없이 간의 미세순환이 바뀌어 발생하는 질환

3) 원인: 면역억제제, 항암제, 특히 조혈모세포이식 전 고용량 항암치료, 항암치료+방사선치료

4) 진단

(1) 임상양상: triad (간종대, 체중증가, 고빌리루빈혈증)가 보통 골수 이식 후 3주 내에 발생
질환의 심각도는 다양하고, 임상 양상의 발현은 질환의 심각도에 의해 좌우됨

(2) 검사실 소견: aminotransferase와 빌리루빈이 질환의 심각도에 따라서 다양한 정도로 상승

(3) 경정맥하 간정맥압 측정(transjugular measurement of hepatic venous pressure with or without liver biopsy)

(4) 특징적 조직 소견: centrilobular congestion with hepatocellular necrosis and accumulation of hemosiderin-laden macrophages

5) 치료

    (1) 대부분 2-3주 내에 저절로 호전됨. 심한 경우 높은 사망률

    (2) defibrotide (single-stranded polydeoxyribonucleotide drug): 임상적으로 위중한 SOS 또는 보
        존적치료로 호전되지 않는 경우

6) 예방

    (1) myeloablative therapy의 변경 및 방사선 조사량을 감량하면 발생 빈도가 감소

    (2) 항응고제, ursodeoxycholic acid, pentoxifylline, prostaglandin E 등은 일관된 효과를 안보임

7) 예후: 질환의 심각도에 따라 예후가 다름

3. 간문맥 혈전증(portal vein thrombosis, PVT)

1) 원인: 복부 외상, 간경변증, 악성종양, 과다응고 상태, 복강내 감염, 췌장염, 문맥대정맥 션트수술, 비
   장절제술 등

2) 진단

    (1) 임상 양상: 급성 혹은 만성

       증상으로는 복통, 복부팽창, 오심, 식욕부진, 체중감소, 설사

       만성 간문맥 혈전증은 정맥류 출혈이나 다른 문맥압 항진증의 증상이 동반될 수 있음

3) 영상학적 검사

    (1) Doppler ultrasonography는 진단에 민감도와 특이도가 높음

    (2) 혈관 조영술, CT, MRI 등에 의한 진단도 가능

4) 원인이 불확실한 경우에는 혈전 유발성에 대한 검사가 필요함

5) 치료

    (1) 급성 PVT인 경우에는 항응고제 투여를 고려

    (2) 만성적 경과를 보이는 경우에는 문맥압 항진증의 합병증에 대한 치료(비선택적 베타 차단제, 정맥
       류의 내시경적 결찰술, 복수에 대한 이뇨제 등) 시행

       적응증에 맞추어 TIPS를 시행할 수 있음

III. 육아종성간염(Granulomatous hepatitis)

1. 정의

육아종성간염은 다양한 자극 원인에 따른 비특이적 반응의 결과로 나타남

2. 원인

감염(brucellosis, syphilis, mycobacterial, fungal, rickettsial disease),
사르코이드증(sarcoidosis), 약인성 손상, 림프종 등

3. 진단

  1) 임상양상: 발열, 간비종대, 문맥압 항진증의 징후

  2) 검사실소견: 간효소의 상승(특히, alkaline phosphatase)

  3) 조직검사: 가장 정확하고 특이적인 진단 방법임

  4) 치료: 원인 질환의 치료가 필요

   특히 결핵이 의심되는 경우에는 결핵균 배양이 음성(-)이라도 항결핵제의 경험적 투여가 필요

6

혈액내과

혈액질환 환자의 평가 및 처치

I. 적혈구 질환의 분류 및 진단

- 적혈구 질환은 빈혈(anemia), 헴합성장애 질환(disorder of hemebiosynthesis) 및 적혈구 증가증 (polycythemia)으로 분류할 수 있음

II. 호중구 이상

1. 호중구의 이상

호중구의 이상은 형태학적 이상과 수적 이상으로 크게 분류할 수 있으며 형태학적 이상은 다시 유전적 이상과 후천적 이상으로 구분할 수 있음. 내과적 영역에서 호중구의 형태학적 이상질환은 매우 드물게 다 뤄지므로 생략하고, 호중구의 수적 이상에 대해 알아보고자 함

1) 호중구 감소증

(1) 호중구 감소증의 정의와 진단

① 절대 호중구 수가 1,500/μL 이하로 정의

② 병력의 경과가 급성인지 만성인지 확인을 하고, 감염의 중증도, 감염의 형태, 기간을 알아보아 야 함

③ 가족력의 유무, 약물복용력 등을 확인하고 자세한 신체 진찰 필요

④ 초기 검사는 전체 혈구 계산, 망상적혈구, 혈액도말검사를 시행하고 필요하면 추가 검사 시행

표 6-1-1 호중구 감소증 감별을 위한 검사

검사	감별질환
이전 일반혈액검사 결과 확인 /3–4주 후 전혈구검사 재검	일과성호중구감소증(바이러스감염, 약물)
6주간 일주일에 3회 절대호중구 수 검사	주기 호중구감소증
항호중구항체	자가면역호중구감소증
면역글로불린(IgG, A, M)	면역결핍질환
골수검사 및 세포유전검사	중증선천호중구감소증, 골수형성이상증후군, 골수침윤질환, 골수부전질환, 백혈병
세균 및 바이러스 검사	감염
췌장기능검사	Shwachman–Diamond 증후군

검사	감별질환
뼈 이상의 영상검사	Shwachman–Diamond 증후군, 판코니빈혈, 연골털형성저하증(Cartilage–hair hypoplasia)
비타민B12, 엽산, 구리	영양결핍호중구감소증

(2) 호중구 감소증의 분류

기간에 따른 분류	급성(일과성) 호중구 감소증	3개월 이내에 호전
	만성 호중구 감소증	3개월 이상 지속
중증도에 따른 분류	경증	ANC 1,000–1,500/μL: 감염질환에 대한 감수성 증가 (치은염, 연조직염이 우려됨)
	중등도	ANC 500–1,000/μL: 발열을 동반한 경한 감염이 우려
	중증	ANC <500/μL: 내인성 미생물총(구강, 장)의 조절장애에 의한 감염이 우려(직장주위 농양, 폐렴, 패혈증의 발생이 증가)
	초중증	ANC <200/μL: 염증반응이 없음. 호중구 감소가 심할수록 내인성 미생물총(구강, 소화기, 피부)에 의한 감염 위험성이 증가하며 그람음성균이나 S. aureus에 의한 치명적 감염이 빈번하게 발생

(3) 호중구 감소증의 원인

생산감소	약제 유발성 ① 알킬화제 : nitrogen mustard, busulfan, chloroambucil, cyclophosphamide ② 항대사제 : methotrexate, 6–mercaptopurine, 5–flucytosine) ③ 비세포독성 제제 : 항생제(chloroamphenicol, penicillins, sulfonamides), phenothiazines, tranquilizers (meprobamate), 항전간제(carabamazepine), 항정신병제(clozapine), 이뇨제, 소염제, 항갑상선제, 기타 약제
	혈액질환 ① 특발성, 주기성호중구감소증 ② Chediak–Higashi 증후군 ③ 재생불량빈혈 ④ 선천성 유전질환
	종양의 골수침범, 골수섬유화증
	영양결핍증 : vitamin B12, folate (특히 알코올중독환자에서 흔함)
	감염 : tuberculosis, typhoid fever, brucellosis, tularemia, measles, infectious mononucleosis, malaria, viral hepatitis, leishmaniasis, AIDS
파괴의 증가	항호중구 항체
	비장 또는 폐에서의 순환저해(splenic or lung trapping)
	자가면역질환 : Felty' 증후군, 류마티스관절염, 홍반성 루푸스
	약제 : aminopyrine, methyldopa, phenylbutazone, mercurial diuretics, phenothiazines
	베게너씨병(Granulomatosis with polyangiitis)
말초 혈액에서의 순환저해 (peripheral polling)	급성 내독소 균혈증(acute endotoxemia)과 같은 세균감염의 중증상태
	투석
	심폐우회로(cardiopulmonary bypass)

2) 호중구증가증

(1) 호중구 감소증의 정의와 진단

① 전체 백혈구 수가 10,000-25,000/μL 수준인 백혈구 증가증은 감염증 또는 급성 염증성 반응에 의해 일어날 수 있으며, 일시적인 반응성 형태로 발생할 수 있음

② 백혈구양 반응(Leukomoid reaction): 백혈병 등 클론성 질환에서 비롯된 백혈구증가증이 아님에도 불구하고, ≥30,000-50,000/μL 수준의 지속적인 반응성 백혈구 증가증으로 정의

(2) 호중구 증가증의 원인

생산증가	특발성(idiopathic)
	약제: glucocorticoids, G-CSF
	감염: 세균 감염, 진균 감염, 때때로 바이러스 감염에 의해서 일어날 수 있음
	염증 반응: 온열손상, 조직괴사, 심근 경색, 폐경색, 과민반응 상태, 결체조직질환
	골수증식성 질환: 골수성 백혈병, 골수성 이형성증, 진성적혈구증
골수에서 분비 증가	약제: glucocorticoids
	내독소 등에 의한 급성 감염
	온열손상 등의 염증반응
백혈구 소모 상황의 결핍 (decreased or defective margination)	약제: epinephrine, glucocorticoid, NSAIDs
	스트레스, 과흥분, 심한 운동
	Leukocyte adhesion deficiency
	type 1 (CD18): type 2 (selectin ligand, CD15s): type 3 (FERMT3)
기타 (miscellaneous)	대사성질환: 케톤산증, 급성 신부전, 경련, 급성 독증
	약제: 리튬(lithium)
	전이성 암종, 급성 출혈 또는 급성 용혈

2. 단구 및 대식세포의 이상

1) 단핵포식체계(mononuclear phagocytic system)

딘핵포식체계는 골수의 단모구(monoblast)와 전단구(promocyte), 혈액내의 단구(monocyte), 대식세포(macrophage)로 구성되어 있음. 혈중 단구는 운동성이 있어서 염증부위로 이동하여 대식세포로 분화할 수 있음

2) 단구감소증과 단구증가증의 원인

정상적으로 단구는 정상 성인에서 말초혈액 백혈구의 1-9% 수준 차지

단구감소증	내독소혈증(endotoxemia)
	약제: glucocorticoids
	털세포백혈병(Hairy cell leukemia)에서 특징적

단구증가증	만성 염증반응
	결핵, 아급성세균심내막염 매독, 원인불명의 발열 등의 감염질환
	전신홍반루푸스, 류마티스관절염 등의 콜라겐 혈관질환(collagen vascular disorders) 및 육아종 질환
	다른 혈액세포의 상태에 따른 반응(예, 심한 호중구 감소증, 무과립구증의 회복기)
	혈액종양(만성골수단구백혈병, 급성단구백혈병, 림프종, 만성골수성백혈병)

3. 호산구의 이상

1) 호산구증가증 정의와 진단

말초혈액에 500 / μL 이상의 호산구가 있는 경우를 지칭

경도	500~1500 /uL
중등도	1,500~5,000 /uL
중증	>5,000 /uL

표 6-1-2 호산구증가증의 원인

알레르기 질환	천식, 고초열, 습진, 혈청병, 알레르기혈관염, 물집증 등
	약물에 의한 알레르기 반응: 요오드화물, 아스피린, sulfonamides, nitrofurantoin, penicillin, cephalosporin 등
기생충질환	–
자가면역질환	류마티스관절염, 호산구성근막염, 알레르기혈관염, 결절동맥주위염 등
부신기능저하	–
면역글로불린 이상질환	–
암	1) 혈액암: 림프종, 비만세포증, 만성골수성백혈병, 골수증식종양, 골수형성 이상증후군, 급성골수성백혈병 등
	2) 고형암: 폐암, 위암, 췌장암, 난소암, 자궁암 등
특발성호산구증후군	–

2) 호산구증가증의 진단 알고리즘

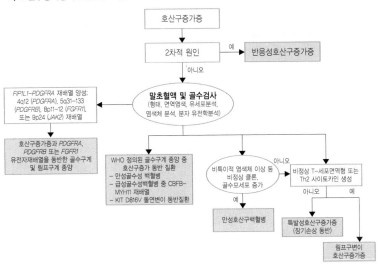

4. 림프구의 이상

림프구는 정상 성인에서 전체 백혈구의 20-45%를 차지하고 절대수치는 순환혈액 속에 1,500-4,000/μL 정도로 관찰됨

5. 범혈구 감소증의 감별 진단

범혈구 감소증은 빈혈(anemia; 혈색소 <13.5 g/dL (남자) or 12 g/dL (여자)), 백혈구 감소증(총 백혈구 <4,000/μL), 혈소판감소증(혈소판 <150,000/μL)로 정의

1) 범혈구 감소증의 감별진단

저세포성 골수 (hypocellular bone marrow)	후천성 재생불량빈혈, 선천성재생불량빈혈(Fanconi 빈혈, 선천성각화 증후군), 저세포성 골수형성이상 증후군, 저세포성 급성백혈병, 림프종의 골수침범, 구리결핍	
충분한 세포성 골수 (cellular bone marrow)	골수질환(primary bone marrow disease)에 의한 일차성 범혈구 감소증	골수혈성이상증후군, 발작야간혈색소뇨증, 골수섬유화증, 무백혈병성 백혈병(aleukemic leukemia), 골수황폐증(myelophthisis), 림프종 골수침범, 털세포백혈병(hairy cell leukemia)
	전신질환에 의한 이차성 범혈구감소증	전신성 홍반루푸스, 비기능항진증(hypersplenism), 비타민 B12 결핍증 또는 엽산 결핍증, 구리결핍증, 알코올 섭취, HIV 감염, 브루셀라 감염(brucellosis), 사르코이드증(sarcoidosis), 결핵, Leishmaniasis, 패혈증

골수 저세포증 ± 범혈구감소증	Q열(Q fever), Legionnaires' disease, 신경성 식욕부진증(anorexia nervosa), 기아상태 (starvation), mycobacterium 감염

2) 범혈구감소증의 진단 알고리즘

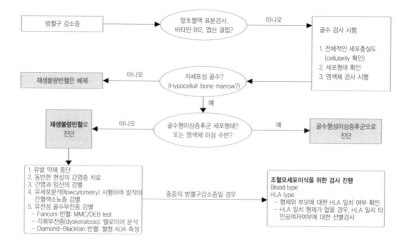

6. 비장이상

1) 비장의 기능

주요 기능	기능 구조물	설명
탐식 기능	적색속질(red pulp)에 위치한 대식세포 (macrophage)	미생물, 세포찌꺼기, 노후되거나 비정상인 혈구 등 혈액내의 불순물을 탐식, 제거
		적혈구는 비삭(cords of billroth)에서 정맥동으로 이동하면서 뒤틀림
		적혈구의 탄력이 감소한 경우 비삭에서 대식세포에 의해 포식 후 제거됨
		적혈구 봉입체도 대식세포에 의해 제거됨
면역조절기능	백색속질(white pulp)	PALS (Periarteriolar lymphatic sheath)의 수지상세포는 T세포에게 항원을 제시하고, 백색속질의 변연부에서는 B세포와 T세포가 함께 형질세포를 생산함
		세균 감염 등 혈행성 병원소에 대한 조기 적응면역반응에 중요한 역할을 함
조혈장기	–	태아기에서는 조혈장기 중 하나
		심한 빈혈 또는 골수증식 종양 등이 있으면 부족한 조혈기능을 복원하기 위한 활동으로 비장에서 활발한 골수외 조혈이 일어남
혈액의 격리	–	혈액성분을 분리하고 비축
		비장비대는 혈액성분의 격리와 혈구 파괴가 증가하여 말초혈액의 혈소판감소증과 혈구감소증이 나타남

2) 비장 비대의 정의 및 증상

(1) 정의: 비장이 400-500 g 이상이거나 영상의학검사 소견상 크기가 11 cm 이상인 경우

(거대 비장비대: 늑골 margin으로부터 8 cm 이상 내려온 비장 및/또는 무게가 1 kg 초과_

(2) 임상증상

① 주변장기의 압박과 식사 시 불편감 초래

② 혈액성분이 비장에 격리 축적되고 대식세포 탐식이 증가

② 빈혈, 백혈구감소증, 혈소판 감소증 등 비장기능항진증이 흔히 발생

3) 비장비대의 원인(미만성, 국소적)

미만성	반응성	감염: 심장내막염, 말라리아, 전염단핵구증, 거대세포바이러스, 결핵, 장티푸스 등
		육아종성비장염: 감염성, 사르코이드증
		울혈성비장비대: 간경화, 문정맥 또는 비장정맥 혈전증, 심장부전
		혈색소이상: thalassemia, 유전구형적혈구증
		면역성용혈빈혈, 면역혈소판감소증
		골수외조혈
		혈구포식증후군
		전신성면역염증성질환: 류마티스관절염(Felty증후군), 전신홍반루프스
		축적성질환(고셔병, 니만피크병, 점액다당류증 대사장애)
		사이토카인(G-CSF)
		비특이적 림프증식
	종양	저등급B세포림프종: 저등급 소포림프종, 비장B세포변연부림프종 등
		급성림프모구백혈병/림프종
		T세포림프종: 말초T세포림프종, NK-T세포림프종, 간비장 T세포림프종 등
		골수성종양: 골수증식종양, 골수형성이상증, 비만세포증, 급성골수성백혈병
		랑게르한스세포조직구증
		아밀로이드증(골수종)
국소적	비종양성	낭종, 가성낭종
		비장과오종
		경색, Peliosis
		Inflammatory pseudotumor
	종양	광범위큰B세포림프종
		소포림프종(고등급)
		호지킨림프종
		전이성암종
		혈관종양 및 정맥동 내피세포(연안세포 또는 Littoral cell) 종양
		림프관종
		Sclerosing angiomatoid nodular transformation (SANT)
		수지상세포종양

4) 거대 비장비대의 원인

만성골수성 백혈병	고셔병(Gaucher's disease)
림프종	만성 림프구성 백혈병
털세포백혈병(Hairy cell leukemia)	사르코이드증(sarcoidosis)
골수형성이상을 동반한 골수섬유화증	자가면역성 용혈성 빈혈
진성적혈구증가증	Diffuse splenic hemangiomatosis

5) 비장절제술

(1) 적응증: 비장절제에 의한 이점이 위험도를 상회할 때 시행

① 비장파열

② 해부학적이상(비장낭종, 비장염전)

③ 감염(비장농양)

④ 혈액질환(용혈빈혈, 면역혈소판감소자색반병)

⑤ 악성종양(비장 혈관육종)

(2) 절제술전 예방접종

① Streptococcus pneumoniae, Hemophilus influenza type b, Neisseria meningitis에 대한 백신 접종 시행(최소 수술 15일 전에 접종)

응급으로 비장절제술을 시행한 경우에는 수술 후 30일 이내에 투여

② 매년 독감 예방접종 시행

7. 림프절 병증(Lymphadenopathy)의 접근과 감별진단

1) 림프절병증의관련 질환

분류	감별질환
감염질환	1. 바이러스: 감염성 단핵구증(엡스테인-바 바이러스, 거대세포바이러스), 감염성 간염, 헤르페스 감염(herpes simplex), herpesvirus-6, 수두(varicellar-zoster virus), 풍진(rubella), 홍역(measles), 유행성 각결막염(epidemic keratoconjunctivitis), 두창(Vaccinia), herpes virus-8
	2. 세균: 연쇄상구균(steptoccoci), 포도상구균(staphylococcus), 고양이 발톱병(cat-scratch disease), 브루셀라병(brucellosis), 야토병(tularemia), 페스트(plague), 연성하감(chancroid), 유비저(meliodosis), 마지저(glanders), 결핵(tuberculosis), 비전형결핵(atypical mycobacterial infection), 일차성 및 이차성 매독, 디프테리아, 나병(leprosy), 바르토넬라(bartonella)
	3. 진균: 히스토플라마증(histoplasmosis), 콕시디오이데스진균증(coccidioidomycosis), 파라콕시디오이데스진균증(paracoccidioidomycosis)
	4. 클라미디아: 성병성림프육아종(lymphogranuloma venereum), 트라코마(trachoma)
	5. 기생충: 톡소플라즈마, 리슈마니아(leishmaniasis), 파동편모충증(trypanosomiasis), 필라리아증(filariasis)
	6. 리케치아: 양충병(scrup typhus), 리케치아두(rickettsialpox), Q열
면역질환	1. 류마티스관절염
	2. 소아 류마티스관절염
	3. 혼합형 결체조직질환(mixed connective tissue disease)
	4. 피부근염
	5. 쇼그렌증후군
	6. 혈청병(Serum sickness)
	7. 약물과민증(Drug hypersensitivity): diphenylhydantoin, hydralazine, allopurinol, primidone, gold, carbamazepine 등
	8. 혈관면역모세포림프절병증(angioimmunoblastic lymphadenopathy)
	9. 원발성 담즙성 경변증(Primary biliary cirrhosis)
	10. 이식편대 숙주반응
	11. 규소(silicone) 연관 질환
	12. 자가면역림프증식증후군(autoimmune lymphoproliferative syndrome)
	13. IgG4 연관 질환
	14. 면역재구성염증증후군(immune reconstitution inflammatory syndrome, IRIS)
암질환	1. 혈액종양: 호지킨병, 비호지킨 림프종, 급성 또는 만성 림프구성 백혈병, 털세포백혈병(hairy cell leukemia), 악성 조직구증(malignant histiocytosis), 아밀로이드증(amyloidosis)
	2. 전이성 종양

분류	감별질환
지질 저장질환	1. 고셔병(Gaucher's disease) 2. Niemann–Pick disease 3. 파브리병(Fabry disease) 4. Tangler 병
내분비계 질환	갑상선항진증
기타질환	1. 캐슬만 병(Castleman disase, Giant lymph node hyperplasia) 2. 사르코이드증(sarcoidosis) 3. 피부병림프절염(dermatopathic lymphadenitis) 4. 림프종모양육아종증(Lymphomatoid granulomatosis) 5. Kikuchi 병(Histiocytic necrotizing lymphadenitis) 6. Rosal–Dorfman 병(Sinus histiocytosis with massive lymphadenopathy) 7. 가와사키 병(Mucocutaneous lymph node syndrome) 8. 조직구증식증 X (Histiocytosis X) 9. 가족성 지중해열(familial mediterranean fever) 10. 중증 고중성지질혈증(severe hypertriglyceridemia) 11. Vascular transformation of sinuses 12. 울혈성 심부전

2) 발생 위치에 따른 국소성 림프절병의 원인

(1) 후두부위(occipital): 두피의 감염증을 반영

(2) 귀앞(preauricular) 림프절병: 결막감염과 고양이할큄병(cat-scratch disease)에서 동반

(3) 목의(neck) 림프절병: 국소림프절병증의 가장 흔한 발생 부위이나 대부분 양성질환이 원인

　① 상기도 감염, 구강 또는 치아병변, 전염성 단핵구증, 또는 바이러스에 의한 질환이 주로 관련

(4) 쇄골위(supraclavicular) 또는 사각근(scalene) 림프절병증

　① 항상 비정상적인 병적 소견: 림프종을 포함한 종양(소화기, 폐, 유방, 고환, 난소) 또는 발생부위의 감염(결핵, 톡소플라스마 등), 사르코이드증(유육종증, Sarcoidosis) 등을 시사

　② Virchow's node: 좌측 쇄골위 림프절이 소화기계 원발종양에 의한 전이성 병변으로 비대해진 경우를 가리킴

(5) 액와부(axillary): 대부분 동측의 외상이나 해당부위의 감염에 의한 경우가 대부분이나, 피부 흑색종 또는 림프종이 침범할 수 있고, 여성의 경우 유방암에 의한 병변일 수 있음

(6) 서혜부(inguinal): 대부분 감염 또는 외상에 의한 2차성 병변인 경우가 많음

　① 특히 성매개 질환에 대해 감별: 림프육아종(lymphogranuloma venerum), 일차성 매독, 생식기 헤르페스 감염 또는 연성하감(chancroid)

　② 림프종이나 직장, 생식기, 하지에서 전이된 암종(흑색종)의 가능성도 고려해야 함

(7) 복강내(intrabdominal) 또는 후복막(retroperitoneal): 보통 암에 의한 병변

(8) 종격동(mediastinum) 또는 폐문(hilum): 폐질환 및 전신질환(사르코이드증 또는 감염성 단핵구증)의 감별이 필요

3) 크기에 따른 림프절병의 감별

(1) 1.0 cm² 이하 크기의 림프절병은 거의 대부분 양성질환 또는 비특이적인 반응성 원인에 의해 발생

(2) 보고마다 차이는 있으나 2.25 cm² 이상의 면적을 갖는 림프절이나 2 cm를 초과하는 직경의 림프

절병은 모두 악성 또는 육아종성 질환을 고려해야 함

4) 검사 소견에 따른 림프절병의 감별

(1) 림프절의 장축 (long axis) / 단축 (short axis)의 비를 활용하여 2.0 이하인 경우 두경부 암에서 95%의 민감도와 특이도를 보임

5) 림프절에 대한 조직검사

(1) 악성질환이 의심되는 경우: 단단하게 촉지되거나 통증이 없고, 흡연력이 있는 고령환자의 경부 림프절 비대인 경우, 쇄골위 림프절비대, 전신성 또는 미만성의 림프절 비대

(2) 조직검사: 절개 생검(excision biopsy)을 원칙으로 하며, 미세침습 흡인검사(fine needle aspiration biopsy)는 진단을 늦추기만 할 수 있어 일차검사 방법으로 고려하지 않음

(3) 림프절 비대를 치료하기 위해 스테로이드를 사용하는 경우 진단을 놓치게 될 수 있어 림프절 비대만을 위한 스테로이드 치료는 금기

I. 빈혈의 정의

WHO 혈색소 농도(g/dL) 기준 진단기준: 12 미만(성인 여성), 13 미만(성인 남성), 11 미만(임산부)

II. 원인 및 발생기전에 따른 빈혈의 분류

적혈구의 생성의 결핍과 손실 및 파괴로 인하여 발생

1. 적혈구생성결핍(reticulocyte production index <2.5)

1) 생산저하(정적혈구성)
(1) 골수기능상실: 골수침윤, 섬유화, aplasia
(2) 철 결핍
(3) 조혈기능에 대한 자극 감소: 염증, 대사성질환, 신장질환

2) 성숙장애질환(소적혈구성 또는 대적혈구성)
(1) 세포질결함: 철결핍, 지중해빈혈
(2) 세포핵결함: 엽산/코발라민결핍, 약독성, 불응성빈혈

3) 실혈 또는 용혈에 의한 빈혈(reticulocyte production index ≥2.5)
(1) 실혈(bleeding): 급성, 만성실혈
(2) 용혈: 적혈구 결함(적혈구막이상, 적혈구효소결핍, 혈색소합성장애, 발작야간혈색소뇨증), 적혈구 외 결함(항체매개성, 기계적 외상, 감염, 화학적 손상)

2. 진단

1) 임상 양상
(1) 임상 증상은 빈혈의 원인, 정도, 진행속도, 동반된 질환에 따라 다양
(2) 심한 빈혈이라도 서서히 진행된다면, 빈혈에 서서히 적응하게 되어 증상이 경미할 수 있음
(3) 헤모글로빈이 7 g/dl 미만이면 조직 저산소증에 의한 증상이 나타남(피곤감, 두통, 호흡곤란, 어지러움, 협심증)
(4) 즉각적인 주의가 요구되는 증상: 창백, 시력장애, 실신, 빈맥

2) 검사 소견

필수 검사: 전혈구검사, 평균적혈구용적(MCV), 망상적혈구, 말초혈액도말검사, 철관련검사(혈청철, TIBC, 페리틴)

(1) 전혈구검사

① Hemoglobin (Hb) 및 Hematocrit (Hct)

② 전혈구검사를 통해 RBC mass를 추정할 수 있지만, 환자의 volume status를 고려해서 판단. 실혈 이후에는 보상작용으로 혈장양이 증가하는데, 급성 실혈로 정상 혈장양이 되기까지는 Hb 과 Hct 수치는 변하지 않음

(2) 망상적혈구

① 골수에서의 적혈구의 생성 정도를 반영(빈혈에 대한 보상 활동)

② 정상적으로 망상적혈구는 전체 순환 적혈구의 1-2% 정도

③ Absolute reticulocyte count = % reticulocytes × RBC count (per mm^3)

④ Corrected reticulocyte count = % reticulocytes × (Hb/15) or (Hct/45)

⑤ Reticulocyte production index (RPI) = corrected reticulocyte count/maturation time

Hct	maturation time
36~45	1.0
26~35	1.5
16~25	2.0
15 이하	2.5

(3) 빈혈의 형태학적 분류

대적혈구성(MCV >100 fl)	비타민B12 결핍빈혈, 엽산결핍빈혈, 항암제치료, 항경련제치료, 재생불량성빈혈, 순적혈구빈혈, 갑상선저하증
정적혈구성(MCV 80~100 fl)	골수형성이상증후군, 재생불량성빈혈, 급성실혈
소적혈구성(MCV <80 fl)	철결핍성빈혈, 만성질환빈혈, 납중독, 구리결핍, 철적모구빈혈, 지중해빈혈

(4) 말초혈액도말검사(peripheral blood smear)

빈혈의 감별진단에 유용-저색소성 소적혈구(철결핍성빈혈), 호염기반점(납중독), 구형적혈구(유전 구형적혈구증, 용혈빈혈), 분열적혈구(미세혈관병용혈빈혈, 파종혈관내응고, 급성신부전), 적혈모 구(심한 용혈빈혈, 저산소증, 골수침윤빈혈)

(5) 대변잠혈검사: 위장관내 출혈이 철결핍성빈혈의 흔한 원인으로 빈혈이 있는 환자에게 잠혈반응을 검사하는 것이 중요. 1회 잠혈반응이 음성이라고 위장관내출혈이 없다고 단정할 수 없음

3. 철결핍빈혈(iron deficiency anemia, IDA)

1) 원인

(1) 철섭취부족: 철분부족 식사, 채식주의자

(2) 철흡수장애: 위절제수술, 흡수장애(만성설사, 크론병, Celiac disease), 위산분비저하(PPI, 제산제)

(3) 철소실증가: 만성실혈(소화성궤양, 위암, 대장암, 치핵, 염증성장질환, 용종, Meckel게실, 혈관종),

월경과다, 분만 시 출혈, 잦은 헌혈, 급성실혈, 과도한 운동(마라톤, 행군)

(4) 철필요량증가: 영아, 청소년, 임산부, 수유, 만성신부전

2) 검사소견

(1) MCV는 철결핍 초기에는 정상 → Hct가 30% 미만으로 떨어질 때, anisocytosis와 hypochromic microcytic cell이 생긴 이후 MCV가 감소

(2) 반응성 혈소판증가증도 동반 가능

(3) Iron testing

① 여자의 경우 혈청페리틴이 10 ng/ml 미만, 남자의 경우 20 ng/ml 미만

② 페리틴은 급성기반응물질로서 염증, 간질환, 암에서 증가할 수 있음. 하지만 IDA에서 혈청페리틴 >100 ng/ml인 경우는 드물기 때문에 이런 경우는 저장철이 충분한 것으로 해석

③ 혈청철은 대개 낮고(<50 mcg/dl) TIBC는 증가(>420 mcg/dl). 하지만 이 두 가지 검사는 변동이 심하기 때문에 페리틴만큼 신뢰할 수 없음

④ 치료적 철분제투여가 진단에 도움

3) 치료

(1) Ferrous sulfate 325 mg (65 mg elementary iron) 경구 복용(하루 2-3번, 6-12개월)

(2) 철흡수를 극대화하기 위해 공복에 투여. 비타민 C와 함께 투여 시 흡수가 증가하고, 오렌지 주스와 먹어도 도움이 됨. 1회 취침 전에 복용하면 위장 장애도 적고 장 운동이 적어 철분 흡수가 좋아짐

(3) 제산제, H2 blocker, 위산분비억제제와 투여 시 흡수가 저하

(4) 위장관부작용(25%): 변비, 복통, 설사, 오심 등

대처방법: 식사와 같이 투여하는 방법과, 초기 투여 시 하루 한번 투여하다 점차 용량을 늘리는 방법, ferrous gluconate 또는 ferrous fumarate로 바꾸어 투여하는 방법

(5) 경구철분제 반응 저하의 가장 흔한 원인: 불이행(noncompliance)

(6) 철분제 주사: iron dextran(과민반응, 아나필락스 가능 시), iron sucrose(베노훼럼, 페렉스)

- 적응증: 중증흡수장애, 출혈이 지속되는 경우, 경구철분제 복용이 어려운 경우, 철저장을 급격히 올리기를 원할 때

(7) 철분 보충 후 12-24시간 내에 증세가 호전되기 시작하고, 5-10일에 망상적혈구가 최고치가 되며, 혈색소는 1-2개월 후에 정상화

호전 순서: 증상 → 망상적혈구 → MCV → 혈색소 → TIBC → 페리틴(혈색소가 정상화 된 후에도 6개월-1년간 더 복용) 혹은 페리틴 >50 ug/dL까지 증가될 때까지 복용

4. 거대적혈구모구빈혈(megaloblastic anemia)

1) 정의

DNA합성과정의 이상으로 적혈구의 세포핵과 세포질의 성숙 정도가 일치하지 않아 발생하는 빈혈

2) 원인

(1) 엽산결핍(folic acid deficiency)의 원인

① 부적절한 섭취: 알코올중독자, 경제적으로 빈곤한 사람, 인스턴트 식품 과다 섭취

② 요구량 증가: 만성용혈빈혈, 임신, 유아와 사춘기 연령, 신장투석

③ 흡수 장애: 열대스프루, 원발소장질환들

④ 약물: DNA합성 억제(azathioprine, 6-MP, 5-FU, cytarabine, hydroxyurea, procarbazine), zidovudine, 엽산길항제(MTX, trimethoprime, sulfasalazine), phenytoin, 경구피임제

(2) 코발라민결핍(vitamin B12 deficiency)의 원인

① 불충분한 섭취: 채식주의자, 악성빈혈을 갖고 있는 모체로부터 수유를 받는 유아

② 식품 코발라민의 유리 장애(위산분비장애): 저/무위산증, 위산분비억제제

③ 위산분비점막의 손실 또는 위축(내인자결핍): 전/부분위절제수술, 위성형술, 악성빈혈

④ 비정상적인 소장내강 문제: Zollinger-Ellison증후군, 만성췌장염, 장내 세균/기생충에 의한 코발라민 갈취(장정체증후군, 장운동저하, 광절열두조충)

⑤ 회장말단으로부터 내인자의 흡수장애

3) 임상 양상

(1) 빈혈에 의한 증상과 더불어 설염(beefy tongue), 황달(골수내 용혈), 비장비대가 동반

(2) 코발라민결핍에 의한 신경학적 증상: 후각/미각이상, 시력저하, 조화운동불능, 사지강직, 피로, 기억손실, 지남력장애, 요실금

(3) 엽산결핍인 경우 신경학적 증상은 대개 없음

4) 검사 소견

(1) 전혈구검사: 대적혈구성빈혈, 백혈구감소, 혈소판감소

(2) 말초혈액도말검사: 난형대적혈구, 과분엽호중구(5엽의 호중가가 5% 이상 또는 6엽의 호중구 1개 이상)

(3) Elevated LDH and indirect bilirubinemia due to ineffective erythropoiesis and premature destruction of RBCs

(4) 혈청 비타민B12, 엽산: 공복에 검사

(5) Serum MMA (methylmalonic acid) and homocysteine

① 코발라민결핍: MMA와 homocysteine 둘 다 감소

② 엽산결핍: homocysteine만 감소

(6) 내인자에 대한 항체: 악성빈혈 진단에 중요

(7) 갑상샘기능검사: 악성빈혈은 종종 자가면역갑상샘질환과 연관

5) 치료

(1) 엽산결핍: 하루 1-2 mg 경구 복용, 흡수 장애인 경우 고용량 엽산(5 mg/day) 투여 가능

(2) 코발라민결핍

① 초회 치료: Cyanocobalamine 1 mg/day 7일간 근육주사 → 1-2개월 동안 매주 혹은 혈색소가

정상이 될 때까지. 경구용 코발라민(하루 1,000-2,000 ug, 고용량)도 compliance만 좋다면 동일한 치료 효과가 기대됨

② 유지요법: 1 mg 근육주사(한달에 1번-3달에 1번), 또는 1 mg/day 용량으로 경구로 평생 투여

③ 치료 후 1주일 내에 LDH가 감소하고 reticulocytosis가 생김

④ 환자의 1/3에서 철결핍이 있기 때문에 저장철 확인 후 철분제제를 함께 보충

⑤ 적절한 치료에도 신경학적 호전은 비가역적일 수 있음

5. 만성 신부전에 의한 빈혈

1) 원인

(1) 내인성 적혈구생성인자(EPO) 생성 감소

(2) 크레아티닌 청소율 50 ml/min 이하부터 발생

2) 검사소견

(1) 전혈구검사: 정적혈구성빈혈

(2) 말초혈액검사: 주로 정적혈구성빈혈

3) 치료

(1) Recombinant EPO: 혈액 투석을 하는 환자에게는 정맥으로 투여, 투석 전이나 복막 투석하는 환자는 피하로 투여

(2) 대부분의 환자는 투여 후 12주에 Hct가 10% 정도 오르거나 또는 Hct level이 32%로 증가

(3) 부작용: 고혈압이 생기거나 악화. 경련이 생길 수 있음

(4) Suboptimal response의 원인: 철결핍이 동반되어있거나, iron-restricted erythropoiesis가 원인인 경우, 많은 수의 환자가 페리틴이 정상이라도 철분주사보충이 도움(페리틴 100 ng/mL 이상으로 높은 경우에는 추천되지 않음)

(5) serum EPO level은 EPO 치료 전에 꼭 검사할 필요가 없으며, 모니터링 역시 의미가 없음

6. 만성질환빈혈(anemia of chronic disease, ACD)

1) 정의: 만성적인 염증질환, 악성질환, 자가면역질환, 급성 및 만성 감염과 관련된 빈혈

2) 원인: 철 항상성 조절이상, 적혈구계전구 세포증식부전, 적혈구 생성인자에 둔한 반응, 적혈구 수명 감소

3) 진단

(1) 전혈구검사: 정적혈구정색소빈혈 (normocytic normochromic anemia)

(2) 혈청 페리틴은 대개 정상이거나 증가

(3) EPO level은 진단에 도움이 되지는 않지만, EPO level이 200 mu/ml 미만인 경우 EPO 치료가 도움

4) 치료

(1) 기저질환의 치료가 우선이 되어야하며 골수 억제 약제는 피하도록 함

(2) 수혈: 혈색소 8 g/dL 이하의 심한 빈혈, 출혈 동반한 경우, 단 암/만성신질환자의 장기간 수혈은 철 과부하 유발 가능

(3) 적혈구조혈제: 항암화학요법을 받고 있는 암 환자, 만성신질환자, 골수억제요법을 받고 있는 HIV 감염 환자

7. 용혈빈혈(hemolytic anemia)

	내인성적혈구결함에 의한 빈혈	적혈구 외 원인에 의한 빈혈
유전성	혈색소이상(hemoglobinopathy) 적혈구효소이상증 적혈구막질환	가족성(비특이적)용혈 요독증후군
후천적	발작야간혈색뇨증(paroxysma nocturnal hemoglobulinuria; PNH)	기계적 원인에 의한 파괴(MAHA) 독성물질/약/감염/자가면역

1) 용혈빈혈의 일반적인 검사 소견

(1) 혈색소 수치는 정상 또는 심한 감소, MCV, MCH 대개 증가, 망상적혈구 증가

(2) 빌리루빈 증가(대부분 비결합고빌리루빈혈증), 젖산탈수소효소(LDH) 증가, AST 증가

(3) 합토글로빈 감소

8. 자가면역용혈빈혈(autoimmune hemolytic anemia, AIHA)

1) 정의: 적혈구막의 항원에 대한 자가항체로 인한 용혈

2) 분류

(1) 온난용혈빈혈(warm autoantibody)

(2) 한랭용혈빈혈(cold autoantibody)

(3) 발작한랭혈색소뇨증(paroxysmal cold hemoglobinuria, PCH)

3) 원인

(1) 온난용혈빈혈은 대부분 IgG 자가항체 매개로 유발됨

① 일차성

② 이차성: 림프세포증식성질환(비호치킨림프종, 만성림프구성백혈병), 자가면역질환(SLE), 바이러스감염(소아, HIV), 면역결핍질환, 동종조혈모세포이식, 고형장기이식, 약물관련항체(methyldopa)

(2) 한랭용혈빈혈

① 급성기형태: 감염(마이코플라즈마, EBV)에 대한 이차적

② 만성기형태: 50%는 paraprotein 관련(림프종, 만성림프구성백혈병, 발덴스트롬마크로글로불

린혈증)이고 나머지 50%는 idiopathic

4) 임상 양상

(1) 다양: 피로감, 운동능력감소, 황달, 복통, 혈색소뇨증

(2) 용혈이 심한 경우: 발열, 흉통, 실신, 심부전, 혈색소뇨증 동반

(3) 가끔 발생하는 한랭유발 혈관내용혈과 혈관폐쇄증상이 있는 경우: 귀, 코, 손 및 발끝에 말단청색증 발생(acrocyanosis)

5) 검사소견

(1) 망상적혈구증가, 비결합고빌리루빈혈증, 젖산탈수소효소 증가, 합토글로빈감소)

(2) 직접 항글로불린 검사(direct antiglobulin test, DAT): 양성

 ① 혈액 속에 IgG, IgM, IgA 또는 C3d 등 항체가 부착되어 있는 적혈구가 존재하는지 알아보는 검사

 ② 드물게 쿰즈음성 면역성용혈빈혈이 있음

(3) 저온응집소치(cold agglutinin titer)를 확인

(4) 발작한랭혈색소뇨증을 배제하기 위해 유세포분석기를 시행

(5) 말초혈액검사: 구형적혈구, 다염성(polychromacia)

(6) 숨겨진 악성종양을 찾기 위한 검사 고려

6) 치료

(1) 우선 용혈을 유발한 기저질환을 찾아 치료하는 것이 중요

(2) 온난용혈빈혈

 ① 글루코코르티코이드: 1차 치료, prednisone 1 mg/kg 투여하고, 반응이 있는 경우 7-10일 내에 호전, 호전되면 2-3개월을 통해 prednisone을 서서히 감량

 ② 스테로이드에 반응하지 않는 AIHA 경우 비장절제, 리툭시맙(375 mg/m^2 weekly for four doses)를 고려

(3) 한랭용혈빈혈

 ① 저온 노출 회피

 ② IgM이 부착된 적혈구는 주로 간에서 파괴되므로 비장절제가 효과적이지 않고 스테로이드에 반응을 잘 보이지 않음

 ③ 리툭시맙: 가장 효과적인 약물

 ④ 혈장교환술

 ⑤ 수혈 시 온적혈구수혈난(37℃)을 하고 환자의 용혈 악화를 막기 위해 보온 유지

(4) 적혈구 수혈: 수혈된 적혈구가 용혈이 되기 때문에 효과적이지 않으나 용혈로 인한 증상이 심하거나 혈색소<6 g/dL인 경우에만 수혈 고려

9. 미세혈관병용혈빈혈(microangiopathic hemolytic anemia)

1) 정의: traumatic (microangiopathic) intravascular hemolysis를 의미

2) 원인

(1) 기계심장판막: 특히 비정상적으로 기능하는 판막인 경우 발생

(2) 혈전혈소판감소증자색반병, 용요독증후군혈, 악성고혈압, 혈관염, 전자간, 악성종양, 파종혈관내응고

3) 진단

(1) 전혈구검사: 빈혈, 혈소판감소, 망상적혈구 증가

(2) 용혈관련: 젖산탈수소효소증가, 비결합고빌리루빈혈증, 합토글로빈감소, Coomb's test 음성

(3) ADAMTS13 activity 감소(TTP)

(4) 말초혈액검사: 분열적혈구(schistocyte, fragmented RBC)가 관찰(MAHA양성)

4) 치료

(1) 기저원인에 따라 각각 다른 방법으로 치료

(2) 혈전혈소판감소증자색반병, 용혈요독증후군: 혈장교환술

(3) 파종혈관내응고: 원인 교정 등

I. 재생불량빈혈(aplastic anemia)

1. 정의 및 원인

1) 정의: 여러 다양한 원인에 의한 골수 전구세포 및 조혈모세포의 감소로 인해 말초혈액의 범혈구감소증을 보이는 질환

2) 원인(표 6-3-1)

(1) 세포독성 T 림프구 면역반응(≥ 80%) 혹은 세포독성약물, 방사선, 벤젠 및 기타 약제(표 6-3-1)에 의한 골수 전구세포 및 조혈모세포의 파괴가 주요한 원인

(2) 체질적인 유전적 결손(예: Telomere 질환, Fanconi 빈혈, GATA2 결핍, CTLA4 결핍 등)

3) 국내에서 발생하는 재생불량빈혈의 특징

(1) 서구에 비해 발생빈도가 3-4배 높으며 발생연령이 낮은 것으로 알려져 있음

(2) 체질적인 유전적 결손에 의해 발생하는 경우는 드물고 후전적인 원인에 의한 경우가 많음

표 6-3-1 재생불량빈혈의 원인이 될 수 있는 약제

약제	예
진통제/소염제	Dipyrone, Felbamate, Diclofenac, Indomethacin, Naproxen, Phenylbutazone, Piroxicam, Sulfasalazine
항생제	Cephalosporins, Chloramphenicol, Methicillin, Sulfonamides
항경련제	Carbamazepine, Phenytoin
항히스타민제	Cimetidine, Chlorpheniramine, Ranitidine
항말라리아제	Chloroquine, Quinacrine
항정신병/진정제	Chlorpromazine, Prochloperazine
항갑상선제	Carbimazole, Methimazole, Propylthiouracil
기타	Allopurinol, Chlropropamide, Gold salts, Penicillamine, Tolbutamide

2. 임상양상

1) 빈혈에 의한 무기력, 피곤, 두통, 어지러움, 활동 시 호흡곤란

2) 호중구 감소증으로 인한 감염 관련 합병증

3) 혈소판 감소증에 의한 점출혈, 반상출혈, 코피, 생리과다, 잇몸출혈, 위장관출혈, 뇌출혈

3. 진단

1) 진단을 위해 시행해야 하는 검사(표 6-3-2)

표 6-3-2 재생불량빈혈의 진단을 위해 시행해야 하는 검사

검사명	주요 소견 및 역할
전혈구 검사	범혈구 감소증, 질환의 초기에는 백혈구감소, 빈혈, 혈소판감소 중 하나만 나타나는 경우도 있음
세망적혈구수 검사	도수 측정에 의한 검사가 시행되어야 함
말초혈액도말 검사	적혈구의 크기 증가 및 부동변형, 백혈구의 독성 과립, 혈소판의 크기 감소
골수 흡인 및 조직 검사	세포충실도 감소, 골수형성이상증후군 등과 감별위해 시행되어야 함
세포유전학 검사	대개 정상 핵형이나 5-10%에서는 비정상 염색체가 나올 수도 있음
GPI-anchored protein에 대한 유세포 검사	발작야간혈색뇨증의 동반 여부 확인
비타민 B12 및 엽산 검사	비타민 B12 및 엽산 결핍을 배제해야 함
간기능 검사	간염의 동반여부 확인
A/B/C 형 간염, EBV, CMV, HIV 및 Parvovirus B19 바이러스 검사	간염 및 바이러스에 의한 재생불량빈혈 여부 확인
항핵항체 및 항DNA 항체 검사	전신 홍반성루프스등의 동반 여부 확인
복부 초음파	비장 종대 및 림프절 종대 여부 확인하여 다른 혈액질환 감별

2) 중등도 판정(표 6-3-3)

표 6-3-3 재생불량빈혈의 중증도 판정

중증도	정의
중증 재생불량빈혈	골수 세포충실도 25% 미만이고 말초혈액 중성구 수 <0.5×109/L, 말초혈액 혈소판 수 <20×109/L 및 말초혈액 절대 세망적혈구 수 <20×109/L (혹은 말초혈액 교정 세망적혈구 비율 <1%) 중 2가지 이상
초중증 재생불량빈혈	중증 재생불량빈혈의 진단 조건을 만족하고 말초혈액 중성구 <0.2×109/L 미만임
중등도 재생불량빈혈	중증 재생불량빈혈의 진단 조건을 만족하지 못하는 경우

4. 치료

1) 치료 원칙:
중증 및 초중증 재생불량빈혈 환자의 경우 환자의 연령을 기준으로 그림 6-3-1과 같이 치료하고 중등도 재생불량빈혈 환자의 경우 임상양상에 따라 면역억제 혹은 보전적치료를 시행 받음.

2) 면역억제치료

(1) 기전: 세포독성 T 림프구에 의한 골수 전구세포 및 조혈모세포의 파괴를 항흉선세포글로블린 (Anti-thymocyte globulin) 및 사이클로스포린(Cyclosporin A)를 병합투여 하여 억제

(2) 방법

　① 토끼(Rabbit) 항흉선세포글로블린: 2.5 혹은 3.5 mg/kg/day IV for 5 days

　② 사이클로스포린: 5-6 mg/kg/day PO를 12시간 간격으로 분할 투여하며 혈중 최저농도를 150-300 ng/ml으로 유지하도록 해야 함. 최소 1년 이상 투여하고 이후 천천히 감량해야 재발을 줄일 수 있음

(3) 효과 및 독성

　① 대부분의 환자가 치료 후 빠르면 3개월 늦어도 12개월 후에 반응을 보이지만 드물게는 24개월 후에 반응을 보이기도 함

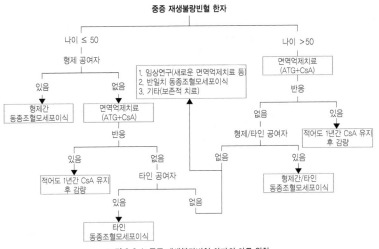

그림 6-3-1 중증 재생불량빈혈 환자의 치료 원칙

② 전체 및 완전 반응율은 약 40-70% 및 20-30%로 보고되어 있으며, 이들 중 약 30-40%는 재발함

③ 면역억제치료를 받은 환자의 약 10-20%에서 발작야간혈색뇨증, 골수형성이상증후군, 급성골수백혈병과 같은 이차적인 클론성 혈액질환이 발생할 수 있는 것으로 알려져 있음

④ 치료 중 항흉선세포글로블린에 의한 발열, 호흡곤란, 부종, 동통, 용혈성 빈혈, 혈소판 감소, 과민성 쇼크, 혈청병 등이 사이클로스포린에 의해 신독성, 간독성, 오심, 진전, 잇몸 증식, 다모증 등이 발생할 수 있음

3) 동종조혈모세포이식

(1) 기전: 환자의 손상된 골수를 제거하고 공여자의 조혈모세포를 주입하여 혈액학적, 면역학적 재구성을 유도

(2) 성적: 조직적합성항원이 일치하는 형제간 동종조혈모세포이식을 시행하였을 경우 약 80-95%, 비혈연간 동종조혈모세포이식을 시행했을 경우 약 70-90%의 장기 생존율을 보임

(3) 예후인자: 환자의 나이, 공여자의 종류, 진단 후 이식까지의 기간, 이식전 수혈량 등

(4) 이식을 시행 받은 재생불량빈혈 환자의 장기생존율에 영향을 미치는 가장 중요한 합병증은 만성 이식편대숙주병

4) 지지 요법

(1) 적혈구 수혈

① 적응증: 빈번한 적혈구 수혈로 인한 합병증을 최소화하기 위해 혈색소가 7 g/dℓ 이하일 경우 시행

② 조직적합성항원에 대한 감작을 예방하기 위해 백혈구제거용 필터를 사용해야 함

(2) 혈소판 수혈

① 적응증: 혈소판 수 $< 10 \times 10^9$/L인 경우 예방적 수혈을 시행하는 것이 권장되고 임상적 출혈이

있는 경우 혈소판 수에 관계없이 수혈해야 함

② 조직적합성항원에 대한 감작의 위험을 예방하기 위해 단일공여자혈소판을 사용하고 가족간 수혈(특히, 동종조혈모세포이식을 시행 받을 가능성이 있는 환자들에서)은 피해야 함

(3) 감염

① 심각한 세균성 혹은 진균 감염이 발생하였을 경우 주사용 항생제 및 항진균제를 사용하여 적극적으로 치료해야 함

② 심각한 호중구 감소증(<0.2×10^9/L)이 있는 경우 일차적으로 항생제 및 항진균제에 반응을 하지 않는다면 백혈구수혈이 도움이 될 수 있음

③ 열이 없는 호중구 감소증 환자의 경우 예방적 항생제 사용은 내성균의 출현을 조장할 수 있어 권장되지 않음

(4) 혈색소침착증의 예방

① 적혈구제재에는 200-250 mg의 철분이 함유되어 있기 때문에 많은 적혈구 수혈을 시행 받는 환자들에게는 혈색소침착증이 발생할 수 있음

② 혈중 Ferritin을 측정하여 >1,000 ng/ml인 경우 체내의 철분을 제거해주는 철제거요법을 시작해야 됨(데페라시록스; Deferasirox 20 mg/kg/day PO)

II. 발작야간혈색뇨증(paroxysmal nocturnal hemoglobinuria, PNH)

1. 원인

1) 하나 이상의 조혈모세포 클론에서 PIG-A (Phosphatidylinositol N-acetylglucosaminyltransferase subunit A) 유전자의 후천적 돌연변이로 인해 발생

2) 보체 공격을 막아주는 세포 표면의 GPI 닻형 단백질(CD55 및 CD 59)의 결핍으로 인해 용혈성빈혈, 혈전 및 평활근의 수축 발생

2. 임상양상

1) 빈혈: 만성적인 용혈성빈혈

2) 혈전: 동맥(관상동맥, 뇌동맥 등)과 정맥(간, 뇌, 장, 피부 등) 어느 부위에서 발생 가능함

3) 평활근의 수축: 복통, 연하곤란, 발기부전

4) 삶의 질 저하: 심한 피로감, 통증, 호흡곤란

3. 진단

1) **혈액검사:** 혈관내 용혈에 의한 빈혈, 망상적혈구 상승, 간접 bilirubin 상승, LDH 상승, Haptoglobin 감소

2) **골수검사:** 대부분 정상이나 재생불량빈혈(25-45%) 혹은 골수형성이상증후군(10-20%)의 동반 여부를 확인하기 위해 시행

3) 유세포 분석(확진 검사)

GPI 닻형 단백질인 CD55 및 CD59의 결핍을 적혈구 및 과립구에서 측정하여 PNH 클론을 확인

4. 치료

1) 적혈구 수혈

2) 스테로이드: 용혈을 감소시키기 위하여 사용

3) 항응고제: 혈전이 발생했을 경우

4) 면역억제요법: 재생불량빈혈이 동반된 경우

5) 철분 및 엽산 보충

6) 통증 조절

7) 에클리주맙 (Eculizumab): C5에 대한 단클론성 항체

8) 조혈모세포이식

III. 골수형성이상증후군(myelodysplastic syndrome, MDS)

1. 정의 및 특성

- 말초혈액세포의 감소와 골수(그리스어 myelo) 세포의 형태학적 이상(dysplasia)을 특징으로 하는 질환의 집합체(개별 환자의 질환특성이 다양하고 이질적이어서 syndrome으로 분류)
- 골수 내 세포는 많으나 비효율 조혈과정(ineffective hematopoiesis)으로 인해 말초 혈구감소증이 발생
- 급성골수성백혈병(acute myelogenous leukemia, AML)으로 악성화될 수 있음
- 주로 60-70대의 고령에서 발생
- 국내에서는 발생빈도가 낮아 희귀질환으로 분류

2. 원인 및 병리

- 조혈세포의 유전적 혹은 후성유전적 이상이 주요원인으로 생각되며 50개 이상의 유전자에서 유전자 변이가 발견됨
- 골수내 미세환경(예, 중간엽기질세포, 면역환경) 등도 질환발생에 영향을 끼침
- 대부분 유발인자를 확인할 수 없는 de novo type이며 일부에서 선행치료가 유발인자로 추정

1) De novo MDS: 주로 고령의 환자에게 발생하는데 노화 과정이나 환경적인 영향이 유전학적 불안전성과 복합적으로 작용하여 나타나는 것으로 생각

2) Therapy-related MDS: 과거의 항암치료 혹은 방사선치료에 따른 DNA 손상으로 발생하며 발병율이 증가하고 있으며 예후가 더 불량

3. 진단

1) 진단을 위한 필수 검사

(1) History

① 동반질환 및 치료, 과거 항암치료, 건강보조식품(예, 영지버섯) 복용

② 가족력(MDS/AML 혹은 기타 악성질환)

③ 혈구저하에 수반되는 증상(반복 감염 혹은 출혈이나 쉽게 멍듦)

(2) Examination

① 혈구저하에 수반되는 증상(창백/멍/감염)

② 비장종대

(3) 검사실 검사

① 전혈구검사 (혈구감소 유무와 함께 MCV 증가)와 미성숙세포

② 혈청 ferritin, vitamin B12, folate levels

③ 골수검사(BM aspirates & trephine biopsy)

④ 염색체 검사(Bone marrow cytogenetic analysis)

(4) 골수 이형성증의 기타원인 감별(megaloblastic anemia, human immunodeficiency virus infection, alcoholism, recent cytotoxic therapy, severe intercurrent illness)

2) 진단 후 필수 추가검사

(1) 혈정 erythropoietin

(2) β 2 microglobulin, LDH

(3) 유전자 변이(통상 next generation sequencing 법을 활용 수십개의 다빈도 유전자를 동시에 검사함)

3) 세포유전학적 이상

(1) 염색체 이상은 전체 환자의 약 반수에서 관찰되는 병기가 높은 수록 많이 관찰됨

(2) MDS 진단에 합당한 골수소견이 없어도 질환특이 염색체 이상이 관찰되는 경우 MDS 진단을 내릴 수 있음

(3) 골수내 아세포 비율보다 예후와 더 밀접한 것으로 알려져 있어 위험군을 분류하게 되는데 통상 IPSS 나 IPSS-R에 분류한 위험군 정의를 사용함

4) World Health Organization (WHO) classification 분류법

Name	Dysplastic lineages	Cytopenias	BM and PB blasts	Cytogenetics by conventional karyotype analysis
MDS-SLD	1	1 or 2	BM<5%, PB<1%, no Auer rods	Any unless fulfills all criteria for MDS with isolated del (5q)
MDS-MLD	2 or 3	1-3	BM<5%, PB<1%, no Auer rods	Any unless fulfills all criteria for MDS with isolated del (5q)
MDS-RS-SLD	1	1 or 2	BM<5%, PB<1%, no Auer rods	Any unless fulfills all criteria for MDS with isolated del (5q)

Name	Dysplastic lineages	Cytopenias	BM and PB blasts	Cytogenetics by conventional karyotype analysis
MDS-RS-MLD	2 or 3	1-3	BM<5%, PB<1%, no Auer rods	Any unless fulfills all criteria for MDS with isolated del (5q)
MDS with isolated del(5q)	1-3	1-2	BM<5%, PB<1%, no Auer rods	
MDS-EB-1	0-3	1-3	BM 5%-9% or PB 2%-4%, no Auer rods	Any
MDS-EB-2	0-3	1-3	BM 10%-19% or PB 5%-19%, or Auer rods	Any
MDS-u				
With 1% blood blasts	1-3	1-3	BM<5%, PB=1%, no Auer rods	Any
With SLD & pancytopenia	1	3	BM<5%, PB<1%, no Auer rods	Any
Based on defining cytogenetic abnormality	0	1-3	BM<5%, PB<2%	MDS-defining abnormality

5) 광의의 MDS

과거 FAB 분류법에서 MDS로 분류했던 chronic myelomonocytic leukemia나 MDS와 함께 MPN 특징을 함께 지니고 있는 MDS/MPN의 경우 증례수가 많지 않고 독자적인 질환정보의 부족으로 MDS로 함께 분류하는 경우가 많음

4. 예후

1) International Prognostic Scoring System (IPSS)

기존의 분류법이 골수 혹은 말초혈액의 blast만을 고려했던 반면에 질환의 임상경과에 중요한 영향을 치는 것으로 알려진 말초 혈액의 cytopenia와 염색체 변화를 함께 고려

표 6-3-4 International Prognostic Scoring System (IPSS)

	Score value				
	0	0.5	1	1.5	2
BM blasts percentage	<5	5-10		11-20	21-30
Karyotype	Good	Intermediate	Poor		
Cyropenias	0/1	2/3			

* Score for risk groups are as follows: Low 0;INT-1 0.5-1.0; INT-2 1.5-2.0;High ≥2.5.Karyotype: Good, normal, -Y, del(5q), del(20q); Poor, complex(≥3 abnormalities)or chromosome 7 anomalies: Intermediate, other abnormalities. Cytopenias defined as hemoglobin concentration <10 g/dl, neutrophils <1.8×109/1 and platelets <100×109/1.

	Median survival (years)			
	≤60 years (n=205)	>60 years (n=611)	≤70 years (n=445)	>70 years (n=371)
Low(n=267)	11.8	4.8	9	3.9

INT-1(n=314)	5.2	2.7	4.4	2.4
INT-2(n=176)	1.8	1.1	1.3	1.2
High(n=59)	0.3	0.5	0.4	0.4

2) Revised International Prognostic Scoring System (IPSS-R)

(1) 현재 가장 많이 사용되고 있는 분류법

(2) 염색체의 예후예측능이 강조되었고, 말초혈구의 감소를 기존의 유무에서 감소 정도(depth of cytopenia)로 세분화했음

(3) 염색체에 따른 위험군을 5단계로 세분화했음

(4) 연령이나 ferritin, β2-microglubin, LDH 등의 추가 변수에 따라 위험군이 다르게 평가될 수 있음

prognostic variable	score value						
	0	0.5	1	1.5	2	3	4
cytogenetics	very good	–	Good	–	inter-mediate	poor	very poor
marrow blast (%)	≤2	–	>2~<5	–	5-10	>10	–
hemoglobin	≥10	–	8~<10	<8	–	–	–
platelets	≥100	50~<100	<50	–	–	–	–
ANC	≥0.8	<0.8	–	–	–	–	–

* Score for risk groups are as follows: very low ≤1.5, low >1.5~3, INT >3~4.5, High >4.5~6, very high >6
Cytogenetic subgroup : very good = -Y, del (11q)
　Good = Normal, del (5q), del (12p), del (20q), double including del (5q)
　Intermediate = del (7q), +8, +19, i (17q), any other single or double independent clones
　poor = -7, inv (3)/t (3q)/del (3q), double including -7/del (7q), Complex 3 abnormalities
　very poor = Complex >3 abnormalities

IPSS-R category (% IPSS-R population)	overall score	median survival (y) in the absence of therapy	25%AML progression (y) in the absence of Thx.
very low (19)	≤1.5	8.8	not reached
low (38)	>1.5~3	5.3	10.8
INT (20)	>3~4.5	3	3.2
high (13)	>4.5~6	1.6	1.4
very high (10)	>6	0.8	0.7

3) WHO-based Prognostic Scoring System (WPSS)
적혈구 수혈 유무를 예후예측에 반영

Variable	0	1	2	3
WHO category	RA, RARS, 5q-	RCMD, RCMD-RS	RAEB-1	RAEB-2
Karyotype	Good	Intermediate	Pood	–
Transfusion requirement	No	Regular	–	–

	Learning cohort			Validation Cohort		
	Pt. No (%)	Median OS (mo)	AML evolution at 2-y/5-y	Pt, No(%)	Median OS (mo)	AML evolution at at 2-y/5-y
Very low/0	99(23%)	103	0.00/0.06	74(10%)	141	0.03/0.03
Low/1	119(28%)	72	0.11/0.24	162(22%)	66	0.06/0.14
Intermediate/2	79(19%)	40	0.28/0.48	170(23%)	48	0.21/0.33
High/3-4	100(23%)	21	0.52/0.63	244(33%)	26	0.38/0.54
Very high/5-6	29(7%)	12	0.79/1.00	89(12%)	9	0.80/0.84

5. 치료

1) 치료계획 수립에서 고려할 사항

(1) 질환특성(위험군)과 환자의 특성(동반질환/전반적인 신체기능)을 함께 고려하여 치료계획을 수립

(2) 임상현장에서는 질환의 위험군은 통상 저위험군과 고위험군으로 양분하여 치료전략을 수립

(3) 저위험군은 세포저하의 개선, 수혈요구량의 감소, 삶의 질의 개선 등이 치료 목적이고 고위험군의 경우 암세포의 제거에 따른 적극적인 생명구제가 치료 목표

(4) 조혈모세포이식이 유일한 완치법이나 독성이 높으므로 신중한 선택이 필요

2) 저위험군과 고위험군의 분류와 치료의 선택

- 저위험군의 정의: IPSS의 경우 low/ INT-1, IPSS-R과 WPSS의 경우 very low/low/INT 그룹
- 세 가지 분류법(IPSS, IPSS-R, WPSS) 중 한 가지를 사용하여 저/고 위험군을 구분하기도 하며 NCCN 지침에서와 같이 세가지 중 한가지 분류법에서라도 고위험군으로 평가되면 고위험군으로 정의하기도 함

(1) 저위험군 환자의 치료

① 증상을 동반한 빈혈: del (5q)가 동반된 환자는 lenalidomide, 그외 EPO 500 U/L 이하인 군에서는 erythropoietin ± G-CSF, 500 U/L 넘는 빈혈환자는 먼저 면역억제치료, 효과 없을 시 HMA 고려

② 호중구 감소: G-CSF는 감염예방 효과는 없어 예방목적으로 사용하지 않으며 호중구저하 발열 시 사용. 심각한 호중구 감소증의 경우 HMT도 고려

③ 혈소판 감소: thrombopoietin-receptor agonist가 개발되어 임상에 도입될 예정이며, 혈소판 수혈 시 반복적인 수혈에 따른 수혈불응증에 대한 모니터가 필요. 심각한 혈소판 감소증의 경우 HMT도 고려함

(2) 고위험군 환자의 치료

① 환자의 나이, 전신수행상태, 동반질환의 유무에 따라 동종 조혈모세포이식 가능성 판단

② 이식과 같은 고강도 치료가 불가능한 경우 저메틸화치료를 고려

3) 보조 요법

(1) 일반적 대증 치료

① 일반적으로 임상경과가 길기 때문에 필요한 정신적, 사회적 지지를 시행하며 삶의 질을 평가하

는 것이 기본적인 대증치료

② 필요에 따른 적혈구 혹은 혈소판 수혈을 시행하게 되며 감염이 발생한 경우 항생제

(2) 철분 제거 요법

① MDS 질환자체의 특성 및 반복되는 적혈구 수혈로 인해 체내 철분과잉이 발생

② 철분과잉은 간기능, 심장기능, 당뇨 등의 내분비 기능 등에 이상을 초래하나 장기적 합병증이 므로 장기 생존이 기대되는 환자에서 철킬레이션을 시행

③ 고위험군에서도 조혈모세포이식을 준비하는 환자는 치료독성의 감소목적으로 철킬레이션 치료

④ 철킬레이션 치료는 철분 축적에 따른 증상 혹은 기능의 개선뿐만 아니라 일부 수혈 요구량의 감소 및 혈액 소견의 개선도 유발할 수 있음

⑤ 기존의 desferrioxamine 주사제와 함께 경구제가 개발되었고 국내에서는 deferasirox가 사용됨

⑥ 철과잉은 serum ferritin으로 의 측정하나 acute phase reactant이기도 하므로 판독에 주의 요함

(3) Erythropoietin(EPO)

① EPO 투여 후 약 15-20%의 환자에서 혈색소 수치의 증가가 관찰되며, 5-10%의 환자에서 수 혈요구량이 감소

② EPO에 G-CSF를 병합하면 반응율이 증가하나 고비용, 보험급여제한, 지속적인 치료 시에만 반응유지 등의 문제를 함께 고려해야 하고 ringed sideroblasts가 15% 이상인 경우 EPO+G-CSF에 따른 반응율이 높음

③ 혈청 EPO level이 500 U/L 미만이고 치료 전 수혈요구량이 월 2회 미만인 환자에서 우월한 반 응이 기대됨

(4) 조혈 성장촉진인자 및 분화 유도체

① G-CSF와 GM-CSF는 항암치료 후나 조혈모세포이식 후의 백혈구 저하기간을 단축시켜 감염 율을 감소시키는 것으로 알려져 있으며, 감염방지를 위해 예방적으로 사용하지는 않음

② Thrombopoietin-receptor agonist 도입될 전망

4) 면역억제요법

(1) MDS의 병태생리에서의 면역학적 기전이 알려지면서 다양한 면역억제요법이 시도되었으나 prednisone은 효과가 적고 일시적이며 감염의 위험성을 증가시켜 사용하지 않음

(2) Antithymocyte globulin과 cyclosporine의 경우 30% 전후의 반응율을 보이며 재생 불량성 빈혈과 는 달리 cyclosporine의 역할은 적은 것으로 보고되고 있음

(3) 저세포성 골수의 MDS, HLA DR15, 젊은 연령, 그리고 적혈구 수혈 요구량이 적은 환자들이 양호 한 반응을 보이는 것으로 보고되고 있음

5) Lenalidomide

Lenalidomide는 isolated del (5q)에서 40-80%의 반응율을 보임

6) Hypomethylating agents (azacytidine과 decitabine)

(1) Pyrimidine nucleoside 유사체로서 DNA methylation을 차단하여 세포의 전사 및 분화를 유도하는

역할을 하는 약제이나 MDS에서 치료반응 기전을 알려져 있지 않음

(2) 약 50%의 환자에서 골수 아세포의 감소나 말초혈액세포의 개선 등의 효과가 관찰되며 완전 관해율은 약 10% 전후. 반응을 보인 환자 모두에서 2차 내성이 발생하여 치료실패가 발생

(3) Azacitidine의 경우 고위험군 MDS에서 백혈병 전환기간의 지연, 생존기간의 연장 등이 증명되었으나 decitabine의 생명 연장 효과는 규명되지 않음

(4) 조혈모세포이식을 받을 수 없는 고위험군 환자의 일차 치료제이며 이식 전 가교치료로도 고위험군에서 사용됨

(5) 저위험군 환자에서도 혈구 개선 효과가 있어 임상에서 활용되고 있으나 악성전환의 지연이나 생존 기간 연장 등의 효과는 제한적으로 알려져 있음

7) 복합 항암 화학요법

(1) Anthracycline계의 약제와 cytarabine의 병합요법이 일반적

(2) De novo 급성 골수성 백혈병에 비해 반응율이 현저히 낮음

(3) 특히 고령이거나 complex cytogenetic abnormalities가 동반된 경우 관해율이 낮고 독성이 높음

6. 동종 조혈모세포이식

- 동종 조혈모세포이식은 MDS의 유일한 완치법임
- 전체 MDS 환자의 이식 후 장기생존율은 약 40-50% 정도인데 저위험군이 생존율 40-60%, 재발률 및 치료독성사망률이 10-20%로 우월하며 고위험군에서는 재발률과 치료독성사망률 모두 25% 전후로 높아 생존율이 50% 미만
- 이식치료의 독성을 최소화하기 위해 사용되기 시작한 저강도의 전처치가 표준 전처치 요법과 유사한 생존율을 보이고 있음. 이식편대숙주질환(GVHD)과 동반되어 발생하는 graft-versus-effects가 MDS에서도 나타나 GVHD 발생군의 재발률이 더 낮음
- TP530이나 RAS pathway 유전자의 변이 등의 불량한 예후를 보임

Ⅰ. 급성골수성 백혈병(acute myeloid leukemia, AML)

1. 개요

1) 정의

골수 기원의 골수성 백혈구가 종양성으로 증식하여 혈액 속에 유출하는 질환이며 임상적으로 질환의 진행 속도가 빨라 치료하지 않을 경우 수개월내에 대부분의 환자가 감염, 출혈 등의 급성 합병증으로 사망하게 되는 조혈계 악성 암의 하나

2) AML 빈도

(1) 2013년 미국의 AML 신환은 14,590명, 연간 10만 명당 3.5건

(2) 연령이 증가할 수록 빈도 증가하며 진단시 median age는 67세

2. 발병 원인

1) 원인을 알 수 없는 경우가 대부분이나 일부 알려진 원인은 아래와 같음

2) 선천적 유전적 요인

(1) Down syndrome (Trisomy 21)

(2) Inherited diseases with defective DNA repair (Fanconi anemia, Bloom syndrome, and ataxia-telangiectasis)

(3) Congenital neutropenia (Kostmann syndrome)

(4) Germline mutations of CEBPA, RUNX1, and TP53

3) 방사선

4) 화학 물질과 기타 발암 물질에 노출시

Benzene, 담배, 석유 product, 페인트, 방부제, 제초제, 살충제

5) 약제

항암제(특히 alkylating agent, topoisomerase II inhibitor)

3. 진단

1) 병리학적 형태, 면역 표현형, 세포 유전기법을 통한 검사 결과를 종합해서 진단

(1) 병리학적 형태: 골수 및 혈액 도말의 형태학적 관찰을 통해 골수 또는 혈액의 아세포(blast)를 계수

(2) 면역 표현형: 아세포의 세포 기원(lineage) 분류

(3) 세포 유전 기법: 고식적 세포 유전 기법 또는 FISH 기법을 통해 염색체의 수적 이상, 구조적 이상 등을 감별

2) 급성 골수성 백혈병의 진단

(1) 말초혈액이나 골수에서 골수구성 아세포 (Myeloid blast) 20% 이상이면 진단 가능(FAB 30%, WHO 20% 기준)

(2) 말초 혈액이나 골수에서 골수구성 아세포 20% 이상이 아니어도 진단가능한 상태는 아래와 같음

① 특별한 염색체 이상 동반시: t(15;17), t(8;21), inv(16),t(16;16)

② Myeloid sarcoma (골수나 말초 혈액 이외의 곳에 골수구성 아세포 침윤)

표 6-4-1 면역 표현형 검사 결과를 통한 세포 기원의 분류

Expression of cell-surface and cytoplasmic markers	
Dignosis of AML*	
Precursors†	CD34, CD117, CD33, CD13, HAL-DR
Granulocytic markers‡	CD65, cytoplasmic MPO
Monocytic markers	CD14, CD36, CD64
Megakaryocytic markers ‖	CD41 (glycoprotein IIb/IIIa), CD61 (glycoprotein IIIa)
Erythroid markers	CD235a (glycophorin A), CD36
Dignosis of MPAL	
Myeloid lineage	MPO (flow cytometry, immunohistochemistry, or cytochemistry) or monocytic differentiation (at least 2 of the following: nonspecific esterase cytochemistry, CD11c, CD14, CD64, lysozyme)
T-lineage	Strong# cytoplasmic CD3 (with antibodies to CD3 chain) or surface CD3
B-lineage**	Strong# CD19 with at least 1 of the following strongly expressed: cytoplasmic CD79a, cCD22, or CD10 or weak CD19 with at least 2 of the following strongly expressed: CD79A, cCD22, OR CD10

MPO, myeloperoxidase.

4. 분류

1) FAB schema (French, American, and British): 형태학적 분류법이며

2) WHO 분류법

기존 FAB 분류법이 형태학적, 세포화학적 기법에 의한 분류에 의거했다면(morphology, cytochemistry), WHO 분류에서는 세포및 분자유전학적 분류법 (cytogenetic/molecular criteria)

표 6-4-2 2016년 개정 WHO classification

Clas sification*
Myeloid neoplasms with germ line predisposition without a preexisting disorder or organ dysfunction
Aml with germ line *CEBPA* mutation
Myeloid neoplasms with germ line *DDX41* mutation†
Myeloid neoplasms with germ line predisposition and preexisting platelet disorders
Myeloid neoplasms with germ line *RUNX1* mutation†
Myeloid neoplasms with germ line *ANKRD26* mutation†
Myeloid neoplasms with germ line *ETV6* mutation†
Myeloid neoplasms with germ line predisposition and other organ dysfunction
Myeloid neoplasms with germ line *GATA2* mutation
Myeloid neoplasms associated with bone marrow failure syndromes
Juvenile myelomonocytic leukemia associated with neurofibromatosis, Noonan syndrome, or Noonan syndrome-like disorders
Myeloid neoplasms associated with Noonan syndrome
Myeloid neoplasms associated with Down syndrome†
Guide for molecular genetic diagnostics‡
Myelodysplastic predisposition/acute leukemia predisposition syndromes
CEBPA, DDX41, RUNX1, ANKRD26, ETV6, GATA2, srp72, 14q332.2 genomic duplication (*ATG2B/GSKIP*)
Cancer predisposition syndromes
Li Fraumeni syndromes (*TP53*)
Germ line *BRCA1/BRCA2* mutations
Bone marrow failure syndromes
Dyskeratosis congenita (*TERC, TERT*)
Fanconi anemia

5. 임상양상 및 치료 전 평가 항목

1) 증상 및 혈액학적 소견

(1) 기운이 없고 식욕이 떨어지는 등의 비특이적 증상부터 전혈구검사 이상에 의한 증상까지 다양

(2) WBC는 증가 혹은 감소, Hb은 대부분 감소 (힘없음, 숨참, 두통), platelet는 대부분 감소 (멍이 쉽게 듦, 출혈)

(3) 급격한 BM expansion으로 인한 골 통증

(4) 녹색종(chloroma or granulocytic sarcoma): 골수외 백혈병의 침윤에 의한 조직육종성 병변이 관찰 될 수도 있음(t(8;21)을 표현하는 FAB M2, M4, M5에서 주로 관찰됨)

2) 신체소견

(1) 발열, 간비종대, 림프절종대

(2) 흉골통과 압통

(3) 각종감염

(4) 출혈경향(장출혈, 폐출혈, 뇌출혈 등): AML M3 (APL)에서 가장 흔함

(5) 잇몸비대, 피부, 연부조직, 뇌수막침습: 단핵구성 타입(FAB, M4, M5), 11q23 이상이 있는 경우 주로 관찰됨

3) AML M3 (APL, acute promyelocytic leukemia)에 대한 각별한 주의 필요

(1) 급성(골수성) 백혈병이 의심되는 환자에서는 반드시 M3 type을 의심하고 DIC profile을 확인해야 함

(2) DIC profile, 증상 및 신체검사 확인 시 APL이 의심된다면 위험군 분류를 통한 즉각적 대응이 필요할 수 있음(치료 부문 참조)

4) 치료 전 필수 평가 항목

표 6-4-3 치료 전 필수 평가항목

Initial Diagnostic Evaluation and Management of Adult Patients with AML
History
Increasing fatigue or decreased exercise tolerance(anemia)
Excess bleeding or bleeding from unusual sites(DIC, thrombocytopenia)
Fevers or recurrent infections(granulocytopenia)
Headache, vision changes, nonfocal neurologic abnormalities(CNS leukemia or bleed)
Early satiety(splenomegaly)
Family history of AML(Fanconi, Bloom or Kostmann syndromes or ataxia telangiectasia)
History of cancer(exposure to alkylating agents, radiation, topoisomerase II inhibitors)
Occupational exposures(radiation, benzene, petroleum products, paint, smoking, pesticides)
Physical Examination
Performance status(prognostic factor)
Ecchymosis and oozing from IV sites(DIC, possible acute promyelocytic leukemia)
Fever and tachycardia(signs of infection)
Papilledema, retinal infiltrates, cranial nerve abnormalities(CNS leukemia)
Poor dentition, dental abscess
Gum hypertrophy(leukemic infiltration, most common in monocytic leukemia)
Skin infiltration or nodules(leukemia infiltration, most common in monocytic leukemia)
Lymphadenopathy, splenomegaly, hepatosplenomegaly
Back pain, lower extremity weakness [spinal granulocytic sarcoma, most likely in t(8;21) patients]
Laboratory and Radiologic Studies
CBC with manual differential cell count
Chemistry tests(electrolytes, creatinine, hepatic enzymes, BUN, calcium, phosphorus, LDH, uric acid, bilirubin, amylase, lipase)
Clotting studies(prothrombin time, partial thromboplastin time, fibrinogen, D-dimer)
Viral serologies(CMV, HSV-1, Varicella zoster)
RBC type and screen
HLA-typing of patient, siblings, and parents for potential allogeneic SCT
Bone marrow aspirate and biopsy(morphology, cytochemistry, cytogenetics, flow cytometry, molecular studies)
Cryopreservation of viable leukemia cells(for later study)
Echocardiogram
PA and lateral chest radiograph
Placement of central venous access device

Interventions for Specific Patients

Dental evaluation(for those with poor dentition)

Lumbar puncture(for those with symptoms of CNS involvement)

Screening spine MRI(for patients with back pain, lower extremity weakness, paresthesias)

Social work referral for patient and family psychosocial support

Counseling for All Patients

Provide patient with disease information, financial information, support group information

6. 예후인자

1) 환자 관련 인자: 고령, comorbid condition, poor performance → 예후 불량

2) 질병 관련 인자: WBC count↑, 이전 다른 혈액 질환(ex. MDS, CMML, MPN...)에서 이환된 AML(secondary AML), 이전 cytotoxic therapy 병력(therapy related AML, t-AML), 진단당시 불량한 예후를 시사하는 세포학적, 분자 유전학적 변화(표 6-4-4) → 예후 불량

3) 치료 도중 및 이후 경과

(1) 완전 관해: 완전 관해의 획득은 생존율 향상에 기여하는 가장 중요한 단일 인자임, induction 1회 만에 완전 관해일 경우, induction 2회 후 완전 관해보다 좋음

(2) 미세잔류 백혈병(minal residual disease or leukemia: MRD): RT or RQ PCR, FISH, 유세포 기법 등을 이용하여 측정할 수 있으며 MRD 양성은 MRD 음성에 비해 불량한 예후와 연관

표 6-4-4 2017년 ELN risk stratification

Risk category*	Genetic abnormality
Favorable	t(8;21)(q22;q22.1); RUNX1–RUNX1T1
	inv(16)(p13.1q22) or t(16;16)(p13.1;q22); CBFB–MYH11
	Mutated NPM1 without FLT3–ITD or with FLT3–ITDlow ↑
	Biallelic mutated CEBPA
Intermediate	Mutated NPM1 and FLT3–ITDhigh ↑
	Wild-type NPM1 without FLT3–ITD or with FLT3–ITDlow ↑ (without adverse–risk genetic lesions)
	t(9;11)(p21.3;q23.3); MLLT3–KMT2A‡
	Cytogenetic abnormalities not classified as favorable or adverse
Adverse	t(6;9)(q22;q34.1); DEK–NUP214
	t(v;11q22.3); KMT2A rearranged
	t(9;22)(q34.1;q11.2); BCR–ABL1
	inv(3)(q21.3q26.2) or t(3;3)(q21.3;q26.2); GATA2,MECOM(EVI1)
	−5 or del(5q); −7; −17/abn(17p)
	Complex karyotype, monosomal karyotypell
	Wild–type NPM1 and FLT3–ITDhigh ↑
	Mutated RUNX1
	Mutated ASXL1
	Mutated TP53

†Low, low allelic ratio (<0.5); High, high allelic ratio (≥0.5); semiquantitative assessment of FLT3–ITD allelic ratio (using DNA fragment analysis) is determined as ratio of the area under the curve "FLT3–ITD" divided by area under the "FLT3–wild type". recent studies indicate that AML with NPM1 mutation and FLT3–ITD low allelic ratio may also have a more favorable prognosis and patients should not routinely be assigned to allogeneic HCT.[57–59,77]

‡The presence of t(9;11)(p21.3;q23.3) takes precedence over rare, concurrent adversr–risk gene mutations.

§ Three or more unrelated chromosome abnormalities in the absence of 1 of the WHO-designated recurring translocations or inversions, that is, t(8;21), inv(16) or t(16;16), t(9;11), t(v;11)(v;q23;3), t(6;9), inv(3) or t(3;3); AML with *BCR-ABL1*.

‖ Defined by the presence of 1 single monosomy (excluding loss of X or Y) in association with at least 1 additional monosomy or stuctural chromosome abnormality (excluding core-binding factor AML).[116]

¶These makers should not be used as an adverse prognostic marker if they cooccur with favorable-risk AML subtypes.

#*TP53* mutations are significantly associated with AML with complex and monosomal karyotype.[37,66-69]

7. 치료

1) 개요

(1) 강도 항암 치료를 견딜 수 있는 medically fit 군(젊은 환자군)과 견디지 못하는 medically unfit군 (elderly 환자군, 젊더라도 comorbidity가 상당한 환자군)으로 나누어 치료 접근

(2) 고강도 항암 치료는 기본적으로 induction phase (관해 유도기)와 post-remission treatment phase (관해 후 치료기)로 나뉘고, induction treatment 이후 완전 관해(complete remission, CR)의 획득은 향후 완치(cure) 및 생존율 개선에 중요한 요소

(3) 고강도 항암 치료의 Post-remission treatment에는 consolidation chemotherapy (공고 항암 요법), allogeneic or autologous hematopoietic stem cell transplantation (동종 또는 자가 조혈모세포 이식) 등이 포함

(4) 고강도 항암 치료를 견디지 못하는 medically unfit 군은, 데시타빈, 아자싸이티딘 등의 저메틸화 제 제(hypomethylating agent)가 치료로 인정받아 사용되고 있음

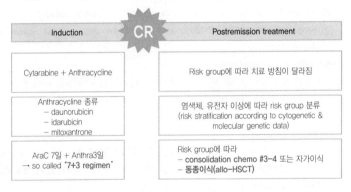

그림 6-4-1 급성 골수성 백혈병 치료의 구성

2) 관해 유도 화학요법(Induction chemotherapy)

(1) cytarabine (Ara-C) + anthracycline (7+3 regimen)

① Cytarabine: continuous IV infusion at 100 to 200 mg/m² per day for 7 days

② Anthracycline

- daunorubicin 45 60-90mg/m² IV on days 1, 2, and 3

- or idarubicin 12 mg/m² per day for 3 days

→ CR rate: 65 to 75% with de novo AML

3) 관해후 치료(Postremission therapy)

(1) 표 6-4-4의 위험군 분류를 근간으로 post-remission therapy를 시행

① Favorable risk는 consolidation chemotherapy #3-4 혹은 자가 조혈모세포 이식

② Intermediate-adverse risk는 동종 조혈모세포 이식

(2) consolidation chemotherapy (공고 항암 요법)

① High-dose Ara-C (고용량Ara-C 요법) 혹은 중용량Ara-C 요법

최근 유럽과 미국에서의 전향적 연구에서는 양쪽에서 임상성적에서 큰 차이가 없고 오히려 고용량을 이용한 경우 독성과 재원일수의 증가 등의 문제가 제기되었음. 특히 동양인에서의 전향적 연구가 없으므로 향후 제고가 필요한 부분임. 특히, 세포유전학적 혹은 분자유전학적 예후 양호군에서 관해 후 표준관해유지요법으로 권장됨. (Ara-C를 이용 고용량 Ara-C 요법은 최소 2~3 g/m2 every 12 h on days 1, 3, and 5 이상 총량으로 계산하여 18 g/m2 ~ 36 g/m2을 한 cycle 화학요법 당 권장하고 있으나 현재까지 서양인에게도 백인, 흑인, 히스패닉 등에 따라 부분적으로 적용되는 등 동양에서는 이러한 동일한 치료법으로 성적 보고된 결과가 없음. 동양인의 인종적 특성을 고려해야 함. 따라서, 중용량 1.0~1.5 g/m2 용량 용법이 Ara-C 단독 보다는 병합요법으로써 고려 될 수 있음.)

(3) 자가 조혈모세포 이식(autologous SCT)

① high-dose chemoradiotherapy as conditioning regimen (<5% treatment-related mortality, TRM)

② relapse rate is higher than with allogeneic SCT due to the absence of graft-versus-leukemia (GVL) effect

(4) 동종 조혈모세포 이식(allogeneic SCT) in first CR

① in patients under age 65 years without major organ dysfunction (e.g., renal, pulmonary, cardiac, or hepatic damage) who have an HLA-compatible bone marrow donor, results in cure in 40 to 60% of patients

② TRM: 약10-25% 전후

③ GVL effect (이식편대 백혈병 효과): 동종이식시 기대되는 공여자 기원의 면역 특이적 세포에 의한 잔여 백혈병 세포와의 HLA, mHAg 차이 등에 의한 세포독성 효과의 임상반응을 세포 면역학적으로 지칭한 표현

(5) Acute promyelocytic leukemia (APL, AML M3) 치료

① 응급실에서의 유의사항: 급성 (골수성) 백혈병이 의심되는 신환에서 DIC profile, 증상 및 신체검사 확인 시 APL이 의심된다면 위험군 분류를 통한 즉각적 대응이 필요할 수 있음

• APL이 의심된다면 즉각적 ATRA 45 mg/m2/day #2 처방

• WBC 1만 이상의 고위험군 APL이 의심된다면 ATRA 처방과 동시에 cytoreduction therapy 가 초기 치료로 시행되어야 함

② 다른 AML 치료와 마찬가지로

• Induction 이후 → Postremission treatment

- 단, Postremission period에는 consolidation chemoTx.를 시행하고 동종 조혈모세포이식을 1차로 시행하지 않음(APL에서의 이식은 재발되는 경우에 한해 보다 적극적인 2차 관해 후의 자가 혹은 동종 조혈모세포이식요법이 고려됨)
- 다른 AML에는 없는 maintenance tx. 개념이 있음: ATRA 근간의 2년 유지요법

③ 전통적으로는 "ATRA + anthracycline" induction, consolidation treatment가 기본(최근에는 chemo free regimen인 ATO + ATRA 근간의 치료가 성적면에서는 비슷 혹은 더 우월하고, 독성이 적어 기존의 ATRA + anthracycline를 대체하고 있음)

④ ATRA
- 용량: 45 mg/m2/day #2
- 주의: Retinoic acid syndrome (= Differentiation syndrome) within the first 3 weeks of therapy, fever, chest pain, dyspnea, pulmonary infiltrates, progressive hypoxemia unless reversed, it can rapidly be fatal.
- Retinoic acid syndrome의 치료: early aggressive initiation of glucocorticoid, chemotherapy, supportive care
- mortality: 5-10%

⑤ Arsenic trioxide (ATO)
- ATRA와 마찬가지로 cell differentiation을 유도하는 약제
  → 마찬가지로 APL differentiation syndrome을 일으킬 수 있음
- significant anti-leukemic activity

8. 고령 급성 골수성 백혈병 환자의 치료(Elderly AML)

대개 60-65세 이상의 고령환자군을 지칭하며 진단, 치료, 예후 관리 등에서 차별화된 전략과 전술을 축적하고 있음. 특히, 동양인에서 조혈모세포이식의 경우 오히려 50-55세를 경계 나이로 고려하기도 함. 단, 현재 국내 보험 급여 기준은 65세까지

1) 고령 환자의 임상 특성

당뇨, 고혈압, 심폐부전증, 관절이상, 신경질환 등의 기저 질환을 동반하고 있으며 전신 수행력의 저하가 대부분의 노년 환자의 특징이며 불가피하게 고식적 관해유도 화학요법을 잘 수행할 수 없거나 치료과정에서 심각한 독성 부작용으로 사망하는 확률이 높아 치료 자체가 매우 제한적임 연령, 수행력, 기저질환, 백혈병의 임상 특성 등을 고려하여 신중한 치료 접근이 필요하며 경우에 따라서는 관해유도는 포기하고 지지요법(보존요법) 혹은 호스피스 개념의 도입이 요구될 수 있음

2) 관해유도치료

① 고식적방법의 관해율: 30-50%
② 이식 관련 사망율(TRM): 매우 높음(젊은 연령층에 비해 대개 2-3배 이상 높음)

3) 저메틸화제제 (데시타빈, 아자사이티딘)

완전 관해율은 20% 내외로 고강도 항암 요법과 비교하여 그 빈도는 낮으나, 상대적으로 독성이 덜하

여 중간 전체 생존율은 6~10개월 정도로 고식적 항암과 비교 시 뒤쳐지지 않아 활발히 사용되고 있음

II. 급성림프모구백혈병(acute lymphoblastic leukemia, ALL)

1. 분류(2016 WHO classification)

B-lymphoblastic leukemia/lymphoma, not otherwise specified (NOS)

B-lymphoblastic leukemia/lymphoma with recurrent genetic abnormalities

   B-lymphoblastic leukemia/lymphoma with t(9;22)(q34.1;q11.2); BCR-ABL1

   B-lymphoblastic leukemia/lymphoma with t(v;11q23.3); KMT2A (MLL) rearranged

   B-lymphoblastic leukemia/lymphoma with t(12;21)(p13.2;q22.1); ETV6-RUNX1

   B-lymphoblastic leukemia/lymphoma with hyperdiploidy

   B-lymphoblastic leukemia/lymphoma with hypodiploidy

   B-lymphoblastic leukemia/lymphoma with t(5;14)(q31.1;q32.3); IL3-IGH

   B-lymphoblastic leukemia/lymphoma with t(1;19)(q23;p13.3); TCF3-PBX1

B-lymphoblastic leukemia/lymphoma, BCR-ABL1-like

B-lymphoblastic leukemia/lymphoma with iAMP21

T-lymphoblastic leukemia/lymphoma

   Early T-cell precursor lymphoblastic leukemia

Natural killer (NK) cell lymphoblastic leukemia/lymphoma

2. 배경

소아 ALL의 예후(완전관해율 90%, 장기생존율 70-80%)에 비해 성인에서는 완전관해율에 있어서는 80-90%를 보이지만 장기생존율은 30-50%에 불과함. 이러한 항암화학요법에 따른 치료 성적의 차이는 성인 ALL에서 소아에 비해 불량한 세포유전학적 이상소견 동반율 및 약제내성 획득율이 빈번하기 때문임

3. 관해유도요법(Remission-induction chemotherapy)

성인에서는 관해유도요법으로 vincristine, steroid (prednisolone/dexamethasone) 및 anthracycline (daunorubicin/doxorubicin/idarubicin)을 근간으로 cyclophosphamide 혹은 L- asparaginase를 추가하여 시행하고 있으며, Philadelphia chromosome (Ph)이 양성인 경우(Ph-positive ALL)에서는 tyrosine kinase inhibitors (imatinib, dasatinib, ponatinib)를 병용투여함. 이러한 복합항암화학요법에 의한 완전관해율은 75-98%임

4. 관해후/공고요법(post-remission/consolidation chemotherapy)

성인 ALL에서 사용되고 있는 관해후/공고요법은 각기 다른 작용기전을 갖고 있는 항암제를 이용한 복합항암화학요법을 반복적으로 투여함을 원칙으로 하며, Ph-positive ALL인 경우 tyrosine kinase inhibitors (imatinib, dasatinib, ponatinib)를 병용투여함

5. 중추신경계 예방요법(CNS prophylaxis)

과거에는 두부방사선조사(cranial irradiation)를 시행하였으나, 최근에는 강화된 공고요법을 중심으로 intrathecal chemotherapy (methotrexate, cytarabine, steroid)를 4-8회 반복 투여함

6. 유지요법(Maintenance chemotherapy)

성인 ALL에서 유지요법의 역할에 대해서는 명확히 정립되지 않았으나, 대부분의 기관에서 약 2-2.5년 동안 저용량 항암제(mercaptopurine, methotrexate, vincristine, steroid)를 이용한 유지요법을 시행 중이며, Ph-positive ALL인 경우에서는 tyrosine kinase inhibitors (imatinib, dasatinib, ponatinib)를 투여하는 것을 권고하고 있음

7. 예후인자에 근거한 치료 전략(Risk-based therapeutic approach)

전술한 바와 같이 성인 ALL 환자의 대부분이 관해유도요법 후 완전관해가 획득되지만, 약 50-70%의 환자는 반복적인 공고요법 시행에도 불구하고 재발을 경험하게 됨. 현재까지 보고된 성인 ALL의 예후인자는 다음과 같이 요약할 수 있으며, 이들 중 한가지 이상 동반된 경우 " 재발-고위험군"으로 분류함.

Risk category	Adverse prognostic factors
Age	Continuous variable; cutoff values differed between studies
WBC count	$\geq 30 \times 10^9/L$ (B-lineage), $\geq 100 \times 10^9/L$ (T-lineage)
Cytogenetics	t(9;22)(q34.1;q11.2); *BCR-ABL1*, t(v;11q23.3); *KMT2A (MLL)* rearranged, hypodiploidy (<44 chromosomes), complex (≥ 5 chromosomal abnormalities)
MRD status	MRD persistence or reappearance

최근에는 재발위험인자의 규명 및 이에 근거한 치료전략의 수립의 필요성이 강조되고 있으며, 특히 재발-고위험군에서는 보다 높은 완치율을 유도하기 위해 동종조혈모세포이식(allogeneic hematopoietic cell transplantation)이 권고되고 있음. 현재까지의 동종조혈모세포이식 성적을 요약하면, ① 1차-완전관해 상태에서 조혈모세포이식시 40-60%의 무병생존율을 보임; ② 이식 전 질환상태가 >1차-완전관해인 경우 10-30%의 무병생존율을 보임; ③ 이식 후 미세잔존질환(minimal residual disease, MRD)가 검출되는 경우 재발률이 높음; ④ 재발-고위험군에서 자가조혈모세포이식 혹은 반복적 항암화학요법에 비해 우수함; ⑤ 비혈연간-조혈모세포이식의 성적이 형제간-조혈모세포이식 성적과 유사함; ⑥ Ph-positive ALL에서 tyrosine kinase inhibitors에 의해 이식 전 질환상태 및 MRD status가 양호하게 유지되어 동종조혈모세포이식 성적이 향상되었음; ⑦ 제대혈 혹은 조직적합항원이 일치하지 않는 가족내 공여자를 이용한 이식 성적이 향상되고 있음

8. 향후 전망

최근 개발되어 임상에 도입되고 있는 monoclonal antibodies (예: Blinatumomab, Inotuzumab, Rituximab) 및 CAR T-cell therapy 등과 더불어, MRD를 정량적으로 monitoring 할 수 있는 검사법(예: real-time quantitative PCR, multiparameter flow cytometry, next generation sequencing)의 임상 적용에 의해

성인 ALL의 치료 성적 및 예후 평가의 정확성은 더욱 개선될 것으로 전망됨

9. Therapeutic Protocol for Adult ALL (Catholic Hematology Hospital)

1) 관해유도요법: Modified Hyper-CVAD

1. Cyclophosphamide	300 mg/m² x 2/day	IV for 2 hr	Days 1-3(+ Mesna)
2. Vincristine	1.4 mg/m²(max. 2 mg fixed)/ day	IV for 30 min	Days 4, 11
3. Daunorubicin	45 mg/m²/day	IV for 1 hr	Days 4, 11
4. Dexamethasone	40 mg # 4/day	IV bolus	Days 1-4, 11-14

2) 공고요법: HDARA/MTZ ↔ Modified Hyper-CVAD

(1) HD-ARA/MTZ: Consolidation-1 & 3

AraC	2,000 mg/m² × 2/day	IV for 3 hr	Days 1-5
Mitoxantrone	12 mg/m²/day	IV for 30 min	Days 1-2

(2) Modified Hyper-CVAD: Consolidation-2 & 4

Cyclophosphamide	300 mg/m² × 2/day	IV for 2 hr	Days 1-3(+ Mesna)
Vincristine	1.4 mg/m²(max. 2 mg fixed)/day	IV for 30 min	Days 4, 11
Daunorubicin	45 mg/m²/day	IV for 1 hr	Days 4, 11
Dexamethasone	40 mg # 4/day	IV bolus	Days 1-4, 11-14

[비고]

* CNS prophylaxis: Triple intrathecal treatment (MTX 12 mg + AraC 40 mg + Hydrocortisone 50 mg; 6 times in total) during induction and consolidation-1 & 2 phases
* Patients with CNS leukemia: Triple intrathecal treatment (MTX 12 mg + AraC 40 mg + Hydrocortisone 50 mg twice weekly until CSF [−]) plus Cranial irradiation
* If HLA-matched donor (+), esp. high-risk group, allogeneic HCT from related/unrelated donors
* If HLA-matched donor (−), cyclic consolidation chemotherapy or alternative donor (cord blood, familial mismatched donor) HCT

3) 유지요법: 계획된 공고요법 후 2-2.5년간 시행

6-mercaptopurine	60 mg/m²	PO	Daily
Methotrexate	20 mg/m²	PO	Weekly
Vincristine	1.4 mg/m² (max. 2 mg fixed)	IV	Monthly
Prednisone	60 mg/m² × 5 days	PO	Monthly

(* Adjust 6-MP/MTX dose to maintain WBC >2,000/μL)

4) Timing of BM sampling

(1) 진단 시, 관해유도요법 종료 시점, 각 공고 요법 종료 시점

(2) 조혈모세포이식 혹은 항암화학요법 종료 후 3, 6, 9, 12개월째 sampling

(3) Sampling: BM 10 mL in heparinized syringe

Ⅰ. 만성 골수성백혈병(chronic myelogenous leukemia, CML)

1. 서론 및 특징

CML은 정상인에게는 존재하지 않는 유전자의 이상으로 혈액세포가 과다 증식하여 백혈구나 혈소판이 증가하는 병으로 만성적인 경과를 보이는 혈액암의 일종. CML은 성인에게 발생하는 백혈병의 약 20% 정도를 차지하고 있으며 국내에는 약 1,000명 정도의 환자가 있을 것으로 추정됨. 주로 4, 50대에게 가장 많은 이 질환은 만성기, 가속기, 급성기의 3병기로 구분이 되며 대부분의 환자들은 만성기에 진단을 받게 되어 치료를 받지 않을 경우 약 3-4년 후에는 가속기로 악화되고 결국에는 급성기로 이환되어 치명적인 상태에 이르게 됨. 급성백혈병과는 달리 비교적 만성적인 경과를 보이지만 조기에 계획을 세워 환자별로 적절한 치료가 되어야만 완치나 장기 생존을 기대할 수 있음

2. 발병 원인

CML은 염색체 이상에 의해 발생하는 대표적인 혈액암. 9번 염색체의 장완과 22번 염색체 사이의 사이의 상호 전위에 의해(필라델피아 염색체) 정상적인 체내에는 존재하지 않는 융합 유전자를 형성하여 BCR-ABL이라 불리는 암 단백질을 만들게 되는데, 이로 인해 세포내의 인산화 작용이 증가하여 악성 혈액암이 발생하게 됨.

3. 증상과 검사실 소견

증상
– 증상은 서서히 발병, 일부 환자는 무증상 상태에서 건강검진 혈액 검사 이상으로 진단되기도함
– 피로감, 체중감소 및 좌상복부 통증이나 종괴(비장비대의 증상)

혈액 검사
– 백혈구 증가, 혈소판 증가, 빈혈
– 백혈구알칼리인산분해효소 leukocyte alkaline phosphatase, LAP 활성이 감소
– 말초 혈액 도말: 여러 성숙단계의 백혈구 증가(골수 내에 존재하는 세포와 분엽 호중구가 가장 높은 비율을 차지, 호염기구 및 호산구 증가도 다수 동반)

골수 검사
– 세포 충실도의 증가
– 골수세포계와 거대핵세포계의 증식

4. 진단

백혈구 및 혈소판의 현저한 증가 및 비장 종대 소견으로 일차 의심하게 되나 만성 골수성 백혈병의 진단을 위하여 가장 중요한 것은 염색체 검사와 유전자 증폭 검사를 통한 필라델피아 염색체 t(9;22), 암 유전자(BCR-ABL1)의 발견임. 필라델피아 염색체 검사는 골수 검체를 통해, BCR-ABL1 유전자 검출을 위한 '중합효소연쇄반응법'은 혈액 검사로 시행하는 것이 권고됨

대부분의 환자는 '만성기'로 진단되지만, 5% 정도의 환자는 처음부터 진행된 상태인 '가속기' 또는 '급성기' 질환인 상태에서 진단됨

표 6-5-1 ELN (European Leukemia Net) 기준에 의한 만성골수성 백혈병의 병기 분류

만성기	골수모구 (myeloblast) <15% 미만
가속기	① 골수모구가 말초혈액 백혈구 또는 골수유핵세포의 15~29%
	② 호 염기구가 말초혈액 백혈구 또는 골수유핵세포의 20% 이상
	③ 골수모구 + 전골수구의 합이 말초혈액 백혈구 또는 골수유핵 세포의 30% 이상, 골수모구는 30% 미만
	④ 치료와 무관한 지속적인 혈소판감소증, 100 x 109/L
	⑤ 치 료 중 필라델피아 염색체 이외의 클론성 추가 염색체이상(CCA/Ph1)
급성기 또는 모세포기 : 급성 백혈병과 유사*	① 말초혈액 백혈구나 골수유핵세포의 30% 이상이 모세포
	② 모세포가 비장 이외의 신체 장기를 침범하여 이상 증식을 나타내는 경우

* 급성기로 전환된 경우에 약 70%의 환자는 골수구계 모세포이나 20~30%는 림프구계 모세포 증식으로 나타남

5. 치료

1960년 필라델피아 염색체가 CML의 발병과 밀접한 연관성이 있음이 밝혀지면서 필라델피아 염색체의 제거나 감소가 환자의 치료 및 생존 기간의 연장과 밀접한 관련이 있음이 알려졌고 이후 세포 및 분자 유전학적 반응을 얻고자 하는 노력이 치료의 궁극적인 목표가 되어 왔음

1) 개요

병의 진행 정도에 따라 사용되는 항암제의 용량과 종류가 다를 수 있고 조혈모세포 이식을 조기에 시행하여야 하는 경우가 드물게 있을 수 있으나, 많은 경우 BCR-ABL1 유전자를 타겟으로 하는 이마티닙, 다사티닙, 닐로티닙, 보수티닙, 라도티닙, 포나티닙 등의 표적 항암제에 좋은 치료 효과를 보이고, 이를 위해 적극적이고 정확한 치료가 아주 중요함. 만성 골수성 백혈병의 치료는 (1) 약물치료, (2) 조혈모세포 이식으로 분류할 수 있고, 약물 치료의 근간은 표적 항암제로 표적 항암제의 소개 전 사용되어왔던 항암 요법, 인터페론 주사요법 등은 현재 일차 표준 치료법으로는 거의 사용되고 있지 않음. 이마티닙, 다사티닙, 닐로티닙, 보수티닙, 라도티닙, 포나티닙 등의 표적 항암제는 모두 티로신키나아제 억제제로, 치료 효과는 다음과 같은 원리에 의한다: ① 티로신키나아제는 ATP를 유일한 인산의 공여자로 삼아 그 작용을 나타냄, ② ATP 결합부위를 차단하는 약제가 특정 티로신키나아제의 작용을 차단할 수 있음, ③ BCR-ABL1 단백질의 ATP 결합 부위를 타겟으로 한 티로신키나아제 억제제를 통해 BCR-ABL1 티로신키나아제 작용을 차단할 수 있음

2) 약물 치료

(1) 만성 골수성 백혈병의 약물 치료법을 표 6-5-2에 정리하였음

표 6-5-2 만성골수성백혈병의 약물 치료

약물요법		
비표적 약물 요법	하이드록시유레아	– 치료 기간 중 증가되어 있는 백혈구 수를 조절하기 위해 사용 – 치료의 초기 또는 더 이상 치료법이 없는 경우에 사용 – 혈액학적 소견이 호전되어도 세포 유전학적 관해가 오는 경우는 거의 없고, 이 치료 제만으로 생존 기간 연장을 기대할 수는 없음
	인터페론 주사요법	– 면역 기능 증강을 통한 암세포 억제를 기대하는 치료법 – 피하 주사 요법 – 표적 항암제가 도입되기 전인 2000년 초까지 조혈모세포 이식을 시행할 수 없었던 환자에서 주요 치료 방법으로 사용되었으나, 현재는 아주 드물게 사용됨
표적 약물 요법 : 1세대 표적 항암제	이마티닙 (글리벡)	– 2001년 미국 식약청 승인, 인류 최고의 성공적인 표적 항암제 – 표적이 되는 타로신키나아제: BCR-ABL, PDGFR, c-kit – 만성기 시작 용량: 1일 400 mg 1회 – 가속기 또는 급성기 시작 용량: 1일 400 mg 2회 – 대표 부작용: 구역(이마티닙을 식사와 같이 투여하면 구토 증세를 완화시킬 수 있음), 부종, 근육통, 피부 발진 – 효과: 완전혈액학적관해율 91%, 세포유전학적관해율 55%
표적 약물 요법 : 차세대 표적 항암제	다사티닙 닐로티닙 보수티닙 라도티닙 포나티닙	– 1세대 표적 항암제인 이마티닙 이후 개발된 차세대 표적 항암제는 이마티닙에 비해 완전염색체반응률 및 주요 유전자 반응률이 높고, 가속기/급성기로의 질병의 진행률 이 적으며, 완전 유전자반응률이 높음 → 만성기 환자를 위한 1차 표준 치료법으로 인정되어 있음. (이마티닙과 차세대 표적 항암 간 전체 생존율 차이는 없음) – 차세대 표적 항암제는 다사티닙, 닐로티닙, 보수티닙, 라도티닙의 '2세대' 표적항암제 와, 2세대 표적항암제에 강한 내성을 갖는 T315I 점 돌연변이에 효과가 우수한 '3세 대' 표적항암제 포나티닙으로 구분할 수 있음 – 만성기 시작 용량: 다사티닙 1일 100 mg 1회, 닐로티닙 1일 300 mg 2회, 라도티닙 1일 300 mg 1회, 보수티닙 1일 400 mg 1회 – 표적이 되는 타로신키나아제는 약제별로 약간의 차이가 있음: 닐로티닙과 라도티닙 은 주로 BCR-ABL1을, 다사티닙과 보수티닙은 BCR-ABL1을 포함하여 SRC 티로신 키나아제를 동시 억제, 포나티닙은 BCR-ABL1 티로신키나아제 이외에 만성골수성 백혈병과 연관된 다양한 신호전달에 관련된 분자들의 활성을 억제 – 부작용: 작용 기전 및 억제하는 티로신키나아제의 차이로 인해 약제별 주요 부작용 또한 다름 ① 다사티닙: 혈구 감소, 설사, 피부발진, 흉수, 폐동맥 고혈압 ② 닐로티닙, 라도티닙: 피로감, 식욕 감퇴, 혈당 상승, 간기능 이상, 고빌리루빈 혈증, 고지혈증 ③ 보수티닙: 피부발진, 두통, 위장관 장애(설사), 간기능 이상 ④ 포나티닙: 혈구감소, 췌장염, 고혈압, 혈전증 등의 혈관 장애

(2) 표적 항암제 치료 반응의 평가와 내성

① 표적 항암제 복용 이후의 반응은 혈액학적 반응, 세포학적 반응, 분자유전학적 반응으로 나누 어 분류하고, 이들의 보완 또는 조합된 결과에 의해 적절한 반응(optimal response), 경구 (warning), 실패(failure)로 평가

② 세포학적 반응은 3-6개월 간격 골수 검체를 통한 chromosome bandind analysis (CBA), 분자 유전학적 반응은 3-6개월 간격 말초 혈액 RQ-PCR를 통해 평가하고, 종합된 반응 평가를 통한 약제 투약의 지속 및 변경 결정은(표 6-5-3) 환자의 예후에 결정적이므로 경험이 풍부한 전문가 를 통한 진료가 반드시 필요

③ 치료 내성이 발생하는 중요한 원인으로 불규칙한 약제 복용, 적은 양의 약제 복용 등이 대표적

이므로 철저하고도 규칙적인 투약을 할 것을 권고하고 감시해야 함

표 6-5-3 반응 평가에 따른 추적 및 치료 전략의 변경

반응의 종류	정의
적절한 반응 (optimal response)	일반인과 비교하여 차이가 없이 장기간의 생존이 가능하며 현재 치료를 변경할 필요가 없음
실패(failure)	백혈병으로 인하여 사망할 수 있어 다른 치료법으로 변경해야 함
경고(warning)	– 적절한 반응과 치료 실패의 경계에 있는 그룹 – 검사를 더 자주 시행하고 치료 실패시에는 치료를 변경해야 하나, 즉시 치료를 변경할 필요는 없음

3) 동종 조혈 모세포 이식

표적항암제가 처음으로 임상 치료에 소개된 2001년 이전에는 CML의 주된 치료법이었으나, 완치 가능 요법임에도 불구하고 높은 초기 사망률, 재발, 장기간의 합병증 및 삶의 질 저하 등의 이유로 오늘날에는 표적항암제 치료에 실패한 환자를 주요 대상으로 하는 차 치료법으로 바뀜. 그러나 가속기 또는 급성기로 진단된 환자, 표적항암제 치료 도중 병이 진행된 경우, 그리고 2가지 이상의 표적항암제 치료에 실패 한 만성기의 경우에는 여전히 이식을 고려하여야 하고, 소수의 환자에서는 1차 치료법으로 표적항암제를 사용한 후 병이 잘 조절된 상태에서 이식을 시행하는 것을 고려해야 하는 등 이식시기와 방법의 사용은 환자 개개인에 따라 적용하여야 하므로 전문가 진료가 꼭 필요함. 만성 골수성 백혈병에서 자가 조혈모세포 이식은 대부분의 환자가 재발하기 때문에 시행하지 않음

II. 만성림프구성 백혈병(Chronic lymphocytic leukemia, CLL)

1. 진단 및 개요

- 혈액 검사상 lymphocytosis, 특징적인 림프구 형태 및 면역아형(immunophenotype) 분석으로 진단
- 대부분 환자에서 림프절 종대, 피곤함, 체중감소 등의 전신 증세가 동반
- 서양에서는 65세 이상의 백혈병 환자의 40% 정도로 많으나 국내에서는 전체 백혈병 중 1.5%, 비호지킨림프마중 1.3%만을 차지할 정도로 드문 질환

1) 진단 기준: International Workshop on CLL (IWCLL), 2008

(1) 림프구증가 $>5 \times 10^9$/L (최소 3개월 이상)

(2) 말초도말에서 소형 혹은 중간 크기의 림프구 증가소견을 보이는데, 이 세포들은 응집된 염색질을 가지고 있고, 희미하거나 보이지 않는 핵과 빈약한 세포질을 함유함

(3) 면역글로불린 염색에서 CD5, CD19, CD23 양성

(4) CD79B, CD22, FMC7은 음성

2) 진단에 도움이 되는 추가적 검사

(1) 직접 쿰스 검사

(2) 망상적혈구

(3) 혈액학적 신기능, 간기능 검사

(4) 골수검사

(5) 림프절 조직검사(진단이 불명확할때)

(6) 염색체 검사에서 t(11;14)

(7) CT 검사나 초음파 검사

2. 병태 생리

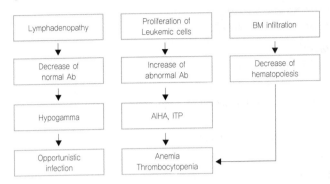

3. 병기 평가(Staging)

Stage	Clinical features	Median survival(years)
Rai system		
0	Lymphocytosis in PB	>10
I	Lymphocytosis + LAP	7
II	Lymphocytosis + Hepatosplenomegaly	
III	Lymphocytosis + anemia (Hb <11 g/dl)	1.5
IV	Lymphocytosis + thrombocytopenia (100,000/μL)	
Binet system		
A	LAP <3 areas, Absence of anemia & thrombocytopenia	>10
B	LAP 3 areas, Absence of anemia & thrombocytopenia	7
C	Hb ≤10 g/dl thrombocytopenia <100,000/μL	2

4. 감별 진단

	MCL	FL	SLL/CLL
CD5	+	−	+
CD10	−	+	−
CD23	−	−	+
Light chain	λ>κ	κ>λ	κ>λ
Cyclin D1	+	−	−

5. 치료 적응증

1) 진행성 골수부전: 빈혈이나 혈소판감소증의 악화

2) 거대 림프절 비대(10 cm 이상) 혹은 점차 커지는 림프절비대

3) 진행성 림프구 증가증: 기존 대비 50% 이상 증가시

4) 전신 증상 발혈: 체중감소, 발열. 극도의 피곤감, 야간발한

5) 스테로이드 불응성 자가면역성 혈구 감소증

6. 치료

- Rai 0 or Binet stage A: 경과관찰
- Rai III/IV or Binet stage C: 치료시작

1) 항암치료

(1) 경구 항암제

① chlorambucil: 0.1 mg/kg/day PO

② fludarabine: 25-30 mg/m^2/day iv for 5 day each month

(2) 복합 요법

① fludarabine + cyclophosphamide (FC)

② cyclophosphamide + doxorubicin + prednisone (CAP)

2) 표적항암제: 보통 세포독성 항암제와 병합하여 시행함

(1) Rituximab

① R-FC (rituximab + fludarabine + cyclophosphamide): 표준요법

② R-B (rituximab + bendamustine)

(2) Alemtuzumab (campath-1)

① A-FC (alemtuzumab + fludarabine + cyclophosphamide)

(3) ofatumumab (anti-CD20 antibody)

① O-FC (ofatumumab + fludarabine + cyclophosphamide): phase III study

(4) obinutuzumab: CD20를 타겟으로 하는 2세대 표적항암제

(5) Ibrutinib: B세포 신호전달체계에서 Bruton tyrosin kinase (BTK) 억제하는 표적항암제(BTK inhibitor)

(6) Fostamatinib: B세포 신호전달 체계에서 Syk를 억제하는 표적항암제

(7) Idelalisib: B세포 신호전달 체계에서 phosphatidylinositol 3-kinase (PI3K δ) inhibitor

(8) ABT-199: Bcl2 억제제: overall response rate 84% (CR 23%)

3) immunmodulator: lenalidomide: NF-KB신호전달 체계 억제제

4) transplantation

(1) 동종 조혈모세포 이식

① 퓨린유도체 포함 치료 후 반응하지 않거나 12개월 이내에 재발한 환자

② 퓨린유도체 병합 치료 및 자가 조혈모세포 이식후 24개월 이내에 재발한 경우

③ TP53 결실이나 돌연변이가 있으면서 치료가 필요한 경우

(2) 자가 조혈모세포 이식: 생존률 향상에 기역하다는 근거가 부족함

5) 최신 요법

(1) CAR (chimeric antigen receptors) therapy

① CAR를 이용한 T 세포로가 종양만을 인식하여 치료하는 기법

② 적응증: 치료불응성 만성 림프구성 백혈병, 동종조혈모세포 이식에 적합하지 않는 환자

7. 예후인자

Factor	Low risk	High risk
Gender	여성	남성
Clinical stage	Binet A Rai O, I	Binet B or C Rai II, III, IV
Lymphocyte morphology	전형적	비전형적
Pattern of marrow infiltration	국소적	미만성
Lymphocyte doubling time	12개월 이상	12개월 미만
Serum markers	정상	상승
CD38 expression	<20–30%	>20–30%
Genetic abnormalities	none del 13q(sole)	del 11q23 loss/mutation of p53
IgVH gene status	변이	변이 없음

8. 합병증

기능적으로 불완전한 림프구가 지속적으로 쌓이면서 기본적인 면역 기능 체계 및 자가 면역질환이 동반

1) 감염

(1) immune defects: 면역세포의 질적 저하로 세포성 및 체액성 면역이상이 발생

(2) 유병률: CLL 환자의 사망 원인 중 50% 이상을 차지, 고위험군의 환자일수록 감염 유병률 증가

(3) 원인균: 흔하게 encapsulated organism (Streptococcus pneumoniae, Staphylococcus aureus, and Haemophilus influenzae)에 의해서 발생. herpes virus의 재활성화도 빈번

2) 빈혈

(1) advanced CLL에서 흔하게 보이고, 다양한 원인에 의해 발생

(2) 원인: 위장관 출혈, 비장비대, 골수 기능 억제, 질병의 골수 침범, 용혈성빈혈, 항암제 유발성 빈혈

3) 2차 악성종양

(1) 혈액암 외에 고형암 발생률도 증가→ 원인은 명확하지 않으나, 만성 면역 억제상태로 인해서 발생하는 것으로 추정

(2) CLL 환자 중 11%에서 2차 고형암 발생 (주로 카포시 육종, 악성 흑색종, 두경부 암, 폐암)

(3) 역으로, 고형암 환자에 대해 후향적 조사를 해보았을 때, 0.19%에서 CLL을 진단받았음

(4) 2차 고형암과 병발할 때 생존률도 낮음(hazard ratio: 유방암1.7, 대장암1.65, 전립선암1.92)

4) Richter's transformation: CLL 환자의 5-10% 정도에서 공격성 거대세포 림프종(aggressive large cell lymphoma) 발생

(1) 발생률

① 2-10% of CLL (0.1%/year)

② 만성림프구성 백혈병 처음 진단 후 부터 리히터증후군 발생까지의 중간시간: 1.8-5 years

(2) 조직학적 유형

① 90%: 거대 B세포 림프종(ABC type)

② 10%: 호지킨 림프종

5) Leukostasis

(1) 백혈구가 극도로 증가하여 발생하는 내과적 응급(WBC >4000,000/ μL)

6) Autoimmune disease

(1) 자가면역성 용혈성 빈혈(AIHA)

severe AIHA는 4-10% 정도이나(Binet A에서 4% 정도 발생, Binet B & C에서 10% 발생), mild to moderate AIHA는 CLL 환자의 1/3 정도에서 발생하는 것으로 추정

(2) 진성 적혈구 무형성증(pure red cell aplasia)

① CLL 환자의 0.5%에서 발생, PRCA 환자 중 6%에서 CLL 발생

② 수혈 및 면역억제제(cyclosporin)로 치료

I. 서론

대표적 질환은 형질세포골수종(plasma cell myeloma)이며 다발골수종(multiple myeloma, MM)으로도 부름. 개정된 WHO 분류에서는 성숙 B세포 종양의 하나로서 단발 형질세포종(골외형질 세포종 또는 골형질 세포종), 중쇄증, 발덴스트롬 마크로글로불린혈증 등의 형질세포질환과 함께 개별질환으로 분류되어 있음. 발덴스트롬 마크로글로불린혈증은 대부분 단클론 IgM을 분비하는 림프형질세포(lymphoplasmacytic cells)가 골수에 침윤되며 림프종과 형질세포 질환의 중간 형태의 질환으로 간주되어 림프종이나 다발 골수종의 치료가 모두 이용되고 있음 POEMS 증후군과 AL 아밀로이드증도 형질세포질환에 속함

다발골수종은 종양성 형질세포 증식 질환으로 노령층에서 주로 발병함. 특징적인 증상, 징후로 고칼슘혈증(hyperCalcemia), 신부전(Renal failure), 빈혈(Anemia) 및 용해성 골병변(Bone lesions) 즉, CRAB이 발현하며 혈청 또는 소변에 단클론성 파라단백질(monoclonal paraprotein)의 농도가 상승됨. 반복되는 세균감염, 과점조증후군(hyperviscosity syndrome), 척수신경압박증후군, 아밀로이드증(amyloidosis), 신증후군(nephrotic syndrome), 심부전(cardiac failure), 적혈구침강속도(erythrocyte sedimentation rate, ESR) 증가 등의 임상특징을 보일 수 있음. 대부분의 환자에서 단클론성감마글로불린혈증(monoclonal gammapathy of undetermined significance, MGUS)가 선행되며 무증상 다발골수종(asymptomatic or smoldering multiple myeloma) 또는 유증상 다발골수종(symptomatic or active multiple myeloma)으로 분류할 수 있으며 후자의 범주에 속하는 환자가 적극적인 치료 대상임. 위에 언급한 형질 세포질환의 치료는 대부분 다발골수종의 치료를 적용하고 있음

II. 다발 골수종의 진단기준

분류/특징	단클론성감마글로불린혈증	무증상 다발골수종	유증상 다발골수종
골수내 클론성 형질세포	<10%	10~60%	>10%
다발골수종 특이 증상	없음	없음	없음
질환 진행 확률	~1% /년	~10% /년	–
치료	치료 없이 관찰	고위험군*에서는 치료함; 다른 경우는 치료없이 관찰	치료함

* 고위험군: 2014 IMWG에서 개정한 내용에 따라 무증상 다발골수종이라도 아래의 3가지 조건 중 한가지 이상을 만족할 경우, 고위험군 무증상 다발골수종으로 정의하며, 유증상 다발골수종과 동일하게 치료.
1. 골수내 클론성 형질세포 ≥60%
2. 혈청 경쇄의 비 (ratio of serum free light chain)≥100
3. MRI에서 국소적인 1개이상의 병변이 관찰될 경우

III. 다발 골수종의 병기

1. International Staging System (ISS) (Greipp et al, 2003)

ISS 병기	진단기준	기대 생존기간 (월)
I	혈청 β2 microgloublinbeta <3.5 mg/L이면서 albumin >3.5 g/dL	62
II	I or III이 아닌 경우*	45.
III	혈청 β2 microgloublinbeta >5.5 mg/L	29

*병기 2의 경우 1) 혈청 β2 microgloublinbeta <3.5 mg/L이면서 albumin <3.5 g/dL
　　　　　 2) 혈청 β2 microgloublinbeta 3.5–5.5 mg/L (albumin 값은 상관없음)
두 가지 하위 분류로 다시 나눌 수 있음

2. Revised ISS (R–ISS, Palumbo A et al, 2015)

　　고전적인 ISS 병기 체계에서 2015년 LDH와 고위험 염색체이상*을 새롭게 추가하여 현재는 R-ISS가 임상적으로 더욱 널리 활용되고 있음

　　*고위험 염색체 이상(high risk cytogenetic abnormality): CD138을 표현하는 형질세포에서 FISH검사를 통해 확인되는 염색체 이상으로 del (17p), t (4;14), t (14;16) 중 한 가지 이상을 표현하는 경우로 정의

R–ISS 병기	진단기준	5년 무진행생률 (5-year profression free survival)	5년 생존률 (5-year overall survival)
I	다음을 모두 만족 – ISS 1기 – 고위험 염색제 이상을 포함하지 않 – 정상 LDH값인 경우(참고치 이하)	55%	82%
II	I or III이 아닌 경우	36%	62%
III	ISS III기 이면서 다음 중 한가지 이상를 만족 – 고위험 염색체 이상을 포함 – LDH가 정상 참고치 이상	24%	40%

3. Durie–Salmon staging system (DSS–과거 병기, CRAB 유무로 결정)

DSS 병기	진단기준
I	다음을 모두 만족 – 혈색소 >10 g/dL – 정상 혈청 칼슘 농도 – 골격 조사 (skeletal survey): 정상이거나 하나의 형질세포종 또는 골다공증 – 혈청 파라단백 (paraprotein)수치: <5 g/dL (IgG 타입인 경우), 3 g/L (IgA 타입인 경우)
II	I or III이 아닌 경우
III	다음중 한가지 이상을 만족 – 혈색소 8.5 g/dL – 혈청 칼슘 농도>12 mg/dL – 골격 조사 (skeletal survey): 3개 이상의 골 용해성 병변 – 혈청 파라단백 (paraprotein)수치: >7 g/dL (IgG 타입인 경우), 5 g/L (IgA 타입인 경우) – 소변의 경쇄 (light chain) 배설량 >12 g /24 hour
A	혈청 크레아티닌<2 mg/dL
B	혈청 크레아티닌 ≥2 mg/dL

IV. 다발 골수종의 진단 및 병기 결정을 위한 검사

1. 일반혈액검사 및 혈액 화학검사(칼슘, 크레아티닌, 요산, LDH 등)
2. $\beta 2$-microglobulin, C-반응단백 (CRP), 적혈구 침강 계수 (ESR)
3. 혈청 및 24시간 채집한 소변에서 전기 단백영동검사

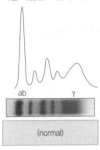

(normal)

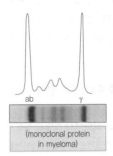

(monoclonal protein in myeloma)

4. 혈청 및 24시간 채집한 소변에서 전기 면역고정검사

IgG kappa

(IgG, kappa M protein)

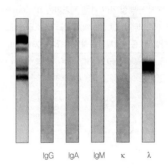

IgG　IgA　IgM　κ　λ

(Lambda light chain)

5. 혈청경쇄(serum free light chain): 카파(kappa) 및 람다(lambda)
6. 혈청 중쇄(serum IgG, IgA, IgM, and IgD)의 정량평가
7. 24시간 채집된 소변에서 경쇄(urine light chain)의 정량적 평가
8. 골병변 조사(뼈의 x-ray): 두개골(skull), 양쪽 위팔뼈(humerus), 팔뚝(forearm), 넙다리뼈(femur), 하치 (lower leg), 척추(whole spine), 갈비뼈(rib cage)
9. 필요시, 뼈 스캔(bone scan) 또는 MRI (CT보다 우월)
10. 골수흡인 검사 및 골수조직검사, FISH를 통한 유전자 검사(cytogenetic analysis)
11. 형질세포종(Plasmacytoma)이 확인되었을 경우 PET-CT

V. 다발골수종 관련 증상(myeloma-related organ or tissue impairment)

- 고칼슘혈증: 교정 혈청 칼슘 11.5 mg/dL 이상
- 신부전: 혈청 크레아티닌 > 2 mg/dL
- 빈혈: Hb < 10 g/dL 혹은 정상 값보다 2 g/dL 이상 감소
- 골질환: 골용해성 병변 또는 골다공증
- 기타: 고점정증수군(Symptomatic hyperviscosity), 아밀로이드증(amyloidosis), 반복적인 세균성 감염

VI. 다발골수종의 치료 전략

1. 신약(Novel agents) 개발과 임상 적용

다발골수종 종양세포 및 주변의 지지세포, 면역세포에 작용하여 항암효과가 향상된 치료제로서 기존의 세포독성 항암제와 차별됨. 탈리도마이드(thalidomide), 레날리도마이드(lenalidomide) 및 포말리도마이드(pomalidomide) 등은 면역조절효과가 강력하여 면역조절제(immunomodulatory drugs, IMIDs)라고 칭함. 한편 세포내에 단백질 찌꺼기를 제거하는 proteasome을 억제하는 프로테아좀 억제제(proteasome inhibitor, PIs)로 보테조밉(bortezomib)과 카필조밉(carfilzomib)이 포함됨

표 6-6-1 다발골수종 치료제의 용량과 신장기능 저하에 따른 용량 조절

Drug	CrCl >60 mL/min	CrCl, 30–59 mL/min	CrCl, 15–29 mL/min	CrCl <15 mL/min	On Dialysis
Dexamethasone	20–40 mg	No dose modification needed	No dose modification needed	No dose modification needed	No dose modification needed
Melphalan	Oral melphalan 0.15 to 0.25 mg/kg/d for 4–7 days High–dose melphalan 200 mg/m²	Oral melphalan reduced 25% (0.11–0.19 mg/kg/d for 4–7 days High–dose melphalan 140 mg/m²	Oral melphalan reduced 25% (0.11–0.19 mg/kg/d for 4–7 days High–dose melphalan 140 mg/m²	Oral melphalan reduced 50% (0.0175–0.125 mg/kg/d for 4–7 days High–dose melphalan 140 mg/m²	Oral melphalan reduced 50% (0.0175–0.125 mg/kg/d for 4–7 days High–dose melphalan 140 mg/m²
Bortezomib	1.3 mg/m² on day 1, 4, 8 and 11, or weekly regimens	No dose modification needed	No dose modification needed	No dose modification needed	No dose modification needed
Thalidomide	50–200 mg/d	No dose modification needed	No dose modification needed	No dose modification needed	No dose modification needed
Lenaliclomide	25 mg/d	10 mg/d, can be increased to 15 mg/d if no toxicity occurs	15 mg once EOD, can be adjusted to 10 mg/d	5 mg/d	5 mg/d
Carfilzomib	20 mg/m² cycle 1; 27 mg/m² cycle 2 and on	No dose modification needed	No dose modification needed	No dose modification needed	No dose modification needed
Doxorubicin	According to regimen	No dose modification needed	No dose modification needed	No dose modification needed	No dose modification needed
Cyclophosphamide	According to regimen	No dose modification needed	No dose modification needed	No dose modification needed	No dose modification needed
Pomalidomide	4 mg/d	No dose modification needed for CrCl ≥ 45 mL/min	Ongoing studies will clarify if modification is needed	Ongoing studies will clarify if modification is needed	Ongoing studies will clarify if modification is needed

Abbreviation: CrCl, creatinine clearance

2. 치료적 접근

1) 이식 비대상자: 65세 초과 또는 동반질환이 이식에 적합하지 않을 경우 → 신약을 포함한 복합 항암 요법으로 치료

   (1) lenalidomide (Revlimid)+dexamethasone (Rd)

   (2) bortezomib (Velcade)+melphalan+prednisone (VMP)

2) 이식 대상자(65세 이하이고 전신상태가 양호한 경우) → bortezomib-based 관해유도요법 (bortezomib+dexamethasone ± thalidomide or lenalidomide) 후 혈액의 조혈모세포 채집(peripheral stem cell harvest)을 시행 → 고용량 melphalan 투여 후 냉동된 조혈모세포 주입 요법

   * 자가 조혈모세포이식 후 유지요법(optional): thalidomide or lenalidomide

3. 재발성 또는 불응성 다발골수종

1) 이전치료를 종료하고 6개월 이상의 반응기간을 보였던 항암치료는 재치료할 수 있음

2) 새로운 항암제의 시도전략

   (1) 직전 면역조절제(IMiDs)를 사용한 경우 → 프로테아좀 억제제(PIs) 투여

   (2) 프로테아좀 억제제(PIs)를 사용한 경우 → 면역조절제(IMiDs)를 투여

   (3) 기존 치료법에 새로운 약제를 조합하여 병합요법을 투여할 수 있음

   (4) 프로테아좀 억제제와 면역조절제의 활발한 개발은 새로운 약제 자체의 시도뿐만 아니라 다양한 약제의 병합투여를 가능하게 함

3) 조혈모세포이식(Hematopoietic Stem cell transplantation, HSCT)

   (1) 자가(autologous) 또는 동종(allogeneic)

4. 이식대상자의 치료 개요

* 자가 조혈모세포이식

약제 내성을 극복하고자 용량-반응 상관관계에 근거한 고용량화학요법 및 자가 조혈모세포이식은 완전 관해율 40-50%, 관해지속기간 30개월, 이식 후 중앙생존기간 5년 이상, 조기사망률 1-3% 이하로 기존의 화학 요법에 단독에 비해 우월한 성적이 입증됨.

그러나 고용량 화학요법+자가 조혈모 세포 이식 후에도 대부분 환자에서 재발을 보여 완치요법이라고 할 수 없음

재발을 감소시키기 위해

   1) 자가이식편(autograft) 내 잔존하는 종양 세포를 제거하는 방법

   2) Barlogie 등에 의해 시도되기 시작한 total therapy (tandem transplant; 연속 두 번 이식)

   3) 이식 후 유지요법을 시행하여 미세잔류병(minimal residual disease, MRD)을 제거하고자 하는 임상적 시도들이 활발히 연구되고 있으나, 이에 관해서는 지속적인 연구 추시가 필요한 상황임

* 동종 조혈모세포이식

자가조혈모세포이식의 잠재적 문제점인 되는 자가 세포의 종양 세포에 의한 오염 가능성을 배제할

수 있고, 이식된 공여자의 면역세포에 의한 이식편대 다발골수종(graft-versus-myeloma) 효과가 입증되었음. 다만, 나이가 젊고 조직적합항원(HLA)이 일치하는 공여자가 있어야 하며, 치료 자체에 의한 조기사망률이 높다는 것은 단점임(현재까지 전세계적으로 500예 이상 시행된 동종 조혈모세포이식 결과를 종합해보면, 완전 관해율 40-70%, 장기무병생존율 30-40%로 장기간 graft-versus-myeloma 효과를 기대할 수 있는 반면, 25-40%에 육박하는 높은 조기사망률 및 독성이 보고됨). 현재 동종 조혈모세포이식은 일차 자가 조혈모세포이식 후 재발된 환자에서 구제 항암요법에 부분반응 이상을 보인 경우에 흔하게 활용되고 있음

5. 보조요법(supportive care)

1) 비스포스포네이트(Bisphsophonates): 매 4-6주의 간격으로 pamidronate (90 mg iv for 6 hours) 또는 zoledronate (4 mg iv for 15 min)를 뼈 관련 질환에 대한 치료 및 예방을 위해 투여

2) 적혈구형성인자(Erythropoietin, darbepoietin: 혈색소 10 미만에서 주1회 120 μg 피하접종을 권장. 혈전증의 위험이 있는 환자에서는 투여를 주의

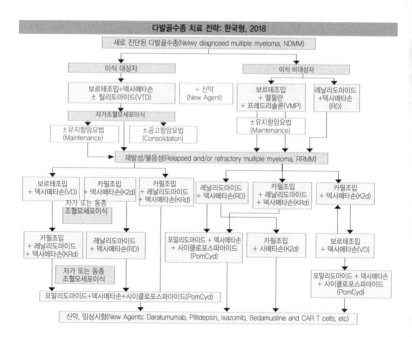

VII. 반응평가(Response criteria, IMWG response criteria)

Stringent complete response (엄격한 완전반응)	Complete response 기준에 더하여, 아래 조건도 모두 만족시킴 1) 유리경쇄 비율이 정상 2) 면역조직화학법이나 면역형광법으로 골수에서 암성 형질세포를 찾을 수 없음
Complete response (완전반응)	다음의 3가지 조건을 모두 만족 1) 혈철이나 소변의 면역고정법 검사 결과가 모두 음성 2) 연조직에 형질세포종이 없음 3) 골수내 형질세포가 5% 이하
Very good partial response (매우 좋은 부분 반응)	다음의 2가지 조건 중 하나를 만족 1) 혈청 또는 24시간 소변에서 검사한 전기영동법은 음성이나 면역고정법에서는 양성인 경우(CR과 구분) 2) 혈청 M단백이 90% 이상 감소하고, 24시간 소변에서 M 단백이 100 mg미만인 경우(PR과 구분)
Partial response (부분 반응)	다음의 3가지 중 한가지를 만족 1) 혈청 M 단백이 50% 이상 감소하고, 24시간 소변 M단백이 90%이상 감소(또는 24시간 소변 M단백이 200 mg미만) 2) 혈청이나 소변에서 M단백을 측정할 수 없는 경우: 해당 유리경쇄와 비해당 유리경쇄의 농도 차이가 50% 이상 감소 3) 혈청이나 소변 M단백, 유리경쇄 모두 측정할 수 없는 경우(non-secretory MM의 특이한 경우): 치료 전 골수내 형질세포가 30%이상이었다면 이 형질세포수 분획이 50% 이상 감소 * 만약, 치료전 연조직 형질세포종이 있었던 경우에는 연조직 형질세포종의 크기가 50% 이상 감소해야 Partial response만족
Stable disease (안정 병변)	Complete response, very good partial response, partial response, progressive disease 등의 조건을 만족시키지 못함
Progressive disease (진행)	기준이 되는 표지자(혈청 또는 24시간 소변 M단백, 혈청 경쇄차이, 골수내 형질세포분획)이 25% 이상 증가하며 다음 중 하나 이상을 만족 1) 혈청 M단백이 0.5 g/dL이상 증가 2) 24시간 소변 M단백이 200 mg/day이상 증가 3) 혈청 및 소변 M단백이 측정되지 않는 경우: 치료전과 비교하여 해당 유리경쇄와 비해당 유리경쇄의 농도 차이가 10 mg/dL이상 증가 4) 골수내 형질세포의 절대분획이 10% 이상 증가 5) 새로운 골병변 또는 연조직 형질세포종의 발생 또는 기존 골 병변이나 연조직 형질세포종의 뚜렷한 크기 증가 6) 형질세포 증식성 장애에 의한 고칼슘혈증 장애 발생(corrected serum calcium >11.5 mg/dL)
Clinical relapse (재발)	[아래 조건 중 한 가지 이상을 만족시켜야 함] 질병에 대한 지표나 관련장기손상(CRAB)이 증가 새로운 골병변이나 연조직에 새로운 형질세포종 발생 골병변이나 연조직에 새로운 형질세포종 발생 골병변이나 연조직의 형질세포종의 크기 증가 고칼슘혈증 (>11.5 mg/dL) Hb 2 g/dL 이상 감소 혈청 크레아티닌 2 mg/dL 이상 증가
Relapse from complete response (완전반응 후 재발)	[아래 조건 중 한 가지 이상을 만족시켜야 함] 혈청이나 소변에 M 단백 재출현(면역고정법이나 전기영동법) 골수내 형질세포가 5% 이상 이외의 질환의 악화를 의미하는 증후가 나타남

VIII. 다발 골수종환자의 주요 불량 예후인자

- 염색체 이상: deletion 13 또는 저배성(hypodiploidy)
- 높은 형질세포 수의 표현
- 분자유전적 이상: t(4;14), t(14;16) 또는 17p-
- 높은 LDH, β2-microglobulin, 또는 C반응단백(CRP)
- 말초혈액내 형질세포의 증가
- 형질세포모구성 모양(plasmablastic morphology)
- 낮은 혈청 알부민

IX. 형질세포질환의 특이한 임상 양상

1. M 단백과 형질세포의 이상

1) 과점적 증후군(hyperviscosity syndrome)

(1) 합병증: 지혈기전 이상 또는 혈소판 기능 이상에 의한 출혈 경향, 망막병증(retinopathy), 신경학적 증상, 및 고혈량증(hypervolemia)

(2) 치료: 혈장교환술(plasmapheresis), IgM 다발골수종에 특히 도움

2) 추위 불내성(cold sensitivity)

3) 한냉 응집소(cold agglutinins)

4) 등장성 저나트륨혈증(pseudohyponatremia)

2. 말초신경병증(Peripheral neuropathy)

POEMS 증후군: 말초신경병증(polyneuropathy), 장기종대(organomegaly), 내분비계질(endocrinopathy), 단클론성감마글로불린혈증(M-spike) 및 피부변화(skin change)

3. 아밀로이드증(Amyloidosis): 특히 람다 타입의 경쇄가 관련

1) 일차성: 형질세포종 또는 림프계 악성질환과 관련할 수 있음
2) 이차성: 다양한 유전질환 또는 만성질환에 수반하여 나타날 수 있음

I. 악성 림프종의 빈도(2014년도, 국가암등록사업 연례보고서)

- 비호지킨 림프종 = 8.7명/10만 명당(총 발생 4,367명/년)
- 호지킨 림프종 = 0.5명/10만 명당(총 발생 259명/년)
- 유병률 = 23,627명, 전체 암의 2.2% 차지
- 남:여 비 = 1.19:1

II. 한국인 악성 림프종의 임상 특징

- 호지킨 림프종의 발생이 상대적으로 적음
- 미만성 거대B세포 림프종의 상대비율이 높고, 여포성 림프종과 만성림프구 백혈병이 적음
- 서양에 비해 T세포 림프종, NK/T 세포 림프종이 많고, 림프절외 침범도 높음
- 그러나, 최근 호지킨병과 MALT림프종의 발생이 확연히 증가하고 있음

III. 악성 림프종의 원인 및 분류

1. 원인

1) 이온화 방사선, 발암 화학물(세포 분열 억제제, 살충제, 살균제 등)

2) 감염: Estein-Barr virus (EBV), HTLV-1, HHV-8, HIV, HCV, Helicobacter pylori, Chlamydophila psittaci

3) 면역결핍: 장기이식, 골수이식, HIV감염 등 후천적 원인 및 기타 선천성 면역 결핍 질환

2. 림프종의 분류

WHO classification: 2016년도 발표된 분류법이 사용되고 있음. 림프종을 형태학적, 면역학적, 유전적, 임상적 특성을 기준으로 분류함. 림프종을 호지킨 림프종과 비호지킨 림프종(B와 T세포, NK세포 림프종)으로 분류

Mature B cell neoplasm	Mature T and NK neoplasm
Mature B cell neoplasm	**Mature T and NK neoplasm**
Chronic lymphocytic leukemia/small lymphocytic lymphoma	T-cell prolymphocytic leukemia
Monoclonal B-cell lymphocytosis	T-cell large granular lymphocytic leukemia
B-cell prolymphocytic leukemia	Chronic lymphoproliferative disorder of NK cells
Splenic marginal zone lymphoma	Aggressive NK-cell leukemia
Hairy cell leukemia	Systemic EBV+ T-cell lymphoma of childhood
Splenic B-cell lymphoma/leukemia,unclassifiable	Hydroa vacciniforme-like lymphoproliferative disorder
– Splenic diffuse red pulp small B-cell lymphoma	Adult T-cell leukemia/lymphoma
– Hairy cell leukemia-variant	Extranodal NK-/T-cell lymphoma, nasal type
Lymphoplasmacytic lymphoma	Enteropathy-associated T-cell lymphoma
Extranodal marginal zone lymphoma of mucosa-associated	Moomorphic epitheliotropic intestinal T-cell lymphoma
lymphoid tissue (MALT lymphoma)	Indolent T-cell lymphoproliferative disorder of the GI tract
Nodal marginal zone lymphoma	Hepatosplenic T-cell lymphoma
– Pediatric nodal marginal zone lymphoma	Subcutaneous panniculitis-like T-cell lymphoma
Follicular lymphoma	Mycosis fungoides
– In situ follicular neoplasia	Sezary syndrome
– Duodenal-type follicular lymphoma	Primary cutaneous CD30+T-cell lymphoproliferative
Pediatric-type follicular lymphoma	disorders
Large B-cell lymphoma with IRF4 rearrangement	Lymphomatoid papulosis
Primary cutaneous follicle center lymphoma	Primary cutaneous anaplastic large cell lymphoma
Mantle cell lymphoma	Primary cutaneous gd Tcell lymphoma
– in situ mantle cell neoplasia	Primary cutaneous CD8+ aggressive epidermotropic
Diffuse large B-cell lymphoma (DLBCL), NOS	cytotoxic T-cell lymphoma
– Germinal center B-cell type*	Primary cutaneous acral CD8+ T-cell lymphoma
– Activated B-cell type*	Primary cutaneous CD4+ small/medium T-cell
T-cell/histiocyte-rich large B-cell lymphoma	lymphoproliferative disorder
Primary DLBCL of the central nervous system (CNS)	Peripheral T-cell lymphoma, NOS
Primary cutaneous DLBCL, leg type	Angioimmunoblastic T-cell lymphoma
– EBV+ DLBCL, NOS	Follicular T-cell lymphoma
– EBV+mucocutaneous ulcer	**Hodgkin lymphoma**
DLBCL associated with chronic inflammation	Nodular lymphocyte predominant Hodgkin lymphoma
Lymphomatoid granulomatosis	Classical Hodgkin lymphoma
Primary mediastinal (thymic) large B-cell lymphoma	– Nodular sclerosis classical Hodgkin lymphoma
Intravascular large B-cell lymphoma	– Lymphocyte-rich classical Hodgkin lymphoma
ALK+ large B-cell lymphoma	– Mixed cellularity classical Hodgkin lymphoma
Plasmablastic lymphoma	– Lymphocyte-depleted classical Hodgkin lymphoma
Primary effusion lymphoma	**Posttransplant lymphoproliferative disorders (PTLD)**
HHV8+ DLBCL, NOS	
Burkitt lymphoma	**Histiocytic and dendritic cell neoplasms**
Burkitt-like lymphoma with 11q aberration	– Histiocytic sarcoma
High-grade B-cell lymphoma, with MYC and BCL2 and/or	– Langerhans cell histiocytosis
BCL6 rearrangements	– Langerhans cell sarcoma
High-grade B-cell lymphoma, NOS	– Indeterminate dendritic cell tumor
B-cell lymphoma, unclassifiable, with features intermediate	– Interdigitating dendritic cell sarcoma
between DLBCL and classical Hodgkin lymphoma	– Follicular dendritic cell sarcoma
	– Fibroblastic reticular cell tumor
	– Disseminated juvenile xanthogranuloma
	– Erdheim-Chester disease

IV. 비호지킨 림프종(Non-Hodgkin lymphoma, NHL)

1. 비호지킨 림프종의 병기 결정 및 치료 전 검사

비호지킨 림프종 환자의 검사

1. 확진을 위한 조직검사
2. 병력 청취(B 증상 유무 확인) 및 신체검진
3. 실험실 검사
   - 전혈구검사
   - 간기능 및 신장기능 검사
   - uric acid, LDH
   - Viral hepatitis 검사
   - serum protein electrophoresis
   - serum beta-2 microglobulin
4. 영상 검사
   - 흉부 X선 사진
   - CT (전산화 단층촬영): 경부(selected cases), 흉부, 복부와 골반
   - PET (positron emission tomography)
5. 골수 검사(bilateral)
6. 요추 천자(lumbar pucture) 및 뇌척수액 검사
   - 부비동, 고환을 침범한 경우
   - lymphoblastic lymphoma, Burkitt's lymphoma
   - 골수를 침범한 미만성 대 B-세포 림프종(Diffuse large B cell lymphoma)
7. 기타
   - 위장관에 대한 검사가 필요한 경우: mantle cell lymphoma, Waldeyer's ring 침범의 경우
   - 심장초음파
   - Discussion of fertility issues and sperm banking

2. 비호지킨림프종의 병기(Ann Arbor 병기)

병기	정의
I	한 개의 림프절 부위
II	횡경막을 중심으로 동측에만 있는 경우 둘 이상의 림프절 부위를 침범
III	횡경막을 중심으로 상하 모두 침습된 경우
IV	하나 또는 그 이상의 림프절 외 장기나 조직의 미만성 또는 파종성 침범이 있는 경우 : 그 외 간 혹은 골수를 침습한 경우 A 무증상 B 병기평가 전 6개월 동안 특별한 이유 없이 체중의 10%가 줄어든 경우(weight loss) 　지난달에 이유 없이 38℃ 이상의 고열이 지속적 혹은 반복적으로 발생한 경우(fever) 　지난달에 수면 중 식은땀을 자주 흘리는 경우(night sweat) E 간과 골수를 제외한 림프절외 조직에 국소적 혹은 단독으로 병소가 존재하는 경우 X Bulk >10cm

3. 악성 림프종의 국제 예후 인자 지수(Internaltional prognostic index: IPI score)

5가지 임상위험요소

1. 나이 60세 이상
2. 혈청 LDH 증가
3. 활동능력(performance status) ECOG 2 이상, Karnofsky 70% 이하
4. Ann Arbor 병기 III 혹은 IV
5. 림프절외 병소: 2곳 이상 침습

점수 0.1: 저 위험군, 점수 2: 저-중간위험군, 점수 3: 고-중간위험군, 점수 4.5: 고위험군.

DLBL의 경우 상기 각군의 5년 생존율이 순서대로 73%, 51%, 43%, 16%

최근 60세 이하의 환자에서는 age-adjusted IPI(international prognostic index)를 사용하기도 함

1) stage III or IV, 2) LDH >정상, 3) 활동능력 ECOG 2-4

점수 0 =저 위험군, 점수 1=저-중간위험군, 점수 2=고-중간위험군, 점수 3=고위험군

〈조직학적 아형에 따른 IPI 인자〉

Follicular lymphoma (FLIPI1)

위험인자 1) Age >60 years 2) Ann Arbor stages III, IV 3) Increased LDH 4) Hemoglobin <12 g/dL5) >4 Lymph node areas affected

Follicular lymphoma (FLIPI2)

위험인자 1) Age >60 years 2) beta2-microglobulin >WNL 3) Bone marrow involvement 4) Hemoglobin <12 g/dL 5) Longest diameter of the largest involved node >6cm

Mantle cell lymphoma (MIPI)

위험인자 1) Age >60 years 2) Performance status 3) LDH >LDH 4) Leukocyte count

NK/ T-cell lymphoma

위험인자 1) LDH >normal 2) B symptoms 3) Lymph nodes, N1 to N3 4) Ann Arbor Stage IV

4. 백혈구의 주요항원 표지자와 세포 유전학적 이상

1) 백혈구의 주요항원 표지자

항체	Predominant hematolymphoid cell expression
백혈구 공통 표지자	
CD45RB/LCA	Hematolymphoid cells
B-세포 관련 표지자	
CD20	B cell lymphoma, nodular LP HD
T-세포 관련 표지자	
CD2	T-cell and NK-cell neoplasms
CD3	T and NK cells, many T-cell and NK-cell lymphoma
CD4	Helper T-cell, histiocytes, Langerhans cells and neoplasms
CD5	T-cell neoplasms, B-CLL, MCL, rare subset of DLBCL
CD45RO	T-cell and T-cell neoplasms, myeloid cells & granulocytic sarcoma
NK-세포 관련 표지자	
CD56	NK-cell lymphomas, and some PTCL(NK-like)
세포 분화 단계 관련 표지자	
TdT	Lymphoblastic lymphoma(B, T, NK), some blastic NK-cell lymphoma Lymphoblastic neoplasms
Bcl-2	Follicular NHL, many other types of B-or T-cell neoplasms
Bcl-6	FL, BCL of FCC origin, Burkit's lymphoma, ALCL, nodular LP HD
EMA	ALCL, Plasma cell neoplasm, nodular LP HD, rare large cell lymphoma

항체	Predominant hematolymphoid cell expression
림프종 관련 표지자	
Cyclin D1/bcl-1	Some endothelial cells and histiocytes, mantle cell lymphoma
ALK1	ALCL, T/null-cell,
CD30(Ber-H2, Ki-1)	Classical HD, ALCL, occasional PTCL and DLBCL(LPHD: negative)

2) 세포 유전학적이상

림프종에서의 흔한 염색체 이상

염색체 이상	림프종 유형	관련 유전자
t(14;18)(q32;q21)	Follicular Diffuse large B cell lymphoma	BCL-2, IgH
t(8;14)(q24;q32)	Burkitt's lymphoma	C-MYC, IgH
t(8;22)(q24;q11)	Burkitt's lymphoma	C-MYC, IgL
t(2;8)(p11;q24)	Burkitt's lymphoma	C-MYC, IgK
t(11;14)(q13;q32)	Mantle cell B-CLL, small subset	CCND1 (cyclin D1; BCL-1), IgH
t(11;18)(q21;q21)	Marginal zone/extranodal	MALT API2, MALT1
t(14;18)(q32;q21)	Marginal zone/extranodal	MALT MALT1, IgH
t(1;14)(p22;q21)	Marginal zone/extranodal	MALT BCL-10, IgH
t(1;2)(p22;p12)	Marginal zone/extranodal	MALT BCL-10, IgK
t(2;18)(p11;q21)	CLL/SLL (5%)	BCL-2, Igκ
t(18;22)(q21;q11)	CLL/SLL (5%)	BCL-2, Igλ
t(14;19)(q32;q13)	CLL/SLL (v5%)	BCL-3, IgH
t(9;14)(p13;q32)	Lymphoplasmacytoid lymphoma	PAX5, IgH
t(3;14)(q27;q32)*	De novo diffuse large	B-cell BCL-6, IgH
t(3;22)(q27;q11)	De novo diffuse large	B-cell BCL-6, Igλ
t(2;3)(p12;q27)	De novo diffuse large	B-cell BCL-6, Igκ
2p13-15 amplification	Diffuse large B-cell, extranodal	REL amplification (NFKB family member)
t(2;5)(p23;q35)**	Anaplastic large cell, T/null	ALK, NPM

NB: *many other BCL-6 translocation partners are described7

NB: ** >20% of ALCL harbour variant 2p23 rearrangements involving genes other than NPM as a translocation partner (e.g. TPM3, TFG, ATIC, MSN, CLTCL) Pathology 2004;36(1):19-44

5. 치료

- 항암화학요법: 대부분의 환자에서의 1차 치료법
- 수술: 국소 MALT 림프종의 치료나, 대장 또는 소장의 림프종에서 화학 요법의 시작과 함께 출혈 또는 천공의 위험성을 줄이기 위해 절제술을 시행하거나, 증상 개선을 위한 비장절제 등 가능. 그 외 대부분에서 수술의 역할은 매우 제한적임
- 방사선치료: Ann-Anbor 병기1-2기의 국소 질환의 경우 low grade lymphoma의 경우에서 고려, 혹은 extranodal NK-T 세포 림프종에서 항암후 공고요법으로 사용

1) B cell chronic lymphocytic leukemia/small lymphocytic lymphoma (SLL)

(1) 형태학 또는 면역 표현형은 chronic lymphocytic leukemia (CLL) 와 동일

(2) 다발성 림프절종대 및 비장종대가 흔하고, 저감마글로블린 혈증으로 인해 감염의 위험도가 증가

(3) CD5, CD20, CD23 항원 양성

(4) IPI 점수가 낮은 경우 5년 생존율이 ~75%지만, IPI가 높은 경우 5년 생존율은 <40%로 조기 치료 필요

(5) Ann Arbor stage I의 SLL은 적응증이 되는 경우 방사선 치료를 시행하며 2기 이상의 SLL은 CLL과 동일하게 치료

(6) 치료약제: fludarabine, fludarabine + rituximab, cyclophosphamide+ fludarabine+ rituximab, chlorambucil, alemtuzumab, bendamustine, ibrutinib 등

2) Extranodal Marginal zone B-cell lymphoma (MZL)

이차 림프 여포(follicle)의 marginal zone B 세포에서 발생한 림프종으로 MALT (mucosa- associated lymphoid tissue) 림프종, splenic MZL, nodal MZL의 아형으로 분류

(1) 원인

① 염증성 질환

Helicobacter pylori →gastric MALT lymphoma,

Borrelia burgdorferi (Lyme's disease) →cutaneous MALT lymphoma

Campylobacter jejuni →small bowel lymphoma

Chlamydophila psittaci →conjunctival MALT lymphoma (연구한 그룹별 논란의 여지는 있음)

② 자가 면역성 질환 Hashimoto 갑상선염(갑상선 MALT), 쇼그렌증후군(침샘 MALT)

③ 유전적 변이 trisomy 3, t (11:18), t (1:14)

④ 치료: 국소적 병변이면 방사선 또는 수술 등 국소치료로 일부에서 완치. 전신적 질환인 경우 여포성 림프종에 준하여 치료함

(2) Gastric MALT lymphoma

t (11:18) gastric MALT는 diffuse large B cell lymphoma로 진행하지 않음. t (11:18) 음성 MALT 림프종의 경우 종종 BCL6 mutation을 획득하고, 공격성 림프종으로 진행. 병기설정 시 Lugano Staging System을 따름

① stage IE : H. pylori 제균요법 먼저 시행

[참고사항] H. pylori 제균요법에 잘 반응하지 않을 것으로 예상되는 경우는

i) 침범이 깊을 경우(점막하이상)

ii) 림프절전이

iii) t (11:18)

② stage IIE 또는 H. pylori 제균요법에 반응하지 않는 병기IE

방사선 치료, 수술적 절제, 항암 치료 각각을 모두 고려할 수 있으나 아직까지 장기간(10년) 추적 결과는 보고되어 있지 않음. 현재로서는 임상 시험이 아니라면 방사선 치료를 고려함

③ stage III, IV: 드물며, 항암화학요법을 시행하나 예후는 불량

3) 여포성 림프종(Follicular lymphoma)

(1) 18번 염색체의 bcl-2 유전자와 14번 염색체의 Ig heavy chain locus의 전위를 보이는 t (14:18), BCL-2 단백 표현 증가, FACS에서 CD19, CD20 등의 B 세포 표현형의 확인을 통해 확진

(2) 일반화학요법 치료를 받는 환자의 중앙 생존기간은 8-10년

(3) 일부 환자는 치료 없이도 일시적으로 소실되거나 진행이 더뎌 경과 관찰만 요하기도 함

(4) 치료의 결정: grade, 병기, GELF criteria 등 치료 적응증 요인을 고려하여 시행

(5) 약 30%의 환자에서는 공격성 림프종(DLBL 등)으로 변환: 림프절이 갑자기 커지거나 발열, 식은 땀, 체중 감소 등의 전신 증세가 나타나면 감별을 위하여 조직 검사를 다시 고려

(6) 치료

1차요법	Chlorambucil이나 cyclophosphamide 단독요법, R-CVP나 R-CHOP 복합 화학요법
유지요법	공고요법으로 Rituximab을 매 8주마다 12번 유지요법으로 투약하는 것이 무진행 생존 기간을 연장하는 것으로 인정
2차요법	Fludarabine, 인터페론 알파, 단일클론 항체
방사선표적치료	tositumomab, ibritumomab 등으로 기존의 치료로 반응하지 않는 환자에서 구제 요법으로 고려함
자가 및 동종조혈모세포 이식	재발성 여포성림프종에서 높은 완전 관해율 보임

(7) 완전 관해율= 50-75%, 대부분의 환자가 2년 이내에 재발하지만 완전 반응을 보인 환자의 20% 이상이 10년 이상 관해 유지를 보임

4) 외투세포 림프종(Mantle cell lymphoma)

(1) 전체 림프종의 약 3-5%

(2) 고령의 남자에서 호발, 발병 당시 대부분 Ann-Arbor 4병기

(3) 위장관 침범이 빈번

(4) 14번 염색체의 Ig heavy chain gene과 11번 염색체의 bcl-1 gene 사이의 t(11:14), cyclin D1으로 알려진 BCL-1 단백의 과표현이 특징

(5) FACS 분석에서는CD5, CD19, CD20, CD22는 양성, CD10, CD23은 음성

(6) 국소 질환의 경우 복합 화학 요법 후 방사선 치료를 하지만, 대부분의 질환은 이보다 진행한 채 발견됨

(7) 치료법: R-CHOP이 CHOP 단독보다 높은 반응률 보이고, 젊은 환자의 경우 Rituximab-Hyper CVAD의 병합요법이 좋은 반응률 보임. 항암 치료 시 종양 용해 증후군에 대한 예방필요. 젊은 환자에서는 화학요법 후 자가조혈모세포 이식을 추천, 대상이 되지 않는 경우는 Rituximab 유지 요법이 추천. 최근 개발된 BTK inhibitor인 ibrutinib이 재발성 치료불응성 외투세포 림프종에서 치료 효과가 우수한 것으로 보고되고 있고, 국내에서도 제도권하에서 사용가능. 그러나, 대부분의 환자에서 재발하며 장기 생존은 드묾

5) 미만성대 B-세포림프종(Diffuse large B-cell lymphoma)

(1) stage I 또는 non bulky stage II

6-8회의 R-CHOP ; 완치율 stage I 80-90%, stage II 60-70%

(2) bulky stage II, stage III, IV

6-8회의 복합 화학요법(R-CHOP)을 실시하는데, 3회 복합화학요법 시행 후에 반응을 평가하여 완전관해에 도달하면 3회 더 추가실시 후 치료 종료; 완전 관해율 70%, 완전 관해에 도달한 환자 중 50-70%가 완치. IPI로 치료에 대한 반응을 예측

(3) 불응성 및 재발성

구제 화학요법이 필요하며, 복합화학요법으로 완전관해율 50%, 장기 무병생존율은 10% 이하. 자가 조혈모세포 이식의 경우 구제화학요법보다 효과적. 재발 후 항암제에 반응을 보이는 환자 (chemotherapy-sensitive after relapse)의 40%까지 장기무병 생존률 보임

6) Burkitt's lymphoma

(1) 건강한 성인보다 소아 및 면역 억제 환자에서 많이 발생

(2) 전신 및 골수 침이 흔함

(3) 매우 급속히 진행하므로 치료를 가능한 빨리 시작하는 것이 중요

(4) 종양용해증후군이 잘 발생하는 종양

(5) 뇌척수강내 항암치료 또는 고용량 methotrexate를 통한 뇌신경계 예방 필요

7) 역형성 거대세포 림프종(Anaplastic large cell lymphoma)

(1) CD30 (Ki-1)+의 공격성 T 세포 림프종으로, ALK (anaplastic lymphoma kinase)와 NPM (nucleophosmin) 유전자의 융합을 보이는 t (2;5)의 염색체 이상과 관련

(2) 림프절종대, 피부와 골침범이 흔함

(3) 치료

① 대체로 1차 치료제로 CHOP 항암제 투여을 투여

② 구제요법으로 CD30 monoclonal antibody인 Brentuximab vedotin이 사용 가능함

③ 재발한 환자에서는 자가 조혈모 세포 이식이 고려됨

(4) 예후

① ALK(+)일 때 예후가 좋은 편으로 5년 생존율을 70-90%

② ALK(-)일 때 치료 반응률이 떨어지고 생존기간도 짧음

8) Other peripheral T cell lymphoma

(1) T 세포림프증 중 가장 많은 군으로 WHO 분류 기준의 peripheral T cell lymphoma, unspecified로 분류되고 면역 염색에서 T세포 기원임을 확인함으로써 진단

(2) 치료 결과는 B세포 림프종보다 현저히 불량

9) Mycosis fungoides (cutaneous T cell lymphoma)

(1) 피부에 반점 또는 구진이 발생하고, 때로는 궤양을 동반한 피부 종괴 형성

(2) 질환의 후기에는 림프절 종대 및 장기 침범이 동반

(3) 치료

① 국소병기: 방사선 치료 시행: 표면적의 10% 미만 = 초기에는 자외선, 국소 스테로이드, 국소 nitrogen mustard 도포 등의 국소 치료

② 진행성 병기: total skin electron beam therapy, extracoporeal phototherapy 등 추가

③ 약물 치료: interferon alpha, retinoids, 단클론항체, 항암화학요법

④ 자가/동종 조혈모 세포이식: 일부 환자를 제외하고는 대체적으로 효과가 적음

10) Extranodal T/NK cell lymphoma, nasal type (REAL분류: angiocentric lymphoma)

(1) Ebstein Barr 바이러스(EBV)와 관련이 있으며, 한국인 전체 비호지킨 림프종의 8.7% 차지

① 임상적 특징

- 비강, 비인두, 부비동, 구개의 괴사 및 천공(과거 lethal midline granuloma로 불림)을 보이고,
- 혈구 탐식증, 피부, 골수, 소화기 침범 가능함
- 표현형: CD3 양성, CD56 양성, CD20 음성, EBV 양성
- 예후는 불량

② 치료

- stage I, II : 복합 화학요법+방사선 치료+복합화학요법의 로 완치될 수는 있지만 전신재발이 흔함. 전신재발을 예방하기 위한 효과적인 치료법의 개발이 필요
- stage III, IV : 완전 관해율, 17%, 과거 CHOP이 주로 이용되어져 왔으나 Anthracycline에 대해 내성이 있는 것으로 알려져 있으며 L-asparaginase를 포함한 복합 항암화학요법이 대안으로 고려

11) Angioimmunoblastic T cell lymphoma

전형적인 임상양상으로 전신적인 림프절병증, 지속되는 발열, 체중감소, 피부 발진, 다클론성 고감마글로불린혈증

12) 원발성 중추 신경계 림프종

(1) 안구 침범이 흔하므로 slit lamp로 검사 필요

(2) 치료법

① CHOP보다는 고용량 methotrexate + cytarabine이 효과적

② corticosteroid에 매우 민감

③ 수술은 진단 목적으로 이용될 뿐이고 효과적인 치료법 아님

✦ 악성림프종에 대한 자가조혈모세포이식

1. 자가조혈모세포이식술을 이용한 고용량 화학요법의 조건
   1) 항암제 투여용량에 따른 용량-반응관련성이 있어야 함
   2) 조혈모세포이식 전 투여되는 고용량 화학요법은 정상 조혈모세포를 완전히 제거할 수 있을 만큼 충분히 강력해야 함
   3) 시술 당시 잔존 종양이 극미량이어야 함
   4) 고용량 화학요법 후 이식되는 자가조혈모세포는 암세포의 오염이 없거나 극미량이어야 함
   5) 조혈모세포를 안전하고 효율적으로 냉동 보관할 수 있어야 함
   6) 자가조혈모세포이식 후 조혈기능이 신속히 회복되어 범혈구감소증에 따른 합병증을 최소화할 수 있어야 함

2. 자가조혈모세포이식의 4단계
   1) 자가조혈모세포를 채취하고 처리하여 냉동 보관하는 단계
   2) 골수부전을 유발하는 고용량 항암치료 단계
   3) 이식편의 주입
   4) 골수기능이 회복될 때까지 보존적 조치와 공고요법 단계

3. 조혈모세포이식에서 Conditioning regimen의 역할
   1) 환자 체내의 잔류암세포를 제거(약제의 항암효과)
   2) 환자 체내의 잔존하는 면역학적 활성세포를 이식편거부반응을 방지하기 위해 숙주의 면역시스템을 충분히 억제
   3) 생착(engraftment)을 위한 골수 내 공간 마련

4. 고용량 항암제 선택시 고려되어야 할 원칙
   1) 악성 종양의 nature에 의존되어야 하며(약제의 항암효과), 잔존 암세포를 모두 파괴하기 위해서는 dose-response curve의 경사도가 커야 함
   2) 치료요법 가운데 최소한 한 성분의 용량 제한 독성은 혈액학적 독성이어야 함
   3) 치료요법 각 성분의 독성은 상호 중복되지 않아야 함
   4) 무혈연 공여자에 의한 이식 시 생착실패가 발생하지 않도록 충분히 면역억제가 되어야 함
   5) PARMA study : 항암제에 감수성을 보이는 재발한 공격성 비호지킨림프종 환자에서 자가조혈모세포 이식이 일반 항암화학요법(DHAP)보다 확연히 우수함을 증명했다; 8년 event-free survival – 36%(vs 11%), 전체생존율 – 47%(vs 27%)
   6) GELA study : 조기 강화요법과 후기 강화요법을 비교(조기 치료로 항암제 내성의 문제를 극복하려는 시도) → 후기 강화요법에서 나은 결과를 보임, EFS : 38%(vs 21%), 전체 생존율 OS : 44%(vs 22%) → 재발시 항암제 감수성의 파악 없이 첫 치료로 자가조혈모세포 이식은 도움이 되지 못함

5. 현 보험 인정 기준
   1차 항암화학요법에 반응이 있는 고위험군 또는 재발 후 구제항암화학요법에 부분 반응(종양의 크기가 전체적으로 50% 이상 감소하고 2차적 병변의 악화가 없고 새로운 병변의 출현이 없는 상태가 4주 이상 지속되는 경우)이 있는 표준위험군의 경우
   1) LDH가 정상보다 높고 Ann Arbor Stage가 Ⅲ 또는 Ⅳ인 경우
   2) High grade subtype 상병인 경우
   ① Lymphoblastic Lymphoma
   ② Immunoblastic Lymphoma
   ③ Mantle cell Lymphoma
   ④ Small noncleaved cell Lymphoma
   ⑤ Bulky mass(종양의 크기가 10 cm 이상임)
   ⑥ Peripheral T-cell Lymphoma
   ⑦ Primary mediastinal diffuse large B cell Lymphoma
   ⑧ NK/T cell Lymphoma
   ⑨ Lymphoma-associated hemophagocytic syndrome
   3) 표준항암화학요법에 반응을 보이지 않는 불응성인 경우(Refractory case) 중 salvage chemotherapy에 부분반응 이상을 보이는 경우

V. 호지킨 림프종(Hodgkin lymphoma, HL)

- 과거 Hodgkin's disease라 불리었던 질환으로, 조직학적으로 Reed-Sternberg cell의 존재가 특징
- 종양세포의 기원에 대한 유전학적 분석 및 clonal immunoglobulin gene rearragement의 확인 등을 통하여 B 세포 기원임이 확인됨
- 일부 극히 예외적인경우에서 T 세포 유전형을 보고함

1. 임상양상

- 대부분의 경우 경부, 액와부, 종격동에 림프절 종대, 10% 정도에서만 횡격막 하부의 림프절 병증
- 약 25%에서 고열, 체중감소, 야간 발한 등의 B 증상을 동반

2. 진단

조직진단을 위해서 세침흡인생검 방법은 적절하지 않기 때문에 절개 생검(open biopsy)을 추천

World health organization classification of Hodgkin's lymphoma subtypes

Subtype name	Frequency(%)*
Classic Hodgkin's lymphoma	
Nodular sclerosis	65
Lymphocyte rich	3
Mixed cellularity	12
Lymphocyte depleted	2
Nodular lymphocyte–predominant Hodgkin's Lymphoma	6
Hodgkin's lymphoma, not otherwise classifiable	12

* Frequency based on all new cases(N=302) seen in british columbia since January 1998 when the category of lymphocyterich classic Hodgkin's lymphoma became well established.

3. 병기결정을 위한 검사

B증상에 대한 문진 (발열, 체중감소, 야간발한)
전신 림프절비대 나 장기비대 확인을 위한 촉진
Complete blood counts + ESR 과 혈액 화학검사
단순 흉부 x-ray 및 경부/흉부/복부 CT 와 PET CT
Alkaline phosphatase 나 혈중 칼슘 증가시 bone scan
골수검사 및 이비인후과 진료

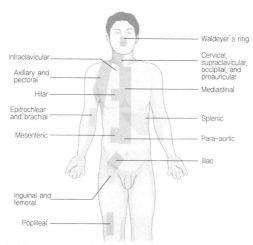

그림 6-7-1 Anatomic definition of lymph node regions for staging of Hodgkin's disease

4. 병기

호지킨 림프종의 병기는 Ann Arbor 병기가 가장 흔히 사용되었으나 몇몇 중요한 예후인자의 고려가 필요하여 변형하여 사용됨(modified Ann-Arbor staging systeim for Hodgkin lymphoma)

modified Ann-Arbor staging systeim for Hodgkin lymphoma

Stage	Involvement
I	Single lymph node region (I) or one extralymphatic site (IE)
II	Two or more lymph node regions, same side of the diaphragm (II), or local extralymphatic extension
	plus one or more lymph node regions, same side of the diaphragm (IIE)
III	Lymph node regions on both sides of the diaphragm (III); may be accompanied by local extralymphatic extension (IIIE)
IV	Disseminated (multiforcal) involvement of one or more extralymphatic organs, with or without associated LN involvement, or isloated extralymphatic organ involvement with distant (nonregional) nodal involvement
A	No "B" symptoms
B	Presence of at least one of the following: Unexplained weight loss >10% of baseline during 6 months before staging, Recurrent unexplained fever >38℃, Recurrent night sweats
X	Bulky disease : 최장경 >10cm 인 경우, 종격동의 경우 흉곽 지름의 1/3을 넘는 경우
E	Involvement of a single extranodal site that is contiguousor proximal to a known nodal site

- 골수, 폐, 골, 간을 침범한 경우 병기 IV기로 분류

5. 치료

치료적인 관점에서 III/IV 병기, bulky disease, B 증상이 있는 경우 진행성 질환(advanced disease)으로 정의하고, 이들 요소가 없는 경우는 제한성 질환(limited-stage disease)으로 정의

treatment plan for adult patients with Hodgkin lymphoma

Stage	Prognostic category	Treatment
IA or IIA, no bulky disease	≤3 adverse factors	ABVD×4 if CR after 2 cycles or ABVD×2+IRRT
IB, IIB or any stage III or IV, but no bulky disease	≤3 adverse factors	ABVD until 2 cycles past CR(6~8)
Bulky disease, any stage	≥4 adverse factors	Stanford V or BEACOPP ABVD×6+IRRT

고위험 예후 인자

Risk factor	GHSG	EORTC	NCIC	NCCN
Age		≥50	≥40	
Histology			MC or LD	
ESR and B symptom	>50 if A; >30 if B	>50 if A; >30 if B	>50	>50 or any B sx
Mediastinal mass	MMR >.33	MMR >.35	MMR >.33 or >10 cm	MMR >.33 or >10 cm
# Nodal sites	>2	>3	>3	>3
E lesion	Any		Any	

*MMR : mediastinal mass ratio

1) 제한성병기(limited-stage)의 호지킨 림프종의 치료

(1) 환자의 35%

(2) 치료 목표: 치료와 함께 독성을 최소화

(3) 치료법: 2 주기의 ABVD 화학요법 후 방사선 치료 = 제한 병기(limited stage)의 95% 환자가 완치

(4) 무작위 배정 임상연구에서 ABVD 화학요법 4주기 또는 6주기의 단독 치료가 방사선 치료를 함께한 것과 비교하여 전체 생존율과 event free survival에서 유사한성적을 보이는 것으로 보고됨

2) 진행 병기의 치료

(1) ABVD (adriamycin, bleomycin, vinblastine, dacarbazine) 병용요법이 가장 많이 사용

(2) 진행 병기에서 방사선의 추가 치료는 10년 무진행 생존기간의 향상을 보였으나 전체 생존율에는 의미 있는 차이를 보여주지 못함

(3) 미국에서는 ABVD 이외에 Stanford V 항암요법(doxorubicin, vinblastine, mechlorethamine, etoposide, vincristine, bleomycin, prednisone) 등이 많이 사용. 유럽에서는 BEACOPP (bleomycin, etoposide, doxorubicin, cyclophosphamide, vincristine, prednisone, and procarbazine) 등이 많이 사용

(4) 치료에도 병변이 지속되거나 1차 치료 후 재발한 환자에 대해서는 고용량 화학요법 및 자가조혈모 세포이식 치료의 적응증이 됨

Ⅰ. 골수증식성 질환(Myeloproliferative neoplasm, MPN)의 updated 2016 WHO classification

만성 골수 백혈병, BCR–ABL 양성	Chronic myelogenous leukemia (CML), BCR/ABL (+)
만성 중성구 백혈병	Chronic neutrophilic leukemia (CNL)
진성적혈구증가증	Polycythemia vera (PV)
일차성 골수섬유증	Primary myelofibrosis (PMF)
일차성 골수섬유증, 섬유화 전단계/초기단계	PMF, prefibrotic/ early stage
일차성 골수섬유증, 현성 섬유화 단계	PMF, overt fibrotic stage
본태성 혈소판증가증	Essential thrombocythemia (ET)
만성 호산구 백혈병	chronic eosinophilic leukemia (CEL), not otherwise specified
골수증식성 종양, 미분류성	Myeloproliferative neoplasm, unclassifiable
비만세포증	Myastocytosis

Ⅱ. 진성적 혈구증가증(Polycythemia Vera, PV)

1. 임상 양상

1) 대부분 무증상으로 우연히 발견됨, 간혹 비장 종대로 오기도 함

2) 고혈압

3) 신경학적 증상: 어지러움증, 이명, 두통, 시야장애

4) 혈관학적 증상

(1) 심부정맥 혹은 동맥 혈전증: 복강내 복부정맥혈전증, 버드-카아리 증후군

(2) 혈액저류/혈전증: 말초정맥 허혈, 쉽게 멍듦, 잦은 코피, 위장관 출혈

(3) 피부홍통증(Erythromelagia): 홍반, 사지 작열감

5) 비혈관 합병증

(1) aquagenic pruritis (물이 닿으면 간지러운 현상, 더운 물로 샤워 시 악화)

(2) 대사과다증: 체중감소, 피곤, 발한

(3) 고요산혈증, 요산석, 통풍성 관절염(조혈세포의 과도한 세포전환에 의해서 발생)

2. 진단

JAK2 V617F mutation이 85% 이상에서 발견

주 진단 기준(3개)

① Hb >16.5 g/dL (남자)
Hb >16.0 g/dL (여자)
혹은
Hematocrit >49% (남자)
Hematocrit >48% (여자)
혹은
Red cell mass의 증가

② 골수검사: 나이와 비교해서 증가된 cellularity와 더불어서 3종 cell lineage의 증가(prominent erythroid, granulocytic and megakaryocytic proliferation with pleomorphic, mature megakaryocytes)

③ JAK2 or JAK2 exon 12 mutation의 존재

부 진단 기준(1개)

① 약간 감소된 혈청 erythropoietin 수치(subnormal serum erythropoietin level)

진단 판정법

① 3개의 주진단 기준을 모두 만족하거나,
② 주 진단 기준 중 1번과 2번을 만족(3번은 무관) + 1개 부진단기준

1) 진단 알고리즘

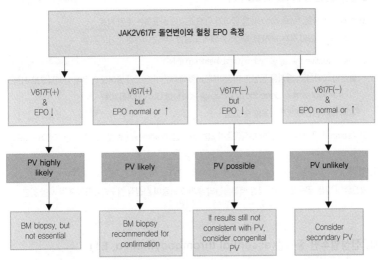

2) JAK2-V617F 양성률

	PV	ET	PMF
서양	98% 이상	23~57%	35~74%
한국	85%	60%	43%

3. 감별진단

1) 이차성 상대적 적혈구증가증

탈수에 의한 상대적인 혈구농축, 이뇨제사용, 알코올 남용, 남성호르몬 과다사용, 흡연

2) 이차성 절대적 적혈구증가증

저산소증, 신장질환(renal cysts, 수신증, 신장동맥 협착증, 신장이식 후, 바터 증후군), 종 (hypernephroma, 간암, cerebella hemangioblastoma, 부신종양, pheochromocytoma, uterine myoma), 약물(androgen, recombinant erythropoietin), 유전성(VHL mutation, erythropoietin receptor mutation, 2, 3-BPG mutation)

4. 치료

1) **혈전증 발생 위험도에 따라 결정:** 60세 이상의 나이, 과거의 혈전 병력에 따라서 결정. 단, 혈소판 증가가 혈전증의 위험 요소가 되지 않음, risk factor for bleeding: 혈소판 $>1,500 \times 10^3 / \mu L$

위험도 분류	60세 이상 혹은 혈전증 과거력	심혈관 위험인자(고혈압,고지혈증,당뇨,흡연 등)
Low	아니오	아니오
Intermediate	아니오	예
High	예	해당사항없음

2) **혈전 예방을 위해 Hct <45%를 유지**

3) **주기적인 사혈:** hyperviscosity를 줄이기 위해 초기에 사용하는 주된 치료

보통 4일에 한번 400 ml 시행, target level에 도달한 후에는 3개월 주기로 시행

4) **cytoreductive therapy:** hydroxyurea, interferon (IFN-α)

혈전의 고위험군, 증상을 동반한 비장비대, 사혈에 대한 순응도가 떨어질 경우에 선택적으로 시행

(1) Hydroxyurea: ribonucleoside reductase를 억제하여 DNA 합성을 방해

(2) IFN-α : 임산부에게 사용할 수 있음

5) **Aspirin:** 100 mg qd, 특별한 부적응증이 없는 한 사용. erythromelagia 및 소양감 증상 조절에 도움됨

5. 경과

혈전증의 발생, 골수 섬유화, 급성 백혈병등의 후기 합병증이 진성적 혈구증가증의 주된 사망 원인

III. 진성혈소판 증가증(essential thrombocythemia, ET)

1. 감별진단: reactive thrombocytosis 및 다른 MPN과의 감별이 중요

임상에서 보이는 혈소판 증가증의 80%는 이차적 원인으로 인해 발생

① 악성질환과 무관한 혈액학적 조건: 철결핍성 빈혈, 급성 출혈, 급성 용혈성 빈혈, 비타민 B12감소성 빈혈의 치료도중, ITP치료후에 반동성 증가, ethanol 유발성 혈소판 감소증치료 후 반동성 증가

② 악성질환과 연관성: 전이성 고형암, 림프종, 면역억제제 사용후 발생

③ 급/만성 염증성 환경: 류마티스 질환, 혈관염, 염증성 장질환, 셀리악 병, 비장절제술 후, POEMS 증후군

④ 조직손상: 화상, 급성심근경색 후, 심각한 외상, 급성 췌장염, 수술 후 회복기

⑤ 감염: 만성감염증, 결핵

⑥ 운동

⑦ 알러지 반응

⑧ 만성 신장질환

⑨ 약물 유발성 (vincristine, Epinephrine, glucocorticoids, interleukin–1B, All–trans retinoic acid, Thrombopoietin, thrombopoietin mimetics, Low molecular weight heparins)

2. 진단

주 진단 기준(4개)

① 혈소판 ≥ 450 x 109/L
② 골수검사: 성숙megakaryocyte만 크기가 커져 있고, 개수도 증가해 있고, 의미 있는 left–shifted neutrophil granulopoiesis or erythropoiesis기준은 없으면서, reticulin fiber의 증가는 거의 보이지 않음
③ WHO 분류기준의 BCL–ABL1 + CML, PV, PMF, MDS나 다른 골수질환에 합당하지 않아야 함
④ JAK2, CALR or MPL mutation 존재

부 진단 기준(1개)

Clonal marker (비정상적인 염색체)가 존재하거나, 반응성 혈소판증가증의 증거가 없어야 함.

진단 판정법

① 4개의 주진단 기준을 모두 만족하거나,
② 주 진단 기준 중 1,2,3번을 만족(4번은 무관) + 1개 부진단기준

3. 치료

위험군 분류

위험도 분류	60세 이상 혹은 혈전증 과거력	심혈관 위험인자(고혈압,고지혈증,당뇨,흡연 등)
Low	아니오	아니오
Intermediate	아니오	예
High	예	해당사항없음

1) 고위험군에서는 cytoreductive therapy

(1) hydroxyurea로 platelet ≤400,000/uL 유지

　- 고위험군환자에서 혈전증을 감소시키는 것이 입증된 유일한 약물

(2) 임산부에게는 IFN-α

(3) anagleride: 거대 핵세포의 분화와 증식을 억제

　- young age에서는 백혈병 발생 위험이 없는 anagleride를 선호

2) Low dose aspirin (100 mg/day): - absolute contraindication이 없다면 투여

4. 경과

기대수명 22년 이상으로 합병증이 없을 시는 일반인과 큰 차이가 없으나, 진단 후 10년이 지나면 급서 백혈병의 상대 위험율이 증가

Ⅳ. 일차골수 섬유증(primary myelofibrosis, PMF)

1. 임상 양상

1) 피로감과 복부팽만감, 좌상 복부 통증 등의 비장 비대 연관 증세

2) 대사증대로 인하여 발열, 야간 발한, 체중감소 등의 전신 증상

3) 빈혈, 다양한 백혈구와 혈소판 수치

4) 말초혈액도말: 유핵 적혈구(nucleated RBC), 눈물방울 적혈구(tear drop cell), 과립구의 전구세포가 관찰

5) LDH, ALP가 증가할 수 있음

6) 골수 섬유화로 골수 흡인이 어려울 수 있음

2. 진단

Prefibrotic/ early PMF (pre-PMF)	Overt PMF
주 진단 기준(3개)	**주 진단 기준(3개)**
① reticulin fibrosis 없이 Megakaryocyte의 증식과 이상증, 나이와 비교해볼 때 증가한 cellularity, granulocyte 증식 및 erythrocytosis의 존재	① Reticulin fibrosis를 동반한(grade 2 to 3) Megakaryocyte의 증식과 이상증
② WHO 분류기준의 BCL-ABL1 + CML, PV, PMF, MDS나 다른 골수질환에 합당하지 않아야 함	② WHO 분류기준의 BCL-ABL1 + CML, PV, PMF, MDS나 다른 골수질환에 합당하지 않아야 함
③ JAK2, CALR, MPL mutation 존재하거나, 이런 돌연변이가 없는 경우에는 다른 clonal marker의 존재(ASXL1, EZH2, TET2, IDH1/IDH2, SRSF2, SF3B1), 골수의 reticulin fibrosis의 증가가 없음	③ JAK2, CALR, MPL mutation 존재하거나, 이런 돌연변이가 없는 경우에는 다른 clonal marker의 존재(ASXL1, EZH2, TET2, IDH1/IDH2, SRSF2, SF3B1), 반응성 BM fibrosis의 증가가 없음
부 진단 기준(4개)	**주 진단 기준(5개)**
① 빈혈, 다른 질환과 연관되지 않아야 함.	① 빈혈, 다른 질환과 연관되지 않아야 함
② 백혈구 증가증 ≥ 11 x 10⁹/L	② 백혈구 증가증 ≥ 11 x 10⁹/L
③ 촉지 가능한 비장비대	③ 촉지 가능한 비장비대
④ LDH의 증가	④ LDH의 증가
	⑤ leukoerythroblastosis
진단 판정법	**진단 판정법**
3개의 주진단기준 모두 만족 + 1개 이상의 부진단기준 만족	3개의 주진단기준 모두 만족 + 1개 이상의 부진단기준 만족

3. 예후

Prognostic scoring system: IPSS, DIPSS-plus

International prognostic scoring system (IPSS)		

5가지 예후 인자(진단 시)
① 나이 >65세 ② 전신증상 양성 ③ Hb >10g/dL ④ 백혈구 >25 x109/L ⑤ 말초혈액내의 blast 수 ≥1%

	예후인자 개수	생존기간(중앙값, 개월)
Low	0	135
Intermediate-1	1	95
Intermediate-2	2	48
High	≥ 3	27

Dynamic International prognostic scoring system-plus (DIPSS-plus)		

8가지 예후 인자(진단시)
① 나이 >65세 ② 전신증상 양성 ③ Hb >10g/dL ④ WBC >25 x10⁹/L ⑤ peripheral blast ≥1%
⑥ 혈소판 수 <100x109/L ⑦ 불량한 핵형* ⑧ 수혈 의존성
* 불량한 핵형 : complex karyotype, +8, −7/7q−,i(17q), −5/5q−,12p−, inv(3), 11q23 rearrangement

	예후인자 개수	생존기간(중앙값, 개월), 진단 1년 이내	진단 1년 이후
Low	0	180	−
Intermediate-1	1	80	63
Intermediate-2	2-3	35	33
High	≥ 4	16	16

4. 치료

: DIPSS-plus에 따른 치료 알고리즘

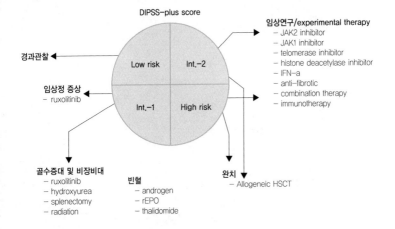

DIPSS-plus score

경과관찰 ◀ Low risk | Int.-2

임상정 증상 ◀
 − ruxolitinib
Int.-1 | High risk

임상연구/experimental therapy
 − JAK2 inhibitor
 − JAK1 inhibitor
 − telomerase inhibitor
 − histone deacetylase inhibitor
 − IFN-a
 − anti-fibrotic
 − combination therapy
 − immunotherapy

골수증대 및 비장비대
 − ruxolitinib
 − hydroxyurea
 − splenectomy
 − radiation

빈혈
 − androgen
 − rEPO
 − thalidomide

완치
 − Allogeneic HSCT

1) 완치할 수 있는 약제는 없음

2) 완치를 목적으로 동종조혈모세포이식을 할 수 있으나, 환자가 대부분 고령이고, 치료 관련합병증으로 인한 사망률이 높기 때문에 제한적으로 시행함. 최근 이식 전 처치의 강도를 줄여서 이식을 시도하고 있으나 여전히 치사율이 10-44%로 보고되고 있음

3) 빈혈 및 비장 비대와 연관된 증상과 기타 관련된 전신 증상의 완화를 목적으로 함

   (1) 빈혈치료: androgen, 프레드니손, danazole, 탈리도마이드, 레날리도마이드 등

   (2) Hydroxyurea: 백혈구증가증, 혈소판증가증, 증상을 동반한 비장 비대 치료 시

   (3) Hydroxyurea에 반응을 보이지 않는 비장 종대 시 비장 절제술을 고려해 볼 수 있음

   (4) 비장에 대한 방사선 조사는 비장의 크기를 일시적으로 줄일 수 있으나 치명적인 범혈구 감소증을 유발할 수 있음

4) JAK2 inhibitor (e.g. Ruxolitinib)

   JAK2 mutation 여부와 상관없이, 골수 섬유증 환자에서 비장크기의 감소, 전신증상의 완화 및 생존율 증가의 효과를 보이고 있음. Ruxolitinib은 2011년 11월, 미국 FDA에 intermediate or high risk 골수 섬유증 환자에게 사용하도록 승인되었고 현재 국내에도 사용 가능

I. 출혈 및 지혈의 정상 생리

- 정상 혈관내피세포: 혈소판 활성인자와 혈액응고억제제를 생성, 혈관 긴장도와 투과성을 조절하며 보호성 덮개를 제공하여 혈액을 내피밑구조와 분리하여 그 유동성을 유지시킴
- 외상 혹은 질환에 의한 혈관 손상: 출혈을 멈추기 위하여 혈관이 수축하고 혈소판 마개를 형성하는 일차지혈과 섬유소와 지혈마개를 형성하는 이차지혈이 나타남. 일차, 이차 지혈과정은 별개의 과정이 아니라 서로 밀접하게 연관되어 나타나는 것으로, 혈관, 혈소판, 응고인자, 응고억제인자, 섬유소 용해계가 관여하는 복잡한 과정임

1. 혈소판

1) 골수 내 거핵구(megakaryocyte)의 세포질이 떨어져 나와서 생성, 비장에 약 24-36시간 있다가 순환혈액으로 나오며, 순환혈액에서의 혈소판 수명은 약 7-10일, 골수에서 만들어진 혈소판의 약 30%는 비장에 정체

2) **일차지혈(혈소판의 부착과 응집에 의한 지혈 과정)**

   (1) 혈관벽이 손상받으면 내피밑층이 노출되면, 혈소판의 GPIb/IX과 내피밑층의 von Willebrand Factor (VWF)가 결합하여 혈소판이 혈관의 콜라겐에 부착(adhesion)

   (2) 이후 혈소판의 추가 활성화에 따라 TXA2, ADP, 세로토닌, 칼슘, VWF, fibronectin과 같은 물질들이 분비, 이후 혈소판의 GPIIb/IIIa의 구조적 변화가 섬유소원(fibrinogen)을 매개로 한 혈소판 응집 (aggregation)을 일으켜 혈소판 마개(platelet plug)를 형성

2. 혈관 내피세포(Endothelial cell)

1) 혈소판과 함께 혈관벽을 매끄럽게 유지하기 위해 광범위한 대사작용에 참여

2) 내피세포에서 분비되는 Prostacyclin과 Nitric oxide (NO)는 혈관을 확장하고, CD39는 ADP의 국소 농도를 낮추어 혈소판의 응집을 저해

3) Protein C와 thrombomodulin의 결합을 촉진하여 항응고 작용을 하고 plasminogen activator (t-PA, u-PA)를 합성하여 섬유소용해를 활성화. 이 작용은 Thrombin의 자극에 의해 시작되며, plasminogen activator inhibitor-1 (PAI-1)에 의해 균형을 이룸

3. 응고인자(coagulation factors)

Factor number	Descriptive name	Active form
I	Fibrinogen	Fibrin aubunit
II	Prothrombin	Serine prolease
III	Tissue factor	Receptor/cofactor*
V	Labile factor	Cotactor
VII	Proconvertin	Serine prolease
VIII	Antihaemophilic factor	Cotactor
IX	Christmas factor	Serine prolease
X	Stuart–Power factor	Serine prolease
XI	Plasma thromboplastin antecedent	Serine prolease
XII	Hageman (contact) factor	Serine prolease
XIII	Fibrin stabilizing factor	Transglutaminase
–	Prekallikrein (Fletcher factor)	Serine prolease
–	HMWK (Fitzerald factor)	Cotactor*

*Active without proteolytic modification.
HMWK, high–molecular–weight kininogen

응고인자가 생산되는 장소와 특징

• Liver 생산: I, II, V, VII, IX, X,
  protein C, protein S

• Endothelial cells and platelets: VIII, vWF

• Vitamin K dependent: II, VII, IX, X,
  protein C, protein S

• Cofactors: Va → Xa, VIIIa → IXa
  IIIa → VIIa

이차지혈(응고인자의 활성화에 따른 지혈 과정)

• 내인성경로는 XII인자의 활성화로부터 시작하여 순차적으로 XI→VIII→IX인자의 활성화를 통해, 외인성경로는 tissue factor (III인자)와 VII인자의 결합하여 각각 공통 경로의 중심인 X→Xa의 활성화와 Va인자의 도움을 통해 thrombin을 형성

• Thrombin은 섬유소원(fibrinogen)에 작용하여 fibrin polymer를 형성하고 XIII의 도움을 받아 단단한 섬유소(fibrin)으로 지혈마개를 형성

4. 항응고기전(Antithrombotic mechanisms)

• 항응고기전은 혈액의 유동성을 유지하고 혈관손상 부위에 국한된 국소적인 응고를 적절히 유지함

• 세 가지의 항응고기전: 1) Protein C, 2) 항트롬빈기전, 3) 조직인자경로억제재(tissue factor pathway inhibitor, TFPI)

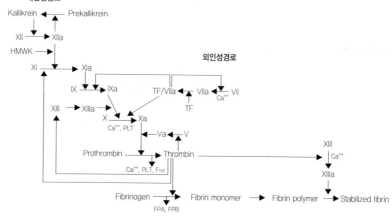

1) **Protein C 경로**는 thrombin 형성을 억제하는 활동적인 항응고시스템. 주요 co-factor에 해당하는 Va 인자와 VIIIa 인자를 불활성화 하여 항응고효과를 보임

2) **Antithrombin (항트롬빈)**은 IXa인자, Xa인자, 그리고 thrombin 등을 억제. 혈장 내에서 항트롬빈의 트롬빈 불활성화 속도는 다소 느리지만, 트롬빈과 항트롬빈이 헤파린에 결합되면 두 분자가 가까워지고 항트롬빈이 형태변화를 일으켜 활성화되면 그 반응 속도가 수천 배 빨라짐. 저분자량헤파린은(Low molecular weight heparin) 특히 항트롬빈에 의한 Xa인자의 불활성화를 촉매

3) **조직인자경로억제재(TFPI)**는 외인성경로를 유발하는 VIIa인자를 불활성화하여 항응고효과를 보임

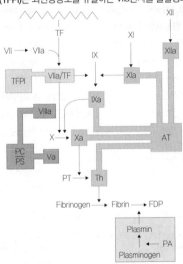

Sites of action of the three major physiologic antithrombotic pathways and fibrinolytic pathway (Harrison 19th Fig. 78-3).
Antithrombin (AT); protein C/S (PC/PS); tissue factor pathway inhibitor (TFPI); plasminogen activator (PA)

5. 섬유소용해계

- 혈관이 손상되면 지혈기전이 활성화하여 섬유소가 생성되고 혈전이 형성되어 지혈이 이루어짐. 혈관이 재생되고 손상이 회복되면 섬유소용해계가 활성화되어 혈전을 녹이고 과도한 혈전 형성을 억제하여 혈관의 개방성을 유지
- 섬유소용해계의 가장 중요한 인자는 플라스미노겐(plasminogen)이며 plasminogen activator (t-PA, u-PA)에 의해 플라스민(plasmin)으로 변화되어 섬유소를 용해하여 fibrin degradation product (FDP)를 생성. 섬유소용해를 억제하는 기전은 plasminogen activator inhibitor-1 (PAI-1), alpha2-antiplsmin, thrombin activated fibrinolysis inhibitor (TAFI) 등이 있음

II. 출혈, 혈전 환자의 임상적 접근과 검사법

1. 임상적 접근

1) 지혈에 관여하는 4가지 요소는 ① 혈관, ② 혈소판, ③ 응고 및 항응고인자, ④ 섬유소용해계로 요약됨. 각 요소별로 양적, 기능적 이상이 생겨 지혈기능에 문제가 생기는 경우 출혈 질환으로 나타나며, 반대로 지혈기능이 과다하게 나타나는 경우 혈전증으로 나타남

2) 혈관 장애로 인한 출혈 질환으로 대표적인 것은 Henoch-Schonlein purpura (H-S purpura), Ehlers-Danlos 증후군, 유전성출혈모세혈관확장증(hereditary hemorrhagic telangiectasia, HHT) 등이 있음. 혈소판의 수적 장애로 인한 출혈 질환으로서는 immune thrombocytopenia (ITP), 비장기능항진증, 임신, 감염, 골수부전이 있으며, 혈소판 기능 장애로 인한 출혈 질환으로서 아스피린, 비스테로이드항염증제와 같이 약물로 기인된 것들이 있으며 선천적으로 혈소판 막 glycoprotein 이상으로 출혈을 유발하는 Glanzmann혈소판무력증과 Bernard-Soulier증후군을 들 수 있음

3) 혈액응고장애로는 선천적인 VIII인자의 부족으로 인한 혈우병 A, IX인자의 부족으로 인한 혈우병 B, vWF의 부족으로 인한 폰빌레브란트병이 있으며, 후천응고장애로 DIC나 후천혈우병을 들 수 있음. 섬유소용해계의 이상은 대체로 혈전증에 사용된 혈전용해제의 부작용이나, 중증 감염 및 면역 질환과 동반되어 나타남

2. 검사

1) Screening assays

– 가장 흔히 사용되는 screening test는 전혈구검사), PT, aPTT임. PT와 aPTT는 우측과 같은 factor activity의 이상 및 출혈 질환의 가능성을 추측할 수 있음	– PT, aPTT이상: Liver disease, FII, V, VIII결핍증 혹은 Antiphopholilipid syndrome
	– PT단독 이상: Liver disease, warfarin, Vit K결핍, FVII결핍, dysfibrinogenemia
– 내인성경로(aPTT): FXII, FXI, FVIII, FIX	– aPTT단독 이상: 혈우병, vWD, Antiphopholilipid syndrome, FXII, XI, VIII, IX,결핍증, FVIII Ab…
– 외인성경로(PT): TF, FVII	
– 공통경로: FX, FV, FII, FI	– 모두 정상이나 출혈질환이 의심될 때: 경증의 혈우병과 vWD, 그리고 혈소판 기능검사가 필요

2) 혼합검사(Mixing studies)

Mixing test는 prolonged aPTT의 evaluation을 위해 주로 사용되며 factor deficiency와 inhibitor를 감별할 수 있음. 환자와 정상인의 혈장을 50:50으로 섞고 PT와 aPTT를 즉시, 37°C에서 30, 60, 120분 간격으로 측정

(1) 단일인자 결손 시: 즉시 교정됨 → 의심되는 응고인자의 activity를 검사

(2) Lupus anticoagulant가 존재 시: 즉시, 37°C에서 30, 60, 120분에도 모두 교정되지 않음

(3) 중화항체(neutralizing antibody)가 존재 시: 즉시는 교정되지 않는 경우도 있으나 37°C에서 30, 60, 120분간 지속하면 교정됨

3) 응고인자 검사(Specific factor assays)

항원검사와 기능검사로 나눌 수 있으며, 환자의 혈장을 특정 응고인자가 결핍된 검사용 혈장과 혼합

한 후 응고시간을 측정하는 기능 검사를 대체로 시행. 내인성경로에 해당하는 XII, XI, VIII, IX인자는 aPTT를 이용하여 측정하고 나머지 외인성경로 및 공통경로에 해당하는 인자들(II, V, VII, X)은 PT를 이용하여 측정하여, 정상응고인자의 양을 100%로 하여 시행하는 각 응고인자의 양을 백분율로 나타냄

4) 혈소판 기능검사(Measures of platelet function)

출혈시간(bleeding time, BT)은 bleeding risk평가를 위해 사용되었으나 수술 시 출혈위험도를 예측할 수 없고 현재는 추천되지 않는 검사. 대신 PFA-100이 혈소판 장애와 폰빌레브란트병에 예민도와 특이도가 높아 사용되고 있으나 이 또한 mild bleeding disorders는 배제하기에 충분치 않음

5) 기타 응고검사(Other coagulation tests)

그 외에도 TT, reptilase time, LMWH activity, UFH activity 등을 측정할 수 있음. 특히 혈전 경향을 가진 환자에서는 항응고기전 및 섬유소용해계에 해당하는 Antithrombin, protein C, protein S, PAI-1 등의 검사를 진행해 봐야 함

III. 혈소판 질환

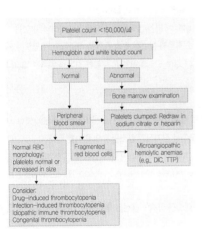

혈소판 감소증(Thrombocytopenia)은 다음 3가지 기전의 결과로 나타남

① 골수에서의 생산 감소
② 비장비대와 격리(Sequestration)
③ 혈소판 파괴(Platelet destruction) 증가

혈소판 감소증 환자의 초기 검진은 다음과 같이 시행

1. 특발성 혈소판 감소성 자반증

(Immune thrombocytopenia , ITP)

- 혈소판 감소증이 단독으로만 나타나는(isolated thrombocytopenia) 질환 중 가장 대표적인 것으로서 후천적으로 생성된 혈소판 특이 항체로 인해 혈소판이 파괴되고 거핵세포(megakaryocyte)로부터의 혈소판 유출이 억제됨
- 일시적 혹은 장기적으로 혈소판 수치가 감소되며, 혈소판 수치의 감소 정도에 따라 출혈의 위험도가

증가. 소아에서는 급성감염 후에 발생하는 경우가 많고 대부분 저절로 호전되며, 성인에서는 만성 경과를 밟는 경우가 많음

- 일차 ITP는 배제 진단으로서 비장 비대를 포함하여 다른 원인이나 질환이 없으면서 혈소판이 <100 x 103/uL 으로 감소되어 나타나는 경우이며, 혈소판에 대한 자가항체 생성이 ITP 발생의 주요 기전 중 하나. 감염, 약제, 또는 다른 자가면역질환에 동반되어 나타나는 면역매개 혈소판 감소증의 경우 이차 ITP로 정의

1) 1차 치료제

(1) 스테로이드는 IL-2의 형성을 억제하여 대식세포의 혈소판 포식작용을 억제하고 혈소판 자가항체 생성을 감소시킴. 일반적으로 prednisolone으로서 1-2 mg/kg을 시작하여 매일 투여하며 2-4주 간격으로 서서히 감량하여 중단함

(2) 면역글로불린(IVGV)은 혈소판 수를 빨리 증가시켜야 하는 경우 혹은 스테로이드를 사용할 수 없는 경우 성인 ITP의 일차치료제로서 사용 가능. 하루 1 g/kg 용량을 총 2일간 투여하는 방법으로 총 2 g/kg을 투여함으로써 75% 이상에서 비장절제 여부와 관계없이 반응을 보임. 효과는 일시적으로서 3-4주 정도 혈소판 증가 수준 유지

(3) Anti-D는 Rh양성 적혈구에 결합하여 자가항체가 부착된 혈소판과 경쟁적으로 대식세포와 비장의 Fc γ 수용체를 차단하여 혈소판의 파괴를 막아 생존을 증가시킴. 따라서 Rh음성 및 비장을 절제한 환자에서는 효과가 없음. Anti-D는 50-75 ug/kg을 3-5분간 정맥주사. 용혈반응이 나타날 수 있음

(4) 만성 ITP환자에서 Helicobacter pylori 제균치료를 통해 혈소판 수의 증가를 확인한 예가 있으나 보고마다 차이가 있고 혈소판 감소가 심하지 않은 경우 반응률이 비교적 높은 것으로 알려져 있으므로 감염의 증거를 확인해 볼 필요가 있음

2) 2차 치료제

(1) 비장절제술은 스테로이드치료에 실패한 환자, 또는 재발한 환자에서의 2차 치료제로 오랫동안 시행되어 옴. 반응률은 80% 이상이며 50% 이상에서 장기적인 혈소판 수의 증가를 유지하는 것으로 알려져 있음. 비장절제술 후 피막형세균(encapsulated bacteria)에 대해 면역력이 취약해지기 때문에, streptococcus pneumoniae, Neisseria meningitidis, Hemophilus influenza에 대한 예방접종을 받아야 함

(2) 항CD20에 대한 단클론항체인 rituximab은 항혈소판 항체의 생성을 억제하는 기전으로 그 치료 효과를 나타냄

(3) 그밖에 azathioprine, cyclophosphamide, cyclosporine, danazol, dapsone, mycophenolate mofetil, vincristine 등을 단독 혹은 1차 약제에 병합하여 사용한 예가 보고되고 있으나, 역시 장기적인 효과를 보이지는 못함

3) 3차 치료제

(1) 최근 TPO receptor agonist를 ITP 환자에서 치료제로서 사용하게 되었고 경구제재로서 Eltrombopag, 주사제재로서 Romiplostim이 개발되어 재발-불응성 ITP 환자의 3차 치료제로서 우선 사용되어 그 효과가 입증됨

(2) 그 외에도 Syk inhibitor인 fostamatinib이 대식세포의 혈소판 탐식을 억제하는 기전의 약물로서 소개되어 임상 연구가 진행되고 있음

4) 임신과 Thrombocytopenia

(1) 혈액 희석과 생리적인 신체 변화로 임신중인 산모는 혈소판 수치가 감소할 수 있음

(2) 임신 혈소판 감소증(gestational thrombocytopenia): 임신 전 정상 혈소판 수치를 가졌던 산모가 임신 후반부에 이상의 경한 혈소판 감소증을(70,000/μL 이상) 보이는 경우

(3) Hemolysis, 감염, 고혈압, 간기능의 이상이 동반될 경우 (pre-)eclampsia, HELLP syndrome, acute fatty liver, TTP, DIC에 의한 혈소판 감소를 의심해야 함

(4) ITP는 임신 초기에 발생하는 혈소판 감소의 가장 흔한 원인. 임신 중 ITP를 처음 진단받을 수도 있으며, 기존의 ITP가 악화되어 나타날 수도 있음

  ① 혈소판이 30,000/μL 미만이 되거나 출혈 경향을 보일 때 치료를 시작

  ② 저용량의 prednisolone (10~20 mg/day) 혹은 IVIG를 사용할 수 있음

  ③ 초치료에 반응이 없거나, 혈소판 수치 10,000/μL 미만, 혹은 출혈이 동반되면 비장 적출 고려

  ④ 혈소판 수치가 50,000/μL을 넘으면 자연분만이나 제왕 절개 모두 가능하며 경막 외 마취를위해서는 70,000/μL 이상의 혈소판을 유지

2. Heparin-induced thrombocytopenia (HIT)

1) 혈소판의 α 과립에 포함되어 있는 PF4 단백이 혈소판 활성화시 방출되어 heparin과 결합하여 복합체를 형성하고 이 복합체에 대한 자가항체에 의해 혈소판 감소증 및 혈전형성이 동반되기 때문에 다른 약물에 의한 혈소판 감소증과 구별되어야 함

2) Heparin을 투여 받은 환자의 약 2-3%에서 투여 5-14일 후에 발생하며 비분획형heparin을 사용한 경우 저분자량 heparin (low molecular weight heparin, LMWH)을 사용한 경우보다 발생률이 높음

3) 진단: heparin 투여와 관련된 혈소판 감소증(대개 20,000/μL 이상), 혈전증의 존재, 혈소판 감소증의 다른 원인이 없을 때 임상적으로 의심할 수 있고 HIT 항체 검사가 양성일 경우 진단할 수 있음

4) 치료: 즉시 heparin을 중단하고 직접 트롬빈억제제(Lepirudin, Argatroban)로 대체. LMWH의 사용은 교차 반응 때문에 권고되지 않음

5) Warfain과 같은 경구항응고제는 혈소판 수치가 정상이 된 후 사용해야 하며 direct thrombin inhibitor 와 최소 5일 이상 병용해야 함

3. Thrombotic microangiopathy (TMA)

* 혈전성 미세혈관병증(thrombotic microangiopathy - TMA)은

  • Thrombocytopenia

  • microangiopathic hemolytic anemia (MAHA) with fragmented RBCs (Schistocytes)

  • microvascular thrombosis 등을 특징으로 하는 질환군

    - Thrombotic thrombocytopenic purpura (TTP), Hemolytic uremic syndrome (HUS), atypical HUS

가 해당됨

- 대체로 PT, aPTT는 정상 소견이나, DIC가 동반되는 경우에는 이상 소견이 나타날 수도 있음

1) 혈전성 혈소판 감소성 자반증(Thrombotic thrombocytopenic purpura)

선천적 혹은 후천적인 요인으로 ADAMTS13의 결함으로서 분해가 되지 않은 비정상 거대 VWF multimer에 의해 초래되는 혈관병증. 이전에는 TTP와 HUS를 overlap syndrome이라고 함. 그러나 병인이 자세히 밝혀짐으로서 현재는 전혀 다른 질환으로 여겨지고 있음

(1) 혈전성 혈소판 감소성 자반증의 치료

① 혈장교환술(plasma exchange)이 도입된 이후 사망률이 95%에서 10-20%로 감소하였으며, 따라서 가장 중요한 치료방법은 혈장교환술(plasma exchange)임

② ADAMTS13에 대한 자가항체반응으로 인해 발병하는 특발성 TTP의 경우, 약물 요법은 ITP에서의 치료와 유사하다. 항체 반응을 억제하기 위한 스테로이드의 사용, 비장절제술, rituximab의 사용이 권장됨

③ 그 외에 vincristine, azathioprine, cyclosporine, cyclophosphamide 등이 사용되어 보고된 바가 있음

④ 최근 ADAMTS13에 대한 재조합 활성 형태로 생산이 되고 있으며, VWF에 대한 monoclonal antibody인 caplacizumab이 임상 연구에 사용되고 있음

⑤ 혈소판의 수혈은 큰 출혈이 동반되어 있는 경우에서만 선별적으로 적용, 혈소판 응괴에 대한 치료로서 항혈소판 제재를 사용할 수 있으나, 혈소판 감소증이 심한 경우는 출혈의 위험성이 있으므로, 급성기를 벗어나면 투여를 고려

2) 용혈요독증후군(atypical hemolytic uremic syndrome, aHUS)

(1) acute renal failure

(2) microangiopathic hemolytic anemia

(3) thrombocytopenia를 특징으로 함

① 주로 소아에서 호발하며 설사가 선행한다. 원인으로는 Escherichia coli O157:H7이 가장 흔함

② 치료는 주로 체액 유지 및 전해질 교정, 신기능 회복을 위한 보존적치료를 함. 약 5%에서 사망하며 10%에서 만성콩팥병증으로 진행

3) 비정형 용혈요독증후군(atypical hemolytic uremic syndrome, aHUS)

(1) Atypical HUS는 HUS와 비슷한 증상을 보인 환자의 10%에서 혈변이 선행되지 않은 환자군에서 STEC-HUS에 비해 높은 사망률을 보였던 환자군에서 연구가 이루어짐

(2) 가장 주된 병인은 여러 선행 감염과 같은 원인들이 과다한 보체의 활성화를 유발하는 것으로서 보체 조절 인자 중 H인자의 돌연변이에 의한 결함 혹은 H인자에 대한 자가항체가 원인인 경우가 흔함

(3) 그 외에도 H인자 관련 단백질-1, 인자I, 막보조인자단백(membrane cofactor protein, MCP), thrombomodulin, clusterin 등의 보체조절단백과 인자 B, C3의 돌연변이에 대해서도 보고됨

(4) 치료: Eculizumab은 막 공격 복합체인 말단 보체 C5b-9의 활성화를 억제하는 인간화 단클론항체로 2009년도 이후 atypical HUS 환자에게 성공적으로 사용되어 옴. 현재 Eculizumab의 사용이 여

의치 않을 경우, TTP와 유사한 방법으로 혈장교환술을 빨리 시행해야 함

IV. 혈액응고장애

1. 선천성 출혈장애

1) 혈우병(Hemophilia): most common inherited factor deficiencies

X 성염색체 연관 유전질환으로서 VIII인자 결핍(hemophilia A)과 IX인자 결핍(hemophilia B) 질환이 있으며, 드물게 FII (prothrombin), FV, FVII, FX, FXI, FXIII, fibrinogen 연관 질환이 있음

2) Von Willebrand's disease (vWD)

(1) vWD는 vWF의 결핍 또는 기능저하에 의해 혈소판과 혈관 사이의 상호작용에 이상이 생기는 비교적 흔한 유전적 출혈 질환

(2) PFA-100에 의한 혈소판 기능검사가 도움이 될 수 있으며 vWF 항원 수치(vWF:Ag), 리스토세틴 보조인자 활성도(vWF:Rco) 활성도, factor VIII 수치 등을 측정하여 진단

유형(type)	vWF 기능과 수		
제1형	기능: 정상 수: 부족		– 빈도: 전체 vWD 환자의 약 75% (가장 흔한 형태) – 특징: 심각한 부상이나 수술을 받지 않는 한 증상이 없는 경우가 대부분이며 이외 경미한 멍, 코와 잇몸의 출혈, 베었을 때 출혈이 지속되거나 여성의 경우 월경과다가 있을 수 있음
제2형	기능: 비정상 수: 정상	제2A형	– 빈도: 15~20% – 특징: vWF 단백질에 결함이 있어 multimer가 감소하여 혈소판과 vWF가 잘 결합하지 못함
		제2B형	– 빈도: 약 5% – 특징: 혈소판과 vWF의 결합이 손상된 혈관 벽이 아닌 흐르는 혈액 중에서 일어나 전체 혈소판의 감소를 일으킴
		제2N형	– 특징: vWF가 VIII인자를 운반하지 않아 결과적으로 VIII인자의 혈중 농도가 낮아지게 되어 견고한 응괴가 만들어지지 않음
		제2M형	– 특징: Multimer의 감소 없이 vWF 단백질에 결함이 있어 vWF와 혈소판과의 결합에 장애
제3형	수: 극히소량		– 빈도: 50만 명 중 1명 – 특징: 매우 드물지만 가장 심각한 증상을 보이는 유형으로 vWF가 극히 소량이며 vWF가 운반하는 VIII인자의 양 또한 매우 낮은 수준으로 떨어지게 되어 출혈이 자주 일어나게 되고, 적절한 치료를 받지 않으면 위험한 상황을 맞기도 함

2. 후천성 출혈장애

1) DIC 파종혈관내응고(Disseminated Intravascular Coagulation)

(1) 여러 선행 질환으로 인하여 발생한 전구응고물질로 인한 광범위한 혈관내 응고가 발생하여 조직 허혈, 혈소판 감소증, 응고 인자의 소모 및 이차적인 섬유소용해의 생성물로 인한 항응고 작용으로 인한 혈전증과 출혈을 특징으로 하는 병적 상태

(2) 혈소판의 말초 혈액에서 비면역학적 파괴가 일어나는 상황 중 비교적 흔하게 발생하는 상태로 다

양한 원인은 표 6-8-4와 같음

(3) DIC는 급성 또는 만성으로 발생할 수 있는데 급성의 경우 응고 인자들이 훨씬 많이 소모됨

(4) 혈액 응고인자의 감소와 섬유소원 및 섬유소가 용해될 때 유리되는 FDP의 증가는 주 증상인 출혈의 원인이 됨. 응고 기전의 활성화에 따른 섬유소 형성으로 혈전 증세가 유발되기도 함

(5) PT, aPTT가 혈액 응고인자의 감소로 인하여 연장, 대체로 혈소판수가 감소되어 있으며 말초혈액에서 schistocyte를 관찰할 수도 있음. 혈중 antithrombin-III가 감소하고 섬유소 분해 시에만 특징적으로 유리되는 D-dimer를 검사함으로써 FDP 증가의 특이도가 높아질 수 있음

(6) 치료: 일반적인 보조요법으로 쇼크, 탈수 및 산증에 대한 치료가 선행되어야 하며 이와 동시에 DIC를 유발한 원인을 찾아내어 교정해 주어야 함. 다음으로 DIC의 출혈 및 혈전증의 증세를 치료함. 출혈증세가 심하지 않고 검사소견이 양호하면 세심한 관찰만 필요하나 출혈증상이 심하고 혈소판, antithrombin-III및 응고인자의 감소가 심하면 이를 보충해 주어야 함. 혈소판은 혈소판 풍부혈장 또는 혈소판 농축액으로 50,000/μL 이상 유지시켜주고 섬유소원은 cryoprecipitate로 100 mg/mL이상 유지시켜줌. PT가 정상의 상한에서 2-3초 내에 들도록 FFP를 공급 해줌, DIC증세가 호전되지 않고 출혈이 심하거나 피부괴사, 사지 허혈증, 정맥혈전증이 나타나면 heparin 투여를 고려해야 하지만 출혈의 위험성이 크게 증가되기 때문에 금기증이 있을 때는 투여하지 않음

3. 과응고 상태(Hypercoagulable state)

• 체내에서 응고물질이 활성화되고 이를 억제하는 섬유용해계의 균형이 깨지면 과응고상태가 유발될 수 있고 이때 혈전증이 발생. 과응고상태를 유발하는 조건은 선천적 원인과 후천적 원인으로 나눌 수 있음

• 선천성 과응고 상태를 의심해봐야 할 조건

 - 45세 미만의 젊은 나이에 반복적 혹은 특별한 원인 없이 혈전증이 발생

 - 뇌정맥 등과 같이 혈전 발생이 드문 부위에 혈전증이 생긴 경우

 - 항응고제 투여 중에도 자주 발생하는 경우

 - 가족력이 있는 경우

1) 선천성 과응고 상태

(1) ATIII 및 protein C/S 결핍, Factor V leiden, Prothrombin gene mutation G20210A, PAI-1분비 증가, dysfibrinogenemia, MTHFR유전자 돌연변이 고호모시스테인혈증(hyperhomocysteinemia), 섬유소용해계의 선천적 이상이 선천성 과응고상태를 일으킬 수 있음

(2) 과응고 상태와 동반된 혈전증 환자에서 필요한 검사는 일차적으로 항트롬빈 III, C단백, S단백, 항cardiolipin antibiody, lupus anti-coagulant, 활성화 C단백 보조인자들을 검사하고 이차적으로 플라스미노겐, 플라스미노겐 활성인자, PAI-1 heparin 보조인자 II, 이상섬유소원혈증, factor XII, VIII, homocystein 수치등을 검사해 보아야 함

(3) 선천성 과응고 상태를 진단하면 환자 및 가족에게 재발의 위험성을 알리고 필요 시 치료와 예방요법을 시행함. 또한 후천적 혈전증의 합병증 및 치료에 주의를 기울임

2) 후천성 과응고 상태

(1) 임신과 경구 피임제 복용

임신 중에는 혈장량과 혈액점도가 증가하고 혈액응고의 활성화, 섬유소용해능의 감소 등에 의해 혈전증이 호발. 임신 말기에는 섬유소원, factor VII, VIII, IX, X, XII의 증가와 S단백 및 항트롬빈 III의 감소가 관찰. 경구 피임제를 복용해도 임신 말기와 유사한 혈액학적 변화가 생겨 혈전증의 발생이 증가

(2) 악성 종양

전체 악성 질환 환자의 5-15%에서 혈전증이 합병. 혈액 응고계의 항진이 동반

(3) 항인지질 증후군(anti-phospholipid syndrome, APA syndrome)

동맥이나 정맥혈전, 반복되는 자연유산, 혈소판 감소증, 신경학적 증상, 항 cardiolipin antibody 혹은 lupus anti-coagulant 양성 반응이 6개월 간격으로 2회 이상 확인되면 진단. β2-GPI (β2-glycoprotein I)와 프로트롬빈을 측정하여 진단에 도움을 받기도 함

3) 치료제

(1) LMWH

비분획형 heparin에 비해 출혈의 위험도가 적고 혈장 내 반감기가 더 길며 항응고작용의 예측이 가능. 비분획형 heparin의 부작용인 저혈소판증과 골다공증의 유발이 적음. 달테파린 (dalteparin), 나드로파린(nadroparin), 에녹사파린(enoxaparin), 틴자파린(tinzaparin) 등이 있음

(2) Warfarin

① 비타민 K 길항제로 작용하여 비타민 K 환원효소를 억제함으로써 간에서 합성되는 factor II, VII, IX, X, C단백 및 S단백의 합성을 억제. 경구로 5 mg부터 투여 시작, 36-48시간이 되면 비타민K 의존인자가 소멸되어 최대 효과를 나타냄. 수시로 PT INR을 모니터링하여 치료 수준에 안정적으로 도달하는 용량을 찾아야 하며, 안정적인 용량이 찾아지면 약 4주 간격으로 검사

② 투여 기간은 응고질환의 원인이나 상태에 따라 다름

(3) Direct thrombin inhibitor

① 주로 HIT의 치료로 사용하는 재조합 히루딘(Lepirudin)이 있음. 반감기가 약 1.5시간이고 신장에서 제거되므로 신기능에 이상이 있는 환자에게 사용시 주의를 요함. aPTT를 4시간 후에 측정하고 이후 aPTT를 1.5-2.5배가 되게 조절

② 이외에 사용할 수 있는 직접 트롬빈억제제로 Dabigatran, Argatroban과 Bivalirudin 등이 있음

(4) Direct factor Xa inhibitor

① Rivaroxaban이 수술 환자, 암환자에서의 VTE 치료 목적의 사용에 있어 1차 및 2차 예방 효과가 증명되어 사용되고 있음

② 그 외에도 Apixaban, Fondaparinux 등이 직접 Xa 억제재로 사용되고 있음

I. 서론

혈액 종양환자들은 질병 자체로 인한 골수 기능의 저하 이외에 화학 요법, 조혈모 세포이식등의 치료로 인해 심각한 조혈기능 장애와 면역능력 결함이 초래되어 정상적인 조혈기능을 회복하기 전까지 다량의 수혈이 필요함

II. 혈액 제제의 종류

헌혈로 얻어진 전혈(whole blood)은 원심분리에 의해 농축적혈구(packed red blood cells), 농축혈소판 (platelet concentrate) 및 신선 동결 혈장(fresh frozen plasma, FFP) 등의 혈액성분제제로 제조됨

표 6-10-1 혈액제제의 종류

	전혈	농축적혈구	혈소판	신선동결혈장	동결침전물
용량	456 ml	250 ml	50 ml (RDP) 250 ml (SDAP)	160 ml	20 ml
보관	4℃, 35일	4℃, 35일	22℃, 5일	-18℃, 1년	-18℃, 1년
표준투여량	1 U = 1 g/dL	1 U = 1 g/dL	1 U per kg	10~20 ml/kg	10 U
적응증	총혈액량의 25% 이상 출혈	-정상 혈액량의 빈혈 환자 -수술 중 1200ml 이상의 실혈	보험기준: 혈소판 5만 이하	-응고결함 교정 -쿠마린계 약제 (와파린)효과의 긴급보정 -TTP	-혈우병 A -vWD -피브리노겐 결핍 -DIC -XIII 결핍

*RDP, random donor platelet concentrate; SDAP, single donor apheresis platelet concentrate; TTP, thrombotic thrombocytopenic purpura; vWD, von Willebrand disease; DIC, disseminated intravascular coagulopathy

III. 헌혈

자원공혈(volunteer donations), 자가공혈(autologous donations)과 지정공혈(directed donations)이 있음

1) 자원공혈(Volunteer donation)

환자를 위해서 아무런 조건과 경제적 보상 없이 혈액 1 unit을 공여하는 것으로 17세에서 66세까지의 연령이어야 하며, 미성년자는 부모 또는 보호자의 동의가 있어야 함

2) 자가공혈(Autologous donation)

환자 자신의 혈액을 채혈, 저장하였다가 필요 시 수혈받는 것을 의미

3) 지정공혈(Directed donation)

특정 수혈자를 대상으로 공혈 하는 것으로, 지정 수혈이 금기가 되는 경우인지 반드시 확인해야 함

표 6-10-2 지정 수혈이 금기인 경우

공여자	수혜자	수혜자의 임상적 특성
남편 남편의 혈족	부인	가임기
혈족	가족	조혈모세포이식 고려 대상
아버지	자식	신생아 용혈성 질환

IV. 적혈구 수혈

전혈에서 혈장을 제거하여 제조한 농축적혈구의 용량은 190 mL 또는 250 mL로, 냉장보관 해야 하며 CPDA-1 항보존제를 사용하고, 유효기간이 35일임

1. 수혈전 검사

1) ABO 및 Rh

2) 비예기항체검사(antibody screening test)

ABO 혈액형에 대한 anti-A나 anti-B 항체들처럼 자연적으로 존재하는 항체들과는 달리, 비예기항체 들은 ABO 혈액형 이외 항원들에 대한 항체로, 2-3개의 선별혈구(screening cells)을 이용함. 항체선별 검사에서 양성이 나오면 10-18개의 동정혈구(panel cells)들과 항체동정검사(antibody identification test)를 시행

3) 교차시험(crossmatching)

환자 혈청과 혈액제제 적혈구 사이의 응집 여부를 보여주는 주교차시험(major crossmatching)과 환자 적혈구와 혈액제제 혈장 사이의 응집 여부를 보여주는 부교차시험(minor crossmatching)으로 구분함. 부교차시험의 경우, 비예기항체에 의한 수혈 부작용이 일어날 확률은 매우 적기 때문에 대부분의 혈액은행에서는 주교차 시험만 시행함

2. 수혈

1) 수혈 직전에 환자 ID와 혈액 제제의 ID가 일치하는지 철저히 확인함
2) 수혈 부작용은 수혈 시작 후 15분 이내에 나타나는 경우가 많으므로 수혈이 시작된 뒤10-15분 동안은 환자를 세밀히 관찰. 활력 징후도 처음 두 번은 15분마다, 그 후로는 30분마다 측정함
3) 수액은 생리식염수(normal saline)만을 혈액제제와 함께 투여할 수 있음

4) 대부분의 경우 1-3 단위의 혈액을 수 시간에 걸쳐 천천히 투여하기 때문에 blood warmer가 불필요하나, 차가운 혈액을 분당 100 mL 이상의 속도로 수혈할 경우는 blood warmer를 사용함

5) 혈액은 세균 증식의 위험성 때문에, 수혈이 4시간 이상 소요될 경우는 혈액을 나누어 냉장고에 보관함

V. 혈소판 수혈

정상인의 혈소판 수명은 약 9.5일이며, 1일 소요량은 손상된 혈관 내피세포에 대한 plugging을 형성하는데 사용되는 양으로 단위 면적(mm^3)당 7,000-10,000개로 일정함. 반면, 혈소판 감소환자의 경우 전체 혈소판수에 대해 소모되는 혈소판 수의 상대적 비율의 증가로 되어 혈소판의 수명이 단축됨. 이외에도 혈소판 소비증가(sepsis, DIC, endothelial cell activation), 빈번한 수혈로 인한 불응성(refractoriness, 표 6-9-3), 비장 종대 등도 혈소판 수명 단축의 원인이 됨

표 6-10-3 Random donor platelet vs Single donor platelet

	Random donor platelet (RDP)	Single donor platelet (SDP)
1회 수혈량	6–8 U(1 U per 10 kg)	1 U
quality	5×10^{10} per 1 U	3×10^{11} per 1 U
equivalent dose	6 U	1 U
수혈예상 증가	5,000 to 10,000/mm^3	30,000 to 60,000/mm^3
장점	가용성 증대	동종감작 ↓ 수혈매개질환 ↓
단점	동종감작 ↑ 수혈매개질환 ↑	완전수혈 실패 가능성 채혈을 위한 시간소요
노출위험율 산정(수혈 10회)	6 U × 10회 = 60명 혈액에 노출	1 U × 10회 = 10명 혈액에 노출

1. 혈소판 공급원

1) 혈소판 농축액(random donor platelet)

전혈 채혈 후 8시간 이내에 제조하며, 실온에서 보관함. 농축액 1 unit에는 약 5×10^{10}개의 혈소판이 존재하며, 용량은 50-60 mL임. 채혈된 전혈에서 만들어지므로 혈소판가용성이 증대되나, 동종감작 (alloimmunization)과 수혈 매개 질환의 위험성이 상대적으로 더 큼

2) 단일공혈자 혈소판(single donor platelet)

1 unit 내에 약 3×10^{11}개의 혈소판이 존재하며, 용량은 200-250 mL임. 단일공혈자 혈소판 1 unit은 혈소판농축액 6 units와 동일한 용량임. 단일공혈자 혈소판은 환자가 적은 수의 공혈자에 노출되어 동종 감작과 수혈 매개 질환의 위험성이 감소되며 생체 내 회복률은 혈소판농축액에 비해 좋으나, 혈소판 성분 채집에 2시간이 소요되고 공혈자의 가용성이 떨어짐

표 6-10-4 혈소판 수혈 불응성의 원인

원인	치료
면역학적 원인	
HLA 동종항체로 인한 동종면역반응	HLA 적합 혈소판
혈소판 특이항체	혈소판 특이 항체 적합 혈소판
약물에 대한 항체	관련 약제 중단
자가항체	면역글로부린, 코르티코스테로이드, 비장적출술
비면역학적 원인	
비장종대	원인 질환을 치료
약물 (amphotericin B 등)	가능하다면 관련 약제 중단
패혈증	원인 질환을 치료
파종혈관내응고 (DIC)	원인 질환을 치료

2. 혈소판의 저장

1) 실온에서 보관

2) 특수한 용기에 저장하여 agitator나 rotator에 보관할 경우 5일간 보관 가능

3. 혈소판 수혈 후 반응 평가

1) 70 kg의 성인의 경우 혈소판 농축액 1 unit을 투여하면 혈소판 수가 5,000-10,000/mL 증가됨. 수혈 전 필요한 혈소판 양은 아래와 같은 수식으로 계산

2) 반응평가

임상적으로 출혈 중단 여부나 수혈 후 혈소판 수 증가 유무로 반응 및 불응성 여부를 평가

4. 혈소판 수혈 원칙

1) 일회 수혈량은 6-8 units (체중 10 kg당 1 unit)이며, 단일공혈자 혈소판은 혈소판 농축액 6 unit에 해당

2) 예방적 수혈을 원칙으로 함. 예방 목적의 혈소판 수혈량은 치료 목적의 혈소판 수혈량과 동일

3) 환자 개개인의 임상적 상황에 맞는 수혈을 실시함. 예를 들어 재생 불량성빈혈의 경우 예방적으로 혈소판 수를 10,000/mL로 유지하지만 10,000/mL 이하로 저하되어도 출혈성 소견이 없으면 수혈하지 않음. 그러나, 혈소판 소비가 증가되는 상황에서는 혈소판 수를 20,000/mL 이상으로 유지

4) 수혈로 인한 이식 편대 숙주반응(graft-versus host disease, GVHD)을 예방하기 위해서 혈액에 방사선 조사를 실시하고, 동종감작과 수혈매개질환의 빈도를 줄이기 위해서 백혈구제거용 필터 사용

5) 수혈 요구량이 증가하면 일회 수혈량을 늘리지 말고 수혈 간격을 좁힘

6) 많은 양의 혈소판을 수혈할 경우 순환 과부하에 유의

7) 가능한 30분 이내에 수혈을 마쳐야 함

8) 환자가 젊다면 조혈모세포 이식의 대상이 될 가능성이 있으므로 가족 내 수혈은 금함

9) 미검사성분 수혈은 실시하지 않는 것을 원칙으로 함

5. 혈소판 수혈의 상대적 금기(Relative contraindication)

1) 출혈경향을 보이지 않는 비교적 안정적인 혈소판수혈 불응 환자

2) 출혈경향을 보이지 않는 비교적 안정적인 thrombotic thrombocytopenia purpura (TTP) 환자

3) 헤파린 유도 혈소판감소증 환자

VI. 수혈 부작용

1. 수혈 이상 반응(Transfusion reaction)

1) 비용혈발열(Febrile non-hemolytic transfusion reaction)

(1) 백혈구 혹은 혈소판 혹은 림프구에 대한 항체가 원인이 되며, 해열제를 사용함

(2) 한 번이라도 비용혈성 발열성 부작용이 있었던 경우에는 백혈구 제거용 필터를 사용하여 예방함

2) 알레르기반응(Allergic reaction)

항히스타민제를 투여하고 15-30분 후에 다시 수혈을 개시

3) Acute hemolytic transfusion reaction

ABO 혈액형 불일치 수혈이 가장 큰 원인이 생리식염수와 furosemide를 투여하여 소변량을 시간당 100 ml 이상으로 유지해야 함

2. 감염

Hepatitis B, hepatitis C, CMV, and HIV 감염

3. 그 외의 부작용

1) 동종감작(Allo-immunization)

혈액제제 내에 포함된 백혈구가 그대로 수혈되면, 환자와 공여자간의 서로 다른 HLA에 의해 anti-HLA 항체가 형성됨. 이 항체는 해당 HLA를 가지고 있는 혈소판이 수혈되면 수혈된 혈소판을 파괴하여, 혈소판 수혈 불응증이 생길 수 있음

2) 수혈성 이식 편대 숙주 질환

수혈을 통하여 주입된 공혈자의 림프구가 면역 결핍된 환자들에서 수혈성 이식 편대 숙주 질환을 일으킬 수 있음. 동종조혈모세포이식에서 발생하는 이식편대숙주질환과 달리 골수자체가 면역학적 공격의 대상이 되기 때문에 한번 발생하면 치료가 거의 불가능하며 대부분의 환자가 사망하게됨. 이를 예방하기 위해서는 방사선조사(gamma irradiation, 2,500 cGy)가 가장 효과적임

3) 수혈성 헤모시데린 침착증

4. 수혈 부작용 위험도(표 6-10-5 참고)

표 6-10-5 Risk of transfusion complications

	Event	Frequency(episodes: Units)
Transfusion reaction(TR)	febrile non-hemolytic TR	1~4:100
	allergic	1~4:100
	delayed hemolytic TR	1:1,000
	transufsion-related lung injury	1:5,000
	acute hemolytic TR	1:12,000
	fatal hemolytic TR	1:100,000
	anaphylatic reaction	1:150,000
Infection	hepatitis B	1:66,000
	hepatitis C	1:103,000
	HIV-1	1:676,000
	HIV-2	none reported
	HTLV-I and II	1:641,000
	malaria	1:4,000,000
Other complications	RBC allosensitization	1:100
	HLA allosensitization	1:10
	graft-versus host disease	rare

VII. 특수한 상황에서의 수혈

1. 조혈모세포이식

조혈모세포이식 전에는 가능한 필요한 경우에만 수혈하여 이식 전 동종면역의 빈도를 줄이는 것이 중요함. 특히 중증 재생불량성빈혈의 경우는 이식전의 수혈량이 많으면 생착 부전의 빈도가 높음. 또 친족에게서 공혈을 받는 것을 원칙적으로 금해야 함. 이식 전 FFP를 제외한 모든 혈액제제는 수혈로 인한 이식 편대 숙주 반응을 예방하기 위해서 2,500 cGy의 방사선조사를 실시하고, 동종감작과 수혈 매개 질환의 빈도를 줄이기 위해서 백혈구제거용 필터를 사용

* ABO 혈액형 부적합조혈모세포이식

ABO 주부적합이식(major ABO incompatibility)은 이식 환자의 혈장내에 공여자에 대한 ABO 항체가 존재하는 경우이고, ABO 부부적합이식(minor ABO incompatibility)은 이식 공여자의 혈장 내에 환자에 대한 항체가 존재하는 경우임. ABO 주부적합 이식시에는 공여자의 조혈모 세포 속에 포함 되어 있는 적혈구가 그대로 환자에게 주입되면, 환자의 혈장내에 존재하는 anti-A 또는 anti-B에 의해 용혈성 부작용이 발생해 주입전에 적혈구를 제거해야함. ABO 부적합 이식시에는 부적합 종류와 이식 후의 단계에 따라 수혈 혈액형이 다르므로 표 6-9-5를 참조하여 수혈함

표 6-10-6 ABO 부적합 이식에서의 수혈

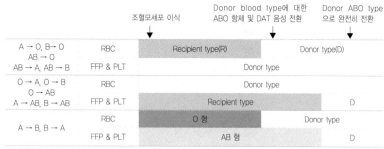

		조혈모세포 이식	Donor blood type에 대한 ABO 항체 및 DAT 음성 전환	Donor ABO type 으로 완전히 전환
A → O, B → O AB → O	RBC	Recipient type(R)		Donor type(D)
AB → A, AB → B	FFP & PLT	Donor type		
O → A, O → B O → AB	RBC	Donor type		
A → AB, B → AB	FFP & PLT	Recipient type		D
A → B, B → A	RBC	O 형	Donor type	
	FFP & PLT	AB 형		D

Donor ABO→ Recipient ABO type

표 6-10-7 수혈 부작용 위험도

Event	Frequency (episodes: units)
발열반응(Febrile non-hemolytic TR)	1~4 : 100
알레르기반응	1~4 : 100
지연용혈수혈부작용(Delayed hemolytic TR)	1 : 1000
수혈관련급성폐손상(TRALI)	1 : 5000
급성용혈수혈부작용(Acute hemolytic TR)	1 : 12000
치명적용혈수혈부작용(Fatal hemolytic TR)	1 : 100000
아나필락시반응	1 : 150000
B형 간염	1 : 66000
C형 간염	1 : 103000
HIV-1 감염	1 : 676000
HTLV-I/HTLV-II 감염	1 : 641000
말라리아	1 : 4000000
RBC 동종감작	1 : 100
HLA 동종감작	1 : 10
수혈에 의한 이식편대숙주병	rare

*TR, transfusion reaction; TRALI, transfusion-related acute lung injury

2. 대량수혈

일반적으로 환자의 총혈액량 이상을 24시간 이내에 수혈하는 것을 말함

(1) 조직에 필요한 산소를 공급하는데 가장 중요한 요인은 적절한 혈류와 혈압 유지, 그리고혈색소의 농도이므로 충분한 양의 결정질액(crystalloid) 또는 혈액제제를 공급하여 저용량의 shock을 방지함

(2) 혈소판 수치는 최소 50,000/mL 이상을 유지하는 것이 좋음. 다발성 손상이나 중추신경계 손상 환자에서는 100,000/mL 이상을 유지하는 것이 권장되며 대량 수혈시 혈소판 감소는 주입된 혈액제제 혹은 수액제제에 의한 희석효과 보다는 DIC나 저체온증으로 인한 혈소판 기능 부전인 경우가 많아 blood warmer 등의 사용으로 체온을 유지하는 것이 중요함

(3) 농축적혈구와 결정질액만 수혈할 경우 혈액응고인자가 감소 될 수 있음. 실혈량이 총 혈액량에 가까
우면 FFP 수혈을 고려해야함. 대부분의 응고 인자 결핍은 FFP만으로도 교정 할 수 있지만, 섬유소원
의 농도가 100 mg/dL 이하로 극히 낮을 경우는 동결침전제제(cryoprecipitates)를 수혈함

(4) 혈액제제의 항응고제인 구연산은 이온화 칼슘과 결합되어 저칼슘혈증을 일으킬 수 있음. 이온화 칼
슘치가 정상의 50% 이하로 떨어지면 칼슘을 보충하는 것이 좋음

3. 후천성 출혈성 장애에서의 수혈

1) 간질환

(1) 간질환에서는 응고 인자 생성부족, fibrinolysis, 혈소판 감소등의 복합적인 문제가 발생됨.

(2) 혈소판수가 50,000/mm³ 이하로 감소하면 혈소판 수혈을 섬유소원 수치가 100 mg/dL 이하로 감
소되면 FFP나 cryoprecipitates를 수혈함. PT 및 aPTT가 연장되어 있으면 Vit-K 10 mg을 3일간 피
하주사하고, VII 인자가10% 이하이거나 다른 응고 인자가 50% 이하이면 FFP를 수혈

2) 요독증

혈소판 기능이상으로 출혈성 경향을 보이므로 혈소판 기능을 항진시키기 위해 헤마토크릿을 30% 이
상 유지하고, desmopressin (DDAVP) 0.3 ug/kg을 정맥 혹은 피하주사함

3) DIC

(1) 미세혈관내 섬유소 형성이 지속되면 혈소판과 섬유소원, factor V, VIII 인자가 소모됨

(2) 혈소판 수가 50,000/mL 이하로 감소되면 혈소판 수혈을 섬유소원 수치가 100 mg/dL 이하로 감
소되면 FFP나 cryoprecipitates를 수혈하여, 혈소판 수는 50,000- 75,000/mL, 섬유소원 100 mg/
dL 이상을 유지

4) Warfarin 투여에 따른 응고 이상

(1) Warfarin의 투여된 용량과 출혈부위에 따라 다르지만 보통 Vitamin-K, 프로트롬빈 복합체 또는
FFP를 투여

(2) 뇌 출혈 등의 경우 프로트롬빈복합체 20-25 unit/kg를 투여하거나 FFP를 600-1,000 mL 수혈해도
좋으나, factor II, VII, X 및 IX 인자가 농축된 프로트롬빈복합체가 더 효과적임

(3) 경미한 출혈이나 단순히 INR 교정을 위해서는 warfarin을 중단하고, Vitamin-K (0.5-2.5 mg)를 주
사하거나 경구 투여(비경구 투여 보다 3배 이상의 용량)하면 12시간 내에 교정됨. 심한 출혈의 경
우는 warfarin을 중단하고 Vitamin-K 5 mg을 피하주사 함

5) 헤파린 투여에 따른 출혈

헤파린 투여에 따른 출혈을 호전시키려면 protamine sulfate를 10분에 걸쳐 천천히 정맥주사함.
Protamine sulfate 1 mg이 헤파린 100단위를 중화시킬 수 있음

I. 정의

악성혈액질환 또는 골수기능부전 환자의 치료를 위해서 공여자의 골수, 혈액 또는 제대혈로부터 조혈모
세포를 채취해서 환자에게 주입하는 방법으로 이식 후에는 공여자 유래의 조혈기능 및 면역 기능이 회복됨

II. 이식의 종류

1. 공여자의 종류에 의한 분류

syngeneic, autologous, allogeneic (related-matched, related-haploidentical, or non-related) HSCT

2. 조혈모 세포원의 종류에 의한 분류

bone marrow (BM), peripheral blood stem cells (PBSC), and umbilical cord blood (UCB), and fetal liver
or spleen transplantation

III. 이식준비

1. 환자 선택

1) Allogeneic HSCT 적응증

(1) Primary immunodeficiency syndrome

(2) Severe aplastic anemia, thalassemia, Sickle cell anemia

(3) Inborn error of metabolism

(4) Chronic myeloid leukemia

(5) Acute myeloid leukemia and acute lymphoblastic leukemia

(6) Myelodysplastic syndrome and related diseases

(7) Paroxysmal nocturnal hemoglobinuria

(8) Multiple myeloma

2) Autologous HSCT 적응증

(1) Proved benefits in randomized controlled trials

    ① Relapsed non-Hodgkin's lymphoma

    ② Multiple myeloma

(2) Probable benefit

    ① Relapsed Hodgkin's lymphoma

    ② Acute myeloid leukemia in CR1

    ③ Acute lymphoblastic leukemia in CR1/CR2 (esp. adult)

    ④ Relapsed testicular cancer

(3) Possible benefit

    ① Disseminated breast/lung/colon cancer

    ② Other solid tumor (i.e. Neuroblastoma)

    ③ Severe autoimmune diseases

3) 이식시기

항암제 또는 종양관련 특이 약제를 투여하여 최소 잔류암(i.e. complete remission) 상태를 만들어놓고 이식을 하여야 재발이 적고 치료관련 합병증도 적음. 백혈병의 경우 관해상태의 급성백혈병 또는 만성기의 만성백혈병 상태에서 이식을 시행하는 것이 이식 후 생존을 향상시킴. 재생 불량성 빈혈의 경우에는 이식 전에 투여된 수혈양이 이식의 결과에 영향을 주며 특히 가족간의 수혈은 거부 반응의 발생 빈도를 높이므로 피해야 함

4) HSCT에 대한 국내 보험 기준: 연령 기준은 만 65세 미만이며 질환별 기준이 상이함

2. 공여자 및 이식편(graft) 종류의 선택

1) 주 조직 적합성 복합체(major histocompatibility complex, MHC)

조직 간의 적합성을 면역학적으로 인식하는데 중요한 역할을 하는 유전자로 펩타이드 항원을 결합하여 T 림프구에 전달. 사람에서는 MHC 유전자를 human leukocyte antigen (HLA)라고 함. 동종이식의 성공률을 높이기 위해서는 환자와 공여자 사이에 HLA class I (A, B, C)과 II (DR)를 typing 하여 일치하여야 함. 타인간 이식의 경우 HLAL class II (DP, DQ)를 추가로 일치시키는 경우도 있으나 본 센터에서는 HLA A, B, C, DR match 유무로 공여자를 선택(Sequence Based Tying 사용; SBT법)

2) BM와 비교한 PBSC의 차이점

(1) 충분한 양의 조혈모 세포를 채집할 수 있음(여러 날 동안 채집이 가능)

(2) 이식 후 환자의 회복이 빠름(rapid neutrophil and platelet recovery)

(3) 공여자의 경우 전신 마취를 통한 수술적 조치를 피할 수 있음(헌혈과 같은 방법으로 채집)

(4) 만성 이식편대숙주질환이 더 많이 발생함

(5) 급성 이식편대숙주질환과 발생과 전체 생존율은 BM과 비교하여 큰 차이가 없음

(6) 재생 불량성 빈혈에서는 BM을 graft source로 선호

Ⅳ. 이식 전처치(Conditioning Regimen)

1. 동종 HSCT (Allogeneic HSCT)

전처치를 통해 환자의 면역을 억제하여 이식 거부반응을 예방하고 생착(engraftment)을 촉진하는 것이 주된 목적임. 이식 전에 잔존 암세포를 최소화시키 위해서 고강도 전처치를 주로 시행하나 동종 이식은 이식편대 항종양효과(graft-versus-tumor effects)를 통한 잔존 암세포제거가 주된 목적이므로 고령 환자나 동반 질환이 문제가 되는 경우는 전처치 강도를 약하게 하여 이식이 가능함

2. 자가 HSCT (Autologous HSCT)

가능한 암세포를 제거하는 것이 전처치의 주된 목적이며 이식편대 항종양효과 및 이식편대숙주병(graft-versus-host disease, GVHD)이 없으므로 면역 억제 효과는 필요 없음

3. 본 센터에서 주로 사용하는 전처치

Regimen	abbreviation	Total Dose	Remarks
CY/TBI	cyclophosphamide	120 mg/kg	acute leukemias
	total body irradiation	1,200~1,320 cGy	standard in CR
BU/CY	iv busulfan (busulfex)	12.8 mg/kg/day(iv)	TBI unavailable
	cyclophosphamide	120 mg/kg	
BU/TBI	iv busulfan (busulfex)	6.4 mg/kg	advanced
	total body irradiation	1,200 cGy	myeloid leukemia
TAM	total body irradiation	1,200 cGy	acute leukemias
	cytosine arabinoside	12 g/m²	standard in CR
	melphalan	140 mg/m²	
Flud/BU	fludarabine	150 mg/m²	sibling alloHSCT in MDS
	iv busulfan (busulfex)	6.4 mg/kg or 12.8 mg/kg	
Flud/Bu/ATG	fludarabine	180 mg/m²	unrelated HSCT in MDS
	iv busulfan (busulfex)	6.4 mg/kg or 12.8 mg/kg	
	ATG	5.0 mg/kg	
Flud/CY/ATG	fludarabine	180 mg/m²	sibling alloHSCT in SAA
	cyclophosphamide	100 mg/kg	
	ATG	10.0 mg/kg	
low dose TBI/CY	total body irradiation	800 cGy	unrelated HSCT in SAA
	cyclophosphamide	120 mg/kg	
Flud/MEL	fludarabine	150 mg/m²	miniHSCT in ALL
	melphalan	140 mg/m²	
TBI/Ara-C/Mel	total body irradiation	1,000 cGy	autoHSCT in
	cytosine arabinoside	6~9 g/m²	acute leukemias
	melphalan	100 mg/m²	
MEL	melphalan	200 mg/m²	autoHSCT in myeloma
Flud/Bu/low dose TBI	fludarabine	150 mg/m²	miniHSCT in AML
	iv busulfan (busulfex)	6.4 mg/kg	
	total body irradiation	400 cGy	

Regimen	abbreviation	Total Dose	Remarks
Flud/Bu/TBI/ATG	fludarabine	150 mg/m²	Haploidentical HSCT in AML
	iv busulfan (busulfex)	6.4 mg/kg	
	total body irradiation	800 cGy	
	ATG	5.0 mg/kg	
Flud/Bu/TBI/ATG	fludarabine	150 mg/m²	Haploidentical HSCT in MDS
	iv busulfan (busulfex)	6.4 mg/kg	
	total body irradiation	400 cGy	
	ATG	5.0 mg/kg	

V. 조혈모세포 수집 및 주입(Stem Cell Collection and Infusion)

1. BM harvest

1) 채취부위: bilateral access of the posterior iliac crests
2) 합병증: hypotension/blood loss, cardiac arrest, anesthesia reactions, pain, hemorrhage, infection and embolism

2. PBSC collection

1) 동종 HSCT (steady state mobilization): 공여자에게 G-CSF (10 μg/kg/day)를 4일 투여 후 D5-6에 apheresis를 실시하여 단핵구를 채집
2) 자가 HSCT: 이식 전 항암치료 기간 동안 항암제(e.g. standard chemotherapy 혹은 cyclophosphamide 3 g/m²) 투여 후에 백혈구가 nadir에 들어가면 G-CSF를 투여. G-CSF 투여 후 백혈구가 증가하게 되면 말초혈액의 CD34 count를 계산하여 채집 시점을 정함
3) 합병증: infection, anaphylaxis, hypocalcemia, thrombocytopenia, edema

3. 조혈모세포 주입

수집된 조혈모세포(BM 또는 PBSC)는 혈액제제이므로 일반 수혈 시에 고려할 사항들을 염두에 두어야 하며 특히 방사선 조사 또는 iv infusion pump를 사용하는 것은 금기

VI. 이식 후 면역조절
(Post-graft Immunomodulation, GVHD Prophylaxis)

1. 이식편대숙주질환(graft-versus-host disease, GVHD) 고위험군

주조직적합 항원 불일치이식, 고령의 환자, 임신 경력이 있는 여자 공여자, 강도 높은 전처치 등

2. 이식편대숙주질환 예방

1) cyclosporine (CsA) + methotrexate (MTX): 형제간 HLA일치 이식

(1) CsA: D-1, 5 mg/kg, civ; D0-D+20, 3 mg/kg, civ; if ANC 1,000/mm^3 and tolerable diet, 6 mg/kg po with tapering until 3 or 6 months

(2) MTX: 10 mg/m^2 iv D+1, +3, +6, and +11 (with leukovorin rescue)

2) tacrolimus (FK506) + MTX: 타인간 이식, 가족간 HLA불일치 이식

(1) FK506: D-1-D+20, 0.03 mg/kg, civ; if ANC 1,000/mm^3 and tolerable diet, 0.12 mg/kg po with tapering until 3 or 6 months

(2) MTX: 5 mg/m^2 iv D+1, +3, +6, and +11 (with leukovorin rescue)

3) CsA + MMF

(1) CsA: the same schedule above;

(2) MMF: 30 mg/kg/day po D0~D40

4) Anti-thymocyte globulin (Thymoglobulin): 급성보다는 만성 이식편대숙주병 예방효과가 탁월하며 주로 타인간 이식, 가족간 HLA불일치 이식에서 사용함. 용량, 용법은 이식 종류에 따라 다양

VII. 이식 후 조기에 발생하는 합병증

1. 치료 관련 사망(treatment-related mortality)

1) 동종 HSCT: sibling 10-30%; unrelated 20-40%; haploidentical 10-20%

2) 자가 HSCT: 5-10%

2. 급성 이식편대숙주질환(acute graft-versus-host disease, aGVHD)

1) 주로 이식 후 100일 내에 발생

(1) HLA-matched sibling (40-60%), unrelated (50-70%)

(2) 주요 발생 장기(피부, 위장관, 간)

2) Clinical staging of individual organ systems

stage	skin	liver	gut
1	rash <25% body surface	TB, 2-3 mg/dl	diarrhea, 500-1,000 ml/day
2	rash 25-50% body surface	TB, 3-6 mg/dl	1,000-1,500 ml/day
3	>50% body surface	TB, 6-15 mg/dl	>1,500 ml/day
4	general erythroderma or desquamation, bulla	TB, >15 mg/dl	pain ± ileus

3) Overall grade

grade	skin	liver	gut
I	+1 to +2	0	0
II	+3 or	+1 or	+1
III	–	+2 to +3 or	+2 to +4
IV	+4 or	+4	–

4) 치료

(1) 일차 치료: methylprednisolone, 1mg/kg/day (skin)~2 mg/kg/day (liver or gut) iv

(2) 일차 치료 후 3일째 progressive disease이거나 7일째 stable disease, 그리고 14일째 complete remission을 얻지 못하면 2차 치료약제(roxulitinib, mycophenolate mofetil, monoclonal antibody (antiTNF-α, anti-IL2R), extracorporeal photopheresis) 고려

3. Hepatic sinusoidal obstructive syndrome (SOS, 과거 venoocclusive disease (VOD))

1) 진단

(1) 신체검사상 복수, 황달, 간 증대, 우상복부통증, 체중증가

(2) Doppler US: GB wall thickening, decreased portal venous flow or increased hepatic arterial RI index

(3) 감별진단: 패혈증, 간진균성질환, 바이러스간염, aGVHD, CHF, drugs (bactrim, fluconazole, itraconazole, MTX, or CsA)

2) 치료

(1) Fluid restriction (하루 1 L 이하로 제한), diuretics

(2) Avoid toxic drugs and modify immunosuppressive agents

(3) tissue plasminogen activator, 10~15 mg/day for 4 hours, at least 5 days

(4) Defibrotide, 10 mg/kg in 2hr q 6hr IV at least 14days (severe VOD에서 보험 적용)

4. Engraftment failure (rejection)

1) documentation of engraftment: hemogram (ANC 500/mm3 on D+28), molecular analysis (DNA finger print), cytogenetics (FISH of sex chromosome), typing of RBC

2) 원인: inadequate quality/quantity of stem cells, presensitization, HLA incompatibility, mild intensity of immunosuppression, T-cell depletion

3) 치료: hematopoietic growth factor, re-infusion of donor stem cells

5. Others

Post-transplant thrombotic microangiopathy, hemorrhagic cystitis, capillary leak syndrome, engraftment syndrome, diffuse alveolar hemorrhage, idiopathic pneumonia syndrome, multiple-organ dysfunction syndrome, post-transplant lymphoproliferative disorder, etc.

6. 감염 합병증 예방

1) Gut decontamination: Ciprofloxacin

2) Fungal prophylaxis: Itraconazole or micafungin

3) Viral prophylaxis: Acyclovir and CMV monitoring for preemptive treatment

4) PCP prophylaxis: Bactrim after engraftment

VIII. 이식 후 후기에 발생하는 합병증

1. 만성 이식편대숙주질환(chronic graft-versus-host disease, cGVHD)

1) 최근 이식기법이 다양해지면서(저강도전처치 이식 등) 100일을 기준으로 aGVHD와 cGVHD를 나누는 전통적인 기준의 문제점이 대두됨. 이에 NIH에서 aGVHD와 cGVHD의 특징적인 임상증상을 정의하여 이에 따라 시기에 관계없이 급성과 만성을 구분하자는 제안을 하였고 grading system도 각 장기별 scoring system을 개발하여 mild, moderate, severe의 3단계 중증도 분류법을 새롭게 제안함.

2) 치료

(1) 1차 치료제

① Mild: Treat external manifestations with topical agents (Table 5)

② consider additional Prednisolone (high risk features: thrombocytopenia, progressive skin, etc)

③ Moderate and severe: Prednisolone 1 mg/kg

(2) 2차 치료제: 1차 치료에 반응이 없는 경우 추가 가능, 국내 보험적용 가능 약제는 없음

Iburutinib, Ruxolitinib, Mycophenolate mofetil, Imatinib, Rituximab, Azathioprine, Thalidomide, mTOR inhibitor (i.e. sirolimus), Rituximab, Etanercept, AUVA, PUVA, Imatinib, etc

2. 비종양성 후기 합병증

various ocular complications (cataract, keratoconjunctivitis), endocrine dysfunction (hypothyroidism, infertility, growth retardation), avascular necrosis of hip, osteoporosis, infection/immunodeficiency, bronchiolitis obliterance

3. 종양성 후기 합병증

post-transplant lymphoproliferative disorders, non-hematological malignancies

7

종양내과

I. 종양환자 치료의 일반원칙

암은 육안적, 영상학적, 병리학적, 기타 임상적인 판단을 종합하여 진단. 암의 중요한 치료 방법은, ① 수술, ② 국소시술이나 요법, ③ 항암약물치료, ④ 방사선치료 등이며, 환자 개개인의 상태에 맞추어 치료함. 특히 항암약물치료를 시행하는 경우 암종과 약제에 따른 특성을 이해하여야 하며, 또한 환자의 수행능력, 약제의 반응평가, 독성평가 등에 대해서도 이해하여야 함

II. 자기 수행 능력(performance status)의 평가

표 7-1-1 중요한 예후 예측인자

Karnofsky performance status		ECOG (or WHO)	
100	정상, 증상호소 없음	0	제한없이 정상 활동 가능(증상이 없는 경우)
90	정상활동수행, 미미한 질병 징후/증상	1	신체적으로 격렬한 활동은 제한 보행가능 가벼운 일 가능
80	정상활동 하는데 힘이 들며, 약간의 질병 징후 및 증상 있음		
70	스스로 돌볼 수 있으나 정상 활동/일은 할 수 없음	2	보행가능. 자신을 돌보는 모든 일은 가능. 낮 시간의 50% 이상은 일을 할 수 없음
60	때때로 도움필요, 대개 스스로 돌볼 수 있음		
50	상당한 도움 필요, 자주 의료적 처치 필요	3	제한적으로만 자신을 돌볼 수 있음. 낮 시간 동안의 50% 이상을 누워 있거나 앉아 있어야 함
40	신체장애, 특수한 치료 및 도움이 필요		
30	심각한 신체장애 생명을 위협하지는 않더라도 입원이 필요		
20	매우 악화, 입원과 적극적 보조 치료가 필요	4	완전히 무력, 자신을 전혀 돌볼 수 없음 전적으로 침대나 의자에 누워 있어야 함
10	빈사상태		
0	사망	5	사망

* 일반적으로 ECOG 0, 1, 2 / Karnofsky performance status scale 60점 이상에서 항암치료를 고려하는 것이 원칙

III. 종양반응평가(Tumor Response Evaluation)

항암 치료 시에는 2-3주기 간격으로 종양의 반응을 평가하면서 안정병변 이상을 유지 시에 치료를 지속함. 반응평가방법은 WHO criteria와 RECIST criteria가 대표적이고, 2018년 현재는 주로 Response evaluation criteria in solid tumors (RECIST) guideline (version 1.1)을 사용함

	WHO criteria	RECIST criteria v 1.1
평가방법	측정가능한 모든 병변(숫자제한 없음)의 장경과 단경을 곱한 합의 변화	각장기당 2개, 최대 5개의 표적병변에 대한 장경의 합의 변화
완전반응(CR)	암이 모두 없어진 것으로 4주 이상 지속	암이 모두 없어진 것으로 4주 이상 지속
부분반응(PR)	50% 이상 감소가 4주이상 지속	Baseline에 비해 30% 이상 감소가 4주 이상 지속
안정병변(SD)	부분반응이나 진행병변에 해당되지 않을 경우	부분반응이나 진행병변에 해당되지 않을 경우
진행병변(PD)	치료전이나 가장 좋은 반응을 보였을 때보다 25% 이상 증가 또는 새로운 병변이 나타남	가장 좋은 반응을 보였을 때보다 20%이상 증가 또는 새로운 병변이 나타남

[반응평가의 실제]

[환자1]

항암치료 전 종양표적병변의 합이 100 cm였다. 2주기 항암치료(1주기는 3주로 구성됨)를 시행하였고, 첫 번째 반응평가를 시행하였으며, 종양표적병변의 합이 50 cm였다. 이에 추가적으로 동일한 약제로 2주기 항암치료를 시행하였고 두 번째 반응평가를 시행하였고, 종양표적병변의 합이 55 cm이였다. 이에 동일한 약제로 2주기 항암치료를 시행했다. 세 번째 반응평가를 시행하였고 종양표적병변의 합은 65 cm이였다. 첫 번째, 두 번째, 세 번째 반응평가의 결과는?

	항암치료 전	2주기 항암제 치료후	4주기 항암제 치료후	6주기 항암제 치료후
표적병변의 합(단위 cm)	100	50	55	65

1) 첫 번째 반응평가: Baseline (항암치료 전) 보다 30%이상 감소하였고 4주이상 유지되었으므로 PR
2) 두 번째 반응평가: Baseline (항암치료 전) 보다 30%이상 감소한 상태이며 가장 좋은 반응을 보였을 때보다 20% 이상 증가하지는 않았기 때문에 PR 유지
3) 세번째 반응평가: Baseline (항암치료 전)보다 30% 이상 감소한 상태이나, 가장 좋은 반응을 보였을 때(50 cm)보다 20% 이상 증가하였으므로 PD

IV. 독성 평가(Toxicity Evaluation)

독성 평가 기준으로 흔하게 사용되고 있는 것은 Common Terminology Criteria for Adverse Events (CTCAE)이고, 2018년 현재 version 5.0까지 update되어있으며, Grade 1-5까지 증상이나 증후의 경중을 분류함. 대개 Grade 1-2는 항암 치료를 지속하고, Grade 3-4는 항암치료의 감량 또는 중단을 고려함

[혈액학적 독성 평가의 실례(63세 남자환자)]

치료전 CBC

혈색소 14.0 g/dL, 백혈구 5,800/mm³, 호중구 3,800/mm³, 혈소판 210,000/mm3

2주기 항암치료후 CBC

혈색소 10.8 g/dL, 백혈구 2,800/mm³, 호중구 600/mm³, 혈소판 180,000/mm³
⇨ Grade 1 anemia, grade 3 neutropenia

V. 종양표지자

모든 종양표지자가 항상 아래의 경우에 상승하는 것은 아니나 진료에 참고할 수 있음

Tumor marker	관련암종
Oncofetal antigen	
AFP	간세포암, 생식세포암
CEA	대장암, 직장암
Hormones	
b-hCG	생식세포함
Glycoprotein	
CA15-3	유방암
CA19-9	췌장암, 담도암
CA125	난소암
Isoenzyme	
PSA	전립선암

VI. 임상시험

단계	목적	대상자수	내용
제1상	시험약을 최초로 사람에 적용하는 단계로 효능 효과를 보기 보다는 약물의 내약성, 부작용 및 안전성을 확인	20~100명 정상 건강인 또는 환자	연구약물의 안전용량범위 확인 체내 약물 동태 검토 약효의 가능성 검토
제2상	시험약의 유효성과 안전성 평가를 통해 치료약으로서의 가능성과 최적 용량, 용법을 결정하고 그 효과를 탐색	50~500명	전기 2상: 약효확인, 작용시간 및 유효용량 검토 후기 2상: 약효입증, 유효용량확인, 유효성 및 안전성의 균형 검토
제3상	다수의 환자를 대상으로 하여 약물의 유용성을 검증하는 가장 큰 규모의 치료적 확증의 목적	수백 - 수천 다기관 연구	충분한 환자에서 유효성 및 안전성 확립 장기 투여 시 안전성 검토 약물 상호작용 및 특수 환자군 용량 정립
제4상	시판이 된 약물에 대해 일상 진료 현장에서 상용화되었을 때 효과와 안전성을 검증		장기 투여 시 희귀부작용 검토 안전성 재확립 새로운 적응증 탐색

Ⅰ. 항암요법의 원칙

1. 암환자의 평가

조직검사를 통해 확진하고 병기를 조사. 구체적인 치료는 환자의 전신상태를 고려하여 결정되어야 함

1) 조직검사

병리검사를 통해서 확진 됨. 면역조직 병리검사를 통해 더 세밀하게 분류되고, 동일 조직형 내에서도 등급(histologic grade)이 치료 및 예후 결정에 영향을 줌

2) 병기

(1) 종양마다 다른 기준이 적용되나, 병기결정의 원칙은 다음과 같음

① T (tumor): 종양의 크기, 조직 침윤 정도에 따라 결정

② N (regional node): 원발 종양 주변의 림프절 침범 정도

③ M (distant metastasis): 원격전이 여부

(2) TNM상태를 총괄하여, Ⅰ, Ⅱ, Ⅲ, Ⅳ병기로 분류됨. 일반적으로 Ⅰ, Ⅱ, Ⅲ 병기는 국소진행암으로, Ⅳ병기는 원격전이암으로 분류됨

3) 환자 전신상태

계량화하기 쉽지 않으나, 치료방침 결정에 중요함. 다음과 같은 지표가 고려됨

(1) 활동도

① ECOG 0: 증상 없고 정상 활동력을 가진 정도

② ECOG 1: 증상 있으나 활동 가능한 정도

③ ECOG 2: 증상 있고 하루 50% 미만의 침상생활과 약간의 보조가 요구되는 정도

④ ECOG 3: 증상 있고 하루 50% 이상의 침상생활과 상당한 보조가 요구되는 정도

⑤ ECOG 4: 100% 침상생활과 심한 불능상태

(2) B증세: 악성림프종의 경우, 최근 6개월간 10% 이상의 체중감소, 발열(38°C 이상), 야간 발한 (drenching night sweats) 등의 증세가 있으면 나쁜 예후인자

(3) 기타: 영양상태, 다른 질환의 동반 여부, 연령 등이 있음. 예로, 고령환자의 경우, 합병증이 발생이 위험이 높음

2. 항암치료의 목표 설정

조직형, 병기, 환자의 전신상태를 평가하여 치료 목표를 설정하고 그 목표에 부합되게 치료해야 함

1) 초기: 원발부위에 국한된 종양의 경우, 완치를 목표로 치료됨

2) 진행기: 원격전이가 발견되었거나, 일차 치료 후 재발한 환자에서는 완치의 가능성은 적으며 생명연장이 주된 목표

3) 말기: 항암치료에 더 이상 반응하지 않으면서, 점점 악화되는 시기로 환자가 편안하게 임종할 수 있도록 돕는 것이 추천됨. 호스피스-완화의료가 중요한 역할을 하게 됨

암의 진행 정도를 정확히 평가하여 적절한 치료목표를 설정하는 것이 추천됨

3. 치료방침의 결정

1) 국소질환 vs. 전신질환

국소병변 → 국소치료(수술, 방사선치료)

전신병변 → 전신치료(항암제, 호르몬요법, 면역요법)

2) 득실의 평가

항암치료는 부작용을 피할 수 없음. 따라서 어떤 환자에서 항암치료를 실시할지 여부를 결정할 때는 치료로 기대되는 효과와 부작용으로 우려되는 환자의 삶의 질 저하 등을 함께 고려하여야 함. 예로, 다소간의 부작용이 있을지라도 항암효과가 현저한 경우 환자에게 주어지는 혜택이 더 많기 때문에 항암치료가 추천됨. 반대로, 항암치료로 효과보다 불필요한 고통을 가중시킬 위험이 더 많으면 항암치료는 중단되어야 함

그림 7-2-1 항암치료 결정의 판단 기준

4. 주치료와 보조치료

표 7-2-1 종양에 따른 항암 치료법의 중요도

암종	병기	주 치료	보조치료
위암	I~IIB	수술	항암제
	IV	항암제	
비소세포폐암	I~IIIA	수술	방사선치료
	IIIB, IV	방사선치료, 항암제	
대장암, 직장암		수술	항암제, 방사선
유방암	II, III	수술	항암제
	IV	항암제	방사선치료
간암		수술, 색전술	항암제

암종	병기	주 치료	보조치료
악성림프종		항암제	방사선치료
백혈병		항암제	

암의 종류에 따라서는 항암제가 암을 완치시키기도 하고, 때로는 아무런 효과도 없이 부작용으로 환자에게 부담만 주기도 함

1) 진행된 시기에 발견되더라도 항암제치료로 완치가 가능한 종양

(1) 생식세포종(고환암 등)

(2) 악성림프종(Hodgkin's disease, Non-Hodgkin's lymphoma) 급성백혈병(ALL, AML)

(3) Ewing's sarcoma

(4) Rhabdomyosarcoma

2) 항암제치료로 완치는 불가능하나 생명연장의 도움을 줄 수 있는 종양

전이성유방암, 다발성골수종

3) 수술 후 보조항암화학요법(adjuvant chemotherapy)

유방암, 대장암 등에서 근치적절제술 후 항암제로 미세병변을 조절하여 생존기간을 연장시킬 수 있음

4) 수술 전 항암화학요법(neoadjuvant chemotherapy)

(1) 골육종: 사지 보존

(2) 두경부암: 발성 등 기능유지

(3) 유방암(제3기): 종괴의 크기를 줄여 국소 치료를 용이하게 함

(4) 비소세포성폐암(제3기): 종괴의 크기를 줄여 국소치료를 용이하게 함

5) 방사선-항암제의 동시 치료(concurrent chemoradiotherapy)

cisplatin 등의 radiation sensitization effect를 이용하여 국소치료의 극대화를 기대함. 두경부암, 비소세포폐암(제3기), 자궁경부암 등에서 효과가 있음

5. 고형암 항암치료의 중단

항암치료를 시작하는 것보다 더 어려운 결정은 언제 중단할 것인가의 문제임. 항암치료를 결정하는 기준이 치료에 따른 이득과 손실을 비교한 결과에 근거하듯이, 치료의 중단도 치료의 계속에 따르는 득실을 평가하여 결정되어야 함. 대부분의 암환자에서, 항암제 투약을 계속함에 따라, 효과는 약제내성 암세포의 출현으로 점점 감소하고, 부작용은 누적적이어서 일정 횟수의 항암제를 투약하게 되면 손익평가에서, 항암제를 지속적으로 투여함이 환자에게 더 이상 도움을 줄 수 없는 시기가 옴. 이때(손익분기점)를 말기로 진단할 수 있음

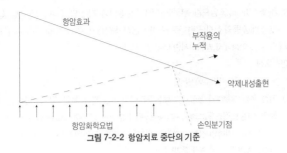

그림 7-2-2 항암치료 중단의 기준

Ⅱ. 항암제의 부작용

항암제에 의해 발생하는 독성은 약물내성과 함께 항암화학요법의 적정 용량 투여에 가장 중요한 장애요인 중 하나임. 항암치료 중 또는 치료 후 심장, 신장, 간, 폐에 영향을 주는 여러 독성을 드물지 않게 경험함

1) 심장 독성(Cardiotoxicity)

항암제는 심장에 직접적인 손상을 일으켜 심근조직의 손상 또는 부정맥과 같은 급성독성 또는 만성 심부전 형태의 지연형(만성) 독성으로 나타남

표 7-2-2 항암제의 심장 독성

항암약물	독성용량 범위	독성
Busulfan	매일 경구 복용	심내막 섬유화
Cisplatin	상용량	급성심근허혈
Cyclophosphamide	>100–120 mg/kg over 2d	만성심부전 출혈성심부전 심외막염/괴사
Daunorubicin	>550 mg/m²(총투여량)	doxorubicin과 동일한 독성
Doxorubicin	>550 mg/m²(총투여량)	심부전(축적형 독성) 부정맥
	<550 mg/m²(total dose)	추가 위험인자가 있을 경우 심독성
Fluorouracil	상용량	협심증/심근경색
Interleukin–2	상용량	금성심근손상, 심실부정맥, 고혈압
Mitoxantrone	>100–140 mg/m²(총투여량)	심부전, 좌심실 박출분율 감소
Paclitaxel	상용량	서맥
Vinblastine	상용량	심근경색
Vincristine	상용량	심근경색

(1) Anthracyclines

심독성을 유발하는 항암제 중 가장 중요한 약물. 심독성이 용량 제한 독성임

① 급성독성

급속 정맥주사 후 수시간 내에 급성심부전 특히, 상심실 빈맥성 부정맥(supraventricular

tachyarrhythmia)을 일으킴. 부정맥은 ST-T 분절변화, 저 전압, T-파 감소, 심방 및 심실의 기외수축(ectopy) 등의 심전도 변화로 나타남. 급성 독성은 doxorubicin을 급속 주사하는 경우 환자의 약 40% 이상에서 발생하지만 대부분 일과성

② 만성독성

약물 투여 수 주-개월 후에 발생

- 기전: free-radical의 형성과 미토콘드리아의 기능 저하, 용량- 및 스케줄-의존성을 보임. 약물의 최대 혈장농도(peak plasma level)가 중요한 원인(예. doxorubicin은 약물의 축적량이 450 mg/m² 이하인 경우 심부전의 위험도는 10% 미만인 반면, 550 mg/m² 이상인 경우 심부전의 위험도가 급속히 증가)
- 예방: 약물의 축적량 파악 및 심장 기능 모니터를 통해 심근손상 전 예방이 중요함. 초음파, 동위원소심실 조영술(radionuclide ventriculogram, MUGA scan), 경피적 심내막 생검(percutaneous endomyocardial biopsy) 등을 이용하여 심장 기능을 모니터하는 것이 필요함. 약물의 최대 농도가 영향을 미치므로, 투여 시간을 연장함. 종격동 방사선 조사 시 심독성의 위험도가 증가하므로 파악이 필요함

③ 지연독성

Anthracyclines을 투여 받는 환자들을 장기간 추적한 결과 doxorubicin에 노출된 후 5년이 지난 후에도 발생하는 지연형 심근독성이 보고되고 있음. 심기능 부전은 울혈성심부전 또는 부정맥으로 나타나며 과거 증상이 없었던 사람에서도 발생할 수 있음. doxorubicin 투여 10년 후 생존자의 5%가 지연 독성을 경험할 것으로 추정됨

④ 독성 조절약물

- Liposomal anthracycline 제형: 암 조직 내로 항암제를 전달하기 위해 운반체로 liposomes을 이용. doxorubicin liposomal 제형과 daunorubicin은 항암효능을 줄이지 않으면서 심독성을 완화시킬 수 있음. liposome을 이용한 약물 전달로써 항암제의 용량강도 증가, 암 세포의 선별적인 약물 흡수, 다약제 내성을 극복할 수 있는 혈중 농도의 도달 등이 가능함
- Dexrazoxane: EDTA 유도체로서 강력한 세포내 항산화물질이며 킬레이트(chelating) 약물. Anthracycline에 의해 발생하는 심독성의 원인인 철 매개 free radical의 생성을 방해함. Dexrazoxane은 anthracycline 축적량이 300 mg/m² 이상이며, 지속적인 doxorubicin 치료로 임상효과가 기대되는 전이 유방암환자에서 사용됨. Dexrazoxane은 doxorubicin과 10:1 용량 비율로 doxorubicin 주사 30분 전에 투여

2) 신장독성

일반적으로 신독성을 일으키는 대부분의 약물들이 신세뇨관의 손상 유발(표 7-2-6)

(1) Cisplatin

신세뇨관 독성을 일으키는 약물 중 가장 중요한 약물, 근위세뇨관과 원위세뇨관에 손상을 일으킴

① 예방: 치료 일에 mannitol과 함께 2-3 L 생리 식염수를 8-12시간에 걸쳐 적극적으로 투여함. 고장성 생리 식염수가 사용되기도 하지만 신장 방어 효과가 없으며 적절하게 투여되지 않을 경우 증상을 악화시킬 수 있음. cisplatin은 저마그네슘혈증과 신장 나트륨 소실을 포함하는 전해질

이상을 초래하므로, 마그네슘 경구 복용 또는 주사, 나트륨, 수분의 보충 또한 고려함

② 독성조절약물

Amifostine (Ethyol)은 세포보호기능을 가진 thiol ester, 활성상태의 free thiol 대사체는 조직에서 생성되는 free radicals과 결합함으로써 cisplatin의 신독성을 경감시킬 수 있음. cisplatin의 세포 독성을 저해하지 않으며, cisplatin 반복 투여로 인해 발생하는 축적형 신독성을 줄이기 위해 사용. 항암치료나 방사선 치료 동안 amifostine 200-910 mg을 급속 정맥주사로 투여하며, 투여 후 신속하게 대사되기 때문에 일과성 저혈압이나 구토를 유발할 수 있음

표 7-2-3 항암제의 신장독성

항암약물	독성 용량범위	독성
Carboplatin	상용량	cisplatin 보다 흔하지 않은 신독성
Carmustine	>1,200 mg/m²	신기능부전/축적용량효과, 사구체경화/신세뇨관위축, 간질섬유화
Cisplatin	50–200 mg/m²	용량–관련 신 독성(용량제한) 신 세뇨관에 대한 축적효과 저마그네슘혈증, 저칼슘혈증
Cyclophosphamide	>50 mg/kg	출혈성방광염(매일 저용량 투여시 발생)
Ifostamide	1.2 g/m²/d 5일 투여	cyclophosphamide 참조
Methotrexate	Variable	약물자체 및 대사체와 관련
Mitomycin	>30 mg/m²(총용량)	신기능부전, 용혈성–요독증후근

(adapted from Grever MR, Grieshaber CK : Toxicology by organ system, in Holland JF et al(eds):Cancer Medicine, 4th ed, p898, Baltimore,Williams & Wilkins, 1997)

표 7-2-4 신사구체 여과율(GFR)에 근거한 항암제의 용량 변경

GFR	>60 mL/min		
%Dose	100% Cisplatin Cyclophosphamide Methotrexate	Topotecan Mitomycin Bleomycin	
GFR	**30–60 mL/min**		
%Dose	75% Bleomycin Mitomycin	50% Cisplatin Methotrexate Topotecan	투여불가 Nitrosoureas
GFR	**10–30 mL/min**		
%Dose	75% Bleomycin Mitomycin	50% Topotecan	투여불가 Cisplatin Methotrexate Nitrosoureas
GFR	**<10 mL/min**		

%Dose	50%	투여불가
	Bleomycin	Cisplatin
	Cyclophosphamide	Methotrexate
	Mitomycin	Nitrosoureas
		Topotecan

(adapted from Patterson WP, Reams GP:Renal toxicities of chemotherapy. Semin Oncol 19:525, 1992)

(2) Cyclophosphamide, Ifosfamide

약 10%에서 출혈성 방광염이 발생. 고용량 항암치료와 조혈모 세포 이식을 받는 환자에서는 발생 빈도가 40%까지 높아짐. Ifosfamide는 근위 신 세뇨관 기능 손상을 초래하여 요산, 인, 포도당, 칼슘, 유리형태의 단백질 소실과 혈청 bicarbonate 저하를 나타냄. 또한, 두 약물은 저나트륨혈증과 SIADH를 유발할 수 있음

① 독성 조절 약물

- 예방: Mesna - cyclophosphamide, ifosfamide를 투여할 때 체내에서 생성되는 독성 대사체인 acrolein으로부터 방광 점막을 보호하기 위해 예방적으로 투여. cyclophosphamide 용량의 60-160%가 추천되며, 알킬화 항암제를 주사하기 전 또는 주사 동안에 투여
- 치료: 생리 식염수나 hydrocortisone으로 지속적인 방광세척을 하거나, aminocaproic acid를 투여. 보다 적극적인 치료로는 방광경검사와 fulguration, 방광 내 포르말린, prostaglandin 주입, 에스트로겐 경구 복용 또는 주사, silver nitrate, phenol, aluminum hydroxide의 방광 내 주입 등이 포함. 치료에 반응하지 않고, 출혈이 계속되면 요로 전환(diversion), internal iliac artery 결찰 또는 색전, 방광 제거술을 고려해야 함

3) 간독성

급성 또는 만성형태로 대부분의 경우 간 효소치가 증가함. 정맥-폐쇄 질환(venoocclusive disease, VOD)은 고용량 항암치료 및 조혈모세포이식 또는 간에 대한 방사선 조사 후 관찰됨(표 7-2-5). 병리학적으로는 결합조직에 의해 작은 간 내 정맥의 비 혈전성 폐쇄가 특징적이며, 임상적으로는 급성 상 복부 동통, 간 종대, 복수, 체중 증가, 황달이 발생

표 7-2-5 항암제의 간 독성

항암제	독성 용량 범위	독성
Asparaginase	상용량	간효소치/alkaline phosphatase 상승, 미만성 지방간, 혈액응고인자 감소
Busulfan	조혈모세포이식용량	정맥-폐쇄질환
Carboplatin	상용량	정맥-폐쇄질환
Cyclophosphamide	조혈모세포이식용량	정맥-폐쇄질환
Cytarabine	상용량	간효소치 상승, 정맥-폐쇄질환
Dacarbazine	상용량	간효소치 상승, 간세포 괴사, 간 정맥혈전
Hydroxyurea	상용량	간효소치/alkaline phosphatase 상승
Methotrexate	상용량	간효소치 상승, 문맥주위 섬유화/ 총용량 1.5 g 투여 후 간경화
Mitomycin	조혈모세포이식용량	정맥-폐쇄질환

항암제	독성 용량 범위	독성
Nitrosoureas	상용량	간효소치/alkaline phosphatase 상승, 정맥-폐쇄질환
Pembrolizumab/nivolumab	상용량	간기능 장애, 간염, 경화성 담관염

Adapted from Perry MC: Chemotherapeutic agents and hepatotoxicity. Semin Oncol 19:559,1992, Grever MR, Grieshaber CK: Toxicology by organ system, in Holland JF et all(ecis): Cancer Medicine, 4th ed, p899, Baltimore, Wiliams & Wilkins, 1997

표 7-2-6 간 기능부전에 따른 항암제의 용량 조절

항암치료 중 확인된 간기능검사치		약물의 투여율			
Bilirubin	SGOT	Doxorubicin Vinorelbine	Daunorubicin	Etoposide Vinblastine Vincristine	Pembrolizumb Nivoluma
<1.5	<60	100%	100%	100%	100%
1.5–3.0	60–180	50%	70%	50%	100%
3.1–5.0	>180	25%	50%	투여중지	투여중지
>5.0		투여중지	투여중지	투여중지	투여중지
Bilirubin	SGOT	Cylophosphamide Methotrexate	Fluorouracil	Docetaxel	
<1.5	<60	100%	100%	100%	
1.5–3.0	60–180	50%	100%	투여중지	
3.1–5.0	>180	75%	100%	투여중지	
>5.0		투여중지	투여중지	투여중지	

Adapted from Perry MC: Chemotherapeutic agents and hepatotoxicity. Semin Oncol 19:560, 1992)

4) 폐독성

(1) Bleomycin

① 기전: 폐와 피부에는 bleomycin을 불활화시키는 가수분해효소가 거의 없기 때문에 약물의 농도가 증가하여 폐 모세혈관의 내피세포와 제1형 폐 세포에 대해 직접적인 손상을 일으킴. bleomycin은 제1철과 제2철 이온들 사이의 산화 션트(oxidative shunt)를 통해 free radicals를 생성하고, free radical의 산화과정은 폐 모세혈관 내피세포에 대한 손상에 중요한 역할을 함. 폐독성은 약물 투여량과 밀접한 관계가 있고, 총 투여량이 400 단위 이상일 때 발생 빈도가 크게 증가

② 독성의 위험인자: 총 투여량, 환자의 나이(노령), 폐 기능의 이상, 약물투여 전 또는 동시 방사선 치료, 고용량 산소에 대한 노출, doxorubicin, cyclophosphamide, vincristine, dexamethasone, methotrexate 등의 항암제를 동시에 투여하는 경우

③ 예방 및 치료: 폐 기능검사는 bleomycin 치료 동안 정기적으로 이루어져야 하며 10-15% 이상의 변화가 있을 경우 중단. 보조적인 산소투여는 심각한 폐 손상을 일으킬 수 있음. 수술을 받는 환자의 경우 FiO2(산소 분압; fraction of inspired oxygen)가 30%를 초과하지 않아야 함(표 7-2-10).

표 7-2-7 항암제의 폐 독성

항암제	독성 용량 범위	독성
Bleomycin	>400 U(총투여량)	간질성 폐렴/폐 섬유화 초기증상은 호흡곤란, 기침
		맑은 수포음(초기 징후), 폐용적과 VC 감소 용량-의존성, 연령-의존성 독성 Busulfan 상용량 기관지-폐 이형성/ 폐 섬유화 투여 수개월~수년 후 지연형으로 발생
Chlorambucil	상용량	간질성 폐렴/폐 섬유화
Cyclophosphamide	고용량	간질성 폐렴/폐 섬유화
Cytarabine	상용량	폐 부종
Fludarabine	상용량	간질성 폐렴/폐 섬유화
Melphalan	고용량	간질성 폐렴/폐 섬유화
Methotrexate	상용량	간질성 폐렴/폐 섬유화
Mitomycin	상용량	간질성 폐렴/폐 섬유화
Elrotinib/gefitinib	상용량	간질성 폐렴/폐 섬유화

(Adapted from, Grever MR, Grieshaber CK: Toxicology by organ system, in Holland JF et al(eds): Cancer Medicine, 4th ed, p901, Baltimore, Williams & Wilkins, 1997)

(2) EGFR 타이로신키나제 저해제

정확한 기전은 알려져 있지 않으며, 기존 폐질환 외에는 위험인자도 알려져 있지 않으나, 약물 복용 후 대게 2주에서 1달 사이에 발생하며 X-ray상 간질성 폐렴 형태로 나타남. 초기증상은 호흡 곤란, 마른기침 등이 있음

(3) 면역치료제에 의한 간질성 폐렴

PD-1, PD-L1 저해제는 면역관용의 정상 반응을 교란하고 정상 조직의 면역력을 활성화시켜 T 세포의 과도한 활성화로 인한 면역관련 이상사례를 발현시키는데, 간질성 폐렴은 중요한 자가면역 독성으로 유병률과 사망률 증가의 요인이며 PD-1, PD-L1 저해제에 대한 치료 중단의 중요한 원인이 됨

표 7-2-8 항암제의 폐 독성

항암제	독성용량 범위	독성
Bleomycin	>400 U(총투여량)	간질성 폐렴/폐 섬유화 초기증상은 호흡곤란, 기침 맑은 수포음(초기징후), 폐용적과 VC 감소 용량-의존성, 연력-의존성 독성
Busulfan	상용량	기관지-폐 이형성/폐 섬유화 투여 수개월~수년 후 지연형으로 발생
Chlorambucil	상용량	간질성 폐렴/폐 섬유화
Cyclophosphamide	상용량	간질성 폐렴/폐 섬유화
Cytarabine	상용량	폐 부종
Fludarabine	상용량	간질성 폐렴/폐 섬유화
Melphalan	상용량	간질성 폐렴/폐 섬유화
Methotrexate	상용량	간질성 폐렴/폐 섬유화

항암제	독성용량 범위	독성
Mitomycin	상용량	간질성 폐렴/폐 섬유화
Elrotinib/Gefitinib	상용량	간질성 폐렴/폐 섬유화
Pembrolizumab/Nivolumab	상용량	간질성 폐렴/폐 섬유화

5) 피부독성

항암제와 관련이 있는 피부변화는 발진(rash), 피부염(dermatitis), 색소침착(hyperpigmentation), 담마진(urticaria), 광감수성(photosensitivity), 손톱변화(nail change), 탈모(alopecia), radiation recall 등이 포함됨

(1) 수족 증후군(Hand-foot syndrome or palmar-plantar erythrodysthesia)

5-FU를 지속적 주입, liposomal doxorubicin, hydroxyurea, 고용량 methotrexate 투여 때 흔히 나타나는 건조, 통증, 발적, 색소 침착을 특징으로 하는 피부 변화

(2) 발진

Carmustine (BCNU), cytrabine (Ara-C), gemcitabine, asparaginase, procarbazine, erlotinib/gefitinib 대부분에서 diphenhydramine 또는 스테로이드 치료에 반응함

(3) 광감수성(Photosensitivity)

Mitomycin, 5-FU, methotrexate, vinblastine, dacarbazine (DTIC)

(4) 손톱변화(Nail changes)

대개 손톱이 자라면서 아래 부분에서 시작하는 구부러짐과 streaks를 동반하는 색소변화가 관찰됨. cyclophosphamide, doxorubicin, 5-FU는 손톱의 색소 변화를 일으킴. bleomycin과 매주 taxanes을 투여하는 경우 손톱이 쉽게 부러지며 소실될 수 있음

(5) 색소침착(Hyperpigmentation)

Busulfan, bleomycin, thiotepa, 5-FU, methotrexate

(6) Radiation recall

과거 방사선조사를 받았던 부위에서 항암제투여 후 관찰되는 피부반응. 이런 반응은 DTIC, doxorubicin 투여 후 흔히 관찰되며, methotrexate, 5-FU 투여 후에도 나타날 수 있음

표 7-2-9 항암제와 관련되어 흔히 나타나는 피부독성

항암제	독성
Bleomycin	발진, 담마진
Busulfan	색소침착
Dacarbazine	일과성 발진, 광감수성
Dactinomycin	Radiation recall (방사선기억)
Doxorubicin	Radiation recall, 피부염
Fluorouracil	수족증후군(Hand–foot syndrome)
Hydroxyurea	발진, 색소침착
Mitomycin	발진, 광감수성
Paclitaxel	일과성 발진, 탈모
Procarbazine	항남용반응(Antiabuse reaction), 광감수성

항암제	독성
Vinblastine	광감수성
Pembrolizumab/Nivolumab	다형홍반, 건선, 유천포창, 홍반성구진, 혈관염

6) 위장관 독성(Gastrointestinal toxicity)

(1) 항암제에 의한 구내염(Chemotherapy-induced stomatitis)

① 기전 및 유발 약제: 구강점막은 세포주기 전환이 빠른 조직이므로 항암제에 대해 매우 예민함. bleomycin, doxorubicin, 5-FU, methotrexate은 구내염을 잘 일으키며, 약물의 용량과 투여 스케줄이 독성의 정도에 영향을 미침. 구내염(점막염)은 항암제 투여 후 수일 안에 시작되며 증상은 대개 혈액학적 독성과 일치

② 증상: 통증을 동반한 궤양이 입술부터 항문까지 위장관 전반에 걸쳐 발생

③ 예방 및 치료: 5-FU 지속주입, doxorubicin은 심한 구내염을 일으킬 수 있기 때문에 초기증상인 구강내 통증을 호소할 경우 약물투여를 중단. 적절한 구강간호, 구강세척 등 예방적 조치가 구내염을 경감시킬 수 있음. Palifermin 혹은 keratinocyte growth factor가 도움이 되기도 함

(2) 항암제에 의한 설사(Chemotherapy-induced diarrhea)

① 기전 및 유발 약제: 세포주기-특이적 항암제인 5-FU, methotrexate, Ara-C, irinotecan (CPT-11) 등이 설사를 일으킬 수 있음. 면역항암제에 의한 장염도 발생 가능

② 증상: 항암제에 의해 유발된 설사의 대부분은 그 기간이 제한적으로 약물 투여가 중단되면 수일 내에 사라짐. irinotecan은 심각한 분비성 설사를 급성 또는 만성형태로 일으킬 수 있음

③ 예방 및 치료: 만약 적극적인 예방(급성기: 묽은 변이 시작되는 초기단계 : diphenoxylate hydrochloride/atropine sulfate)이 이루어진다면 탈수와 전해질 불균형과 같은 합병증을 최소화할 수 있음. 대부분의 설사는 식사(다량의 비 탄산 음료), diphenoxylate hydrochloride/atropine sulfate, loperamide, camborated tincture of opium 등으로 조절될 수 있음. 이러한 치료에 반응하지 않는 경우 octreotide (Sandostatin)가 사용될 수 있음. 면역항암제에 의한 경우 고용량의 스테로이드 치료가 필요한 경우가 있음

(3) 항암제에 의한 구역, 구토

① 기전 및 유발 약제: 항암제의 구역, 구토 유발 능력은 각 약제 별로 다양함

Cisplatin, DTIC, actinomycin, nitrosourea, streptozotocin, mechlorethamine 등은 거의 모든 환자에게 구역, 구토 유발. Doxorubicin, Daunorubicin, 표준용량의 cyclophosphamide, carboplatin, oxaliplatin, irinotecan 등은 중등도의 구토 유발 능력이 있음

② 구역은 연수의 구토 중추(vomiting center)의 자극에 의해 발생하며, 화학수용체 발동대(chemoreceptor trigger zone)와 말초 소화기관, 대뇌, 심장 등에서의 구심성 신경이 구토 중추를 자극. 따라서, 관계된 신경전달 경로를 차단함으로써 항암제에 의한 구역, 구토와 관련된 증상을 조절할 수 있음

③ 예방 및 치료: haloperidol, prochlorperazine (중심 항도파민제) diphenylhydramine (항히스타민제), lorazepam (벤조디아제핀 약제), dexamethasone, metoclopramide (말초 도파민 수용체 저해제)가 사용될 수 있음

- 중등도 이상의 구토 유발 약제: 항세로토닌 제제(ondansetron, granisetron, tropisetron, dolasetron, ramosetron, azasetron), dexamethasone이 병합되어 사용됨
- 강한 구토유발 약제: aprepitant (Neurokinin 수용체 억제제), 항세로토닌제제, dexamethasone이 병합되어 사용됨

8. 조혈모 세포 성장 인자의 사용

1) 골수억제

거의 대부분의 세포독성 항암제들이 다양한 정도로 골수기능을 억제. Anthracyclines, antifolates, antimetabolites의 경우 호중구 감소가 가장 심한 시기는 투여 후 6-14일째이며, nitrosureas, DTIC, procarbazine은 지연형 골수억제를 유발하여 투여 6주 후에 최저치를 나타냄. 열성 호중구감소 (febrile neutropenia)는 항암제를 투여한 후 호중구가 감소한 상태에서 발생한 발열(1회 측정 >38.5 ℃ 또는 3회 측정 >38 ℃)을 의미. 조절되지 않는 감염에 의한 사망률은 호중구 수와 역 비례하며, 호중구가 500/uL 이하일 경우 감염에 의한 사망 위험도가 크게 높아짐(열성 호중구 감소증의 병태 생리, 진단 및 치료는 감염내과 '호중구 감소성 면역저하환자의 발열' 참조, 골수 억제에 따른 적혈구 수혈과 혈소판 수혈은 종양 내과 '지지 요법' 참조)

2) G-CSF 혹은 GM-CSF의 임상적 사용

(1) 용량 및 투여방법
  ① G-CSF: 5 ug/kg/day sc
  ② GM-CSF: 250 ug/m²/day sc

(2) 적응증
  고형암에서 항암 치료 후 ANC <500/mm²에서 시작해서 ANC >1,000/mm²에 이르기까지 투여

(3) 투여 시점: 최소 마지막 항암 치료 투여 24-72시간 이후 시작. 항암/방사선치료와 동시에 투여하지 않음

9. 내분비기능이상

1) 기전 및 유발 약제

Anti-PD-1 또는 Anti-PD-L1 등의 면역관문저해제를 사용한 후 나타나는 면역관련 이상사례는 자가면역이나 염증성 기전에 의해 발생하는 것으로 이해되고 있음. 기존의 면역치료제인 시토카인(cytokine)의 대표적 예인 인터루킨-2와 1형 인터페론 치료시 갑상선 기능이상이 유의한 이상반응으로 나타났었고, 최근의 면역관문억제제(anti-PD-1, anti-PD-L1 monoclonal antibody, CTLA4 inhibitor) 등의 빈번한 사용은 4-17%의 환자에게서 갑상선 기능 항진증 / 기능 저하증의 이상사례가 보고되고 있음. 시기는 면역관문억제제의 치료시작 후 6-7주 후에 나타나는 것으로 보고되고 있음. 호르몬 대체요법 등으로 치료 가능하며, 면역항암제의 용량조절이나 투약중단은 필요치 않은 경우가 많음. 부신기능 장애도 발생할 수 있으며, 이는 면역치료제에 의한 갑상선 기능장애가 가역적인 것과는 달리, 대부분 비가역적임. 제1형 당뇨 및 뇌하수체 기능부전 등도 발생 가능

2) 증상

어지러움, 보행 불안정, 피로, 거식증, 혼란과 경각심 감소 등의 갑상선기능이상 소견이 있음

3) 예방 및 치료

주기적 갑상선 기능검사로 모니터링하고, 호르몬 보충을 시행. 부신 기능장애의 경우 코르티코스테로이드를 투약

- **면역관련 이상사례 등급**

1등급: 일부 신경학적, 혈액학적, 심장 독성을 제외하고는 면밀한 모니터링하면서 면역관문저해제 치료를 유지할 것을 권고

2등급: 스테로이드의 사용(초기치료용량 prednisolone 0.5–1 mg/kg/d)이 권고되며 대부분 면역관문저해제를 중단하는 것을 권고. 부작용증상이 1등급 이하로 회복될 때 재개하는 것이 고려됨

3등급: 일반적으로 면역관문 억제제의 사용을 즉각 중단하고 고용량 스테로이드 사용 prednisolone 1–2 mg/kg/d 또는 methylprednisolone 1–2 mg/kg/d이 권고. 또한 스테로이드 사용은 최소 4주에서 6주 기간 동안 증상을 면밀히 모니터링하며 충분한 시간을 두고 서서히 감량하는 것이 권고. 만약 스테로이드를 사용함에도 증상이 48–72시간 내 호전을 보이지 않으면 이를 스테로이드 치료에도 호전되지 않는 난치성으로 정의하고 장기에 따라 차이는 있지만 infliximab 또는 다른 면역억제제가 요구됨

폐암은 세계적으로 가장 중요한 암 사망 원인의 하나이며 우리나라에서도 발생률 4위, 사망 1위의 암종임. 60대에 가장 흔하게 발생하며, 70%는 4기로 발견되므로 예후가 불량함. 조직학적으로 비소세포폐암과 소세포폐암으로 분류되며 이에 따라 치료방법이 다르므로 정확한 조직학적 진단이 중요함

표 7-3-1 비소세포폐암환자의 임상적, 병리적 병기에 따른 5년 생존율

Stage	Clinical stage	Pathologic stage
1A	50%	73%
1B	43%	58%
2A	36%	46%
2B	25%	36%
3A	19%	24%
3B	7%	9%
4	2%	13%

Detterbeck, FC, Boffa DJ, Tanoue LT. The new lung cancer staging system. Chest. 2009;136(1):260–271.

I. 폐암의 위험인자

1. 담배
   흡연자에서 폐암이 발생할 가능성은 흡연을 시작한 연령, 하루에 피우는 담배의 개수, 담배를 얼마나 깊이 흡입하는지에 따라 좌우됨

2. 환경적 흡연
   암이 발생할 가능성은 환경적 흡연(environmental tobacco smoke, 다른 사람이 담배를 피울 때 그 연기에 노출되는 것, 간접흡연, 수동적 흡연)에 의해 높아짐

3. 라돈(Radon)
   라돈은 흙이나 돌에서 발생하는 눈에 보이지 않는 무취, 무미의 방사성 가스로서 폐 손상을 초래해서 폐암을 유발할 수 있음. 라돈에 이미 노출되어 있는 사람들에게 흡연은 폐암의 위험을 더욱 높일 수 있음

4. 석면
   석면 섬유는 작은 입자로 쉽게 쪼개지기 때문에 기도를 통해 흡입된 입자는 폐 세포를 손상시키고 폐

암의 위험을 높임. 석면에 노출되어 온 노동자들의 경우 폐암 발생 위험이 3-4배 높으며 폐암 위험도는 석면 노출 노동자들이 흡연하는 경우 더욱 높아짐

5. 폐 질환

결핵, 규폐증, 폐섬유증, 만성폐쇄성 폐질환 같은 폐질환이 있는 경우에는 담배를 끊어도 폐암발생률 증가

II. 폐암의 분류

폐암의 분류는 WHO classification을 따름

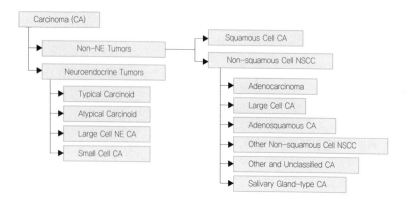

1. 비소세포폐암

비소세포폐암은 전체암의 85%를 차지하고 크게 편평세포암, 샘암, 대세포암으로 나눔

1) 샘암(Adenocarcinoma): 비흡연자나 과거 흡연자에서 많이 발생하고 여자에서 흔함. 폐의 말초 부위에서 시작하기 때문에 증상이 없는 경우가 많고, 먼 장기로 전이가 흔함

2) 편평세포암(Squamous cell carcinoma): 원위부 기관지에 발생하여 큰 기관지의 폐쇄를 유발

3) 대세포암(Large cell carcinoma): 폐 말초부위에서 발생하며, 주변 림프절이나 먼 장기로 전이될 가능성이 높음

2. 소세포폐암

과거에는 귀리세포암(Oat cell cancer)으로도 불리며 전체폐암의 15% 정도의 빈도로 발생. 담배와 밀접

한 연관성이 있으며, 부 종양증후군이 흔하고 항암이나 방사선치료에 잘 반응하며 재발, 전이가 흔함. 조직학적 분류에서는 형태학적 분류가 힘들다면 면역화학염색(Immunohistochemical stain)을 통해 진단에 도움을 받음

표 7-3-2 폐암의 면역화학염색을 통한 분류

IHC Marker	Adenocarcinoma	Squamous cell carcinoma	Small cell carcinoma
TTF-1	70–90%	Almost never	~100%
P40	Almost never	~100%	Almost never
P63	10–20%	~100%	Almost never
CK7	~90%	~20–30%	Almost never
CK5/6	10–20%	~100%	~20–30%
CD56 Chromogranin Synaptophysin	Almost never	Almost never	~100%

과거에는 조직학적 분류만이 이루어졌으나, 최근에는 유전자돌연변이에 의한 분류가 치료에 중요한 역할을 차지하고 있음(EGFR, ALK, ROSI 등)

Ⅲ. 폐암의 임상증상

1. 원발 병소가 기관이나 기관지 중심부에 위치하는 경우

기침, 혈담, 천명음, 호흡곤란, 폐렴 등이 있음

2. 원발병소가 폐 말초부에 위치하는 경우

통증, 기침, 호흡곤란, 폐 농양에 의한 공동

3. 흉곽 내 종양의 진행

기관 폐색(발열, 짙은 객담을 동반한 기침), 식도 압박에 의한 연하곤란, 반회후두신경 마비에 의한 애성, 횡격신경 마비, 횡격막 거상, 호흡 곤란, Pancoast's 증후군(어깨 및 팔의 통증), 상대정맥 증후군, 심외막 침범에 의한 심압진, 부정맥, 심부전, 림프관 폐쇄에 의한 늑막삼출, 폐 림프관 파급에 따른 호흡곤란, Horner's 증후군(안구함몰, 안검하수, 축동, 동측 발한 소실) 등이 있음

4. 흉곽 밖 암전이

1) 뇌, 뼈, 골수, 간, 림프절, 척수 등으로 전이가 있을 수 있음
2) 소세포폐암(≥95%), 샘암, 대세포암(≥80%), 상피암(≥50%)

5. 부종양증후군(Paraneoplastic Syndrome)

1) 전신증상: 식욕부진, 악액질, 체중감소(30%), 발열, 면역저하 등

2) 내분비증상: 외인성 PTH, PTH-유사 펩타이드에 의한 고칼슘혈증 및 저인산혈증(편평세포암), SIADH에 의한 저나트륨혈증(소세포폐암), 외인성 ACTH 분비 등

3) 골격-결합조직 증후군: 손발가락 선단의 곤봉상(clubbing), hypertrophic pulmonary osteoarthropathy(샘 암에서 발생, 병변 골 부위의 통증, 압통, 부종, 골 스캔 양성) 등

4) 신경-근육병 증후군: Eaton-Lambert 증후군(소세포폐암, 근무력증상), 망막 실명, 말초신경병, 아급성 소뇌 퇴화, 뇌 피질 퇴화, 다발성 근염 등

5) 혈액응고 장애와 혈전, 비정상적 혈액학적 소견: 유주성 혈관혈전염(Trousseau's 증후군), 비세균성 혈전성 심내막염 및 동맥색전증, 범발성 혈관내응고 및 출혈, 빈혈, 백혈구증가, 백아구증 (leukoerythroblastosis) 등

6) 피부소견: 피부근염, 흑색극세포증(acanthosis nigricans) 등

7) 신장 소견: 신증후군 또는 사구체신염 등

IV. 폐암의 조직학적 진단을 위한 여러 방법

증상의 원인을 찾기 위해 병력, 흡연력, 환경적, 직업적 물질에 노출 여부, 암의 가족력을 평가해야 함. 신체 검진을 시행하고 흉부X선이나 다른 검사에서 폐암이 의심되면 객담 세포진검사와 폐암의 존재를 확인하기 위해 폐 조직을 검사해야 함

1. 기관지경검사

중심성 병변 및 기관지주위 림프절에 대한 경기관지 세침흡입생검(TBLB)

2. 세침 흡입

말초 병변에 대한 CT 유도하 경피적세침흡입생검(PCNB), 기관지내시경하 초음파유도세침흡입생검 (EBUS biopsy)

3. 흉강 천자

흉막 삼출액에 대한 세포진검사

4. 개흉술

종격내시경(mediastinoscopy)이나 비디오 유도하 흉강수술(VATS)

V. 폐암의 진행 단계(병기)를 알기 위한 검사

표 7-3-3 병기설정을 위한 검사

1. 모든 환자

1) 병력 및 신체검사 : 활동도 및 체중감소 평가
2) 혈소판을 포함한 CBC
3) 혈청 전해질, 포도당, 칼슘, 인, 간기능검사
4) 심전도
5) 결핵에 대한 피부반응
6) 흉부X선 사진
7) 흉부 및 복부 전산화 단층촬영(CT scan) (흉부 CT에서 부신과 콩팥중간부까지 포함되면 복부 CT는 시행안해도 됨)
8) PET CT
9) 뇌 자기공명 영상(MRI)및 골 방사선핵종스캔(해당 장기에 전이가 의심되는 경우)
10) 스캔이나 증상으로 전이가 의심되는 골병변의 X선 사진
11) 식도위내시경(식도증상이 있는 경우)
12) 폐기능검사와 동맥혈가스분석(호흡부전의 증상이나 징후가 있는 경우)
13) 암이 의심되는 부위에 대한 생검(조직학적 진단이 확진되지 않은 경우나 해당 부위에서 암침범이 확인되는지 여부에 따라 병기나
치료가 달라지는 경우)

2. 비소세포폐암환자 중 방사선치료나 수술적 치료에 금기가 아닌 경우

1) 위의 검사에 추가하여 기관지경(의심부위에 대한 기관지세척과 솔질 및 생검)
2) 폐기능검사와 동맥혈가스분석
3) 혈액응고검사
4) 뇌 자기공명영상
5) 수술적 절제를 계획하는 경우 : 개흉술시 또는 종격내시경을 이용한 종격동임파선의 수술적 평가
6) 환자가 수술에 위험이 높거나 근치방사선요법의 대상이 되는 경우 : 기관지경 검사결과가 음성인 경우에 세침흡인생검 또는 경기
관지 폐생검

3. 소세포폐암 또는 진행된 비소세포폐암환자

1) 소세포폐암이 증명된 경우 "모든 환자" 에서의 검사에 추가하여 기관지경(기관지세척과 생검)
2) 뇌 자기공명영상
3) 골수흡인 및 생검(말초혈액검사가 비정상인 경우)

4. 비소세포폐암 혹은 원인 미상의 조직형의 경우

1) "모든 환자" 에서의 검사에 추가하여 기관지경(객혈이나 기관지폐쇄, 폐렴 등이 있거나 암의 조직학적 진단이 안 된 경우)
2) 암이 의심되는 부위에 대한 생검(조직학적 진단이 아직 안된 경우나 그 부위에서 암이 확인되는지 여부에 따라 치료가 달라지는 경
우)
3) 세침흡인생검 또는 경기관지폐생검(기관지경 검사결과가 음성이고 조직진단을 위한 다른 방법이 없는 경우)
4) 암조직 유전자돌연변이검사 및 PD-L1 IHC
5) 흉수가 있는 경우 진단 및 치료목적의 흉강천자

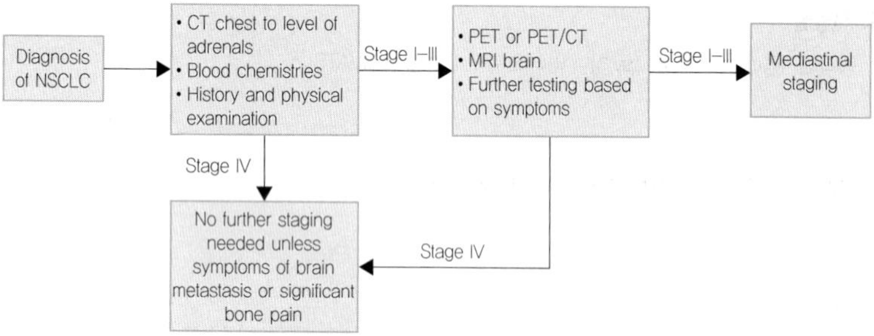

Source Hagop M. Kantarjian, Robert A. Wolf: The MD Anderson Manual of Medical Oncology, 3rd Edition
www.accessmedicine.com

그림 7-3-3 비소세포폐암의 진단과정

표 7-3-4 종격내시경의 선택적 적응증

1) 비소세포폐암
(1) 흉부전산화 단층촬영(CT scan)에서 N1, N2, N3 임파선이 커져 있는 경우
(2) FDG-PET 양성의 종격동질환이 있는 경우
(3) 중심성병변이지만 경기관지세침흡입생검이 불가능할 경우
(4) T2-T4 병변
2) 소세포폐암: 1기-2A기에서 수술을 고려할 경우

Ⅵ. 폐절제를 위한 생리학적 평가

폐암환자의 병기 분류 후 외과적 절제의 대상이 될 경우 폐기능검사, 심전도, 동맥혈 가스검사 등을 실시하고 그 결과에 따라 외과 절제 여부를 결정

표 7-3-5 외과적절제의 절대금기 및 적응증

절대적 금기증
1) 거동이 불가능한 생활수행 능력
2) 지난 3개월 동안 심근경색증 발생
3) 중대한 부정맥 치료에도 불구하고 조절되지 않는 경우
4) maximum breathing capacity (MBC)가 예측치의 40% 미만
5) FEV_1 (forced expiratory volume in 1s) <1 L
6) CO_2 축적(PCO_2 >45 mmHg)
7) 심각한 폐동맥 고혈압
적응증
1) FEV_1가 2.5 L 이상일때 다음조건들을 만족할 경우 폐절제술(pneumonectomy) 가능
(1) MVV(maximal voluntary ventilation)가 예측치의 50% 이상
(2) DLCO(diffusing capacity of the lung for carbon monoxide)가 예측치의 60% 이상
2) FEV_1 1.1~2.4 L 경우 신중히 고려하여 결정
3) perfusion scan(정량적 측정): 만일, FEV_1 이 2.0 L 미만이면 폐 관류스캔(lung perfusion scan, LPS)을 시행, 수술 후 FEV_1 예측치(PPO-FEV_1)를 구하여 수술여부 결정
PPO-FEV1=FEV_1 × (남게 될 부분의 LPS%) / (전체 LPS%)
(1) PPO-FEV_1 >1.2 L: 수술 가능
(2) PPO-FEV_1 <0.8 L: 수술 불가능
(3) PPO-FEV_1 0.8-1.2 L: 운동부하 폐기능검사를 시행하여 결정

VII. 비소세포폐암의 병기분류(AJCC 8th edition)

표 7-3-6 병기

0	TisN0M0						
IA1	T1miN0M0	T1aN0M0					
IA2	T1bN0M0						
IA3	T1cN0M0						
IB	T2aN0M0						
IIA	T2bN0M0						
IIB	T1aN1M0	T1bN1M0	T1cN1M0	T2aN1M0	T2bN1M0	T3N0M0	
IIIA	T1aN2M0	T1bN2M0	T1cN2M0	T2aN2M0	T2bN2M0	T3N1M0	T4N0M0	T4N1M0
IIIB	T1aN3M0	T1bN3M0	T1cN3M0	T2aN3M0	T2bN3M0	T3N2M0	T4N2M0
IIIC	T3N3M0	T4N3M0					
IVA	TxNxM1a						
	TxNxM1a						
IVB	TxNxM1c						

표 7-3-7 원발종양(T)

x	폐원발병소를 찾을 수 없거나 객담, 기관세척에서 악성세포가 있으나 기관지내시경에서 발견할 수 없음
0	폐원발병소가 없음
is	제자리암종(상피내암)
1a	종양의 장경이 2 cm 미만 시(기관지표면 전파는 1a)
1b	종양의 장경이 2 cm 이상, 3 cm 미만 시
2a	종양의 장경이 3 cm 이상, 4 cm 미만 시
2b	종양의 장경이 4 cm 이상, 5 cm 미만 시 기관분지부에서 2 cm 이상 떨어져서 주기관지 침범이 있거나, 장측흉막침범(PL1, PL2)이 있거나, 무기폐 또는 폐쇄성 폐병변이 폐문부, 폐엽을 침범하면 T2로 설정
3	종양의 장경이 7 cm 이상 시, 벽측흉막(PL3), 흉벽, 횡격막, 횡격막신경, 종격동흉막, 벽측심막 침범이 있는 경우. 기관분지부에서 2 cm이내의 주기관지침범이 있는 경우. 무기폐 또는 폐쇄성폐병변이 단측폐전체를 침범한 경우 같은 폐엽에 또 다른 종양이 있는 경우
4	종양의 크기에 상관없이, 주위 장기의 침범이 있는 경우(종격동, 심장, 대혈관, 기관지, 되돌이후두신경, 식도, 척추뼈몸통, 기관분지부) 같은 쪽의 다른 폐엽에 또 다른 종양이 있는 경우

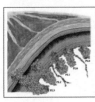

흉막침범은 4개의 범주로 정의되어 병기가 설정됨. HE stain상 감별이 힘들면 Elastin IHC을 추가로 시행하여 확인

1) PL0: 폐 실질에 의해 둘러싸여 있거나 탄력층 아래에 있는 흉막 연결조직 내 표면적으로 침습되었지만 흉막의 탄력층을 완전히 가로지르지 못함(staging 목적을 위한 흉막전이로서 분류되지 않음)

2) PL1: 탄력층을 너머 침습된 종양 – T2로 분류되어짐

3) PL2: 장측흉막의 표면까지 침범하는 종양 – T2로 분류되어짐

4) PL3: 벽측흉막의 침범 – T3로 분류되어짐

표 7-3-8 국소림프절(N)

x	림프절전이를 찾을 수 없음
0	림프절전이가 없음
1	종양과 동측 기관주위림프절전이가 있음 and/or 동측 폐문부림프절 및 폐내림프절전이가 있음
2	종양과 동측 종격동림프절전이가 있음 and/or 기관분지부하림프절전이가 있음
3	종양의 편측 종격동. 폐문부 림프절 전이가 있음 동측또는편측목갈비근림프절이나 쇄골상림프절전이가 있음

표 7-3-9 원격전이(M)

0	원격전이가 없음
1a	반대편 폐에 또 다른 종양이 있는 경우. 흉막,심막결절이나 악성 흉수나 악성심장막액이 조직학적으로 확인 시
1b	단일장기 단일원격전이병변이 있을 때
1c	단일 또는 복합장기에 다수의 원격전이병변이 있을 때

VIII. 소세포폐암의 병기분류

1. 제한형 질환(Limited disease) (30%)

한쪽 흉곽 내에 국한되어 있고 국소 림프절 침범(종격동, 반대측 폐문, 동측 쇄골상부 림프절 포함, 경부 및 액와 림프절 제외)만 있는 상태를 말함

2. 진행형 질환(Extensive disease) (70%)

심압진(cardiac tamponade), 악성흉막삼출액, 양측 폐 실질 침범이 있거나 종양이 흉곽 밖으로 진행한 상태를 말함

IX. 비소세포폐암의 병기에 따른 치료

1. 1기, 2기

수술적 절제를 통한 완치가 치료의 목표

2. 3A기

수술적 절제 또는 절제 불가능시는 항암-방사선 동시치료(Concurrent chemo-radiotherapy: CCRT)가 추천됨. N2환자에서 병기를 낮출 목적으로 수술 전 유도항암요법을 실시한 후 폐절제를 실시하는 경우가 있으나 생존율 향상 측면에서 근거가 충분치 않아 임상연구로서 시도되고 있음

대규모 3상연구들을 바탕으로 한 메타분석에서 1B기의 재발고위험군 및 2-3A기의 수술적 완전절제가 시행된 환자들은 술 후 platinum을 바탕으로 한 보조항암치료가 약 4-5%의 생존율 향상을 보여주었으며, 이를 바탕으로 표준 치료로 받아들여지고 있음

표 7-3-10 1B기의 재발고위험군 = 1B기에서 보조항암치료가 필요한 환자군

1. 분화가 나쁜 암종(분화가 좋은 신경내분비종양은 제외)
2. 혈관침범 시
3. 쐐기절제술 시행 시
4. 종양의 크기가 4 cm 초과 시
5. 내측흉막침범이 관찰될 시(PL1,2)
6. 임파선전이를 알 수 없는 경우(Nx): 아래조건이 시행되지 않은 경우
   1) 수술 시 적어도 3개의 N2 임파선이 제거되어야 함(7번 임파선은 꼭 포함되어야 함)
   2) 적어도 한 개의 N1 임파선이 제거되어야 함

3. 병기 3B, 4기

1) 암 진행속도를 늦추고 증상을 조절하기 위해 방사선 치료 또는 항암화학요법을 선택
2) 국소증상의 완화를 목적으로 방사선 치료를 실시하며 악성 삼출액이 고인 경우 흉강 내에 관을 꽂아 배액
3) 항암화학요법은 환자의 전신상태가 양호할 경우 신중히 고려하여 결정
4) 절제 불가능한 국소진행성 폐암환자(3B)에서 항암-방사선 동시병용요법이 권고되고 있고, 범위가 넓어 방사선치료가 불가능하다면 완화항암치료가 시행

X. 비소세포폐암에서 개인 맞춤형 치료전략을 통한 완화항암치료

1. 다학제 통합진료

전이재발 비소세포폐암의 치료에서 핵심목표는 생체표지자로 작용하는 표적유전자를 찾아내어 개개인에 적합한 약제를 사용하여 환자의 증상완화를 통한 삶의 질 향상과 생존기간의 향상에 있음. 생체표지자를 찾는 과정은 한번에 종료되는 것이 아니고 치료의 전과정에 걸쳐 지속적으로 이루어져야 하며, 여러 가지 검사방법과 검사에 대한 해석이 필요하기 때문에 가톨릭중앙의료원 산하병원들에서는 활발한 다학제 통합진료가 이루어지고 있음

환자 초진

환자 파악

다학제협진팀회의

표적병변을 탐색 → 생검

호흡기내과
영상의학과
흉부외과

병리과

조직형 확진

분자적 생체표지자검사

종양내과

치료 결정

치료

종양내과
흉부외과
방사선종양학과
호흡기내과
영상의학과
병리과
핵의학과

암진행 → 재생검 ← 새로운 치료 결정 ← 암진행 → 재생검

치료

2. 항암치료의 종류

세포독성항암제*†	표적항암제	면역항암제
조직형	EGFR ALK ROS1 BRAFV600E	Anti-PD-1 Anti-PD-L1
1970s - 현재	2000s - 현재	2015 - 현재

* ± EGFR/VEGF mAbs from 2000s - today
† ± PD-1 mAb from 2017.

2018년 현재 비소세포폐암에서 사용가능한 항암치료는 크게 세포독성항암제, 표적항암제, 면역항암제로 나눠짐. 어떤 항암제를 어떤 순서로 사용하면서 환자를 치료하였을 때 가장 환자에게 이득이 될지에 대해서는 다음과 같은 사항들을 고려하여 지속적으로 다학제통합진료에서 결정되어야 함

1) 고려하여야 할 사항(총론참고)

(1) 임상양상

① 수행능력

② 연령, 동반질환, 흡연력(표적유전자 및 면역발현에 영향을 끼침)

③ 영양상태(예, 체중감소)

④ 객혈

⑤ 중추신경계전이

⑥ 수술 후 보조치료나 국소진행성질환에서의 항암, 방사선치료 기왕력

(2) 조직형: 비편평세포암, 편평세포암

(3) PD-1/PD-L1 발현율

(4) 분자아형

① EGFR or BRAF mutation

② ALK or ROS1 translocation

③ Other mutations by next generation sequencing or other mutation test

2) 비소세포폐암에서 생체표지자 기반 치료

(1) 활성표적유전자를 가진 환자군(~25%): 표적항암제

(2) PD-L1 발현율에 기반한 면역항암제 감수성을 가진 환자군(~30%): 면역항암제

(3) 활성표적생체표지자가 없는 환자군(~45%): 세포독성항암제

3) 활성표적유전자를 가진 환자 군의 치료전략: 표적항암제

표적항암제에 대한 개념을 이해하려면 우선 oncogenic addiction과 oncogenic shock에 대한 이해가
필요

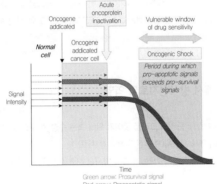

Green arrow: Prosurvival signal
Red arrow: Proapoptotic signal

활성표적유전자를 가진 암은 여러 prosurvival signal중 1개의 signal만 증폭되어 cell의 differentiation
과 proliferation을 유발하여 oncogen으로써의 역할을 하고 짝을 이룬 proapoptotic signal도 같이 증
폭되게 하는 것을 oncogenic addiction이라고 함. 증폭된 prosurvival signal을 차단하는 표적항암제가
사용되면 갑작스런 prosurvival signal의 감소에 비해 proapoptotic signal은 천천히 감소되면서 종양의
갑작스런 사멸현상이 나타나고 이를 oncogenic shock이라고 함. 암종에 따라 prosurvival signal을 형
성하는 signal pathway가 다르기 때문에 그에 따른 표적항암제의 선택도 모두 다름.

진행성 비소세포폐암에서 활성표적유전자에 따른 표적항암제 치료전략은 다음 알고리즘과 같음
(2018년 12월 기준)

4) 활성표적유전자가 없는 비편평/편평세포암의 치료전략: 세포독성항암제, 면역항암제

진행성 비소세포폐암에서 활성표적유전자가 없는 비편평/편평세포암의 치료전략은 high PD-L1 종양의 경우 anti-PD1 면역관문억제제(Pembrolizumob)를 고려하고, 그 외 전신 수행능력이 양호한 경우 백금계 항함요법 시행

XI. 비소세포폐암에서 방사선치료의 역할

1. 방사선 치료는 수술 전에 종양의 크기를 줄이기 위해 혹은 수술 후 수술 부위 주변에 남아 있는 모든 암세포를 파괴하기 위해 사용됨(수술 전/후 방사선 치료)
2. 수술 대신 1차 치료로서 항암화학요법과 함께 방사선 치료를 사용할 경우도 있음(근치적 항암방사선 동시치료)
3. 호흡 곤란, 심한 통증, 객혈, 신경 마비와 같은 증상을 완화하기 위해 사용됨(고식적 방사선 치료)
4. 응급으로 방사선 치료가 필요한 경우는 뇌전이, 척추신경압박, 무게를 지탱하는 뼈의 용해성 전이병변, 증상을 동반하는 국소병변(신경마비, 기도폐쇄, 객혈)등이 해당됨
5. 소수의 뇌 전이 병변(3 cm미만, 1-5개의 병변)에 대해 시행하는 정위방사선치료(stereotactic radiosurgery: SRS)는 적절한 항암치료와 병행시 환자의 치료성적을 향상시킴

XII. 소세포폐암의 치료

1. 소세포폐암은 급속히 전신적으로 퍼져 나가기 때문에 진단을 받았을 때는 이미 전이된 경우가 흔함. 몸 전체에 존재하는 암세포에 접근하기 위해서 항암화학요법을 사용

1) **제한형질환(Limited Disease):** 항암화학요법과 방사선치료를 병용
2) **확장형질환(Extensive Disease):** 전신적인 항암화학요법을 실시
3) 최근에는 TNM staging을 통해 초기 소세포폐암(1-2A기)은 종격내시경을 통한 종격동임파선전이
가 없다면 수술적 치료후 보조항암 또는 보조항암방사선동시치료를 고려하기도 함

2. 항암치료 후 완전반응을 보일 때는 뇌에서 암이 발견되지 않더라도 뇌 방사선 치료를 받게 되는데 이 치료를 예방적 전뇌 조사(prophylactic cranial irradiation, PCI)라고 하며 뇌에 종양이 전이되는 것을 예방하기 위해 시행됨

3. 전신상태가 불량한 환자에서는 폐종양과 뇌와 같이 다른 부위에 있는 종양을 목표로 한 고식적 방사선 치료를 실시하기도 함

Ⅰ. 역학

1. 한국

여성에게 발생하는 암 중 갑상선암에 이어 두 번째로 흔한 암으로, 40대에서 가장 빈번하게 발생함

2. 서구

여성에게 가장 흔하게 발생하는 암이며 가장 높은 사망률을 보임

3. 한국과 서구의 유방암 발생 차이

유방암 발생이 지속적으로 증가 추세이나 구미 지역의 30-50% 정도의 발생 빈도를 보임. 서구는 나이가 증가할수록 유방암 발생이 증가하나, 한국은 50대 초반까지 유방암 발생이 증가하다가 그 이후로 점차 감소하는 추세를 보임. 한국은 서구와 비교하여 폐경 전 유방암 발생 비율이 높음. 한국의 경우, 40대 이하 유방암환자는 13%를 차지

Ⅱ. 유방암의 발생 위험 인자

1. 여성 호르몬(에스트로겐, 프로게스테론)
1) 이른 초경, 늦은 연령의 첫 만삭 임신, 늦은 폐경
2) 호르몬 대체 요법
3) 모유 수유는 유방암의 발생 위험을 감소시킴

2. 생활 습관
비만, 음주

3. 유전학적 인자
배아 유전자 변이(germline genetic mutation)
1) BRCA1/ BRCA2가 가장 흔함
2) TP53, PTEN, LKB1, MSH2/MLH1 등이 드물게 존재

Ⅲ. 증상

1. 덩어리가 촉지되거나, 유방의 크기 및 모양이 변화
2. 유방 피부의 변화가 보이거나, 발적이 나타나고 피부가 두꺼워짐
3. 유두 함몰, 출혈성 유즙 분비가 나타남

Ⅳ. 유방암의 진단

유방 덩어리가 발견되거나, 유방촬영술에서 이상 소견이 발견되면 미세침검사 또는 조직검사 시행 (그림 7-4-1)

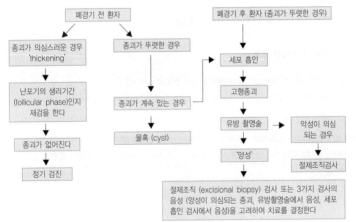

그림 7-4-1 유방 덩어리에 대한 접근법

1. 조기검진 및 선별검사

1) 30세 이상: 매월 유방 자가검진을 시행
2) 35세 이상: 2년 간격 의사에 의한 임상검진 시행
3) 40세 이상: 2년마다 유방촬영술(mammography) 및 의사에 의한 임상 검진 시행
4) 필요할 경우 유방 초음파를 추가로 시행할 수 있음

2. 진단적검사

1) 병력청취, 신체검사, 말초혈액검사, 일반 화학검사, 흉부 단순촬영, 유방촬영술, 유방초음파
2) 뼈스캔, 흉부/복부 CT: 임상적인 증상에 따라 시행하며, 전이 여부 판별을 위하여 시행할 수 있음

3) 유방 MRI: 임상증상에 따라 시행하며, 국소진행성유방암의 경우 선택적으로 시행

(1) 유방초음파

① 치밀유방에서 크기가 작은 병변이나 경계가 불분명한 종괴를 찾는데 유용함

② 액와림프절 전이 여부 판단, 필요할 경우 초음파 유도하 조직검사 시행 가능

(2) 유방 MRI

① 종양의 범위를 확인하고, 다발성(multifocal) 또는 다중심성(multicentric) 병변을 진단할 수 있음

② 유방보존술이 고려되는 환자에서 유방촬영술 및 초음파검사 소견이 불확실한 경우, 유방암의 흉벽 침범 여부 확인, 선행항암화학요법의 반응을 평가하는 경우에 시행

V. 유방암의 병리학적 분류

병리학적 분류에 따라 항암화학치료 방침이 결정됨

1. 면역화학염색에 따른 분류

1) 호르몬양성유방암(Hormone receptor positive breast cancer)

에스트로겐 수용체(estrogen receptor, ER) 또는 프로게스테론 수용체(Progesterone receptor, PgR)가 양성인 경우를 의미

2) HER2 (Human Epidermal growth factor Receptor 2) 양성유방암

HER2 면역화학염색이 양성이거나, In Situ Hybridization (ISH)이 증가되어 있는 경우를 의미

Category		Result
IHC	0 or 1+ staining	Negative
	2+ staining	Equivocal
	3+ staining	Positive
ISH	HER2/CEP17 ratio <2.0 and HER2 copy number <4	Negative
	HER2/CEP17 ratio <2.0 and HER2 copy number ≥ 4 but <6	Equivocal
	HER2/CEP17 ratio ≥ 2.0 by ISH	Positive
	HER2 copy number ≥ 6 regardless of ratio by ISH	

3) 삼중음성유방암(triple negative breast cancer, TNBC)

ER, PgR, HER2가 모두 음성인 경우

2. Intrinsic subtype

유전학적인 분류로, luminal A, luminal B, HER2 overexpressed, Basal-like로 분류할 수 있음

Intrinsic subtype	Clinicopathologic definition
Luminal A	ER positive / PgR high
	HER2 negative
	Ki67 low
	low-risk molecular signature (if available)
Luminal B	1) luminal-B like (HER2-negative)
	ER positive / HER2 negative
	and either
	Ki67 high or PgR low
	High-risk molecular signature (if available)
	2) luminal-B like (HER2-positive)
	ER positive / HER2 positive
	any Ki67, any PgR
HER2 overexpression	HER2 positive
	ER negative / PR negative
Basal like	Triple negative: ER, PR, HER2 negative

** Ki67 cutoff: 20%

VI. 유방암의 병기

1. 종양 크기(Tumor size, T), 림프절 전이(nodal status, N), 원격전이 여부(metastasis, M)에 따라 구분
2. 해부학적 병기(Anatomical stage): 기존의 TNM 병기, 해부 구조에 근거

   예후 병기(Prognostic stage): TNM 병기와 종양 분화도 및 biomarker를 같이 고려한 병기

   ** biomarker: ER, PR, HER2, tumor grade, Ki67, mitotic count

종양(Tumor, T)	
Tis (DCIS)	Ductal carcinoma in situ
T1	종양 크기 ≤2cm
T2	2cm <종양 ≤5cm
T3	종양 >5cm,또는
T4	크기에 관계없이 흉벽을 침범
	피부에 침윤하였거나 부종이 있는 경우. 또는 염증성유방암

림프절(Nodal status, N)	
N0	림프절 침윤 없는 경우
N1	동측 level I, II 액와림프절을 침범하였으며 림프절이 움직이는 경우
N2	동측 level I, II 액와림프절을 침범하였으며 림프절이 움직이지 않는 경우
	액와림프절 침범 없이 동측 내측 유방 림프절 (internal mammary node) 전이
N3	동측 쇄골하림프절(infraclavicular LN)
	동측 액와림프절 + 내측유방림프절
	동측 쇄골상부림프절 (supraclavicular LN)

전이 여부(Metastasis, M)	
M0	원격전이 없음
M1	원격전이 있음

When T is…	And N is…	And M is…	Then the stage group is…
Tis	N0	M0	0
T1	N0	M0	IA
T0	N1mi	M0	IB
T1	N1mi	M0	IB
T0	N1	M0	IIA
T1	N1	M0	IIA
T2	N0	M0	IIA
T2	N1	M0	IIB
T3	N0	M0	IIB
T0	N2	M0	IIIA
T1	N2	M0	IIIA
T2	N2	M0	IIIA
T3	N1	M0	IIIA
T3	N2	M0	IIIA
T4	N0	M0	IIIB
T4	N1	M0	IIIB
T4	N2	M0	IIIB
Any T	N3	M0	IIIC
Any T	Any N	M1	IV

Ⅶ. 치료

1. 조기유방암(stage I, II)

수술, 선행/보조 항암화학요법, 방사선 치료의 다각적 집약치료(multidisciplinary approach)가 필요

1) 국소적 치료: 수술 및 방사선치료를 시행

(1) 유방보존술: 부분유방절제술 + 액와림프절절제술 + 방사선치료

(2) 변형근치적 유방절제술: 유방전절제술 + 액와림프절절제술

→ 유방보존술 및 변형근치적 유방절제술은 장기생존율에서 동등한 효과가 있음

2) 방사선요법

(1) 유방보존술을 시행 받은 모든 환자를 대상으로 시행

(2) 유방전절제술을 시행한 환자의 경우, 종양크기 5 cm 이상이거나 절제연 양성 또는 근접한 경우에 시행

3) 전신치료

항암화학치료 및 내분비요법을 시행

(1) 수술 전 항암화학요법

① stage II 환자 중 종양 크기를 제외한 모든 것이 유방보존술에 적합한 경우 항암화학치료 후 종양 크기가 줄어든 경우 유방보존술을 시행

② 2기 유방암의 경우, 선행항암화학요법과 수술 후 보조항암요법 시행 사이에 무병생존율은 동일하나, 선행항암화학요법군에서 유방 보존율이 더 높았음

③ Anthracycline 또는 anthracycline 후 taxane 요법을 이용

(2) 수술 후 보조 전신요법: 보조 항암화학요법 + 보조 내분비요법(호르몬양성유방암의 경우)

① 보조 항암화학요법: Anthracycline 또는 Anthracycline 후 taxane 요법 시행

- 호르몬 수용체 양성, HER2 음성: 림프절 침범이 있을 경우 보조 항암화학요법, 보조 내분비요법 시행, 림프절 침범이 없는 0.5cm 이상의 종양은 Oncotype DX 시행 후 항암치료 결정
- 호르몬 수용체 양성, HER2 양성: Trastuzumab 병합 고려. Trastuzumab은 Anthracycline 투여 종료 후 Taxane계 항암제와 병합하여 투여하며 총 1년 투여
- 호르몬 수용체 음성, HER2 음성: 종양크기 1cm 이상이거나 림프절 침범이 있으면 보조 항암화학요법 고려
- 호르몬 수용체 음성, HER2 양성: Trastuzumab 병합 고려. Trastuzumab은 Anthracycline 투여 종료 후 Taxane계 항암제와 병합하여 투여하며 총 1년 투여

② 보조 내분비요법

- HER2에 관계 없이 호르몬양성인 모든 유방암환자에게 보조 항암화학요법 종료 후 투여
- 폐경 전 여성은 tamoxifen 20 mg을 5-10년 투여하며, 폐경 후 여성은 aromatase inhibitor를 5년 투여

③ Oncotype DX

Gene panel test로, 호르몬양성, HER2 음성, 림프절 전이가 없는 환자를 대상으로 추후 재발 및 원격 전이의 확률을 예측하여 보조 항암화학치료가 필요한 환자군을 선정하는데 도움을 줌

2. 국소진행성유방암(stage III)

근치적 수술이 가능한 유방암(T3N1M0)과 근치적 수술이 어려운 유방암(N2-3 또는 T4)이 있으며, 근치적 수술이 어려운 유방암의 경우 수술 전 항암화학요법이 필수적. 선행 항암화학치료의 반응 평가에 따라 국소 치료(수술, 방사선치료)를 시행하고, 호르몬양성유방암의 경우 수술 후 보조 내분비치료를 시행

1) 수술 전 선행항암화학치료

(1) 종양의 반응을 유도하여 수술이나 방사선 치료의 국소 치료가 가능하도록 함

(2) 종양의 화학요법의 감수성을 확인할 수 있음

(3) 미세 전이에 대한 조기 치료를 시행할 수 있음

(4) 병리학적 완전 관해(pathologic complete response, pCR)는 생존율을 향상시키는 예후 인자

(5) anthracycline, taxane을 사용할 수 있으며, HER2 양성 국소진행성유방암의 경우 trastuzumab 및 pertuzumab을 추가하는 것이 추천됨

2) 수술 후 보조 항암화학치료

pathologic response가 불충분하여 residual cancer이 남아 있을 경우, capecitabine을 투여할 수 있으며 삼중음성유방암에서 특히 효과가 있음

3. 전이성 또는 재발성유방암의 치료

1) 치료 목표

(1) 암의 진행을 억제, 생존기간의 연장, 암 관련 증상의 완화, 생활활동능력 증진, 삶의 질 향상에 목표를 둠

(2) 국소구역재발의 경우 근치적 치료 역시 고려할 수 있음

2) 전신전이의 진단

(1) 병력 청취, 신체검사 시행

(2) complete blood count, blood chemistry, 흉부엑스선검사, 뼈스캔, 증상이 있는 뼈 부위의 엑스선 검사 시행

(3) 필요한 경우 흉부 및 복부 CT, MRI, FDG PET-CT 등 고려

(4) 가능하다면 재발 부위에 대한 조직검사 시행

3) 전신전이의 치료

- 뼈 전이 여부, 호르몬 수용체 양성 여부, HER2 양성 여부에 따라 치료 지침을 나눔

(1) 호르몬양성유방암

뼈, 연부조직에만 국한된 전이, 내부 장기에 전이가 있지만 비교적 국소적이고 증상이 없어 visceral crisis가 없다고 판단되는 경우이거나, 재발까지의 기간이 2년 이상으로 긴 경우에는 독성이 적은 내분비요법부터 시항

〈Treatment options in hormone receptor positive breast cancer〉

① Combination with CDK 4/6 inhibitor

- letrozole + palbociclib / ribociclib / abemaciclib

- fulvestrant + palbociclib / ribocclib / abemaciclib

② Non-steroidal aromatase inhibitor

- letrozole, anastrozole

③ Steroidal aromatase inhibitor

- exemestane

④ selective estrogen receptor modulator / downregulator

- tamoxifen, fulvestrant

⑤ Combination with mTOR inhibitor

- Exemestane + Everolimus

(2) HER2 양성유방암

- HER2 target agent를 항암치료와 병합하여 사용

〈Treatment options in HER2 positive breast cancer〉

Pertuzumab + Trastuzumab + Docetaxel

Ado-trastuzumab embansine (T-DM1)

Lapatinib + Capecitabine

이외에 기타 항암화학치료와 Trastuzumab을 병합하여 사용 가능

(3) 항암화학요법

① 생존기간의 연장 및 삶의 질 향상, 암의 진행을 억제하면서 증상의 완화가 목적이므로, 항암화학치료로 인한 독성을 최소화하는 것이 중요

② 호르몬수용체 음성이면서 전이가 뼈나 연부조직에만 국한되지 않은 경우, 호르몬 수용체 양성이지만 광범위한 전이가 있거나 이로 인한 증상이 동반된 경우, 이전의 여러 호르몬 치료에 연속적으로 내성을 보이는 경우가 대상

③ 단일 제제를 이용한 단일 요법이 추천되며, anthracycline 및 taxane을 우선적으로 사용하며, 이후의 항암화학치료로는 capecitabine, vinorelbine, eribulin, gemcitabine 등을 사용할 수 있음

(4) 뼈전이를 동반한 유방암의 치료

osteolytic bone metastasis가 있는 경우 항암치료, 호르몬치료, 방사선치료와 함께 bone-targeted agent 투여하여 골절 등의 skeletal-related event의 발생을 억제

① Denosumab

- 발열, 전신통 등의 급성 독성이 적고 신기능에 영향을 주지 않으나 저칼슘혈증이 발생할 확률이 있어 칼슘 및 비타민 D와 같이 투여해야 함
- osteonecrosis of jaw가 발생할 수 있어 치과 검진 필요

② Zoledronic acid

- 신기능 평가가 필요하며, 발열 및 전신통 등의 급성 독성이 발생하는지 유의해야 함
- Denosumab과 마찬가지로 osteonecrosis of jaw가 발생할 확률이 있어 치과 검진 필요

Ⅰ. 역학

- 한국 전체 암발생률 1위(남자 1위 여자 4위)
- 전체 5년 생존율 75.4% (2015년 국립암센터 통계 기준)

Ⅱ. 증세

비특이적 증세가 대부분, 체중감소(80%), 식욕부진, 피로, 상복부 통증, 삼킴곤란, 구토

Ⅲ. 신체 소견

- 전이성 말기암의 비특이적인 신체 소견: 악액질(cachexia), 악성 복수
- Virchow's node: 좌측 쇄골상림프절 전이
- Sister Mary Joseph node: 배꼽주위결절 전이
- Krukenberg's tumors: 난소 전이
- Blumer's shelf: 직장주위 맹낭(cul-de-sec) 전이

Ⅳ. 검사

1. 위 내시경검사 및 조직검사

(6장 6절 참조): 스크리닝 및 확진을 위한 가장 중요한 검사

2. 병기 결정을 위한 검사

신체검사, 일반 혈액 검사, 단순흉부 방사선 검사, 복부 전산화단층 촬영, 상부 위장관 조영술

1) 복부/흉부 전산화 단층촬영(CT scan): 주위기관, 림프절 침범의 정도 및 간, 부신, 난소, 폐 등과 같은 전신 전이를 평가하는데 유용

2) 내시경적 초음파술(EUS): 위벽과 국소 림프절 침범 확인 시 CT보다 정확함. 간좌엽의 작은 전이 병변 및 소량의 복수를 확인할 수 있음

3) PET–CT: CT에서 확실치 않은 원격전이 확인을 위해 시행되나, 미만성 또는 점액성 종양의 경우, 암세포의 감지율이 낮을 수 있음

4) 복강경하 병기 결정: 수술을 고려하는 환자에서 복막전이 여부를 확인하기 위해 고려할 수 있음

5) 종양표지자

    (1) CEA, CA19-9: 수술 전 혈청 level이 높은 경우가 좋지 않은 예후와 상관성을 보이며, 재발의 지표 및 치료 효과판정에 이용

    (2) AFP 간세포양 위샘암 또는 AFP 생성 위샘암에서 상승, 해당 조직유형은 위암종의 1.3-15%

V. 해부학적 위치 및 병리 소견

1. 위의 악성종양

선암(adenocarcinoma) (85%), 림프종, GIST (위장관기질종양), 평활근육종(leiomyosarcoma) 등

2. 위샘암의 분류

1) 조기위암 및 진행위암의 정의

제6장 소화기 제6절 위용종 및 위암 참조

2) 조직학적 분류

    (1) Lauren 분류(Lauren 1965)

        ① intestinal type: 대개 분화도가 좋고, 관상 또는 샘구조를 형성

        ② diffuse type: 미분화 또는 분화도가 나쁜 암으로 샘구조를 형성하지 않음. 개개의 세포가 독립되어 침윤하는 양상

        ③ mixed: 각각 50%씩 보이는 경우

        ④ intermediate: 분화가 나빠서 분류하기 곤란한 경우

    (2) 상피성 위암의 WHO 분류(2010)

        ① Adenocarcinoma: papillary adenocarcinoma, tubular adenocarcinoma, mucinous adenocarcinoma, poorly cohesive (including signet-ring cell carcinoma), mixed adenocarcinoma

        ② Uncommon histology variant: adenosquamous carcinoma, squamous cell carcinoma,, hepatoid adenocarcinoma, undifferentiated carcinoma

VI. 위암의병기(TNM)

1. AJCC 7th edition

표 7-5-1 원발 종양(T)

TX	원발종양의 침윤정도평가 불능
T0	원발 병변 존재 증거 없음
Tis	점막내 종양(Carcinoma in situ) : lamina propria를 침범하지 않은 상피내암
	(intraepithelial tumor)
T1	고유판(lamina propria), 점막근육판(muscularis mucosae), 점막하(submucosa) 침범
T1a	고유판(lamina propria), 점막근육판(muscularis mucosae) 침범
T1b	점막하(submucosa) 침범
T2	고유근(muscularis propria)까지 침범*
T3	장막하(subserosa) 연부조직침범
	(내장복막;visceral peritoneum 또는 인근 구조물 침범없음)**, ***
T4	장막(내장복막) 또는 인근 구조물 침범**, ***
T4a	장막 또는 내장복막을 침범
T4b	인근 구조물 침범

* 설명 : 고유근을 침범하면서 gastrocolic, gastrohepatic ligament, greater or lesser omentum을 싸고 있는 visceral peritoneum의 천공이 없이 이들 조직까지 퍼진 경우 T2, 천공을 동반한 경우 T3, 한편 gastric ligament 또는 omentum을 덮고 있는 내장복막의 천공이 있는 경우 T4.
** : 주위장기(비장, 횡결장, 간, 횡격막, 췌장, 복벽, 부신, 신장, 소장, 후복막)
*** : 십이지장, 식도까지 intramural extension

표 7-5-2 국소 림프절 전이(N)

Nx	국소 림프절 전이 유무 평가 불능
N0	국소 림프절 전이 없음*
N1	1–2개의 국소 림프절 전이
N2	3–6개의 국소림프절 전이
N3	7개 이상의 국소 림프절 전이
N3a	7–15개의 국소 림프절 전이
N3b	16개 이상의 국소 림프절 전이

* pN0 제거 또는 검사한 림프절의 수에 관계없이 검사한 림프절이 모두 음성인 경우

표 7-5-3 원격 전이(M)

M0	원격전이 없음
M1	원격전이

표 7-5-4 병기에 따른 5년 생존율 AJCC 7th ed. 기준. (한국 위암 수술환자 생존율, Cancer 2010;116:5592-8.)

병기	TNM 병기	5년생존율	병기	TNM 병기	5년생존율
stage 0	Tis N0 M0		stage IIIB	T3 N3 M0	37.5%
stage IA	T1 N0 M0	95.1%		T4a N2 M0	46.7%
stage IB	T1 N1 M0	90.2%		T4b N0 M0	41.0%
	T2 N0 M0	87.6%		T4b N1 M0	25.0%

병기	TNM 병기	5년생존율	병기	TNM 병기	5년생존율
stage IIA	T1 N2 M0	84.0%	stage IIIC	T4a N3 M0	26.9%
	T2 N1 M0	88.7%		T4b N2 M0	22.5%
	T3 N0 M0	82.1%		T4b N3 M0	
stage IIB	T1 N3 M0	71.1%	stage IV	any T /N M1	10.9%
	T2 N2 M0	74.2%			
	T3 N1 M0	73.0%			
	T4a N0 M0	69.2%			
stage IIIA	T2 N3 M0	54.3%			
	T3 N2 M0	57.7%			
	T4a N1 M0	61.4%			

Ⅶ. 치료

1. 수술

1) 원위부에 국한된 위암: 위부분절제(subtotal gastrectomy)

2) 다른 부위: 위 완전절제(total gastrectomy)

3) 수술의 범위

　(1) 한국 및 일본 : D2 림프절 절제(N1 group of lymph nodes + N2 group)가 표준

　　① N1 림프절: 대만과 소만을 따라서 존재하는 위주변 림프절

　　② N2 림프절: Lt gastric a. common hepatic a. celiac a., splenic a. 주변의 림프절, pancreas tail, spleen의 일부를 함께 절제하기도 함

　(2) 서구: D1절제가 표준. 수술예가 많지 않은 기관에서의 D2 림프절 절제는 수술 후 이환율 및 사망률이 높아 아직까지는 필수적으로 요구하지는 않음. 다만 위암수술은 위암수술 건수가 많은 기관에서 경험이 많은 외과의가 수술할 것과 D1 림프절절제와 복강동맥 주변 림프절(D2) 절제를 포함하고 15개 또는 그 이상의 림프절을 검사할 것을 권고

2. 보조화학요법

1) 기존의 연구자료를 이용한 meta-analysis 보고들에서 보조화학요법이 통계적으로 무병생 존기간 및 전체생존기간의 의미있는 연장효과를 보여줌

2) ACTS-GC trial: 2007년에는 일본에서 D2 절제를 받은 위암 II기 및 III기 환자를 대상으로 fluoropyrimidine 계열의 S-1을 단독으로 경구 투여하는 보조화학요법이 3년 생존율 80.1%로 수술단독군 70.1%와 비교하여 사망에 대한 위험도에서 통계적으로 유의한 차이를 보여줌

3) Classic trial: 우리나라와 중국에서 진행된 이 연구에서 D2 절제술을 받은 II-IIIB환자를 대상으로 XELOX (capecitabine/oxaliplatin)군과 위약군을 비교하여 투약군에서 유의한 3년 무병생존률 증가 (XELOX군 74% vs. 위약군 59%, HR 0.26, 95% CI 0.44-0.72, P〈0.001)를 확인

4) 이들 자료들을 근거로 현재 위암의 보조화학요법은 2기 이상에서 시행 중

3. 병합치료(수술과 항암화학요법 또는 방사선 치료)

1) INT-0116 연구 결과에 의하면 위암이나 위식도 경계부 암에 대하여 수술후 보조적으로 5-FU와 방사선 치료를 받은 환자군에서 생존기간이 유의하게 연장됨(5년 중앙생존기간 ; 36개월 vs 27개월). 이 연구는 suboptimal lymph node dissection을 받은 환자들이 많이 포함되어 있다는 비평을 받고 있으나, 이 연구결과가 보고된 이후부터 미국에서는 위암에 대한 수술 후에 보조적 치료로서 항암화학 요법과 방사선 치료를 받는 것이 표준 치료가 되고 있음

2) D2수술을 기본으로 시행하고 있는 한국, 일본 등에서 표준요법으로 일반화하기는 어려움

4. 선행화학요법

Cunningham 등은 위, 위식도 접합부, 하부식도 샘암종환자 503명을 대상으로 수술전후 ECF 화학요법과 수술 단독군의 무작위배정연구(Magic trial)를 시행하여, 수술 전후 화학요법을 시행한 군에서 수술 후 이환율 및 사망률을 증가시키지 않으면서 수술 단독 군과 비교하여 완전절제율의 향상과 4년 중앙 추적 기간 동안 무병 생존율 및 전체 생존율의 향상 보고; 5년 생존율은 화학요법 시행군 36%, 수술 단독군 23%를 보임(HR 0.75, P=0.009). 새로운 세포독성 항암제 및 생물학적 약물이 개발되어 위암의 전신요법에 도입되고 있고, 위 및 위식도 접합부 암종에서 선행화학요법, 보조요법, 방사선 요법과의 병합치료 등과 관련한 역할에 대해 다양한 임상 연구가 진행 중

VIII. 절제 불가능한 전이성 위암에 대한 치료

1. 항암제 및 방사선의 병합치료

절제가 불가능한 위 식도 연결부위 종양에 대하여 항암제 및 방사선의 병합치료를 고려해 볼 수 있음

2. 항암화학요법

1) 임상연구결과에 따르면 항암치료가 전체 생존기간과 환자들의 삶의 질을 증가시킴

2) 치료에 대한 반응은 2가지 이상의 복합 화학 요법 시 40-50%로 단일요법 10-20%에 하여 반응률의 향상 및 전체 생존율의 향상을 보임

3) 복합화학요법제로는 5-FU와 cisplatin 병합 요법이 근간으로 쓰여 옴. 1990년대 이후 Capecitabine, S1, Taxane, Irinotecan, Oxaliplatin 등의 약제가 개발 임상에 도입되었고, 기존의 표준요법으로 쓰였던 FP, ECF 등과 비교하여 이들 약제들의 병합요법이 효과 면에서 비열등성 또는 동등성을 보여주면서 독성, 삶의 질 면에서 다소 유리한 면을 보여줌. 현재는 1차 표준치료로 5-FU와 cisplatin 계열 병합치료(FOLFOX, Capecitabine-Oxaliplatin, Capecitabine-Cisplatin, S1-Cisplatin 등)가, 2차 요법으로는 taxene, irinotecan 등이 많이 쓰이고 있음

4) 표적치료제 및 면역항암제

2009년에는 HER2양성을 보이는 전이성/진행성 위암에서 cisplatin/fluoropyrimidin와 HER2를 표적으

로하는 trastuzumab의 병합요법이 생존율의 향상을 보여주는 3상 연구(ToGA)가 발표된 바 있음. 혈관내피성장인자(VEGF)를 표적으로 하는 약제로는 ramucirumab이 paclitaxel과 병용할 경우 전이성 위암의 2차치료에서 유의한 효과를 보임. 또한, 일부 위암환자에게서 PD-1과 PD-2 등의 면역관문을 억제하는 면역항암치료가 효과를 보임. 향후 기존의 항암화학요법을 넘어서 새로운 표적치료제, 면역항암제에 대해 여러 임상연구가 진행 중

3. 다른 보조적인 치료

폐색소견이 분명한 일부 환자에서 debulking(감량수술)이나 bypass surgery(우회로조성술)가 삶의 질을 향상시킬 수 있음. 출혈이나 전이로 인하여 통증이 있을 때에 방사선치료를 시행하기도 함

Ⅰ. 대장암의 분류

해부학적 발생 위치에 따라 항문연에서 약 12-15 cm 이내의 직장에서 발생하는 직장암과 그보다 근위부에 발생하는 결장암으로 분류함

Ⅱ. 대장암의 병기 및 예후

1. 결장 직장암의 병기

표 7-6-1 결장직장암의 TNM 병기분류

원발종양(T)	
Tx	원발종양 평가할 수 없음
T0	원발 종양의 증거가 없음
Tis	상피 내암
T1	점막하(submucosa)침범
T2	고유근(muscularis propria)침범
T3	고유근을 뚫고 pericolorectal tissue 침범
T4	Visceral peritoneum이나 주변장기 침범
T4a	Visceral peritoneum 침범
T4b	주변장기에 접하거나 침범
국소림프절 전이(N)	
Nx	국소림프절을 평가할 수 없음
N0	국소림프절 전이 없음
N1	1–3개의 국소림프절 전이 혹은 tumor deposit 존재
N1a	1개 국소림프절 양성
N1b	2–3 국소림프절 양성
N1c	국소림프절 전이 없음, tumor deposit 존재
N2	4개 이상의 국소림프절 전이
N2a	4–6개의 국소림프절 전이
N2b	7개이상의 국소림프절 전이

원격 전이(M)	
M0	원격전이 없음
M1	원격 전이
M1a	한장기에 국한, 복막전이 무
M1b	두개이상 장기에 전이, 복막전이 무
M1c	복막전이 유

표 7-6-2 결장직장암의 TNM 병기

Stage	T	N	M
0	Tis	0	0
I	T1–2	0	0
IIA	3	0	0
IIB	4a	0	0
IIC	4b	0	0
IIIA	T1–2	N1/M1c	0
IIIB	T1	N2a	0
IIIC	T3–4a	N1/N1c	0
	T2–3	N2a	0
	T1–2	N2b	0
	T4a	N2a	0
	T3–4a	N2b	0
	T4b	N1–2	0
IVA	Any T	Any N	M1a
IVB	Any T	Any N	M1b
IVC	Any T	Any N	M1c

AJCC cancer staging manual 8th edition, chapter 20, p251, 2017, American Joint Committee on Cancer

2. 예후

외과적 절제후 보조 항암 치료시 고려해야 하는 불량한 예후 인자

1) 암세포의 장벽관통

2) 주위 림프절전이

3) 불충분한 림프절생검(12개 이하)

4) 병리학적으로 불량한 분화

5) 림프관, 혈관, 또는 신경주위침범

6) 수술전혈장 CEA가 5.0 ng/ml 이상

7) 장폐색 또는 장천공

8) 수술절제면 암세포양성

9) 특정 염색체 결손(예시 Braf 유전자 변이)

10) 우측결장암

Ⅲ. 치료원칙

1. 결장암

1) 수술적 치료

완전 절제를 위해서는 종양 주위에서 5 cm까지 안전 경계를 두고 절제하는 것을 권장함

(1) 고식적 절제술: 수술이 불가능한 병기인 경우에라도 장 폐색, 천공 등의 암으로 인한 합병증이 발생했을 경우 병변을 절제하고 colostomy를 시행할 수 있음

(2) 전이절제술(metastasectomy): 간 혹은 폐에 전이된 병변이 절제 가능할 경우는 장절제술과 함께 전이 병변을 같이 수술할 수 있음

(3) 임파선 절제

12개 이상의 림프절을 절제하여 N stage를 확인함

2) 항암화학요법

(1) 수술후 보조요법

수술후 국소 재발을 예방하고 원격전이의 발생율을 낮추기 위하여 수술 후 5-FU 혹은 capecitabine과 leucovorin ± oxaliplatin의 보조항암화학요법을 실시함

〈보조 항암 치료 적응증〉

① Ⅲ기 대장암

② Ⅱ기 대장암인 경우에는 고위험 군에 해당하는 경우

- 조직학적 분화도가 나쁜 경우(microsatellite instability, MSI-high 제외)
- 종양주변의 혈관 혹은 림프관 침범(lymphovascular invasion)
- 신경절 주변 침범(perineural invasion)
- T4 병변인 경우(stage ⅡB, ⅡC)
- 수술 시 장 폐색이 있었던 경우
- 수술 시 림프절 절제의 수가 12개 미만인 경우
- 국소천공
- 절단면에 현미경학적으로 암세포가 존재하거나 가까운 경우

(2) 고식적 약물치료

① 수술이 불가능하거나 재발한 환자를 대상으로 항암화학요법을 시행. 5-FU 또는 capecitabine, leucovorin, irinotecan, oxaliplatin 등이 주로 사용되는 약제. Irinotecan이나 oxaliplatin을 기본으로 하는 FOLFIRI 혹은 FOLFOX 복합항암화학요법의 반응율은 약 45-55%, 중앙 생존값이 16-17개월로 나타남

② 복합항암화학요법에 표적치료제인 bevasizumab 혹은 cetuximab를 병합하여 치료하는 경우 반응률과 중앙 생존값이 20.3개월 vs 15.6개월 P=0.0000로 향상됨. Cetuximab은 EGFR monoclonal antibody로 RAS 유전자 돌연변이가 있는 경우, 효과가 없으므로 조직에서 RAS 유전자 돌연변이검사를 시행하여 야행성(wild type)인 경우 cetuximab을 추가하고, 돌연변이가

있는 경우 VEGF monoclonal antibody인 bevacizumab을 추가함

③ mismatch repair, MMR 유전자(MLH1, MSH2, MSH6, PMS2)의 돌연변이로 인하여 조직에서 MMR 단백질의 결핍이 있는 MMR-deficient, dMMR, microsatellite unstable 혹은 MSI-high 군이 4기 직결장암환자의 3.5-5% 빈도로 보고되고 있음. 이러한 그룹에서 면역관문억제제 (immune checkpoint inhibitor)의 효과가 microsatellite stable, MSS 혹은 MMR-proficient군과 비교하여 우월하게 좋은 것으로 보고되고 있어 향후 직결장암환자에서 면역치료의 효과를 예측하기 위한 검사로 사용될 수 있음

④ 간 혹은 폐 전이 병변이 있을 경우에는 절제 가능한 경우 전이 병변을 포함한 절제술 (colectomy with metastasectomy)을 시행하거나 혹은 유도 항암화학요법이후 절제술을 시행함. 또한 절제 불가능일 경우도 유도 항암화학요법이후 절제술이 가능한 경우 절제술을 시행함으로써 생존율을 향상시킬 수 있음

2. 직장암

1) 수술적 치료

직장은 해부학적으로 대장의 원위부 12-15 cm에서부터 시작되며 골반 내 위치함. 항문 괄약근을 침범했거나 보다 원위부에 위치한 종양의 경우는 대개 복회음 절제술을 시행함. 직장암의 경우는 해부학적인 특성상 골반 내 충분한 안전경계를 두지 못하고 절제하기 때문에 골반 내 국소 재발이 빈번함

2) 항암화학요법

(1) 수술 전/후 보조요법

직장암은 대장암과 비교하여 원격전이로 재발하는 경우보다 국소 재발률이 더 높음. 따라서 II, III기 직장암의 경우 수술 후 보조 요법으로 5-FU와 방사선 요법을 동시 병행할 경우 재발율과 원격전이의 가능성이 모두 감소하여 암과 관련된 사망률도 현저히 낮출 수 있음

II, III기 중 절제 가능한 T3N0 혹은 TxN1-2의 경우에는 수술 전 유도 항암화학 방사선 요법(50-60 Gy, 방사선 감작제로 fluoropyrimidine 제제 병용)을 통해 수술의 범위를 줄이고 항문 괄약근의 보존을 유도할 수도 있음. 절제 불가능한 T4 병변의 경우 항암화학 방사선 병용요법으로 치료함

(2) 고식적 항암화학요법

수술이 불가능한 직장암의 경우 치료원칙은 대장암과 동일하나 증상이 있는 경우 방사선 혹은 고식적 수술을 시행할 수 있음

IV. 추적검사

대장, 직장암은 완전 절제 후에도 수술 후 5년까지는 재발할 수 있으며 특히 첫 3년 이내에 재발이 빈번함. 특히 II기와 III기 대장, 직장암인 경우 재발의 위험도가 높기 때문에 정기적인 관찰이 필요함. 수술 전 CEA 수치가 높았던 경우 완전 절제 후 6주가 지나야 정상으로 돌아옴. 일단 재발이 진단되면 재수술은 불가능한 경우가 많으며 항암제와 방사선 요법 등을 이용한 고식적인 치료를 시행하게 됨

1. 임상적인 평가

Ⅱ기와 Ⅲ기 대장, 직장암환자들은 수술 후 첫 3년까지는 3-6개월마다 임상증상에 대한 문진과 함께 진찰을 실시함. 그 이후에는 매년 정기적인 검진을 권함. 주로 수술 부위에 다시 재발하거나 간, 폐 등에 원격 전이가 있으므로 이를 중점적으로 평가함

2. 흉부 방사선학적검사

재발을 진단하는데 있어서는 흉부 컴퓨터 단층 촬영을 반드시 시행(routine monitoring)할 필요는 없으나 폐 전이에 대한 검사를 위해 6-12개월에 한번씩 검사하는 것을 권장함

3. 복부 컴퓨터 단층촬영

간 전이나 복강 내 국소 재발의 진단을 위해 시행하며 흉부 방사선학적검사와 마찬가지로 반드시 시행할 필요는 없으나, 절제 가능한 조기 재발을 진단하는 데 도움이 될 수 있기 때문에 정기적검사 권장함

4. 대장내시경

수술 전 대장 폐색이 있었던 경우에는 수술 후 3-6주에 남은 장 부위에 다른 병변이 없는지 검사하기 위해 대장 내시경 시행, 폐색이 없었던 경우에는 수술 후 첫 1년 이내 추적검사하고 이후 3-5년마다 한 번씩 시행하는 것이 좋음

5. 혈액 CEA검사

최소한 첫 2년까지는 2-3개월마다 CEA를 검사함. 추적 검사 당시 CEA가 올라가면 재발이나 간 전이를 의심하여 이에 대한 정밀검사를 시행해야 함

Ⅰ. 두경부암

1. 위험인자

조직학적으로는 대부분이 편평 상피 세포암

1) 술(2-6배 증가)과 담배(25배 증가)가 원인

2) 전암병변: erythroplakia, leukoplakia (hyperplasia, dysplasia)

3) Field cancerization: 두경부암으로 일단 진단된 환자는 상기도 점막이 같은 발암 인자에 노출되어 상기도(두경부, 폐, 식도)에 이차성 원발암 발생 확률이 상승됨

4) 감염성 원인으로는 인간 유두종바이러스 16, 18번(Human papillomavirus type 16, 18)이 구인두, 편도암의 원인 인자로 최근 대두되었으며 치료 반응과도 연관되어 주목을 받고 있음. 또한 코 인두암은 다른 두경부암과는 달리 북아프리카, 남아시아, 중국에서 흔하게 발생하며 Epstein-Barr바이러스와 관련이 있다고 알려져 있음

2. 해부학적 구조

해부학적 구조와 림프절의 분포는 아래와 같음

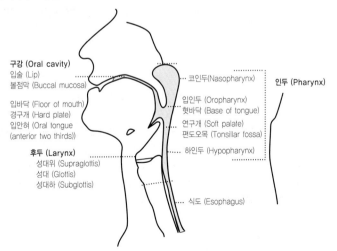

구강 (Oral cavity)
입술 (Lip)
볼점막 (Buccal mucosa)

입바닥 (Floor of mouth)
경구개 (Hard plate)
입안혀 (Oral tongue
(anterior two thirds))

후두 (Larynx)
성대위 (Supraglottis)
성대 (Glottis)
성대하 (Subglottis)

코인두(Nasopharynx)

입인두 (Oropharynx)
혓바닥 (Base of tongue)

연구개 (Soft palate)
편도오목 (Tonsillar fossa)

하인두 (Hypopharynx)

식도 (Esophagus)

인두 (Pharynx)

3. 임상증상 및 치료

1) 임상증상

두경부 종양은 발생 부위의 해부학적 위치에 따른 증상이 나타남(후두암 → 애성, 비인두암 → 이통 등). 증상이 2-4주 이상 계속되는 경우에는 검사를 시행하여야 함

2) 진단

(1) 위험인자와 증상에 관한 상세한 문진 및 자세한 신체검사

(2) 의심스러운 병변은 반드시 조직검사

(3) 방사선학적 진단으로 전산화 단층 촬영(CT scan)나 자기 공명 영상(MRI)

3) 예후

5년 생존율은 1기에서는 80% 이상이지만 3, 4기에서는 40% 정도임. 대부분의 두경부암환자는 진행된 병기에서 진단됨. 치료 후 주요 재발은 국소적으로 발생하며 병의 말기에 원격 전이가 발생하며, 완치된 환자에서도 다른 두경부암이 발생할 확률은 20-40%임

4) 치료

두경부는 여러 중요 기능이 집중되어 있는 부위로 근치적 치료와 함께 기능적 보전이 반드시 고려되어야 함

(1) 국소 병변(1혹은 2기): 약 30%의 환자가 이러한 병기에 해당됨. 해부학적 부위, 기관의 선호도에 따라 수술 또는 방사선 단독으로 치료

(2) 국소진행성병변: 50% 이상의 환자가 이러한 병기에 해당됨. 다학제적 접근을 통한 Combined Modality Therapy가 표준 치료

① 유도 화학요법(Induction chemotherapy) 국소 진행성 두경부암의 경우 Docetaxel/Cisplatin/5-FU의 복합 화학 요법을 방사선 치료 전에 시행

② 항암 방사선 치료(concomitant chemoradiotherapy, CCRT)

- 동시 항암 방사선 치료 단독(CCRT) : 수술이 불가능한 경우 방사선치료가 표준 치료이나, 이때 방사선 감작제(radiosensitizer)로 항암제를(cisplatin 100 mg/m^2 q3 week 또는 매주 30-40 mg/m^2) 투여하여 방사선 치료 단독에 비해 생존률 8%가 증가

- 수술 & 수술 후 보조 방사선 치료: 수술후 보조 방사선 치료가 원칙이나, 재발 고위험군에서는 항암방사선치료 시행. 고위험군은 다음과 같음(다발성 림프절 전이, 림프절의 피막외 침습(extracapsular spread), 수술 절제면의 잔존 병소)

- 상피세포 성장인자 수용체 단클론 항체(Cetuximiab: EGFR monoclonal Antibody: 400 mg/m^2 loading 후 250 mg/m^2 q week): 방사선 감작제로써 방사선 치료와 함께 사용하여 고전적인 항암 치료에 비해 부작용을 낮춤

(3) 재발 혹은 전이병변: 약10-20% 환자가 이에 해당됨

항암치료가 주치료이며 cisplatin, 5-FU, paclitaxel, docetaxel의 복합화학 요법이 이용됨. 반응률은 30-50%, 반응기간은 약 3개월, 평균 생존기간은 6-8개월. EGFR을 표적으로 한 치료제

(Cetuximab)가 비교적 적은 부작용을 보이면서 단독으로는 약 10%의 반응률을 보임. 최근 면역 항암제(PD-1 억제제) 단독 또는 기존 항암 치료와의 복합 요법이 기존 항암 요법보다 더 좋은 치료 성적을 보여 향후 면역 항암제 사용이 활발해질 것이 기대됨

5) 치료 부작용: 대게 수술과 방사선 범위에 따라 결정됨

(1) 방사선의 급성 부작용: 점막염으로 인한 영양 부족과 탈수, 연하곤란
(2) 방사선의 장기 부작용: 구갈(xerostomia), 미각 변화, 이차 악성 종양, 경부의 섬유화, 갑상선 기능 저하, 치아의 부식

II. 식도암(Esophageal cancer)

1. 역학

주된 병리 type은 편평세포암이나, 최근에는 위식도 역류질환과 비만의 증가와 더불어 선암 및 식도하부에서의 발생률이 각각 증가

2. 원인

소화기질환 식도암 참고

3. 병리

소화기질환 식도암 참고

4. 위치

경부(10%), 상부 흉부(40%), 하부 흉부(50%)

5. 증상과 징후

삼킴곤란: 처음에는 고형 음식에서 시작되어 나중에는 액상 음식도 섭식이 어려워지게 됨

6. 진단

기본검사 : 신체 소견, CBC, 간기능검사, 흉부 엑스레이, 위내시경 및 조직검사 및 barium 식도 조영술 (esophagogram), 전산화 단층촬영(chest, abdomen CT scan), 내시경적 초음파술(EUS), 복강경, 흉강경, 기관지내시경, PET-CT

7. 예후

진단 시 75% 이상의 환자가 전이성 병변을 갖고 완치율은 매우 낮아서 90% 이상이 사망에 이름. 대부

분 진단 후 10개월 내에 사망하며 5년 생존율은 10% 이하

8. 치료

T1, N0, M0	식도 절제술
T1b, N+, M0	수술전 항암방사선치료 + 수술 비-경부 식도(non-cervical esophagus)
T2-4a, N+, M0	근치적 항암 방사선치료(경부 식도) (cervical esophagus)
T4b, N+, M0	근치적 항암 방사선치료
Tany, Nany, M1	완화적 항암치료, 보존적 치료

9. 식도 폐색에 대한 보존적 치료

1) 레이저 치료: 폐색과 출혈을 경감시킬 수 있지만, 병변의 상태에 따라서 도움을 받을 수 있는 경우가 한정되어 있음

2) 식도 삽관술(esophageal stenting): 성공률이 높고 삶의 질을 높일 수 있는 장점은 있으나 한시적임

3) Feeding gastrostomy, jejunostomy: 장기적인 영양 공급을 위하여 시도할 수 있음

4) 수술적 bypass

5) 국소적 방사선 조사

III. 췌장암

췌장암의 90%는 췌장액을 분비하는 췌관(duct)에서 발생하는 외분비 췌장암(exocrine carcinoma)이며 드문 유형으로 인슐린과 같은 호르몬을 분비하는 세포(islets of Langerhans)에서 종양이 발생하는 경우가 있음

1. 위험인자

흡연(가장 큰 위험 인자), 만성췌장염, 고지방식이, 비만, 당뇨(80% 동반), 가족력(형제, 자매, 부모의 췌장암 기왕력)

2. 병리

1) 관 선암종: 90% 이상

2) 발생 부위: 두부(50% 이상), 체부(20%), 미부(10%)

3. 임상양상

초기에는 대개 증상이 없으며, 상복부 통증, 허리 통증, 황달, 허약감, 식욕감퇴, 소화불량, 구역/구토, 체중 감소, 갑작스런 당뇨 발생, 당뇨환자에서 복통 또는 체중 감소 지속

4. 진단

초기증세가 비특이적이고 혈청학 검사와 비침습적 검사의 민감도가 낮아서 조기 진단이 어려움

1) 영상검사

전산화단층촬영(CT scan), 자기공명영상(MRI), PET-CT, 내시경적역행적담도술(ERCP), 내시경적 초음파(EUS), 복강경(laparoscopy)

2) 종양관련인자

(1) CA 19-9, CEA, (둘 다 음성일 경우 CA 125), CA 19-9는 감수성 81-85%, 특이도 81-90%로 췌장암의 특이한 검사는 아님

(2) CA 19-9 level의 수술 후 감소 유무가 췌장암환자의 생존 예후와 관련이 있을 수 있음

3) 병기 및 생존율

(1) 췌장암의 병기 별 생존율

각 병기 별 5년 생존율은 각각 1기 39%, 2기 21~28%, 3기 11%, 4기 3%

(2) 임상적 병기

① 외과적 절제 가능 단계

② 국소 진행 단계: 원격 전이는 없으나 수술적 절제가 불가능하거나 경계성

③ 전이 단계: 원격 전이

5. 치료

1) 외과적 절제가 가능한 췌장암

20%만이 가능. 수술적 절제를 시행한 환자라고 해도 2년 이내 재발률이 높아 생존 기간은 약 15-19개월, 5년 생존율은 약 20-30%

(1) 수술

① 췌십이지장절제술(pancreaticoduodenectomy- Whipple's procedure)

② 유문보전위플씨수술(pylorus preservation with Whipple's procedure)

③ 췌장전 절제술(total pancreatectomy): 일반적으로 시행하지 않음. 당뇨가 동반되며, 조절이 쉽지 않음

(2) 보조 요법

① 수술 후 6-8주내에 시작

② 방사선/항암제(5-FU) 동시요법: R1 resection의 경우

③ 전신 항암화학요법: 5-FU/leucovorin, Gemcitabine +/- capecitabine

2) 잠재적 절제 가능 또는 수술 불가능한 국소 진행성 췌장암

전이 병소는 없지만 절제가 불가능한 환자에서 수술 전 치료를 함으로써 절제 가능한 병기로 호전되거나, 수술을 할 수 있다고 하더라도 먼저 치료함으로써 절제면 음성 절제 결과를(margin-negative resection) 얻을 기회가 더 높아지기 때문에 국소 진행암에 대해서는 수술 전 선행 항암요법 또는 항암

방사선 요법을 우선적으로 고려. FOLFIRINOX (5-FU, Irinotecan, oxalplatin) 같은 항암 요법 또는 50-60 Gy의 방사선 요법과 항암제(5-FU) 병합 요법 고려. 방사선 감작제로는 5-FU 이외에도 gemcitabine을 고려할 수 있음

3) 전이성 췌장암

전신항암화학요법은 전통적으로 gemcitabine 요법이 사용되었으며 최근 gemcitabine + nab-paclitaxel 요법 또는 FOLFIRINOX 요법이 gemcitabine 단독 치료 보다 우월 하여 전신 수행 능력이 좋을 경우 병합 약제를 선택함. 후속 치료로는 nanoliposomal irinotecan + 5-FU/LV 요법이 5-FU/LV 보다 치료 성적이 좋아 (전체 생존 기간 6.1개월 vs. 4.2개월) 전신 수행 능력에 따라 고려할 수 있음

Ⅳ. 담도암

담도암은 간문부담관암(67%), 간내담도암(6%), 간외담도암(27%)을 포함하며, 한국에서 연간8/100,000명 발생, 전체 암종의 2.9%를 차지함. 조기발견이 10% 정도밖에 되지 않아서, 수술 가능한 경우가 적으며, 수술적 절제술 후에도 재발률이 높음

1. 위험인자

크론씨병, 담관석, 낭성 섬유화, 궤양성 대장염, 원발성 경화성 담관염, 기생충 감염(Clonorchis sinensis), 이외에도 담관 정체나 감염을 일으킬수 있는 상태들이 해당됨

2. 병리

선암(95%)이 대부분

3. 임상양상

복통, 체중감소, 황달, 일부에서는 완전히 증상이 없기도 함

4. 진단

1) 영상검사

복부 초음파, 전산화 단층촬영(CT scan), 내시경적 역행적 담도술(ERCP), 자기공명 췌담관조영술(MRCP), Intraductal US, brush cytology, 경경구적 담도내시경검사, 경피경간적 담도내시경검사(PTHC), 내시경적 초음파(EUS), 복강경(laparoscopy)

2) 병기 및 생존율

(1) 담도암의 병기 별 생존율

각 병기별 5년 생존율은 각각 1기 85%, 2기 59%, 3기 25-46%, 4기 11%임

(2) 임상적 병기

① 외과적 절제 가능 단계

② 국소 진행 단계: 원격 전이는 없으나 수술적 절제가 불가능하거나 경계성

③ 전이 단계: 원격 전이

5. 치료

1) 외과적 절제가 가능한 담도암

근치적 수술 절제만이 유일한 완치 방법임. 일반적으로 45%의 환자에서 완전절제가 가능하며, 10% 에서 불완전 절제, 45%에서는 수술이 불가함. 완전히 절제해도 5년 생존율 10-15% 내외임. 수술 후 보조 항암화학요법(5-FU/leucovorin)과 보조 항암(5-FU) 방사선 요법에 대한 이득에 대해서는 논란의 여지가 있음

2) 수술이 불가능한 국소 진행성 담도암

45-54 Gy의 방사선 항암 치료를 주로 시행하며, 평균 생존 기간은 12-18개월

3) 전이성 담도암

Gemcitabine 및 5-FU 단독 또는 백금제제와의 복합요법이 표준치료임. 20%의 반응율과 10개월의 중앙 생존 기간의 효과를 보고함

V. 육종

1. 연부조직육종

1) 정의

연부조직은 해부학적 구조물을 연결, 지지 또는 싸고 있는 골격외 결합조직을 지칭하며 근육과 인대 등 운동과 관계된 기관이나, 지방, 섬유조직, 활막 조직 등 지지조직 구조를 포함

2) 역학

연간 발생은 100만 명당 3건, 전체 악성종양 중 0.7%를 차지하지만, 15세 미만의 소아에서는 전체 악성종양의 6.5%를 차지하여 5번째로 흔한 종양이며, 암에 의한 사망 순위도 5위에 이름

3) 분류

표 7-7-1 병리조직학적 분류

포상연부육종 (alveolar soft part sarcoma)	악성 섬유성 조직구종 (malignant fibrous histiocytoma)
혈관육종 (angiosarcoma)	악성 혈관 주위세포종 (malignant hemangiopericytoma)
표피양육종 (epithelioid sarcoma)	악성 간엽세포종 (malignant mesenchymoma)
골격외 연골육종 (extraskeletal chondrosarcoma)	악성 신경초종 (malignant schwannoma)
섬유육종 (fibrosarcoma)	횡문근육종 (rhabdomyosarcoma)
평활근육종 (leiomyosarcoma)	활막육종 (synovial sarcoma)
지방육종 (liposarcoma)	기타 분류 되지 않은 육종 (not otherwise specified)

4) 임상 소견

(1) 발생 위치: 사지(43%), 체간(10%), 내장(19%), 후복막(15%), 두경부(9%) 빈도로 발생하며, 사지에서 발생되는 경우 하지의 발생률이 상지 보다 3배 많음. 체간에서 발생하는 경우 40%는 후복막에서 발생

(2) 증상 및 증후: 무증상 종괴가 가장 흔한 증상이지만 신경, 근육에 대한 압력이나 끌림, 죄임 등의 기계적인 증상이 있을 수 있음

(3) 원격전이: 주로 혈행을 통해서 전이되는 경향이 있으며 림프절 전이는 5%에서 나타남
- 폐실질은 가장 흔한 전이장소이며 예외적으로 위장관의 평활근육종은 주로 간으로 전이

5) 진단, 방사선학적인 검사 및 병기결정

(1) 조직 생검: 생검의 위치와 절개의 방향은 추후 근치적 절제시 절제부위에 조직생검 부위가 포함될 수 있도록 고려해야 함

(2) 방사선학적인 검사: 원발 부위의 평가를 위해 단순 X선 사진, 자기공명영상(MRI), 전산화 단층촬영(CT scan), 골스캔(bone scan) 등이 이용. 폐전이를 알아보기 위한 폐 CT scan을 시행

6) 예후

예후 인자: 조직학적 등급, 근막면에 대한 관계, 원발 종양의 크기가 가장 중요한 예후인자

병기별 5년 생존율은 각각 1기 98.8%, 2기 81.8%, 3기 51.7%, 4기 <20%임

7) 치료

(1) 병기에 따른 치료
① I기 : 외과적인 절제만으로도 적절히 치료됨
② II-III기 : 외과적 절제 전, 후 보조 방사선 치료와 항암화학 요법 고려
③ IV기 : 항암화학 요법을 실시

(2) 수술

육종은 활막면을 따라 자라면서 pseudocapsule을 만드는 경향을 보여, 마치 주위 조직과 잘 구분이 되는것처럼 보이나, 실제는 주변조직에 침습되어 경계면이 불분명하므로, 국소재발을 막기 위해 절단면 가장자리가 음성이 되도록 가능한 한 넓게 절제(wide excision)하는 것이 표준치료

(3) 방사선 치료

수술 전, 후 보조 치료. 국소 재발율은 종양의 크기와 조직학적 등급과 관련이 있음. 원발 병소의 크기가 5 cm 이상 또는 고분화암에서 국소 재발이 많고, 5 cm 미만의 저분화육종은 완전 절제만으로 충분한 치료가 될 수 있음

(4) 보조 항암화학요법

주로 doxorubicin을 기본으로 한 항암치료를 시행. 보조 항암요법으로서는 고분화암, 크기가 5 cm이상, 국소재발성 연부조직육종의 경우 수술 후 ifosfamide와 doxorubicin의 복합화학요법으로 19%의 전체 생존 기간의 증가를 보임

(5) 전이성 병변의 치료

전이성 연부조직육종은 대부분 완치가 불가능하지만, 완전관해를 보이는 환자의 20%는 장기생존하기도 함. 따라서 항암치료나 외과적 수술을 통하여 완전 관해를 목표로 하는 것이 치료 전략. 전이 병변에 대해서 가능하다면 외과적 절제를 시행하며 전이 병변에 대하여 반복적으로 수술을 시행하기도 함. 대표적인 두 종류의 항암제로는 doxorubicin과 ifosfamide가 있으며 20-30%의 반응률을 보임. 2차 항암제로는 gemcitabine과 docetaxel의 병합 요법이 효과를 보이며, 혈관육종의 경우 taxane류의 항암제, 지방육종에서는 eribulin, 지방육종을 제외한 연조직육종에서 pazopanib, 유잉씨육종과 횡문 근육종에서는 vinciristine, etoposide, irinotecan이 효과를 보임

2. 골육종(bone sarcoma)

1) 역학

전체 악성 종양의 0.2%를 차지함

2) 분류 및 병기

(1) 분류

원발 조직에 따라 골육종(osteosarcoma), 연골육종(chonrosarcoma), 유잉육종(Ewing's sarcoma), 악성 섬유성 조직구종(malignant fibrous histiocytoma) 등이 흔함

(2) 병기

종양 분화도와 임파절 혹은 원격 전이 유무에 따라 병기가 결정

3) 골육종(osteosarcoma)

(1) 역학 및 분류

골육종의 45%를 차지하며 60%에서 소아나 청소년기에 나타남. 방사선치료, 양성 골종양, 남성이 위험인자이며, 원위대퇴골, 근위경골, 근위 상완골에서 주로 발생하고 발생부위, 조직아형 등에 따라 classic type (75%), variant type (25%)로 분류. 발생 부위의 동통과 부종이 가장 흔하며, 단순 X-ray에서 골 파괴 병변과 함께 신생골 형성 등이 관찰되고 전산화 단층촬영(CT scan), MRI, 전이 유무를 판별하기 위해 폐 CT, FDG-PET를 시행

(2) 치료

수술 전 항암치료 후 사지 구제술(limb-sparing surgery)을 시행하고 수술 후 항암치료를 시행. doxorubicin, ifosfamide, cisplatin 및 high-dose methotrexate가 효과적인 항암제이고, 장기생존은 60-80%에서 보임. 골육종은 방사선 저항성을 가지므로 방사선 치료의 역할은 미미함

4) 연골육종

20-25%를 차지하며, 성인에서 주로 발생(40-50대)하며 주로 어깨나 골반뼈 등 평편골에서 발생하며 항암 치료에 잘 반응하지 않고 수술이 주 치료임

5) 유잉육종

10-15%를 차지하며, 청소년기에서 20대에 호발. 수술 전 항암치료가 주 치료가 되며 doxorubicin, cyclophosphamide, vincriestine, dactinomycin 및 ifosfamide, etoposide이 효과적. 재발할 경우 topotecan 혹은 irinotecan이 사용될 수 있음

Ⅵ. 위장관 기저종양(Gastrointestinal stromal tumor)

1. 정의

위장관 기저종양은 receptor protein tyrosine kinases의 하나인 c-KIT (CD117)의 돌연변이와 관련된 종양으로 알려져 있음. GIST의 85-95%에서는 KIT 양성이며 단지 5%에서만 KIT 음성. GIST는 위(50%), 소장(25%) 등 대부분 위장관에서 발생함. 증상은 포만감, 위장관출혈, 빈혈 등이며 림프절 전이는 드물며 폐전이 및 간전이가 흔함

2. 진단

진단은 복부전산화 단층촬영(CT scan), 흉부영상진단, 수술적 진단을 시행

3. 치료

일차 치료는 수술적 치료가 우선이 되며 전이되거나 수술이 불가능한 경우 표적치료제를 사용. 완전 절제는 환자의 85%에서 가능하며 그 중 50%의 환자에서 재발하여 5년 생존율은 50%. 재발의 고위험군(a. size: 〉5cm and mitotic count: 〉5/50 HPF, b. size: 〉10cm, c. mitotic count 〉10/50 HPF)에서는 imatinib을 3년 이상 복용 시 재발을 약 30%가량 낮춤

4. GIST의 표적치료

Imatinib (Gleevec)은 KIT protein kinase의 선택적 차단제로 약 50%의 환자에서 높은 효과를 보여 2002년부터 사용되기 시작. 초기 용량은 400 mg/day이며 진행되는 경우 800 mg/day로 증량하여 투여해 볼 수 있음. Imatinib-resistant GIST에서 Sunitinib (Sutent) 투여하여 생존기간의 연장을 보임. 최근에는 imatinib과 sunitinib에 모두 실패한 GIST에서 regorafenib을 투여하였을 때 supportive care 대비 유의한 생존 기간 연장을 보임

I. 정의

종괴에 대한 조직검사에서 암으로 증명되었으나 병력, 신체검사, 혈액검사, 방사선학검사로 원발 병소를 찾을 수 없는 암. MUO 혹은 CUP (Carcinoma of Unknown Primary)라고 하며, 전체 암의 약 3-5%를 차지. 종양이 CUP의 양상으로 발현되는 이유는 불분명하나, 종양이 다른 곳으로 전이된 후 원발 부위는 퇴화되거나, 아주 작은 상태로 남아 있어 검사를 시행하여도 발견되지 않을 가능성이 있고, 원발암이 자연적인 신체 방어 기전에 의해 없어지거나 암의 진행 과정 중에 전이 부위에서만 암으로 표현되었을 가능성도 있음

II. 검사 및 병기결정

1. 기본검사 및 영상검사

병력, 신체검사, 종양표지자, 혈액 및 생화학검사, 흉부 및 복부 전산화단층촬영 및 임상적 소견에 따른 검사(유방촬영술, 자기공명영상촬영, 위대장내시경, 비인후경, 기관지내시경 등)

2. 병리조직학적검사

1) 광학현미경 소견

(1) well to moderately differentiated adenocarcinoma (60%)

(2) poorly differentiated carcinoma or adenocarcinoma (30%)

(3) squamous cell carcinoma (5%)

(4) undifferentiated malignancy (3%)

(5) neuroendocrine (2%)

2) 면역조직화학검사에 따른 추정 원발암(표 7-9-1)

3) 전자현미경 및 유전학검사

3. 비교적 예후가 좋은 암을 찾기 위한 검사(임상양상-가능성 있는 암종-검사)

1) 복막뒤 또는 종격림프절 미분화성암 젊은 남성-생식세포암(germ cell tumor)-α-fetoprotein (AFP), β-human chorionic gonadotropin (HCG)

2) 겨드랑림프절을 가진 여성-유방암-유방 자기공명영상촬영

3) 복막암종 여성-난소암, primary peritoneal papillary serous carcinoma-CA-125

4) 골형성성 골전이 남성-전립선암-prostate specific antigen (PSA)

5) 목림프절의 편평세포암종-두경부암-비인후경, 식도내시경, 기관지내시경

III. 예후 및 치료

1. 일반적 고려사항

전이된 CUP환자들은 대부분 항암화학요법이 초기 치료로 시행되지만 수술, 방사선치료, 관찰 등을 통한 치료 접근도 고려해야 함. Platinum을 포함한 복합항암화학요법이 전통적으로 사용되어져 왔으며, 사용되는 요법으로는 paclitaxel-carboplatin, gemcitabine-cisplatin, gemcitabine-oxaliplatin, irinotecan-fluoropyrimidine-based regimen 등이 있음. 이러한 경험적 항암화학요법의 반응률은 25-40%, 중앙 생존기간은 6-13개월로 알려져 있음. 활동도(performance status), 전이 병변의 장소와 개수, 화학요법에 대한 반응, 혈청 LDH 등이 예후와 관련이 있다고 알려져 있음. 예후가 좋은 특정 질환군을 선별하여 적절한 치료를 하는 것이 중요함

2. 특정 질환군의 치료

1) 단독 겨드랑림프절 종대의 여성

(1) 유방암/호르몬수용체(ER/PR), HER2/neu 면역조직화학검사

(2) 다른 전이 병소가 없는 경우 occult stage II 유방암에 준한 치료(mastectomy/axillary node dissection with irradiation → 보조항암화학요법)

(3) 전이 병소가 있는 경우 ER, PR, HER2/neu 결과에 따라 전이성유방암에 준한 치료

2) 복막암의 여성

(1) 난소암 또는 원발성 복막암

stage III 난소암에 준한 치료(cytoreductive surgery → platinum을 포함한 항암화학요법)

3) 골형성성 골전이의 남성

(1) 전립선암/혈액과 조직에서 PSA검사

(2) 전립선암에 준한 호르몬치료

4) 성선외생식세포종양(extragonadal germ cell cancer syndrome)

(1) 50세 미만의 젊은 남자

(2) 종격동, 후복막에 위치한 종양

(3) 성장속도가 빠름

(4) 생식선 종양표지자(AFP, HCG)의 상승

(5) 방사선 또는 항암화학요법에 대한 반응

* 젊은 남자가 종격동이나 후복막 종양의 조직검사에서 미분화성 종양을 보이는 경우에는 임상적으로 생식세포종양을 의심해야 하며 12번 염색체에 이상을 보이면 확진할 수 있음. 치료는 생식세포종양에 준하여 치료함

5) 편평세포암종

(1) 상위목림프절

  ① 두경부암/코인두경검사, 기관지내시경, 식도내시경

  ② 원발 병소를 알 수 없을 경우, 근치적 경부림프절제술 및 방사선 치료를 시행하며, 30-70%의 환자가 장기 생존함

(2) 하위목림프절 또는 쇄골상부림프절

  ① 폐암, 식도암

  ② 다른 병변이 없을 경우, 림프절제술과 방사선치료 등 적극적인 국소치료를 시행하며, 10-15%의 환자가 장기 생존함

(3) 서혜부 림프절

  ① 생식기, 항문 직장암

  ② 특정 부위에서 병변이 발견되지 않을 경우, 외과적 절제와 서혜부에 대한 방사선치료를 시행하면, 장기 생존함

6) 신경내분비암종(neuroendocrine carcinoma)

(1) 고분화(well differentiated/low grade): somatostatin analogue

(2) 저분화(poorly differented/high grade): 소세포폐암에 준한 치료

  ① 종류: extrapulmonary small cell carcinoma, anaplastic carcinoid, Merkel cell tumor, paraganglioma 소세포폐암에 사용하는 항암화학요법을 시행

7) 폐외소세포암(extrapulmonary small cell carcinoma)

원발성 폐암을 배제하기 위하여 흉부 전산화단층촬영과 기관지내시경검사를 시행해야 함. bladder, cervix, esophagus, ovary, prostate, salivary gland 등에도 발생할 수 있음. 소세포폐암에 사용하는 항암화학요법을 시행

Ⅰ. 암환자의 수혈

1. 적혈구 수혈

1) 암환자 빈혈의 원인

(1) 출혈

(2) 영양 상태 불량으로 인한 철 결핍 혹은 비타민 결핍

(3) 항암화학요법 부작용 예) 항암 약제 독성

(4) 골수 부위(척수 혹은 골반)에 대한 방사선치료

(5) 조혈모세포 손상

(6) 적혈구 용해(Hemolysis)

(7) 암 골수침범

(8) 비장 기능항진

(9) 동반된 기타 만성질환 연관 빈혈

① 빈혈 발생시 피로감과 무력감으로 인해 치료 지연, 삶의 질 저하가 유발되고, 통증이나 오심, 구토도 발생할 수 있어, 헤모글로빈 수치를 일정 수준으로 유지하는 것이 좋음. 헤모글로빈 수치 기준보다 환자 증상 및 정도에 따라 수혈을 결정

② 예로 만성빈혈 시 7 g/dL 미만에서도 증상이 없는 경우가 있으며, 고령이거나 심혈관계, 호흡기질환 여부에 따라 10 g/dL 미만인 경우 수혈을 고려. 1단위(unit)를 수혈했을 때 헤모글로빈 1 g/dL 상승을 기대할 수 있고, 환자에 따라 단위당 2-4시간 속도로 투여할 수 있음

2. 혈소판 수혈(표 7-9-1)

항암 치료 후 발생한 혈소판 감소는 20,000/mm³ 이상에서는 자연 출혈이 드물지만, 출혈의 위험유무에 따라 대증적 수혈을 할 수 있음

표 7-9-1 혈소판 감소의 임상적 고려 상황

혈소판 수(/μL)	임상적 고려 상황
>50,000	혈액 응고에 이상이 없는 수술
20,000 – 50,000	진단적 혹은 치료를 위한 침습적 술기 (조직검사, 발치, 중심정맥관 삽입 등) 임상적으로 급격히 악화된 상태에서 혈소판 감소증 동반
15,000 – 20,000	출혈을 동반한 상태 항암화학요법 혹은 다른 원인에 의해 혈소판 수치가 급격하게 감소한 상태

혈소판 수(/μL)	임상적 고려 상황
<15,000	고형암, 백혈병 만성 혹은 안정된 상태의 ITP

3. 특수 수혈 방법

1) 자외선 조사수혈

수혈과 관련된 이식편대숙주반응(GVHD)을 예방하기 위해 자외선 조사 방법을 사용하며 고형암환자에서 사용은 드묾

(1) 적응증

① 골수 혹은 말초 조혈모세포 이식을 받은 환자

② 선천성 면역 결핍환자

③ 신생아, 미숙아, 자궁내 수혈을 하는 경우

④ 후천성 면역 결핍증환자

2) 백혈구 여과수혈

혈액 성분에 포함된 백혈구가 발열성 비용해성 수혈반응(febrile nonhemolytic reaction)을 일으킬 수 있으며 HLA 동종면역반응(alloimmunization)을 유발하고 거대세포바이러스를 전파시킬 수 있어 이에 대한 예방 목적으로 필터를 이용함

(1) 적응증

① 조혈모세포이식을 받았거나 받을 예정인 모든 환자

② 악성림프종, 백혈병, 재생불량성빈혈환자

③ 고형암환자에서 thalassemia나 sickle cell anemia 등 수혈이 지속적으로 필요한 경우

II. 암환자의 영양

1. 암환자의 영양상태

영양 결핍은 암환자에서 매우 흔하며, 원인은 명확하지 않지만 몇몇 cytokine과 연관된 암 악액질로 인해 암 환자에서는 비타민, 무기질 등을 포함한 단백질-열량 상태 결핍으로 체내 근육량이 감소. 중증 단백질 결핍은 면역 기능 저하를 유발하고 치료에 대한 반응도 저하되어 환자 생존에도 영향을 미치게 됨. 따라서 암환자에 대한 영양 공급은 ① 신체 조직손상 방지 및 회복 ② 치료 기회 확대 ③ 임상증상 호전 ④ 궁극적으로 생존기간의 연장을 목적으로 함

2. 암환자 악액질증상

체중감소, 식욕감퇴, 무력증

3. 악액질 임상경과

암환자 악액질은 단순한 기아상태와 달리 대사 변화에 현저한 차이가 있으며 전체 체표의 1-2%를 차지하는 작은 종양이라도 악액질 대사변화가 심하게 나타날 수 있음. 암과 관련된 사망 원인 중 영양상태 결핍을 유도하는 악액질이 중요하며, 글루타민 대사, TNF-α, IL-1, IL-6 등이 관여한다고 알려짐

4. 영양상태 평가

1) 병력청취 및 신체검사
(1) 근육 위축, 피하지방 감소
(2) 체중 변화 확인: 최근 6개월 사이 10% 이상 체중감소가 발생한 경우

2) 신체 계측 방법
단백질과 에너지 균형은 삼두박근의 피부 두께와 팔 둘레를 측정하여 볼 수 있음

3) 단백질 저장상태 평가
Total protein, Albumin, Transferrin

4) 면역상태 평가
혈액학검사에서 림프구 수, 지연성 피부 과민 반응 등으로 평가할 수 있음

5. 영양 공급

1) 영양 공급과 암세포의 성장
항암치료 기간 동안에는 적극적인 영양공급이 필요함. 과거 고단백 식이가 종양세포 성장 촉진과 관련 있다는 동물실험 보고가 있었지만, 실제 암환자에서의 고단백 식이 부작용에 대한 근거가 없고, 적절한 영양 공급은 오히려 항암치료 기간 동안 체력 유지에 도움이 되어 권장하고 있음

2) 요구량 계산
필요한 칼로리와 에너지, 단백 대사량 등을 간략하게 평가하면 다음과 같음
(1) 스트레스 없는 경우
칼로리 요구량: 25 kcal/kg/day (단백질 요구량: 0.8 g/kg/day)
(2) 경미한 스트레스
칼로리 요구량: 35 kcal/kg/day (단백질 요구량: 1.0 g/kg/day)
(3) 심한 스트레스
칼로리 요구량: 45 kcal/kg/day (단백질 요구량: 1.5 g/kg/day)

3) 영양 공급 방법
경구가 가장 좋은 방법이며 경구 섭취가 힘들거나 불가능한 환자들에서도 대체 방법을 이용하여 위장관으로 영양 섭취가 되도록 하는 것이 좋음
(1) 장관 영양 공급

① 비강 튜브 삽입

장관 내 경로를 확보하기 위해 가장 많이 이용하는 방법으로 8Fr 튜브를 이용

- 장점: 튜브를 통해 쉽게 소화관으로 영양공급이 가능하며, 소장과 담도, 췌장 분비를 자극할 수 있음. 또한 위의 분비로 음식물 농도가 희석되어 설사 발생도 적음
- 단점: 위내 음식물이 역류할 수 있어 의식 저하환자나 마비가 있는 경우 흡인성 폐렴 발생을 주의해야 함. 이를 예방하기 위해 tube를 십이지장의 4번째 부위까지 위치하는 것이 좋음. 10-20%의 환자에서 설사가 발생하는 경우 투여량을 50% 감량함

② Gastrostomy tube feeding

장기간 장관 영양 공급이 필요한 경우, 특히 두경부암, 식도암환자에서 시행할 수 있음. 수술 방법과 내시경으로 접근하는 방법이 있음. 내시경 scope이 통과되지 않거나, 복수, 혈액응고 장애, 복부 감염이 있는 경우 시행하지 않는 것이 좋음

③ Feeding catheter jejunostomy placement

복부 수술 후 장기간 장관 영양 공급이 필요한 경우 수술 시 같이 시행함

* 장관 영양공급의 장점

- 장관 점막 기능 유지
- 장관 brush border의 효소 기능 유지
- 장관 면역 기능 지지
- 장관 점막 보호기능 유지
- 장관 정상균총과 환경 균형 유지

(2) 정맥 주사 공급

말초 혈관을 이용한 정맥 주사방법은 당, 지방, 아미노산 등을 공급하기에는 적당치 않으며 혈관 벽과 혈관 경화증이 유발되어 칼로리 공급이 제한적임

따라서, 일부 영양공급이 부족한 경우, 검사를 위해 단기간 금식하는 경우, TPN (Total Parenteral Nutrition)을 위한 중심정맥 삽관술 전 일시적으로 이용함. TPN은 경구 투여를 할 수 없거나 심한 영양 결핍 상태인 경우 고려할 수 있음

(3) 암환자 TPN 적응증

① 장관-피부누공(enterocutaneous fistula)

② 간, 신장애환자

③ 급성 항암제 혹은 방사선 유도성 장염

④ Short bowel syndrome

4) 영양공급 보조방법

(1) 보행

암환자는 주로 누워만 있는데, 가능한 많이 움직이도록 격려해야 함. 보행과 운동을 권장함으로써 기능적으로 활동력 향상과 근육의 아미노산 섭취를 자극할 수 있음

(2) 약물 요법

스테로이드나 메게스테롤아세테이트와 같은 보조 약물로 식욕 촉진을 도모할 수 있음

6. 영양 공급 시 특수 고려 상황

1) 구강 건조증

(1) 구강 청결 유지

(2) 인공타액, 빨대 이용

(3) 입술 건조 예방을 위한 젤리 사용

(4) 고형식보다 유동식 섭취

2) 연하통

(1) 연하가 쉬운 유동식

(2) 소량의 음식을 자주 섭취

3) 방사선 식도염

(1) 부드럽고 차가운 유동식

(2) 거칠거나 건조한 식품 제한

(3) 주스 또는 알코올 등 자극적인 음식 제한

III. 암환자 통증조절

암환자에서 통증조절은 암에 대한 직접적인 치료만큼 중요함. 암환자 통증은 신체 조직 손상으로 인한 정신적, 사회적, 문화적, 영적요인이 모두 관여하기 때문에 고통(suffering) 혹은 통합 통증(total pain)으로 설명

1. 암성 통증

1) 통증의 원인과 종류

(1) 대부분이 암으로 인한 직접적 암성 통증이지만, 일부는 암 치료와 연관되거나, 암과 무관한 기저질환과 연관된 통증

(2) 병태 생리학적인 분류에 따라 내장성 통증, 신경병증 통증, 체성 통증으로 구분할 수 있음

(3) 통증 발생 기간에 따라 급성과 만성으로 나뉘나 대체적으로 만성통증

2) 통증 평가

효과적인 통증조절을 위해 통증 정도, 지속 시간, 악화 요인 등을 파악하고, 적절한 (비)마약성 진통제와 보조 진통제를 사용

(1) 통증 양상, 시간, 부위, 기간

(2) 통증 악화 및 완화 요인

(3) 동반된 질환 확인

(4) 통증 전달되는 부위 확인

(5) 진통제 사용 여부(효과, 사용기간, 진통제 종류, 부작용, 중단 유무와 사유)

(6) 통증에 영향을 주는 요인(육체적, 정신적, 사회적, 영적 요인)

통증 정도를 평가하기 위해 Numerical Rating Scale (NRS), Visual Analogue Scale (VAS), happy face-sad face 척도를 사용(그림 7-9-1)

그림 7-9-1 Visual Analogue Scale (VAS) & happy face-sad face

2. 통증 치료

1) 통증조절 원칙

(1) 암환자가 통증을 호소하면 즉시 통증에 대한 평가와 함께 진통제 투약이 필요. 통증조절에 있어서 경과 관찰은 도움이 되지 않으며 오히려 신경계 장애가 유발되어 통증이 더욱 과장되어 악화될 수 있음

(2) 통증에 대한 적극적 약물요법 외 제거 가능한 유발 원인이 있는지 확인

(3) 위약(placebo) 투약은 하지 않으며 진통제는 규칙적으로 투약하고, 돌발통증에 대비하여 수시 투약할 수 있도록 해야 함

(4) 진통제를 처음 사용하는 환자에서도 통증 정도가 NRS 4 이상 시 마약성 진통제를 바로 사용

(5) NRS 4 이상의 급성 통증이 발생한 경우 마약성 진통제를 정맥주사로 시작하고, 통증이 완화된 용량이 결정되고, 안정적으로 통증이 조절되는 경우 병원 외에서도 장기간 사용할 수 있는 경구 진통제 혹은 경피(fentanyl patch) 진통제로 교체

(6) 마약성 진통제 용량 결정을 위해 매 24시간마다 사용된 수시 진통제량을 확인하고, 총 용량의 25-50%를 다음날 총 진통제 용량에 더하여 증량. 매일 수시 진통제 용량은 당일 마약성 진통제 총 용량의 약 1/6으로 다시 결정

2) 진통제 종류

(1) 비마약성 진통제: 약한 통증, 뼈 전이와 같은 근골격계 통증에 효과적임. 일정 용량에 도달하면 용량을 지속적으로 증량하여도 진통 효과가 없는 천정 효과가 있음(표 7-9-2)

표 7-9-2 비마약성 진통제 종류와 투약 용량

성분명	투여간격	투약용량(mg/day)	최대용량(mg/day)	참고사항
acetaminophen	4–6hr	2,600	4,000	소염작용 및 혈소판 저하 없음
ibuprofen	4–8hr	1,600	3,200	적은 부작용
naproxen	12hr	500	1,500	
ketoprofen	4–6hr	100	300	
	6–12hr			

성분명	투여간격	투약용량(mg/day)	최대용량(mg/day)	참고사항
diclofenac	8–12hr	75	200	소화기 부작용
ketorolac	4–6hr	40	40	
celecoxib	12–24hr	200	400	소화기부작용 및 혈소판 감소 적음

(2) 마약성 진통제

마약성 진통제 종류로는 codeine, fentanyl, morphine, meperidine, oxycodone, hydromorphone, tramodol 등이 있음. 투약 후 체내 반감기에 따라 4, 8, 12시간의 규칙적 간격으로 투약하며 환자 상태에 순응도, 부작용, 투약 경로 선호에 따라 성분, 투여 방법을 다양하게 선택함. 기저 통증 (background pain)에는 서방형 제제를 사용하고, 돌발 통증(breakthrough pain)에는 속효성 경구 제제 또는 주사제를 사용

① Meperidine (Demerol)

위장관으로 잘 흡수되지 않으며 대사물질인 normeperidine이 일정량 들어가면 체내 누적으로 간질(seizure)과 같은 부작용이 나타나므로 규칙적으로 진통제를 복용해야 하는 만성암성통증 환자에서는 흔히 사용하지 않음

② Morphine (그림 7-9-2)

가장 많이 사용하며, 주사제와 경구제가 있음. 주사제에서 경구용으로 전환 시 다음 표를 참조. 처음 사용하는 경우 3-5 mg을 4시간마다 1일 6회 투약하는 방법으로 시작. 주사제 투약 사이

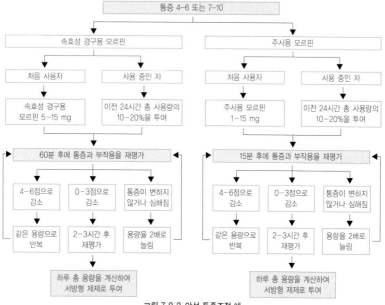

그림 7-9-2 암성 통증조절 예

에도 환자가 통증(돌발통)을 호소한다면 매 4시간마다 투약되는 용량의 1/3을 구제 용량으로 투약

③ Fentanyl

암환자에서 흔히 사용하는 fentanyl 성분 진통제는 서방형인 경피 부착 패취와 설하 투약하여 구강점막으로 흡수되는 속효성 제제가 있다. 패취는 대략 72시간마다 피부에 교체 부착하는데, 부착 약 8시간 후 약효가 발현되고, 패취를 떼고도 약 8시간 약효가 지속되어 급성 통증 조절에는 패취제를 사용하지 않음. 패취 부착 시 약효 발현 시간까지는 morphine 정맥투여로 통증을 함께 조절하고, 발현 시간 후에는 주사제 투약 중단 후 돌발통시 1일 morphine 총용량을 기준으로 1/6 정도를 morphine 주사 투약함

[사용 예]

1. 간 전이를 동반한 진행성 4기 췌장암환자의 NRS 8 복부 통증. 1일 morphine 총 용량 30 mg을 정맥 투약하면서 돌발통에 대해 5 mg을 수시로 투약하였고, 모두 6회 사용되었다면 다음 날 사용할 모르핀 용량은?
   → 돌발통에 5 mg을 6회 사용하였으면 총 요구량은 30 mg으로 통증의 정도에 따라 25~50%를 전일 1일 총용량에 추가한다. 구제 용량이 많이 요구되는 심한 통증의 경우에는 돌발통에 사용된 총량을 모두 더할 수 있다.
   → 지속적 주입 30 mg+구제 용량의 50%인 15 mg을 더하여, 처방 용량 45 mg을 지속적 주입용량과 구제 용량을 7 mg으로 한다.

2. 폐, 간, 복강 림프절 전이 동반된 대장암 4기 환자가 통증조절 위해 경구 morphine 120 mg을 복용하고 있었다. 장 폐색으로 인해 경구 투여가 불가능한 경우 주사제로 전환할 경우 모르핀 용량은?
   → 동등용량표(표 7-9-3)에서 주사 morphine : 경구 morphine = 1 : 3이다. 따라서 경구 morphine 120 mg의 1/3 용량인 40 mg을 지속적 정맥 주입하고 해당 용량의 1/6인 약 7 mg을 구제용량으로 처방한다.

표 7-9-3 마약성 진통제 성분간 동등용량

Recommended Dose Conversion From Other Opioids to Transdermal Fentanyl

Transdermal Fentanyl	Morphine		Oxycodone		Hydromophone		Codeine	
	IV/SubQ*	Oral	IV/SubQ*	Oral	IV/SubQ*	Oral	IV/SubQ*	Oral
25 mcg/h	20 mg/d	60 mg/d	15 mg/d	30 mg/d	1.5 mg/d	7.5 mg/d	130 mg/d	200 mg/d
50 mcg/h	40 mg/d	120 mg/d	30 mg/d	60 mg/d	3.0 mg/d	15.0 mg/d	260 mg/d	400 mg/d
75 mcg/h	60 mg/d	180 mg/d	45 mg/d	90 mg/d	4.5 mg/d	22.5 mg/d	390 mg/d	600 mg/d
100 mcg/h	80 mg/d	240 mg/d	60 mg/d	120 mg/d	6.0 mg/d	30.0 mg/d	520 mg/d	800 mg/d

* Parenteral dosing such as IV (intravenous) or SubQ (subcutaneous)

④ 마약성 진통제 부작용

- 오심과 구토: 흔한 부작용으로 처음 사용할 때 나타남. 예방적으로 metoclopramide나, haloperidol를 단기간 사용할 수 있으며 2-3일이 지나면 호전될 수 있음
- 변비: 장 운동 감소로 인한 변비가 호발 되므로 마약성 진통제를 사용할 경우 예방적으로 마그네슘 제제와 같은 완화제를 같이 사용
- 진정 작용: 경미하게 초기 투약 수일간 발생할 수 있으며, 통증으로 수면을 못한 경우 더 길게 발생할 수 있음
- 착란: 대사 장애로 인해 상대적으로 혈중 농도가 높아지면 드물게 발생
- 호흡 억제: 단기간에 과량 투여된 경우나, 간과 신기능 저하가 동반된 경우, 분당 호흡수가 10회 미만으로 떨어지고 동공의 축소와 함께 의식저하가 발생될 수 있음. 이때 길항제인

naloxone을 투여. naloxone은 작용 시간이 짧기 때문에 사용할 경우 0.1-0.2 mg을 매 3분마다 5회까지 반복 투약. 의식 저하 없이 호흡수가 10회 미만으로 감소한 경우 투약되고 있는 마약성 진통제를 중단하거나 감량을 우선함

- 근경련: 고용량 사용시 발생하며, demerol의 경우 하루 250 mg 이상 투여 시 나타남
- 순환계: 과다 용량을 사용할 경우 서맥, 기립성 저혈압 등을 유발할 수 있음
- 비뇨기계: 괄약근 긴장이 증가되어 배뇨 불편으로 뇨정체가 발생. Amitriptylline을 사용해 볼 수 있음

(3) 보조 진통제

주 진통제 종류와 무관하게 병용 투약 가능함. 스테로이드, 항경련제, 항우울제, 신경 이완제, 항불안제 등이 있음

(4) 기타 통증조절 방법

① 신경 차단술

② 신경 절단술

③ 물리 치료: 온열 치료, 한랭 치료, 전기 치료, 물리 치료, 이완 치료

④ 척추 성형술

⑤ 정신적 지지요법

3) 약물에 반응하지 않는 통증의 평가

다음과 같은 사항에 해당하는지 다시 평가해야 함

(1) 진통제 선택이 적절한지 평가하고 같은 계열이라도 다른 성분으로 바꾸어 봄

(2) 진통제 용량이 적절한지 다시 계산

(3) 환자가 약물복용을 제시간에 제대로 하는지 확인

(4) 통증 원인에 대해 다시 평가

(5) 마약성 진통제와 보조 진통제를 적절히 사용

(6) 비약물 통증조절 방법을 고려

Ⅰ. 공간점유 병소에 의한 압박이나 폐색

1. 상대 정맥 폐색 증후군(Superior vena cava syndrome)

1) 원인

(1) 악성 종양 (85-95%): 폐암 (80%) > 악성 림프종(15%) > 전이 암

(2) 종양 외 원인(<15%): 카테터 연관 혈전, 종격동 섬유화 등

2) 증상: 호흡곤란, 두경부(특히 안와부) 부종, 기침, 쉰 목소리, 기좌호흡(orthopnea)

3) 신체 소견: 경정맥 확장, 두경부 부종, 과호흡, 청색증, 상흉부 결순환(collateral circulation)

4) 진단: 흉부 X-ray 상부 종격동 확대(흔히 우측), 흉부 CT (가장 신뢰도 높음)

5) 치료: 원인 암에 대한 치료 필요

(1) 원발 불명 종양의 경우 치료 전 조직진단 필요

(2) 대증요법: 산소공급, 두부거상, 저염식, 이뇨제, 하지로 혈관접근(vascular access)

(3) endovascular therapy: 심한 경우 고려(thrombolysis, angioplasty, stent insertion)

(4) 항암화학요법: 항암화학요법에 반응이 좋은 종양(소세포폐암, 림프종, 생식세포종)

(5) 방사선치료: 즉각적인 효과 미미, 재발방지

(6) 수술: 다른 치료에 반응 없고, 급속히 진행 또는 aneurysm 동반 시

2. 악성심낭액(Pericardial effusion/tamponade)

1) 원인: 심낭 전이, 비악성 원인이 50% (방사선치료 등)

2) 증상: 호흡곤란, 기침, 흉통, 허약감

3) 신체 소견: 경정맥 확대, 간종대, 부종, 청색증, 빈맥, 기이맥, 교대맥, 심음 감소

4) 진단: 심초음파(가장 유용), 흉부 X-ray선검사(심비대, 물주머니 모양), 심전도 (low voltage, T파 이상, ST분절 상승)

5) 치료

(1) 심낭 압전(tamponade): 심낭액 천자술 및 배액(천자 후 재발률 20%)

(2) 창냄술(pericardial window), 경화제

3. 척추압박증후군(Spinal cord compression)

1) 원인

뇌전이 다음으로 많은 신경계 합병증, 암환자 5-10%에서 발생

폐암 > 유방암 > 전립선암, 다발성 골수종. 약 70%는 흉추에서 발생

2) 증상

진행 순서: 통증(신경학적증상 수일-수개월 전 발생. 양성 질환과 달리 바로 누운 자세에서 악화) → 감각 장애(압박 척추 2개 아래 level에서 발생) → 운동 장애(근력저하, 마비, 경련) → 자율신경 장애(배뇨/괄약근 조절장애)

- 마미증후군(Cauda equina syndrome): 척수 아래 cauda equina level의 신경근 압박. 저명한 사지 근력저하 없이 감각, 자율신경계 이상 증상을 보임

3) 확진 방법: X선검사(pedicle erosion), MRI (치료계획 정립에 유용)

4) 치료

(1) 완전마비 시 회복 가능성 떨어지므로, 조기 진단과 치료가 중요

(2) 척수신경병증(myelopathy) 의심 시 high dose steroid 우선 시작

- dexamethasone 10 mg 정맥투여 후, 매 6시간 간격 6 mg, 이후 증상 보며 tapering

(3) 전이가 확인되는 경우 아래의 치료를 고려

① 표준치료: 방사선 치료 + 부신피질호르몬

② 수술: laminectomy, anterior body resection with spinal stabilization, vertebroplasty 등

> *** 수술의 적응증**
> (1) 원인 질환이 불분명할 때
> (2) 방사선 치료에 실패했을 때
> (3) 방사선 치료에 저항성을 보이는 종양: 신장암, 악성흑색종 등
> (4) 병적 골절 또는 전위가 동반되었을 경우
> (5) 급격하게 신경학적증상이 악화될 때

③ 항암요법: 항암제에 잘 듣는 암의 경우, 이전 방사선 치료 부위에 재발한 경우 고려

4. 뇌압 상승(Increased intracranial pressure, IICP)

1) 원인: 뇌전이 (빈도: 폐암 > 유방암 > 악성 흑색종)

2) 증상: 두통, 오심/구토, 행동장애, 경련, 운동장애, 의식변화

3) 진단: 안저검사(뇌압상승 및 뇌부종을 유추), CT, MRI, 뇌척수액검사(뇌 헤르니아 주의)

4) 치료

(1) 의식장애 등 응급 상황 시, 삽관 후 과호흡(PCO_2 25-30 mmHg 유지)

(2) Mannitol (1-1.5 g/kg 정맥주사 q 6hrs)

(3) Dexamethasone 10 mg 정맥주사 후, 매 6시간마다 4 mg 투여

(4) 방사선 조사, 수술: 뇌전이의 크기, 개수, 질병상태, 증상에 따라 결정

(5) 필요한 경우, 뇌실복강 우회술(shunt) 고려

5. 종양성 뇌수막염(Neoplastic meningitis)

1) 원인
종양의 뇌수막침범으로 발생, 악성흑색종 > 유방암 > 폐암 > 림프종 > 급성백혈병

2) 증상 및 징후
두통, 보행이상, 의식변화, 구역구토, 경련, 뇌신경마비, 감각이상, 심부건반사감소

3) 진단
(1) 뇌척수액검사: 단백농도 상승, 위양성 40% (의심 시 최소 3회 반복시행)
(2) 뇌 MRI (증상에 따라 spinal cord MRI 고려)

4) 치료
(1) 척수강내 항암치료(MTX, cytarabine, thiotepa): 요추천자 또는 intraventricular reservior (Ommaya)로 투여
(2) 방사선치료: 크기가 크거나 폐색을 일으키는 경우 고려
(3) 뇌수종: 뇌실복강 우회술(shunt) 고려

6. 경련(Seizure)

1) 원인
뇌전이 또는 뇌종양, 고혈당, 고칼슘혈증, 신부전, 간부전, 약물 등 대사성 원인

2) 치료
(1) 기도유지
(2) 항경련제
   ① phenytoin 또는 levetiracetam → 효과 없으면 valproic acid 추가
   ② 예방적 항경련제는 필요 없음
    *phenytoin (CYP450통해 대사) vs. levetricetam, topiramate (CYP450 관련 없음)

7. 장폐색(Intestinal obstruction)

1) 원인
폐쇄성/유착성 장폐색 vs. 마비성 또는 가성 장폐색 감별 필요

2) 증상
심한 통증: 산통이 가장 흔함, 복부팽만, 구토, 변비

3) 진단

복부 X선검사(다발성 air-fluid level), CT (원인 감별)

4) 치료

(1) 수액 공급, 전해질 교정: 가장 중요

(2) 금식, 경비위 배액((nasogastric drainage) suction)

(3) 스텐트, 수술: 부위에 따라

(4) 항구토제, 항경련제, 진통제, octreotide (분비물 감소)

8. 급성 배뇨 장애(Urinary obstruction): 신장학 폐쇄성 요로병증 항목 참조

1) 원인: 종양 혹은 방사선 치료로 인한 섬유화

2) 증상 및 소견: 요통, 반복 감염, 단백뇨, 혈뇨, 요량 감소

3) 진단: 초음파, CT, 신장동위원소검사

4) 치료: 폐쇄부위에 따라 Double J 카테터, 신루술(nephtostomy), 요관(Foley catheter) 삽입, 방광루 (cystostomy)

9. 담도폐쇄

1) 증상 및 소견: 황달, 회색변, 진한소변, 소양증, 체중감소

2) 진단: 초음파, CT, 역행성담도조영술, 경피적담도조영술

3) 치료: 스텐트나 도관 삽입을 통한 담즙배액, 수술, 방사선 치료, 항암치료(원인, 상태, 부위에 따라)

10. 기도폐쇄

1) 증상: 호흡곤란, 객혈, 천명(stridor, wheezing), 기침, 폐쇄성폐렴, 쉰 목소리

2) 진단: 흉부 CT

3) 치료

(1) 보조요법: 산소공급, 부신피질호르몬, 찬가습기, 헬륨과 산소의 혼합물 환기

(2) 증상조절을 위해 폐쇄 부위가 후두 부위인 경우 기관 절개술을, 폐쇄 부위가 보다 원위부인 경우 기관지 내시경 및 laser 치료, 광역학치료, 스텐트를 고려할 수 있음. 국소 폐쇄인 경우 방사선치료 를 통해 폐쇄 부위의 개통을 가져올 수 있음. 편평세포암, 칼시노이드, 샘낭성암(adenocystic carcinoma), 폐암 등의 원발성암일 경우 수술이 가능한 경우 수술을 고려

II. 대사 관련 응급

1. 고칼슘혈증

1) 원인

암환자 20%에서 발생. 폐, 두경부, 피부, 식도, 유방, 비뇨기암, 다발성골수종, 림프종에서 흔함. 대부분 종양의 parathyroidhoromone-related protein (PTHrP) 과다분비로 인함

2) 증상: 피로, 탈수, 의식변화

3) 진단

(1) 혈중 칼슘인 및 마그네슘과 알부민, 소변의 칼슘 및 인을 측정

(2) 부갑상선호르몬(PTH) 감소, PTHrP 증가

(3) 대사성 알카리혈증

4) 치료

(1) 충분한 수액투여(생리식염수 시간당 100-500 ml)

(2) Furosemide (20-80mg IV)

(3) Bisphosphonate: Pamidronate (60-90mg IV), Zolendronate (4-8mg IV)

(4) 혈액투석: 위 치료들이 어려운 severe hypercalcemia 경우

(5) Steroid: 림프종, 골수종, 백혈병(경구 prednisone 40-100 mg 하루 4회 분할투여)

2. 항이뇨호르몬 분비 이상 증후군(SIADH) – 내분비편 참조

3. 저혈당증 – 내분비내과 저혈당증 참조

III. 치료 과정에서 나타나는 부작용

1. 종양용해 증후군(tumor lysis syndrome, TLS)

1) 원인 및 양상

암 세포가 빠르게 용해되며 고칼륨, 고인산, 고요산, 저칼슘혈증 발생. 산증 및 급성 신부전 흔히 발생 (주로 혈액암)

2) 치료

(1) 예방(가장 중요): 수액 투여와 allopurinol

① urine alkalization은 더이상 권장되지 않음

② allopurinol allergy나 renal failure 있는 경우에는 febuxostat 투여

(2) 치료

Uric acid >8.0 mg/dl 혹 Cr >1.6 mg/dl : Rasburicase (recombinant urate oxidase) 0.2 mg/kg iv 호전 없으면 투석

2. 용혈성 요독 증후군(hemolytic uremic syndrome, HUS)

1) 원인

항암약물요법 4-8주 후, 용혈성 빈혈 동반한 신부전. mitomycin, cisplatin, bleomycin, gemcitabine, anti-VEGF

2) 증상 및 소견

Microangiopathic hemolytic anemia (MAHA), 혈소판감소, 신부전, 폐부종 동반한 고혈압, Hemolysis 소견이 있으면서 Coomb's test 음성이고, 혈액 응고검사 소견 대부분 정상

3) 치료

정립된 치료 없음. 혈장반출(plasmapheresis), 혈장교환(plasma exchnge), 면역억제제 등을 시행하나 예후불량. Rituximab의 효과가 보고됨

3. 호중구 감소성 발열: 호중구 감소성 면역저하환자의 발열 참조

4. 호중구 감소성 장염(neutropenic enterocolitis, typhlitis)

1) 백혈병 치료 과정 중 맹장이나 주변의 염증 및 괴사로 발생

2) 증상

우하복부통증, 압통, 반동압통, 수양성 설사 및 출혈, 균혈증

3) 진단

CT (장벽 두께 증가, 장관기종(pneumatosis intestinalis))

4) 치료

광범위 항생제의 조기투여(C. difficile을 커버하는 항생제), 금식 및 코 위관 삽입을 통한 감압. 호전 없는 경우 수술에 대한 평가 필요

5. 출혈성 방광염(Hemorrhagic cystitis)

1) 원인

항암제(Cyclophosphamide, ifosfamide), 방사선치료, 골수이식, 감염

2) 치료

(1) 예방이 중요

(2) 충분한 요량 유지(약물에 대한 노출 시간 최소화), mesna

(3) 발생시, 충분한 요량유지 및 방광 세척(N-acetylcystein, prostaglandins 세척 도움됨)

(4) 수술 고려

6. 폐 침윤(pulmonary infiltrates)

1) 원인

암의 국소 또는 전이성 진행, 방사선 유발성 폐렴, 항암제등의 약제 관련 폐렴, 감염 등

(1) bleomycin, MTX, busulfan, gemcitabine, docetaxel, paclitaxel, vinorelbine, ifosfamide nitrosourea: 간질성 폐렴, 섬유화(MTX는 급성과민반응 일으키기도 함)

(2) 표적 치료제 (imatinib, erlorinib, gefitinib, temsirolimus, everolimus): 간질성 폐렴

(3) 면역항암제 (nivolumab, pembrolizumab, durvalumab, avelumab, atezolizumab)

(4) 방사선 폐렴: 2-6개월에 발생

2) 증상 및 징후

(1) 호흡곤란, 마른기침, 빈맥, 수포음, 청색증, 발열

(2) 흉부 X선 간질성 음영의 증가. 저산소증, DLco 감소

3) 치료

(1) 항암제와 관련: glucocorticoid, 원인약제 중단 고려

(2) 방사선 폐렴: 증상 없는 국소 방사선 폐렴은 치료가 필요 없음. 발열이나 증상 발생시 prednisolone 투여(호전되면 서서히 감량). 수년후의 방사선 섬유증은 서서히 진행하며 대증적치료

7. 항암제에 대한 과민반응(Hypersensitivity reaction)

1) 원인

Taxane, 백금계 항암, etoposide, 생물학적 제제(rituximab, bevacizumab, trastuzumab, gemtuzumab, cetuximab, alemtuzumab)

2) 증상

(1) 예측 불가능. 생명에 위협을 주는 경우도 있음. 대게 정맥 투여 수시간 내 발생

(2) 대게 처음, 두 번째 투여 시 발생하나 백금계 항암제는 수 차례 투여 후 발생

(3) 안면홍조, 흉부불편감, 빈맥, 발진, 저혈압, 소양감, 안면부종 등

3) 예방 및 치료

(1) 전처치: H1, H2 receptor antagonist와 glucocorticoid

(2) 전처치 후에도 발생가능

(3) 이후 타약제 변경 또는 탈감작 요법 시도

8

내분비내과

Handbook of Internal Medicine

I. 뇌하수체기능저하증(Hypopituitarism)

1. 원인

표 8-1-1 뇌하수체기능저하증의 원인

종양성(Neoplastic)

뇌하수체종양, 두개인두종(Craniopharyngioma)	Hypothalamic hamartoma, Gangliocytoma
수막종(Meningioma), Rathke's cyst	림프종, 백혈병
Parasellar mass (Germinoma, Ependymoma, Glioma)	뇌하수체 전이종양(유방암, 폐암, 대장암)

혈관성(Vascular)

임신 관련(infarction with DM; Postpartum necrosis)	Pituitary apoplexy, sickle cell disease, 혈관염

감염(Infection)

결핵, 진균(histoplasmosis), 기생충(toxoplasmosis), Pneumocystis jirovecii

침윤성(Infiltrative)/염증성(Inflammatory)

임파구성 뇌하수체염(Lymphocytic hypophysitis), Sarcoidosis, Histiocytosis X, Hemochromatosis, Granulomatous hypophysitis, 아밀로이드증

손상(Traumatic)

수술, 방사선, 두부 외상

발달성(Developmental)/구조적(Structural)

뇌하수체이형성증/무형성증	선천성 시상하부 질환(septo-optic dysplasia, 프레더-윌리 증
일차성 공터키안	후군, 칼만 증후군, Bardet-Biedl 증후군)
선천성 중추신경계 종양, encephalocele	다발성 뇌하수체 호르몬 결핍: transcriptional factor defect (PROP-1, PIT-1)

2. 진단

1) 성장호르몬(growth hormone, GH)

(1) 혈중 성장호르몬 농도: 정상적으로 낮 동안에는 낮게 측정, 운동, 수면, 스트레스, 식사 시 증가

(2) 성장호르몬 자극: 인슐린에 의한 저혈당 유발검사, arginine 자극검사(재현성이 좋음), L-dopa 자극 검사, 성장호르몬유리호르몬(GH releasing hormone, GHRH) 검사

2) 프로락틴(prolactin, PRL)

(1) 진단: 갑상선자극호르몬유리호르몬(TSH releasing hormone, TRH) 자극검사

(2) 뇌하수체질환에 의한 경우: 프로락틴 농도가 불충분하게 증가

(3) 시상하부질환의 경우: 기저 상태에서 오히려 고프로락틴혈증을 나타내고, 프로락틴 반응이 정상 이거나 둔해 보임

3) 갑상선자극호르몬(thyroid stimulating hormone, TSH)

(1) 뇌하수체질환: 비정상적으로 혈중 TSH 농도는 낮고 TRH로 자극해도 증가하지 않음. 유리 갑상선 호르몬은 감소되어 있음

(2) 시상하부질환: 갑상선기능저하증이 있어도 TSH 농도는 다양하게 나타나고, TRH 자극 검사를 하면 지연되기는 하더라도 정상적인 TSH 농도 증가를 보여 줌

4) 성선자극호르몬(Gonadotropin : LH, FSH)

(1) 성선자극호르몬유리호르몬(Gonadotropin releasing hormone, GnRH) 또는 황체형성호르몬유리호르몬(LH releasing hormone, LHRH)을 주사한 후 LH와 FSH의 반응을 평가

(2) 뇌하수체가 완전히 파괴된 경우: 낮은 기저 LH, FSH 농도, GnRH 주사 후에도 LH와 FSH 농도의 증가는 관찰되지 않음

(3) 시상하부질환인 경우: 충분한 자극(5일간 매일 GnRH 400 ug IM)을 주면 GnRH에 반응 보임

5) 부신피질자극호르몬(adrenocorticotropic hormone, ACTH)

(1) 일차성, 이차성 부신기능 저하증의 감별: AM 8-10시 ACTH 측정, ACTH 증가하면 일차성, ACTH 정상 또는 감소하면 이차성

(2) 자극검사: 인슐린 유발 저혈당 검사, metyrapone 검사, 간접적으로 부신피질자극호르몬 분비를 평가하는 방법으로는 Cosyntropin 검사

3. 선별검사

뇌하수체에서 분비되는 호르몬과 표적기관의 호르몬 모두 낮을 경우 의심

예) low fT4 & low or normal TSH → 이차성 갑상선기능저하증

4. 확진검사

1) 복합 뇌하수체 자극검사(Combined pituitary stimulation test)

(1) 방법

① insulin (0.05-0.15 unit/kg), TRH (400 μg), LHRH (100 μg) IV

② 0, 15, 30, 60, 90, 120분에 Glucose, GH, ACTH, cortisol, prolactin, TSH, LH, FSH 측정

③ 인슐린 용량은 뇌하수체기능저하 0.1 u/kg, 당뇨병 0.2 u/kg, 쿠싱증후군이나 말단비대증 0.3 u/kg로 시작.

④ 혈당은 40 mg/dL 이하 혹은 저혈당 증세가 있어야 하며 30-45분까지 저혈당이 되지 않으면 인슐린 동량 다시 투여

(** 관상동맥질환, 경련성질환 및 저혈당 유발의 위험성이 큰 경우: GHRH (1 μg/kg), CRH (1 μg/kg), TRH (200 μg), LHRH (100 μg) IV로 대치)

(2) 정상 판정 기준

① GH: GH >3 ng/mL

② ACTH: 기저치보다 2-4배 이상 증가하고 최고치 20-100 pg/mL

③ Cortisol: cortisol >20 μg/dL

④ Prolactin: 2 ng/mL 이상이고 기저치보다 200 % 이상 증가

⑤ TSH: 5 mU/L 이상 증가(갑상선호르몬이 증가해 있지 않다면)

⑥ LH: 기저치보다 10 mIU/mL 증가

⑦ FSH: 기저치보다 2 mIU/mL 증가

표 8-1-2 기타 뇌하수체기능저하증 검사

호르몬	자극 검사	판독
성장호르몬 (Growth hormone, GH)	L-Arginine test : 0.5 g/kg (maximum, 30 g) IV over 30 min : GH at 0, 30, 60, 120 min	정상 반응: peak GH >3 ng/mL
	GHRH test : GHRH 1 μg/kg IV bolus : GH at 0, 15, 30, 45, 60, 120 min	정상 반응: peak GH >3 ng/mL
	L-dopa test : 500 mg PO : GH at 0, 30, 60, 120 min	정상 반응: peak GH >3 ng/mL
부신피질자극호르몬 (Adrenocorticotropic hormone, ACTH)	CRH test : 1 μg/kg ovine CRH IV at 8 AM : ACTH & cortisol at 0, 15, 30, 60, 90, 120m	ACTH: 2-4배 증가 및 최고치 20-100 pg/mL peak cortisol >20-25 μg/dL
	Metyrapone test : Metyrapone 30 mg/kg at midnight : plasma 11deoxycortisol and cortisol at 8 AM : ACTH can also be measured	Plasma cortisol <4 μg/dL 정상 반응 11deoxycortisol >7.5 μg/dL or ACTH >75 pg/mL
	Standard ACTH stimulation test : ACTH (Cosyntropin), 0.25 mg IM or IV : cortisol at 0, 30, 60 min	정상 반응: peak cortisol >20 μg/dL

5. 치료

필요한 표적기관 호르몬 보충, 부신피질호르몬은 최우선 투여, 스트레스 상황에 따라 용량조절 필요

표 8-1-3 뇌하수체 기능저하증의 치료

부족 호르몬	호르몬 치료
ACTH	Prednisone (5 mg PO AM: 필요시 2.5 mg PO PM 추가) Hydrocortisone (10-20 mg PO AM: 5-10 mg PO PM) stress dosing: 50-100 mg hydrocortisone IV q 8 h
TSH	L-thyroxine (0.075-0.15 mg) PO qd
GH	소아: Somatotropin(0.02-0.05 mg/kg) SC daily 성인: Somatotropin(0.1-1.25 mg) SC daily
FSH / LH	출산을 원할 때 : Menopausal gonadotropin or hCG can be used to induce ovulation or spermatogenesis
	남자: testosterone enanthate (250 mg IM q 2 -4 wks) testosterone undecanoate (40-80 mg PO 2 or 3 times daily) long-acting testosterone undecanoate in oil (1000 mg IM q 12 wks) testosterone transdermal patch (5 mg/d); testosterone gel

부족 호르몬	호르몬 치료
FSH / LH	여자: conjugated estrogens (0.65~1.25 mg PO qd for 25 days) each month cycled with progesterone (5~10 mg PO on days 16~25) Estradiol skin patch (0.5 mg, EOD)
Vasopressin	Intranasal desmopressin (DDAVP 10~40 μg/day in 1~4 doses per day) Oral 300~600 μg once daily

II. 뇌하수체종양

1. 종류

표 8-1-4 뇌하수체종양의 종류 및 빈도

세포 종류	유발 질환	생성 호르몬	빈도(%)
Lactotrope	성선기능저하증, 유루증	Prolactin	40~45
Gonadotrope	무증상 혹은 성선기능저하증	FSH, LH, subunits	
Somatotrope	말단비대증	GH	15~20
Corticotrope	쿠싱병	ACTH	10~12
Thyrotrope	갑상선중독증	TSH	1~2
Null cell/Oncocytoma	뇌하수체부전	None	10~20

2. 임상 증상 및 징후

1) 종양의 위치와 침범 범위에 따라 증세 다양.

2) 두통(가장 흔함), 시야 장애(suprasellar extension: 시신경교차 압박에 의한 bitemporal hemianopsia), 외안근 마비, 수뇌증, 발작, 뇌척수액 비루, 뇌하수체기능저하증과 요붕증

3) 종양 내 자발적 출혈: 환자의 15-20%에서 발생하며 이들 중 1/3은 임상적으로 두통, 시야 장애, 외안 근 마비, 다른 신경학적 증상(pituitary apoplexy, 뇌하수체졸중)

3. 방사선학적 진단

MRI가 정상 소견이라도 작은 미세종양을 완전히 배제할 수는 없음

4. 검사실 검사

1) MRI상 뇌하수체종양이 발견되었을 때 기능성 여부를 알기 위한 초기 호르몬 검사

(1) PRL   (2) IGF-1

(3) 24h urine free cortisol & 1 mg overnight dexamethasone suppression test

(4) α-subunit LH, FSH   (5) thyroid function test

표 8-1-5 기능성 뇌하수체선종의 선별검사

종류	검사	비고
말단비대증	Serum IGF-1 Oral glucose (75 g) suppression test with GH obtained at 0, 30, and 60 min	나이와 성별에 따른 정상기준치 참고 정상 ; GH <1 μg/L
프로락틴선종	Serum PRL	복용 약물 확인(PRL 20-200 μg/L) PRL >200 μg/L; prolactinoma 가능성 높음
쿠싱병	24-h urinary free cortisol Dexamethasone (1 mg) p.o. at 11 P.M. & fasting plasma cortisol at 8 A.M.	소변을 정확하게 모으는 것이 중요 정상; cortisol <2 μg/dL
	ACTH assay	adrenal adenoma (ACTH suppressed) ectopic ACTH or Cushing's disease (ACTH normal or elevated)

5. 뇌하수체종양의 치료

1) 일반 원칙

(1) 작고 증상이 없는 뇌하수체종양은 추적 관찰을 하거나 결함이 있는 호르몬 보충

(2) 호르몬 분비 과다가 있는 경우에는 분비를 감소시키기 위한 특별한 치료가 필요

(3) 크기가 큰 종양의 경우 두강 내 종괴 효과(mass effects)를 예방하고 교정하기 위한 치료 필요

2) 수술

(1) 프로락틴 분비 종양을 제외한 대부분 뇌하수체종양의 치료는 수술적 치료가 추천

(2) 수술은 때때로 주위 조직의 손상이나 뇌하수체기능저하증을 유발하기도 함

3) 방사선 치료

(1) 최근 감마나이프 혹은 사이버나이프를 이용한 방사선 치료가 증가하고 있으나 수술보다 효과가 느리게 나타남

(2) 일반적으로 최초의 효과가 나타나는데 6-24개월이 소요되고 2-5년에 걸쳐 점차 호전됨

(3) 수술적 치료나 약물 치료의 보조적인 치료로 보다 많이 사용되며, 방사선 치료 후 10년 이내에 50% 이상의 환자에서 뇌하수체 기능저하가 나타남

4) 약물 치료

뇌하수체 종양의 종류에 따라 선택적으로 약물 치료로 혈중 호르몬 농도와 종양의 크기를 신속하게 감소시킬 수 있음

5) 수술 전 검사

(1) 모든 환자는 수술 전과 수술 후에 호르몬 검사를 시행해야 함

(2) insulin tolerance test (ITT)가 gold standard이나 보통 ACTH stimulation test 시행. 비정상 소견 보일 경우 glucocorticoid 투여

6) 수술 전후의 스테로이드 투여

(1) 수술 당일 hydrocortisone 50 mg 8시간마다 iv → 다음날 25 mg 8시간마다 iv → 다음날 25 mg 한 번 iv. (또는 dexamethasone 수술 일 4 mg iv → 다음날 아침 8시에 2 mg iv → 다음날 아침 8시에 0.5 mg iv)

(2) 작은 종양의 선택적 제거가 가능하고 수술 전 부신기능이 정상인 경우 스테로이드 투여가 필요하지 않음. 단, 쿠싱증후군의 완치 시에는 반드시 장기간의 보충 필요

(3) 수술 후 평가

① 합병증이 없다면 48시간 이후에는 glucocorticoid 투여 중단하고 수술 후 3-5일 아침 8시 cortisol 측정. 수술 전 glucocorticoid 투여하지 않았던 경우에는 수술 후 1-3일 측정

② cortisol >15 ug/dL: glucocorticoid 투여 필요 없음

cortisol 10-15 ug/dL: 스트레스 시만 glucocorticoid 보충. 4-6주 후 확진검사 필요

cortisol 5-<10 ug/dL: hydrocortisone 10-15 mg 아침에 경구투여. 4-6주 후 확진검사 필요

cortisol <5 ug/dL: 회복가능성 낮음. hydrocortisone 15-30 mg/d 나눠서 계속 투여

③ 수술 후 4-6주 후에 ITT 혹은 ACTH stimulation test로 부신기능을 확진. 이때 유리 T4를 측정해서 갑상선호르몬의 투여 여부를 결정. 가임기 여성의 경우 자발적 생리가 없으면 성선자극호르몬과 에스트로젠 농도를 측정하고 남자의 경우는 성선자극호르몬과 testosterone을 측정하여 치료 여부 결정

7) 수술 후 호르몬 상태 평가

(1) 수술 후 4-6주 후에는 뇌하수체종양이 완전히 제거되었는지 여부와 뇌하수체호르몬 과분비가 교정되었는지 호르몬 검사가 필요. 즉 프로락틴 분비종양의 경우 기저 프로락틴 농도 측정, 성장호르몬 분비종양의 경우 포도당 억제검사와 IGF-1 농도 측정, 쿠싱병의 경우 소변 유리 코티솔 배설량 및 저용량 덱사메타손 억제검사 등이 필요

(2) 이외에도 수술 후 뇌하수체 기능변화 여부를 확인하기 위해 다른 뇌하수체호르몬(TSH, ACTH, LH/FSH) 검사도 필요

(3) 방사선 치료 후에는 치료 효과가 늦게 나타나고 시간이 경과하면서 뇌하수체기능저하증의 빈도가 증가하므로 매년 뇌하수체호르몬에 대한 검사가 필요

8) 추적검사

(1) 초기 치료 후 1년간 매 3-4개월마다, 그 후 6-12개월마다 시행

(2) 호르몬 부족이나 증가의 증세: 매 방문 시마다

(3) 뇌하수체 호르몬 검사: 매 1-2년마다

(4) 치료 6개월 후 CT나 MRI로 조기 해부학적 변화를 보고 그 후 매년 추적 검사

6. 프로락틴 분비종양

1) 임상 소견

(1) 뇌하수체 종양 중 가장 흔함. 여성에서 무월경, 유루증, 불임 유발

(2) 남성의 경우 성욕 감퇴, 불임, 시야장애(optic nerve compression)

2) 진단

(1) 감별진단: 뇌하수체종양과 더불어 고프로락틴혈증은 다른 질환에서도 나타날 수 있음. 약물 복용 력을 자세히 조사하는 것이 가장 중요. 갑상선기능저하증, 임신, 신부전 등도 반드시 감별

(2) 방사선학적 검사: 고프로락틴혈증의 경우 다른 종양성 병변 배제 위해 Sella MRI 확인

(3) 검사실 소견: 프로락틴의 변동이 자연스러운 것인지 스트레스에 의해 유발된 것인지 알기 위하여 세 번 정도 프로락틴 농도를 측정. 혈중 프로락틴 농도가 200 ng/mL 이상인 경우 거의 뇌하수체 종양에 의한 것. 프로락틴 농도는 종양의 크기와 상관이 있으므로 작은 종양의 경우 다른 원인에 의한 프로락틴 상승보다 낮게 나올 가능성도 있음

① PRL < 20 ng/mL: 정상(단, 임신, 신부전 시 증가)

② PRL < 100 ng/mL: 미세선종이나 다른 종양성 병변, 고프롤락틴혈증의 다른 원인 확인

③ PRL > 200 ng/mL: 대부분 prolactinoma

cf) Hook effect: 프로락틴 분비 거대선종에서 PRL이 정상수치 나올 수 있으므로 크기가 큰 경우 1:100 희석하여 재검

표 8-1-6 고프로락틴혈증의 원인

생리적 변화: 임신, 수유, 수면, 스트레스, 흉벽자극
약물 도파민 수용체 차단제: risperidone, phenothiazine (chlorpromazine, perphenazine), haloperidol, thioxanthenes, metoclopramide 도파민 합성 차단제: α-methyldopa 카테콜아민 depletors (reserpine), Opiates, Imipramines (amitryptiline, amoxapine) 세로토닌재흡수억제제(fluoxetine), H2길항제(cimetidine, ranitidine), 칼슘채널차단제(verapamil, estrogen, TRH)
전신 질환: 갑상선기능저하증, 간경화, 만성콩팥병, 간질, 상상임신
뇌하수체종양: 프로락틴 선종, 말단비대증
시상하부-뇌하수체경 손상: 종양(두개인두종, 수막종, dysgerminoma, 전이성 병변), 공터기안, granuloma, Rathke's cyst, stalk section
Ectopic secretion of prolactin by non-pituitary tumors (rare)
특발성(Idiopathic)

3) 치료

(1) 약물 치료: 도파민 작용제(cabergoline, bromocriptine)

① cabergoline: bromocriptine 보다 작용시간이 길고 종양 크기 감소에 더 효과적. 두통, 시야 장애와 같은 mass effect에 의한 증상의 경우 며칠 이내에 호전됨. 일주일에 한 번 0.25 mg으로 시작해서 0.5 mg 일주일에 한 번 또는 두 번까지 증량

② bromocriptine: 작용시간이 짧아 임신 원할 경우 선호. 환자의 70%에서 프로락틴 수치 정상화

거대선종 환자 대부분에서 50% 이상 종양 크기 감소. 0.625-1.25 mg(취침 전 간식과 함께 복용)으로 시작하여 차차 증량. 대부분 7.5 mg/day (2.5 mg tid)이내에서 조절됨

(2) 임산부의 치료: 임산부에서 bromocriptine이 유산, 사산, 태아기형 등을 증가시킨다는 증거는 아직까지 알려지지 않았으나 임신을 하면 bromocriptine을 중단하는 것이 일반적. 크기가 작은 프로락틴 선종의 경우 임상적으로 문제가 될 정도로 크기가 증가하는 빈도는 3-5%로 낮으나 거대선종인 경우에는 임신 시 크기가 증가하여 두통이나 시야 결손 등이 진행할 수 있으므로 조기에 분만을 하거나 임신 중에도 계속 bromocriptine을 사용해야 함

(3) 수술적 치료: 약물치료에 반응하지 않거나 약물치료를 견딜 수 없을 경우, 약물치료로 호전되지않는 시야 장애가 있는 거대선종의 경우 경접형동 선종제거술 시행. 미세선종의 경우 70%에서 프로락틴 정상화. 거대선종의 경우 30% 미만의 완치율 보임. 수술 후 1년 이내에 20%에서 고프로락틴혈증 재발. 거대선종의 경우는 장기 재발율이 50%를 상회

(4) 방사선 치료: 약물치료나 수술적 치료에 반응하지 않는 경우

7. 말단비대증

성장호르몬의 과분비로 인해 나타나는 질환으로 주로 성장호르몬 분비 뇌하수체종양에 의해 발생

1) 임상 소견

말단 골 과성장으로 전두골 돌기, 손과 발의 크기 증가, 상악 전돌증이 동반된 하악의 확대, 하악 앞니 사이 공간의 확장. 사춘기에 성장판이 닫히기 전에 성장호르몬 과잉이 시작된 경우 거인증 유발. 연부 조직 비대(Heel pad thickness 증가: 남자 >21 mm, 여자 >18 mm), 다한증, 근위부 근육 쇠약, 흑색 극세포종, 전반적인 장기 비대 등

(1) 심혈관계: 심근병증, 부정맥, 좌심실 비대, 확장기 기능 저하, 고혈압

(2) 호흡기계: 상부기도 폐쇄, 수면 무호흡증

(3) 당뇨(25%), 당불내성

(4) 대장 용종(환자의 1/3)과 대장암의 발생률 증가

(5) 사망률 3배 증가: 심혈관, 뇌혈관이상, 호흡기 질환

2) 진단

(1) 선별검사: IGF-1 증가(연령, 성별에 따른 기준치 참조할 것)

(2) 확진검사: 경구 당부하에 대한 성장호르몬 반응의 평가(포도당 75 g 경구투여 후 1-2시간 이내에 성장호르몬 <1 ug/L로 억제되지 않을 경우 진단)

(3) 프로락틴 측정: 약 25%에서는 프로락틴도 동시에 분비하는 선종이 존재

(4) sellar MRI, 시야검사

(5) 사진: 연령대별 안면 사진 비교, 정상인과 손과 발 비교

(6) TRH 자극검사: 정상인의 경우 GH 변화가 없으나 말단비대증의 경우 기저치보다 증가

3) 말단비대증의 치료

(1) 수술이 원칙. 거대선종의 경우 재발률이 높아 보통 보조적으로 약물치료 필요

(2) 약물치료

① Somatostatin 유사체(Octreotide, SandostatinLAR, Lanreotide, Lanreotide Autogel): 혈중 GH, IGF-1 농도를 낮추고 종양의 크기 감소에 있어서 도파민 작용제보다 더 좋은 효과를 나타냄. 수술이나 방사선 치료 후 보조적인 치료로 사용

- Octreotide: 50 μg tid 피하주사로 시작하여 1,500 μg까지 증량. 흔한 부작용으로 복통, 묽은 변, 당대사의 악화, 담석 등
- Sandostatin LAR (long-acting octreotide): 월 1회 20-30 mg IM. 소화기 부작용은 적음
- Lanreotide Autogel: 60 mg을 4-6주마다 피하주사

② GH receptor antagonists (Pegvisomant): 말초조직에서 GH과 수용체의 결합을 차단하여 GH의 기능에 길항적으로 작용. 매일 피하주사(10-20 mg). 70%에서 IGF-1 정상화. GH는 계속 증가되어 있으며 종양 크기 감소효과 없음

③ 도파민 작용제(bromocriptine, cabergoline): 고용량(bromocriptine 20 mg/d 이상, cabergoline 0.5 mg/d) 필요. 단독 사용보다 octeotide + carbergoline 병용이 추가 효과를 보임

(3) 방사선 치료: 환자의 50 %에서 GH 농도를 낮추는데 최소 8년 정도의 시간이 필요. 대부분 10년 이내에 성선호르몬, ACTH, TSH 결핍 유발. 보조 요법으로 사용

4) 추적관찰

(1) 성공적인 치료 후 혈중 GH, IGF-1 농도는 정상화. 연조직의 비대, 당대사장애, 수근터널증후군, 에너지 증가, 심한 발한 등의 증상도 호전됨

(2) 관절염 같은 골 변화는 호전되지는 않지만 점차 안정적으로 변화

(3) 치료 후 2-3년 동안 매 6개월마다 혈중 GH, IGF-1 농도를 측정하고, 그 이후에는 매년 측정

(4) 뇌하수체종양에 대한 방사선 검사와 프로락틴 농도 측정도 비슷한 간격을 두고 검사

(5) GH 과분비가 잔존하는 환자들은 치료 후에도 당뇨, 고혈압, 심혈관 질환, 관절염 등에 대한 치료를 계속해야 하고 대장 용종이나 대장암에 대한 추적 검사도 계속해야 함

8. TSH 분비 종양

1) 임상 소견 : 뇌하수체종양의 2% 정도밖에 되지 않는 드문 질환. 보통 갑상선기능항진증과 갑상선종 소견

2) 진단 : 유리 T4의 증가와 부적절하게 정상 혹은 증가된 TSH가 특징적. TSH은 TRH에 대해 반응하지 않음. 80% 이상이 α subunit를 분비하므로 α subunit의 측정이 도움이 되며 20-25%에서 GH이나 프로락틴과 같은 다른 호르몬을 동시에 분비

3) 치료 : 수술이 원칙. somatostatin 유사체는 TSH와 α subunit 과분비를 효과적으로 정상화시키며 환자의 50%에서 종양 크기를 감소시킴

9. 비기능성 뇌하수체종양과 성선호르몬 분비 종양

1) 대부분 gonadotrope cell에서 기원. 소량의 성선호르몬(주로 FSH)과 uncombined α subunit, LH β, FSH β subunit 분비

2) 증상이 없어 진단 당시 보통 거대선종으로 발견

3) 증상 및 진단

(1) 비기능성 뇌하수체 종양은 optic chiasm 압박 증세나 우연히 MRI에서 발견되어 진단

(2) 드물게 FSH, LH를 분비하는 거대선종의 경우 불규칙적인 생리나 난소 과자극 소견 보임

(3) 프로락틴 증가.

4) 검사

(1) 종양의 타입 분류, hormonal marker 확인, 뇌하수체기능저하증 판별 위해 검사

(2) free α subunit: 비기능성 종양의 10-15 %에서 증가

(3) FSH: 폐경 전 여성에서 진단에 유용. 폐경 후 여성은 종양에서 분비된 것인지 감별 어려움

(4) 남성에서 gonadotropin-secreting adenoma: 뇌하수체종양이 있으면서 gonadotropin 증가 (FSH>LH). TRH에 대해 LH β subunit 증가(정상인에서는 증가하지 않음)

(5) 수술 후 immunohistochemical anaylsis

5) 치료

(1) 증상이 없는 미세선종: 치료 없이 경과관찰(정기적인 MRI와 시야 검사)

(2) 수술을 해야 하는 경우

① 거대선종의 경우. Mass effect를 완화시키기 위해

② 수술 6개월 후 MRI, 이후 1년마다 시행. 5-6년 후 비기능성 종양의 15%에서 재발

(3) 방사선 치료: 수술 후 보조적으로 사용

10. 부신피질자극호르몬 분비 종양(Cushing 병) – 제5절 부신 질환 참조

11. 공터키안 증후군(Empty sella syndrome)

1) 병태생리

(1) 지주막하공간이 터키안부로 밀려들어 뇌하수체에 압력이 가해지면서 뇌하수체의 위축 발생

(2) 일차성 공터키안: CSF 압력 증가 및 안장가로막(diaphragm sellae)의 결함으로 발생. 임신, 비만, pseudotumor cerebri 등에서 발견됨

(3) 이차성 공터키안: 종양, 수술이나 방사선치료에 의해 발생

(4) 뇌하수체 기능은 보통 정상. 뇌하수체기능저하증이 점차 발생할 수 있음

2) 진단

(1) CT나 MRI 촬영 도중 우연히 발견되는 경우가 많음

(2) 뇌하수체 호르몬 결핍 확인 위해 호르몬 검사

3) 치료: 보통은 특별한 치료 필요 없음. 뇌하수체 호르몬 결핍이 있을 경우 호르몬 보충 요법 필요

12. 두개인두종(Craniopharyngioma): benign, suprasellar cystic mass

1) 병태생리: Rathke's pouch에서 발생하여 pituitary stalk에 나타남. 보통 suprasellar cistern까지 확장. 종종 크기가 크고 낭종성. 15%가 종괴성, 30% 혼합형. 부분적인 석회화 소견

2) 증상: 시신경 교차부위나 시상하부, 뇌하수체를 압박. 두개강 내압 증가, 시야 결손, 인격 변화, 인지 저하, 뇌신경 손상, 수면 장애, 체중 증가. 90%에서 뇌하수체기능저하증, 10%에서 요붕증 동반. 소아의 반에서 성장 장애

3) 진단: 두개골 엑스선 검사와 CT에서 석회화 소견. 터키안의 크기 증가나 미란 발견. 일반적으로 CT보다는 MRI로 진단

4) 치료: 종양을 모두 제거하는 광범위 수술. 수술 후 보조적으로 방사선 치료

III. 요붕증(diabetes insipidus, DI)

1. 정의

요붕증은 arginine vasopressin (AVP, 혹은 antidiuretic hormone, ADH)의 분비 장애 혹은 신장에서의 반응 장애로 인해 많은 양의 희석된 소변을 보는 질환. 감별질환으로는 과다수분섭취로 인한 원발성 다음증이 있음.

2. 분류

1) 중추성 요붕증(neurohypophyseal, central, or pituitary DI) – 완전(complete) 혹은 부분적(partial)

(1) 정의

뇌하수체 후엽의 발육부전 혹은 비가역적인 파괴로 인한 AVP의 불충분한 분비나 결핍에 의해 발생

(2) 원인

① 유전성 중추성 요붕증: 다양한 유전자 변이가 있고, 노출된 가계 내에서 발병 정도 또한 다양

② 후천성 중추성 요붕증: 다양한 상태에 의해서 유발되나 원인을 밝히지 못하는 경우가 적지 않음

표 8-1-7 중추성 요붕증의 원인

후천성
두부 외상(뇌하수체 수술 포함), 종양, 육아종, 감염성, 염증성, 혈관성, 화학적 독소, 특발성
유전성

선천성 기형

Septo-optic dysplasia, Midline craniofacial defects, Holoprosencephaly, Hypogenesis, Ectopia of pituitary

(3) 임상 소견

다뇨, 야뇨증, 다음. 수분 섭취는 찬물을 선호. 소변량은 하루 동안 몇 L에서 20 L까지 다양
시상하부-뇌하수체 후엽 부위의 수술이나 외상에 의하여 발생하는 경우 수술 후 1-2일 안에 요붕
증, 5-8일에 ADH 부적절 분비 증후군(SIADH), 이후로 회복 혹은 영구적 중추성 요붕증의 세 단계
로 진행할 수 있음

2) 신성 요붕증(nephrogenic DI)

(1) 정의: ADH에 대한 신장의 반응성이 감소한 상태로 특징적으로 ADH의 농도가 정상이면서 저장성
다뇨가 지속되며, 부분적인 결손이 아니라면 ADH에 반응이 없음

(2) 원인

표 8-1-8 신성 요붕증의 원인

유전성 : AVP receptor-2 gene, aquaporin-2 gene

후천성

Drugs : lithium, demeclocycline, methoxyflurane, amphotericin B, aminoglycosides, cisplatin, rifampin, foscarnet
Metabolic : hypokalemia, hypercalcemia, hypercalciuria
Obstruction : ureter or urethra
Vascular : Sickle cell disease and trait, ischemia(acute tubular necrosis)
Infiltrative : amyloidosis
Sarcoidosis, pregnancy, sarcoma, idiopathic

3) 원발성 다음증(primary polydipsia)

(1) 구갈성 요붕증(Dipsogenic DI): ADH 분비를 일으키는 삼투압 역치는 정상이지만 갈증을 느끼는 삼
투압 역치가 ADH 분비 역치보다 낮아 발생. 신경유육종, 결핵성 뇌막염, 다발성 경화증 등 뇌를 침
범하는 다발성 병변과도 관련

(2) 심인성 다음증: 정신적인 문제에 의하여 물 섭취가 증가. 구갈성 요붕증과는 달리 갈증을 느끼는
역치에는 변화가 없고 정신적인 질환에 의한 인지 장애에 의해 수분 섭취가 일어남

(3) 의인성 다음증

4) 임신성 요붕증(gestational DI)

임신 중 태반에서 생성된 N-terminal aminopeptidase에 의해 ADH 대사가 증가하여 결핍 유발. 보통
출산 후 몇 주 사이에 호전됨

3. 진단

1) 선별검사

(1) 소변량 >3 L/day 또는 >50 mL/kg per day

(2) 요삼투압 <300 mOsm/L (소변검사상 요비중 <1.010)

2) 확진검사: 수분제한검사(Water deprivation test)

(1) 탈수 상태를 만들어 ADH 분비를 최고에 이르게 하기 위해서 모든 수분이 제한됨

(2) 임상 증상에 따라 4-18시간까지 다양하게 적용하며, 매시간 체중, 혈장 삼투압 및 나트륨, 소변 삼투압 및 소변량을 측정

(3) 3번 연속 요삼투압 30 mOsm/L 이상 증가하지 않거나, 환자 체중의 5% 이상 감소하거나, 혈장삼투압 혹은 혈청 나트륨이 정상의 상한을 넘거나 환자가 견디지 못할 경우 검사 중단. 이후 바소프레신 5 unit 피하주사 혹은 데스모프레신(피트레신) 5-10 단위(1-2 ug) 피하, 근육 혹은 정맥주사 후, 30, 60, 90, 120분에 소변 및 혈장 삼투압을 검사

(4) 수분제한 검사 전 ADH의 분비와 작용에 방해가 되는 약물은 모두 중지해야 하고 카페인이 함유된 음료, 술 담배도 검사 하루 전부터 제한

(5) 검사결과의 해석

A. 수분제한검사:

① 정상인/일차성 다음증: 요 삼투압 >혈장 삼투압. AVP 주사 후 요 삼투압 증가 <10%

② 요붕증: 탈수 상태(체중이 5% 감소 혹은 혈장 나트륨/삼투압이 정상의 상한선)에서 요 농축이 일어나지 않음(요 삼투압 <300 mOsm/L, 요비중 <1.010)

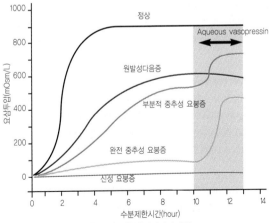

그림 8-1-1 수분제한검사의 해석

a. 원발성 다음증, 정상
b. 중추성 요붕증
c. 신성 요붕증

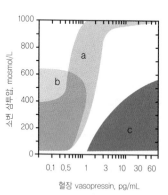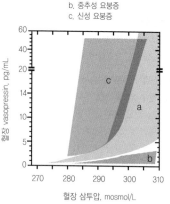

그림 8-1-2 혈장 ADH 농도와 혈장 및 요 삼투압의 관계

B. AVP 투여

① 중추성 요붕증

완전 중추성 요중증: 요 삼투압 증가 >50%

부분 중추성 요붕증: 요 삼투압 증가 15-50%

② 신성 요붕증

완전 신성 요붕증: 요 삼투압 증가 <10%

부분 신성 요붕증: 요 삼투압 증가 10-45%

*부분 중추성 요붕증 vs. 부분 신성 요붕증

둘 다 수분제한검사 때 요 농축 반응을 보일 수 있으며 중추성인 경우 요 삼투압이 혈장 삼투압과 비슷한 정도의 농축을 보이는 경우도 있음. 수분 제한 후 ADH 농도가 상승하면 부분 신성 요붕증으로 감별.

3) 고장성 식염수 주사(Hypertonic saline loading test)

수분 제한만으로 혈장 삼투압과 나트륨이 증가하지 않을 경우. 3% 생리식염수를 0.1 mL/kg/min의 속도로 2시간 동안 주사하여 30분 간격으로 혈장 삼투압과 ADH 측정. 부분 신성 요붕증과 원발성 다음증에서는 ADH가 증가하지만(정상반응: 기저치의 5배 이상 증가) 중추성 요붕증에서는 ADH 농도의 증가가 없음(그림 8-1-2 참조)

4) DDAVP 시험적 투여

치료 용량으로 DDAVP 10-25 μg을 비강으로 분무하거나 1-2 μg을 SC하는 것을 2-3일 간 시행하고 효과를 관찰. 중추성 요붕증인 경우 회복되지만 신성 요붕증인 경우 회복되지 않으며, 다음 증상이 계속되면서 저나트륨혈증이 발현되면 원발성 다음증으로 진단

5) MRI 소견

중추성 요붕증의 경우 정상적으로 보이는 뇌하수체 후엽의 bright spot (T1 weighted midsagittal images)이 소실되거나 비정상적으로 작아짐. 원인이 되는 뇌종양을 발견하는 경우도 있음

4. 치료

1) 중추성 요붕증: 항이뇨호르몬 보충

데스모프레신. DDAVP (desamino-8-D-arginine vasopressin: synthetic analogue of AVP)

: V2 receptor에 선택적으로 작용하여 소변을 농축시킴. 분해에 저항력이 있어서 AVP보다 3-4배 정도 작용시간이 김.

(1) 경구: 100-400 μg 하루에 두 번 혹은 세 번 복용

(2) 비강: 10-20 μ 하루에 두 번 혹은 세 번 분무

(3) 정맥/피하주사: 1-2 μg을 하루에 한번 혹은 두 번 주사

2) 신성 요붕증

(1) 염분 제한과 함께 thiazide 혹은 amiloride, 프로스타글란딘 억제제(인도메타신) 사용

(2) 30-70 %에서 다음과 다뇨를 감소시킴

3) 원발성 다음증

수분제한. 수분중독 위험성 때문에 다른 약제(thiazide, carbamazepine) 사용 시 주의

IV. 부적절항이뇨증후군
(syndrome of inappropriate antidiuresis, SIADH)

1. 정의

ADH가 부적절하게 많이 분비되어 소변 양과 소변 희석능이 감소하고 체내에는 과다수분저류가 발생하여 저나트륨혈증이 나타나는 상태. 체액 증가에 대한 보상기전으로 소변의 염분배출이 증가되어 부종은 없으나 저나트륨혈증은 더 악화됨

2. 원인

표 8-1-9 SIADH의 원인

종양 : Carcinomas: 폐, 십이지장, 췌장, 난소, 방광, 요관
기타 : 흉선종, mesothelioma, bronchial adenoma, carcinoid, gangliocytoma, Ewing's sarcoma
신경성 : Guillain-Barre syndrome, multiple sclerosis, delirium tremens, amyotrophic lateral sclerosis, hydrocephalus psychosis, peripheral neuropathy
감염 : 폐렴, 농양(폐 혹은 뇌), cavitation (aspergillosis), 결핵(폐 혹은 뇌), 뇌수막염, 뇌염, AIDS
혈관성 : cerebrovascular occlusions, hemorrhage, cavernous sinus thrombosis

대사성 : acute intermittent porphyria, asthma, pneumothorax, positive pressure respiration	
약제 : vasopressin or desmopressin, serotonin reuptake inhibitors, high dose oxytocin, vincristine carbamazepine, nicotine, phenothiazines, cyclophosphamide, TCAs, MAO inhibitors	
선천성 기형 : agenesis corpus callosum, cleft lip/palate, other midline defects	
두부 외상	

3. 임상증상

1) 만성 경과: 증상이 뚜렷하지 않을 수 있음

2) 급성경과 혹은 중증 저나트륨혈증: 식욕부진, 구역, 구토, 두통, 불안, 혼수, 경련 등

4. 검사실 소견

1) Hypo-osmotic hyponatremia

2) Euvolemia without edema, tend to be mildly volume-expended

3) Natriuresis (>25 mEq/day or usually >40 mEq/L)

4) Hypouricemia (<4 mg/dL)

5) Inappropriately high urinary osmolality (>100 mOsm/kg)

6) Normal function of kidney, thyroid and adrenal gland

5. 진단

1) euvolemic, hypo-osmolar hyponatremia state이면서 갑상선 질환, 부신 질환, 간 질환, 신장 질환, 심장 질환이 없어야 함

2) 저나트륨혈증을 일으키는 다른 질환과 감별되는 소견은 표 8-1-10 참조

   hypovolemic hyponatremia와 감별하는 검사로 0.9% 생리식염수 1 L를 2일간 투여하고 혈중 나트륨 농도를 측정하여 5 mEq/L 이상 증가하면 hypovolemia 환자. 변화가 없거나 증가량이 5 mEq/L 이하면 SIADH 환자. 반대로 수분을 제한하여 2-3일 간 하루에 600-800 mL만 섭취시키는 경우 SIADH의 경우 저나트륨혈증이 회복되지만 renal salt wasting에서는 회복되지 않음

표 8-1-10 저나트륨혈증을 일으키는 질환들의 소견

진단	Volume status	Urinary Na conc (mEq/L)	Fractional excretion of Na (%)
SIADH	Euvolemic	>20	>1
Salt Wasting			
Renal	Hypovolemic	>20	>1
Extrarenal	Hypovolemic	<10	<1
Dilutional hyponatremia	Hypervolemic	<10	<1

6. 치료

1) 기저 동반 질환의 치료 병행. 수분 제한

2) 저나트륨혈증의 치료: 증상의 유무, 급성 발생 여부, 저나트륨혈증 교정 시 합병증의 위험도 등을 고려하여 결정. 증상이 발생하는 경우는 나트륨 농도가 0.5 mEq/L/h 이상의 속도로 감소될 때 흔히 발생하며 125 mEq/L 이하로 감소하면 좀 더 흔하게 나타남

3) 급성 현성 저나트륨혈증: 혈장 삼투압 270 mOsm/L 혹은 나트륨 130 mEq/L 될 때까지 3% 생리식염수 사용하여 0.05 mL/kg/min 속도로 주입

*나트륨 보충량 = [125-measured serum Na+] × 0.6 × body weight (Kg)

(1) 2-4시간마다 혈청 나트륨 측정. 시간당 1 mEq/L 이상 혹은 정상 이상으로 올리지 말 것

(2) central pontine myelinolysis: 저나트륨혈증을 너무 빨리 교정할 때 발생하는 급성 신경 증후군. Quadriparesis, ataxia, abnormal extraocular movements

4) 만성 불현성 저나트륨혈증

(1) 수분제한: 소변량보다 500 mL 더 적게 제한. 하루에 1-2% 정도 교정됨

(2) 경구용 AVP2 antagonist: 소변량을 증가시키기 위해 추가적으로 병용 가능. Vaptan, tolvaptan

Ⅰ. 갑상선 질환의 진단

1. 혈액검사

1) 유리 T4 (free T4, FT4)

(1) 갑상선 기능의 상태를 가장 정확히 반영함

(2) 혈청 단백질의 변화나 비갑상선질환의 영향을 받지 않음

2) 혈청 총 T3

(1) TBG 등과 같은 갑상선호르몬 결합단백질에 결합함

(2) 결합단백질의 변화에 따라 총 T3의 혈중 농도가 변화함

→ 이를 극복하기 위하여 유리 T3를 측정하기도 함

3) 혈청 TSH

(1) 대부분 면역계측법(immunometric method)을 이용하여 측정함

(2) 민감도와 특이도가 증가되어 TSH 1회 측정만으로 현재 갑상선 기능상태를 알 수 있으며 FT4와 함께 우선적으로 시행되는 검사

4) 갑상선 자가항체 검사

(1) 항 티로글로불린 항체(anti-thyroglobulin Ab): 하시모토 갑상선염 진단과 갑상선암 추적 관찰 중 사용

(2) 항 미크로솜 항체(anti-microsomal Ab, anti-TPO Ab): 하시모토 갑상선염 진단에 중요

(3) TBII (TSH binding inhibitory immunoglobulin): 갑상선 자극항체(TSAb) 또는 갑상선 차단항체(TBAb) 구분 없이 측정함, 일반적으로 갑상선중독증이 있을 때 갑상선기능항진증(그레이브스병) 진단을 위해 사용

(4) TSI (thyroid stimulating immunoglobulin): 자극항체만을 따로 측정하기 때문에 TBAb가 측정될 수 있는 TBII에 비해 갑사선기능항진 진단에 유리한 점이 있음

* TPO: thyroid peroxidase, TSAb: thyroid stimulating Ab, TBAb: thyroid blocking Ab

5) 갑상선스캔

(1) 99m-technetium 갑상선스캔: 방법도 간단하고 10~20분 후 결과를 알 수 있음

(2) 131-I 요오드스캔: 24시간 후에 결과를 알 수 있으나, 갑상선기능을 정확히 반영함

표 8-2-1 **방사성요오드 섭취율에 따른 갑상선기능항진증의 원인**

섭취율 증가	섭취율 감소
Graves병	아급성 갑상선염
중독성 다결절갑상선종	무통성 갑상선염
중독성 갑상선종	급격한 요오드섭취를 동반한 Graves병
하시갑상선중독증	요오드 유발 갑상선기능항진증
악성 융모암	갑상선호르몬 치료
포상기태	전이성 갑상선암
갑상선자극호르몬 분비성 뇌하수체 종양	난소갑상선종(Struma ovarii)

2. 갑상선기능 이상의 평가

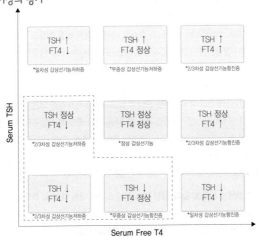

그림 8-2-1 **갑상선 기능 평가의 개요**

*해당 결과에 따라 감별해야 하는 질환
(점선 안의 영역에서는 비갑상선질환(nonthyroidal illness, sick euthyroid syndrome)에 의한 갑상선 기능변화를 생각해볼 수 있음)

1) 갑상선기능저하증

(1) 일차성 갑상선기능저하증

① 진단 : 혈청 T4 감소(FT4)와 TSH의 증가

• 혈청 TSH: 일차성 갑상선기능저하증의 가장 민감한 검사

② 경한 갑상선기능저하증(무증상 갑상선기능저하증, subclinical hypothyroidism): 혈청 T4는 정상 범위이면서 TSH는 증가된 상태임

(2) 2차성 또는 3차성 갑상선기능저하증

① 진단: 혈청 T4가 감소되고 TSH는 정상 또는 감소함

② 뇌하수체 또는 시상하부 질환에 대한 추가 조사가 필요함

③ 기타: 혈청 T4가 낮고 비갑상선질환으로 인해 이차적으로 TSH가 정상이거나 낮은 환자인 경

우에도 2차성과 3차성 갑상선기능저하증과 감별이 필요함

2) 갑상선기능항진증

*참고: 갑상선호르몬이 과다한 상태를 갑상선중독증이라고 하며 그 중에는 갑상선호르몬 생성이 증가되는 갑상선기능항진증과(ex. 그레이브스병) 갑상선염에 의해 발생되는 일시적 갑상선중독증으로 구분됨

(1) 혈청 TSH의 감소(억제): 가장 특징적인 소견 그러나 TSH 분비성 뇌하수체 종양, 중추성 갑상선호르몬 저항성의 경우에는 부적절하게 정상 또는 증가됨

(2) 혈청 유리 T4 (FT4): 모든 갑상선기능항진증에서 증가됨. 단, T3 갑상선중독증의 경우에는 혈청 T3 증가, FT4 정상소견을 보임

(3) 혈청 총 T3: 갑상선기능항진증이 있는 모든 환자에서 증가됨

　① 그레이브스병 환자는 다른 형태의 갑상선중독증에 비해 상대적으로 더 많이 증가됨

　　ex. 그레이브스병에서는 free T4가 정상에 비해 증가된 비율 정도로 T3의 증가되는 소견이 관찰되나 갑상선염에 의한 일시적 갑상선중독증에서는 free T4증가에 비해 T3의 증가 비율이 미미한 경향이 있음

　② T3를 다음의 경우에 특히 도움이 될 수 있음

　　• 갑상선기능항진증이 의심되는 증상이 있으나 FT4 치가 정상 또는 경계인 경우

　　• 선별검사에서 갑상선기능항진증이 발견되었으나 증상이나 징후가 없는 경우: 실제 갑상선 기능은 정상이지만 갑상선호르몬 결합단백의 변화로 인해 이차적으로 단독 고티록신혈증 (isolated hyperthyroxinemia)이 있을 수 있음

　　• 갑상선호르몬의 말초저항이 있는 유전질환을 가진 환자

3) 정상 갑상선호르몬 수치를 보일 때 혈청 TSH 이상 소견에 대한 해석 시 주의사항

(1) 비갑상선질환(nonthyroidal illness, sick euthyroid syndrome)

　① 심한 질환을 가진 입원환자에서는 TSH가 억제될 수 있음

　② 질환 회복 중에 TSH는 상승하나, 대부분 10 mU/L를 초과하지는 않음

　③ TSH 농도의 변화에도 FT4는 대부분 정상이며 환자의 갑상선 기능은 정상임

(2) 갑상선상태의 변화

　① TSH 감소

　　ⅰ) 갑상선기능항진증으로 항갑상선제나 방사성요오드 치료를 받은 경우

　　　• T4와 T3가 정상으로 돌아온 후에도 수개월간 억제되어 있음. 되먹이기 기전으로 시상하부-뇌하수체 갑상선 축이 오랫동안 억제되어 있었음을 의미함

　　ⅱ) 갑상선호르몬을 과량 복용한 경우

　② TSH 증가

　　ⅰ) 갑상선 기능저하 환자가 최근 갑상선호르몬 치료를 시작했을 경우

　　　• 치료 시작 후 TSH가 감소할 때까지 시간이 걸리기 때문에 TSH, T4가 일치하지 않음. 갑상선호르몬 투여 한 달 후 T4는 정상이고 TSH 증가된 경우 갑상선호르몬제의 용량이 부족하다고 할 수 없음

- 용량의 변화는 최소 6-8주 경과 후 시행하도록 함. 가끔 약을 복용하거나 내원 몇 주 전부터만 꾸준히 복용한 경우 T4는 비교적 정상이면서 TSH는 증가될 수 있음

(3) 중추성 갑상선기능저하증
① 시상하부나 뇌하수체 질환에 의한 갑상선기능저하증은 T4 감소가 감소되나 TSH가 상승하지 않고 정상인 것이 특징
② TSH 수치에 의존할 경우 갑상선기능저하증에 대한 정확한 진단을 내리기 어려움
③ 중추성 갑상선기능저하증을 가진 환자는 다른 호르몬 결핍이 동반되거나 시력이나 시야 이상과 같은 증상이 동반되어 진단에 도움이 됨

(4) 부적절한 TSH 분비와 관련된 갑상선기능항진증
① TSH 분비 뇌하수체 종양: 제1절 뇌하수체 질환 참조
② 갑상선호르몬에 대한 중추저항(central resistance): 드문 유전질환으로 T4와 T3가 증가되면서 TSH가 부적절하게 정상이거나 약간 상승함
③ 갑상선호르몬에 대한 말초저항(peripheral resistance): T3, T4, TSH가 정상 범위임에도 갑상선기능저하증의 임상증상을 나타낼 수 있음
④ 갑상선호르몬에 대한 전신적 저항(general resistance): T3, T4, TSH가 전체적으로 모두 약간 상승, 갑상선기능저하증의 임상증상은 없음

4) 갑상선 기능에 영향을 줄 수 있는 약제들
(1) 중추의 TSH 분비조절에 영향을 주는 약제: TSH 분비 억제하여 혈청 TSH 농도 낮춤
Dopamine, 당질코르티코이드, Somatostatin analogues

(2) 갑상선호르몬 합성이나 분비에 영향을 주는 약제들

① 요오드: 갑상선호르몬 분비를 억제시킴	• 기존 갑상선 질환, 특히 만성 자가면역성(하시모토) 갑상선염이나 이전에 그레이브스병으로 치료받은 환자에서 흔함 • Amiodarone: 항부정맥제로서 37%의 요오드를 함유하며, 이 약제로 치료받는 환자의 10%에서 갑상선기능저하증 유발
② 리티움(lithium carbonate): 조울증 치료약제	• 자가면역 갑상선 질환이 있는 경우 환자의 15~40% 정도에서 갑상선호르몬 분비를 억제하여 갑상선기능저하증 유발
③ 사이토카인(cytokine): IL-2, IFN-α, IFN-γ	• 전형적인 갑상선염의 반응을 유발함으로써 갑상선기능항진 유발

(3) 갑상선 결합단백에 영향을 주는 약제들
① 갑상선 결합단백 농도의 변화
  i) TBG의 증가: 에스트로겐을 함유한 화합물
  ii) TBG의 감소: danazol(자궁내막증 치료 약제), L-asparaginase(항암제), 안드로겐(androgen)
  iii) TBG 증가 → 총 T3와 T4 증가, TBG 감소 → 총 T3와 T4 감소
  iv) 유리호르몬 농도는 변하지 않으므로 환자의 갑상선 기능은 정상
② TBG 친화력의 변화: 갑상선호르몬과 TBG의 결합을 억제됨
③ phenytoin, furosemide, salicylates: TSH 변화 없이 총 T4가 감소됨

(4) 갑상선호르몬의 대사를 변화시키는 약제들
① 말초 T4의 탈오오드화 억제

ⅰ) Propranolol, propylthiouracil, glucocorticoid: T4가 T3로 전환되는 것을 억제하여 결과적으로 T3가 감소됨

ⅱ) Iodinate, iopanoic acid, amiodarone: 말초 및 뇌하수체 내 T4의 T3 전환을 감소시킴

② 갑상선호르몬의 세포내 섭취에 영향을 주는 약제들

ⅰ) Phenytoin, phenobarbital, rifampin: T4의 세포내 섭취와 대사 촉진으로, 갑상선기능저하증 치료제와 함께 복용할 경우 갑상선호르몬 제제를 증량해야 함

(5) 투여된 갑상선호르몬의 흡수에 영향을 주는 약제들

① Cholestyramine, colestipol, sucralfate, ferrous sulfate, calcium carbonate: 갑상선호르몬제의 장관 내 흡수를 억제할 수 있으므로 4시간 이상 간격을 두고 복용해야 함

Ⅱ. 갑상선기능항진증(Hyperthyroidism: Thyrotoxicosis)

1. 정의

1) 갑상선중독증(defined as the state of thyroid hormone excess):
신체조직 내 갑상선호르몬의 과량 효과에 의해 임상적 증상이나 징후가 나타나는 것을 의미함

2) 갑상선기능항진증(result of excessive thyroid function):
갑상선호르몬의 과다 생산에 의해 갑상선중독증이 나타나는 경우를 의미함

2. 원인 질환

표 8-2-2 갑상선기능항진증의 원인

원인	갑상선 활성인자
갑상선호르몬의 생산 과다	
Graves병	갑상선자극 면역글로불린
중독성 다결절갑상선종	자율성 또는 갑상선자극 면역글로불린
자율기능선종	활동성 TSH 수용체 돌연변이
TSH 분비 뇌하수체종양	TSH
갑상선호르몬에 대한 뇌하수체 저항성으로 인한 TSH 과다생성	TSH
포상기태 또는 융모암	HCG
갑상선 파괴로 인한 갑상선호르몬의 유출	없음
림프구성(무통성) 갑상선염	
육아구성(아급성) 갑상선염	
기타	
약제로 인한 갑상선중독증	
난소 갑상선종(Struma ovarii)	
전이성 갑상선암	

1) 종류 및 질환별 특징

(1) 그레이브스병(Graves' disease): 갑상선기능항진증의 가장 흔한 질환으로 Hyperthyroidism, ophthalmopathy, dermopathy가 특징인 자가면역질환

   ① 갑상선기능항진증의 80% 이상을 차지

   ② 자가면역 질환으로 갑상선 자가항체 존재가 존재함

(2) 중독성 다결절성 갑상선종: 주로 노인과 중년에서 발견됨

(3) 무기요오드(예; potassium iodide)나 유기요오드 화합물(예; amiodarone)

   ① 다발성 결절성 갑상선종을 가진 노인에게 투여시 갑상선기능항진증이 발생할 수 있음

   ② 대개 수개월간 지속되다가 자연히 치유되기도 함

(4) 요오드 유발 갑상선 중독증(Jod-Basedow phenomenon): 풍토병 갑상선종(endemic goiter) 지역에서 요오드 보충 받는 사람의 1% 이하에서 발생

(5) 자율과기능선종(autonomous hyperfunctioning adenoma)

   ① 대부분의 경우 갑상선기능항진증을 유발하지는 않음

   ② 선종(열결절)의 직경이 3 cm 이상이면 갑상선기능항진증이 나타날 수 있음

   ③ 선종의 다수에서 TSH 수용체의 돌연변이가 발견됨

(6) TSH 분비 뇌하수체 선종

   ① 매우 드물고 보통 거대선종의 형태가 많음

   ② 말단비대증과 같은 다른 기능성 뇌하수체 종양의 일부로 나타나기도 함

   ③ TSH가 상승되어 있으며 TRH자극에 증가하지 않음

(7) 아급성 및 무통성 갑상선염

(8) 갑상선 조직이 있는 난소 기형종(teratoma), 난소 갑상선종, 전이성 기능성 갑상선 여포암: 매우 드물지만 갑상선기능항진증을 일으킴

3. 증상 및 검사실 소견

1) 증상 및 징후

표 8-2-3 갑상선기능항진증의 증상 및 징후

신경계	신경불안, 압박감, 우울증, 정서불안, 집중력 저하 및 업무수행 능력 저하, 진전, 신경반사 항진
심혈관계	심계항진, 호흡곤란, 상심실 빈맥, 심방세동, 심비대, 심부전
근골격계	근육 위축과 근력저하, 중증 근무력증 혹은 주기적 저칼륨성 마비, 고칼슘뇨증 또는 고칼슘혈증, 골밀도감소 (골감소증, 골다공증)
위장관계	식욕증가, 음식섭취 증가, 체중감소, 잦은 배변, 간수치 증가
눈	안검퇴축, 침윤성 안병증, 안구돌출, 시신경 압박 혹은 각막염(심하면 실명)
피부	따뜻하고 축축하며 손바닥에 땀이 많이 남 손톱박리증, 경골전 점액부종(오렌지껍질처럼 피부두께 증가)
생식기계	여성에서 불임과 월경불순, 무월경, 남성에서 정자수 감소, 성기능저하, 여성형 유방, 임신율 저하.
대사계	발한, 체중감소, 열불내인성, 다음증, 식욕부진(노인) 혈당증가, 당뇨병 환자에서 인슐린 요구량 증가
갑상선	갑상선 크기 증가(갑상선종), 갑상선 잡음

2) 검사실 소견

(1) 갑상선기능항진증의 진단

① T4와 FT4가 거의 모든 갑상선기능항진증 환자에서 증가됨

② T3, FT3, FT3 index도 역시 증가: 환자의 일부(5% 미만)에서 T3나 FT3가 증가되어 있으면서 FT4는 상승되지 않음(T3 갑상선중독증)

③ 대부분 TSH는 측정되지 않거나 정상 이하로 억제되어 있음. 이상의 소견만으로도 진단이 가능하므로 TRH 자극검사 불필요. 노인의 2% 정도는 갑상선기능은 정상이지만 TSH가 억제되어 있음. 갑상선기능항진증의 뚜렷한 소견이 있는 환자에서 TSH가 정상 또는 증가된 경우 부적절한 TSH 분비에 의한 갑상선기능항진증을 의미하며 매우 드묾

④ 방사성요오드 섭취율은 갑상선호르몬 생성이 증가한 경우 상승되며, 아급성 갑상선염으로 갑상선호르몬의 방출이 증가한 경우에는 저하되어 있음

그림 8-2-2 갑상선기능항진증 평가

(2) 원인에 대한 검사

① TSH 수용체 항체(TSH-R Ab) TSH 수용체 항체는 측정 방법에 따라 여러가지 이름으로 부르고 있음

ⅰ) 갑상선자극 면역글로블린(thyroid stimulating immunoglobulin, TSI)은 활동성 그레이브스병의 표지로 가장 유용함. 환자의 IgG가 배양된 갑상선세포를 자극하는지 여부를 평가하는

생물학적 방법으로 검사방법이 복잡하고 어려움. 그러나 최근 chimeric human TSH-R를 안정적으로 발현하는 세포주(Chinese hamster ovary cell, CHO cell)를 이용한 TSI bioassay 가 개발되어 임상에 이용되기 시작했음

ⅱ) TSH 결합억제 면역글로불린(TSH binding inhibitory immunoglobulin, TBII)환자의 IgG가 125I-bovine TSH의 TSH 수용체 결합을 억제하는 능력을 평가하는 것으로 방사수용체법 (radioreceptor assay)으로 측정함. 활동성 그레이브스병의 75% 정도에서 양성이며 TSI를 측정하는 것보다 기술적으로 용이하여 그레이브스병의 진단에 가장 많이 이용함

② 항과산화효소 항체(Anti-TPO Ab)

자가면역성 갑상선질환인 그레이브스병과 하시모토 갑상선염에서 양성

③ 갑상선 스캔은 중독성 갑상선종 및 중독성 다결절 갑상선종의 진단에 유용한데, 결절부위에 방사성요오드 섭취가 증가되고 정상 갑상선 조직의 방사성요오드 섭취는 억제되어 있는 자율기능성 과기능 결절이 있는지, 다결절에 방사성요오드 섭취가 증가되어 있는지, 결절이 냉결절이 면서 만져지는 결절 사이에 과기능 조직이 있는지 알 수 있음

※ 참고: 노인 환자에서는 전형적인 갑상선기능항진증의 임상증상이 없을 수 있음. 이런 무감 각(apathetic) 갑상선기능항진증의 발현 양상은 체중감소, 무기력, 우울증 또는 무표정임. 고 령의 갑상선기능항진증 환자의 20%에서는 갑상선종이 없음. 심방세동과 심부전은 젊은 사 람보다 더 흔함. 안구돌출과 그레이브스 안병증은 고령에서는 흔하지 않음

3) 그레이브스병과 감별진단을 요하는 경우

(1) 아급성(육아종성) 갑상선염

(2) 아급성 림프구성 갑상선염(무통성 갑상선염)

(3) 급성 정신병

4) 그레이브스병의 치료

(1) 약제

① Thionamide계 항갑상선제: 갑상선 과산화효소의 생성을 억제하여 갑상선호르몬의 생합성을 차단함. Methimazole (MMI)를 우선적으로 사용하며, PTU는 심한 갑상선중독증과 임신 중인 경우 우선적으로 사용되며 말초에서 T4가 T3로 전환되는 것을 억제하는 부가 작용이 있음

ⅰ) 용량: 통상 1일 치료용량은 propylthiouracil(PTU) 150-450 mg, 또는 methimazole (MMI) 10-30 mg을 2, 3회로 나누어 투여함. MMI은 PTU보다 작용시간이 길기 때문에 하루에 한 번 투여할 수 있어서 약 복용을 잊는 환자에게 더 도움이 됨

ⅱ) 추적검사: 2-3주 후 치료 반응을 평가하고 약물 용량 조절을 위해 한달 간격으로 관찰함. 환 자 반응이 좋으면 용량을 처음의 1/2에서 2/3로 감량함. 환자에 따라 다르나 유지용량은 PTU 50 mg/일, MMI 2.5-5 mg/일 정도. 치료기간은 1.5-2.5년간 유지하도록 권함

ⅲ) 부작용: 피부발진, 관절통, serum sickness, 간 기능 이상이 발생할 수 있음. 드물지만 임상 적으로 중요한 무과립구증이 나타날 수 있으므로 인두통, 발열 등의 감염 증상이 있는 경우 의료진을 찾도록 교육함. 그러나 감염이 발생하기 전에 매번 백혈구 검사를 하는 것은 추천

되지 않음

    iv) 예후: 치료 종결 시 환자의 50%가 관해되는 것으로 알려져 있음. 재발은 보통 치료 중단 후 첫 1년 내 발생. 20-25년 전 항갑상선제로 치료받은 환자를 장기간 추적관찰한 결과 일부 환자에서 갑상선기능저하증이 발생하는 것으로 보아 그레이브스병의 자연경과 중 일부에서는 갑상선의 파괴가 발생되는 것으로 보임

  ② 베타차단제

    i) Propranolol은 과다한 아드레날린 활성도(adrenergic activity)를 차단하여 증상을 빠르게 호전시킴. T4에서 T3로의 전환을 억제하여 혈청 T3 농도도 약간 감소시킴. 통상 20-40 mg을 4-6시간마다 복용. 용량은 안정 시 맥박이 분당 70-80회를 유지하도록 조절함. 갑상선기능항진증이 조절되면 용량을 점차 줄여 정상 갑상선기능에 도달하면 중단함

    ii) 다른 베타차단제도 모두 효과적임. Atenolol은 작용시간이 길고 우울증을 덜 일으킴. $\beta 1$ 특이성 차단제가 T3를 더 감소시키지는 않음

    iii) 베타차단제는 갑상선기능항진증으로 인해 빈맥이 발생하고 이로 인해 심부전이 발생한 경우에는 사용함. 그러나 천식과 폐쇄성 폐질환이 있는 경우 propranolol은 상대적 금기

    iv) 베타차단제는 갑상선에 직접적인 효과가 없으므로 그레이브스병 환자는 베타차단제만으로 단독 치료해서는 안됨

  ③ 기타 약제들

    i) Sodium ipodate (Oragrafin)과 iopanoic acid (Telepaque)

      방사선 조영제로서 매우 강력히 말초에서 T4가 T3로 전환되는 것을 억제함. 또한 탈요오드화되어 갑상선으로 섭취되면 갑상선호르몬 분비를 억제함

    ii) 무기요오드(Inorganic iodine) SSKI는 한 방울에 50 mg의 요오드가 포함되어 있으며 한방울을 1일 3회 복용함. Lugol solution은 한 방울에 6 mg의 요오드가 포함되어 있으며 3 내지 5 방울을 1일 3회 복용함. 무기요오드를 10일 이상 복용하면 도피현상(escape phenomenon)이 나타나서 효과가 없게됨. 주로 갑상선 수술의 전 처치 목적으로 사용되며 요오드가 갑상선을 딱딱하게 하고 혈류를 감소시켜줌. 항갑상선제 치료 때 빠른 효과를 얻기 위한 보조적 수단으로 사용함

    iii) 글루코코르티코이드: 다량의 글루코코르티코이드(예, dexamethasone 8 mg/day)는 갑상선호르몬의 분비를 감소시키고 말초에서 T4-T3 전환을 억제함. 갑상선중독성 위기(thyrotoxic crisis or storm)인 경우 등 심한 급성기에 사용함

(2) 방사성요오드(131-I)

  ① 갑상선기능항진증이 심하지 않은 고령의 환자, 항갑상선제에 과민반응 혹은 심한 부작용이 있는 경우, 약물 순응도가 낮은 경우 및 항갑상선제의 장기투여에도 관해가 되지 않는 경우에 사용

  ② 효과적이고 투여가 간편한 것이 장점

  ③ 통상적인 용량은 5-15 mCi로서 이 용량은 갑상선에 5,000-15,000 rad (50-150 Gy)가 도달하는 것과 같음

  ④ 치료 경과: 대부분의 환자는 4-5주 후부터 호전되기 시작, 6개월에 걸쳐 서서히 정상 갑상선기

능으로 회복됨. 투여 전 10일 동안 항갑상선제를 복용한 환자에서는 용량을 25% 정도 증량함. 일부 환자에서 131-I 투여에도 호전이 없을 수 있으며, 일부에서 영구적 갑상선기능저하증이 발생함. 투여 후 첫 6개월 내 발생한 갑상선기능저하증의 경우 25%는 일시적임

⑤ 방사성요오드 투여 후 1년이 경과한 후에 발생하는 갑상선기능저하증은 대부분 평생 지속됨. 갑상선기능저하증의 발생률은 1년 후에 10-20% 정도이고 해마다 2-4%씩 증가하여 50% 정도까지 증가함. 고용량의 131-I을 투여하면 영구적인 갑상선기능저하증은 더 증가됨

⑥ 131-I 치료받은 환자는 평생 매년 갑상선기능저하증에 대한 검사를 시행함. 약 1/3의 환자에서 131-I 투여가 1회 추가로 필요하며 일부에서 3회 이상 필요하기도 함. 131-I를 투여하면 갑상선호르몬 분비가 갑자기 증가될 수 있는데, 투여 받은 환자의 20%에서 131-I 치료 후 약 5-10일에 T4와 T3 농도가 현저히 증가하는 것을 볼 수 있음. 이로 인해 증상이 악화될 수 있으므로 항갑상선제로 조절되지 않은 중증 갑상선기능항진증 환자에서는 131-I을 투여하지 않음

⑦ Thionamide계열 항갑상선제는 131-I의 섭취를 방해하므로 투여하기 3-5일 전에는 중단해야 하며, 131-I 투여하고 2-3일 후에 다시 투여함. 131-I 치료 단독으로는 갑상선기능항진증의 조절이 불확실하므로 3-12개월 간 항갑상선제를 투여하도록 권함. 1일 PTU 50 mg이나 MMI 2.5 mg만으로도 정상 갑상선기능이 유지되는 환자는 항갑상선제를 중단함

⑧ 잠재적인 발암가능성 때문에 젊은 성인이나 어린이에게는 131-I을 투여하지 않는 것이 일반적임. 131-I 투여 후 6-12개월 간은 임신하지 않는 것이 권고됨

(3) 갑상선절제술

① 수술 전 처치

갑상선아전절제술은 갑상선기능항진증의 효과적인 치료법으로, 수술 전에 thionamide 약제로 수개월간 미리 치료함. 무기요오드는 갑상선의 혈류를 감소시키기 위해 7-10일 간 투여

② 합병증과 적응증

갑상선아전절제술의 합병증으로는 갑상선기능저하증 25%, 갑상선기능항진증이 지속되거나 재발하는 경우가 10%, 부갑상선기능저하증 1%, 회귀후두신경마비 1% 및 감염과 켈로이드 등이 있을 수 있음. 이런 합병증의 발생 위험이 있고 항갑상선제나 131-I 치료에 비해 비용이 많이 듦으로 항갑상선제에 부작용이 있는 경우, 환자가 131-I 치료를 기피하는 경우, 기도와 식도폐쇄를 유발하는 거대 갑상선종, 다결절성 갑상선종, 악성 혹은 악성이 의심되는 갑상선결절이 동반된 경우, 부갑상선기능항진증이 동시에 있는 경우에 국한하여 수술을 시행

(4) 치료의 선택

대부분의 환자, 특히 젊거나 중년 성인에서 일차 치료로 항갑상선제를 선호함. 장점은 치료가 가역적이고 갑상선을 파괴시키지 않는다는 것임. 환자가 고령이거나 심혈관질환 또는 합병증이 있는 경우 131-I이 선호됨. 131-I 치료는 갑상선기능항진증을 완전히 치료할 수 있는 가능성이 있지만 단점은 갑상선기능저하증이 발생할 가능성이 높음

5) 임신 중 갑상선기능항진증

(1) 개요

그레이브스병은 가임기 여성에서 흔히 발생하지만 심한 갑상선기능항진증은 불임의 원인이 되나

전체 임신의 0.1% 정도에서만 동반됨. 임신 초기에 입덧을 보이는 산모 중 일부는 경미한 갑상선기능항진증을 보이는데 이는 HCG 농도가 높기 때문이며 자연적으로 치유됨

(2) 치료

항갑상선제와 수술이 가능하나 첫 치료는 항갑상선제가 선호됨. 131-I는 태반을 통과하므로 금기. PTU는 MMI보다 태반을 덜 통과하므로 더 선호되는 약제임. 태아의 갑상선기능저하증을 피하기 위하여 PTU 용량은 하루 200-300 mg 이하로 제한. 정상 갑상선기능을 유지할 수 있는 최소 용량을 투여함. 약물치료로 갑상선기능항진증이 적절히 조절되지 않을 경우에 갑상선절제술을 시행할 수 있음. 임신 3기에 수술할 경우 조기분만을 유발할 수 있으므로 임신중기에 시행함

(3) 신생아

그레이브스병의 경우 산모 TSI가 태반을 통해 태아로 전달되므로 신생아에서도 갑상선기능항진증이 발생할 수 있음. 산모에게 투여한 항갑상선제가 태아 갑상선기능항진도 조절하지만 갑상선종과 갑상선기능저하증도 유발할 수 있음. 따라서 그레이브스 산모의 신생아도 이 가능성에 대해 주의를 요함. 참고 : 수유시 PTU 200-300 mg/day, MMI 5-20 mg/day 이하로 사용 가능함

6) 갑상선 중독발작(Thyroid storm)

(1) 개요

갑상선 중독발작은 조절되지 않은 갑상선중독증의 위험한 상태임. 환자는 빈맥, 발열, 진전, 불안이나 정신병, 오심, 구토, 설사 등을 보임. 고열이 가장 큰 특징임. 대개 장기간 심한 갑상선기능항진증을 모른 채 지내다가 심한 전신질환, 즉 위장관염, 폐렴이나 응급수술 또는 방사성요오드 치료 후 등의 상황에서 발생함

(2) 진단

표 8-2-4 갑상선 중독발작의 진단

진단 인자(점수)
체온조절 장애 : 체온 (°C)
37.2-37.7 (5), 37.8-38.2 (10), 38.3-38.8 (15), 38.9-39.2 (20), 39.3-39.9 (25), 40.0 이상 (30)
중추신경계 이상
없음 (0), 경도-초조 (10), 중등도-섬망, 정신병, 심한 졸음증 (20), 중증-발작, 혼수 (30)
소화기계 이상
없음 (0), 중등도-설사, 오심/구토, 복통 (10), 중증-황달 (20)
심혈관계 이상 : 빈맥 (회/분)
90-109 (5), 110-119 (10), 120-129 (15), 130-139 (20), 140 이상 (25)
울혈성 심부전
없음 (0), 경도-하지부종 (5), 중등도-양측 폐기저의 수포음 (10), 중증-폐부종 (15)
심방세동
없음 (0), 있음 (10)
유발인자
없음 (0), 있음 (10)

* 점수 합계에 따른 갑상선 중독발작 가능성
>60: 갑상선중독발작 가능성 매우 높음, 40-65: 갑상선중독발작 가능성 있음, 25-44: 갑상선중독발작으로 진행할 가능성 있음, <25: 갑상선 중독발작 가능성 낮음

(3) 치료

수액과 전해질 공급 등의 적절한 대증요법과 감염질환의 치료 및 다음과 같은 치료로 갑상선기능을 정상화시킴

① 다량의 항갑상선제(PTU 400 mg q 8 hrs PO)

② 반드시 항갑상선제를 먼저 투여한 후(1시간 이후)에 sodium ipodate (1 g/day, 2주 간) 또는 PO iodine (Lugol 용액 5 내지 10방울을 1일 3회 투여, 또는 SSKI 5 방울을 8시간마다 PO 투여) 또는 sodium iodide 0.5-1 g을 12시간마다 정맥 투여함.

③ Propranolol 다량 PO 투여(20-40 mg, 4-6시간마다) 또는 소량 정맥투여(1 mg을 5분마다, 10 mg까지), esmolol IV (250-500 microg/kg/min 1분 간 부하 후 4분에 걸쳐 50 microg/kg/min 주사함. cardiac monitoring 필요)

④ Dexamethasone 4-8 mg/day, 또는 hydrocortisone 50-100 mg IV q 6hr 투여함(심한 감염이 없을 때 투여, 부신피질기능부전의 동반이 의심되면 꼭 투여)

⑤ 그 밖에도 탈수증상이 심할 경우 전해질을 포함한 수액공급함. 체온조절을 위한 시원한 담요 혹은 acetaminophen(아스피린은 금기) 해열제 사용을 고려해 볼 수 있음. 또한 감염증과 같은 악화 요인에 관한 치료도 병행

7) 그레이브스 안질환(Graves eye disease)

(1) 개요

그레이브스 안질환은 그레이브스 환자의 25-50% 정도에서 보이며 하시모토 갑상선염이나 다른 자가면역성 갑상선염에서 매우 드묾. 그레이브스 환자의 1-5%만 심한 안질환이 나타남. 주된 소견은 안구돌출, 결막 충혈, 안구 불쾌감, 복시, 눈 주위 부종 등임. 안와 CT의 소견으로 안근육 비후와 간혹 이로 인한 시신경 압박 소견을 볼 수 있으며 이로 인해 시력 이상이 발생

(2) 치료

① 대부분의 환자에서 완전완화는 어려우나 갑상선항진증 치료이외 추가적인 치료 없이 호전됨

② 보조요법으로는 취침 시 머리를 높이거나 주간에 선글래스를 착용하고, 인공누액(1% methylcellulose) 사용함

③ 심한 증상이 있는 경우 고용량 methylprednisolone IV (0.5-1 g, weekly base)를 4-6주 투여 후 점진적으로 감량하거나, prednisolone 60-100 mg/day를 2-4주간 투여 후 8-12주에 걸쳐 점진적으로 감량하나 안과 전문의와 협의하여 치료함

④ 시신경 압박증상이 발생된 경우, 노출성 각막염을 유발할 정도로 안구돌출이 심한 경우 또는 미용적 목적으로 안와 감압술(orbital decompression)을 시행할 수 있음

8) 중독성 다결절갑상선종

(1) 빈도: 여자에서 호발하며 환자의 평균 발현 연령은 60세임

(2) 증상: 갑상선호르몬은 보통 약간 증가되어 있지만 고령에서 많이 발생하기 때문에 심방세동이나 심부전과 같은 심혈관계통의 이상이 흔함. 이 경우 갑상선기능항진증은 보통 영구적이며 자연 관해 되지 않음

(3) 진단: T3 현저한 증가, T4 증가, TSH 감소, TSH-R Ab와 TPO Ab 음성(그레이브스병과 감별점)

(4) 치료방법

① 방사성요오드: 방사선에 비교적 저항성이 있어 30-50 mCi (1,110-1,850 MBq) 정도의 많은 용량이 필요함. 그레이브스병에 비해 치료 후 갑상선기능저하증의 발생이 적음

② 갑상선 부분 또는 전절제술 : 갑상선이 기도를 압박하거나 흉골후방에 갑상선종이 있는 경우

③ 항갑상선제: 치료 후 약제를 중단하면 거의 모든 예에서 적절한 치료 방법이 아님

9) 중독성 단일 갑상선결절

(1) 빈도: 갑상선기능항진증 원인의 약 5%이하를 차지, 우리나라 빈도는 약 1-3%로 보고됨

(2) 결절의 특징

① 여포선종(follicular adenoma)이 자율적으로 과량의 갑상선호르몬을 생산하고 이로 인해 TSH의 분비가 억제되어 결절을 제외한 갑상선의 다른 부위는 위축됨

② 크기: 보통 직경이 3 cm 이상

③ 일반적으로 자연관해는 되지 않음(일부 선종에서는 경색이 발생하여 자연적으로 갑상선기능이 정상으로 회복되기도)

④ 99% 이상이 양성결절임

(3) 치료: 엽절제술을 실시하거나 방사성요오드를 15-30 mCi (555-1,110 MBq) 정도 투여함

(4) 경과: 수술 후 비가역적인 갑상선기능저하증의 발생은 매우 드물며, 방사성 요오드를 투여한 경우에도 결절 주변의 위축된 갑상선 조직은 매우 적은 양의 방사선 조사를 받거나 혹은 전혀 받지 않기 때문에 역시 갑상선기능저하증이 발생하는 예는 매우 드묾

10) 무증상 갑상선기능항진증

T4는 정상범위지만 TSH만 정상이하로 억제되어 있는 경우로 원인질환을 규명해야 함. 치료여부에 대해 정립되지 않았으나 관상동맥질환, 심방세동, 골밀도 감소 같은 상황에서 조기 치료를 권고함

III. 갑상선기능저하증

1. 정의

갑상선기능저하증은 체조직 내 갑상선호르몬 효과의 부족으로 발생되는 질환임. 갑상선호르몬은 성장과 발달에 영향을 주고 여러 세포반응을 조절하므로 갑상선호르몬의 결핍과 부재는 많은 임상문제를 야기시킴

2. 원인

유아나 소아	성인
(1) 발달이상: 갑상선의 형성부전이나 무형성	(1) 하시모토 갑상선염
(2) 갑상선호르몬의 합성이나 작용의 선천성 이상	(2) 림프구성 갑상선염(일과성 갑상선기능항진증 후 저하증)

(3) 하시모토 갑상선염
(4) 뇌하수체 기능저하증이나 시상하부 질환
(5) 심한 철 결핍

(3) 치료관련
① 갑상선 수술
② 갑상선기능항진증에 대해 131-I 치료 후
③ 경부종양에 대한 방사선 치료 후
④ 뇌하수체 기능저하증 또는 시상하부질환
⑤ 약제
　ⅰ) 무기 또는 유기 요오드(예 amiodarone)
　ⅱ) 항갑상선제(thionamide, thiocyanate, potassium perchlorate)
　ⅲ) lithium

3. 증상, 징후 및 검사실 소견

1) 증상 및 징후

표 8-2-5 갑상선기능저하증 증상 및 징후

신경계	기억력 감퇴, 건망증, 사고 능력 저하, 우울증, 감각이상(때로 수근관 증후군 같은 신경압박과 관련되어), 보행이상 및 청력저하, 반사가 지연되거나'hung-up relaxation'
심혈관계	서맥, 심박출량 감소, 심음저하, 심낭액, 심전도에서 전압저하 및 평편 T 파와 부종, 단순촬영에서 심비대, 심초음파에서 심낭액 관찰
위장관계	변비, 악성빈혈, 무위산증
신장계	수분 배설이 감소하여 저나트륨혈증, 신장혈류와 사구체 여과율은 감소되어 있으나 크레아티닌은 정상 *점액 수종에서 볼 수 있는 serous effusion은 단백질 농도가 높음
호흡기계	저산소증과 hypercapnea에 대한 환기반응 저하, 심한 갑상선기능저하증은 이산화탄소 저류를 야기, 흉막 삼출액의 단백질 농도가 높음
근골격계	관절통, 관절삼출액, 근육통 및 근강직, 높은 혈청 CPK 수치
조혈계	빈혈(주로 정상적혈구형), 거대적아구성 빈혈은 악성빈혈이 같이 존재한다는 것을 의미
피부와 모발	건조하고 찬 피부 - glycosaminoglycan이 피부와 피하조직에 침착되어 나트륨과 수분저류 유발(diffuse nonpitting edema). 얼굴은 부어있고 거칠며 피부는 혈색이 나쁘고 거침, 카로텐 축적 때문에 노란 빛을 띰, 모발은 광택이 없으며, 눈썹 가장자리가 가늘어지고 체모도 줄어듦
생식기계	무월경, 무배란 주기에 의한 월경과다(GnRH(성선자극호르몬 방출호르몬) 분비 결핍), 고프로락틴혈증에 의한 유루증과 무월경
발달	소아의 성장, 발달 지연, 성장판은 열린 상태로 지속, 성장호르몬 분비 감소(갑상선호르몬이 성장호르몬 합성에 필요), 아기의 지능 저하
대사계	저체온증, 추위에 민감, 고지혈증, 식욕저하에도 체중증가

2) 검사실 소견

(1) 혈청 T4, FT4, TSH 농도가 갑상선기능저하증 진단에 결정적임

(2) 혈청 T4치가 정상이면서 TSH치(정상 0.4-4.0 mU/L)가 4-10 mU/L로 약간 상승되어 있는 경우 이는 갑상선호르몬 저장량에 문제가 있거나 무증상 갑상선기능저하증으로 생각할 수 있음. TSH가 10 mU/L를 넘으면 갑상선기능저하증이 있음을 의미하며 대부분 치료가 필요함

(3) 중추성 갑상선기능저하증은 뇌하수체 혹은 시상하부의 기능이상을 보이는 다른 증거들을 동반함. T4와 TSH 농도가 동시에 감소됨. 시상하부에 병변이 있는 경우에는 TSH가 정상일 수 있음. 그러나 이러한 경우에도 TSH의 생물학적 활성은 감소됨. MRI나 CT에서 병변이 발견될 수 있으며 이 중 뇌하수체 종양이 가장 흔함

(4) 원발성 갑상선기능저하증에서는 갑상선자극호르몬 분비세포의 증식 때문에 뇌하수체 확장이 있을 수 있음. 이 경우 갑상선호르몬을 투여하면 뇌하수체가 정상 크기로 회복됨

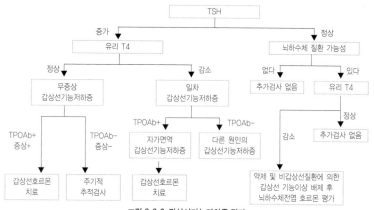

그림 8-2-3 갑상선기능저하증 평가

4. 치료

1) 일반적인 경우

(1) 약제의 종류

① Levothyroxine: 1차 선택 약제는 T3와 T4를 모두 정상으로 만드는 합성 levothyroxine (T4)임. 흡수가 잘되며 반감기는 약 7일

② liothyronine (T3): 갑상선호르몬 치료의 급작스러운 중단이 예상되거나 진단적 검사가 필요한 경우에만 사용하며 반감기는 하루임

③ 합성 T4-T3 병합제(Comthyroid): T4/T3 분자량 비가 4 : 1

(2) thyroxine (T4)의 투여 용량

① 일반적으로 1.6-1.7 μg/kg (이상체중)을 투여함. 급속한 보충으로 인한 신경과민이나 불안 증상을 피하기 위하여 1-2주간 총 용량의 절반정도로 시작하는 것이 추천됨

② 임상증상의 호전이 수주에 걸쳐서 서서히 나타나며 정상 갑상선기능이 회복되어 최대효과가 나타나기까지 2-3개월 정도 소요됨. 수일 내 T4가 정상범위로 상승하며, T3는 2-4주 내 정상화 되지만 TSH 농도가 완전히 정상으로 회복되려면 6-8주 정도 소요됨. 치료목표는 TSH 정상치의 lower half (1.0-2.0 mIU/L)임. 목표에 도달 후에는 매년 TSH 검사함

③ 허혈성 심질환이나 만성 호흡기질환이 있으면 T4를 12.5-25 μg 정도 소량으로 시작하며 임상적인 반응에 따라 매 4-6주 간격으로 25-50 μg씩 증량함

④ 노인의 경우 증상이 없더라도 허혈성 심질환이 있는지 조사해야 하며 T4 보충은 하루 12.5-25 μg 정도의 소량으로 시작함. T4의 용량은 TSH가 정상범위로 회복할 때까지 4-6주 간격으로 25 μg씩 증량함

⑤ 임신 전에 갑상선기능저하증이 있었던 임산부의 경우 정상 TSH 농도를 유지하기 위해서 평상시 필요한 갑상선호르몬 용량의 25-50% 정도를 증량하여 보충함

표 8-2-6 갑상선호르몬 보충요법의 방해요인

보충부족에 관련된 인자들

Inadequate prescribed dose, Limited compliance, Decreased absorption due to ingestion of agents that bind thyroxine, Ferrous sulfate, Calcium carbonate, Aluminum hydroxide, Sucralfate, Cholestyramine, Soy protein

Increased metabolism of thyroxine, Pregnancy, Drugs, Phenytoin, Phenobarbital, Carbamazepine, Rifampin, Diminishing residual thyroid function, Changing formulations

과다보충에 관련된 인자들

Excessive prescribed dose, Factitious ingestion of additional doses, Decreased metabolism of thyroxine due to aging, Increasing residual thyroid function, Changing formulations

2) 무증상 갑상선기능저하증(Subclinical hypothyroidism)

(1) T4와 FT4는 정상이고 TSH가 5-20 mU/L로 증가되어 있으면서 임상 증상이 없는 상태

(2) 치료기준은 아직 정립되지 않고 있으나, 갑상선이 크거나, 고콜레스테롤혈증, 우울증이 있을 때 갑상선호르몬을 투여할 수 있음. 고지혈증이 없더라도 환자의 증상이 호전되면(즉 치료 후 환자가 기력이 회복되어 좋아졌다고 느끼며 체중이 줄어들고 장 운동이 호전되는 경우, 환자가 치료 전에 이 증상을 알지 못했더라도 치료 후 증상의 호전을 보일 때) 치료를 시도해 볼 수도 있음. 아니면, T4 치료 없이 4-6개월 간격으로 갑상선기능을 검사하여 뚜렷한 갑상선기능저하가 발생하는지 추적 관찰하는 것도 좋은 방법이며 이후 갑상선기능저하증 예측 인자로는 65세 이상, TSH 10 mIU/L 이상, 항갑상선항체 양성 등이 있음

3) 점액수종 혼수(Myxedema coma)

(1) 장기간 치료하지 않은 갑상선기능저하증에서 발생하며 저체온증, 서맥, 저환기증, 전형적인 점액수종의 얼굴과 피부, 심한 의식장애 및 혼수가 나타남

(2) 대개 감염이나 뇌졸중 또는 진정제 같은 인자들에 의해 유발됨. 치료하지 않으면 사망률은 100%

(3) levothyroxine 250-500 μg를 정맥으로 투여하고 뒤이어 T4 100 μg을 매일 정맥주사하고 경구 투여가 가능해지면 경구로 levothyroxine 100 μg을 매일 투여

(4) 또는 T4에서 T3로의 전환이 감소되어 있으므로 첫 몇 일 간은 triiodothyronine 10-20 μg을 4-8시간 간격으로 정맥 투여하는 방법이 있음. 즉, 초기에 250 μg levothyroxine + 20 μg triiodothyronine를 정맥 투여한 후 8시간마다 10 μg의 triiodothyronine를 정맥 투여할 수 있음

(5) 응급치료 시작과 동시에 부신기능검사 실시가 필요하며 hydrocortisone 100 mg을 정맥 투여하고, 뒤이어 25 mg을 매 6시간 간격으로 정맥 투여

IV. 갑상선결절 및 갑상선암

◆ 진단과 치료를 위한 핵심사항
① 병력청취: 일반적인 사항 이외에 최근 체중변화, 갑상선암과 관련된 가족력, 두경부 방사선 조사경력
② 신체검사: 체중, 경부 종괴 촉진(종괴의 크기, 개수, 유동성, 굳기, 주위 조직과의 유착, 림프절 종대)
③ 검사실 검사: 갑상선기능검사(FT4, TSH, 갑상선자가항체), 갑상선초음파 및 스캔, 세침흡인세포검사
④ 치료: 양성은 추적 관찰, 악성은 수술 및 방사성요오드 치료

1. 갑상선결절의 평가

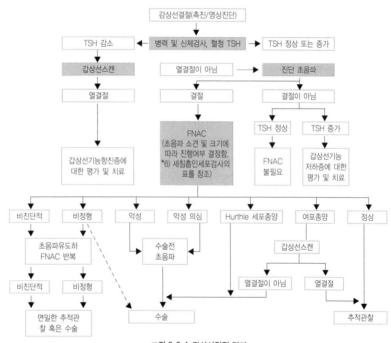

그림 8-2-4 갑상선결절 평가

1) 임상소견 – 악성 갑상선 병변을 강하게 시사하는 소견

(1) 결절이 급격히 커질 때	(6) 연하곤란
(2) 딱딱한 결절	(7) 성대마비, 쉰 목소리
(3) 주위 구조물을 압박	(8) Horner 증후군
(4) 주위 구조물과 유착	(9) 경부 임파절 종대(특히 어린이)
(5) 폐쇄증상	(10) 두경부 부위의 방사선 치료 기왕력

2) 검사실 소견

(1) 갑상선기능검사(유리T4, TSH)

갑상선기능 검사는 대부분 정상임. 그러나 검사결과 무증상 갑상선기능항진증이나 갑상선기능항
진증으로 나오는 경우 갑상선스캔을 실시하여 기능성 결절 여부를 확인하여야 함. 기능성 결절일
경우 악성일 가능성은 적음

(2) 혈중 calcitonin 농도

갑상선 수질암의 표지자. MEN 2 환자에서는 반드시 측정해야 함

3) 갑상선 초음파 검사

갑상선 초음파 검사는 갑상선결절을 진단받았거나 의심되는 환자에 시행해야 하는 첫 번째 검사. 초
음파 검사를 통해 낭성결절, 고형결절, 고형-낭성 혼합 결절을 구별할 수 있음. 단순 낭종의 17% 정도
만이 악성 결절, 고형-낭성 혼합 결절의 12%, 고형 결절의 경우 21%가 악성 결절임. 갑상선결절에
대한 갑상선 초음파검사에서 악성(갑상선유두암)을 시사하는 소견이 있을 경우 세침흡인세포검사 시
행을 고려함

(1) 악성을 시사하는 초음파 소견

> (1) 미세석회화
> (2) 침상 혹은 소엽성 경계
> (3) 비평행방향 혹은 앞뒤로 긴모양(non-parallel 혹은 a taller-than-wide appearance)
> (4) 저에코(경미한 혹은 현저한 저에코)
> (5) 고형(solid)

*(1)~(4)는 특이도가 높으나 민감도는 낮음.
**위 소견들은 갑상선유두암을 예측하는데 유의하지만 갑상선여포암 혹은 여포변종 유두암 예측에는 도움되지 않음

(2) 최근 대한갑상선영상의학회에서는 초음파 소견에 의한 갑상선결절의 악성위험도 분류체계
(Korean Thyroid Imaging Reporting and Data System, K-TIRADS)를 제시하였으며(표 8-2-7) 초음
파 유형에 따라서 갑상선암 높은 의심(high suspicion), 중간 의심(intermediate suspicion), 낮은 의
심(low suspicion), 양성(benign)으로 분류하고 이를 기준으로 세침흡인세포 검사를 시행함

표 8-2-7 초음파 소견에 따른 악성 위험도의 분류

K-TIRAD 분류	초음파 소견
높은 의심(K-TIRAD 5)	고형의 저음영 결절과 악성을 시사하는 소견*
중간 의심(K-TIRAD 4)	1. 고형 저음영에코를 보이나 악성 시사하는 소견이 없는 결절
	2. 악성을 시사하는 소견 중 1개 이상이 있으나 부분 낭성 결절 혹은 등 에코 소견을 보이는 결절
낮은 의심(K-TIRAD 3)	악성 시사하는 소견이 없는 부분 낭성 혹은 등에코(isoechoic) 결절
양성(K-TIRAD 2)	1. 해면모양(spongiform)
	2. comet tail artifact를 보이는 부분 낭성결절 3. 낭성결절
결절 없음(K-TIRAD 1)	결절 없음

*K-TIRAD 분류에 사용되는 악성을 시사하는 초음파 소견은 미세석회화, 침상 혹은 소엽성 경계, 비평행방향이 있음

4) 갑상선스캔

(1) 123-I, 131-I, 125-I, Tc-99 m 등의 핵종을 이용한 보고에 따르면, 스캔에서 냉결절의 16%, 저기능
성결절(갑상선 다른 부위에 비해 섭취가 적은 결절)과 정상기능 결절(갑상선외 다른 부위와 섭취
정도가 비슷한 결절)의 9%, 과기능성 결절(다른 갑상선은 방사선 활성도가 억제된 경우)의 4%가
악성임. 일반적으로 갑상선 스캔은 민감도가 떨어지므로 결절의 진단적 가치는 적음

5) MRI, CT, PET

갑상선암 환자에서 잔여조직, 재발암 조직, 림프절 침범 여부, 주변장기 침범 여부를 보는데 사용함. PET는 혈청 Tg 증가되어 있으나 진단 혹은 치료스캔 음성이며 다른 영상학적 검사 상 병변이 확인되지 않을 때 고려할 수 있음

6) 세침흡인세포검사(fine needle aspiration cytology, FNAC)

갑상선결절의 악성 여부를 결정하는데 가장 중요한 검사임. syringe holder를 이용하여 가는 바늘(21-27G)로 갑상선결절의 세포를 흡입하여 현미경적 검사를 함. 간편하고 경제적이며 외래에서 쉽게 할수 있음. 부작용은 드물며 바늘이 들어간 자리를 통해 암이 전이되는 경우는 보고되지 않았으며 정확도는 90% 이상임. 단, FNAC는 여포선종(follicular adenoma)과 여포암(follicular carcinoma)을 구분할수 없어 '여포종양(follicular neoplasm)'으로 결과를 내는데, 이 중 15-30%가 실제 악성임

- 세침흡인세포검사는 초음파 소견에서 관찰되는 악성위험도와 결절의 크기를 고려하여 시행함(표)

표 8-2-8 K-TIRADS에 기초한 갑상선결절의 암 위험도 및 세침흡인검사 기준

K-TIRADS 분류	악성위험도	세침흡인검사
높은 의심(K-TIRADS 5)	>60%	≥1 cm (선택적으로 >0.5 cm*)
중간 의심(K-TIRADS 4)	15-50%	≥1 cm
낮은 의심(K-TIRADS 3)	3-15%	≥1.5 cm
양성(K-TIRADS 2)	<3% (해면모양) <1% (comet tail artifact를 보이는 부분 낭성결절 혹은 순수 낭종)	≥2 cm

*환자의 선호도 및 상태를 고려함.

표 8-2-9 갑상선 세포병리 보고를 위한 Bethesda 시스템: 진단에 따른 악성 위험도와 임상적 치료 권고

진단	악성위험도(%)	치료
Nondiagnostic or unsatisfactory	1-4	세침흡인세포검사 반복
Benign	0-3	임상적 추적관찰
Atypia of undetermined significance or follicular lesion of undetermined significance	5-15	세침흡인세포검사 반복
Follicular neoplasm or suspicious for a follicular neoplasm	15-30	엽절제술
Suspicious for malignancy	60-75	갑상선전절제술 혹은 엽절제술
Malignant	97-99	갑상선전절제술

2. 양성 갑상선결절의 치료(그림 8-2-3)

1) 비수술적 치료

양성 갑상선결절에 대한 일상적 T4 억제요법은 권고되지 않음. 반복된 세침흡인세포검사에서 양성이나 계속 자라는 결절에 대해서는 추적 관찰이 필요하며 이 경우 T4 억제요법의 효과에 대해서는 정확한 근거가 없는 상태임

2) 수술적 치료의 적응증

(1) 주위 구조물을 압박하여 연하곤란, 발음장애, 호흡곤란을 유발할 때

(2) 갑상선중독증을 동반한 결절

(3) 미용상의 이유

(4) 세침흡인세포검사에서 여포종양이나 Hurthle 세포 종양이 의심될 때

3. 분화갑상선암의 치료

1) 수술

갑상선암의 가장 중요한 치료방법이며, 크기가 1 cm 미만에서는 갑상선 엽절제술과 제한적으로 능동적 추적관찰 (active surveillance)를 고려할 수 있으며, 1-4 cm인 경우에는 갑상선엽절제술 혹은 갑상선전절제술을 재발 위험도에 따라 선택하고, 4 cm 이상의 경우 갑상선전절제술(total thyroidectomy) 혹은 근전절제술(near-total thyroidectomy)이 주로 추천됨

2) 방사성요오드 치료(131-I ablation)

(1) 분화된 갑상선암을 수술 후 131-I 치료의 유용성

① 재발 고위험군에서 수술 후 남은 갑상선 조직을 제거하여 예후를 향상시킴

② 추적 관찰 중 티로글로불린을 측정하여 암재발의 표지자로 이용할 수 있음

(2) 방사성요오드 치료 시 용량의 결정

① 중등도 위험군의 경우 경우엔 131-I 30-100 mCi ablation

② 고위험군 경우엔 131-I 100-150 mCi ablation

③ 폐 또는 골전이가 의심될 경우엔 131-I 200 mCi ablation

(3) 통상적 방법

갑상선전절제술 후 복용하던 T4를 4주간 중단한 후 시행함. 또는 복용하던 T4를 중단하고 T3 50-75 μg/day를 2주간 복용한 후 다음 2주간은 T3도 중단하고 저요오드식을 실시함. 이후 2-3 mCi의 123-I 혹은 131-I을 투여하고 전신 스캔(진단 스캔)을 촬영함. 갑상선조직에만 방사성요오드 섭취가 보이면 치료(갑상선제거)용량의 131-I을 투여함

(4) 재조합 사람 TSH (rhTSH, Thyrogen) 주사를 이용한 방사성요오드 전신스캔 및 131-I ablation.

최근 유전자 재조합 TSH 주사(Thyrogen)를 사용하게 되면서 복용 중인 T4를 중단하지 않고 방사성요오드 전신스캔을 시행할 수 있게 됨. 0.9 mg Thyrogen을 월요일과 화요일에 각각 1회씩 근육주사한 후 수요일에 2-3 mCi 131-I을 주고 금요일에 티로글로불린 측정과 전신스캔을 촬영함. 스캔이 음성이고 환자의 티로글로불린이 thyrogen 자극 후 1 ng/mL 미만이면 131-I 치료는 필요 없음. Thyrogen의 부작용은 미미하지만 값이 비싸다는 단점이 있음. 갑상선수술 후 잔여 갑상선조직을 제거하기 위한 adjuvant therapy 목적으로 T4 중단 방법과 대등한 효과를 보이는 것으로 알려져 있음

3) 갑상선호르몬 억제요법

갑상선전절제술을 시행받은 환자의 갑상선기능을 정상으로 유지하고 암의 재발을 방지하기 위하여 갑상선호르몬을 TSH가 정상하한치 이하로 억제될 수 있을 정도의 용량으로 투여함

(1) 갑상선분화암에서 최초 TSH 억제요법의 기준

① 재발의 위험도에 따라 목표 TSH를 다르게 적용

② 재발의 위험도는 초기 영상, 병리학적 소견을 바탕으로 평가하나 경과 관찰 중의 치료에 검사 결과들을 고려하여 치료에 대한 반응을 반영하여 재평가

③ 재평가된 위험도에 따라 목표 TSH를 조정

> 고위험군: TSH <0.1 mU/L 유지
> 중등도위험군: TSH 0.1~0.5 mU/L 유지
> 저위험군: TSH 0.5~2.0 mU/L 유지

*위험도 평가: 초기 영상 및 병리학소견(암의 크기, 암종의 아형, 림프절 전이, 갑상선주변조직 침범여부, 유전자변이 등), 방사성요오드 치료 후 영상학적 검사 결과 및 thyroglobulin, 추적 관찰 초음파 및 thyroglobulin/antithyroglobulin 변화 등을 이용

*0.5는 정상의 하한치를 의미하며 측정방법에 따라 달라질 수 있음

4) 표적치료제

방사성요오드 치료에 반응하지 않는 전이성 갑상선분화암에 사용. 최근 신장암, 간암 등에 사용되고 있는 sorafenib과 lenvatinib이 방사성요오드 불응성 분화갑상선암 사용에 허가됨

4. 갑상선암 환자의 추적검사

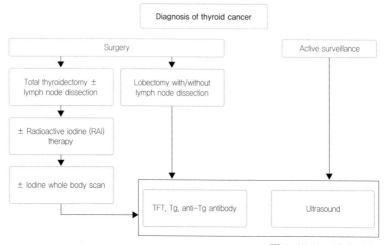

TFT : thyroid function test, Tg: thyroglobulin

그림 8-2-5 갑상선암의 추적 검사 개요

1) 갑상선전절제술 시행 시

(1) 방사성요오드 치료를 시행하지 않은 경우 정기적인(3-6개월) 간격으로 갑상선기능과 thyroglobulin (Tg), anti-Tg Ab을 측정하고 6-12개월 간격으로 경부초음파 검사를 수행

(2) 방사성요오드 치료를 시행한 경우에는 6-12개월 뒤 TSH 자극 thyroglobulin 측정과 요오드전신 촬

영을 필요에 따라 시행할 수 있으며 결과에 따라 반복할 수 있음. 나머지 추적 관찰 방법은 방사성 요오드 치료를 시행하지 않은 경우와 동일

2) 갑상선엽절제술 시행 시

정기적인(3-6개월) 간격으로 갑상선기능과 thyroglobulin, anti-Tg Ab을 측정하고 6-12개월 간격으로 경부초음파 검사 수행

3) 능동적 추적 관찰 시

아직까지 정립된 추적 관찰 방법이 있지 않으나 정기적인(3-6개월) 간격으로 갑상선기능과 thyroglobulin, anti-Tg Ab을 측정하고 6-12개월 간격으로 경부초음파 검사 수행하고 전이가 의심될 경우 경부 CT를 고려

Ⅴ. 갑상선염

1. 개요

갑상선염은 여러 가지 원인과 임상소견을 보이는 갑상선의 염증질환들로 이루어짐. 모든 형태의 갑상선 염은 정상 여포 구조가 파괴되어 있으나 각 질환마다 독특한 조직학적 특징을 보임

2. 급성 갑상선염(화농성 갑상선염, 급성 세균성 갑상선염, 세균성 갑상선염)

1) 원인

드문 질환으로 주로 면역력이 저하된 사람에서 나타나며 대개 세균성 갑상선염으로 원인균으로는 가장 흔하게 Staphylococcus aureus, Streptococcus hemolytica, Streptococcus pneumoniae, Anaerobic Streptococcal organism 등에 의해 발생. 갑상선이 세균에 감염되는 경로는 혈관 또는 임파선을 통해 이차적으로 발생하거나 갑상선의 외상을 통해 세균이 직접 유입되어 발생

2) 임상소견

열, 오한과 함께 급작스러운 전경부 동통과 부종이 흔하며 통증은 대개 귀나 하악부 쪽으로 방사됨. 신체검사에서 전경부 피부의 발적과 압통, 움직이는 종괴가 존재하는지가 진단에 중요

3) 검사실 소견

백혈구가 흔히 증가되며 혈중 갑상선호르몬의 농도는 대개 정상임. 드물게 염증으로 인해 갑상선호르몬이 방출되어 갑상선중독증이 나타날 수 있음. 동통을 동반한 전경부 종괴가 있는 환자에서 시행한 갑상선스캔에서 이환된 부위에 동위원소 섭취가 없는 것을 볼 수 있음. 급성 갑상선염이 의심되면 세침흡인을 시행하여 적절한 도말과 배양검사를 시행해야 함

4) 감별진단

아급성 갑상선염, 전경부 연조직염(cellulitis), 급성 출혈성 갑상선 낭종, 양성 및 악성 종양의 출혈, 심

부전경부 감염, 감염된 갑상허관낭 등과 감별이 필요함

5) 치료

규명된 특정한 원인균에 따라 정맥내 항생제 투여가 반드시 필요함. Fluctulance 존재 시 절개 및 배농이 필요. 세균성 갑상선염은 농양 형성 시 대개 종격동 또는 아래로 퍼지기 때문에 조기에 적극적으로 치료해야 함. 재발은 매우 드물며 영구적인 갑상선 기능이상 또한 드묾. 급성 갑상선염이 재발한다면 내부 샛길(fistula)이나 갑상선관 낭종 등과 같은 진단되지 않은 질환이 있지 않은 지 검사가 필요

3. 아급성 갑상선염(subacute thyroiditis, subacute granulomatous thyroiditis, de Quervain's thyroiditis, giant cell thyroiditis)

1) 원인

아급성 갑상선염은 바이러스가 원인으로 추정됨

2) 임상소견

(1) 한쪽 전경부 통증이 오며 귀나 하악부로 통증이 방사되는 것이 가장 흔한 증상임. 통증이 발생하기 전 대개 몇 주간의 근육통, 미열, 피로감, 목의 통증 등이 선행됨. 연하곤란 및 빈맥, 두근거림, 체중 감소, 불안, 발한 증가 등의 갑상선중독증 증상이 흔함

(2) 질환이 진행하면 통증이 반대쪽 전경부로 이동함(creeping). 신체검사에서 대개 한쪽의 갑상선엽에서 압통이 심하고 딱딱하며 경계가 분명하지 않은 종괴가 촉지됨. 반대쪽 엽에도 압통이 있을 수 있음. 압통이 매우 심하여 촉진을 하지 못할 수도 있음. 갑상선 중독증이 있으면 빈맥, 따뜻한 피부, 양손의 약한 진전 등이 관찰됨

3) 검사실 소견

(1) 혈액검사 시 보통 약간의 빈혈(normocytic normochromic anemia)이 있고 총백혈구수는 대부분 정상이나 약간의 증가가 있을 수 있음. 적혈구 침강계수(ESR)가 대개 50 mm/hr 이상으로 상승됨. 혈청 T4와 T3치가 올라가 있으며 TSH 수치는 저하됨. 급성 염증기 동안 이미 만들어진 T4가 혈중으로 분비되기 때문에 T3에 비해 상대적으로 T4가 더 상승되어 있는 경향임. 그러나, 갑상선 기능은 이 질환의 경과단계에 따라 달라질 수 있음. 경과 단계는 일반적으로 1단계: 갑상선 중독단계, 2단계: 정상기능 단계, 3단계: 갑상선 기능 저하 단계, 4단계: 정상기능 단계로 나눌 수 있음. 일부 환자에서는 3단계에서 회복되지 못하고 영구적인 기능저하 상태로 남을 수 있음

(2) 갑상선 자가항체(anti-TPO Ab and antithyroiglobulin Ab)

증상 발생 후에 몇 주간 약간 증가하였다가 대개 몇 달 내에 정상으로 돌아옴. 일시적인 항체상승은 혈액내로 유리된 티로글로불린(thyroglobulin)에 대한 반응이며 자가 면역 반응은 아님. 혈청 티로글로불린은 급성 염증기 동안 의미 있게 증가됨

(3) 갑상선 방사성요오드 섭취(RAIU)

급성기 동안 억제되어 있는데 방사성요오드섭취 24시간 영상에서 대개 2% 미만 소견을 보임. 억제된 섭취는 염증과 세포파괴로 인해 요오드 trapping 기전에 이상이 발생하여 생김. RAIU 검사는

임상적으로 아급성 갑상선염 진단을 확진하는데 도움이 되고 통증이 있는 전경부 종괴와 관련된 다른 질환을 배제하는데 중요함

4) 감별진단

전경부 통증을 동반하는 정상기능 또는 갑상선기능항진 질환과 감별해야 함

5) 임상경과와 치료

(1) 초기 또는 급성기

① 통증과 압통, 갑상선요오드 섭취감소 및 갑상선중독증이 발생함. 이 시기는 4-8주간 지속되며 통증 해소, 염증과 갑상선중독증 증상의 치료가 필요함. 증상이 심하지 않은 경우에는 아스피린(2-3 g/day) 또는 NSAID 투여로 충분함

② 증상이 심한 경우엔 prednisone을 PO로 10-20 mg으로 하루에 3회 투여 시 대부분의 통증을 줄일 수 있으며 대개 첫 투여 후 수 시간 내 효과가 나타남. 실제 통증이 즉시 호전되지 않으면 아급성 갑상선염 진단이 맞는지 의심해야 함. 1주 후 prednisone은 5 mg씩 2-3일 간격으로 감량하여 4주 후에는 중단함. 그러나 스테로이드 중단 후 통증이 가끔 재발할 수 있는데 이때 prednisone 용량을 다시 증량하고 서서히 감량함

③ 갑상선중독증의 증상은 propranolol 10-20 mg을 PO로 하루 3-4회 투여하여 조절함. 항갑상선제는 적응이 되지 않으며 장점도 없음

(2) 급성기가 지나면 저장되었던 갑상선호르몬이 고갈되므로 정상 갑상선 기능을 회복됨. 환자들은 정상 갑상선 기능으로 남아 있거나 심한 경우 갑상선 기능저하기로 진행. 갑상선 기능저하 상태는 대개 2-3개월 이상 지속되지는 않으며 심한 경우 levothyroxine 0.10-0.15 mg/day을 투여함. 갑상선기능 안정화되는 정도에 따라 levothyroxine 을 감량 및 중단함. 6-8주 간격으로 시행한 TSH 결과에 따른 판단이 가능함

(3) 갑상선기능 저하기를 지나면 회복기가 되는데 갑상선의 분비능이 정상으로 회복이 시기 동안 혈중 갑상선호르몬 수치는 정상이나 갑상선이 회복되면서 갑상선에서 요오드섭취가 증가하므로 일시적으로 상승할 수 있음

4. 방사선 갑상선염(Radiation thyroiditis)

대개 미약한 전경부 동통과 갑상선 압통을 보임. 보통 갑상선중독증이 있는 그레이브스병의 치료를 위해 131-I 투여한 지 약 1주일 후에 발생함. 증상은 131-I 투여 후 약 한 달까지 지속될 수 있음. 갑상선암으로 갑상선절제술 후 정상 갑상선 조직이 상당량 남아 있는 경우 131-I 를 투여한 환자 역시 방사선 갑상선염이 생길 수 있음. 통증과 압통이 현저할 경우 단기간 prednisone (20-40 mg/d)을 투여할 수 있음

5. (아급성) 림프구성 갑상선염(무통성 갑상선염, silent thyroiditis)

1) 원인

아급성 림프구성 갑상선염은 만성 자가면역(하시모토) 갑상선염의 일종으로 생각됨. 여성에서 발생빈도가 높고 분만 후 발생하는 경우가 흔함

2) 임상소견

  (1) 갑상선중독증 증상, 즉 불안, 심계항진, 신경과민, 발한, 열불내인성과 체중감소가 흔하며 질환의 심한 정도에 따라 증상이 경미하거나 심각한 정도까지 다양함. 분만 후 6주에서 3개월까지 언제라도 발생할 수 있음

  (2) 신체검사에서 갑상선은 약간 커져 있고 압통이 없는 경우가 흔하나 환자의 50%에서 갑상선종이 촉지되지 않는다는 보고도 있음

  (3) 그레이브스병과 감별이 치료에 있어서 중요함

3) 검사실 소견

  (1) 혈청 총 T4, FT4, FT3는 약간 상승되어 있고 TSH는 억제됨. 총 T3는 그레이브스병에서보다 T4에 비해서 덜 상승함. T3/T4 비는 그레이브스 갑상선중독증과 임파구성 갑상선염을 감별하는 데 도움이 되는데, 그레이브스 갑상선중독증에서는 갑상선 자극면역 글로불린에 의해 T3가 우선적으로 분비되기 때문에 T3가 상대적으로 높음

  (2) 방사성요오드 섭취는 억제되어 있는데 림프구성 갑상선염의 갑상선기능항진기 동안 24시간에 3% 미만으로 낮게 측정됨

4) 감별진단

자세한 병력청취와 신체검사를 통해 그레이브스병과 감별이 가능하며 갑상선호르몬 검사 및 방사선 동위원소 촬영을 통해 감별에 도움을 받을 수 있음

표 8-2-10 림프구성 갑상선염과 Graves병의 감별

임상특징	림프구성 갑상선염	Graves병
발생	갑자기	서서히
증상의 정도	경증에서 중등증	중등증에서 중증
증상 지속기간	3개월이내	3개월 이상
갑상선종	딱딱, 미만성, 약간 비대 또는 없음	약간 또는 상당히 딱딱하고 미만성, 크다
갑상선 잡음(bruit)	없음	대개 존재
안구돌출, 피부병증	없음	존재 가능
T3/T4 비	20 : 1 이하	20 : 1 이상
방사선동위원소 섭취율	억제	상승

5) 임상경과와 치료

  (1) 림프구성 갑상선염의 임상경과와 치료는 아급성 갑상선염과 유사함

  (2) 갑상선기능저하 기간이 지나면 환자는 임상적으로 정상 갑상선기능 상태가 됨. 갑상선 비대나 실제 갑상선기능저하증 같은 지속적인 갑상선 기능이상이 환자의 1/3에서 나타나므로 장기간 추적 관찰이 필요함

  (3) 분만 후 임파구성 갑상선염을 앓았던 환자들은 다음 출산 시 재발할 확률이 높음. 산후 림프구성 갑상선염은 제1형 당뇨병 산모의 25% 정도에서 발생

6. **하시모토 갑상선염(Hashimoto thyroiditis, chronic autoimmune thyroiditis, chronic lymphocytic thyroiditis, chronic thyroiditis, struma lymphomatosa)**

1) 원인

하시모토 갑상선염은 조직-특이적 자가면역 질환으로 가장 흔한 갑상선의 염증질환

2) 임상증상

(1) 하시모토 갑상선염은 갑상선종만 있고 갑상선 기능은 정상인 경우부터 현저한 갑상선 기능저하로 인한 점액수종까지 다양한 소견을 보임. 환자의 95%가 여자이며 30-50대에 가장 많이 발생함. 일반적으로 갑상선 비대는 서서히 일어나고 증상이 없음. 갑상선기능저하증은 환자의 약 20% 정도에서 발현됨

(2) 신체검사에서 갑상선은 대개 대칭적이고 딱딱한 갑상선 비대를 보이며 흔히 촉감이 울퉁불퉁함. 단일 갑상선 결절의 형태를 보이는 경우도 있음

(3) 하시모토 갑상선염은 보통 갑상선기능저하를 보이며 일부 환자(2-4%)는 갑상선기능항진증을 나타내기도 함(Hashitoxicosis). 일부 환자의 혈청에서 갑상선 자극 면역글로불린이 발견되므로 그레이브스병과 공통점이 있는 것으로 추정됨

3) 검사실소견

(1) 하시모토 갑상선염 환자의 약 80%가 진단 당시에 정상 T3, T4, TSH 수치를 보임. 항미크로솜항체가 90% 이상의 환자에서 증가함. 항티로글로불린 항체가 일반적으로 상승되어 있으나 두 가지 검사를 모두 하는 것은 필요치 않음

(2) 고령의 환자에서 갑상선종이 갑자기 커지면서 딱딱하고, 항미크로솜항체가 현저하게 상승되면 원발성 갑상선 임파종의 가능성을 염두에 두어야 함. 그러나 하시모토 갑상선염이 임파종 발생의 원인으로 생각되지 않음

(3) 갑상선스캔에서 전형적으로 요오드섭취가 불규칙하면서 대칭으로 커진 갑상선 소견을 볼 수 있음. 일부는 단일 냉결절이 존재하는 경우도 있음. 갑상선 요오드섭취는 매우 낮거나 정상 또는 증가될 수 있음. 갑상선 요오드 섭취율과 스캔은 하시모토 갑상선염의 진단에 도움이 되지 않음

4) 치료

(1) levothyroxine(L-T4)은 갑상선기능저하증을 동반한 하시모토 갑상선염의 선택약제

 ① 갑상선종은 TSH가 정상화되면서 줄어드는 경향이 있음. 기능저하를 동반한 하시모토 갑상선염 환자에서는 갑상선호르몬을 중단하지 않고 지속적으로 투여하여야 함

 ② 미약한 갑상선기능 부전(즉 정상 T4와 TSH 약간 상승)이 있는 환자들의 5%는 매년 명백한 갑상선기능저하증으로 이환되므로 이러한 환자에게 L-T4를 투여하는 것을 고려해야 함

 ③ 갑상선종이 있지만 TSH는 정상인 경우 환자가 불편한 증상이 없거나 갑상선종의 크기 감소에 관심이 없다면 L-T4 치료가 반드시 필요하지는 않음. 이 경우 L-T4를 투여해도 갑상선종의 크기가 보통 줄어들지 않음

(2) 급격히 커지면서 압박증상이 있는 경우 당질코르티코이드가 치료 효과가 있다는 보고가 있음. 그

러나 이런 증상은 매우 드물고, 장기간 당질코르티코이드를 투여하면 장점보다는 부작용이 더 많으므로 투여할 경우라도 단기간 투여해야 함

(3) 지속적인 압박증상이 있는 경우 수술의 적응증이 되나, 매우 드묾

7. 약제에 의한 무통성 갑상선염

1) Interferon-γ (IFN-γ)

만성 C형 간염의 치료에 사용되는 IFN-γ는 갑상선기능항진증 또는 갑상선기능저하증이 나타날 수 있음. IFN-γ로 인한 갑상선 기능이상과 연관된 선행요인은 여자, 고령, 장기간의 인터페론 투여와 항미크로솜 항체가 양성인 경우 등임. 갑상선 기능이상의 발생은 자가면역기전의 활성화에 기인함

2) Interleukin-2 (IL-2)

고형 전이암과 백혈병을 포함한 다양한 악성종양 치료의 보조치료로 이용되고 있는 IL-2는 IFN-γ와 비슷하게 갑상선 기능의 이상을 유발함

3) Amiodarone에 의한 갑상선염(Amiodarone-induced thyroiditis)

(1) Amiodarone은 요오드를 37% 함유하는 강력한 항부정맥제로 갑상선염에 의한 갑상선기능저하와 갑상선기능항진증을 모두 유발할 수 있으나 일반적으로 갑상선염 및 갑상선기능저하의 빈도가 갑상선기능항진증에 비해 높음. 갑상선기능항진증은 일반적으로 치료 시작한 지 수개월 내에 생기지만 어느 시점에서도 생길 수 있음. 갑상선기능항진증 증상이 흔히 없기도 한데 Amiodarone의 베타차단 효과 때문임. 그러나 환자들은 갑상선 중독증에 노출되어 있어서 체중감소, 부정맥 악화, 울혈성 심부전 등이 나타날 수 있음

(2) Amiodarone으로 유발되는 갑상선중독증에는 두 가지 형태가 있음. 제1형은 요오드 과다로 인한 갑상선호르몬의 합성증가로 발생하고 제2형은 갑상선의 염증으로 인해 갑상선 세포가 파괴되어 발생함. 임상적으로 두 가지 유형을 감별하는 것이 치료 방법을 선택하는데 중요함. 결절성 갑상선종이 있으면 요오드 유발 갑상선기능항진증(제1형)을 의심할 수 있으며, 갑상선 비대가 없는 경우 염증성 갑상선염(제2형)의 가능성이 높음. 혈청 IL-6치가 Amiodarone 유발 갑상선기능항진증의 두 유형을 구별하는데 이용할 수 있는 유일한 생화학적 표지자임. 제2형 Amiodarone 유발 갑상선기능항진증의 치료로 글루코코르티코이드(prednisone 40 mg/day)을 분할하여 투여함. 진단이 의심이 된다 할지라도 thionamide 약제는 도움이 되지 않으며, 글루코코르티코이드와 thionamide 약제(보통 1형 Amiodarone 유발성 갑상선기능항진증에 사용)를 같이 투여해 볼 수 있음. 2형 Amiodarone 유발 갑상선기능항진증은 다른 형태의 무통성 또는 임파구성 갑상선염과 비슷한 소견을 보임

Ⅰ. 병인에 따른 분류

1. 제1형 당뇨병
1) 면역매개성
2) 특발성

2. 제2형 당뇨병

3. 기타 특정 유형 당뇨병
1) 베타세포 기능의 유전적 결함
2) 인슐린작용의 유전적 결함
3) 외분비췌장질환: pancreatitis, pancreatectomy, neoplasia, hemochromatosis, cystic fibrosis, fibrocalculous pancreatopathy
4) 내분비계질환: acromegaly, Cushing's syndrome, aldosteronoma, pheochromocytoma, hyperthyroidism, glucagonoma, somatostatinoma
5) 약제 또는 화학물질 유발성
6) 감염
7) 면역매개성 당뇨병의 드문 형태
8) 기타 유전질환

4. 임신성 당뇨병

표 8-3-1 제1형 당뇨병 vs 제2형 당뇨병

	제1형 당뇨병	제2형 당뇨병
주된 병인	자가면역에 의한 베타세포 파괴	인슐린저항성과 인슐린분비능 결핍
발병속도	고혈당과 함께 급작스럽게 발병	서서히 발생
발병연령	주로 소아(전 연령에서 발생가능)	주로 성인 최근 가족력이 있는 비만 청소년에서 발생증가
자가항체검사※	GAD, ICA, IAA, IA-2 자가항체 음성	
케톤산증	쉽게 발생	드묾
C-peptide 진단기준		
Fasting	< 0.6 ng/mL	1.0~1.2 ng/mL 이상(분비능저하 < 1.7 ng/mL)
Stimulated	< 1.8 ng/mL	
치료	다회 인슐린치료가 필수적	고혈당정도에 따라 약제(경구 혹은 인슐린) 결정

※ 자가항체검사 : anti-GAD65/67(Glutamic Acid Decarboxylase), ICA(Islet Cell Autoantibody), IAA(Insulin Autoantibody), IA-2/ICA512(Tyrosine phosphatase)

Ⅱ. 진단

1. 당뇨병

아래 4가지 중 하나에 해당하면 당뇨병으로 진단

1) 당뇨병의 전형적인 증상(다뇨, 다음, 설명되지 않는 체중감소)

  + 식사에 관계없이 무작위로 측정한 혈당 ≥200 mg/dL

2) 8시간 이상 공복 혈당 ≥126 mg/dL

3) 75 g 경구 당부하검사 2시간 후 혈당 ≥200 mg/dL

4) HbA1c ≥6.5%

> ★ 1)번 기준을 제외한 나머지 2), 3), 4)는 반드시 다른 날 재검하여 확진
> ★ 재검에서 이전과 달리 이상소견이 관찰되지 않으면 3개월 이내 추적검사
> ★ 동시에 두 가지 이상소견이 발견되면 재검 필요 없음.
>   예) 공복혈당 ≥126 mg/dL & HbA1c ≥6.5%

2. 당뇨병 전단계(Prediabetes)

1) 공복혈당장애(impaired fasting glucose, IFG), 2) 내당능장애(impaired glucose tolerance, IGT)

표 8-3-2 당뇨병 전단계의 진단기준

	정상혈당	고혈당	
		당뇨병전단계	당뇨병
공복 혈당	<100 mg/dL	100–125 mg/dL (IFG)	≥126 mg/dL
당부하후 2시간 혈당	<140 mg/dL	140–199 mg/dL (IGT)	≥200 mg/dL
HbA1c	≤5.6%	5.7–6.4	≥6.5%

3. 당뇨병의 선별검사

1) 검사방법: 공복 혈장 포도당 , 경구 당 부하 검사 혹은 당화 혈색소

2) 검사대상*: 40세 이상 혹은 위험 인자가 있는 30세 이상 성인에게서 매년 시행을 고려

> ★ 제2형 당뇨병의 위험인자
> * 과체중(체질량지수 23 kg/m² 이상)
> * 직계가족(부모, 형제자매)에 당뇨병이 있는 경우
> * 공복혈당장애나 내당능장애의 과거력
> * 임신성당뇨병이나 4 kg 이상의 거대아 출산력
> * 고혈압(≥140/90 mmHg 혹은 약제 복용)
>
> * HDL 콜레스테롤 <35 mg/dL 혹은 중성지방 ≥250 mg/dL
> * 인슐린저항성(다낭성 난소증후군, 흑색가시세포증 등)
> * 심혈관질환(뇌졸중, 관상동맥질환 등)
> * 약물(당류코르티코이드, 비정형 항정신병약물 등)
>   * 2019 년 당뇨병 학회 진료 지침

4. 임신성 당뇨병

1) 모든 임산부는 첫 산전 방문시에 공복 혈장 포도당, 무작위 혈장 포도당 , 또는 당화혈색소를 측정해 당뇨병 여부를 검사 (첫번째 산전 방문 검사 시 다음 중 하나 이상을 만족하면 기왕에 당뇨병이 있는 것으로 진단함. 공복혈장포도당 126 mg/dL 이상, 무작위 혈장포도당 200 mg/dL 이상, 당화혈색소 6.5% 이상)

2) 그 외는 24-28주에 아래 둘 중 한 가지 방법으로 선별검사 시행

- **1단계 검사법**

  (1) 75 g 경구 당부하검사(선별 및 확진)

  (2) 다음 중 하나라도 해당되면 임신성 당뇨병 진단

    - fasting ≥92 mg/dL   - 1-hour ≥180 mg/dL   - 2-hour ≥155 mg/dL

- **2단계 검사법**

  (1) 1차(선별): 50 g 경구 당부하 1시간 뒤 혈당 140 mg/dL 이상인 경우 2차 검사 실시

  (2) 2차(확진): 100 g 경구 당부하검사

  (3) 다음 중 2가지 이상 만족하면 임신성 당뇨병 진단

    - fasting ≥ 95 mg/dL - 1-hour ≥ 180 mg/dL - 2-hour ≥ 155 mg/dL - 3-hour ≥ 140 mg/dL

- **분만 후 검사**

  모든 임신성당뇨병 산모는 분만 후 6-12주 사이에 75 g 경구 당부하검사를 시행하여 정상내당능으로 회복 여부 확인

III. 비약물요법

1. 식사요법 처방

1단계: 표준체중의 산정

- 환자의 키를 이용한 표준체중 산정법

  남자: 표준체중(kg) = 키(m)×키(m)×22, 여자: 표준체중(kg) = 키(m)×키(m)×21

  예) 키가 170 cm인 남자의 표준체중은 $1.7 \times 1.7 \times 22 = 63.6$ kg

> ♠ **비만도의 평가**
>
> 체질량지수(BMI)를 이용: BMI = 현재체중(kg) / 키(m)^2
> 정상: 18.5~22.9, 과체중: 23.0~24.9, 비만 class 1: 25.0~29.9 (* 아시아 태평양 비만지침), 비만 class 2: 30 이상

- 브로카 법: 표준체중(kg) = [키(cm) - 100]×0.9

2단계: 1일 필요열량 = 표준체중 × 활동별 열량

> ★ **필요열량의 산출예**
>
> 175 cm, 80 kg의 30세 남자. 직업은 사무원, 중등도의 활동
> BMI = 80/(1.75)^2 = 26.1(비만)
> 표준 체중 : 1.75×1.75×22 = 67.4 kg
> 1일 필요열량 : 67.4×30 = 2,022 Kcal

활동의 정도	체중에 따른 열량(Kcal/kg)		
	저체중	정상체중	비만
가벼운 활동	35	30	25~30
중등도 활동	40	35	30
심한 활동	45	40	35~40

3단계: 3대 영양소의 배분

탄수화물 55-60%, 단백질 15-20%, 지방 20-25%

포화지방: 전체 칼로리의 <7%, 트랜스지방: 최소화

* 합병증의 유무, 개인의 식습관 및 생활습관에 따른 개별화가 중요

2. 운동요법

1단계: 운동전 고려(검사)해야 할 사항

① 심혈관질환 병력 혹은 의심, 자율신경병증, 당뇨병성신증, 10년 이상 유병기간 등

⇒ 운동부하 심전도검사(treadmill test) 고려

② 고혈압 ⇒ Valsalva maneuver는 삼가도록 교육

③ 망막병증 ⇒ 고강도 유산소 및 근육운동, 머리를 거꾸로 하는 동작(안압상승) 금지 증식성 망막증

에서 점프 혹은 부딪히는 동작(출혈위험증가) 금지

④ 신증 ⇒ 저강도 내지는 중등도 이하의 운동 권유

⑤ 말초신경병증 혹은 당뇨병성족부질환 ⇒ 무게가 실리는 운동은 삼가도록 교육

2단계: 운동 강도 결정

최대 심박수(220-나이)의 50-70%를 유지할 정도의 강도

일주일에 150분 이상 중강도의 유산소운동 권고. 주 3회 이상, 이틀 연속 쉬지 않도록.

금기사항이 없는 한 일주일에 2회 이상의 저항성운동을 권고

3단계: 운동 시의 혈당조절 지침

공복혈당 ≥250 mg/dL, ketone(+) ⇒ 운동을 피함

공복혈당 ≥300 mg/dL, ketone(-) ⇒ 운동을 주의해서 함

혈당 <100 mg/dL ⇒ 탄수화물 섭취

★ **당뇨병 진단 및 치료 시 반드시 해야 할 4가지**

① 당뇨병의 유형 확인

→ 제1형 vs. 제2형 당뇨병을 구분한 후 이에 따른 치료방침 수립 (⇒ 표 8-8-1)

② 식사 및 운동요법에 대한 교육 실시

→ 당뇨병 치료의 가장 근간인 식사 및 운동요법을 교육하고 실천 (⇒ 비약물요법 편)

③ 환자별 당화혈색소 목표를 수립하고 이에 따른 약제 선택

→ (당화혈색소 목표 – 현재의 당화혈색소)에 따라 단독 혹은 병합요법 선택

④ 당뇨병의 만성합병증(미세혈관합병증 및 대혈관합병증) 유무 확인

→ 예방 혹은 치료를 위한 약제 추가 고려(⇒만성합병증 관리 편)

IV. 당뇨병 환자의 조절 목표

1. 혈당조절

당화혈색소 <6.5%, 식전 혈당 80-130 mg/dL, 식후 2시간 혈당 <180 mg/dL (혈당조절의 목표는 환자의 상황에 따라 개별화함)

1) 제1형 당뇨병: 당화혈색소 <7.0%

2) 임신성당뇨병: 식전혈당 ≤95 mg/dL, 식후1시간 혈당 ≤140 mg/dL, 식후2시간 혈당 ≤120 mg/dL

2. 혈압조절

혈압 <140/85 mmHg (심혈관질환이 동반된 당뇨병환자는 혈압을 130/80 mm Hg 미만으로 조절한다)

3. 지질조절

LDL-C 〈 100 mg/dL (심혈관질환이 있는 당뇨병환자는 〈 70 mg/dL), HDL-C ≥40 mg/dL (남자), ≥50 mg/dL (여자), Triglyceride <150 mg/dL

V. 약물요법(경구혈당강하제 및 GLP-1 수용체 작용제)

1. 경구혈당강하제 및 GLP-1 수용체 작용제의 종류와 특성

종류	작용기전	적응증	A1c 감소	공복/식후 혈당	부작용
메트포르민(Metformin)	간 당생성감소, 인슐린감수성 개선	비만, 인슐린저항성	1.0~2.0%	++/+	식욕감퇴, 오심, 구토, 설사, 젖산증, 비타민 B12 결핍
설폰요소제(Sulfonylurea)	췌장베타세포에서 인슐린분비 촉진	상대적 인슐린결핍	1.0~2.0%	++/++	저혈당, 체중증가
티아졸리딘디온 (Thiazolidinedione)	근육, 지방의 인슐린 감수성 개선	비만, 인슐린저항성	0.7~1.4%	++/+	체중증가, 부종, 비척추성골절, 심부전
알파글루코시다제 억제제 (α-glucosidase inhibitor)	상부위장관에서 다당류 흡수 억제	식후 고혈당	0.6~0.8%	-/++	복부팽만, 가스
메글리티나이드 (Meglitinide)	췌장베타세포에서 인슐린분비 촉진	식후 고혈당	0.6~1.2%	-/+++	저혈당, 체중증가
DPP-4 억제제(DPP-4 inhibitor)	인크레틴 분해억제	노인, 식후 고혈당	0.6~0.8%	+/++	피부발진?
SGLT-2 억제제 (SGLT-2 inhibitor)	신장에서 당배출 증가	체중감량, 혈압강하	0.5~0.8%	+/+	체액감소 요로생식기감염
GLP-1 수용체 작용제 (GLP-1 receptor agonist)	포도당의존 인슐린분비, 식후 글루카곤억제	식욕억제, 체중감량	0.8~1.9%	+/++(short acting) ++/++ (long acting)	오심, 구토

1) 메트포르민(Metformin)

(1) 적응증: 인슐린저항성, 대사증후군, 비만한 당뇨병환자

(2) 용량: Metformin (250- 2,550 mg/d)

(3) 주의사항

① 주의 및 금기 : 임신 및 수유, 젖산증의 의 위험성이 있는 환자, 신기능장애(GFR 30 이하는 금기, GFR 30~ 45 시작하지 말것, 계속 복용 중인 환자가 GFR 30~ 45 사이면 약 용량을 줄일 것), 급성 혹은 만성 대사성 산증, 급성 심혈관 혹은 폐질환, 약물치료를 필요로 하는 울혈성 심부전, 80세 이상의 노인, 정맥 조영제

② 부작용: 보통 용량과 관련 있고 일시적임. 설사, 구역, 복부 불쾌감, 금속 맛

(수술전후나 정맥조영제를 사용하는 방사선과 검사시에는 전후 약 3-4일간 복용 중단할 것)

2) 설폰요소제(Sulfonylurea)

(1) 적응증: 상대적 인슐린 결핍증, 마른 당뇨병 환자

(2) 용량: Glimepiride (1-8 mg/d), Gliclazide (40-320 mg/d), Gliclazide MR (30-120 mg/d)

(3) 주의사항

① 주의 및 금기: 임신 및 수유, 신장 질환 (Cr) 2.0 mg/dL), 설파제 과민반응

② 부작용: 저혈당, 체중증가

3) 티아졸리딘디온(Thiazolidinedione)

(1) 적응증: 인슐린저항성, 복부비만, 대사증후군

(2) 용량: Pioglitazone (15-30 mg/d), Lobeglitazone (0.5-1 mg/d)

(3) 주의사항

① 주의 및 금기: 임신 및 수유, 중등도 이상의 심부전

② 부작용: 부종, 중등도 체중증가, 여성에서 비척추성골절 증가

4) 알파글루코시다제 억제제(α-glucosidase inhibitor)

(1) 적응증: 식후 고혈당(탄수화물섭취가 많은 경우 특히 효과적)

(2) 용량: Acarbose (50-300 mg/d), Voglibose (0.2-0.9 mg/d)

(3) 주의사항

① 주의 및 금기: 임신 및 수유, 신장질환(Cr) 2.0 mg/dL), 염증성장질환, 대장궤양, 부분적인 장폐쇄, 기타 만성 장질환

② 부작용: 복부팽만, 방귀, 복통 및 설사

5) 메글리티나이드(Meglitinide)

(1) 적응증: 상대적 인슐린 결핍, 유연한 식사계획, 식후고혈당, 신기능장애

(2) 용량: Repaglinide (1-6 mg/d), Nateglinide (30-360 mg/d), Mitiglinide (10-30 mg/d)

(3) 주의사항

① 주의 및 금기: 임신 및 수유, 제1형 당뇨병, 당뇨병성 케톤산증, Repaglinide 과민반응

② 부작용: 저혈당, 체중증가

6) DPP-4 억제제(Dipeptidyl peptidase-4 inhibitor)

(1) 적응증: 식후 고혈당, 저혈당 최소화, 노인당뇨병

(2) 시작용량 및 용량조정

	용량 조정	
	시작 및 최대 용량	신기능장애시 용량 변경
Sitagliptin	100 mg qd	eGFR 30-50 ml/min/1.73 m² : 50 mg qd eGFR<30 ml/min/1.73 m² : 25 mg qd

Vildagliptin	50 mg bid	eGFR<50 ml/min/1.73 m² : 50 mg qd
Saxagliptin	5 mg qd	eGFR<50 ml/min/1.73 m² : 2.5 mg qd
Linagliptin	5 mg qd	용량조절 필요없음
Gemigliptin	50 mg qd	용량조절 필요없음
Alogliptin	25 mg qd	eGFR 30-50 ml/min/1.73 m² : 12.5 mg qd eGFR<30 ml/min/1.73 m² : 6.25 mg qd
Teneligliptin	20 mg qd	용량조절 필요없음
Evogliptin	5 mg qd	용량조절 필요없으나 신중투여
Anagliptin	100 mg bid	eGFR <330 ml/min/1.73 m² : 100 mg qd

(3) 주의사항

① 주의 및 금기: 신, 간기능장애시 약제에 따라 용량조절 필요

② 부작용: 장기간 사용시 안정성 미확보, 췌장염 및 심부전 가능성

7) SGLT-2 억제제(Sodium glucose transporter-2 inhibitor)

(1) 적응증: 과체중, 경미한 고혈압

(2) 시작용량 및 용량조정

	용량 조정		
	시작	다음	신기능장애시
Dapagliflozin	5-10 mg qd	10 mg qd	eGFR<60 ml/min/1.73 m² : 권장되지 않음
Empagliflozin	10 mg qd	25 mg qd	eGFR<45 ml/min/1.73 m² : 권장되지 않음
Ipragliflozin	50 mg qd	50 mg qd	eGFR<60 ml/min/1.73 m² : 권장되지 않음

Ertugliflozin   5 mg qd   5 mg qd   eGFR < 45 ml/min/1.73 m2 : 권장되지 않음

(3) 주의사항

① 주의 및 금기: 신장애, 간장애, 고령자, 체액감소, 혈압강하

② 부작용: 요로생식기 감염, 장기간 사용시 안정성 미확보

8) GLP-1 수용체 작용제(Glucagon like peptide-1 receptor agonist)

(1) 적응증: 식욕감소, 체중감량

(2) 시작용량 및 용량조정

	용량 조정	
	시작	최대 용량
Exenatide	5 μg bid	10 μg bid
Liraglutide	0.6 mg qd	1.8 mg qd
Lixisenatide	10 μg qd	20 μg qd
Dulaglutide	0.75 mg qw	1.5 mg qw

(3) 주의사항

① 주의 및 금기: 신능장애시

② 부작용: 장기간 사용시 안정성 미확보, 췌장염 또는 췌장암 발생 가능성

2. 경구약제 병합요법

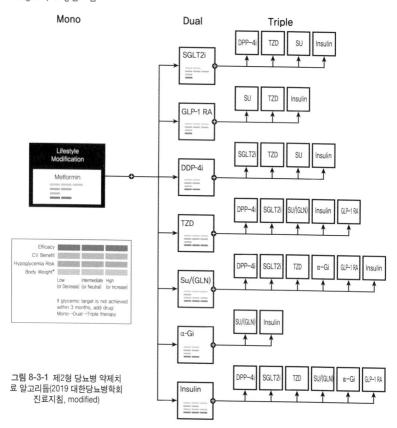

그림 8-3-1 제2형 당뇨병 약제치료 알고리듬(2019 대한당뇨병학회 진료지침, modified)

VI. 약물요법(인슐린치료)

1. 인슐린 치료의 적응증

1) 제1형 당뇨병

2) 임신성당뇨병, 기존의 당뇨병 환자가 임신한 경우

3) 경구혈당강하제로 혈당조절이 불량한 제2형 당뇨병

4) 당뇨병성 급성 합병증(DKA, HHS)의 치료

5) 제2형 당뇨병 환자에서 심한 스트레스, 중한 외상이 있거나, 대수술을 받아야 하는 경우, 중대한 당뇨병성합병증이 있는 경우, 고혈당에 의한 증상(체중감소, 전신쇠약, 다음, 다뇨, 다갈 등)이 심한경우

2. 인슐린의 종류와 작용시간

	인슐린 종류	작용시작	최고효과	작용시간
Rapid-acting (bolus)	Lispro, Aspart, Glulisine	10~15분	1~2시간	3~4시간
Short-acting	Regular(R)	30분	2~4시간	5~8시간
Intermediate-acting	NPH(N)	2~4시간	5~10시간	16~20시간
Long-acting (basal)	Glargine, Detemir	2~4시간	no peak	~24시간
	Degludec	30~90분	no peak	≥42시간
	U300 glargine	2~4시간	no peak	≥36시간

Fast-acting insulin aspart formulation : insulin aspart보다 작용 시작 시간이 5분 빠름.

3. 제1형 당뇨병의 인슐린치료; basal-bolus(기저-식사) 인슐린치료가 원칙

1) 하루 총 인슐린요구량: 평균 0.7 U/kg (범위; 0.5-1.0 U/kg)

  (1) 50%: basal insulin (기저인슐린)

  (2) 50%: bolus insulin (식사인슐린, 매 식전 1/3로 배분하여 주사)

2) 인슐린치료에 민감하므로 인슐린 증량 혹은 감량 시 1-2 U 이상 바꾸지 않아야 함

3) 기저인슐린 투여시기: 취침전 vs. 아침식전

> ★ 제형 당뇨병의 인슐린 시작용량 결정(증례)
>
> 28세 남자, DKA로 시작된 제형 당뇨병, c-peptide (fasting/stimulated) 0.01/0.01 ng/ml, GAD (+)
> HbA1c 12%, 키 175 cm, 몸무게 50 kg 일 때 basal-bolus 치료 시작용량 구하기
> → 하루 인슐린 총요구량 계산: 0.5 U x 50 kg ≒ 24 U
> → 50%인 12 U는 basal로, 나머지 50%인 12 U는 bolus로 3회에 걸쳐, 즉 매식전 4 U-4 U-4 U로 시작

4. 제2형 당뇨병의 인슐린치료

1) 당화혈색소 9% 이상이면서 고혈당에 의한 증상이나 대사이상 동반된 경우 처음부터 고려

2) 하루 총 인슐린요구량: 평균 1.0 U/kg (범위; 0.8-1.8 U/kg)

  • 50-60%: 기저인슐린   • 40-50%: 식사인슐린

3) 인슐린 치료 형태: 일반적으로는 기저인슐린 +/- 경구약제 1-2제. 단, 고혈당이나 당뇨병의 증상이 심한 경우엔 기저-식사인슐린 치료로 시작

4) 인슐린치료 1-2주 이후에는 당독성이 해소되면서 인슐린요구량이 급격히 감소

  (1) 저혈당을 최소화하려면 인슐린용량을 적절히(필요시 50% 이상) 감량

  (2) 하루 인슐린 총 요구량이 20 U 미만으로 조절되면 경구약제로 변경고려

5) 인슐린 강화요법

  (1) Basal-plus (×1): 아침/점심/저녁 중 식후 혈당이 가장 높은 식사 직전에 초속효성 인슐린을 1회 주사하는 방법

    에) 아침 식후 혈당이 가장 크게, 자주 목표 범위에서 벗어났다면 아침 식전에 추가 인슐린 용량: 초속효성 인슐린 4 U로 시작하여 3일마다 2 U씩 증량

  (2) Basal-plus (×2): 3개월 후에도 당화혈색소가 목표에 도달하지 못한 경우 아침/점심/저녁 중 식후 혈당이다음으로 높은 식사 직전에 초속효성 인슐린을 추가로 1회, 총 1일 2회 주사하는 방법

인슐린 용량: 초속효성 인슐린 4 U로 시작하여 3일마다 2 U씩 증량

(3) Basal-bolus (기저-식사 인슐린 요법)

3개월 후에도 당화혈색소가 여전히 목표에 도달하지 못한 경우, 기저인슐린과 함께 아침/점심/저녁 매 식전 초속효성 인슐린을 주사하는 방법

(4) 혼합형 인슐린

① 혼합형 인슐린 시작용량: 저녁식전에 12 U(혹은 kg당 0.2 U) 또는 아침/저녁 식전에 각각 6 U씩 (혹은 각각 kg당 0.1 U씩)

② 혼합형 비율(지속형/속효형 75/25, 70/30, 50/50 등): 혈당패턴에 따라 선택

③ 혼합형 인슐린 증량: 식전혈당 110 mg/dL 목표로 2 U씩 증량

④ 경구약제 병합: 설폰요소제는 제외, 메트포르민 혹은 티아졸리딘은 병합 가능

⑤ 혼합형 인슐린 3회 주사요법: 점심식후 고혈당 지속시 2-6 U 혹은 하루 총 인슐린 양의 10%를 점심식전에 1회 추가로 주사

5. 제2형 당뇨병의 인슐린치료(경구약제 실패시)

1) 충분한 경구혈당강하제 치료로 혈당조절 목표에 도달하지 못한 경우, 경구혈당강하제와 병합 또는 단독으로 기저인슐린 시작

2) 적극적인 혈당조절의 위해서는 속효성 인슐린을 식사시 추가

3) 환자 상태에 따라 기저인슐린에 GLP-1 수용체 작용제를 추가하거나 기저인슐린을 혼합형인슐린으로 전환

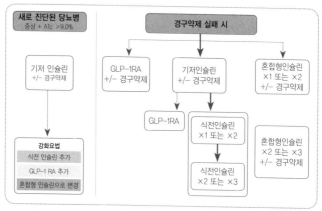

그림 8-3-2 제2형 당뇨병 인슐린치료 알고리듬(2019년 대한당뇨병학회 진료지침)

VII. 급성합병증: 당뇨병성 케톤산증(diabetic ketoacidosis, DKA), 고삼투압성 고혈당 상태(hyperosmolar hyperglycemic state, HHS)

1. 발병원인

표 8-3-3 DKA와 HHS의 주요 유발인자들

3가지 가장 흔한 유발인자들

감염(30~50%) : 폐렴, 요로감염, 패혈증, 위장관염
부적절한 인슐린 치료(20~40%) : 불순응, 인슐린 펌프 실패 등
심근 허혈 및 심근경색(3~6%) : 당뇨병 환자에서는 흔히 무증상

그 외 다른 유발 인자들

뇌졸중	뇌출혈	급성 폐색전증	장, 장간막 혈전증
장폐색	급성 췌장염	알코올 중독	신부전(±복막투석)
심한 화상, 고체온, 저체온		비경구 영양	내분비 질환 : 쿠싱증후군, 갑상선기능항진증, 말단비대증

약물 : 심혈관계: beta-blockers, calcium channel blockers, diuretics, diazoxide, encainide
면역 억제제: corticosteroids, 기타: antipsychotics, phenytoin, cimetidine, pentamidine, L-asparaginase

2. 임상소견

1) DKA: 과호흡과 복통이 주 증상, 마지막 인슐린 주사 후 12시간 이내에 발생 가능

2) HHS: 의식혼미 등 신경계 증상이 주 증상, 수 일에 걸쳐 서서히 진행됨

> ★ **신경계증상과 혈중 삼투압농도(plasma osmolality, pOsm)**
> ① 신경계증상은 Effective pOsm ≥ 320~330 mOsm/kg일 경우에 나타남
>   • Effective pOsm (mOsm/kg) = [2 × Na(mEq/L)] + [Glucose(mg/dL) ÷ 18] 혹은
>   • Effective pOsm (mOsm/kg) = Measured pOsm − [BUN(mg/dL) ÷ 2.8]
> ② Effective pOsm <320~330 mOsm/kg 임에도 신경계증상이 나타난다면 다른 원인을 꼭 배제해야 함

3. 진단

1) 고혈당과 임상소견, 케톤체, 동맥혈 pH 측정

2) 원인을 찾기 위한 검사항목

CBC with differential count (WBC >25,000/㎕ → infection)	U/A	
Gucose, HbA1c, BUN, Cr, cardiac enzymes, LFT, electrolytes (Na, K, Ca, P, Mg), pOsm		
ABGA	Serum and urine ketones	혈액, 소변 등의 균배양검사
Chest X-ray	ECG	Amylase and/or lipase (peak in 24hrs)

표 8-3-4 DKA와 HHS 감별진단

	DKA			HHS
	경증	중증도	중증	
혈중 포도당 농도(mg/dL)	>250	>250	>250	>600
동맥혈 pH	7.25~7.30	7.00~7.24	<7.00	>7.30
중탄산염(mEq/L)	15~18	10~15	<10	>15
혈중 혹은 요중 케톤*	(+)	(+)	(+)	(−) or trace
혈중 삼투압 농도(mOsm/kg)	가변적	가변적	가변적	>320
음이온 차이(Anion gap)†	>10	>12	>12	variable
정신상태	각성상태	각성/졸린상태	혼미/혼수	혼미/혼수

* Nitroprusside reaction method † calculation: Na⁺ − (Cl⁻ + HCO₃⁻) (mEq/L)

4. 추적검사

1) 치료 중 모니터링해야 할 검사

항목	간격 및 주의사항
혈중 포도당	매 1시간마다(안정화 될 때까지)
혈중 전해질(Na, K, Ca, P), BUN/Cr, Osm, venous pH	2~4시간
ABGA	자주 반복할 필요 없음

* venous pH = 0.03 units lower than arterial pH

2) 완치판정기준

(1) DKA: glucose <200 mg/dL, HCO_3^- >18 mEq/L, pH >7.3, anion gap <12 mEq/L

(2) HHS: glucose <250-300 mg/dL, Effective pOsm <315 mOsm/kg, 식사가능

5. 치료

Fluid : 첫 24시간이내에 수분결핍이 교정되어야 함	① 첫 1시간 동안 0.9% NaCl 1 L (혹은 15~20 ml/kg/hr) 정맥내 주입 (대개 1~1.5L/1hr) ② 이후 Corrected Na^+ = 측정된 Na^+ + [(측정된 혈당-100)×0.024]에 따라 수액 결정 • 정상 혹은 증가 → 0.45% NaCl 4~14 ml/kg/h • 감소 → 0.9% NaCl 4~14 ml/kg/hr ③ 혈중 Osm 변화는 시간당 3 mOsm/kg를 초과하지 않도록 ④ 혈당 <250 mg/dL (DKA), <300 mg/dL (HHS)에 도달하면 → 5% DW + 0.45% NaCl 150~250 ml/kg/hr 로 변경 ⑤ K >5.0 mEq/L 가 아닌 이상 수액에 K 20~30 mEq/L mix 해서 투여
Insulin : 시간당 혈당 50~70 mg/dL 감소 목표	① IV bolus and continuous infusion • 일단 RI 10U (혹은 0.1 U/kg) 정맥내 투여 후 0.1 U/kg/hr 속도로 지속적 정맥내 주입 • 첫 1시간 동안 혈당이 50~70 mg/dL 이상 감소하지 않으면 주입속도를 두 배로 증량 ② 혈당 <250 mg/dL (DKA), <300 mg/dL (HHS)에 도달하면 → 인슐린 주입속도를 0.05~0.1 U/kg/hr로 감량하고 5~10% DW를 정맥내 주입 시작 → 인슐린 주입속도는 혈당 150~200 mg/dL를 유지하도록 조절 ③ 완치 판정되면 피하주사로 전환하되 정맥내 지속투여가 1~2시간 overlap 되도록
Potassium : 4~5 mEq/L 유지하도록	① K^+ >5.3 mEq/L → K^+ 투여 없이 2시간 간격으로 K^+ 농도 측정 ② K^+ 3.3~5.3 mEq/L → 수액 1 L 당 K^+ 20~30 mEq mix하여 주입 ③ K^+ <3.3 mEq/L → 인슐린 중지 후 K^+>3.3 mEq/L 될 때까지 수액 1 L 당 K^+ 40 mEq mix하여 주입
Bicarbonate : venous pH > 7.0 목표	① pH >7.0 → 알칼리 투여하지 않음 ② pH 6.9~7.0 → $NaHCO_3$ 50 mmol + 200 mL sterile water + KCL 10 mEq (200 mL/hr) ③ pH <6.9 → $NaHCO_3$ 100 mmol + 400 mL sterile water + KCL 20 mEq (200 mL/hr) * 매 두시간마다 pH 측정하여 pH >7.0 될 때까지 HCO_3 투여 (K 수치 함께 확인)
Phosphate	① 적응증: • 심장 기능이상 • 빈혈 • 호흡 억제 • 혈중 인 <1.0 mg/dL ② 24시간에 걸쳐 potassium phosphate 20~30 mEq/L 투여 (우선 4시간 동안 7.7 mg/kg 투여 후 혈중 인 농도를 재검하도록) ③ 혈중 칼슘농도를 모니터하도록 (과도한 인 투여가 저칼슘혈증 유발)

★ DKA 환자의 치료 증례: 몸무게 60 kg, 혈압 100/80 mmHg, Na^+ 130 mEq/L, K^+ 3.5 mEq/L, pH 7.2

1. 필요한 검사 종류(매 2시간 간격): glucose, BUN, Cr, Na, K, Cl, Ca, P, venous pH, HCO_3^-
2. 0.9% NaCl IV(1시간에 1~2 L를 투여. 본 환자의 경우는 17 mL/min)
3. 이후 0.9% NaCl IV 600 mL/hr 유지
4. 인슐린 치료
   RI 10 U 한번에 정맥 주사
   이후 RI 250 U + NS 500 mL (0.5 U/mL이므로 0.1 U/kg/hr로 주려면 12 mL/hr의 속도로 줌)
5. K^+ 치료
   3번 수액에 K^+ 30 mEq를 혼합

표 8-3-5 RI 250 U + NS 500 ml mix 한 후의 IV속도

혈당(mg/dL)	IV속도(ml/hr)
451~	50
351~450	12
301~350	10
251~300	8
201~250	6
151~200	4
101~150	3
71~100	2
~70	1

★ 몸무게 60 kg 환자에서 Insulin infusion 실제적용

예를 들면 NS와 RI 혼합수액의 경우
RI 250 U + NS 500 mL mix 하면 0.5 U/mL가 된다.
따라서 시간당 20 mL/hr로 주게 되면 10 U/hr가 된다.
만약 0.1 U/kg/hr 로 주려면 12 mL/hr로 주면 된다.

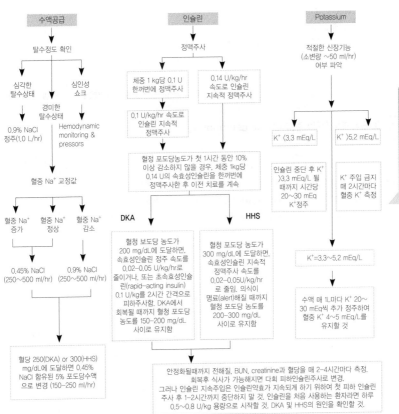

그림 8-3-3 성인의 당뇨병성 케톤산증(DKA) 혹은 고삼투압성 고혈당 상태(HHS)의 치료 알고리즘

VIII. 만성합병증 관리

1. 당뇨병성 신증(Diabetic nephropathy)

1) 선별검사: 제1형 당뇨병환자로 발병 후 5년 경과한 자, 제2형 당뇨병환자는 처음 진단시부터

2) 방법: spot urine albumin-to-creatinine ratio (ACR)와 eGFR (매년 시행)

3) 위양성: 요로계감염증, 발열, 심한 육체활동 후 정상에서 알부민뇨 배설이 증가

4) 당뇨병성 신증의 확진: 6개월 이내에 3회 중 2회 이상 미세알부민뇨 양성(ACR >30 mg/g Cr)인 경우

2. 당뇨병성 망막증(Diabetic retinopathy)

1) 선별검사: 제1형 당뇨병환자로 발병 후 3-5년 경과한 자, 제2형 당뇨병환자는 처음 진단시부터

2) 그 밖에 안저검사가 필요한 경우

(1) 선별검사 이후 매년 정기검진(정상인 경우 2-3년 후 추적검사도 고려 가능)

(2) 임신을 계획 중인 당뇨병 환자, 임신 후 1st trimester인 당뇨병 환자

(3) 황반 부종, 고도의 NPDR, PDR 환자

3) 아스피린 사용은 금기가 아니며 망막 출혈 위험도 증가시키지 않음(단, 망막출혈이 있는 경우는 제외)

3. 당뇨병성 신경병증(Diabetic neuropathy)

1) 당뇨병성 말초신경병증

(1) 진단: 전형적인 증상(양측 발끝부터 시작, 밤에 악화)

　　+ 1가지 이상의 신경학적검사(모노필라멘트, 발목반사, 진동감각) 이상소견

(2) 감별진단: claudication(하지혈관폐색) 혹은 radiculopathy(척추질환)

(3) 치료: 병인치료 (항산화제(알파리포산), 지방산(감마리놀렌산)) + 증상치료

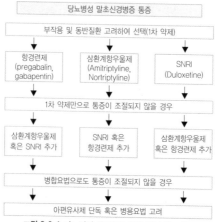

그림 8-3-4 당뇨병성 신경병증 통증 치료 알고리즘

표 8-3-6 당뇨병성 신경병증 치료 약제

약물	종류	시작용량	유효용량
Thioctacid	항산화제	200 mg tid 혹은 600 mg(서방정) qd	
γ-linoleic acid	필수지방산	160~240 mg bid	
Amitriptyline, Nortriptyline	삼환계 항우울제	10 mg hs	50~150 mg hs or divided
Imipramine	삼환계 항우울제	25 mg hs	50~150 mg hs or divided
Duloxetine	SNRI	30~60 mg qd	30~60 mg bid
Gabapentin	항경련제	300 mg qd	300~600 mg tid
Pregabalin	항경련제	75 mg bid	150~300 mg bid
Tramadol	아편유사제	50 mg/day	210 mg/day (최대 400 mg/day)
Oxycodone CR	아편유사제	10 mg/day	40 mg/day (최대 100 mg/day)

SNRI; selective serotonin noradrenaline reuptake inhibitor

2) 당뇨병성 심혈관계 자율신경병증

임상적 의의: 향후 심뇌혈관질환 및 저혈당 위험도에 대한 독립적인 예측인자, 마취에 대한 위험도가 매우 높으므로 수술 전후 주의 요함

표 8-3-7 심혈관계 자율신경병증 검사의 해석

검사	정상	경계치	비정상
부교감신경(심박수반응)			
Valsalva 수기(Valsalva ratio)	≥1.21	1.1~1.20	≤1.10
심호흡(beats/min)	≥15	11~14	≤10
기립시 반응(30 : 15 ratio R-R)	≥1.04	1.01~1.03	≤1.0
교감신경(혈압반응)			
기립시 수축기 혈압감소	≤10	11~29	≥30
Hand grip(이완기 혈압 증가)	≥16	11~15	≤10

IX. 만성합병증 예방

1. 고혈압 관리

1) 조절목표

(1) 수축기 혈압 (SBP) <140 mmHg, 이완기 혈압(DBP) <85 mmHg (심혈관질환 없음)

(2) 수축기 혈압 (SBP) <130 mmHg, 이완기 혈압(DBP) <80 mmHg (심혈관질환 있음)

- 대한당뇨병학회 진료지침(2019), 대한고혈압학회 진료지침(2018)

★ 최근 발표된 외국 진료지침에 따른 당뇨병환자에서의 혈압조절목표치 비교
ACC/AHA 가이드라인(2017)   SBP <130 mmHg, DBP <80 mmHg
ESH/ESC 가이드라인(2018)   SBP <130 mmHg, DBP <80 mmHg
JDS 가이드라인(2016)   SBP <130 mmHg, DBP <80 mmHg
ADA 진료지침(2019)   SBP <140 mmHg, DBP <90 mmHg (10-yr ASCVD risk <15%)
SBP <130 mmHg, DBP <80 mmHg (10-yr ASCVD risk >15%)

2) 치료

: 모든 약제를 일차 약제로 사용할 수 있다

: 미세단백뇨나 단백뇨를 동반한 경우 신기능 보호효과를 고려하여 ACE억제제와 안지오텐신차단제를 우선적으로 권고

: 베타차단제와 티아지드 이뇨제를 병용하는 것은 인슐린 저항성을 증가시킬 수 있으므로 주의

: ACE억제제와 안지오텐신차단제의 병용은 신기능 손상 등이 우려되므로 금지

: SGLT-2 억제제는 혈압 강하 효과가 있어서 고혈압약의 용량 조절을 고려

★ **기립성 저혈압 - 탈수와 이뇨제 등의 다른 원인을 배제한 후 진단**
① 진단기준 : 기립 후 2~5분내 수축기혈압 >20 mmHg 혹은 이완기혈압 >10 mmHg 감소
② 치료 : 반드시 기립시 혈압을 기준으로 하여 혈압조절할 것을 권고
- 탈수와 같은 악화요인을 제거하고 원인약제(이뇨제, 혈관확장제, 신경안정제 등)를 중단
- 취침시 머리 부분을 10~20도 정도 높여서 자고 누웠다 일어설 때는 일단 천천히 앉았다가 일어서도록
- 하지 및 복부를 모두 감싸는 탄력스토킹 착용
- fludrocortisone (아침 0.1 mg/day로 시작, 최대 0.3 mg/day까지) midodrine (2.5 mg tid로 시작, 최대 10 mg tid까지)

2. 이상지질혈증(Dyslipidemia) 관리

1) 최소한 1년에 1회 이상 공복시 혈중지질검사(TC, TG, HDL-C & LDL-C) 시행

2) 1차 치료목표: LDL-C <70 mg/dL (심혈관질환 병력이 있거나 흡연, 고혈, 가족력 중 1개 이상 위험인자)

　　　　　　　 LDL-C <100 mg/dL (그 밖의 경우)

★ **당뇨병환자의 이상지질혈증 1차 치료약제: 스타틴**
- 당뇨병의 전형적인 이상지질혈증은 high TG & low HDL 이지만 심뇌혈관질환의 예방을 위한 1차 치료목표는 LDL-C임
- 2013 미국 심장학회에서는 당뇨병환자의 이상지질혈증 치료시 moderate-intensity 이상의 스타틴 용량 사용을 권고함.

표 8-3-8 콜레스테롤 강하능에 따른 스타틴 분류

High-Intensity Statin	Moderate-Intensity Statin	Low-Intensity Statin
LDL-C↓ ≥ 50%	LDL-C↓ 30% to <50%	LDL-C↓ <50%
Atorvastatin (40') – 80 mg	Atorvastatin 10 (20) mg	Simvastatin 10 mg
Rosuvastatin 20 (40) mg	Rosuvastatin (5) 10 mg	Pravastatin 10~20 mg
	Simvastatin 20–40 mg ‡	Lovastatin 20 mg
	Pravastatin 40 (80) mg	Fluvastatin 20–40 mg
	Lovastatin 40 mg	Pitavastatin 1 mg
	Fluvastatin×L 80 mg	
	Fluvastatin 40 mg bid	
	Pitavastatin 2–4 mg	

3) 2차 치료목표: ① HDL-C >40 mg/dL (남자), >50 mg/dL (여자), ② TG <150 mg/dL

★ **당뇨병환자에서 스타틴 이외의 이상지질혈증 치료제 사용**
- 심한 고중성지방혈증(TG > 500~1,000 mg/dL)의 경우 췌장염을 예방하기 위해 피브린산을 투여함
- High TG & Low HDL-C 환자에서 스타틴+피브린산 병용투여가 심혈관질환의 예방에 도움이 될 수도 있음
- 스타틴만으로 LDL 콜레스테롤이 목표치에 도달하지 못하면 다른 약제를 추가할 수 있음

3. 항혈소판제의 사용; 아스피린(75~162 mg/일)

1) 심뇌혈관질환 병력(+): 2차 예방목적 → 반드시 처방

　아스피린 알러지가 있는 경우: clopidogrel

급성관동맥질환 후 최소 1년간 병합요법: aspirin + clopidogrel

2) 심뇌혈관질환 병력(-): 1차 예방 목적 → 처방권장

남성 >50세, 여성 >60세이면서 위험인자(심혈관질환의 가족력, 고혈압, 흡연, 이상지질혈증,

알부민뇨)가 1개 이상일 때(심혈관질환 10년 위험도 >10%)

3) 심뇌혈관질환 병력(-): 1차 예방 목적 → 처방하지 말 것

남성 <50세, 여성 <60세이면서 위험인자(심혈관질환의 가족력, 고혈압, 흡연, 이상지질혈증,

알부민뇨)가 하나도 없을 때(심혈관질환 10년 위험도 <5%)

★ 각종 시술, 수술 전 항혈소판제 중단
① 출혈이 예상되는 시술 혹은 수술 전 항혈소판제는 1주일간 중단함
② 급성심근경색으로 스텐트 시술 후 1년이 경과하지 않은 경우는 가급적 중단하지 않도록 함
③ 급성뇌경색 발생 후 1년 이내에는 가급적 중단하지 않는 것이 좋음

---

4. 심혈관질환 위험도 평가

1) 심혈관질환 위험도 평가를 위한 risk engine의 사용은 일반적으로 권장되지 않음

2) 무증상의 당뇨병환자에서 관상동맥질환에 대한 일상적인 선별검사는 권장되지 않음

단, 아래와 같은 경우에는 선별검사를 고려함

(1) 전형적 혹은 비전형적 심장 질환 증상 (+)

(2) 안정시 심전도에서 허혈 또는 경색 의심소견 (+)

★ 심뇌혈관질환 위험도 평가를 위한 각종 검사 결과 해석
① 경동맥 내중막두께(carotid intima-media thickness, C-IMT)
  C-IMT >0.9 mm or plaque (+) ; subclinical atherosclerosis
② 맥파전달속도(pulse wave velocity, PWV)
  cfPWV (carotid-femoral PWV) >1,200 cm/s 혹은
  baPWV (brachial-ankle PWV) >1,450 cm/s
③ 발목상완지수(ankle brachial index, ABI) ; 0.9~1.3 정상 >1.3 동맥석회화 의심
  0.7~0.9 mild obstruction 0.4~0.7 moderate obstruction <0.4 severe obstruction
④ 관상동맥 석회화 지수(coronary artery calcium score, CACS) CACS <10 ; 저위험군 CACS ≥ 100 ; 중간위험군
  CACS ≥ 100 ; 고위험군
* 관상동맥 석회화 지수에 대한 warranty period는 4년 → 저위험군이라도 약 4년 후 FU 고려

X. 특수한 상황에서의 당뇨병 관리

1. 수술 전후 혈당 관리

표 8-3-9 수술 규모에 따른 당뇨병환자의 혈당관리

	식사요법	경구약제	인슐린
소수술	수술 전 혈당 측정 if <200 mg/dL→ 유지 if >200 mg/dL→ GIK 수액주입	수술 전 혈당 측정 if <200 mg/dL→ 유지 if >200 mg/dL→ GIK 수액주입 수술 당일 투여중단 수술 후 첫 식사 때까지 중단	수술 전 혈당 측정 if <200 mg/dL→ 유지 if >270 mg/dL→ <200 mg/dL까지 인슐린주입 또는 수술 연기

대수술	표 8-3-10 프로토콜에 맞추어 GIK 수액주입 if >270 mg/dL→ <200 mg/dL까지 인슐린주입 또는 수술 연기	표 8-3-10 프로토콜에 맞추어 GIK 수액주입 if >270 mg/dL→ <200 mg/dL까지 인슐린주입 또는 수술 연기 경구혈당강하제 투여중지	위와 동일

GIK 수액주입 환자는 수술 전, 수술 중(수술시간 >2시간), 수술 후 즉시 혈당을 측정하고 혈당이 안정될 때까지 매 2시간마다 측정. 그 이외의 경우 혈당은 수술 전과 수술 후에 측정

표 8-3-10 포도당-인슐린-칼륨(GIK) 혼합수액 주입 프로토콜

혈장 포도당(mg/dL)	인슐린 용량(단위/L)	
	프로토콜 A	프로토콜 B
<80	10 감량	5 감량
<120	5 감량	3 감량
120-180	변경하지 않음	
>180	5 증량	3 증량
>270	10 증량	5 증량

A. 30 U 속효성 인슐린 + 20 mmol KCl in 1000 mL 10% 포도당, 시간당 100 mL로 주입
B. 15 U 속효성 인슐린 + 20 mmol KCl in 1000 mL 5% 포도당, 시간당 100 mL로 주입

2. 노인 환자에서의 당뇨병 관리

표 8-3-11 65세 이상 노인 환자에서 동반질환 및 건강 정도에 따른 당뇨병 관리목표 개별화

환자분류	당화혈색소 (HbA1c)	공복 혹은 식전혈당 (mg/dL)	취침전 혈당 (mg/dL)	혈압 (mmHg)	이상지질혈증
Healthy	<7.5%	90~130	90~150	<140/80	심뇌혈관질환 1차예방 목적의 스타틴 투여
Complex/intermediate	<8.0%	90~150	100~180	<140/80	심뇌혈관질환 1차예방 목적의 스타틴 투여
Very complex/poor health	<8.5%	100~180	110~200	<150/90	심뇌혈관질환 2차예방 목적에만 스타틴 고려

* Healthy: 동반된 만성질환(관절염, 암, 심부전, 우울증, 폐기종, 고혈압, 만성신질환, 배뇨/배변장애, 심근경색, 뇌경색 등)이 거의 없고 인지기능이 정상인 경우
Complex/intermediate: 동반된 만성질환이 다수이거나 경증~중등도 이상의 인지기능장애가 동반된 경우
Very complex/poor health: 말기만성질환(3~4기 심부전, 중증폐질환, 투석중인 만성신부전, 전이성 암환자 등)이 있거나 중등도~중증의 인지기능장애가 동반된 경우

3. 간기능장애시 혈당관리

1) 간경화 혹은 간세포암

(1) 인슐린저항성 증가 → 식후고혈당

(2) 간에서의 포도당 신생감소 → 공복저혈당

2) 사용가능한 경구약제

(1) 경도 간기능장애: 모든 약제 사용 가능

(2) 중등도 간기능장애: 모든 약제 사용 가능(주의)

(3) 중증 간기능장애: 알파 글루코시다제 억제제, DPP-4 억제제 사용 가능(주의)

3) 심한 간경화 등 중증 간질환시 인슐린치료(Basal–bolus Tx.)가 원칙

단, 공복저혈당 위험도가 높으므로 basal 용량을 줄이고, bolus 위주로 치료

4. 신기능장애시 혈당관리

1) 신기능장애시 저혈당 위험도 증가

(신장에서의 포도당생성감소, 혈당강하약제 배출 혹은 분해감소, 저혈당에 대한 반응 감소)

2) 사용가능한 경구약제

(1) Gliclazide: GFR >30 mL/min/1.73 m^2까지 용량변경 없이 사용 가능

(2) Repaglinide: 용량변경 없이 사용가능(투석시에도 사용가능)

(3) 메트포르민: GFR ≥30 mL/min/1.73 m^2까지 사용가능(30~45에서는 절반 용량으로)

(4) DPP-4 억제제: 약제에 따라 용량변경 (조절 필요없는 약제: Linagliptin, Gemigliptin, Teneligliptin)

(5) 티아졸리딘디온: 체액저류 주의하면서 사용가능

(6) SGLT2 억제제: GFR ≥ 60 mL/min/1.73 m^2까지 사용가능(Empagliflozin은 45~60에서 저용량)

3) 인슐린

(1) 인슐린농도가 높아지거나 작용시간이 길어지는 경향

(2) GFR 10-50 mL/min/1.73 m^2; 25% 감량, GFR <10 mL/min/1.73 m^2; 50% 감량하여 사용

5. 스테로이드 치료 중 혈당관리

1) 고혈당 패턴: 식후고혈당 > 공복 고혈당, 인슐린치료에 대한 감수성 감소

2) 경구약제: 식후고혈당개선 약제 사용

3) 인슐린: rapid acting insulin이 주로 사용되어야 함

4) Steroid-induced diabetes 위험인자: 가족력, 고령, 비만 및 고용량의 스테로이드

6. 경장(정맥)영양치료 중 혈당관리

1) 경장영양치료시

(1) basal insulin 1일 1회 + bolus insulin 매번 feeding 직전

혹은 GIK 수액 + bolus insulin before every feeding

(2) 특히 혈당검사는 공복 및 매번 feeding 후 시행하여 식후 고혈당 여부를 확인하도록

2) 정맥영양치료시

add insulin to TPN bag (act like basal insulin) 혹은 separate insulin infusion

04 저혈당증

✚ 진단과 치료를 위한 핵심사항

- 병력청취: Whipple's triad(혈당치의 감소, 저혈당의 증상, 혈당이 오른 후 저혈당의 증상 소실) 저혈당의 발생원인 확인, 약물 복용력
- 검사실 검사: 혈중 포도당, insulin, c-peptide, cortisol 및 sulfonylurea 농도, 지속적 금식 검사
- 치료: 포도당의 PO 혹은 IV, 원인질환에 따른 치료

I. 정의: Whipple's triad

- 저혈당의 증상
- 측정 혈당치의 감소(혈장혈당 70 mg/dL 미만)
- 혈당 상승 후 저혈당 증상 개선

II. 임상 소견

저혈당의 징후와 증상: 자율신경성(autonomic), 중추신경저혈당성(neuroglycopenic)

1. 자율신경성 증상

1) Adrenergic

두근거림, 진전, 불안: 주로 교감신경계 신경절후 뉴런으로부터의 norepinephrine에 의한 증상

2) Cholinergic

발한, 공복감, 이상감각: 주로 교감신경계 신경절후 뉴런으로부터의 acetylcholine에 의한 증상

2. 중추신경저혈당성 증상

이상행동, 혼란, 경련, 의식소실, 심부정맥, 심하면 사망

III. 원인 및 각 원인별 고려할 점

1. 당뇨병과 연관된 저혈당

1) 의의: 저혈당은 제1형과 제2형 당뇨병에서 모두 적절한 당뇨병 관리를 방해하는 주요 요인임

2) 저혈당 단계별 수준

저혈당 수준	혈당 수준	특징
주의가 필요한 저혈당 (Hypoglycemia alert value)	≤70 mg/dL	탄수화물을 즉시 섭취하거나 약제 종류 및 용량 조절을 시행해야 할 정도로 충분히 의미있게 혈당 수준이 낮음
임상적으로 명백한 저혈당 (Clinically significant hypoglycemia)	<54 mg/dL	저혈당 방어체계의 장애를 유발할 정도의 저혈당, 후속 중증저혈당, 치명적 부정맥, 사망의 위험이 유의미하게 증가
중증저혈당(Severe hypoglycemia)	특정 포도당 역치 수준 없음	저혈당 해결을 위해 제3자의 도움이 필요한 경우

3) 당뇨병 환자에서 저혈당 발생의 고위험군: 이전 중증저혈당의 과거력, 저혈당무감지증, 자율신경병증 동반자, 만성질환 혹은 중증질환 이환자, 고령/청소년 이하의 어린 나이, 저체중, 신기능장애, 인슐린 및 설폰요소제의 사용, 평소 낮은 혈당수준, 긴 당뇨병 유병기간

4) 저혈당 연관 자율신경부전(Hypoglycemia-Associated Autonomic Failure)

(1) 포도당 길항작용 장애: 제1형 당뇨병과 진행된 제2형 당뇨병에서 베타세포 기능부전 및 신호전달 감소로 인해 인슐린에 대한 길항호르몬들의 증가가 일어나지 않음

(2) 저혈당무감지증: 정상인은 혈장 포도당 농도가 대략 70 mg/dL으로 떨어질 때 인슐린의 길항호르몬들이 분비되고 자율신경계가 자극. Neuroglycopenic 증상은 보통 50 mg/dL에서 시작하지만 당뇨병 환자에서 자율신경병증이 있거나 저혈당의 반복적인 경험으로 글루카곤, 에피네프린의 분비 및 자율신경계 반응의 장애가 발생함. 이들은 포도당 농도가 40-50 mg/dL에 이를 때까지 자율신경성의 징후나 증상을 경험하지 못하고 신경저혈당성 증상인 의식 소실이 나타날 수 있음

5) 당뇨병 환자에서 저혈당 예방법

혈당 목표의 개별화, 환자 및 보호자에 대한 저혈당 교육, 혈당강하제의 종류 및 용량 조정, 적극적인 혈당 모니터링

2. 당뇨병과 무관한 저혈당

1) 약제

(1) 종류: 인슐린, sulfonylurea 외 quinine, pentamidine, sulfonamides, salicylates 등

(2) 치료: 약물에 의한 저혈당의 치료(포도당 주사)는 너무 빨리 끝내서는 안 됨. 약제에 의한 저혈당과 의식의 저하가 동반된 저혈당은 수일 동안 재발할 수 있기 때문에 저혈당이 해결된 후에도 주의와 관찰을 요함

2) 알코올

(1) 저혈당의 기전: 간에서의 포도당 신생 억제에 기인하며 글리코겐 저장이 저하된 경우(음식 섭취가

적은 사람)에서 잘 발생

(2) 임상적 특징: 저혈당에 대한 자율신경성 반응이 알코올에 의해 억제되기 때문에 neuroglycopenic 징후 및 증상이 우세함. 특히 인슐린 치료중인 당뇨병 환자에서 알코올 섭취는 저혈당 및 중증저혈당 발생 위험을 높임

(3) 치료: 저혈당의 치료가 지연되면 치명적이므로 즉각적인 진단과 치료가 중요함. 글루카곤 주사는 이미 글리코겐 저장의 결핍이 존재하므로 효과적이지 않음. 그러나, 약제에 의한 저혈당과는 달리 장기간의 포도당 주사는 필요하지 않음

3) 간부전, 신부전, 심부전

(1) 저혈당의 기전: 간은 내인성 포도당 생산의 주된 장기이기 때문에 중증 간부전은 공복저혈당의 원인이 됨. 신장 역시 포도당을 생성하는 장기이며, 신부전 발생시 포도당 생산의 장애, 인슐린 청소율 감소로 인한 혈중 인슐린 농도 증가, 포도당신합성의 전구물질 감소로 인해 저혈당이 발생할 수 있음. 심부전이 있을때의 저혈당의 원인은 아직 명확하지 않으나 식욕 감퇴에 따른 영양 부족과 간으로의 혈류 감소로 인한 간의 포도당신생 저하로 생각됨

(2) 치료: 간부전, 신부전, 심부전시에는 경구혈당강하제의 사용에 주의하고 가급적 인슐린으로 혈당을 조절하며 용량을 환자 상태에 맞게 감량 조절하여 투약함

4) 패혈증

일반적으로 감염은 인슐린저항성과 고혈당과 관련있으나, 패혈증일 때 저혈당이 발생함. 간, 비장, 폐와 같은 macrophage-rich tissue에서 cytokine 생산에 의해 포도당 이용이 증가할 수 있고 글리코겐 결핍 상태에서 간과 신장의 hypoperfusion에 따른 포도당신생의 억제 역시 저혈당을 유발할 수 있음

5) 부신기능부전

(1) 저혈당의 기전: 코티솔은 간의 포도당신생 과정에서 필수적

(2) 진단

① Cosyntropin 자극검사

② 인슐린 내성검사(Insulin tolerance test): 위험성이 높아 거의 시행되지 않음

③ 기타: 24시간 소변 17-hydroxysteroids 또는 free cortisol, urinary cortisol/creatinine increment, metyrapone stimulation test

(3) 치료: 포도당 IV과 함께 6-8시간마다 하이드로코르티손 100 mg IV하고 이후에는 유지 용량을 투여

6) 비 베타세포 종양

(1) 원인 질환: 크기가 큰 중간엽(mesenchymal) 종양(mesotheliomas, fibrosarcoma 등), hepatocellular carcinoma, adrenal carcinoma, GI tumors, lymphoma 등

(2) 저혈당의 기전: 비 베타세포 종양에 의해 불완전한 형태의 insulin like growth factor type II (IGF-II)가 과다하게 분비되기 때문. 혈중 총 IGF-II 농도는 정상이거나 약간만 상승하지만, 유리상태의 IGF-II가 많아져서 인슐린 수용체에 결합함으로써 저혈당이 초래

(3) 치료: 종양에 대한 일차적인 치료가 원칙이며 종양의 완전 제거가 불가능한 상황이라 하더라도 일부 절제가 저혈당 발생 감소에 도움이 될 수 있음. 당질코르티코이드의 치료는 간의 포도당신생을

자극하고 말초 포도당 이용을 억제하므로 간혹 도움이 됨

7) 베타 세포 종양(인슐린종)

(1) 임상소견: 혈당이 서서히 감소하므로 자율신경성 징후나 증상이 종종 없으며 neuroglycopenic 징후나 증상인 시력장애, 일시적인 신경학적 이상, 정신 혼미, 경련, 인격 변화 등을 호소함. 인슐린의 과분비에 따른 만성 고인슐린혈증과 저혈당으로 인한 과다한 열량 섭취와 지방 축적 때문에 체중 증가가 흔함

(2) 진단

① 금식검사: 금식을 하게 되면 정상인에서 포도당과 인슐린 수치는 감소하는 점을 감안하여 검사를 시행함. 환자가 저혈당이 발생할 때까지 금식을 72시간까지 함. 약 2/3의 환자에서 금식 후 첫 24시간 내에 저혈당 증상을 경험하며 구체적인 검사법은 다음과 같음

- 식사를 중지하고 필수적인 약제를 제외한 다른 약제를 중단. 단, 칼로리 또는 카페인이 없는 음료수는 상관없음

- 활동에 제한을 하지 않음

- 6시간마다 혈중 포도당, 인슐린, c-peptide 농도를 측정하고 혈당이 60 mg/dL이하가 되면 채혈 간격을 1-2시간으로 함

- 혈당이 45 mg/dL이하 또는 환자가 저혈당의 증상 및 징후를 호소할 때에는 금식을 중단함

- 금식을 중단할 때 혈중 포도당, 인슐린, c-peptide 농도를 측정하기 위해 채혈. 이어서 glucagon 1 mg 정맥주입한 후, 10분마다 3회 채혈하여 혈장 글루카곤 농도를 측정함

표 8-4-1 금식 검사의 판독

진단	증상	혈당 (mg/dL)	인슐린 (mU/mL)	c-peptide (ng/mL)	전구인슐린 (pmol/L)	혈당변화* (mg/dL)
정상	No	≥40	<3	<0.6	<5	<25
인슐린종	Yes	≤45	≥3	≥0.6	≥5	<25
인슐린 유발성 저혈당	Yes	≤45	≥3	<0.6	<5	≥25
술포닐우레아 유발성 저혈당	Yes	≤45	≥3	≥0.6	≥5	≥25
인슐린 양 성장인자 유발성 저혈당	Yes	≤45	≤3	<0.6	<5	≥25
비인슐린 유도성 저혈당	Yes	≤45	<3	<0.6	<5	<25
금식중의 우연한 섭식	No	≤45	<3	<0.6	<5	≥25
비저혈당	Yes	≥40	<3	<0.6	<5	<25

* 글루카곤 정주에 대한 반응(최고차-최종 금식수치)

② 자극검사: tolbutamide, glucagon, calcium, leucine 등에 의한 자극검사는 많은 위음성과 위양성 때문에 신뢰성이 낮음

③ 프로인슐린 농도: 공복시 혈장 프로인슐린 농도는 인슐린종을 가진 거의 모든 환자에서 상승

④ 수술 전 인슐린종의 위치 파악: 인슐린종은 대개 매우 작음(90%에서 2 cm 미만). CT, MRI로 인슐린종의 70-80%를 발견할 수 있음. 가장 민감한 방법은 내시경적 초음파 또는 수술 시 시행하는 초음파 검사임. 그 외에 간문맥에서의 인슐린 농도 측정, 선택적 동맥내(간동맥, 상간맥, 위십이지장, 비장동맥) 칼슘주입 후 우간정맥에서 분비되는 인슐린의 농도를 측정하는 방법이 있으며 특히, 후자의 방법은 췌장동맥조영술과 함께 시행하면 매우 성공적

(3) 치료: 종양의 수술적 제거가 원칙이며 만약 다발성 종양, islet hyperplasia, 전이성 병변으로 수술로 치료가 되지 않는다면 인슐린 분비를 억제하는 약제가 도움이 됨. Diazoxide (100 mg, 1일 3-4회 PO투여)가 가장 효과적이며 phenytoin, chlorpromazine, propranolol, verapamil 등도 가끔 사용됨. 전이성 췌도세포 암의 경우에는 streptozotocin이 선택 약

8) 기타 원인들

(1) 인슐린 자가항체: 인슐린 자가항체가 존재하여 많은 양의 내인성 인슐린에 결합하고 있다가 부적절한 시간에 유리 상태의 인슐린이 방출됨으로써 저혈당이 발생함. 그레이브스 병, 류마티스 관절염, SLE의 환자에서 보고됨

(2) 인슐린 수용체 자가항체: 드문 경우로 인슐린저항성과 흑색가시세포증(acanthosis nigricans)을 나타내는 환자(보통 여성)에서 발생. 인슐린 수용체에 대한 자가 항체는 인슐린 작용의 첫 단계인 인슐린 결합을 억제하여 인슐린저항성을 유발하나, 극히 일부에서는 특정한 상황에서 인슐린과 같은 작용을 나타내어 저혈당을 유발

IV. 저혈당 환자의 치료

1. 치료 목표

낮은 혈당을 즉시 감지하고 원인을 감별한 후 적절히 치료하여 저혈당 관련 증상과 손상을 최소한으로 줄임

2. 저혈당 발생시 대처방법

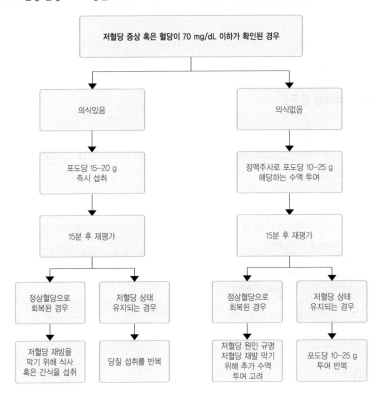

저혈당 증상 혹은 혈당이 70 mg/dL 이하가 확인된 경우

의식있음
- 포도당 15-20 g 즉시 섭취
- 15분 후 재평가
  - 정상혈당으로 회복된 경우 → 저혈당 재방을 막기 위해 식사 혹은 간식을 섭취
  - 저혈당 상태 유지되는 경우 → 당질 섭취를 반복

의식없음
- 정맥주사로 포도당 10-25 g 해당하는 수액 투여
- 15분 후 재평가
  - 정상혈당으로 회복된 경우 → 저혈당 원인 규명 저혈당 재발 막기 위해 추가 수액 투여 고려
  - 저혈당 상태 유지되는 경우 → 포도당 10-25 g 투여 반복

Ⅰ. Cushing 증후군

1. 정의

부신피질에서 과도한 스테로이드 생성(내인성) 또는 지속적인 글루코코르티코이드 투여(외인성)로 인한 다양한 임상소견

2. 원인

내인성 Cushing 증후군은 뇌하수체(70-80%), 부신(10-20%), 이소성(10%)의 3가지 질환으로 구분됨

표 8-5-1 Cushing 증후군의 원인

1. ACTH 의존성
   1) ACTH 분비 뇌하수체 종양(Cushing 병)
   2) 이소성 ACTH 분비 종양(이소성 ACTH 증후군)
      소세포폐암, 전장(foregut) 기원의 내분비 종양(thymic carcinoma, islet cell tumor, medullary carcinoma of thyroid, bronchial carcinoid), 갈색세포종, 난소종양
2. ACTH 비의존성
   부신 선종, 부신 암종, 미세결절성 부신 질환, 인위적 글루코코르티코이드 투여

3. 임상소견

흔한 소견은 체중 증가 및 중심성 비만(90%), 월상안(moon face, 75%), 고혈압(75%), 포도당 불내인성(glucose intolerance, 65%), 다혈성 얼굴(plethoric facies, 60%), 자색 선조(65%), 조모증(65%), 월경 불순(60%), 근위부 근력 약화(60%), 자색반(bruising, 40%), 골다공증(40%)이며, 드물게 정신 이상(mental changes), 과다 색소 침착, 여드름, 저칼륨혈증성 알칼리혈증 등이 나타남

4. 진단

1) 선별검사

(1) 1 mg overnight dexamethasone suppression test (DST)
   ① 검사법
   - 오후 11-12시에 dexamethasone, 1 mg PO
   - 다음날 오전 8-9시에 혈청 코르티솔 측정
   ② 판정: 다음날 오전 8시 혈장 코르티솔 농도가 1.8 μg/dL (50 nmol/L) 이하가 정상
(2) 소변 유리 코르티솔(urine free cortisol, UFC) 배설량

① 검사법

24시간 소변으로 측정하며 소변 양, 크레아티닌을 동시에 측정하여 검체의 적절성을 확인

② 판정

- 정상치가 기관별(검사 방법)로 다르고 한번 검사로는 부정확(X3번 측정)
- 기관별 정상치의 3배를 넘으면 Cushing 증후군 의심
- 정상 범위는 아니지만, 3배를 넘지 않으면 physiologic hypercortisolism 의심되므로 수주 후에 다시 재검

(3) midnight 혈장 코르티솔

정상인에서는 혈장 코르티솔은 오전 6-8시에 가장 높고 점점 감소하다가 오후 10-12시에 가장 낮아 아침 측정치의 50-80% 이하로 감소되는데 Cushing 증후군 환자에서는 이런 리듬이 소실됨

① 검사법

- Indwelling needle을 사용하여 채취함
- 검사 전 및 검사 동안에 누운 자세로 안정을 취함
- 오후 10시에서 자정사이에 코르티솔을 측정

② 판정: >5.0 μg/dL (130 nmol/L) : Cushing 증후군 강력히 시사

2) 확진검사

(1) low dose DST (2 day)

① 방법: dexamethasone 0.5 mg p.o. q 6 hrs for 2 days (예; 9:00 am 시작, 사정에 따라서 새벽 6시에 시작할 수도 있음. 검사 시작전에 24시간 UFC 측정을 위한 24시간 소변을 모으고, 약제 투여 2일째 UFC 측정을 위한 24시간 소변을 모음)

② 판정: 마지막 dexamethasone 투여 후 6시간 혈청 코르티솔(9:00 am) ≥ 1.8 μg/dL이면 쿠싱 증후군 진단

③ 정상: UFC <10 μg/day or 기저치의 50% 이상 억제

3) 감별진단검사

(1) High dose DST

① 검사법

- 기저: UFC 측정 위한 24시간 소변 모음(day 1 & day 2)
- Day 1: 24hr urine collection for UFC (예; 6:00 am에 시작)
- Day 2: 24hr urine collection for UFC (예; 6:00 am에 시작) (제1일과 2일의 평균값을 기저치로 함)
- Day 3: dexamethasone 2 mg q 6 hrs p.o.(예; 6:00 am에 시작)
- Day 4: dexamethasone 2 mg q 6 hrs p.o. & 24hr urine collection for UFC
- Day 5: 소변 수집이 끝난 직후(예; 6:00 am)에 혈중 코르티솔, ACTH 측정

② 판정

- 정상반응: Day 4 UFC <5 μg/day, Day 5 6:00 am 혈청 코르티솔 & ACTH 측정범위 아래 (undetectable)
- Cushing 병: 기저치에 비해 Day 4 소변이 UFC 90% 이상 억제, Day 5 혈청 코르티솔이 기저

치에 비해 50% 이상 억제 또는 <5 μg/dL

(2) 혈장 ACTH: 안정상태에서 오전 8시에 측정

- ACTH 의존적 (<5 pg/mL)
- ACTH 비의존적 (>15 pg/mL)
- Pituitary microadenoma (30-150 pg/mL)
- Ectopic ACTH syndrome (>200 pg/mL)

(3) CRH 자극 검사

① 검사법: 채혈하기 1시간 전에 미리 catheter 삽관하고 안정시킴. 8:00 am에 CRH 100 μg IV후 -5, -1, 15, 30, 45분에 코르티솔, ACTH 측정

② 판정: Cushing 병의 경우에는,

- 기저 평균치에 비해 45, 60분의 코르티솔 >20% 증가
- 기저 평균치에 비해 15, 30분의 ACTH >40% 증가

(4) 8 mg Overnight DST

① 검사법: 밤 11시에 dexamethasone 8 mg p.o.하고 다음날 8:00 am 코르티솔 측정

② 판정: Cushing 병의 경우, 기저치보다 50% 이상 억제(대개 <5 μg/dL)

(5) IPSS (Inferior petrosal sinus sampling) test

① 검사법: catheter를 inferior petrosal sinus (central) 및 말초 정맥에 삽관하고 안정시킴. CRH 100 μg IV 후 -5, -1, 3, 5, 10분에 ACTH 측정

② 판정: CRH 주사 전 central/peripheral ACTH ratio >2, CRH 주사 후 central/peripheral ACTH ratio >3이면 Cushing병

4) 위치선정을 위한 검사법

(1) Cushing 병

① Sella MRI가 필수적인데 뇌하수체 미세선종 중 40-50%가 발견

② 생화학적 검사가 반드시 동반되어야 함

(2) 부신 Cushing 증후군

① 부신 CT: 가장 좋음

② 부신 MRI

- 일부 경우에서 CT에 보조적이나 작은 부신 병변인 경우 민감도가 높지 않음
- T2-weighted image로 부신 암종과 선종을 감별하여 수술 결정에 도움이 될 수 있음

(3) 이소성 Cushing 증후군: 90% 이상이 흉부에 위치, 소세포폐암과 기관지 카르시노이드가 가장 많음

① 흉부 X-선: 기관지의 소세포폐암 환자의 50%에서 병변 발견, ② 흉부 CT, 복부 CT

5. 치료

1) 경접형골동 선종 제거술

미세선종의 관해율은 75-90%. 수술 후 저코르티솔혈증이 생길수 있으므로 코르티솔을 보충해 주면서 점차적으로 줄여나가야 함

2) 뇌하수체 방사선 조사

수술을 할 수 없거나 실패한 경우 고코르티솔혈증을 치료하기 위해서 할 수 있음. 어린이나 젊을수록 효과가 좋음. 어른의 경우 2년 안에 관해되는 확률이 50-60%. 방사선 조사 기간 중에는 고코르티솔혈증을 치료하기 위해서 내과적 치료가 병행되어야 함

3) 양측 부신 절제술

수술 후 지속되는 고코르티솔혈증이 있는 경우 대체할 수 있는 방법. 빠르게 혈중 코르티솔을 낮출 수 있음. 부신절제술을 시행한 후 Nelson 증후군이 발생할 수 있으므로 코르티솔을 보충해 주어야 함

4) 내과적 치료

방사선 조사하는 중에 보충적으로 시행할 수 있음. Ketoconazole (1,600 mg), metyrapone (2 g), aminoglutethimide (2 g), mifepristone, etomidate, mitotane과 같은 약제들을 써볼 수 있으며 특히 ketoconazole은 antifungal agent로 다른 약제들과 마찬가지로 glucocorticoid biosynthesis를 억제할 뿐 아니라 ACTH 분비도 억제

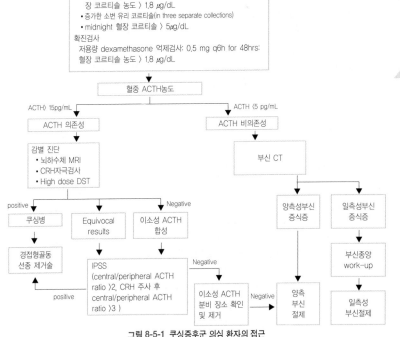

그림 8-5-1 쿠싱증후군 의심 환자의 접근

II. 알도스테론증

1. 원발성 고알도스테론혈증: 알도스테론↑, 레닌↓

1) 개요

(1) 혈액량 부족 → 레닌, 안지오텐진 II ↑ → 알도스테론 ↑ → 나트륨, 수분 저류

(2) 칼륨, ACTH: 혈액량 변화와 상관없이 독립적으로 알도스테론 자극

(3) 칼륨 ↑ → 알도스테론 ↑ → 신장 칼륨 배출

2) 원인

- 부신 알도스테론 분비 선종(aldosterone producing adenoma, APA): 40%
- 양측성(미세 결절성) 부신 증식증(bilateral adrenal hyperplasia, BAH): 60%
- Glucocorticoid-remediable (Dexamethasone suppressible) hyperaldosteronism < 1%
- 부신 알도스테론 분비 암종

3) 임상소견

고혈압(이완기 혈압 >100 mmHg), 저칼륨혈증, 포도당 불내인성(50%), 경증의 대사성 알칼리혈증, 경증의 저마그네슘혈증이 있을 수 있으나 특징적으로 부종은 없음

4) 진단

(1) 검사 전에 고혈압약을 모두 중단하는 것은 실제 임상에서 불가능

(2) 저칼륨혈증은 반드시 교정 후에 검사

(3) Spironolactone 같은 mineralocorticoid receptor antagonists들은 최소 4주 전에 중단

(4) 베타차단제는 위양성 결과를, 안지오텐신전환효소억제제/안지오텐신수용체차단제는 위음성결과를 유발가능(mild case의 경우에 해당되며, 검사결과가 애매하게 나왔을 때 2주 정도 중단 고려)

알도스테론-레닌 비에 영향을 주는 고혈압 약제

약제	레닌에 미치는 영향	알도스테론에 미치는 영향	알도스테론-레닌 비에 미치는 영향
베타차단제	↓	↑	↑
알파차단제	→	→	→
안지오텐신전환효소억제제	↑	↓	↓
안지오텐신수용체차단제	↑	↓	↓
칼슘차단제	→	→	→
이뇨제	(↑)	(↑)	→/(↓)

(5) 선별검사

① 혈중 칼륨농도 : 저칼륨혈증과 고혈압을 동반할 경우 알도스테론증 의심

② 알도스테론(ng/dL) / 레닌활성도(ng/mL/hr) 비

- 원발성 고알도스테론증 : 알도스테론(ng/dL) / 레닌활성도(ng/ml/hr) 비 >300이면서 알도스테론 >15 ng/dL (또는 20 ng/L)

(6) 확진 및 감별진단검사 검사

① 생리식염액 부하검사(saline loading test)

- 방법: normal saline 2 L for 4 hrs (500 mL/hr) IV 전 & 후(0 & 4 hrs) 혈청 알도스테론 농도 측정
- 판정: 4시간 혈청 알도스테론 농도 >10 ng/dL (정상 <5 ng/dL)

② 기립검사

- 방법: 8:00 am 기저 알도스테론, 레닌활성도 측정 후 기립한 상태로 12:00 md 같은 항목 측정
- 판정
  - 부신선종: 12:00 md 혈장 알도스테론이 8:00 am 수치에 비해 감소
  - 부신증식증: 12:00 md 혈장 알도스테론이 8:00 am 수치에 비해 증가

③ 18-hydroxy corticosterone : 부신선종 >100 ng/dL

(7) Adrenal CT and MRI

여러 부신 종양 확인 시 CT가 MRI 보다 우수

(8) 부신 방사성 동위원소 스캔(iodocholesterol 또는 NP59 이용)

- 7일간 dexamethasone 0.5 mg bid 투여 후 실시
  - 비대칭 섭취 → 부신 알도스테론분비 선종(APA)
  - 양측 모두 섭취 → 양측성 부신 증식증(BAH)

(9) 선택적 부신정맥도자법

① 부신선종과 부신증식증 감별에 가장 정확한 방법, >40세, 한쪽 부위 부신종괴가 있고 수술 계획시 시행

② Catheterization의 성공여부: 부신정맥/하대정맥 코르티솔 비 (cortisol ratio)가 3배 이상, ACTH infusion을 했을 경우 10배 이상이어야 함

③ 양측 부신정맥 및 하대정맥에서 알도스테론, 코르티솔을 동시에 측정하여 알도스테론/코르티솔비가 한쪽에서 2배 이상 상승(ACTH infusion시 4배)하면 부신선종, 비슷하면 부신증식증

(10) Dexamethasone 억제 검사: 고혈압의 가족력, 청소년기에서 BAH가 있을 경우 glucocorticoid-remediable hyperaldosteroism을 고려함. 혈압, 칼륨을 측정하면서 4주간 dexamethasone 2 mg qd 또는 prednisone 5 mg bid 투여한 후 혈장 레닌 활성도와 알도스테론을 다시 측정. 치료 21-28일 이내에 ACTH-의존성 생화학적 이상(저칼륨혈증, 저레닌혈증)이 소실

5) 치료

(1) 부신 알도스테론분비 선종(APA): 수술적 제거하며 수술 전 반드시 칼륨을 보충

(2) 양측성 부신 증식증(BAH): 약물치료(spironolactone, amiloride)

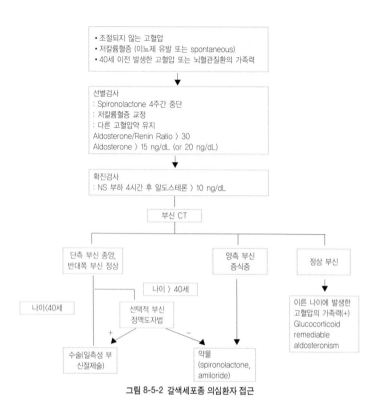

그림 8-5-2 갈색세포종 의심환자 접근

2. 이차성 고알도스테론혈증: 알도스테론↑, 레닌↑

신혈관성고혈압, 대동맥협착증, 이뇨제 사용, 레닌분비종양, 중증 심부전

3. 저알도스테론혈증

1) Hyporeninemic hypoaldosteronism

대개 경증-중등도의 신기능 저하(특히 당뇨병성 신장병증)와 관련

(1) 진단

① 기저 혈장 레닌 활성도와 알도스테론 측정

② 2시간 보행 및 이뇨제 검사(기저 혈장 레닌 활성도와 알도스테론 측정 후 60 mg furosemide 복용) 후 혈장 레닌 활성도, 알도스테론의 무반응

(2) 치료

① 고혈압이 동반 → furosemide 치료

② (기립성) 저혈압 동반 → 저용량 fludrocortisone (0.05 mg daily로 시작)

2) **Addison's disease:** 저알도스테론혈증의 가장 흔한 원인

3) **알도스테론 합성을 억제하는 약제:** heparin, cyclosporine, 칼슘통로차단제

III. 갈색세포종

1. 개요

1) 고혈압 환자의 0.1%, 평균 진단 나이 40대

2) 부신 이외 기관: 흉부(<2%), 경부(0.1%)

3) Rule of 10s: 10% 양측성, 10% 부신외 위치, 10% 악성, 10% 가족성, 10% 어린이에 발생, 10% 고혈압 없음

2. 임상소견

1) 지속성 또는 발작성 고혈압, 기립성 저혈압

2) Classic triad-(발작성) 두통, 심계항진, 발한

3) 심전도: 카테콜라민 심근염/심근병증, 좌심실 비대, 허혈성 변화

3. 선별검사

1) 연관된 증상이 있는 증증 지속성 혹은 발작성 고혈압이 있는 모든 환자

2) MEN2, von Hippel-Lindau syndrome, hereditary neurofibromatosis의 가족력

3) 출산, 마취, 방사선학적 검사 중 고혈압이 있었던 환자

4) 카테콜라민과 메타네프린 증가시킬 수 있는 약제 확인: Sympathomimetics, Tricyclic antidepressants

4. 생화학적 진단

소변 혹은 혈장에서 fractionated 카테콜라민과 fractionated 메타네프린의 증가를 확인
(여러 검사 방법의 정상 상한선보다 3배 이상 상승하면 갈색세포종일 가능성이 높음)
갈색세포종이 흔치는 않기 때문에, 경계로 애매한 결과가 나오는 경우 false-positive결과일 가능성이 높음

1) 선별 검사

(1) 24시간 요중 total metanephrine(metanephrine + normetanephrine) >1.3 mg/day (>2.3이면 확실) (normetanephrine >900 μg/d 혹은 metanephrine >400 μg/d)

(2) 24시간 요중 VMA >7 mg/day

(3) 24시간 요중 epinephrine+norepinephrine이 150-200 μg 이상이고 대부분의 경우 250 μg 이상

(4) Fractionated plasma free metanephrine가장 민감도(sensitivity)가 높은 검사이며 정맥천자 등의 스트레스 조건에서 위양성으로 나타남. 따라서 검사결과가 음성으로 나왔을 때 갈색세포종을 진단에서 배제(rule out)하는데 유용함

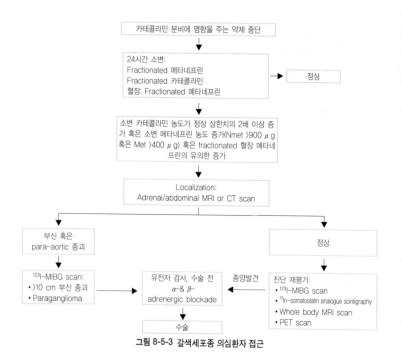

그림 8-5-3 갈색세포종 의심환자 접근

5. 방사선학적 진단

1) CT, MRI: 민감도 및 특이도는 유사하나, extra-adrenal pheochromocytoma 진단은 MRI가 더 우수

2) 123 I-MIBG (metaiodobenzylguanidine): 스캔생화학적 검사에 이상이 있으면서 애매한 CT, MRI 소견일 경우 시행하며 metastatic, recurrent, extra-adrenal pheochromocytoma 진단에 유용

6. 치료

1) 수술 전 준비 및 약물치료

(1) α-차단제 1-4주간 비가역성, 비경쟁적 α-차단제인 phenoxybenzamine 투여

① 치료목표: 혈압조절(<160/90 mmHg), 발작성 고혈압 방지, 부정빈맥 억제(PVC <5/min)

② 용법: 5 mg bid → 1-4일마다 10 mg씩 증량 → 보통 30-80 mg/d까지(최대 50-100 mg bid)

③ α 1- 선택적 차단제인 doxazocin (2-8 mg/d) 또는 prazocin (0.5-16 mg/d)도 사용할 수 있음

(2) β-차단제: α-차단제 만으로 혈압이나 부정빈맥이 덜 조절될 경우 추가한다(단독 혹은 먼저 쓰면 안됨)

① 비선택적 β-차단제: propranolol 10-40 mg qid

② β 1-선택적 차단제: atenolol 50-100 mg/d, metoprolol 50-20 mg/d

(3) 심한 고혈압 발작시

① Nitroprusside IV

② Phentolamine (비선택적 $\alpha 1/\alpha 2$-차단제) IV (1-2 mg bolus)

③ 빈맥이 동반될 때는 α/β-차단제 : labetalol 5 mg IV

④ 칼슘차단제: nifedipine 10 mg 설하 투여

(4) 투여 금기 약물

Opiates, naloxone, histamine, ACTH, saralasin, glucagon, indirect sympathomimetic amines (phenylpropanolamine or tyramine), 삼환계 항우울제, cocaine, guanethidine, 도파민 길항 제 (metoclopramide, sulpiride)

2) 수술 중 및 수술 후 관리

(1) 저혈압: 생리식염수로 혈액량 보충, 이후 필요하면 norepinephrine IV

(2) 고혈압: nitroprusside, phentolamine IV, nifedipine 설하투여

(3) 저혈당: 포도당(5% D/W 또는 D/S) IV

(4) 코르티솔 분비 저하: 수술 후 확인 필요

(4) 수술 후 1-2주 후 소변 catecholamine 측정: 잔여 종양 발견

(5) 매년 생화학 검사 시행(평생 검사 요함)

IV. 부신피질기능저하증

1. 원인

1) 부신의 원발성 질환: 스테로이드 분비 피질 90% 이상 파괴(Addison's disease)

2) 시상하부-뇌하수체의 병변으로 CRH, ACTH의 결핍

3) 외인성, 내인성 글루코코르티코이드로 인한 시상하부-뇌하수체-부신(HPA) 축의 장기간 억제

표 8-5-2 글루코르티코이드 결핍의 원인

1. 원발성: ACTH-비의존성 원인

1) 결핵

2) 원인불명의 부신위축(자가면역성 부신염): 선진국에서 가장 흔한 원인 단독 혹은 다른, autoimmune polyglandular syndrome (APS)과 같이 발생(1, 2형)

3) 기타 드문 원인: 진균 감염, 부신 출혈, 전이성 종양, 사르코이드증, 아밀로이드증, adrenoleukodystrophy, adrenomyeloneuropathy, HIV 감염, 선천성 부신증식증, 약제(ketoconazole, O,P'-DDD)

2. 이차성: ACTH-의존성 원인

1) 시상하부-뇌하수체-부신 축의 억제
외인성(글루코코르티코이드, ACTH), 내인성(Cushing 증후군 치료 후)

2) 시상하부-뇌하수체의 병변
종양(원발성 뇌하수체 종양, 전이성 종양), 산후출혈(Sheehan 증후군), 두개인종, 감염(결핵, 방선균증(Actinomycosis), 노카이다 증(Nocardiosis)), 사르코이드증, 머리외상, 단독 ACTH 결핍증

2. 증상 및 징후

1) 만성의 경우

(1) 쇠약감, 저혈당, 식욕부진, 체중감소, 위장관 불쾌감

(2) 원발성 부신 질환: mineralocorticoid 분비 조직의 소실로 나트륨 소실, 고칼륨혈증, ACTH분비 증가로 피부색소 침착

(3) 이차성 부신 저하증: LH, FSH, TSH, GH의 결핍으로 저성선증, 갑상선기능저하증 증상이 동반될 수 있으며 원발성과 감별점은 고칼륨혈증 및 피부색소침착이 없다는 점

2) 급성의 경우(급성부신위기)

만성 부신저하증에서 감염, 외상, 수술에 의해 유발. 고열, 탈수, 구역, 저혈압, 쇼크 등의 임상소견

3. 진단

1) 선별검사

(1) 혈중 코르티솔: 8:00-9:00에 서로 다른 날 2-3회 측정

① 혈중 코르티솔 ≤3 μ/dL : strong evidence of cortisol deficiency

② 혈중 코르티솔 ≥19 μg/dL : cortisol sufficiency

③ 혈중 코르티솔 >3 & <19 μg/dL : 추가 검사 필요

(2) 급속 ACTH 자극검사(rapid ACTH stimulation test) : 일차성, 이차성 부신부전의 감별

① 방법: cosyntropin 250 μg IV 후 혈중 코르티솔과 알도스테론 30, 60, 90분에 측정 (식사나 시간에 무관하게 검사 가능)

② 판정: 정상 - 혈중 코르티솔 >18 μg/dL

(3) 일차성과 이차성 부신피질기능저하증 감별

① High ACTH, High renin, low aldosterone: 일차성

② Low-normal ACTH, normal renin, normal aldosterone: 이차성

(4) 부신피질호르몬 치료를 받는 환자에서는 hydrocortisone은 검사 시행 전 최소한 8시간은 중단해야 함. 하지만 다른 부신피질 호르몬인 prednisone, dexamethasone은 코르티솔의 특이분석법에 영향을 주지 않음

4. 치료

1) 만성 부신 저하증

(1) 원발성 부신 저하증: glucocorticoid, mineralocorticoid 둘 다 보충

- hydrocortisone 40 mg은 100 ug fludrocortisone equivalent

- hydrocortisone 50 mg 이하로 용량이 떨어지면 fludrocortisone을 추가

① Glucocorticoid 보충: hydrocortisone이 가장 많이 쓰이며 15-25 mg/d 투여(2/3는 아침에 1/3은 저녁에 투여), prednisolone, dexamethasone은 작용시간이 길어 hydrocortisone을 선호

② Mineralocorticoid 보충

- 먼저 혈액량, 나트륨이 보충된 뒤 fludrocortisone (Florinef) 0.1 mg 하루 한번 투여
- 혈압, 칼륨 농도를 기준으로 용량 변화

③ 다른 질환이나 스트레스 동반 시

- 호흡기감염, 발치 등 경증질환: 동반질환이 해결될 때까지 glucocorticoid 용량 두배로 조절
- Major stress시: 최대 용량은 hydrocortisone 150-300 mg/d
- Elective major surgery시: 수술 전날 밤에 hydrocortisone 100 mg IV, 이후 100 mg q 8 hrs (수술 후 안정될 때까지), 3-5일에 거쳐 이전의 용량으로 빠르게 감량

(2) 이차성 부신 저하증

Glucocorticoid 보충 치료는 원발성 부신 저하증과 동일하나 mineralocorticoid 보충이 필요하지 않음. 스테로이드 복용으로 인한 이차성 부신 저하증은 대개 시상하부-뇌하수체-부신 축의 기능이 회복되며, 수일에서 수개월이 소요

2) 급성 부신성 위기

① Hydrocortisone 100 mg을 6-8시간마다 IV함. 또는 100 mg을 IV한 후 5% 포도당 용액이나 생리식염수에 섞어서 시간당 10 mg을 연속적으로 IV함. 그 다음 날부터는 환자 상태에 따라 점차 감량

② 회복기 동안 hydrocortisone을 매일 1/3씩 감량하며 5일 내 유지용량에 도달하도록 감량. 환자가 먹을 수 있게 되면 경구용 hydrocortisone으로 바꾸어 점차 감량

표 8-5-3 급성 부신성 위기 또는 수술 시의 스테로이드 투여 원칙

	Hydrocortisone (정맥주사)	Hydrocortisone (지속정주)	Hydrocortisone (경구투여)	
			8AM	4 PM
수술 당일 혹은 부신성 위기	100 mg iv q 6-8 hour	10 mg/hr		
1 병일	40-60 mg iv q 8 hour	5-7.5 mg/hr		
2 병일	20-40 mg iv q 8 hour	2.5-5 mg/hr		
3 병일	20-40 mg iv q 8 hour	2.5-5 mg/hr	40 mg	20 mg
4 병일	20-40 mg iv q 8 hour	2.5-5 mg/hr	40 mg	20 mg
5 병일			40 mg	20 mg
6 병일			20 mg	20 mg
7 병일			20 mg	10 mg

Prednisone의 biological activity는 Hydrocortisone의 4배이다(hydrocortisone 20 mg = prednisone 5 mg).

표 8-5-4 흔히 사용하는 스테로이드 제제의 특징

	반감기(시간)	동등 용량(mg)	역가 비교	
			glucocorticoid	mineralocorticoid
Short-acting	8-12			
Hydrocortisone		20	1	1
Fludrocortisone			10-15	200
Intermediate-acting	12-36			

	반감기(시간)	동등 용량(mg)	역가 비교	
			glucocorticoid	mineralocorticoid
Deflazacort		6	3.5	−
Prednisolone		5	4	0.25
Methylprednisolone		4	5	<0.01
Triamcinolone		4	5	<0.01
Long-acting	>48			
Dexamethasone		0.75	30~40	<0.01

V. 부신우연종(Adrenal incidentaloma)

1. 개요

1) 일반인구의 2%에서 부신우연종이 있음

2) 우연종의 60-85%: 비기능성, 부신 악성 종양 가능성 2%

3) 부신외 악성 종양 과거력이 있는 경우에는 부신우연종이 전이성 병변일 가능성 25%

세침흡인 세포검사를 하여 조직학적 진단 필요(단 갈색세포종이 아님을 확인한 후)

4) 원발성 부신 종양에서 양성과 악성을 구별하기 위한 세침흡인 세포검사는 유용하지 않음

2. 진단

기능성 종양인지, 악성인지를 감별하는 것이 중요

1) 악성을 시사하는 소견

(1) 크기 >4 cm

(2) 조영 전 high CT density >20 HU (Hounsfield units)

(3) 지연세척 (<40%)

(4) 불균일성, 불규칙한 가장자리

※ A lipid-rich mass(<10 HU) is diagnostic of a benign cortical adenoma.

◈ 부신우연종(Adrenal incidentaloma)

1. 선별검사

 1) Cushing증후군

  (1) 24hr UFC

  (2) 1 mg 하룻밤 덱사메타손 억제검사(DST)

 2) 원발성알도스테론증

  (1) 혈중 칼륨농도

  (2) 혈장알도스테론/혈장레닌활성도 비(PAC/PRA)

 3) 갈색세포종

  (1) 24시간 요중 metanephrine+normetanephrine

  (2) 24시간 요중 VMA

  (3) 24시간 요중 epinephrine+norepinephrine

 4) 부신암

  (1) 혈장 17-hydroxyprogesterone

  (2) DHEA-S

2. 추적검사: 6-12개월 후 재검

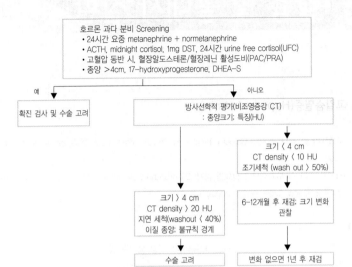

그림 8-5-4 부신 우연종 의심환자 접근

I. 고칼슘혈증(Hypercalcemia)

** 시행해야 할 검사: ionized Calcium, intact PTH, 25 (OH) Vitamin D3, CBC, electrolyte, Creatinine, albumin

** PTH가 증가 시 추가적으로 필요한 검사: 24 hr urine Calcium, phosphorus, creatinine, BMD, parathyroid scan (MIBI), neck sonography

1. 원인

1) 부갑상선기능항진증 (가장 흔한 원인, 90% 이상) : 선종, 증식증, 암
2) 악성 종양
3) 가족성 저칼슘뇨증성 고칼슘혈증 등

2. 고칼슘혈증의 임상양상 및 감별진단

1) 중추신경계

무력감, 피로, 나른함, 식욕부진, 우울증, 혼란감이 나타나며 심할 경우 의식의 혼탁과 혼수까지 진행. 인지능력의 장애가 보통 나타나며 특히 노인에서 심함

2) 심혈관계

고혈압, 서맥, 비특이적 부정맥(QT 간격의 감소), 디기탈리스에 대한 감수성 증가가 나타남. 혈류량이 부족하면 저혈압이 나타날 수 있음

3) 신장

신장의 농축능력이 감소하여 다뇨증과 다음이 나타남. 사구체 여과율이 감소하고 신석회증, 신석증이 발생할 수 있음. 기저질환에 따라 요중 칼슘이 낮거나 혹은 증가할 수 있음. 만성적으로 고칼슘혈증이 지속될 경우 신석회증, 신석증이 잘 생김

4) 위장관 오심, 구토, 식욕감퇴가 흔하며 역류성식도염의 증상이 보일 수 있음. 드물게 급성췌장염이 나타날 수 있음

표 8-6-1 고칼슘혈증의 원인

고칼슘혈증의 원인

부갑상선 의존성 고칼슘혈증

일차성 부갑상선기능항진증(90% 이상), 삼차성 부갑상선기능항진증, 가족성 저칼슘뇨증 고칼슘혈증, 리튬, 칼슘감지수용체에 대한 자가항체

부갑상선 비의존성 고칼슘혈증

악성종양: PTHrP 의존성, 기타 humoral syndrome, 국소적 골파괴 질환(골전이 포함)

PTHrP 과다 (비종양성)

비타민 D 과다 작용

갑상선중독증, 부신기능부전, 신부전

Immobilization

Jansen Metaphyseal Chondrodysplasia

약제: 비타민A 중독증, 밀크-알칼리 증후군, Thiazide, Theophylline

출처: Williams Textbook of Endocrinology 13th edition

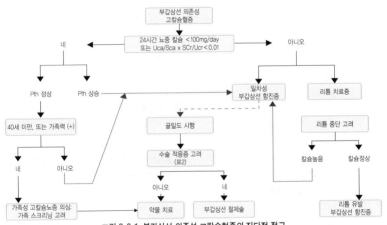

그림 8-6-1 부갑상선 의존성 고칼슘혈증의 진단적 접근

출처: Williams Textbook of Endocrinology 13th edition

표 8-6-2 무증상 일차부갑상선기능항진증의 수술적응증

혈청 칼슘(정상치 초과)	>1 mg/dL
신장	크레아티닌여과율 <60 mL/min, 24 시간 소변 칼슘 >400 mg/일 생화학적 결석분석에 의한 증가된 결석위험도 신장석회증 혹은 신장결석증(X-ray, US 혹은 CT에 의한 진단)
골격계	DXA 측정 결과 골밀도T값 <−2.5 (척추, 대퇴골, 말단 요골), 척추골절(X-ray, CT, MRI 혹은 VFA에 의한 진단)
나이	<50

출처: Harrison's Principle of Internal Medicine 20th edition.

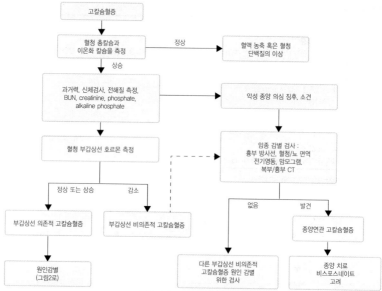

그림 8-6-2 고칼슘혈증의 원인감별

3. 치료 원칙

1) 탈수 및 전해질이상 교정(저칼륨혈증이 흔히 동반), 고칼슘혈증을 악화시킬 수 있는 약제의 중단 (비타민 D, 비타민 A, 여성호르몬, antiestrogens, thiazide), 칼슘섭취 제한

2) 디기탈리스투여의 중단 혹은 용량 감소

3) 기저질환 치료

표 8-6-3 고칼슘혈증의 치료

약제	표준 용량	빈도
수액공급	등장 식염수로 하루동안 2–4L, IV	1–5일 동안 지속
푸로세미드	수액 공급 후 20–40 mg IV	하루 1–2번
파미드로네이트	2–4시간에 걸쳐 60–90 mg IV	1번
졸레드로네이트	15–30분에 걸쳐 4 mg IV	1번
데노수맙	60 mg SC	1주마다
칼시토닌	4–8 IU/kg SC	하루 1–2번
gallium nitrate	24시간 동안 200 mg/m2 IV	5일 동안
글루코코르티코이드	히드로코티손 200–300 mg IV 프레드니손 40–60 mg PO	하루 1번, 3–5일 하루 1번, 3–5일
투석	신부전 환자에서 고려	

IV: intravenous, SC: Subcutaneous, PO: per oral

출처: Williams Textbook of Endocrinology 13th edition

4) 약제

(1) 뼈에서 칼슘 흡수를 억제하거나 혹은 뼈로 칼슘을 저장하는 약제: Bisphosphonate, Denosumab, Calcitonin, Gallium nitrate (Ganite), Phosphate (po: 1,000-1,500 mg, IV:1,000 mg)

(2) 소변으로의 칼슘 배설을 촉진하는 약제: Loop diuretics

(3) 장에서 칼슘 흡수를 억제하는 약제: 스테로이드(prednisone 30-60 mg/d), ketoconazole (1,25(OH)$_2$D↓)

5) 혈액투석 혹은 복막투석: 심한 신부전이나 심부전이 있거나 악성 고칼슘혈증이 존재할 경우

4. 일차부갑상선기능항진증

- 부갑상선호르몬의 과다분비에 의한 칼슘과 인 및 골대사에 영향을 주는 전신적 질환
- 고칼슘혈증, 저인산혈증, 반복적인 신석증, 소화궤양, 골소실 소견 보임
- 최근 건강검진 등을 통한 칼슘의 선별검사로 인하여 증상이 경미하거나 무증상일 때 진단이 많아짐

1) 원인

단일 선종(80%), 부갑상선증식(15%), 부갑상선암(1%), 다발내분비종양증후군(MEN)

2) 무증상 부갑상선기능항진증

(1) 반수 이상의 환자가 무증상, 경미하거나 간헐적인 고칼슘혈증

(2) 일부의 환자에서는 피로감, 무력감, 식욕부진, 경한 우울증 혹은 약한 신경근육 장애

3) 증상 및 징후: 칼슘 농도 증가의 속도에 따라 증상이 현저해짐

(1) 식욕부진, 오심, 변비, 다음 및 다뇨

(2) 저인산혈증: 세뇨관의 인재흡수가 감소

(3) 경한 저마그네슘혈증: 마그네슘의 세뇨관재흡수는 억제 및 마그네슘 배설증가

(4) 대사성 산증(드묾)

(5) 무력감, 피로감, 드물게 근병증, 우울증, 불안감 및 인지장애, 혼수

(6) 신석증(calcium oxalate, calcium phosphate)

4) 치료

(1) 심한 고칼슘혈증을 보일 경우(15-18 mg/dL) 수술적 치료가 필수(수술적응증 표 8-6-2)

(2) 무증상인 50세 미만의 환자에서 정기적인 추적관찰 시행

표 8-6-4 무증상 일차부갑상선항진증 환자 추적검사

혈청 칼슘	1년에 한번
신장기능	eGFR, 매년; 혈청 크레아티닌, 매년; 신장결석 의심 시 24시간 생화학적 결석 프로필, X-ray, US 혹은 CT에 의한 신장영상검사
골밀도	1~2년에 1회(요추, 대퇴골, 원위부 1/3 요골) 요통과 신장감소가 있을 경우 VFA*

*VFA: Vertebral Fracture Assessment
출처: Harrison's Principles of Internal Medicine 20th edition.

(3) 수술을 할 수 없는 환자에서 고려해 볼 수 있는 약제: calcimimetics (cinacalcet)

부갑상선세포의 칼슘수용체에 작용하여 세포외체액의 칼슘에 대한 반응을 증가시켜 부갑상선호르몬의 분비를 억제

5. 악성종양에 의한 고칼슘혈증

- 병원 내 고칼슘혈증의 가장 흔한 원인
- 폐편평세포암, 유방암, 신세포암, 방광암, 다발성골수종, 임파종에서 흔함

II. 저칼슘혈증(Hypocalcemia)

1. 원인

표 8-6-5 저칼슘혈증의 원인

저칼슘혈증의 원인
부갑상선 의존성: 저칼슘혈증 부갑상선의 부재, 혹은 부갑상선 호르몬의 부재.
유전성
수술 후 부갑상선저하증
침윤병(infiltrative disorders): 철혈색소증, 윌슨병, 종양전이
방사선요오드 치료 후 부갑상선기능저하증
PTH 분비 저하: 저마그네슘혈증, 호흡성 알칼리증, 칼슘수용체의 변이
표적장기 resistance: 저마그네슘혈증, 거짓부갑상선저하증(1형, 2형)
비타민 D 관련굴
비타민 D 저하: 식이 부족, 흡수 저하
비타민 D 손실: 항전간제
25 hydroxylation 저하: 간질환, Isoniazid, CYP2R1 변이
1a–hydroxlation 저하: 신부전
비타민 D 부족 구루병, 1형
종양유발골연화증
표적장기저항성: 비타민D 부족 구루병, Phenytoin

2. 증상

1) 손가락과 발가락, 입 주위 저림, 자발 또는 잠재테타니, 후두협착음(laryngeal stridor), 경련(convulsion)

2) 징후

(1) Chvostek sign: 귀 앞 안면 신경에 자극을 가하면 안면 근육이 수축함

(2) Trousseau sign: 상완에 혈압계를 수축기 혈압보다 높게 유지하면 2-3분 뒤 손에 경련이 생기는 현상

3) 심전도 변화: QT 간격 증가, 부정맥

3. 진단

1) 혈청 부갑상선호르몬, 크레아티닌, BUN, 25 (OH) vit-D, 1,25 (OH)2 vit-D, 인, 마그네슘

2) 부갑상선호르몬에 대한 뇨 cAMP 반응

표 8-6-6 저칼슘혈증에서의 검사실 소견

	PTH	Ca	P	Mg	25 (OH) VitD	1,25 (OH) VitD	Cr
부갑상선기능저하증	↓	↓	↑	N	N	N / ↓	N
칼슘감지수용체 변이	N / ↓	↓	↑	N	N	N	N
저마그네슘혈증	N / ↓	↓	N	↓	N	N	N
부갑상선호르몬 내성	↑	↓	↑	N	N	N	N
비타민D부족	↑	↓ / N	↓ / N	N	↓	N / ↑	N
만성신부전	↑	↓	↑	↑ / N	N / ↓	↓	↑

표 8-6-7 가성부갑상선기능저하증의 종류

병명	PTH에 대한 소변 CAMP의 반응	PTH에 대한 소변 PO₄의 반응	AHO	다른 호르몬의 내성
PHP-1a	↓	+	+	+
PPHP		+	+	−
PHP-1b	↓	−	−	드뭄
PHP-1c	N	−	+	+
PHP-2			드뭄	

PHP : Pseudohypoparathyroidism , PPHP : Pseudo-pseudohypoparathyroidism, AHO : Albright hereditary osteodystrophy

4. 치료

1) 급성의 경우(혈청칼슘 <7.6mg/dL): 응급!!

(1) 칼슘 정주

① 저칼슘혈증의 증상이 있는 경우 10% calcium gluconate (10 mg of elemental Ca/mL)
10-20mL를 50-100 ml의 5 DW에 섞어 10-20분 간에 걸쳐서 천천히 정주, 이후 elemental
calcium 2-3 mg/kg을 생리식염수(또는 5% DW)에 섞어서 4시간에 걸쳐서 정주하되 혈청칼슘
을 자주 측정

예) 60 kg인 경우, 120-180 mg of calcium = 10-20 mL of 10% calcium gluconate

　10% calcium gluconate 100 ml를 (10 vial) 1 L의 생리식염수(또는 5% DW)에 섞어 시간당

　50-100 ml으로 투여

② 심한 경우 시간당 10-15 mg elemental calcium/kg로 정주(수시간 동안)

(2) 마그네슘 결핍 시 Mg 50 mEq/일 정주(5일간) (경구 마그네슘도 같이 시작)

(3) 급성 저칼슘혈증이 해결되면 경구로 비타민D와 칼슘을 투여. 혈청 칼슘 8.0-8.5 mg/dL 유지함

2) 만성의 경우

(1) 하루 1,000-2,000 mg 칼슘(elemental calcium) 복용

　(혈청인이 상승되어 있을 시 낙농제품 섭취 제한)

(2) 하루 평균 50,000 IU VitD₂ 혹은 하루 calcitriol 0.5-1 μg

(3) 마그네슘결핍 시 함께 보충

(4) 치료 목표치: 증상이 없을 정도의 최소 칼슘농도(8-8.5 mg/dL), 치료 도중 고칼슘뇨증에 의해서 신

결석이 생길 수 있으므로 24시간 소변 칼슘과 신기능검사를 정기적으로 해야 함. 24시간 소변 칼슘이 증가(>4 mg/kg)되어 있는 경우 thiazide를 투여(25-100 mg/day)

표 8-6-8 칼슘 제제

칼슘	Elemental calcium (%)	칼슘 함유량(mg/g)	원내 보유 약
경구			
Ca carbonate	40	400	씨씨본 (500 mg, E 200 mg)
Ca phosphate	39	383	
Ca acetate	25	253	
Ca citrate	21	210	포스바인(710 mg, E 150 mg)
Ca lactate	13	130	
Ca gluconate	9	93	
Ca glubionate	7	64	
주사			
Ca chloride	36	360	
Ca gluconate	9	90	글루콘산(100 mg/ml, E 9 mg/ml)

Ca: Calcium, E : elemental calcium

표 8-6-9 비타민 D 제제

약제	용량	VitD$_3$와 비교한 상대적 효능	원내보유약
경구			
비타민 D3 (cholecalciferol)	7,000 IU	1	디맥
비타민 D2 (ergocalciferol)		1	
Alfacalcidol (1-hydroxyvitaminD3)	0.5 ug	1,000	원알파
Calcitriol (1,25-dihydroxyvitaminD3)	0.25 ug	1,000	칼시오
주사			
비타민 D3 (cholecalciferol)	200,000 UI/1 ml	1	비오엔
Calcitriol (1,25-dihydroxyvitaminD3)	1 ug/ml	1,000	본키

표 8-6-10 칼슘, 비타민 D 복합제

약제	성분
디카맥스디	Ca carbonate 250 mg (E 100 mg) + Cholecalciferol 1,000 IU
디카맥스	Ca carbonate 1,250 mg (E 500 mg) + Cholecalciferol 1,000 IU
하드칼츄어블	Ca carbonate 1,500 mg (E 600 mg) + Cholecalciferol 400 IU
카비드츄어블	Ca carbonate 1,250 mg (E 500 mg) + Cholecalciferol 400 IU
애드칼	Ca lactate 272 mg (E 35 mg), Ca gluconate 240mg (E 22 mg), Ca carbonate 240 mg(E 96 mg) (총 153 mg) + Ergocalciferol 100 IU

E: elemental calcium

5. 일차부갑상선기능저하증(Primary hypoparathyroidism)

1) 원인

부갑상선호르몬 분비의 영구적, 일시적 결핍, 부갑상선호르몬 작용의 결핍

2) 임상소견: 저칼슘혈증 참고

3) 진단

(1) 정상 신기능에서 혈청 칼슘 감소, 인의 증가

(2) PTH의 감소: 확진

4) 치료: 저칼슘혈증 참고

III. 골다공증

1. 골다공증의 정의(WHO criteria)

- 이중에너지 방사선 측정법 (DXA)이 표준검사로 인정
- 요추 1-4번의 평균치와 대퇴골 전체 혹은 대퇴골 경부 골밀도를 기준으로 가장 낮게 측정된 부위를 기준으로 진단

* 퇴행성 변화로 T값이 주위 요추와 1 표준편차 이상 차이가 나면 그 부위 배제 후 나머지 연속된 두 부위 이상의 평균값으로 측정

표 8-6-11 골다공증의 진단(WHO 권고 기준)

정상	T값 ≥−1.0
골감소증(low bone mass 혹은 osteopenia) 혹은	
골밀도저하 (low bone mineral density)	2.5 <T값 <−1.0
골다공증(osteoporosis)	T값 ≤−2.5
중증 골다공증(severe or established osteoporosis)	T값 ≤−2.5 + 골다공증 골절

*소아, 청소년, 폐경전여성, 50세 미만의 남성: T값 대신 Z값을 사용

Z값이 -2.0 이하이면 '연령 기대치 이하(below the expected range for age)'로 정의

이차골다공증 감별 위한 검사 필요

2. 골밀도측정

1) 측정 방법 및 부위

(1) 이중에너지 방사선측정법(dual-energy x-ray absorptiometry, DXA)

: 요추, 대퇴골근위부, 요골 및 척골, 전신, 종골, 수지골

(2) 정량적 컴퓨터 단층 촬영(quantitative computed tomography, QCT)

: 신체의 모든 부위(주로 척추체)

(3) 단일 방사선 혹은 광자 흡수계측법

(single-energy x-ray or photon absorptiometry, SXA, SPA): 종골, 요골 및 척골

(4) 초음파(QUS, broadband ultrasound attenuation, BUA): 종골, 경골

2) 골밀도측정의 적응증

표 8-6-12 골밀도측정의 적응증

6개월 이상 무월경인 폐경전 여성	영상의학검사에서 척추골절이나 골다공증이 의심될 때
골다공증 위험 요인*이 있는 폐경 이행기 여성	이차성 골다공증이 의심될 때
폐경후여성	골다공증 약물치료를 시작할 때
골다공증 위험요인*이 있는 70세 미만 남성	골다공증
70세 이상 남성	치료를 받거나 중단한 모든 환자의 경과추적
골다공증골절의 과거력	

출처: 대한골대사학회 권고안

*골다공증 위험 요인

(1) 골소실을 초래할 수 있는 질환이 있는 경우: 이차성 무월경증(anorexia, bulimia, excessive exercise), 영양소 흡수 장애(nontropical sprue), 일차성 부갑상선기능항진증, 갑상선기능항진증, 만성 신부전증

(2) 골소실을 일으키는 수술을 받은 경우: 위 혹은 장 수술, 난소절제, 장기이식

(3) 골소실의 증가를 동반하는 약물투여: 부신피질호르몬, cyclosporine A, heparin 혹은 coumadin, 갑상선호르몬, GnRH 길항제

(4) 원인 불명의 비외상성 골절이 발생한 경우

3) 골절의 예측(FRAX calculation tool): (참조: http://www.sheff.ac.uk/FRAX)

10년 내 주요골다공증골절 및 고관절골절 발생의 확률 계산

4) 골다공증 치료의 적응증(미국 NOF 권고안)

(1) 골밀도 T값 ≤-2.5

(2) 골밀도 T값이 골다공증 범위에 있지 않더라도 골절이 발생하였거나 다수의 위험요인을 가지고 있는 폐경 후 여성

(3) 치료의 기왕력이 없고 골밀도 T값이 골감소증에 해당하는 폐경후여성 혹은 50세 이상의 남성에서 10년내 대퇴골골절 위험도가 3%, 주요골다공증 골절위험도가 20%보다 높을 경우

3. 골교체의 생화학적 표지자(Biochemical markers of bone remodeling)

표 8-6-13 골표지자

골흡수 표지자	소변	pyridinoline (free or bound)
		deoxypyridinoline (free or bound) : pyridinoline보다 더 특이적
		N-telopeptide of type I collagen (NTX)
		C-telopeptide of type I collagen (CTX)
	혈청	N-telopeptide of type I collagen (NTX)
		C-telopeptide of type I collagen (CTX)
골형성 표지자	혈청	Bone-specific alkaline phosphatase (BSAP)
		Osteocalcin
		Procollagen type I carboxyterminal propeptide (PICP)
		Procollagen type I aminoterminal propeptide (PINP)

1) 골표지자 측정의 의미

(1) 골소실, 골절위험도 예측

골 표지자의 상승(high bone turnover markers)은 골밀도와 무관하게 골소실과 골절위험도를 예측

(2) 골다공증 치료제 반응 평가

골표지자 측정은 재현성이 낮아(특히, 소변검사) 임상에서의 이용이 제한적이지만 골다공증 치료제의 반응 여부의 조기 평가에 유용하게 이용

① 골흡수 표지자는 투여 후 3-6개월, 골형성 표지자는 투여 후 6개월에 측정하여 투여 전과 비교

② 혈청 표지자 30% 이상, 혹은 소변 표지자 50% 이상 감소하면 유의미한 변화

4. 골다공증의 예방

1) 소아 및 청소년기의 최대골량 극대화

충분한 칼슘 섭취(소아 800-1,000 mg/일, 청소년 1,200 mg/일), 운동, 지나친 체중 감소 금지, 금연, 성호르몬 결핍 치료

2) 골소실의 예방

(1) 남성과 폐경 전 여성

칼슘 권장량 1,000 mg/일, 비타민 D 권장량 200-400 IU/일, 운동(weight bearing, muscle strengthening), 금연, 과다 음주 금지

(2) 50세 이상 남성과 폐경 후 여성

칼슘 권장량 800-1,000 mg/일, 비타민 D 권장량 800 IU/일, 운동, 골밀도가 낮거나 골다공증 발생 위험인자가 있을 경우 골흡수억제제 사용

3) 폐경기 후 여성에서 골소실 예방을 위한 약물

(1) 에스트로겐

(2) raloxifen: 60 mg/일

① SERM (Selective Estrogen Receptor Modulator)

② 자궁내막과 유방조직에 대한 영향이 없음

③ 폐경기증상을 완화시키지 못하고 홍조 유발 가능성 있음

④ 프로게스테론의 병합 투여가 필요 없음

⑤ 질위축을 호전시키지 못함, 총콜레스테롤과 저밀도지단백 콜레스테롤 감소

(3) alendronate : 5 mg/일

5. 골다공증의 치료 약물

1) 골흡수억제제

(1) 에스트로겐

① 장기간의 투여로 골 밀도 증가 및 골절 발생 감소

② 폐경기 증상 완화

③ 지질 상태 호전: HDL-C 증가, LDL-C 감소, 총 콜레스테롤 감소

④ 유방암과 심혈관계 질환에 대한 문제점 부각(WHI 연구 결과)

⑤ 고중성지방혈증, 간질환, 담낭질환, 흡수장애가 있는 경우 경피적 투여

⑥ 에스트로겐 제제들(FDA 공인): conjugated estrogen 0.625 mg, esterified estrogen 0.3 mg, estradiol patch 0.05 mg, estropipate 0.625 mg, micronized estradiol 0.5 mg

⑦ 부작용

유방 자극(유방통, 유방 크기 증가), 에스트로겐 단독투여 시 자궁내막증식, 주기적인 프로게스테론 병하투여 시 생리재발, 심부 정맥혈전 위험도 증가, 혈청 중성지방 증가

⑧ 투여 금기 사항

진단이 불확실한 질출혈, 에스트로겐과 연관된 악성종양, 급성 활동성 간질환, 중증의 고중성지방혈증, 심부 정맥혈전의 과거력

⑨ 자궁내막증식 방지를 위한 프로게스테론 추가(자궁 적출 후에는 불필요)

: 주기적(10-14일/월), 지속적

⑩ 프로게스테론

- micronized progesterone: 100 mg 하루 2회, 한달에 12일간 사용, Vaginal gel은 12일 이상 6회 주입

- medroxyprogesterone acetate: 5-10 mg (매월 12-14일), 매일 2.5-5 mg

- norethindrone acetate: 5 mg (매월 12-14일), 매일 1 mg

  * 유의 사항 : Woman's Health Initiative (WHI) (2002년) 결과에 따라 현재 에스트로겐 치료는 일차적으로 폐경기증상의 치료에만 적응이 되고, 치료목적이 골다공증의 예방이나 치료인 경우에는 에스트로겐 이외의 다른 약제를 사용하도록 권고

(2) SERM제제

① raloxifene: 60 mg/일, bazedoxifene: 20 mg/일

② 심부정맥혈전 발생의 위험이 있으므로 수술 전 투여 중단

(3) 비스포스포네이트

- 복용법

① 아침 기상 후 공복 시 200 ml의 물과 함께 복용, 아침 식사 전까지 눕지 않아야 함

② 복용 후 적어도 30분 후에 식사, 음료수 혹은 다른 약제를 복용하여야 함

- 부작용 및 금기

① 식도 및 위점막미란 혹은 궤양, 근골격계 둔통, 안구조직 염증

② 금기: 활동성 상부위장관질환, 식도협착 및 정맥류, achalasia, 신기능저하(Ccr < 30 ml/min)

표 8-6-14 비스포스포네이트제제 국내 적응증

제제	용량/용법	폐경후 골다공증 예방	폐경후 골다공증 치료	GIO 예방	GIO 치료	남성 골다 공증	비고
경구제제							
Alendronate	5 mg/day (Alend)	●	●		●	●	
	10 mg/day (Alend)		●		●	●	
	70 mg/week (Alendronate)		●			●	시럽제 가능
	5 mg+calcitriol 0.5 ug/day (Maxmarvil)		●		●	●	장용정 가능
	70 mg+cholecalciferol 2,800 IU /week		●			●	
	70 mg+cholecalciferol 5,600 IU /week (FosamaxPlusD)		●			●	
Risedronate	5 mg/day	●	●	●	●		
	35 mg/week (Actonel EC)		●			●	장용정 가능
	Two 75 mg consecutively/month		●				
	150 mg/month (Actonel)		●				
	35 mg + cholecalciferol 5,600 IU/week (Risenex plus)		●			●	
	150 mg + cholecalciferol 30,000 IU/month		●				
Ibandronate	150 mg/month		●				
	150 mg+cholecalciferol 24,000 IU/month (Bonviva Plus)		●				
주사제제							
Ibandronate	3 mg/3 months		●				15~30초간 정맥주사
Pamidronate	30 mg/3 months		●				생리식염수 500 ml에 혼합 하여 2시간 이상 정맥주사
Zolendronate	5 mg/year	●	●	●	●	●	15분 이상 정맥주사

GIO: 당류글루코코이드유발 골다공증(glucocorticoid-induced osteoporosis)

(4) calcitonin

① salmon calcitonin: 비강분무: 200 IU (한번 분무)/일, 피하주사:50-100 IU, 3-7회/주

② 진통효과, ③ 구역, 안면 홍조 등의 부작용(피하주사: 더 흔함)

(5) denosumab

① 항RANKL 단세포항체로서 골흡수억제제

② 투여 방법: 60 mg을 6개월 간격으로 상지, 허벅지, 복부에 피하주사

③ 부작용: 습진, 장내 가스 팽만, 연조직염, 저칼슘혈증

2) 골형성촉진제

(1) 부갑상선호르몬

① PTH 1-34 (teriparatide)(FDA 공인, 미주지역에서 사용), PTH 1-84(유럽에서 사용)

② 20 μg/일 피하주사, 24개월까지 투여 후 다른 약제로 대체

(2) PTHrP (abaloparatide)

    80 ug/일, teriparatide와 같이 24개월 간 투여, PTH보다 우월한 효과

(3) romosozumab: 사람 sclerostin 항체, 210 mg/월

(4) Cathepsin K 억제제(odanacadib)

(5) 기타: testosterone, strontium ranelate, sodium fluoride, growth hormone

    * (3), (4), (5) - FDA 비공인 약제

6. 당류코르티코이드유발 골다공증(gslucocorticoid−induced osteoporosis, GIO)

1) 특징

(1) 장기간 스테로이드 투여받은 환자의 30-50%에서 발생

(2) 해면골 소실이 피질골보다 빠름

(3) 첫 6-12개월 동안 최대 골소실이 일어남

2) 임상적 진단 및 검사

약제 복용의 과거력, 척추와 대퇴골의 골밀도 측정, 흉추 및 요추의 방사선검사, 24시간 뇨검사(칼슘, 크레아티닌, 나트륨), 혈청 25(OH) vit D

3) 치료

(1) 치료 원칙

    ① 운동, 식이 조절, 금연, 금주 등의 비약물적 치료

    ② 하루 2.5 mg 이상의 프레드니솔론을 3개월 이상 복용중인 모든 성인은 칼슘과 비타민 D 복용

    ③ 충분량의 칼슘(1,000-1,200 mg)과 비타민 D (800 IU)를 섭취하고, 적절한 비타민D 농도(20 ng/mL)를 유지

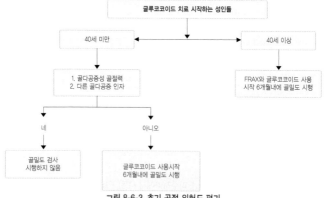

그림 8-6-3 초기 골절 위험도 평가

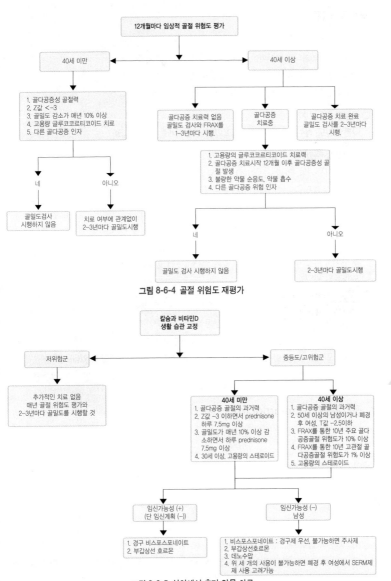

그림 8-6-4 골절 위험도 재평가

그림 8-6-5 성인에서 초기 약물 치료

출처: 한국인 당류코르티코이드유발 골다공증 진료지침

7. 남성 골다공증

1) 임상적 특징

(1) 흔한 원인: 과다한 부신피질호르몬 투여, 성선기능장애, 음주

(2) 골다공증으로 인한 고관절골절의 평균 연령은 80세 정도

(3) 골다공증에 의한 골절 환자의 2/3에서 대사성 골질환 발견

2) 골절의 위험 인자

낮은 골밀도, 척추 골절의 과거력, 골절의 과거력, 저체중 및 체중 감소

3) 골 밀도를 측정하여야 할 경우

(1) 골절의 과거력, (2) 방사선학적으로 골 결핍이나 척추 변형이 있을 경우

(3) 골 소실 혹은 골절의 위험 인자가 있는 경우

4) 임상 검사

(1) 혈청 칼슘, 인, 알부민, 크레아티닌, 간기능

(2) 빈혈검사, 혈청단백질전기영동 (고령의 환자에서 다발성 골수종의 감별 진단)

(3) 24시간 칼슘, 크레아티닌 뇨배설, 혈청 25(OH) vit D, 혈청 유리테스토스테론

5) 치료

(1) 충분한 비타민 D (400-800 IU/일)와 칼슘 (1,200 mg/일) 섭취

(2) 골소실의 위험인자 제거(흡연, 음주, 운동 부족)

(3) 고환기능저하증에 동반된 경우에는 테스토스테론 보충

(4) 비스포스포네이트, 칼시토닌(제형마다 남성 골다공증 허가사항이 다를 수 있음)

Ⅳ. 골연화증(Osteomalacia)

1. 정의

골의 무기질 침착에 결함이 생기는 것

2. 원인

1) 비타민 D 장애

(1) 비타민 D 섭취부족, 비타민 D 흡수장애

(2) 비타민 D 대사장애: 간질환, 약물유발, 제1형 비타민 D 의존성 구룻병(HVDDR1), 만성 신부전증, 갑상선 기능저하증

(3) 말초 비타민 D 저항성: 제2형 비타민 D 의존성 구룻병(HVDDR2)

2) 인의 대사장애

(1) 신세뇨관 인 재흡수 장애: X-연관 저인산혈증 구룻병/골연화증, 고칼슘뇨증을 동반한 유전성 저인
산혈증 구룻병(HHRH), 상염색체 우성 저인산혈증 구룻병(ADHR), X-연관 열성 저인산혈증성 구룻
병, 종양 유발성 골연화증

(2) Fanconi 증후군

3) 대사성 산증

4) 원발성 골기질장애

표 8-6-15 골연화증의 검사실 소견

P	Ca	ALP	PTH	25-hydroxyVitD	1,25-dihydroxyVitD
비타민D 부족	↓/N	↓/N	↑	↑	↓↓	N/↓/↑
소변에서 P wasting	↓↓	N	N/↑	N	N	N
proximal RTA	↓	N	N	N	N	N
저인산증	N	N	↓	N	N	N
osteogenesis imperfecta, axial osteomalacia	N	N	N/↑	N	N	N

3. 임상소견

Pseudofracture (Milkman's fracture), 골밀도 감소, 근력약화, 근육통, 사지변형 및 골절

4. 진단

1) 방사선 검사: pelvis, vertebrae, chest PA, rib series

(1) Looser's zone: pseudofracture라고 부르며 장골의 몸체에 있음

(2) periosteal resorption, biconcave collapsed vertebrae, triangular pelvis

2) 생화학적 검사: 크레아티닌, 전해질(Ca, P, Mg), PTH, 소변칼슘, 인의 배설률, alkaline phosphatase, 비타민 D [25(OH)D]

3) 골밀도 검사

5. 치료

1) 비타민 D 장애

비타민 D와 칼슘을 같이 투여해야 하며 원인에 따라서 치료해야 함

(1) 비타민 D 800 IU/일 (심한 경우에는 3-12주간 주당 50,000 IU를 투여)

(2) 비타민 D analogue: 1α-hydroxylation에 장애가 있는 경우에 사용.

dihydrotachysterol (DHT) 0.2-1.0 mg/일

calcitriol(1,25(OH) 2 D3) 0.25-0.5 μg/일

1α-hydroxy vitamin D2 2.5-5 μg/일

비타민 D는 반감기가 긺: 중독증이 생기지 않도록 주의

2) 인의 대사장애

(1) 경증 저인산혈증(1.5-2.5 mg/dL): 경구 인산염 750-2,000 mg/일

(2) 중증 저인산혈증(< 2 mg/dL): 인산염주사(neutral mixtures of sodium and potassium salts)

Ⅴ. 저인산혈증

1. 원인

표 8-6-16 저인산혈증의 원인

1. 신세뇨관 인산염재흡수 저하
1) PTH/PTHrP 의존
(1) 일차부갑상선기능항진증
(2) 이차부갑상선기능항진증
(3) 종양유발 PTHrP의존고칼슘혈증
(4) 가족성 저칼슘뇨 고칼슘혈증
2) PTH/PTHrP 비의존
(1) FGF23 혹은 기타 phosphatonin 과다
(2) 신장질환: Fanconi 증후군, 시스틴증, 윌슨병, NaPi 2a or NaPi 2c 변이
(3) 기타 질환: 조절되지 않는 당뇨병, 알코올중독, 고알도스테론증, 저마그네슘혈증, 아밀로이드증, 용혈성요독증후군, 신장이식 혹은 간부분절제, 고체온
(4) 약제 혹은 독소
2. 소장의 인산염 흡수장애
1) 알루미늄함유 제산제, 2) sevalamer
3. 세포내로 인산염의 이동
4. 순골형성의 가속화
부갑상선절제, 비타민D 결핍, 파제트병 치료, 골모세포전이

출처: Harrison's Principles of Internal Medicine 20th edition

2. 임상소견

1) 대부분 무증상

2) 식욕부진, 근육약화, 골연화증의 증상

3) 신경근육증상(진행뇌병증, 발작, 혼수, 사망)

4) 급성 알코올중독 시 횡문근융해로 인한 근육약화(혈청 인산염 < 1 mg/dL)

5) 용혈빈혈, 적혈구의 산소해리 감소, 백혈구 및 혈소판 기능이상

3. 진단

1) 24시간 소변 인산염 또는 $FEPO_4$ (fractional excretion of filtered phosphate) 측정

2) 24시간 소변 인산염 < 100 mg 또는 $FEPO_4 < 5\%$: 인산염배설 저하

인산염의 재분포(급성 호흡알칼리증, 포도당 또는 인슐린 투여)

소장흡수 감소(지방변, 제산제, niacin)

3) 24시간 소변 인산염≥100 mg 또는 FEPO$_4$≥5%: 인산염배설 증가

부갑상선기능항진증, 비타민D 결핍 등

* FEPO$_4$ = [UPO4 x PCr x 100] ÷ [PPO4 x UCr]

4) 혈청인 수치가 2 mg/dL (0.64 mmol/L) 미만일 경우 증상이 나타남

5) 종양유발골연화증: 혈청 1,25 (OH) $_2$D 수치가 매우 낮음

4. 치료

1) 혈청인 수치가 2.0 mg/dL 미만인 무증상 환자: 경구 인산염 투여

2) 증상이 있는 환자: 저인산혈증의 중증도에 따라 치료

  (1) 1.0-1.9 mg/dL (0.32-0.63 mmol/L): 인산염 경구투여

  (2) 1.0 mg/dL (0.32 mmol/L) 미만: 인산염 정맥주사

    혈청 인산염 치가 1.5 mg/dL (0.48 mmol/L) 이상 증가 시 경구투여로 변경

3) 혈청인 수치가 2.0 mg/dL (0.64 mmol/L) 이상:

  지속적인 뇨손실이 없는 경우 인산염 보충을 중지

4) 경구용량 결정: 인산나트륨과 인산칼륨의 혼합제 사용, 하루 3-4회 나누어 복용

  (1) 1.5 mg/dL (0.48 mmol/L) 이상: 1 mmol/kg (최저 40 mmol, 최고 80 mmol)

  (2) 1.5 mg/dL (0.48 mmol/L) 미만: 1.3~1.4 mmol/kg (최대 100 mmol)

5) 주사용량 결정: 주로 인산나트륨 투여, 초기 용량 0.2-0.8 mmol/kg (6시간 주입)

  (1) 적응증

    ① 증상을 나타내는 중증 저인산혈증

    ② 인산염을 복용하지 못하는 경우

  (2) 부작용

    ① 칼슘과 함께 침전물 형성(혈청칼슘×혈청인 수치 >50: 이소석회화 위험성 증가)

    ② 칼슘과 결합하여 저칼슘혈증을 유발

    ③ 칼슘·인 침전물에 의한 신기능저하

    ④ 부정맥

  (3) 투여 시 고려하여야 할 문제점

    ① 신장기능: 50% 감량(혈청크레아티닌 >2.5 mg/dL)

    ② 비경구적 포도당 투여가 동시에 시행되고 있는지 여부

    ③ 인산결핍의 중증도

    ④ 저인산혈증의 신경근육증상, 심호흡계 혹은 혈액부작용 유무

    ⑤ 혈청칼슘 수치 (투여 전 저칼슘혈증 교정, 고칼슘혈증 시 50% 감량)

    ⑥ 혈청 칼슘 및 인 수치를 매 6-12시간 간격으로 측정

    ⑦ 혈청인 수치가 2.5 mg/dL (0.8 mmol/L)보다 더 높을 때까지 투여

표 8-6-17 저인산혈증의 주사치료(70 kg 기준)

혈청인 mmol/L (mg/dl)	주입속도 (mmol/시간)	기간 (시간)	투여총량 (mmol/L)
<0.8 (<2.5)	2	6	12
<0.5 (<1.5)	4	6	24
<0.03 (<1)	8	6	48

출처 Harrison's Principles of Internal Medicine 20th edition

(4) XLH, ADHR, TIO, 신세뇨관질환

① 경구인산염 분복

② 칼슘 및 비타민D보조제

- 신장에서 1,25 (OH) 2D 합성이 억제된 상태를 보상
- 세포외액 내 칼슘치 저하에 의한 이차부갑상선기능항진증 예방

③ Thiazide 이뇨제: 신장석회증(nephrocalcinosis) 예방

④ TIO: 원인종양 진단 및 제거, octreotide

⑤ 뇨인산염손실: dipyridamole (75 mg, 하루 4회 복용)

Ⅰ. 이상지질혈증

1. 지단백(lipoprotein)

콜레스테롤, 중성지방, 지용성 비타민을 운반하기 위해 지질과 단백질이 결합된 복합체

1) 구조

중심부에는 cholesteryl ester와 중성지방으로 구성된 hydrophobic lipid가 있고 이를 혈액에 존재할 수 있도록 단층의 hydrophilic lipid인 unesterified cholesterol 및 인지질이 둘러싸고 있음

2) 유형 및 특성

초원심분리에 의한 밀도나 입자의 크기 및 전기영동상의 이동거리 차이에 의해 chylomicron, VLDL (very-low-density lipoprotein), IDL (intermediate-density lipoprotein: VLDL remnant), LDL (lowdensity lipoprotein) 및 HDL (high-density lipoprotein)로 분류

표 8-7-1 지단백의 종류 및 특성

지단백	밀도(g/dL)	지름(nm)	중성지방	지질, %(콜레스테롤)	인지질
Chylomicrons	0.95	75–1200	80–95	2–7	3–9
VLDL	0.95–1.006	30–80	55–80	5–15	10–20
IDL	1.006–1.019	25–35	20–50	20–40	15–25
LDL	1.019–1.063	18–25	5–15	40–50	20–25
HDL	1.063–1.210	5–12	5–10	15–25	20–30

3) 아포지단백(Apolipoprotein)

① 지단백의 구조적 안정성 유지

② 혈액내에서 지질을 운반(지단백을 친수성 형태로 유지하는 역할)

③ 지질 대사에 필요한 효소의 활성화

④ 지단백 대사에 필요한 특이한 세포막 수용체에 결합(Apolipoprotein B100 - LDL 수용체)

표 8-7-2 주요 아포지단백의 특성

아포지단백	인지질	기능
Apo B-100	VLDL, IDL, LDL	간에서 VLDL 분비, LDL 수용체에 대한 VLDL, IDL, LDL 리간드의 구조단백질
Apo B-48	Chylomicrons, remnants	장에서 chylomicrons 분비
Apo E	Chylomicrons, VLDL,	LDL 수용체와 LRP에 대해 IDL과 잔여물의 결합에 대한 리간드

(계속)

아포지단백	인지질	기능
Apo A-I	HDL, chylomicrons	HDL의 구조 단백질 LCAT의 활성체
Apo A-II	HDL, chylomicrons	Unknown
Apo C-II	Chylomicrons, VLDL, IDL, HDL	LPL의 활성체
Apo C-III	Chylomicrons, VLDL, IDL, HDL	LPL 활성 억제

HDL=high-density lipoprotein; IDL = intermediate-density lipoprotein;
LCAT=lecithin cholesterol acyl transferase; LDL=low-density lipoprotein;
LPL=lipoprotein lipase ; VLDL = very low-density lipoprotein; LRP=LDL receptor – related protein

4) Lipoprotein (a) [Lp (a)]

LDL의 지방조성과 유사하나 apolipoprotein B100에 apolipoprotein (a)가 이황화 결합(disulfide bond)으로 연결되어 있음. 간에서 합성되어 LDL 수용체를 통해 대사. Lp (a)의 상승(>30 mg/dL)은 조기 죽상경화와 연관이 있어 관상동맥질환의 위험인자로 간주

2. 고지혈증(Hyperlipidemia, Hyperlipoproteinemia)

1) 분류

유전적 요인, 환경적 요인에 의한 일차성 고지혈증(대표적 질환: 가족성 고콜레스테롤 혈증)과 다른 여러 가지 질환들로 인한 이차성 고지혈증으로 구분

또한, 혈중에 주로 상승된 지단백의 종류에 따라 아래와 같이 분류

표 8-7-3 고지혈증의 분류

Type I	chylomicron	Type III	chylomicron & VLDL remnants
Type IIa	LDL	Type IV	VLDL
Type IIb	LDL, VLDL	Type V	chylomicrons, VLDL

2) 가족성 고콜레스테롤혈증(familial hypercholesterolemia: FH)

(1) 원인 LDL 수용체 유전자의 돌연변이가 일어난 상염색체 우성 유전질환. LDL 수용체의 소실 또는 기능 이상으로 인해 IDL에서의 LDL 생성 증가 및 LDL 제거 감소로 인해 LDL이 증가

(2) Homozygous FH

① 백만 명당 1명꼴로 발생

② 조기죽상경화로 인한 관상동맥 질환이 흔함: 종종 사춘기 이전에 관상동맥질환 발생

③ 황색종(cutaneous xanthoma): hands, wrists, elbows, knees, heels or buttocks

④ 총콜레스테롤 상승(보통 500 mg/dL 이상)

⑤ 진단: 피부의 fibroblast에서 LDL 수용체 활성 측정, 림프구 표면에서 LDL 수용체 숫자 측정, LDL 수용체의 돌연변이 확인

(3) Heterozygous FH

① 500명당 1명꼴로 발생. 가장 흔한 단일 유전자 질환 중의 하나

② corneal arcus, tendon xanthoma (dorsum of hands, elbows, knees, Achilles tendon)

③ 치료하지 않을 경우 60세 이전에 심근경색이 올 확률 50 %

④ LDL-C 증가(보통 200-400 mg/dL), 중성지방 정상

⑤ 확정적인 진단 방법은 없음. 최근 DNA sequencing을 통한 molecular assay 이용

(4) 치료

① 식사요법: 저콜레스테롤, 저포화지방, 고불포화지방 식사

② 약물요법: HMG-CoA reductase inhibitor (statin)이 선택약이며 cholesterol absorption inhibitor 나 bile acid binding resin (cholestyramin, cholestipol), nicotinic acid (niacin)와 병용사용도 고려

③ 수술요법(liver transplantation-homozygous FH)

④ LDL apheresis

3) 이차성 고지단백혈증(Secondary hyperlipoproteinemia)

(1) 당뇨병

① 중성지방↑, HDL↓, small dense LDL↑이 특징

② 기전: lipoprotein lipase(LPL)의 활성저하와 간에서 VLDL 합성↑, 말초지방세포에서 FFA 유리↑

(2) 알콜섭취

① 간에서 유리지방산의 산화 억제로 인해 중성지방 합성 증가, VLDL 분비 증가

② LPL 활성저하

③ 알콜이 apoAI생산을 촉진하고 CETP 생산을 억제 → HDL치는 정상이거나↑

(3) 신질환

① 신증후군: 총콜레스테롤↑, 혹은 중성지방↑(LDL↑, VLDL↑(주로) 또는 둘 다 증가)

② 만성신부전: 중성지방 증가 (<300 mg/dL)

(4) 갑상샘기능저하증

① LDL-C 증가: 간에서 LDL 수용체의 기능 감소 및 LDL 제거 감소

② IDL 및 중성지방↑

(5) 에스트로겐 : VLDL, HDL 합성 증가 → 중성지방, HDL 증가

(6) 당질 코르티코이드 과잉: VLDL 생성↑, 중성지방↑, LDL-C↑

표 8-7-4 이차성 고지단백혈증의 종류

고콜레스테롤혈증	
비만, 임신, 갑상선기능저하증, 신증후군, 폐쇄성 간질환, Anorexia nervosa	약물: glucocorticoid, cyclosporine, thiazide, amiodarone

고중성지방혈증	
비만, 임신, 갑상선기능저하증, 제2형 당뇨병, 만성콩팥병증, 패혈증, 알콜	약물: estrogen, isotretinoin, β-blockers, glucocorticoids, bile acid-binding resins, thiazides, Sirolimus, tamoxifene, raloxifene

3. 이상지질혈증의 진단 및 치료 기준

1) 진단 방법

대표적인 고지혈증 치료지침으로 알려진 미국의 National Cholesterol Education Program's Adult Treatment Panel Guideline (NCEP ATP-III)에 따르면 20세 이상의 모든 성인은 12시간 공복상태에서 혈청 총콜레스테롤, LDL-콜레스테롤, HDL-콜레스테롤, 중성지방을 측정할 것이 권고되며, 공복이 아닐 경우엔 혈청 총 콜레스테롤 및 HDL-콜레스테롤만 측정하되 만약 총 콜레스테롤이 200 mg/dL 이상, HDL-콜레스테롤이 40 mg/dL 미만일 경우엔 반드시 추가로 지단백검사를 시행할 것을 권고. LDL-콜레스테롤치는 아래의 Friedewald's formula를 사용하여 간접적으로 산출할 수도 있음

LDL-C (mg/dL)= 총콜레스테롤 - 중성지방/5 - HDL-C (중성지방 >400 mg/dL 일 경우 이 공식을 사용할 수 없음)

non-HDL-C = 총콜레스테롤 - HDL-C (중성지방이 400 mg/dL 이상일 경우 치료의 이차 목표로 고려)

2) 치료 기준

(1) 위험도 분류에 따른 LDL-C의 목표치

위험도	LDL 콜레스테롤(mg/dL)
초고위험군 　관상동맥질환 　죽상경화성 허혈뇌졸중 및 일과성 　뇌허혈발작 　말초동맥질환	<70
고위험군 　경동맥질환[1] 　복부동맥류 　당뇨병[2]	<100
중등도 위험군 　주요위험인자[3] 2개 이상	<130
저위험군 　주요위험인자[3] 1개 이하	<160

1) 50% 이상 경동맥 협착

2) 표적장기 손상 혹은 심혈관질환의 위험인자에 따라 목표치 하향 조정 가능

3) 관상동맥 질환의 위험요인들

　① 흡연, ② 혈압 ≥140/90 mmHg 혹은 항고혈압제 복용. ③ 남자 55세, 여자 65세 이전에 관상동맥 질환의 가족력이 있는 경우(1st-degree relative), ④ 남자 ≥45세 & 여자 ≥55세, ⑤ HDL <40 mg/dL

　(HDL >60 mg/dL 인 경우 방어적 인자로 1개의 위험인자 제외됨)

* non-HDL cholesterol : total cholesterol - HDL cholesterol = VLDL + LDL

　non-HDL cholesterol 목표치 : LDL + 30으로 잡을 것

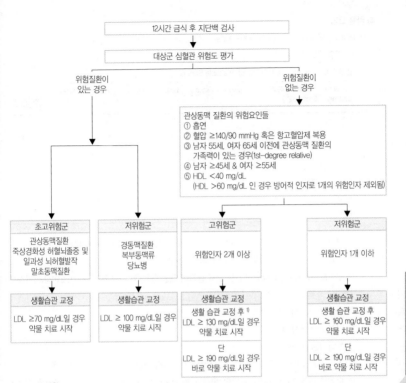

¹⁾ 수주~ 수개월
* 급성심근경색증이 발생한 경우, 기저치의 LDL 콜레스테롤 농도와 상관없이 바로 스타틴을 투약

그림 8-7-1 고콜레스테롤혈증의 치료

(2) 중성지방치의 조절 기준 및 방법

표 8-7-5 중성지방치의 조절 기준 및 방법

Normal triglycerides	<150 mg/dL	
Borderline–high triglycerides	150-199 mg/dL	체중 감소와 신체활동 증가
High triglycerides*)	200-499 mg/dL	LDL-C이 치료 목표가 됨
		고지혈증 치료제로 강화 요법 사용*
Very high triglycerides	≥500 mg/dL	중성지방을 낮추어 급성췌장염 발생 예방

* 초고위험군 및 고위험군 환자: 생활 습관 개선, 스타틴 투여 후에도 TG>200 mg/dL 시 fibrate, omega 3 fatty acid 등의 약물치료를 시작
* 단 당뇨병 환자에서는 150 mg/dL 를 목표로 한다

3) TLC (Therapeutic Lifestyle Changes)

(1) 식사 요법: 포화지방과 콜레스테롤 섭취 제한, 중성지방이 높을 경우에는 단순 탄수화물(당분)과
총 지방 섭취양 제한

(2) 체중감량

(3) 운동

4) 약물 요법

(1) HMG-CoA reductase inhibitors (statins)

① 종류: 표 8-7-6 참조

표 8-7-6 Comparative Efficacy of Available Statins

Rosuva + Ezetimibe	Atorva + Ezetimibe	Rosuva	Atorva	Simva	Lova	Prava	Fluva	Pitava	% Reduction LDL-chol
				10	20	20	40	1	<30%
		5	10	20	40	40	80	2	30-50%
		10	20	40	80			4	
		20	40						>50%
5/10	10/10	80							
10/10	20/10								
20/10									

② 기전: 콜레스테롤 합성의 억제, 간의 LDL 수용체 활성 증가로 혈액내 LDL 제거 증가

③ 효과: LDL 25-55% ↓, HDL 5-10% 증가, 중성지방 10-20% ↓

④ 부작용: myopathy(설명되지 않는 근육 통증이 있을 경우 CK level 확인), 간기능 이상(정기검사 필요)

(2) Cholesterol absorption inhibitor (ezetimibe)

① 기전: 소장에서 콜레스테롤 흡수를 저하

② 용법: 1일 10 mg

③ 효과: LDL 19% ↓, HDL 3% ↑, 중성지방 8% ↓, 스타틴제제와 병용하면 특히 유용

④ 부작용: 복통, 설사, 속이 부글거림, 피로감, transaminase의 상승, gamma-GT 상승, CK 상승

(3) Fibric acid derivatives (fibrates)

① 종류: Bezafibrate: 400-600 mg/일, 1일 1-3회, 식후

　　　　Fenofibrate: 160-200 mg/일, 1일 1회, 식후 즉시

　　　　Gemfibrozil: 600-1,200 mg/일, 1일 2회, 식전 30분(스타틴과 병용투여 피할 것)

② 기전: LPL 활성화, apoC-III 합성 감소(lipoprotein remnants 제거 강화), 지방산의 beta-oxidation 증진, VLDL 생성의 억제

③ 효과: 중성지방 25-50% ↓, HDL 10-15% ↑

④ 부작용: 소화불량, 담석, myopathy, creatinine 상승, warfarin과 병용 시 효과 증대 주의

(4) PCSK9 (Proprotein Convertase Subilisin/Kexin type 9) 억제제

① 종류: Alirocumab - 75 mg 또는 150 mg 피하주사

　　　　Evolocumab -140 mg/mL 2주 간격 또는 420 mg 1달 간격 피하주사

② 기전: PCSK9은 혈중에서 LDL 수용체와 결합하여 수용체의 분해를 유도

　　　　PCSK9의 단클론항체형인 PCSK9 억제제는 혈액내 PCSK9이 LDL 수용체에 결합하는 것을 억제하여 LDL 수용체의 발현을 증가시켜 더 많은 LDL 콜레스테롤이 제거되도록 함

③ 효과: LDL 45-70% ↓, HDL-C 8-10% ↑, 중성지방 8-10% ↓

④ 부작용: 주사부위 이상반응

(5) Omega 3 fatty acids (Fish oils)

① 2 active molecules : eicosapentaenoic acid (EPA), decohexanoic acid (DHA), 2-4g q D

② 기전: 간에서 중성지방 및 VLDL 합성을 억제

③ 효과: 중성지방↓, HDL↑ LDL↑ (4 g/D 이상의 고용량 투여 시에 7%↑)

④ 부작용: dyspepsia, diarrhea, fish odor to breath

(6) Nicotinic acid (Niacin)

① 종류: immediate-release crystalline niacin (0.3-3 g/d), extended-release niacin (0.5-2 g/d), sustained-release niacin (0.5-3 g/d)

② 기전: VLDL 생성의 억제, Lp (a) level 감소

③ 효과: LDL 5-25% ↓, HDL 15-35% ↑, 중성지방 20-50% ↓

④ 부작용: flushing, 고혈당, 고요산혈증(통풍), 상복부 위장장애, 간독성

II. 비만과 대사증후군

1. 비만

1) 체질량지수(body mass index, BMI)

(1) BMI = 체중(kg) / [신장(m)]^2, 비만 : ≥25 kg/m^2(한국인 기준)

(2) 저체중(<18.5), 정상체중(18.5-22.9), 비만전단계(23-24.9), 1단계 비만(25.0-29.9), 2단계 비만(30-34.9), 3단계 비만(≥35.0)

2) 복부비만(허리둘레)

	남자	여자
서양인	≥102 cm	≥88 cm
한국인	≥90 cm	≥85 cm

3) 비만 환자의 관리

(1) 체중 감량 목표: 체중의 5-10%를 6개월 내에 감량(3-5%만 감량해도 심혈관질환의 위험인자 개선 효과 있음)

(2) 체중 감량 시 음식섭취, 활동량 증가 등의 생활습관 개선을 6개월 이상. 감량 후에 유지하려면 1년 이상을 권고

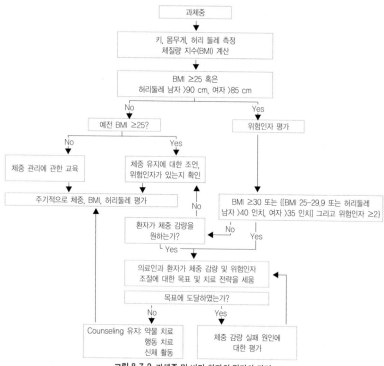

그림 8-7-2 과체중 및 비만 환자의 평가와 관리

4) 비만의 약물 치료

(1) 약물 치료

① BMI ≥25 kg/m² 혹은 ≥23 kg/m²이면서 동반질환(고혈압, 당뇨병, 이상지질혈증, 수면 무호흡) 있는 경우 약물 처방을 고려. 반드시 생활습관 개선과 병행

② 치료 3개월 내에 5% 이상의 체중감량이 없다면 약제 변경 혹은 중단

③ 심혈관질환의 과거력 혹은 조절되지 않는 고혈압 있다면 교감신경작용제 처방 불가

(2) 약물의 종류

① 단기 약제(12주 미만): diethylpropion, phentermine, mazindol, phendimetrazine

② 장기약제

Drug	Mechanism	Dosing	Common S/Et	Clx
Orlistat	lipase inhibitor	120 mg tid	Steatorrhea Fecal incontinence	Pregnancy
Phentermine/ topiramate (Qsymia®)	Sympathomimetic amine	7.5 mg/46 mg q.d. Maximum dose: 15 mg/92 mg q.d.	Insomnia Dizziness Dry mouth Constipation	Pregnancy Fetal toxicity Hyperthyroidism, glaucoma

Lorcaserin (Belviq®)	5-HT2c receptor agonist	10 mg bid	Headache Dizziness Dry mouth Constipation	pregnancy
Naltrexone/ bupropion (Contrave®)	Opioid antagonist/ anti-depressant	Maximum dose: 32 mg/360 mg)	Nausea Dizziness Constipation	Pregnancy Seizure disorders, Uncontrolled hypertension, glaucoma
Liraglutide (Victoza®)	GLP-1 analogue	Maintenance dose: 3 mg sc qd	Nausea Vomiting GI symptoms	medullary thyroid cancer, multiple endocrine neoplasia, hypersensitivity, pregnancy

5) 비만의 수술 요법

BMI ≥35 kg/m² 혹은 BMI ≥30 kg/m²이면서 비만 동반질환이 있는 경우 & 비수술 치료로 체중감량 실패

2. 대사증후군(Metabolic syndrome)

인슐린저항을 통하여, 혈당조절 장애, 혈압 상승, 중성지방 상승, HDL-C 저하 및 복부비만이 발생하는 질병으로 대사 이상 및 심뇌혈관 질환의 위험인자로 각종 암 발생 및 사망률 증가와 밀접한 관계

진단기준

구성 요소	기준
허리둘레	남자 90 cm 이상, 여자 85 cm 이상
혈압	130/85 mmHg 이상, 또는 고혈압약 복용하는 경우
중성지방	150 mg/dL 이상
HDL 콜레스테롤	남자 40 mg/dL 이하, 여자 50 mg/dL 이하, 또는 고지질혈증약을 복용하는 경우
공복혈당	공복혈당 100 mg/dL 이상, 또는 당뇨병약이나 인슐린 주사 치료를 받는 경우

* 위 5가지 중 3가지 이상일 때 대사증후군으로 정의

Ⅰ. 다발성 내분비종(Multiple endocrine Neoplasia)

1. 정의

한 환자에서 동시에 2곳 이상의 내분비 기관에 종양이 발생하는 질환

2. 분류

표 8-8-1 다발성 내분비종과 관련된 질환들

다발성 내분비종 type 1 (MEN 1)	MEN1 유전자 돌연변이
부갑상선 선종 췌도세포 선종 혹은 암 뇌하수체 선종 기타 질환: 부신피질선종, 갈색세포종, 기관지폐신경내분비종	
다발성 내분비종 type 2A (MEN 2)	*RET 634, Cys → Arg (~85%)*
갑상선수질암 갈색세포종 부갑상선 선종	
다발성 내분비종 type 2B (MEN 3)	*RET 918, Met → Thr (>95%)*
갑상선수질암 갈색세포종 기타 질환: 점막신경종, Marfanoid habitus, megacolon	
다발성 내분비종 type 4 (MEN 4)	CDKN1B 유전자 돌연변이
부갑상선 선종 뇌하수체 선종 생식기관 종양(고환암, 자궁경부암, 신경내분비암)	

1) 제1형 다발성 내분비종(MEN 1)

- 부갑상선, 췌장, 뇌하수체 전엽에 종양이 발생, 상염색체 우성 유전
- Menin 단백질을 부호화하는 종양억제 유전자(*MEN1*) 결함이 주 원인

(1) 부갑상선종양

① MEN 1 환자의 90%이상에서 부갑상선기능항진증이 발생. 산발성의 일차성 부갑상선기능항진증 환자보다 젊은(20-40세) 연령에서 진단됨

② 치료: 부갑상선 3.5개를 제거하거나 4개 모두 제거 후 일부를 상완 등에 이식함

(2) 췌장종양

① MEN 1 환자의 약 50%에서 동반되며 이 중 30%는 악성

② 췌장 폴리펩티드, gastrin (Zollinger-Ellison 증후군), insulin, VIP, glucagon, somatostatin 등 분비

(3) 뇌하수체종양

① 15-50%에서 동반되며 프롤락틴 분비종양이 가장 흔함

② 뇌하수체종양 혹은 췌장 islet 종양의 성장호르몬 유리호르몬 분비에 의한 말단 비대증, 혹은 장 카르시노이드에 의한 ACTH, CRH 등 과분비에 의한 쿠싱증후군이 발생하기도 함

2) 제2A형 다발성 내분비종(MEN 2A 혹은 MEN 2)

• 상염색체 우성 유전, 갑상선수질암, 갈색종종, 드물게 부갑상선기능항진증이 발생

• MEN 2B보다 좀 더 흔하나 MEN 1 보다는 덜 흔함

• 대부분의 환자에서 RET proto-oncogene의 점 돌연변이가 발견됨

(1) 갑상선수질암

① MEN 2A 환자의 약 95%에서 발생, MEN 2A 환자의 주요 사망 원인

② 세침흡인검사가 아닌 조직학적으로 진단. 혈중 calcitonin, CEA 등이 진단에 도움이 됨

③ 치료: 갑상선 전적출술. 수술 전 갈색세포종의 동반 유무 꼭 확인(치료되지 않은 갈색세포종이 동반된 상태에서 수술할 경우 hypertensive crisis로 인해 사망할 수 있음)

(2) 갈색세포종

① MEN 2A 환자의 약 50%에서 동반, 이 중 70%에서 양측성으로 발생. 대부분 양성 종양임

② 24시간 요중 VMA, MN, NMN 치의 상승, CT, MRI, MIBG 스캔 등으로 진단

(3) 부갑상선기능항진증: MEN 2A 환자의 약 10-25%에서 동반

3) 제2B형 다발성 내분비종(MEN 2B, MEN 3)

(1) MEN 2B 환자의 약 90%에서 갑상선 수질암이 발생하고 약 45%에서 갈색세포종이 발생

(2) 점막 신경종 증후군은 약 90%에서 발견

(3) 부갑상선기능항진증은 거의 발생하지 않으나 발생할 경우 MEN 2A보다 더 심하게 나타남

(4) 치료: MEN 2A와 마찬가지로 수술이 원칙. 양측 부신절제술과 갑상선절제술이 추천됨

4) 제4형 다발성 내분비종(MEN 4)

(1) MEN 1형과 연관된 종양(부갑상선, 뇌하수체, 췌장 등)이 고환, 부신, 콩팥, 갑상샘 등의 종양과 더불어 발생하는 경우

(2) *CDNKIB* 유전자 돌연변이가 발견됨

II. 자가면역성 내분비 이상 증후군
(autoimmune polyendocrine syndromes, APS)

1. 정의

2개 이상의 내분비선 혹은 비내분비선에 면역기능의 이상으로 발생하는 다발성 내분비질환

2. 임상 소견

표 8-8-2 자가면역성 내분비 이상 증후군의 분류

APS-1	APS-2
역학	
상염색체 열성	다유전성 유전
AIRE 유전자 돌연변이	HLA-DR3 & HLA-DR4, MIC-A, PTNP22, CTLA4
아동기 발생	성인 발생
남녀비 동일	여성 우세
관련 질환	부신피질 결핍증
점막피부칸디다증	제1형 당뇨병
부신피질 결핍증	그레브스병 혹은 자가면역성 갑상선 질환
부갑상선기능저하증	성선기능저하증
성선기능저하증	근무력증
그레브스병 혹은 자가면역성 갑상선 질환	백반증
제1형 당뇨병	탈모
Dental enamel hypoplasia	악성 빈혈
흡수장애	Celiac 병
만성 활동성 간염, 백반증, 악성빈혈, 탈모	특발성 혈소판 감소증

APS, autoimmune polyendocrine syndrome; *AIRE*, autoimmune regulator gene

1) APS-1 (autoimmune polyendocrinopathy-candidiasis-ectodermal dystrophy, APECED)

(1) 특징적으로 유년 초기, 15세 이전에 발생

(2) 상염색체 열성 유전, *AIRE* (autoimmune regulator) 유전자 결함과 관련됨

(3) 만성적인 점막피부칸디다증이 대개 첫 증상으로 발생함

(4) 부갑상선기능저하증(>85%), 애디슨병(80%), 제1형 당뇨병(23%)이 관찰됨

(5) APS-1 여성의 70%에서 조기 난소부전에 의한 2차 무월경이 발생함

(6) 비내분비질환군: 탈모증, 백반증, 각막 혼탁, 자가면역성 간염 등이 있음

2) APS-2

(1) APS-1보다 더 흔하고 성인에서 발병하며 여자에서 더 흔함

(2) 상염색체 우성으로 유전하나 penetrance는 불완전, HLA-DR3, -DR4 조직적합항원과 관련됨

(3) 제1형 당뇨병(40-50%), 자가면역성 갑상선질환(15-69%), 애디슨병(50-70%)이 흔함

(4) 비내분비질환군: celiac 병, 중증 근무력증, 백반증, 악성 빈혈, 탈모증 등이 있음

3. 진단

1) 3가지 주요 질환 중 2가지 이상 관찰되는 경우 임상적으로 진단

2) APS-1: AIRE 유전자 분석, anti-IFN α Ab, anti-IFN ω Ab 측정

3) 생화학 검사: CBC, vit. B12, Blood smear (Howell-jolly bodies), ACTH, TSH, LH/FSH, glucose, HbA1c, Ca/P, PTH 등

4) 자가항체검사: 21-and 17-hydroxylase Ab, anti-TPO Ab, anti-Tg Ab, anti-TSH receptor Ab, anti-GAD Ab, anti-insulin Ab, anti-IL-17 Ab, anti-IL-22 Ab 등

5) 선별검사: APS-1은 40세까지, APS-2 가계에서는 50세까지 1-2년마다 정기적으로 검진해야 함

4. 치료

1) 동반된 각각의 질환에 대해 치료

2) 애디슨병과 갑상선기능저하증이 동시에 진단된 경우 스테로이드 먼저 투여 후 갑상선 호르몬제 투여

III. 여성형 유방(Gynecomastia)

1. 원인

에스트로겐/안드로겐 비 증가가 원인. 에스트로겐은 유방 조직의 분화와 유즙 생성에 관여하며 안드로겐은 항에스트로겐 작용으로 유선 발육을 억제함. 그 결과 순환 안드로겐 부족 혹은 에스트로겐의 과잉 분비로 여성형 유방을 발생함

표 8-8-3 여성형 유방의 원인

생리적 원인
모체 에스트로겐 노출: 신생아 여성형 유방
일시적 에스트로겐/안드로겐 농도 비 증가: 사춘기 여성형 유방
에스트로겐 과잉
에스트로겐 혹은 에스트로겐 수용체 작용제: 에스트로겐, 마리화나 담배, digitoxin, 테스토스테론
말초 아로마타제 활성 증가: 비만, 노화, 가족성
에스트로겐 분비 종양: 부신암, 고환종양
hCG 분비 종양: 생식세포암, 폐암, 간암
hCG 치료
안드로겐 결핍 혹은 저항성
안드로겐 결핍: 1차 혹은 2차성 성선기능저하증, 안드로겐 결핍-고프롤락틴혈증
안드로겐 저항: 안드로겐 작용 저해 약제(스피로놀락톤, 안드로겐 수용체 길항제, 마리화나, 5α-환원효소억제제, 히스타민2 수용체 길항제)
전신질환
장기 기능 이상: 간경화, 만성콩팥병
내분비질환: 갑상선기능항진증, 말단비대증, 성장호르몬, 쿠싱증후군
영양 이상: 재영양(refeeding), 만성질환에서 회복(혈액투석, 인슐린, isoniazid, 항결핵약제, HAART)
기타 약물
HAART, 칼슘통로 차단제, amiodarone, 항우울제(SSRIs, tricyclic anti-depressant), 알코올, amphetamines, penicillamine, sulindac, phenytoin, omeprazole, theophylline

HAART, highly active antiretroviral therapy; SSRIs, selective serotonin reuptake inhibitors

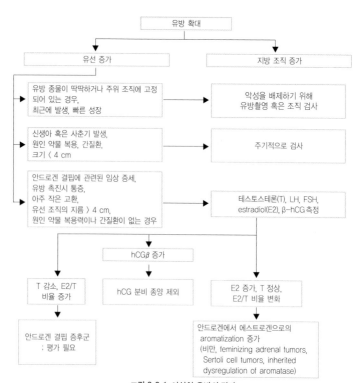

그림 8-8-1 여성형 유방의 평가

2. 진단

1) 약물 복용력 확인

2) 고환 크기 측정: 양측고환의 크기가 작으면 염색체 검사, 비대칭이면 고환암에 대한 검사 시행

3) 간기능 검사

4) 혈청 androstenedione 혹은 24시간 소변 17-ketosteroid

5) 혈장 estradiol, β-hCG, LH, FSH, testosterone, prolactin

3. 치료

1) 원인 질환 치료, 유발 약제 복용 중인 경우 투약 중단

2) 수술 적응증

(1) 미용 혹은 정신적으로 심각한 지장을 초래하는 경우

(2) 지속적으로 커지거나 압통을 동반하는 경우

(3) 악성이 의심되는 경우

3) 약제 : testosterone, antiestrogens (tamoxifen), aromatase inhibitor (anastrozole)

Ⅳ. 저신장(Short stature)

1. 정의

성별 및 연령에 따른 정상 신장의 2표준편차 이상 감소 혹은 3백분율 이하인 경우. 이 중 20%만 병적인 원인에 의한 저신장, 80%는 가족성 왜소증 혹은 체질성 성장지연이 원인

2. 원인

표 8-8-4 저신장의 원인

내분비 원인이 아닌 것	내분비 원인인 것
체질적 저신장	**성장호르몬 결핍증 및 변종**
유전적 저신장	* 선천적 성장호르몬 결핍증
자궁내 성장 지연	– 단독 성장호르몬 결핍증
저신장을 특징으로 하는 증후군	– 다른 뇌하수체 호르몬 결핍 동반
* 터너 증후군	– With midline defects
* 누난 증후군(pseudo–Turner 증후군)	– 뇌하수체 발육부전
* 프래더–윌리 증후군	* 후천적 성장호르몬 결핍증
* Laurence–Moon & Bardet–Biedle 증후군	– 시상하부–뇌하수체 종양
* 기타 상염색체 이상과 dysmorphic syndromes	– X 조직구증
만성 질환	– 뇌신경계 감염이나 혈관장애
	– 뇌 방사선 조사
	– 뇌수종
	– 공터키안 증후군
	* 성장호르몬 작용 이상
	– IGF–1 결핍/IGF–1 수용체 결핍
	– Laron's dwarfism, Pygmies
	사회심리적 왜소증
	갑상선기능저하증, 쿠싱 증후군
	가성 부갑상선기능저하증(1A형)
	비타민 D 대사 장애
	조절되지 않는 당뇨병, 요붕증

3. 진단

1) 성별 및 연령에 따른 정상 신장에서 3표준편차 이상 감소되어 있거나 성장속도가 5 cm/y 미만으로 감소되어 있을 때 검사
2) 방사선학적 골연령 측정
3) 선별 검사: 5세 이상에서 IGF-I, IGF BP-3 측정하여 정상 이하로 감소 확인
4) 생화학 검사: LDL-cholesterol, TSH, ACTH, LH, FSH
5) 인슐린 유발 저혈당 검사: 성장호르몬 농도가 3 μg/L 이하이면 성장호르몬 결핍증으로 진단

* 인슐린 유발 저혈당 검사(Insulin tolerance test)

1) 공복 상태에서 시행

2) 속효성 인슐린(0.05-0.1 U/kg)를 정주하고 저혈당(<40 mg/dL)이 유발되면 30, 60, 90, 120분에 GH 및 혈당 측정

3) 인슐린 주사 후 환자의 의식 상태를 지속적으로 주의 깊게 관찰, 저혈당 증상(두통, 발한, 빈맥, 경련 및 의식저하)을 보이면 50% 포도당을 정주

4) 저혈당(<40 mg/dL)이 유발되면 성장호르몬은 60분에 최대로 분비되며 120분까지 유지되는 것이 정상 반응

5) 정상 성인의 90%에서 성장호르몬치가 5 μg/L 이상으로 상승하며 성인 성장호르몬 결핍증 환자에서 는 3 μg/L 이하의 반응을 보임

4. 치료

1) 성장호르몬 결핍이 원인인 경우 성장호르몬 투여가 좋은 치료 방법. 체중 kg당 0.02-0.05 mg (0.06-0.15 U)을 피하로 매일 취침 전에 주사

2) 뇌하수체 기능저하증이 동반된 경우 스테로이드 혹은 갑상선 호르몬제을 투여

V. 사춘기 지연(Delayed puberty)

1. 정의

여아에서 13세, 남아에서 14세까지 이차 성징이 나타나지 않는 경우. 여아에서 사춘기의 첫 징후와 초 경사이에 5년 이상이 경과하였거나 남아에서 사춘기 첫 징후와 성기 발달의 완성 사이에 5년 이상이 경과 하였을 경우 의학적인 평가가 필요

2. 원인

표 8-8-5 사춘기 지연의 원인

체질적 성장 지연
저생식샘자극샘생식샘저하증(Hypogonadotropic hypogonadism)
뇌종양: 두개인종, 종자세포종, 기타 생식세포 종양, 시상하부 및 시신경교종, 별아교세포종, 뇌하수체 종양(MEN-1 관련 종양, 프롤 락틴 분비종)
기타 뇌질환: 랑게르한스세포조직구증, 감염, 혈관기형, 방사선, 뇌손상, lymphocytic hypophysitis
단독 성선자극 호르몬 결핍증: 칼만 증후군, LHRH 수용체 돌연변이, Congenital adrenal hypoplasia, 단독 LH 혹은 FSH 결핍증
PROP1 돌연변이를 포함한 다발성 뇌하수체 호르몬 결핍증
기타 질환: 프래더–윌리 증후군, Laurence–Moon, Bardet–Biedl 증후군, 만성 신부전, 영양결핍, 신경성 식욕부진, 여자 운동선수 의 신체 활동 증가, 갑상선기능저하증, 당뇨병 등

고생식샘자극호르몬생식샘저하증(Hypergonadotropic hypogonadism)

남자

클라인펠터 증후군

다른 형태의 일차성 고환 부전: 항암–방사선 치료, LH 수용체 돌연변이, 무고환증 혹은 잠복 고환

여자

터너 증후군

XX & XY gonadal dysgenesis

aromatase 결핍

다른 형태의 일차성 난소 부전: 조기 폐경, 항암–방사선치료, Galactosemia, 1형 glycoprotein 증후군, FSH 수용체 돌연변이, 다낭성 난소증후군,누난,pseudo–Tuner 증후군 등

3. 진단

1) 남아

(1) 키의 증가 속도를 관찰

(2) 방사선 치료, 수술, 화학요법 또는 부신피질호르몬 등의 치료 병력 확인

(3) 사춘기 지연, 성선기능부전증, 불임 유무 등에 대한 가족력을 확인

(4) Midline defect, 냄새 맡는 능력의 부재 혹은 감소에 대한 소견은 칼만 증후군의 진단에 도움

(5) 키, 체중, 사춘기 발달 정도, 상절/하절의 비(증가 시 미숙, 감소 시 사춘기 지연 및 부전을 의미) 등을 관찰

(6) 고환의 위치, 크기, 단단함 등을 관찰, 고환 장축의 길이가 1.0 cm 미만인 경우 성선기능부전증을 의미. 고환이 작고 성선자극호르몬 농도가 높은 경우 염색체 검사(클라인펠터 증후군)를 시행

(7) 혈중 LH, FSH, testosterone, prolactin, TSH, cortisol 등을 측정하고 골연령을 측정

(8) 고환이 만져지지 않거나 성선자극호르몬의 농도 증가가 없는 경우 hCG 자극 검사가 필요

2) 여아

(1) 여아는 남아보다 흔치 않으며 병적인 원인으로 많이 발생. 유방과 음모의 발달이 13세 이전까지 혹은 초경이 16세까지 없으면 사춘기 지연을 생각하고 검사

(2) 만성질환, 칼만 증후군과 같은 사춘기 지연 및 불임증의 가족력 유무의 병력을 청취

(3) 몸의 상절과 하절의 비, 유방 및 성기의 발달을 관찰

(4) 터너 증후군 의심 시 염색체 핵형 검사

(5) 자가 면역 질환을 배제하기 위해 난소 항체(antiovarian antibodies)를 측정

(6) 흔하지는 않으나 에스트로겐 합성을 감소시키는 효소의 결핍으로 17-hydroxylase, 17-20-desmolase 등이 있음

(7) 남아에서 시행하는 hCG 검사는 하지 않음

4. 치료

1) 체질성 성장 지연

- 정상적으로 정상 사춘기가 시작됨을 심리적으로 안정시킴

(1) 여아: conjugated estrogen (0.3 mg) 혹은 ethinyl estradiol (5-10 mg)을 매일 3개월 동안 경구 복용

(2) 남아: testosterone enanthate 혹은 cypionate 100 mg을 28일에 한번씩 3회 근육 주사

2) 영구 성선기능부전증

(1) 남아: testosterone enanthate 50 mg을 매 4주 간격으로 근육 주사하고 매 6개월마다 50 mg씩 증량. 일반적으로 50-250 mg을 4주 간격으로 사용. 정자 생성을 유도하기 위해 human menopausal gonadotropin (hMG) 혹은 recombinant human FSH (75 IU)를 매주 2-3회 투여하거나 GnRH (2-20 μg)를 매 90분마다 박동성으로 피하 주사

(2) 여아: 주기적인 에스트로겐-프로게스테론 요법이 원칙. 사춘기 초기에 6-12개월 동안 낮은 용량의 ethinyl estradiol (0.02-0.10 mg), 혹은 conjugated estrogen (Premarin, 0.3-1.25 mg)을 매일 복용하거나 경피적 estradiol 첩포(0.05-0.1 mg)를 주 1-2회 부착하고 프로게스테론은 medroxyprogesterone(5-10 mg)을 매일 사용하되 에스트로겐은 첫 21일 간 계속 투여하고 프로게스테론은 12일(또는 15일)부터 21일까지 투여(프로게스테론을 적어도 7-10일간 투여)

3) 성장호르몬 결핍이 동반된 환아에서는 성장호르몬 보충 요법으로 사춘기를 촉진시킬 수 있음

VI. 카르시노이드(유암종) 증후군(Carcinoid syndrome)

1. 정의

유암종에 의한 비정상적인 검사결과, 그리고 신체적인 증상, 징후의 조합으로 이루어진 질병으로 위장에서 주로 발생하고 간에 전이되기도 하며 가끔 폐에서도 발병함

2. 원인

세로토닌 및 기타 호르몬을 과량 분비되는 종양에 의해 발생하며, 약 4%에서 다양한 내분비 신생물(MEN 1 또는 베르너 증후군)과 관련이 있음

표 8-8-6 카르시노이드 증후군의 임상특징

		발병 초기(%)	질병 전반(%)
증상/징후	설사	32–93%	68–100%
	안면 홍조	23–100%	45–96%
	동통	10%	34%
	천식발작	4–14%	3–18%
	펠라그라(피부병, 신경장애)	0–7%	0–5%
	무증상	12%	22%
	유암종 심질환(심장판막손상)	11–40%	14–41%
역학	남성	46–59%	46–61%
	평균나이	57세	59.2세
	나이분포	25–79세	18–91세

종양위치	상부위장	5–14%	0–33%
	중부위장	57–87%	60–100%
	하부위장	1–7%	0–8%
	미상	2–21%	0–26%

3. 임상 증상

1) 종양의 위치에 따라 다름. 대부분 간 전이로 인해 임상증상이 나타나며 드물게 췌장, 폐, 난소, 고환에 생긴 NET의 경우 간전이가 없이도 발생

2) 안면 홍조(23-100%), 설사(32-93%), 모세혈관 확장증, 심장 판막 병변, 기관지 수축 등 다양함

4. 진단

1) 24시간 소변 5-HIAA 측정: 중부위장 유암종의 경우 73% 민감도, 100% 특이도로 진단, >25 mg/day 인 경우 진단적, 9-25 mg/day인 경우 세로토닌이 풍부한 음식섭취, 구토, 장폐색 등 다른 원인 배제

2) 혈장 chromogranin A: 위장관 유암종의 80% 환자에서 증가. 종양 크기와 비례하여 전형적인 중부위 장관 유암종의 예후지표로 사용

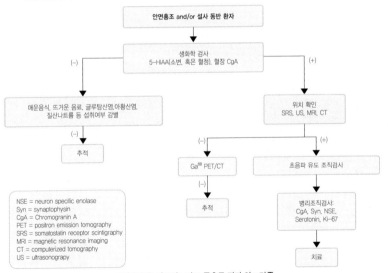

그림 8-8-2 카르시노이드 증후군 진단 알고리즘

5. 치료

1) Somatostatin 유도체(Octreotide, Sandostatin-LAR, Lanreotide): octreotide의 경우 매 8시간마다 50-100 µg 주고 증상이 조절되면 용량 조절(카시노이드 crisis 예방: 6-8시간 간격 150-250 µg)

2) 종양제거하여 조직의 전이 감소. 평소 증상이 없던 유암종이 간에 전이된 경우 증상이 발현될 수 있어 전이가 되었더라도 수술적으로 제거

9

류마티스내과

Handbook of Internal Medicine

Ⅰ. 관절통의 감별진단 5단계

1. "관절내(synovium, cartilage)" 이상과 "관절 주변 ligament, tendon, bursa, enthesis (건부착부)" 이상 감별
2. 급성 단관절염(acute monarthritis)은 응급
3. 만성 관절염 감별
4. 만성 관절염 중 염증성 관절염 감별
5. 염증성 관절염 중 류마티스관절염과 척추관절염 감별

1. "관절내(synovium, cartilage)" 이상과 "관절 주변 ligament, tendon, bursa, enthesis (건부착부)" 이상 감별

1) 아픈 곳이 구체적으로 어디인지 가리켜보라고 함(pain localization)

(1) 환자의 말만 들어서는 아픈 곳을 오인할 수 있음

예) 어깨가 아프다: shoulder joint가 아니라 승모근(trapezius)인 경우 많음

고관절이 아프다: hip joint가 아니라 buttock인 경우 많음

(2) 통증 부위를 정확히 알면 주변 surface anatomy와 연관 지어 통증 원인 추정 가능

예) 팔꿈치 외측(lateral side) 통증: tennis elbow

손목 요측(radial side) 부기, 통증: De Quervain's tenosynovitis

(3) 통증이 특정 부위에 주로 나타나는 관절질환이 있음

예) 류마티스관절염: 손가락 PIP, MCP joint 통증

골관절염: 손가락 DIP, PIP joint 통증

무릎 골관절염: 무릎 내측 관절선 통증

고관절: 서혜부 통증

* 뒤에 나오는 국소 관절통 참조

2) 통증이 생기는 상황이나 동작을 알면 진단에 도움이 됨

예) 전화할 때 전화기 든 손이 저리고 털면 나아지면: carpal tunnel syndrome

3) 관절의 변형, 부기, 수동적 관절운동범위(passive range of motion) 감소: 관절내 이상 의미

예) 팔꿈치나 무릎 관절 완전히 펴지거나 굽혀지지 않을 때

손목 관절 dorsiflexion 제한

4) 능동적 운동시 통증은 tendon 이상: 여러 test들이 쓰임

예) Speed test: biceps tendon

Jobe test: supraspinatus tendon

Wrist resisted dorsiflexion: tennis elbow

5) 관절초음파검사: 관절 부기의 원인을 그 자리에서 바로 정확하게 감별할 수 있음(관절 질환 진단에 필수)

2. 급성 단관절염(acute monarthritis)은 응급

1) 반드시 관절 천자 및 활액 검사: WBC count, Gram stain, culture, 편광현미경 검사
2) 감염, 통풍, 가성통풍(pseudogout) 감별
3) 감염: blood culture도 필요
4) 통풍: 발병시 엄지발가락 MTP joint 염증이 특징
5) 가성통풍: X선에서 chondrocalcinosis 보임

3. 만성 관절염 감별

1) 6주 이상 특정 관절에 증상이 지속될 때: 만성 관절염
2) 여러 관절에 옮겨 다니며(migrating) 잠깐씩 생기는 염증: 만성 관절염 아님
예) 재발성류마티즘(palindromic rheumatism): 부기와 발적이 손, 발 여러 곳에 번갈아서 생김

4. 만성 관절염 중 염증성 관절염 감별

1) 관절 천자로 관절액 얻어 검사하면 제일 확실; WBC >2,000/mm³: 염증성

2) 염증성 관절염을 시사하는 소견
(1) 문진: 1시간 이상 지속되는 관절의 조조강직 (아침에 일어나서 그 관절을 이용해서 하는 일상 행동에 지장을 초래할 정도), 전신 증상(미열, 몸살 등)
(2) 신체진찰: 증상이 있는 관절의 염증 소견(발적, 열감, 압통)
(3) 혈액검사: ESR, CRP 증가 등 급성기반응(acute phase reaction)
(4) X선: 관절 주변 골다공증(periarticular osteoporosis), 관절 미란(erosion)

5. 염증성 관절염 중 류마티스관절염과 척추관절염 감별

1) 류마티스관절염을 시사하는 소견
(1) 소관절(Hand MCP & PIP, Wrist, Foot lesser toe MTP joint) 염증
(2) 발등관절(midfoot joint) 염증도 흔함
(3) 혈액검사: Rheumatoid factor (RF), Anti-citrullinated protein antibody (ACPA)

2) 척추관절염을 시사하는 소견
(1) 45세 이전에 시작된 염증성 요통
(2) 소관절보다 크 큰 관절(무릎, 발목)의 염증성 관절염
예외) 건선관절염은 손가락, 발가락 PIP, DIP joint 염증 일으킴

(3) 손가락염 또는 발가락염(dactylytis)

(4) 피부 건선 및 손톱, 발톱 이상(onycholysis)

(5) 족저근막염, Achilles건염

(6) 포도막염

(7) 염증성 장질환

(8) 척추관절염의 가족력

(9) HLA-B27 양성

II. 국소 관절통

1. 수부(Hand, Wrist)

1) 원위수지관절(DIP): 골관절염(Heberden's node), 건선관절염

2) 근위수지관절(PIP): 류마티스관절염, 골관절염(Bouchard's node), 건선관절염

3) 손허리손가락관절(MCP): 류마티스관절염

4) 1st carpo-metacarpal joint: 골관절염

5) 손바닥 손금 부위(A1 pulley) 압통: Trigger finger

6) 손목 요측(radial side): De Quervain's tenosynovitis → Finkelstein's test

7) 손저림

    (1) 엄지부터 약지: carpal tunnel syndrome; median nerve 눌림 → Tinel's sign, Phalen's sign

       * thenar atrophy: 수술 필요

    (2) cervical radiculopathy → Spurling sign

2. 팔꿈치(Elbow)

1) Lateral epicondyle: Tennis elbow → resisted wrist dorsiflexion

2) Medial epicondyle: Golfer's elbow

3. 어깨(Shoulder)

1) Biceps tendinitis → Speed test

2) Impingement syndrome; humerus greater tuberosity와 acrominon 사이에 subacromial bursa와 supraspinatus tendon이 끼임 → Neer test, Hawkin's test

3) Supraspinatus tendinitis → Jobe test (empty can test 라고도 부름)

4) Supraspinatus rupture → Drop arm test

5) Frozen shoulder (Adhesive capsulitis)- 심각한 어깨 운동범위 감소, 야간 통증

4. 무릎(Knee)

   1) 내측 관절선(medial joint line): 골관절염(심해지면 varus deformity - 안짱 다리)

   Medial meniscus tear → McMurray's test

   2) Tibia 상부 내측: Anserine bursitis

   3) Patella 앞쪽: Prepatellar bursitis

   4) Patella 밑 앞쪽 통증: Patellar tendinitis

   5) 무릎 뒤 Popliteal fossa 부기: Baker's cyst

5. 고관절, 대퇴부, 둔부(Hip, Buttock, Thigh)

   1) 서혜부(Inguinal area): true hip joint disease, iliopsoas bursitis

   2) 대퇴부 외측(greater trochanter 부위): Trochanteric bursitis

   3) 대퇴부 외측(lateral thigh) 신경통: Meralgia paresthetica

   4) buttock 하부(앉으면 의자에 닿는 부위): Ischiogluteal bursitis

   5) buttock 상부: Sacroiliitis → Patrick test, Sacral thrust test

   6) 둔부 및 대퇴부 뒤쪽 통증

      (1) 무릎 위로 제한되면: referred pain from lumbo-sacral spine

      (2) 무릎 밑 종아리, 발 후외측(posterolateral aspect)까지 내려가면

      Sciatica; 허리 굽히면 심해짐 → straight leg raising (SLR) test

      Spinal stenosis; 허리를 펴고 서거나 걸으면 심해짐(neurogenic claudication)

III. 관절 X선 촬영

1. 권장

   1) 양쪽(Both side) 찍음(비교할 수 있음)

   2) 여러 자세 찍음(여러 방향에서 볼 수 있음)

   3) 하지 관절은 체중이 실린 자세로(standing view) 찍음(joint space narrowing 정확히 평가)

2. 상지

   1) Hand: AP, Oblique

   2) Elbow: AP, Lateral

   3) Shoulder: Full series

3. 하지

   1) Foot: Standing AP, Oblique, Lateral

   2) Ankle: Standing AP, Lateral

   3) Knee: Standing AP, 45도 flexion PA (posterior femoral condyle 평가), Lateral,
                 Tangential (patellofemoral joint 평가)

   4) Hip: AP, Lateral

4. 척추

   1) Cervical spine: AP, Lateral, Flexion/Extension, Open mouth

   2) Lumbar spine: AP, Lateral, Both Oblique (facet joint 평가), Flexion/Extension

   3) SI joint: Pelvis AP, SI joint Both Oblique

I. 염증 지표

1. 적혈구 침강속도(erythrocyte sedimentation rate, ESR)

1) 수직으로 세워진 튜브 안에서 응집된 적혈구들이 한 시간 동안 낙하하는 속도

2) 급성기 단백질인 fibrinogen을 간접적으로 측정하는 방법

3) 정상범위(mm/hr): 남자 = 연령/2, 여자 = (연령+10)/2

표 9-2-1 ESR에 영향을 주는 요인

ESR 증가 요인	ESR 감소 요인
고령	다적혈구혈증
여자	저글로불린혈증
임신	Fibriongen 감소 조건
빈혈	파종성 혈관내 응고증(disseminated intravascular coagulation: DIC)
고글로불린혈증	
Fibrinogen 증가 조건	
감염 질환	
염증성 질환	
종양 질환	

2. C-반응 단백(C-reactive protein, CRP)

1) Streptococcus pneumoniae의 C-polysaccharide 와 반응하는 혈청 단백질

2) 염증이 생기면 증가하는데 염증 활성도가 변하면 이에 비례하여 급격히 변화하므로 감염과 염증성 질환 경과 관찰에 유용

3) 류마티스관절염(rheumatoid arthritis, RA) 질병활성도와 비례하며, 루푸스에서는 증가하지 않으나 감염, 활막염(synovitis)이 동반되면 증가

4) 정상범위: 0-0.3 mg/dL (0-3 mg/L)

II. 류마티스관절염 관련 자가항체

1. 류마티스인자(rheumatoid factor, RF)

1) **IgG의 Fc portion에 대한 자가항체**: IgA, IgG, IgM 세 가지 isotype 중 IgM을 주로 측정

2) 결과 해석 시 고려해야 할 사항

(1) 정상인에서도 나이가 증가함에 따라 양성율이 높아짐

(2) 류마티스관절염 이외의 질환에서도 양성소견을 보임

(3) RF 고역가(정상 상한치의 3배 이상)인 경우 진단적 가치가 더 있음

(4) 류마티스관절염 환자에서 RF 고역가이면 심한 활막염과 관절외 합병증의 빈도가 높음

(5) RF가 음성일지라도 손, 발의 작은 관절에 염증성 다발성 관절염이 있고, 영상검사에서 골 미란이
관찰이 되면 혈청음성 류마티스관절염(seronegative RA)

표 9-2-2 류마티스인자 양성률

류마티스질환		류마티스인자가 양성인 비류마티스질환	
류마티스관절염	80%	감염	폐질환
연소성 만성관절염	20%	심내막염	Interstitial fibrosis
강직성척추염	<15%	간염	만성 기관지염
진신홍반루푸스	40%	급성 바이러스 감염	Silicosis
쇼그렌증후군	90%	기생충 감염	
한랭글로불린혈증	>90%	결핵	

2. ACPA (Anti-citrullinated protein antibody)

1) 과거 항CCP항체(anti-cyclic citrullinated peptide antibody)라고도 부름

2) 류마티스관절염 진단에 있어서 RF와 비슷한 민감도(sensitivity)를 보이면서 특이도(specificity)는 RF보
다 월등히 우수

3) 초기 미분화성 관절염 환자에서 류마티스관절염으로의 진행을 예측

4) 골미란 발생 등 류마티스관절염 예후 예측

III. 항핵항체(antinuclear antibodies, ANA)

1. 검사

1) 세포 핵 및 세포질의 자가항원에 대한 항체가 환자 혈청 내에 존재하는지 검사

2) 류마티스질환 또는 자가면역 질환이 의심되는 경우 선별검사

3) 환자의 혈청을 단계적으로 희석하여(serial dilution) 간접 면역형광법으로 검사

4) 역가(titer)와 양상(homogenous, peripheral, speckled, nucleolar, centromere 등)을 확인

5) 역가 1:80 이상이면 양성으로 판정하고 1:160 이상이면 의미가 있음(significant)

6) 건강한 사람의 20-30%에서도 양성반응이 나올 수 있으므로, 임상증상과의 연관성을 고려하여 해석

2. ANA 표적 자가항원, 양상과 관련 질환

양상	항원	관련 질환
Homogenous (diffuse)	dsDNA, Histone	SLE, Drug-induced SLE
Peripheral (rim)	dsDNA	SLE,
Speckled	Sm, SSA/Ro, SSB/La, RNP, Scl-70, ribosomal-P	SLE, Sjogren's synd, MCTD, SSc
Nucleolar	RNA polymerase I, PM-Scl,	SSc, PM
Centromere	CENP A-E	Limited SSc
Cytoplasmic	Jo-1	PM

SLE, systemic lupus erythematosus; MCTD, mixed connective tissue disease; SSc, systemic sclerosis; PM, polymyositis

Ⅳ. 항호중구 세포질 항체(antineutrophilic cytoplasmic antibodies, ANCA)

1. 검사

1) 중성구 세포질에 존재하는 항원에 결합하는 자가항체를 면역형광염색법으로 측정

보이는 양상에 따라 p-ANCA (perinuclear), c-ANCA (cytoplasmic)로 구분

2) ANCA 양성인 경우 다음 항원에 대한 antibody 역가를 ELISA 로 측정

p-ANCA - myeloperoxidase (MPO), c-ANCA - proteinase 3 (PR-3)

3) 소혈관에 염증을 일으키는 다음의 전신혈관염과 관련(ANCA-associated vasculitis)

(1) 육아종증 다발혈관염증: Granulomatosis with polyangiitis (GPA, Wegener's granulomatosis)

(2) 호산구성 육아종증 다발혈관염: Eosinophilic granulomatosis with polyangiitis (EGPA, Churg-Strauss syndrome)

(3) 현미경적 다발혈관염: Microscopic polyangiitis (pulmonary-renal syndrome)

2. ANCA 검사가 필요한 경우: 다음의 전신혈관염이 의심되는 소견이 있는 경우

- 안구 및 상기도: Long-standing sinusitis or otitis
  - Chronic destructive disease of the upper airways
  - Subglottic tracheal stenosis
  - Retro-orbital mass
- 폐: Pulmonary hemorrhage (특히 pulmonary renal syndrome), Multiple lung nodules
- 신장: Glomerulonephritis, especially rapidly progressive glomerulonephritis
- 피부: Cutaneous vasculitis, especially with systemic features
- 신경: Mononeuritis multiplex or peripheral neuropathy

V. 항인지질항체(Anti-phospholipid antibodies)

제5절 항인지질증후군 참조

VI. 관절액 검사(Synovial fluid analysis)

1. 진단적 관절천자 적응증

1) 급성 단관절 부종 환자에서 세균성 관절염 및 통풍성 관절염 감별진단

2) 관절 부종 있을 때 염증성 관절염 및 비염증성 관절염의 감별진단

3) 관절내 스테로이드 주사 (triamcinolone acetonide)

2. 관절천자 금기

바늘로 찔러야할 곳의 연부조직 감염, 균혈증

3. 관절액 검사

1) 육안 검사: 탁도, 점도

2) 검사실 검사: 혈구수, 현미경 결정 관찰, 그람 염색, 세균 배양

3) 관절액 검사의 해석

	정상	Group 1 (비염증성)	Group 2 (염증성)	Group 3 (세균성)	Group 4 (출혈성)
육안소견	투명 엷은 노란색	투명 엷은 노란색	탁하고 불투명 노란색	매우 탁함. 부유물이 보이거나 약간 푸른빛	탁함. 진한 붉은색
점도	높음	높음	낮음	다양함	다양함
Mucin clot	우수	우수	양호	불량	
WBC/mm³	<200	200 - 2,000	2,000 - 75,000	50,000 - 300,000	출혈 정도에 따라 다름.
PMN (%)	<25	<25	50 - 100	75 - 100	출혈 정도에 따라 다름.

류마티스내과
09

03 | 류마티스 약물

Ⅰ. 비스테로이드소염제(Nonsteroidal anti-inflammatory drugs, NSAIDs)

1. 약제 작용기전

1) Cyclooxygenase (COX)를 억제해서 prostaglandin (PG) 합성 막아 통증과 염증 완화

2) COX-1: 위점막, 혈소판에 상시 발현되어 housekeeping role

3) COX-2: 염증에 의해 유도됨

4) Non-selective NSAIDs: COX-1, COX-2 모두 억제

5) Selective COX-2 inhibitors (Coxibs; Celecoxib, Etoricoxib); COX-2만 억제 → 위장관 부작용이 적음

흔히 쓰는 NSAIDs	최대 용량
Aceclofenac	100 mg BID
Celecoxib (Coxib)	200 mg QD (골관절염) , 200 mg BID(류마티스관절염)
Etoricoxib (Coxib)	30 mg QD (골관절염)
Meloxicam	7.5 mg BID , 15 mg QD
Naproxen	500 mg BID
Diclofenac	75mg IM QD (주사제)

* NSAID의 효과 및 부작용은 사람마다 상이함

* 부작용이 우려될 때는 감량해서 처방

2. 부작용

1) 위-장관 부작용

(1) 위점막 COX-1 억제로 cytoprotective PG 합성 감소가 원인

(2) 위궤양, 위천공 등이 전조 증상 없이 발생

(3) 위험 요소: 노인, 궤양 병력, glucocorticoid, 항혈소판제제(aspirin, clopidogrel), 항응고제(warfarin), serious or multisystem disease

> NSAID 사용에 의한 위궤양 예방
> ① Coxib 사용
> ② Non-selective NSAIDs는 PPI 병용(GERD 용량의 절반을 하루 한번)
>   예) esomeprazole 20 mg QD, omeprazole 10 mg QD, rabeprazole 10 mg QD 등
> * Naproxen 500 mg + esomeprazole 20 mg 복합제 있음
> * PPI 사용이 low GI tract 부작용은 줄이지 못 함

2) 신장 부작용

(1) 신장 PG 합성을 억제 renal vasoconstriction 유발: renal perfusion 감소, GFR 감소 → AKI 유발

(2) NSAID의 renal PG 합성 억제는 Na retention, edema, hypertension 등과도 관련

NSAID 사용에 의한 AKI 발생 유험요인(Risk factor)
  ① volume depletion: vomiting, diarrhea, 이뇨제 사용 등
  ② effective volume depletion: heart failure, nephrotic synd, liver cirrhosis 등
  ③ 혈압약 ACE inhibitor (enalapril, Ramipril, Lisinopril 등)
    Angiotensin receptor blocker (losartan, valsartan, temisartan 등) 복용
  ④ Chronic kidney disease (GFR ⟨60 mL/min)
* 노인은 Cr이 1.2 mg/dL 이하여도 GFR은 낮을 수 있어 반드시 eGFR 확인 필요

3) 심혈관 부작용(MI, Heart failure)

(1) Coxibs; platelet COX-1에 영향 없어 vasoconstriction, platelet aggregation 일으키는 thromboxane A2 합성은 지속되는 반면, endothelial cell COX-2 억제로 thromboxane의 반대작용을 하는 prostacyclin 합성은 감소하여 심혈관 부작용 유발

(2) Non-selective NSAID도 심혈관질환 위험 있음

(3) Naproxen, 저용량 celecoxib (200 mg/day): 상대적으로 심혈관 부작용 적음

4) 부작용 예방

(1) 통증이 조절되는 한도 안에서 가능한 단기간, 저용량 사용(lowest effective dose, shortest duration) 예) celecoxib 200 mg QD or PRN

(2) 노인 및 동반 질환이 있는 환자는 사용 중 위장관 부작용에 주의, 주기적인 신장기능(Cr) 검사

II. Glucocorticoid

1. 약제 작용기전

세포질(cytoplasm)의 glucocorticoid receptor에 결합한 뒤 핵 안으로 이동 transcription factor에 결합 염증물질 유전자 발현 억제

Synthetic Glucocorticoid		동등량(Equivalent dose)
Hydrocortisone	주사제	20 mg
Prednisolone	경구제	5 mg
Methylprednisolone	경구제, 주사제	4 mg
Deflazacort	경구제	6 mg
Triamcinolone	경구제	4 mg
Triamcinolone acetonide	관절내 주사제	
Dexamethasone	경구제, 근육주사제	0.75 mg

2. 투여

1) 대부분 저용량 경구 투여: 하루 prednisolone 7.5 mg 이하

2) 고용량 투여: 주요 장기 염증이 있는 경우 하루 prednisolone 1 mg/kg 이상 투여

* 주요 장기 염증을 빨리 완화시키기 위해 대용량 투여 필요할 때는 methylprednisolone 주사제(vial당

40 mg / 125 mg / 500 mg) 필요량을 normal saline 100 mL에 섞어 정맥 주사

3. 부작용: 주로 장기 투여하는 경우에 빈번하게 발생

1) **감염 위험 증가:** 위험 줄이기 위해 가능한 하루 prednisolone 7.5 mg 이하 투여 권장

2) **골다공증:** 예방 위해 calcium, vitamin D 보충, 골밀도 검사, 필요하면 골다공증 약물 치료

3) **무혈성괴사:** 고용량 glucocorticoid 치료받은 SLE 환자에게 자주 발생

4) **혈당 상승:** 당뇨 환자에게는 혈당 상승 작용이 작은 deflazacort 투여 권장

5) **의인성 부신기능부전(iatrogenic adrenal insufficiency)**

6) **고혈압**

7) **소화성궤양(특히 NSAID와 병용 시 위험 증가)**

8) **피부가 얇아져서 피하 출혈이 잘 생김**

9) **Cushingoid appearance**

10) **상처 치유 지연, 그 외에도 다수**

---

glucocorticoid 사용 시 주의할 점

1. 장복 환자
   ① iatrogenic adrenal insufficiency 상태에 있으므로 갑자기 glucocorticoid 투여를 중단하면 안됨
   ② 응급실에 오거나 수술 등으로 금식해야 하는 경우
      – 평상시 투여량을 hydrocortisone 주사로 보충
   ③ 감염이나 수술 등 acute stress 상태에 있는 경우
      – 평상시 투여량의 1.5배 정도를 hydrocortisone 주사로 보충
   * Hydrocortisone 50 mg IV QD 면 무난
2. 하루 한번 아침 복용이 hypothalamic-pituitary-adrenal axis에 영향이 적어 권장됨
   * 전신 염증 반응을 빨리 완화시켜야 할 경우 BID 투여
3. 임신 중 glucocorticoid 사용
   ① Prednisolone: 태반에서 분해되므로 임신 중 태아에 미치는 영향 없이 사용 가능
   ② Dexamethasone: 태반을 통과하여 태아에게도 작용
4. 관절내 투여한 glucocorticoid도 흡수되어 전신 효과를 나타냄
   예) 당뇨 환자의 혈당 상승

III. Disease Modifying Anti-Rheumatic Drugs (DMARDs)

DMARDs 종류: Methotrexate (MTX),
　　　　　　　 Leflunomide (LEF),
　　　　　　　 Sulfasalazine (SSZ),
　　　　　　　 Hydroxychloroquine (HCQ)
* 류마티스관절염 치료는 MTX를 중심으로 한 combination therapy가 원칙
　예) MTX + SSZ + HCQ 또는 MTX + LEF

1. Methotrexate (MTX)

1) 작용 기전: folic acid 유사체로 dihydrofolate reductase 억제해서 functional folate deficiency 일으켜 핵산 합성 억제

2) 용법

(1) 7.5-10 mg/week로 시작(4-8주마다 2.5 mg씩 증량, 25 mg/week까지 증량 가능)

(2) 15 mg 넘으면 흡수 감소하므로 두 번 나눠 복용, 20 mg 넘으면 근육주사제 권장

(3) 소변으로 배출되므로 신기능 부전 환자는 감량

　　노인은 Cr 정상이어도 GFR 낮아서 감량해서 5-7.5 mg/week로 시작

(4) 부작용을 막기 위해 folic 1 mg/day 병용

3) 부작용

(1) 소화기: dyspepsia, nausea, anorexia, diarrhea

(2) 간독성: leflunomide 병용시 더 잘 생김. 정기적인 간기능 검사 필요

(3) Bone marrow suppression: 정기적인 CBC 검사 필요

(4) Hypersensitivity pneumonitis: 급성 interstitial pneumonitis로 serious, fatal → MTX 즉시 중단 및 고용량 glucocorticoid 투여 필요

(5) 감염

(6) oral ulcer, alopecia, fatigue

4) 임신, 수유 중 금기이고, 남녀 모두 임신 3개월 전부터 복용 중단해야 함

5) 주의: MTX 는 일주일에 한번 복용하는 약이므로 매일 복용하지 않도록 처방 주의 필요

2. Leflunomide (LEF)

1) 작용 기전: dihydroorotate dehydrogenase 억제해서 pyrimidine 합성 억제

2) 용법: 10 mg-20 mg QD

3) 부작용

(1) 설사

(2) 간독성: 특히 MTX와 병용 시 위험 증가- 정기적인 간기능 검사 필요

(3) 감염

(4) 탈모, 체중 감소

4) 임신, 수유 중 금기

enterohepatic recirculatioin을 해서 체내에 오래 남아 있기 때문에 남녀 모두 임신 전 washout (cholestyramine 8 mg TID for 11 days) 필요

3. Sulfasalazine (SSZ)

1) 작용 기전: 소염제인 5-aminosalicylic acid와 항생제인 sulfapyridine의 복합제로서 작용 기전은 명확하지 않음

2) 용법

(1) 500 mg BID로 시작, 증량해서 하루 1,000-1,500 mg BID 투여

(2) Sulfapyridine이 folate 대사에 관여하므로 부작용 예방 위해 folic acid 병용

(3) 신장기능 부전 있으면: 감량

(4) Sulfa 제 allergy 병력 있으면: 금기

3) 독성

(1) 오심 - 어지러움증, 두통 등 CNS effect를 동반할 수 있음

(2) 설사

(3) 백혈구감소, 과립구(granulocyte) 감소

(4) 용혈성빈혈(G6PD deficiency 있는 환자)

(5) 피부발진

4) 임신 중 사용 가능

남성: oligospermia, 정자 운동 감소 초래: 2,3개월 중단해야 회복

4. Hydroxychloroquine (HCQ)

1) 작용 기전: cytoplasmic vesicle 내 pH를 올려서 subcellular function에 지장 줌

2) 용법

(1) 200-400 mg/day (5 mg/kg 넘으면 안됨)

(2) 신장기능 부전 있으면: 감량

3) 부작용

(1) 망막독성: 비가역적인 maculopathy 유발(bilateral bull's eye), visual loss 초래

① 감별 검사: Optical Coherence Tomography (OCT)

② 40세 이상은 투여 초기 baseline 검사, 복용한지 5년 지나면 매년 검사 권장

(2) 발진

4) 임신, 수유 중 투여 가능

특히 루푸스 환자는 임신 중 루푸스의 질병 악화 예방 위해 꼭 복용해야 함

Ⅳ. 생물학적제제(Biologics)

1. 사이토카인 표적제제

1) 항 종양괴사인자(TNF) 제제

(1) Etanercept

① IgG1의 Fc부위와 TNF수용체의 extracellular domain인 p75 단백질 두 개를 융합한 수용성 수용체

② 25 mg 주 2회 또는 50 mg 주 1회 피하주사

(2) Infliximab

① 사람 IgG1의 constant region과 쥐의 사람 TNF에 대한 항체의 variable region를 결합시킨 키메라 단클론 항체

② 3 mg/kg (류마티스관절염) 0, 2, 6주, 이후로는 8주마다 정맥주사

(3) Adalimumab

① 사람유래 항TNF 단클론 항체

② 40 mg 2주마다 피하주사

(4) Golimumab

① 사람유래 항TNF 단클론 항체

② 50 mg 4주마다 피하주사

(5) Certolizumab

① 사람유래 항TNF 단클론 항체 Fab부분과 polyethylene glycol 결합

② 400 mg 0, 2, 4주, 이후로는 200 mg 2주마다 피하주사

2) 항 interleukin-1 제제(Anakinra)

(1) IL-1 receptor antagonist

(2) 100 mg 매일 피하주사

3) 항 interleukin-6 제제(Tocilizumab)

(1) 사람유래 항IL-6 수용체 단클론 항체

(2) 8 mg/kg 4주마다 정맥주사, 또는 162 mg 2주마다 피하주사

4) 항 interleukin-17 제제(Secukinumab)

(1) 사람유래 항IL-17 단클론 항체

(2) 150 mg 0, 1, 2, 3, 4주, 이후로는 4주마다 피하주사

5) 항 interleukin-12, 23제(Ustekinumab)

(1) IL-12, 23의 공통 구성 요소인 p40에 대한 사람유래 단클론 항체

(2) 45 mg 0, 4 주, 이후로는 8주마다 피하주사

2. B세포 표적제제

   1) Rituximab

      (1) CD20에 대한 쥐/사람 키메라 단클론 항체

      (2) 1,000 mg 0, 2주 정맥주사가 한 주기, 6개월마다 반복투여 가능(infusion reaction 예방 위해 premedication- methylprednisolone 100 mg)

   2) Belimumab

      (1) 항 B lymphocyte stimulator protein (BLyS) 사람유래 단클론 항체

      (2) 10 mg/kg 0, 2, 4 주, 이후로는 4주마다 정맥주사

3. T세포 표적제제

   1) Abatacept

      (1) CTLA-4의 extracellular domain과 사람 IgG-1의 Fc 부위 결합체

      (2) 500 mg (<60 kg) 또는 750 mg (>60 kg) 0, 2, 4주, 이후로는 4주마다 정맥주사 또는 125 mg 매주 피하주사

4. Janus kinase (JAK) 억제제

   1) Tofacitinib

      (1) JAK1/JAK3를 억제하는 small molecule

      (2) 5 mg 하루 두 번 경구 투여

   2) Baricitinib

      (1) JAK1/JAK2를 억제하는 small molecule

      (2) 2 mg 또는 4 mg 하루 한 번 경구 투여

I. 개요

1. 자가항체와 면역복합체에 의해 피부, 혈액 및 여러 신체 장기에 염증이 생기는 자가면역질환
2. 임상 양상은 경미한 경우부터 생명을 위협하는 것까지 다양하고, 급성 또는 만성, 악화와 관해를 반복
3. 검사에서 다양한 면역계의 이상과 자가 항체들이 보임
4. 대부분 15세에서 55세 사이에 발병하며, 여성에서 남성보다 10배 정도 흔함

II. 원인과 병태생리

1. 유전적 인자, 호르몬 차이, 면역학적 요인, 환경적 요인이 질병의 발병에 복합적으로 작용
2. 자외선이 병을 악화시킬 수 있음(임상적으로 중요. 모든 루푸스 환자에게 햇빛차단을 권고해야 함)
3. 여성, 특히 가임기 여성에서 많이 발병하는 것으로 보아 여성호르몬이 관여할 것으로 추정
4. B림프구와 T림프구의 과활성과 이와 관련된 조절 기전 이상이 관여
5. 조직의 손상은 다음 3가지 기전에 의함
   1) 자가항체가 직접적으로 세포독성을 유발
   2) 면역복합체가 조직에 침착되고 보체가 활성화되어 조직손상을 초래
   3) 항인지질항체에 의해 혈전이 생성되어 조직손상을 초래

III. 진단기준

2012년 SLICC (Systemic Lupus International Collaborating Clinics) 분류기준

- 최소한 하나 이상의 임상 기준과 최소한 하나 이상의 면역 기준을 포함하여 4개 이상의 기준을 만족하거나,
- 항핵항체 또는 항 dsDNA 항체가 양성이면서 조직검사로 루푸스 신염이 입증되었을 경우 진단 가능

기준	정의
임상기준	
1. 급성 피부루푸스 (acute cutaneous lupus)	① 루푸스 뺨발진(뺨에 원반형발진이 있으면 제외); 물집루푸스; 독성표피괴사용해; 반구진발진; 광과민루푸스발진(주의 : 피부근염이 없어야 함) ② 아급성피부루푸스

기준	정의
2. 만성 피부루푸스 (chronic cutaneous lupus)	전형적인 원반형 발진(국소형—목 위에만 국한, 전신형); 비후(사마귀형)루푸스; 루푸스지방층염; 점막루푸스; 비대루푸스; 동창루푸스; 원반형루푸스/편평태선 중복
3. 구강 또는 비강궤양 (oral or nasal ulcers)	① 구강궤양(입천장, 볼, 혀) ② 비강궤양(주의 : 혈관염, 베체트병, 감염, 염증성장질환(IBD), 반응관절염, 산성 음식 등의 원인이 없어야 함)
4. 비흉터성 탈모 (nonscarring alopecia)	광범위하게 얇은 머리카락 또는 눈에 띄게 손상된 머리카락(주의 : 원형탈모, 약물, 철결핍, 안드로겐성탈모 등의 원인이 없어야 함)
5. 관절 질환 (joint disease)	① 2개 이상의 관절의 활막염(부종이나 삼출 동반) ② 2개 이상의 관절의 압통과 최소 30분 이상의 조조강직
6. 장막염 (serositis)	① 전형적인 흉막염(1일 이상); 흉막삼출; 흉막마찰음 ② 전형적인 심막 통증(1일 이상); 심막삼출; 심막마찰음; 심장초음파로 확인된 심막염(주의 : 감염, 요독증, Dressler 심막염 등의 원인이 없어야 함)
7. 신장 질환 (renal disorder)	① 1회 소변 단백/크레아티닌 비율 (P/C ratio) >0.5 또는 24시간 소변 단백 >500 mg/일 ② 적혈구원주
8. 신경 질환 (neurologic disorder)	① 발작 ② 정신병 ③ 다발성단일신경염(주의 : 일차성 혈관염 등의 원인이 없어야 함) ④ 척수염 ⑤ 말초신경염 또는 중추신경염(주의 : 일차성 혈관염, 감염, 당뇨병 등의 원인이 없어야 함) ⑥ 급성혼돈상태(주의 : 독성, 대사이상, 요독증, 약물 등의 원인이 없어야 함)
9. 용혈빈혈 (hemolytic anemia)	
10. 백혈구감소증 또는 림프구감소증 (leukopenia or lymphopenia)	① 백혈구감소증: 4,000/mm³ 미만, 최소 한 번 이상(주의 : Felty 증후군, 약물, 문맥고혈압 등의 원인이 없어야 함) ② 림프구감소증: 1,000/mm³ 미만, 최소 한 번 이상(주의 : 글루코코르티코이드, 약물, 감염 등의 원인이 없어야 함)
11. 혈소판감소증 (thrombocytopenia)	혈소판감소증: 100,000/mm³ 미만, 최소 한 번 이상(주의 : 약물, 문맥고혈압, 혈전혈소판감소자반병 등의 원인이 없어야 함)
면역기준	
1. 항핵항체(ANA)	검사실 참고치 이상
2. 항dsDNA항체(anti-dsDNA)	검사실 참고치 이상(ELISA 검사 시에는 참고치 2배 초과)
3. 항Sm항체(anti-Sm)	Sm 핵 항원에 대한 항체 존재
4. 항인지질항체 (antiphospholipid)	① 루푸스항응고인자 양성 ② 신속혈장즉시과민항체(rapid plasma regain (RPR))에 대한 위양성 ③ 항카디오리핀항체 양성(IgA, IgG, IgM, medium to high titer) ④ 항β2GPI항체 양성(IgA, IgG, IgM, medium to high titer)
5. 보체감소 (low complement)	① C3 감소 ② C4 감소 ③ CH50 감소
6. 직접 쿰스검사 (direct Coombs' test)	용혈빈혈이 없으면서 직접 쿰즈검사 양성

IV. 자가면역 혈액검사

1. 항핵항체(anti-nuclear antibody, ANA)

1) 가장 중요한 선별검사 → 반드시 항핵항체 역가(ANA titer)로 처방
2) 증상을 보이기 시작할 때 95% 이상에서 양성, 임상적으로 항핵항체 음성인 루푸스는 거의 없음

2. 진단에 특이적인 검사

1) 항dsDNA항체, 항Sm항체
2) 보체(C3, C4, CH50) 감소
3) 항핵항체가 고역가이고, 보체가 감소하는 질환은 임상적으로 루푸스로 판단

V. 임상 양상

임상 양상은 매우 다양하며, 발병시 여러 장기 침범에 따른 증상이 동시에 나타날 수도 있고, 병의 경과 중에 새로운 증상이 나타날 수도 있음

1. 전신증상

1) 피로
2) 체중감소
3) 림프절병증
4) 발열: 루푸스 질병활성도가 증가하면 발생할 수 있으나 항상 감염에 의한 것인지를 감별하려는 노력이 필요

2. 근골격계 증상

1) 관절통과 관절염

(1) 어느 관절에나 발생할 수 있지만, 주로 대칭적으로 손과 손목, 무릎 관절에 흔히 발생
(2) 관절의 변형이 일어날 수 있으나 골미란(erosion)은 드묾
(3) 루푸스 분류기준에 포함되는 것은 관절통이 아니고 관절부종을 동반한 관절염

2) 무혈성 골괴사

(1) 대퇴골두가 가장 흔히 침범되는 부위이며 고관절에 국한되어 관절통을 호소하는 경우에 의심
(2) X선 검사에서는 정상으로 보일 수 있으며, MRI로 확진
(3) glucocorticoid 사용이 대표적인 위험요인

류마티스내과 09

3) **골다공증:** glucocorticoid 사용으로 인해 악화될 수 있음

3. 피부 점막 증상

: 피부증상은 흔히 나타나는 증상으로 80-90%의 환자에서 발생

1) 광과민성

약 50%에서 나타나며, 자외선에 의해 피부병변뿐 아니라 전신 증상이 악화될 수 있음

2) 뺨 발진(Butterfly rash, malar rash)

약 50%에서 나타나며, 코입술 주름(nasolabial fold)에는 나타나지 않는 것이 특징

3) 원반형 발진(discoid rash)

(1) 만성 피부루푸스의 가장 흔한 형태

(2) 약 15-30%에서 나타나며, 경계가 비교적 분명한 홍반으로 표면에 약간의 인설(scale)이 있음. 염증이 소실되면서 대개의 경우 위축반흔, 색소침착

4) 구강, 비강의 궤양

5) 탈모

전신홍반루푸스의 특징 중 하나이며, 두피 전체에 나타나기도 하고, 일부분에서만 나타나기도 함

4. 신장 증상

: 전신홍반루푸스 환자의 절반 정도에서 나타나며 신장 침범 여부가 예후에 매우 중요

1) 정의

24시간 단백뇨(24시간 소변검사 또는 단회뇨 단백/크레아티닌 비)가 500 mg을 초과하거나, 요검사에서 3(+) 이상의 단백뇨나 세포성 원주의 존재

2) 신장조직검사의 적응증

(1) 의미 있는 단백뇨가 있는 경우 적극적으로 신장 조직검사를 시행해야 함

(2) 신염은 신장조직검사 소견에 따라 분류하며, class IV의 경우 예후가 불량

3) 루푸스신염의 활성도가 증가하는 경우 혈중 보체 농도 감소, 항DNA항체의 역가 증가

Lupus Nephritis (LN) 분류 (International Society of Nephrology and Renal Pathology Society)

(1) Class I : Minimal Mesangial Lupus Nephritis

- 현미경 소견은 정상, 면역형광검사에서 mesangial immune deposit

(2) Class II : Mesangial Proliferative Lupus Nephritis

- 현미경 소견은 purely mesangial hypercellularity, mesangial immune deposit

(3) Class III ; Focal Lupus Nephritis

- 50% 이하의 glomeruli 에 염증이 생김, focal subendothelial immune deposit

III (A) : active lesions - focal proliferative LN

Ⅲ (A/C) : active and chronic lesions - focal proliferative and sclerosing LN

Ⅲ (C) : chronic inactive lesions with glomerular scars - focal sclerosing LN

(4) Class Ⅳ ; Diffuse Lupus Nephritis

① 50% 이상의 glomeruli 에 염증이 생김, diffuse subendothelial immune deposit

② 50% 이상의 glomeruli 에 segmental lesion이 있는 IV-S (diffuse segmental)와 50% 이상의 glomeruli 에 global lesion 이 있는 IV-G (diffuse global)로 나뉨

* segmental ; 염증이 생긴 부위가 glomerular tuft 의 1/2 이하

③ glomerulus 염증 없는 diffuse wire loop lesion 도 여기에 속함

IV-S (A) - active lesions ; diffuse segmental proliferative LN

IV-G (A) - active lesions ; diffuse global proliferative LN

IV-S (A/C) - active and chronic lesions ; diffuse segmental proliferative and sclerosing LN

IV-G (A/C) - active and chronic lesions ; diffuse global proliferative and sclerosing LN

IV-S (C) - chronic inactive lesions with scars - diffuse segmental sclerosing LN

IV-G (C) - chronic inactive lesions with scars - diffuse global sclerosing LN

(5) Class Ⅴ ; Membranous Lupus Nephritis

① global 또는 segmental subepithelial immune deposit

② Class Ⅲ 또는 Ⅳ 를 동반할 수 있음

③ 진행된 sclerosis 를 보이기도 함

(6) Class Ⅵ ; Advanced Sclerotic lupus nephritis

- glomeruli 의 90% 이상이 residual activity 없이 global sclerosis

5. 위장관 증상

1) 복통

복통을 유발할 수 있는 여러 질환과의 감별이 필요

2) 장간막 혈관염(mesenteric vasculitis)

(1) 급성 복통으로 내원함. 의심되는 경우 지체없이 복부단층촬영(CT)을 시행해야 함

(2) 복부단층촬영영상: 표적사인(target sign), 빗살사인(comb sign)

6. 심폐증상

1) 심장막염

흔히 심낭삼출이 동반되나 대부분 증상이 없고 심장눌림증(cardiac tamponade)도 거의 없음

2) 심근염

3) 심내막염: Libman-Sacks 심내막염, 세균성 심내막염

4) 관상동맥 심장 질환: 주요 사망 원인 중 하나로, 비교적 젊은 나이에서도 발생

5) 폐동맥고혈압

(1) 선별검사: 심초음파

(2) 확진검사: 심도자술(right heart catheterization)

6) 급성 루푸스폐렴

7) 간질폐질환

8) 폐출혈: 드물지만 매우 심각한 징후

7. 뇌신경계 소견

전신홍반루푸스환자의 약 2/3가 신경정신 증상을 나타내며 다양한 임상 증상을 보임

1) 감별진단: 감염이나 요독증, 고혈압, 약물 부작용 등

2) 진단을 위한 검사

(1) 기본 혈액검사

(2) 뇌척수액 검사: 단백의 증가와 세포수 증가

(3) 방사선 검사: MRI가 CT보다 우수

(4) 자가항체 검사: 뇌척수액 내 항neuron 항체, 혈청 내 항neuron 항체와 항ribosomal P 항체 - 신경정신 루푸스 시사

(5) 발작이 있는 경우 뇌파 검사: 신경정신 루푸스의 약 70%에서 이상소견

3) 뇌졸중

고혈압, 동맥경화, 항인지질증후군, 혈전, 혈소판감소증, 혈관염 등에 의해 발생

4) 항인지질 항체와 동반된 뇌신경 증상: 국소적인 신경학적 이상과 연관됨

5) 횡단 척수염(transverse myelitis)

(1) 급속히 진행하는 상행마비 또는 하반신 불완전 마비, 괄약근 조절 상실, 무감각 등이 나타나는 응급 류마티스질환

(2) 신속히 척추 MRI 검사와 뇌척수액 검사를 시행해야 함

8. 혈액학적 증상

1) 빈혈

(1) 만성병 빈혈(anemia of chronic disease)이 자가면역 용혈성빈혈보다 흔하며, 철결핍성 빈혈이나 신질환과 동반된 빈혈 등이 나타날 수 있음

(2) 용혈 없이도 쿰스 검사(Coombs' test)가 양성으로 나타날 수 있음

2) 백혈구감소증(백혈구 4,000/mm^3 미만)과 림프구감소증(림프구 1,000/mm^3 미만)

3) 혈소판감소증(혈소판 100,000/mm^3 미만)

(1) 약 10%에서 50,000/mm^3 이하로 감소

(2) 특발성 혈소판감소성 자반병이 루푸스에 선행하기도 하며, 혈전성 혈소판감소 자반증(TTP)이나 약제에 의해서도 발생할 수 있음

VI. 치료

1. 일반적 주의 사항

1) 자외선에 노출되는 것을 피하며, 자외선차단제를 발라야 함

2) 정기적인 운동을 통해 전신쇠약 및 과체중, 골다공증 예방

3) Influenza, pneumococcus에 대한 예방 접종이 요구됨

4) 금연

2. 각각의 증상에 따른 치료 방법

1) **발열, 관절통:** hydroxychloroquine, 비스테로이드소염제, glucocorticoid

2) **관절염:** 비스테로이드소염제, hydroxychloroquine, glucocorticoid 또는 methotrexate

3) **피부발진:** 자외선차단제, 스테로이드 연고, hydroxychloroquine → 경구 glucocorticoid 또는 면역억제제, tacrolimus 연고

4) **레이노현상:** 흡연이나 카페인, 충혈제거제(decongestant) 등을 피하고 보온, 칼슘통로차단제(nifedipine)

5) **장막염(serositis):** 비스테로이드소염제, glucocorticoid

6) **장간막관염:** 고용량 glucocorticoid → 출혈이나 천공이 있는 경우 수술

7) **폐출혈:** 고용량 glucocorticoid → 혈장분리교환술

8) **심근염:** 고용량 glucocorticoid → cyclophosphamide

9) **혈소판감소증/용혈성 빈혈:** 고용량 glucocorticoid → 면역글로불린 주사 → 면역억제제 → rituximab, 비장제거술

10) **중추신경 침범 증상**

(1) 고용량 glucocorticoid → cyclophosphamide → 다른 면역억제제(azathioprine, mycophenolate mofetil)

(2) 발작이 동반되는 경우 항경련제를 추가하는 것이 일반적

3. 고용량 glucocorticoid (Prednisolone 기준으로 1 mg/kg/day 이상)가 필요한 경우

   1) 루푸스신염

   2) 중추신경계 침범

   3) 혈소판감소, 용혈성 빈혈

   4) 장간막혈관염, 전신 혈관염

   5) 심근염

   6) 폐출혈

4. 루푸스신염의 치료

   1) 의미 있는 단백뇨가 있는 경우 신조직검사를 하는 것이 권장됨

   2) 치료의 목표는 6개월-1년 이내에 완전관해에 도달하는 것(의미 있는 단백뇨가 없는 상태)

   3) 관해유도치료: 고용량 glucocorticoid + Mycophenolate mofetil (MMF) 혹은 Cyclophosphamide 주사 치료

   4) 유지치료: MMF 또는 azathioprine (관해유도후 적어도 3년은 유지해야 함)

   5) Tacrolimus는 동양인을 대상으로 한 임상시험결과에서는 의미있는 결과를 가지고 있음

5. Glucocorticoid 외에 루푸스에서 사용되는 약제

   1) Hydroxychloroquine

      (1) 가장 흔하게 사용되는 약제(루푸스의 장기예후를 호전시키는 유일한 약제로 특별한 금기가 없는 한 사용해야 함)

      (2) 적응증: 피부발진, 탈모, 광과민성과 관절통, 피로감, 혈전 생성 억제에 효과적

      (3) 용량: 하루 200-400 mg를 사용

      (4) 부작용: 망막병증 → 5년 이상 항말라리아제를 사용한 경우 매년 안과검진이 권장됨(미국안과학회 권고사항)

   2) Cyclophosphamide

      (1) 적응증: 루푸스신염, 신경계 침범같이 생명을 위협하는 합병증

      (2) 용량: 루푸스신염에서는 0.5-1.0 g/체표면적(m^2)를 6개월간 매월 주사 혹은 500 mg을 2주 간격으로 6번 주사

      (3) 부작용

         ① 골수억제(혈중 백혈구가 투여 후 10-14일이 되었을 때 3,000/mm^3 이상 유지되도록 용량 조절)

         ② 생식선 기능 저하(예방을 위해 성선자극호르몬분비호르몬 유도체(GnRH agonist) 투여를 고려)

         ③ 방광독성 예방을 위해 mesna 투여

   3) Azathioprine

      (1) 적응증: 루푸스신염. Cyclophosphamide보다 효과는 떨어짐

(2) 용량: 저용량 (25-50 mg/일) 부터 시작하여 50-150 mg/일로 증량(2 mg/kg)

(3) 부작용: 소화기계 부작용과 골수억제- 주기적인 전혈구(CBC) 검사 필요

4) Methotrexate

(1) 적응증: 피부 병변, 관절염에 효과적

(2) 용량: 7.5-20 mg을 일주일 간격으로 투여

(3) 부작용: 구강궤양, 소화기계 부작용, 골수억제, 간독성, 신기능 저하

5) Mycophenolate mofetil (MMF)

(1) Purine 합성 억제제

(2) 적응증: 루푸스 신염의 유도 또는 유지 치료 약제로 효과적

(3) 용량: 1 g/일로 시작하여 3 g/일까지 증량 가능

　　　아시아인에서는 일반적으로 2 g/일(1 g 하루 2번) 사용

6) Calcineurin 억제제

(1) Cyclosporine A, tacrolimus

(2) 적응증: 루푸스 신염(tacrolimus), 조절되지 않는 혈구감소(cyclosporine A)

(3) 부작용: 고혈압, 고지혈증, 다모증, 신경독성

7) 기타 시도되고 있는 약제

(1) Rituximab

① B 세포 depleting 약제(항CD20 단클론항체)

② 기존의 치료에 불응하는 루푸스 환자에서 제한적으로 사용되고 있음

(2) Belimumab

① B 세포 survival signal 억제(anti-BLyS). 루푸스에서 최초로 승인된 표적치료제

② 2011년 FDA 승인받았으며 루푸스의 관절 및 피부증상에 일부 효과가 있으나

　　루푸스 신염치료효과는 없음

③ 2018년 12월 현재 국내에서는 아직 보험급여를 받지 못함

Ⅰ. 정의

항인지질항체에 의해서 혈전증과 반복유산이 생기는 질환으로 젊은 나이에 원인이 명확하지 않게 혈전증이 발생했거나 반복유산 등의 임신합병증이 있는 경우 의심

Ⅱ. 분류

- 일차성: 항인지질증후군 단독으로 발생
- 이차성: 전신홍반루푸스 같은 자가면역질환이 동반된 경우

Ⅲ. 진단

- 적어도 한 가지 이상의 임상 기준과 한 가지 검사실 소견을 동시에 만족시키면 진단
- 항핵항체 양성 여부와 관련이 없는 검사이므로 별도로 검사를 진행

1. 임상기준

1) 혈전증

(1) 어떤 조직 또는 기관에 발생한 동맥, 정맥 또는 미세혈관 혈전증

(2) 혈전증은 객관적인 기준(영상, 도플러초음파 및 조직검사)에서 증명되어야 함

2) 임신합병증

(1) 10주 이상 된 형태적으로 정상인 태아가 원인불명으로 유산: 1번 이상

(2) 34주 이내 형태적으로 정상인 태아가 임신 중독증(pre-eclampsia), 태반부전(placental insufficiency)으로 조기출산: 1번 이상

(3) 10주 이전에 원인불명의 유산: 3번 이상(산모의 해부학적 구조 이상, 호르몬 불균형, 부모의 염색체 이상으로 인한 것이 아니어야 함)

2. 검사실 기준

- 12주 간격으로 시행한 검사에서 적어도 다음 중 한 가지가 2회 이상 반복양성이어야 함

1) Lupus anticoagulant (LAC):

   (1) lupus anticoagulant screening test 에서 연장 소견 보이면 confirmatory test 시행하여 LA ratio
      (screening/confirmatory) >1.3인 경우- 의미 있음

   (2) 일반 혈액검사에서 aPTT 연장과 관련 있음

2) Anti-cardiolipin antibody (αCL): ELISA법으로 측정했을 때 중간 또는 고역가로 존재(IgG 또는 IgM
   isotype >40 GPL or MPL)

3) Anti-β2 glycoprotein-I antibody (αβ2GPI): IgG 또는 IgM isotype

Ⅳ. 임상 증상

Frequent (20%)	Stroke, pulmonary emboli, pregnancy morbidity, livedo reticularis, thrombocytopenia, deep vein thrombosis
Less frequent (10–20%)	Retinal vein thrombosis, adrenal thrombosis
Unusual (<10%)	Epilepsy, vascular dementia, pulmonary hypertension, portal vein thrombosis, Budd–Chiari syndrome, osteonecrosis, digital gangrene, amaurosis fugax, chorea, leg ulcers
Rare (<1%)	Heart valve disease, coronary artery disease

Ⅴ. 치료

임상조건	치료
정맥 또는 동맥 혈전증	Warfarin, PT INR 2.0–3.0 (warfarin 투여 초기 5일간은 heparin 병용-overlapping-이 필요)
급성 심근경색	Warfarin, PT INR 3.0–4.0
고위험 환자*에서 발생한 동맥 혈전증	Warfarin, PT INR 2.0–3.0 + Aspirin 100 mg/day
임신합병증 단독	Low-dose heparin + Aspirin 100 mg/day
고위험 임신합병증 † 또는 catastrophic APS	High-dose heparin + Aspirin 100 mg/day + plasmapheresis/immunoglobulins
증상없이 세가지 검사실 검사가 모두 양성인 경우	[혈전증 예방] Warfarin, PT INR 2.0–3.0 [임신합병증 예방] Low-dose heparin + Aspirin 100 mg/day

* 고위험 환자: 세가지 검사실 검사 항목이 모두 양성이고, 한가지 이상의 임상증상, 다발성 뇌병변, 또는 심근경색이 있는 경우
† 고위험 임신합병증: 혈전병력이 있거나 세가지 검사실 검사 항목이 모두 양성인 경우

Ⅰ. 정의, 역학 및 발병위험인자

- 관절내 활막에 염증세포들이 침윤되는 염증(synovitis)이 생기고 활막이 증식하여(synovial proliferation) 연골 및 뼈를 파괴하여 관절의 변형과 기능 소실을 초래하는 만성 염증성관절염
- 유병률은 0.3-1.0%
- 남성보다 여성에 호발(M:F=1:3), 40세 이후에 호발
- 유전적 소인과 환경적 요인의 상호작용에 의해 발병
- 한국인에서 HLA-DRB1*04:05와 *09:01이 주요 위험 대립유전자
- 환경적 위험요인은 흡연이 가장 잘 알려짐

Ⅱ. 임상증상

1. 관절 증상

1) 손가락관절(PIP, MCP), 손목관절(Wrist), 발가락관절(MTP)과 같은 소관절의 통증과 뻣뻣함, 부종이 특징이며 다른 관절을 침범할 수도 있음
2) 관절 증상은 대개는 수주에서 수개월에 걸쳐 서서히 나타남
3) 척추에서는 경추의 C1-C2 (고리중쇠관절, atlantoaxial joint) 부위가 유일한 침범부위로 10% 이하에서 발생하지만 문제(atlanto-axial subluxation)가 있는 경우 전신마취를 필요로 하는 수술 상황에서 심각한 신경학적 문제를 유발할 수 있어 임상적으로 중요

2. 전신 증상 및 관절외 증상

1) 전신 증상: 전신 통증, 뻣뻣함, 미열, 체중 감소, 피로감
2) 관절외 증상
   (1) 위험인자: 흡연, 조기 신체장애(early physical disability), 류마티스인자 양성, 항CCP항체 양성
   (2) 안구: 상공막염, 공막염, 건성각결막염
   (3) 구강: 구강건조, 치주염
   (4) 폐: 흉막삼출, 폐결절, 간질성폐렴(주로 UIP와 NSIP), 기질화폐렴
   (5) 심장: 심막염, 관상동맥질환, 심근염(myocarditis), 심근병(cardiomyopathy), 부정맥
   (6) 신장: 막콩팥병증, 이차성아밀로이드증

(7) 피부: 류마티스결절(신전부위, 압력부위에 발생), 혈관염(점출혈, 자색반, 피부궤양, 괴저 등)

(8) 신경: 경추침범 척수병증, 다발홑신경염(mononeuritis multiplex), 국소신경병증(손목터널증후군),

(9) 혈액: 빈혈, 백혈구감소, 비장비대, Felty 증후군, 림프종

(10) 내분비: 저안드로겐증(hypoandrogenism)

(11) 골다공증

Ⅲ. 검사소견과 진단

1. 혈액검사(2절 류마티스질환의 진단적 검사 참조)

- 자가면역질환을 입증할 수 있는 자가항체검사와
- 관절염의 활성도를 측정하는 염증반응검사,
- 약제의 부작용 등을 판단하기 위한 일반 혈액검사가 있음

1) 자가항체검사:

(1) 류마티스인자(rheumatoid factor, RF)

: IgG의 Fc 부위에 대한 자가항체

환자의 70-80%에서 양성, 정상인에서도 5%, 65세 이상인 경우 10-20%까지 양성

(2) Anti-citrullinated protein antibody (ACPA)

① 항CCP항체(anti-cyclic citrullinated peptide antibody)라고도 부름

② 예민도는 류마티스 인자와 유사하나, 특이도가 90% 이상으로 높은 장점이 있음

③ 류마티스관절염 증상이 나타나기 수년 전부터 양성으로 나오기 때문에 조기진단이 가능

④ 질환의 예후와 관련. 흡연과의 연관성 보고

2) 관절염의 활성도검사: 급성기 반응물질인 ESR, CRP

3) 일반혈액검사:

(1) 염증이 있을 때는- 빈혈, 혈소판 증가

(2) 약물 치료 중에는 정기적으로 간기능 및 신장기능 검사 필요

2. 방사선검사

1) X선검사: 관절주위 연부조직 부기, 관절주위 골결핍, 골미란, 관절강의 협착

2) 초음파검사: 관절내 활액 증가 및 활막 증식, 신생혈관 증식, 힘줄의 침범, 연골 손상, 골미란 관찰

3. 진단

2010년 미국 및 유럽류마티스학회 류마티스관절염 진단기준

다음 4개의 항목점수를 합하여 6점 이상이면 진단

2010년 류마티스관절염 분류기준		점수
침범된 관절[1]	큰 관절[2] 1개	0
	큰 관절 2~10개	1
	작은 관절[3] 1~3개	2
	작은 관절 4~10개	3
	>10개 관절(적어도 1개 작은관절 포함)	5
혈청검사	류마티스인자 및 항CCP항체 음성	0
	류마티스인자 또는 항CCP항체 약양성(정상 상한의 3배 이내)	2
	류마티스인자 또는 항CCP항체 강양성(정상 상한의 3배 이상)	3
급성기반응물질	CRP와 ESR 정상	0
	CRP 또는 ESR 상승	1
증상지속기간	6주 이내	0
	6주 이상	1

(1) 관절의 침범은 신체검사 때 부어있거나 압통이 있는 관절, 또는 MRI나 초음파검사에서 활막염의 증거가 있을 때.
(2) 큰 관절: 어깨, 팔꿈치, 고관절, 무릎, 및 발목관절
(3) 작은 관절: 손허리손가락(MCP)관절, 근위부 손가락뼈사이(PIP)관절, 엄지손가락의 손가락뼈사이관절, 손목관절, 두번째부터 다섯번째 발허리
발가락(MTP)관절.그러나 원위부 손가락뼈사이(DIP)관절, 첫번째 손목허리(CMC)관절, 첫번째 발허리발가락(MTP)관절은 제외

IV. 치료

1. 치료 목표

통증 조절, 최대한의 관절 기능 유지, 관절의 변형 및 파괴 예방

2. 치료 원칙

1) 조기에 DMARD를 시작할수록 결과가 좋음
2) 치료는 관해 또는 낮은 질병활성도를 목표로 해야 하며 목표에 도달하지 못하는 경우는 1-3개월 간격
   으로 평가하여 치료를 조정
3) 최초의 DMARD로 목표에 도달하지 못하는 경우, 생물학적제제 혹은 JAK억제제를 고려
4) 동반질환의 유무를 고려하여 치료제 선택

3. 약물 치료(3절 류마티스 약물 참조)

비스테로이드소염제, glucocorticoid, 항류마티스약제를 사용

1) 비스테로이드소염제(Nonsteroidal anti-inflammatory drugs, NSAIDs)

(1) 증상 개선을 위한 보조제로 사용
(2) NSAID는 한가지만을 사용하며 2가지 이상 병용 투여는 피함
(3) 2-3주간 사용하여도 효과가 없을 경우 다른 NSAID로 교체 가능
(4) 소화기, 심혈관, 신장 부작용 있을 수 있음: 위험인자를 보유한 환자 및 고령에서 사용에 주의

2) Glucocorticoid

    (1) 관절염의 증상을 호전시키고 골손상을 감소시킬 수도 있음

    (2) 장기간 사용시 부작용 초래, 최소 필요한 용량으로 감량하고 가능하면 중단하려는 노력 필요

    (3) 심각한 관절외 임상증상(혈관염, 공막염 등)이 있을 때 고용량 Glucocorticoid 사용

3) 항류마티스약제(Disease modifying anti-rheumatic drugs, DMARDs)

    • 활막내의 염증의 진행을 막거나 질병을 개선시켜서 관절손상을 억제시킬 수 있는 약제

    • methotrexate는 효과가 입증된 대표적인 핵심치료(anchor drug) 약제

    • DMARD 치료는 methotrexate를 중심으로 한 병용치료가 원칙

    • DMARD 치료로 질병이 개선되지 않을 경우, 생물학적제제, JAK 억제제 사용가능

    (1) 전통적 합성 항류마티스약제(conventional DMARDs)

       methotrexate (MTX), hydroxychloroquine (HCQ), sulfasalazine (SSZ), leflunomide (LEF)

    (2) 생물학적제제(Biologics)

       ① 항TNF제제: Infliximab, Etanercept, Adalimumab, Golimumab, Certolizumab

       ② 항IL-6제제: Tocilizumab

       ③ T세포 표적제: Abatacept

       ④ B세포 표적제: Rituximab

       ⑤ 투여 시작 전 흉부 X선 검사 및 잠복결핵 검사(Interferon gamma releasing assay; IGRA, PPD 피부반응 검사)

    (3) JAK 억제제

       ① 세포내 신호전달물질인 JAK (Janus kinase) 억제

       ② Tofacitinib: JAK1/3 억제

       ③ Baricitinib: JAK 1/2억제

       ④ 투여 시작 전 흉부 X선 검사 및 잠복결핵 검사(Interferon gamma releasing assay; IGRA, PPD 피부반응 검사)

    (4) 생물학적제제 및 JAK 억제제를 투여하려는 RA 환자의 잠복 결핵

       ① 잠복결핵 치료를 시작하고 3주 지나서 생물학적제제나 JAK 억제제 투여 시작

       ② 잠복결핵 치료 ; isoniazid 5 mg/kg (최대 300 mg) 을 9 개월 투여

V. 류마티스관절염 관련 위험 및 위험 인자

1. 감염 위험 인자

    고령, 관절외 증상, 백혈구감소증, 동반질환(폐질환, 알콜중독, 당뇨), glucocorticoid, 생물학적제제

2. 간질폐렴 위험 인자

    고령, 남성, 흡연, 높은 류마티스인자 역가, 관절외 증상, 항류마티스약제

류마티스내과

09

3. 사망률 증가인자

진행된 신체장애, 높은 질병활성도, 침범 혹은 손상된 관절수, 동반질환(심장혈관질환, 감염), 급성반응물질 증가, 항CCP항체 혹은 류마티스인자 증가, NSAIDs, glucocorticoid

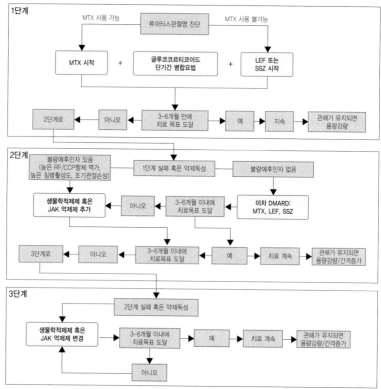

그림 9-6-1 류마티스관절염 치료 단계

I. 정의와 유병률

1. 정의

1) 손에 레이노현상 발생

2) 손가락에서 손허리손가락(MCP) 관절 윗쪽과 얼굴, 심하면 몸까지 피부 경화 발생

3) 폐, 소화기 계통을 포함한 내부 장기의 섬유화가 진행되는 특징이 있음

4) 자가항체검사 ANA가 양성인 만성 염증성 전신 자가면역질환

2. 주요 병인

1) 광범위 미세혈관병증(diffuse microangiopathy)

2) 염증과 자가면역(inflammation and autoimmunity)

3) 여러 장기의 내장과 혈관 섬유화(visceral and vascular fibrosis of multiple organs)

4) 초기에는 자가면역과 혈관 이상이 생기고, 나중에 섬유화와 위축이 생김

3. 환경 직업적 인자

실리카, vinyl chloride, 유기 용제와 같은 화합물질 노출과, CMV, EBV, parvovirus B19 등의 바이러스도 관련 있음

4. 유병률

1) 백만 명당 10-50명 정도, F>M (4~5:1)

2) 가장 흔한 발병 연령은 30-50세로 가임기에 많이 발생하고 폐경 이후에 발생은 감소

* 피부 경화가 신체 일부에 국한된 경우는 전신경화증이라고 하지 않고 국한 피부경화증 (localized scleroderma)으로 구분

I. 국한 피부경화증(Localized scleroderma)
  A. 반상피부경화증(morphea)
  B. 선피부경화증(linear scleroderma), coup de sabre, hemifacial atrophy)
II. 전신경화증(Systemic sclerosis, Scleroderma)
  A. 제한 전신경화증(Limited systemic sclerosis)
  B. 광범위 전신경화증(Diffuse systemic sclerosis)

II. 전신경화증(systemic sclerosis, scleroderma) 분류

1. 제한(Limited) 전신경화증

피부의 변화가 얼굴, 목, 팔꿈치, 무릎 밑의 사지 말단부에 국한

* CREST 증후군; 제한성 전신경화증에 속하며 subcutaneous Calcinosis, Raynaud 현상, Esophageal dysfunction, Sclerodactyly, Telangiectasia의 증상을 보임

2. 광범위(미만성, Diffuse) 전신경화증

1) 침범되는 피부의 범위가 넓어서 몸통과 팔꿈치 및 무릎 위의 피부까지 침범
2) 피부 변화가 빠르고 예후가 제한 전신경화증에 비해 불량

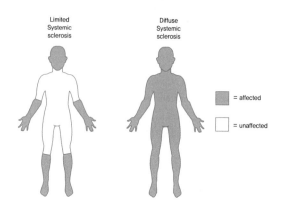

표 9-7-1 제한 전신경화증과 광범위 전신경화증의 특징 비교

	제한 전신경화증(Limited SSc)	광범위 전신경화증(Diffuse SSc)
피부 침범	완만한 속도로 진행	처음 2년 동안 급속히 진행
레이노현상	피부침범에 선행. 심한 허혈을 일으키기도 함	피부 증상과 동시에 나타나며 경미한 정도
근골격 증상	경미한 관절통	심한 관절통, 손목터널 증후군, 힘줄 마찰음
간질폐질환	천천히 진행하며 대게 경한 중증도	흔하며 질병 초기에 발생함. 중증도가 심할 수 있음
폐동맥고혈압	후기에 비교적 흔하며, 단독으로 발생 가능	폐섬유화와 관련하여 나타나기도 함
콩팥위기 (renal crisis)	매우 드묾	15% 이내에 발생. 질병 초기(<4년)에 발생 가능
피하 석회화 (calcinosis cutis)	흔하고 현저함	드물고 경미함
특징적 자가항체	Anti-centromere Ab	Anti-topoisomerase I (Scl-70) Ab, anti-RNA polymerase III Ab

Ⅲ. 진단

표 9-7-2 전신경화증 분류 기준(2013 ACR/EULAR classification criteria)
 - 각 항목의 최대 점수를 더해서 9점 이상이면 전신경화증으로 분류 가능

항목	소항목	점수
양손 손가락과 손허리관절의 윗쪽까지 피부 두꺼워짐 (fingers extending proximal to MCP joints)		9
손가락만 피부가 두꺼워짐	손가락 부종(puffy finger)	2
	손가락피부경화증(sclerodactyly)	4
손가락 끝 병소(fingertip lesions)	손가락 끝 궤양	2
	손가락 끝 함요 흉터(pitting scar)	3
피부, 점막의 모세혈관 확장증(telangiectasia)		2
비정상적 손톱주름 모세혈관		2
폐 침범	폐동맥고혈압	2
	간질성폐질환	2
레이노현상		3
전신경화증 관련 자가항체(최대 3점)	Anti-centromere 항체	3
	Anti-topoisomease I 항체	
	Anti-RNA polymerase III 항체	

Ⅳ. 감별진단

감별이 필요한 질환	구별점
반상피부경화증(Morphea)	반점형 또는 선형 분포
호산구성 근막염(eosinophilic fasciitis)	손을 침범하지 않고 조직검사에서 근막과 근육 침범 관찰
Scleredema	목, 어깨, 근위부 팔만 침범(손은 침범하지 않음), 당뇨와 연관
Scleromyxedema	Gammopathy와 관련
이식편대 숙주반응(GVHD)	피부경화증과 비슷한 피부 변화
Nephrogenic-fibrosing dermatopathy	만성 신부전 환자에서 발생하며 피부 경화증과 비슷한 피부 변화

Ⅴ. 임상 증상

표 9-7-3 제한 전신경화증과 광범위 전신경화증의 장기 침범의 빈도 비교(단위:%)

	제한 전신경화증 (Limited SSc)	광범위 전신경화증 (Diffuse SSc)
피부 침범	90*	100
레이노 증상	99	98
허혈성 말단 궤양	50	25

	제한 전신경화증 (Limited SSc)	광범위 전신경화증 (Diffuse SSc)
식도 침범	90	80
간질폐질환	35	65
폐동맥고혈압	15	15
근육병증	11	23
심장 침범	9	12
경화증 콩팥 위기	2	15

* 레이노현상이 나타나고, 조갑 모세혈관에 이상이 있고, 전신경화증에 특이한 자가항체가 검출되면 피부병변이 없어도 전신경화증을 의심할 수 있음
(SSc sine scleroderma)

1. 레이노현상

1) 추위에 노출되었을 때 혈관이 과도하게 수축하여 손가락 색깔이 하얗고 파랗게 변하는 현상

2) pallor (vasoconstriction) → cyanosis (ischemia) → erythema (reperfusion)

3) 일차성(primary): 원인 질환이 없는 경우

4) 이차성(secondary): 전신경화증, 루푸스 및 다른 결체조직질환이 동반된 경우
일차성과 달리 손가락 끝의 digital pitting scar나 궤양, 손톱주름 모세혈관이상, ANA 양성 등의 소견 동반 가능

5) 치료: calcium channel blocker, phosphodiesterase 5 inhibitor (sildenafil), prostanoid, selective serotonin reuptake inhibitor (SSRI)

6) 예방: bosentan (endothelin receptor antagonist) - 궤양의 발생 예방 효과 있음, 이미 발생한 궤양의 치유를 촉진하지는 못함

2. 피부증상

1) 발병 초기 염증에 의한 피부 부종 → 섬유화가 진행되면서 피부가 딱딱하고 두꺼워짐
   → 더 진행되면 피부가 위축되고(atrophy), 손가락, 손목, 팔꿈치의 굴곡 강직(flexion contracture)
2) 피부 소양감이 심하며 모세혈관 확장 소견이 관찰되고, 궤양
3) 피부색이 옅어지거나(hypopigmentation) 색소 침착(hyperpigmentation)이 동반됨 → salt and pepper appearance
4) 얼굴에서는 표정이 없어지며(masked face), 입이 작아지고, 입 주위에 주름이 발생(vertical furrowing)
5) acro-osteolysis: 손가락끝의 뼈(distal phalanges)가 녹는(resorption) 현상
6) 손톱주름 모세혈관을 조사해보면 혈관확장과 소실이 관찰 (그림 9-7-1)
7) 치료약물
   (1) digital ulcer: 항생제, 레이노 현상 치료
   (2) swollen puffy hands: 단기간 저용량 glucocorticoid (prednisolone 〈5 mg/day)
   (3) cyclophosphamide, methotrexate 도 피부 경화에 다소 효과 있음

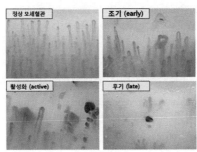

그림 9-7-1

3. 소화기 증상

1) 소화관 장애: 소화관의 평활근 위축 및 섬유화에 의해 증상이 발생하는 것으로 추측

2) 소화기 침범에 의한 증상 및 치료

부위	증상	치료
입인두(oropharynx)	입주위 피부 경화 및 구강 건조 치주질환 삼킴 장애	치과 치료 Artificial saliva 연하 치료(swallowing therapy)
식도	역류 연하 장애 협착 바렛 식도	Lifestyle modification Prokinetic agents proton inhibitors
위	위 마비(gastroparesis) Gastric antral vascular ectasia (GAVE, watermelon stomach)	Prokinetic agents
소장/대장	장관운동 소실로 세균증식 설사/변비 거짓 폐쇄 공기창자낭종 흡수장애 Colonic pseudodiverticula	Laxatives Prokinetic agents Rotating antibiotics Octreotide Parenteral nutritional support
직장/항문	sphincter incompetence	Biofeedback

4. 폐 증상

경피증 환자의 가장 주요한 사망요인은 폐침범으로 인한 간질폐질환과 폐동맥고혈압

1) 간질폐렴(interstitial lung disease, ILD)

(1) fibrosing alveolitis에 의한 것

(2) HRCT에서 전신경화증 환자의 65%가량에서 간질폐렴 소견 보이나, 임상적으로 의미 있는 간질폐렴은 16-43%

(3) ILD 발생 위험 인자: 남성, 광범위한 피부 침범, 심한 GERD, anti-topisomerase I Ab

류마티스내과

09

(4) 조직학적으로 NSIP (nonspecific interstitial pneumonitis: 비특이적 간질폐렴)와 UIP (usual interstitial pneumonitis: 통상성 간질폐렴)이 가장 흔한 형태

(5) 초기에는 무증상이나 진행하면 exertional dyspnea, 피곤감, 운동능 감소, 만성 마른기침

(6) PFT: 제한성 폐질환 소견(FVC <70%, FEV1/FVC >0.8, reduced TLC and DLCo)

(7) 치료: 염증소견이 있는 폐포염(alveolitis)에서는 cyclophosphamide, mycophenolate mofetil

2) 폐동맥고혈압(pulmonary arterial hypertension, PAH)

(1) 정의: 평균 폐동맥압 ≥ 25 mmHg이고 PCWP (pulmonary capillary wedge pressure) ≤15 mmHg).

(2) 치료받지 않는 경우 3년 생존율 <50 %

(3) 폐동맥고혈압 위험인자: 제한 전신경화증, 모세혈관확장증, 고령에서 발병한 경우, anti-centromere Ab, U1-RNP, U3-RNP 양성인 경우

(4) 증상: exertional dyspnea, 운동능 감소, 진행하면 흉통 및 실신 발생

(5) 진단: 선별 검사를 위해서는 심장초음파가 도움이 되며,

심도자(Rt. Heart catheterization)를 통하여 확진 가능

PFT에서 FVC%/DLco% ratio가 큰 경우도 폐동맥 고혈압 의심

(6) Brain natriuretic peptide (BNP)가 폐동맥고혈압 중증도와 일치하므로, 전신경화증 환자에서 폐동맥 고혈압의 선별 및 치료 모니터링에 유용함

(7) 치료: prostacyclin analogs (epoprostenol, iloprost, treprostinil),

endothelin receptor antagonsist (bosetan, ambrisentan, macitentan),

phosphodiesterase 5 inhibitor(sildenafil),

Riociguat, Selexipag,

* monotherapy에 반응하지 않는 경우 다른 기전의 약제들 병용 가능

5. 심장증상

1) 전체 환자의 10-50%에서 심장을 침범

2) 심장막 삼출, 심방과 심실부정맥, 전도질환, 판막역류, 심근허혈, 심부전 등이 나타날 수 있음.
무증상의 심낭삼출은 흔하지만 눌림증 (tamponade)까지 진행하는 경우는 드묾

3) 그밖에 관상동맥 경련, 심근 섬유화로 인한 심근병증, 전도장애, 부정맥 발생 가능

6. 신장증상

1) scleroderma renal crisis (SRC, 전신경화증 콩팥 위기)

(1) 고혈압, 신 기능 악화 시 콩팥 위기의 가능성을 고려

(2) 고혈압 없이 단백뇨, microangiopathy 등을 동반한 콩팥 위기가 발생하기도 함

(3) 병리소견: 혈관의 내막 증식과 내강 협착

(4) 질병 발생 초기 4년 이내에 잘 발생함. Anti-RNA polymerase III 항체 양성, 고용량의

Ⅳ. 진단

1. 쇼그렌증후군 진단 기준

1. 안구 증상	매일 지속되는 안구건조가 3개월 이상 지속, 반복되는 눈에 모래나 자갈이 들어간 느낌 인공누액을 하루 3회 이상 사용
2. 구강 증상	매일 지속되는 구강건조증상이 3개월 이상 지속, 침샘의 부종소견, 마른 음식 먹을 때 음료수를 자주 마심
3. 안구 소견	Shirmer's testr (<5 mm in 5 min), Rose Bengal score ≥4
4. 침샘조직 소견	침샘 조직검사에서 focus score ≥1
5. 침샘 소견	Salivary Scintigraphy, Parotid Sialography, 비자극 침샘 분비량(≤1.5 mL in 15 min)
6. 자가항체	항Ro (SS-A)/La (SS-B)항체

-) 6가지 항목 중 4가지를 만족하는 경우(반드시 4 또는 6이 포함되어야 함) 또는 3, 4, 5, 6 중에 세 가지를 만족하는 경우에 진단이 가능

2. 감별 진단

1) 구강 건조증

(1) 바이러스 감염(HCV, HIV)

(2) 약물(항우울증약, 부교감신경억제제, 항고혈압제)

(3) 정신적 요인

(4) 방사선 (irradiation)

(5) 당뇨

(6) 아밀로이드증

2) 안구 건조증

(1) 염증 (Stevens-Johnson 증후군, 만성 결막염, 만성 눈꺼풀염, 유사천포창)

(2) 약물 또는 화상 등에 의한 외상

(3) 눈물샘 장애

(4) 기타- 눈깜박임 장애, 무감각 각막, 비타민 A 감소증, 안검 흉터

3) 양측 이하선 종대

(1) 바이러스 감염(EBV, CMB, HCV, HIV),

(2) 사르코이드증(유육종증), 결핵

(3) IgG4 증후군

(4) 기타- 당뇨, 간경화, 만성 췌장염, 말단비대증, 생식 기능 장애

4) 편측 이하선 종대

: 종양, 세균 감염, 침샘염, 타석

V. 치료

1. 안구 및 구강 건조증의 치료

1) 인공타액, 인공누액, 음료수 섭취 등으로 부족한 타액 및 누액의 보충

2) 약물 요법: pilocarpine (살라겐, 5 mg/회, 1일 최대 4회 복용),
　　　　　　　Cevimeline (30 mg/회, 1일 최대 3회 복용)

3) 수술요법: 안구 증상이 심한 경우 punctal occlusion을 고려

4) 정기적인 치과 검진과 청결한 구강위생, oral thrush가 생긴 경우 nystatin이 효과적

5) 주의 약물: 증상을 악화시킬 수 있는 이뇨제, 고혈압약, 항우울제 등

2. 전신 증상의 치료

1) 관절염

NSAIDs, hydroxychloroquine 또는 MTX + 저용량 경구 glucocorticoid

2) 심한 전신 장기 침범

(1) 신세뇨관 산증: 경구 sodium bicarbonate (0.5-2.0 mmol/kg, 4회 분복)

(2) 간질폐렴, 사구체신염, 혈관염, 말초신경병증

- glucocorticoid (prednisolone 0.5-1 mg/kg/일)와 cyclophosphamide와 같은 면역억제제

(3) glucocorticoid 사용: 치주병(periodontal disease)과 구강 캔디다증이 발생할 가능성을 높임

I. 정의와 종류

1. 척추관절염(spondyloarthritis) 정의

천장관절(sacroiliac joint)과 척추 및 무릎, 발목 등 하지 관절의 만성 관절염과 신생골 형성, 인대나 힘줄 부착 부위의 부착부염(enthesitis)이 흔하게 발생하는 임상적 특징을 공유하며 HLA-B27과 관련성을 갖는 질환군

2. 종류

주로 침범하는 관절에 따라 크게 축성(axial) 척추관절염과 말초(peripheral) 척추관절염으로 분류

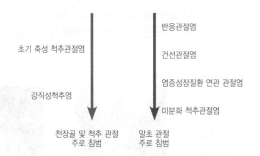

II. 강직척추염 및 축성 척추관절염

- 천장관절을 비롯한 척추 및 부착부의 염증을 특징으로 하는 만성 염증질환
- 방사선학적 진행 정도에 따라 비방사선적 축성 척추관절염과 강직척추염으로 분류

비방사선학적 축성 척추관절염	강직척추염
염증성 허리 통증	염증성 허리 통증
MRI – 천장관절염 소견(골수부종)	X선 – 천장관절염 소견 관찰
X선 – 천장관절염 소견 관찰되지 않음	

1. 임상 양상

10대와 20대에 증상이 시작되는 경우가 흔함

1) 염증성 허리통증과 척추 운동성 감소

염증성 허리통증	기계적 허리통증
40대 이전	40대 이후
아침에 심하고 저녁에 호전	조조강직 30분이내
서서히 발생	갑자기 발생
운동시 호전	운동시 악화
3개월 이상 지속	휴식시 호전
NSAID 투여시 70~80% 호전	NSAID 호전 15%

2) 관절 증상

(1) 말초 관절염: 주로 무릎, 발목을 침범, 비대칭적, 소수 관절 침범(oligoarthritis)

(2) 부착부염(Enthesitis): 아킬레스 건염이 가장 흔함

(3) 족저근막염(Plantar fasciitis)

3) 관절외 증상

(1) 급성 전방 포도막염: 한 쪽의 급성 전방 포도막염이 흔하게 발생

(2) 하부 장관 염증: 약 50%에서 염증 소견. 5-10%에서는 실제로 염증장질환이 발생

(3) 건선: 약 10%

4) 신체검사소견 – modified Schober's test

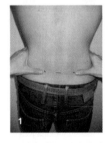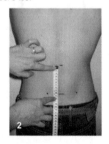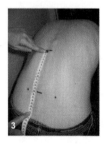

환자를 똑바로 서게 하고 요천골 연결부위에 표시하고 위로 10 cm 부위에 표시한 후 무릎은 구부리지 않은 상태에서 최대한 앞으로 허리를 굽히게 한 후 2개의 점 사이를 측정하여 거리 변화가 5 cm 이상이면 정상이고, 4 cm 미만이면 움직임이 제한된 것으로 판정

2. 검사실 소견: 강직성척추염을 확진할 수 있는 특이 검사는 없음

1) HLA–B27: 환자의 90%에서 존재

2) 적혈구침강속도, C반응단백 증가: 질병활성도와 연관

3. 방사선 소견

1) 단순 X선

(1) 천장골염: Pelvis AP 또는 sacroiliac joint view에서 골미란, 경화 또는 강직 소견 관찰

(양쪽 grade >2 이거나, 한쪽 grade 3 또는 4)

(2) 척추염: 경추, 흉추, 요추의 lateral view에서 관찰

2) 천장관절 MRI

(1) 초기 천장관절염의 진단에 매우 민감하고 특이도가 높음

(2) T2 fat suppression sequence 또는 STIR에서 천장관절의 활동성 관절염 소견인 bone marrow edema 여부 관찰

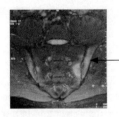

— bone marrow edema

4. 진단 – ASAS 축성 척추관절염 분류 기준

45세 미만, 3개월 이상 허리 통증 있는 경우에 적용

방사선에서 천장골염 소견 + 임상 특징 ≥ 1	HLA–B27 (+) + 다른 임상 특징 ≥ 2
방사선에서 천장골염 소견	**척추관절염 임상특징**
MRI에서 활동성 천장관절염 소견 ± X선에서 명확한 천장관절염 소견	염증성 허리 통증 관절염 부착부염(발꿈치) 전방 포도막염 손발가락염 건선 크론병 또는 궤양성대장염 NSAID에 좋은 반응 있음 척추관절염의 가족력 HLA–B27 양성 CRP 상승

5. 치료

	척추 증상	말초 증상
1차 치료	비스테로이드소염제	
	비약물적 치료: 금연, 운동, 교육, 물리치료	
		국소적 스테로이드 주사
		sulfasalazine, 2 – 3 g/day
2차 치료	항TNF제제(etanercept, adalimumab, infliximab, golimumab)	
3차 치료	다른 종류의 항TNF제제 또는 항IL–17제제(secukinumab)	

III. 반응관절염

1. 정의

- 소화기나 비뇨생식기 감염 후에 발생하는 급성 비화농성(nonpurulent) 관절염
- 유발 감염균

1) 소화기: Shigella, Salmonella, Yersinia, Campylobacter

2) 비뇨생식기: Chlamydia trachomatis, Ureaplasma urealyticum, Mycoplasma genitalium

3) 호흡기: Chlamydia pneumonia

2. 임상양상

1) 관절 증상

(1) 증상 발생: 감염이 생긴 지 1-4주 후에 비대칭으로 소수의 하지 관절에 급성 관절염 유발

(2) 흔한 부위: 무릎, 발목, 발등, 중족지관절(MTP), 발가락사이관절(IP)

(3) 손발가락염(dactylitis) 또는 소시지 손가락: 소수의 손가락과 발가락에 비대칭으로 발생

(4) 척추 증상: 약 30%는 고관절 부위로 방사되는 허리통증이 있고 밤에 악화

(5) 부착부염: 아킬레스건염, 족저근막염, 척추 뼈를 따라 인대가 부착하는 모든 부위에 통증

2) 관절외 증상

(1) 비뇨생식기: 요도염, 전립선염, 자궁경부염, 난관염

(2) 눈: 결막염, 전방 포도막염

(3) 피부: 구강궤양, 농루성 각피증, 윤상 귀두염, 손발톱박리증, 손발톱 황색 변색

3. 검사실 소견

반응관절염을 확진할 수 있는 특이 검사는 없음

1) ESR, CRP 증가

2) 가벼운 빈혈

3) HLA-B27: 30-50%에서 양성, 만성 또는 재발성 관절염, 천장관절염 등의 증상과 관련

4) 세균감염의 증거

(1) Yersinia, Salmonella, Chlamydia에 대한 항체증가

(2) PCR of first voided urine specimens for chlamydial DNA

4. 방사선 소견

1) 초기 또는 경증 소견 - 정상 또는 관절주위 골감소

2) 진행시 소견

(1) 골미란과 관절간격 좁아짐

(2) 골막염을 동반한 신생골 형성

(3) 족저근막 부착부위에 골극형성

3) 천장관절염과 척추염: 후기에 나타남, 강직성척추염과 달리 비대칭적 침범

5. 진단

1) 특징적 임상적 소견으로 진단: 비대칭적인 염증성 관절염이나 건염이 수일에서 1-2주일 내에 새로운 관절에 추가적으로 생길 때 진단

2) 이런 환자에서 설사나 배뇨통 등의 유발요인이 있었는지에 관한 문진이 꼭 필요

6. 치료

1) 비스테로이드소염제: 최대 용량으로 사용

2) Sulfasalazine: 3 g/d까지 사용 가능, Methotrexate 7.5-20 mg/wk

3) 인대염 및 부착부염: 국소적 스테로이드 주사

4) 포도막염: 대개 glucocorticoid 치료 요함

5) 피부 병변: 대부분 대증적인 치료 요함

IV. 건선관절염

1. 정의

1) 건선과 동반하여 발생하는 만성 염증성 관절염

2) 남자와 여자 동일하게 발생, 건선 환자의 5-42%에서 발생,
HLA-B27과의 연관성은 척추염이 있는 경우 약 50-70%에서 관찰

2. 임상 양상: 전형적인 특징

손발톱 변화(nail pitting, onycholysis), 손빌가락염, 부착부염

1) 관절염

(1) 60-70%: 건선이 관절염보다 선행

(2) 15-20%: 건선과 관절염이 1년 이내에 같이 발생

(3) 15-20%: 관절염이 건선보다 선행

* 건선관절염의 분류(Wright and Moll)
① arthritis of DIP joints with nail change: 15%

② asymmetric oligoarthritis: 30%

③ symmetric polyarthritis similar to RA: 40%

④ axial involvement (spine & sacroiliac joint): 5%

⑤ arthritis mutilans (highly destructive form): 5%

2) 손발가락염: 활막염과 힘줄윤활막염이 동시에 발생한 현상, 30% 이상에서 관찰됨

3) 부착부염: 족저근막, 아킬레스건, 어깨, 무릎, 골반뼈의 부착부

4) 관절외 증상

(1) 조갑(nail) 변화: 건선 관절염 환자의 약 90%에서 관찰.

오목증(pitting), horizontal ridging, 손발톱박리증(onycholysis), 손발톱 황색 변화, 손발톱밑 각화과다증(hyperkeratosis)

(2) 안과: 결막염, 포도막염

3. 검사실 소견

1) ESR, CRP 증가

2) 류마티스인자 및 항핵항체: 드물게 양성

3) HLA-B27: 척추 침범 환자의 50-70%에서 양성

4. 방사선 소견

1) 말초 관절

'pencil-in-cup' deformity, 주위뼈 증식(whiskering)을 동반하는 골미란, 작은관절 강직(ankylosis), 말단뼈융해(acroosteolysis), 골막염(periostitis)과 골부착부위 신생골 형성

2) 척추

비대칭성 천장관절염, 척추주변 석회화, nonmarginal syndesmophytes, 척추 전방에 hyperperiostosis, 심한 경추 침범

5. 진단: CASPAR 건선관절염 분류기준

염증성 관절 증상 + 각 카테고리 점수 합 ≥ 3점	점수
1. 건선	현재 건선 - 2점 or 건선 과거력 - 1점 or 건선 가족력 - 1점
2. 특징적 조갑 변화 - 오목증, 조각박리증, 각화과다증	1점
3. 류마티스인자 음성	1점
4. 손발가락염	현재 증상 1점 or 손발가락염 과거력 - 1점
5. 방사선 소견 - 관절 주위 신생골 형성	1점

6. 치료

1) NSAIDs

2) Sulfasalazine: 2-3 g/d, Methotrexate: 15-25 mg/wk, Leflunomide, Cyclosporine : 2-5 mg/kg/d

3) 항TNF제제

4) Anti-IL-23/IL-12p40 Ab - Ustekinumab

V. 염증성장질환연관관절염(Enteropathic arthritis)

1. 정의 및 역학

1) 크론병 또는 궤양성대장염과 관련된 관절염

2) 염증장질환 환자의 1-10%: 강직척추염으로 진단, 10-50%: 말초관절염

3) 강직척추염 환자의 5-10%: 염증장질환 발생

2. 임상증상

1) 관절증상: 강직척추염과 비슷함

2) 관절외 증상: 포도막염, 괴저성 농피증(pyoderma gangrenosum), 홍반성 결절, 곤봉형 손가락

3. 진단

전형적인 하지 관절염, 척추염, 관절외 증상을 보이는 염증성 장질환 환자에서 임상적으로 진단

4. 치료

1) NSAIDs: 일반적으로 도움이 되나 염증성장질환을 악화시킬 수 있음

2) sulfasalzine, systemic glucocorticolds, immunosuppressive drugs

3) 항TNF제제: infliximab, adalimumab - 크론병의 임상적 관해에 효과적

   * Etanercept는 염증성장질환에 유의한 효과를 보이지 않아 사용되지 않음

VI. 미분화척추관절염 & 유년기 발병 척추관절염

1. 미분화척추관절염

1) 척추관절염의 임상증상을 보이지만 진단기준을 만족하지 못하면 이에 해당

2) 환자의 일부는 후에 염증성장질환이나 건선이 발생하고, 일부는 시간이 지나면서 강직성척추염 기준을 만족

3) 약 반수가 HLA-B27양성이고, 가족력이 있는 경우 더 흔히 HLA-B27 양성이면서 종종 강직성척추염으로 진행

2. 유년기발병 척추관절염

1) 7-16세 시작(60-80%, 남자)

2) 비대칭성으로 주로 하지관절 침범과 부착부염이 특징이며 관절 외 증상은 없는 것이 전형적

3) 대부분 강직성척추염으로 진행

4) HLA-B27: 80% 양성

표 9-9-1 척추관절염의 감별 진단

	강직척추염	건선관절염	반응관절염	염증성장질환연관관절염
성비(남:여)	2-3:1	1:1	8:1 비뇨생식기, 1:1 소화기	1:1
발병나이	<40	33-55세	20-40세	젊은 성인
천장관절염 혹은 척추염	100%	~20%	~40%	<20%
천장관절염	대칭	비대칭	비대칭	대칭
말초관절염	~25%	95%	90%	15-20%
HLA-B27 양성	85-95%	25%(척추염 60%)	30-80%	7% (척추염 70%)
포도막염	25-40%	25%	25%	10-36%

Ⅰ. 혈관염

1. 혈관염은 혈관벽의 염증으로 혈관의 손상 및 폐쇄가 발생하여 허혈(ischemia)과 관련된 장기 손상이 나타나는 질환군

2. 전신 염증을 시사하는 일반적인 증상들(원인이 명확하지 않은 발열, 체중 감소, 관절통, 근육통, 염증 지표 상승)에 동반되어 장기의 허혈로 인한 이상 소견을 보이는 환자에서 혈관염을 의심할 수 있음

3. 원인 유무에 따라 원발성(primary)과 이차성(secondary)로 나뉨

Ⅱ. 원발성 혈관염의 분류

1. 큰혈관염

거대세포동맥염, 타카야수동맥염

2. 중간혈관염

결절다발동맥염, 가와사키병

3. 소혈관염

1) 면역 복합체 침착

: 한랭글로불린(cryoglubulinemia) 혈관염
IgA 혈관염(Henoch-Schönlein)

2) 항호중구세포질항체(antineutrophilic cytoplasmic antibody: ANCA) 관련

: 육아종증다발혈관염(granulomatosis with polyangiitis, GPA)
호산구육아종증다발혈관염(eosinophilic granulomatosis with polyangiitis, EGPA)
현미경다발혈관염(microscopic polyangiitis)- pulmonary renal syndrome

* 면역복합체 침착 없음

* cytoplasmic ANCA (cANCA)

; proteinase-3 (PR3)가 항원, 육아종증다발혈관염에서 발견

perinuclear ANCA (pANCA)

: MPO(myeloperoxidase)가 항원, 현미경다발혈관염, 호산구육아종증다발혈관염에서 발견

표 9-10-1 침범된 혈관 크기에 따른 임상양상

큰혈관염	중간혈관염	소혈관염
맥박 소실	피부 결절	촉지자색반
혈류잡음(bruit)	미세동맥류	(palpable purpura)
	그물울혈반	표재성 궤양
	(livedo reticularis)	(superficial ulceration)
	구진괴사성 병변	다발홑신경염
	(papulonecrotic lesion)	(mononeuritis multiplex)
	수지 경색	사구체신염: 뇨의 적혈구 원주
	(digital infarction)	(RBC cast)

III. 이차성 혈관염

1. 원인이 있는 경우

약제, hepatitis C virus (cryoglobulinemic vasculitis), hepatitis B virus, cancer

2. 전신질환 관련

SLE, RA, sarcoidosis

표 9-10-2 전신혈관염이 의심되어 ANCA 검사를 고려해야 하는 소견들

안구 및 상기도	Long standing sinusitis or otitis Chronic destructive disease of upper airways Subglottic tracheal stenossis Retroorbital mass
폐	Pulmonary hemorrhage (특히 pulmonary renal syndrome) Multiple lung nodule
신장	Glomerulonephritis, especially rapidly progressive glomerulonephritis
피부	Cutaneous vasculitis, especially with systemic features
신경	Mononeuritis multiplex or peripheral neuropathy

IV. 혈관염 각론

1. 육아종증다발혈관염(Granulomatosis with polyangiitis, GPA- Wegener's granulomatosis)

1) 임상 양상

(1) 상기도(90%)

① 코: 점막부종, 코막힘, 코 이물감, 코 궤양, 화농성/혈성 코 분비물, 격막천공(septal perforation)

② 귀: 삼출중이염, 청력저하, 현훈

③ 후두기관: 성문하협착, 기도 폐쇄

(2) 하기도(70-90%)

① 70-90% 환자에서 발생

② 무증상 폐침윤에서 객혈, 호흡곤란까지

③ 폐결절(nodular cavitary lesion이 특징적), 폐침윤, 폐포출혈

(3) 신장[(20%(초기)-85%(후기)): 무증상에서 급성신부전까지 다양한 형태

(4) 안증상(52%)

눈의 모든 부분 침범가능: 각막염, 결막염, 공막염, 포도막염, 망막혈관폐쇄, 시신경염

(5) 신경(22-50%)

① 말초신경증이 가장 흔한 신경침범 현상, 다발홀신경염

② 두개신경병증, 경수막염, 경막하출혈 등도 발생 가능

2) 진단

(1) 합당한 임상 증상 + 영상검사

+ 조직검사에서 괴사육아종증(necrotizing granulomatous)혈관염 소견이 있으면 진단

(2) 항호중구세포질항체(c-ANCA 또는 PR3-ANCA): 양성(90%)

3) 치료

(1) 경증(mild): prednisolone + methotrexate 병합치료

(2) 중증(severe) 관해 유도 요법

① cyclophosphamide 관해 유도

- cyclophosphamide 경구 1.5-2 mg/kg/일 + prednisolone 1 mg/kg/일

  (2-4주 유지 후 6-9개월에 걸쳐 감량)

- cyclophosphamide 정맥주사 500-1,000 mg/m²/월 + prednisolone 1 mg/kg/일

  (주사는 보통 6개월 유지)

② Rituximab 관해 유도

375 mg/m²/주 총 4회 투여(증상 조절 위해 6개월 간격으로 재투여 가능)

* 면역억제치료시 Pneumocystitis jirovecii 감염 위험이 증가하므로 면역억제제와 glucocorticoid병

용 치료받는 혈관염 환자에서는 예방 위해 trimethoprim-sulfamethoxazole 투여 필요

(3) 유지 요법

① methotrexate: 0.3 mg/kg/주(최대 15 mg를 넘지 않게) 시작하여 20-25 mg/주까지 증량

② azathioprine: 2 mg/kg/일

2. 호산구육아종증다발혈관염(eosinophilic granulomatosis with polyangiitis,
EGPA, Churg-Strauss disease)

천식 및 호산구 증가와 관련

1) 임상 양상

표 9-10-3 시간에 따른 양상

전구기	호산구 증가기	혈관염기
알러지 비염, 부비동염, 코용종, 천식	말초혈액에 호산구 증가 폐, 위장관 등에 호산구 침윤	심장, 폐, 말초신경, 피부 등에 괴사혈관염이 발생 피로, 근육통, 관절통, 체중 감소

(1) 상기도(40-50%)

　　① 코: 알레르기비염, 부비동염, 비용종 등의 알레르기 병변들이 주로 나타남

　　② 귀: 장액중이염

(2) 천식(90%)

　　① 전신혈관염보다 8-10년 선행

　　② 흡입스테로이드에 잘 반응하지 않음

(3) 피부(50%): 촉지자색반(palpable purpura), 피하결절, 그물울혈반(livedo reticularis), 경색

(4) 신경(70%): 다발홑신경염, 양측성 말초신경병증

(5) 심장(14%): 심낭삼출, 호산구성 심근염, 관상동맥염, 심한 심부전 초래

(6) 위장관: 호산구 침윤, 창자간막혈관염(mescenteric vasculitis)에 의한 장허혈, 천공

(7) 신장(20%): 혈뇨, 단백뇨- 경미한 경우가 많음

2) 진단

(1) 다음의 6가지 기준 중 4개 이상 존재할 때 진단

　　① 천식　　　　　　　② 호산구증가증　　　　　③ 단발신경병증 또는 다발신경병증

　　④ 폐침윤 (이동성)　　⑤ 부비동 이상　　　　　　⑥ 조직검사에서 혈관외 호산구 침윤

(2) 항호중구세포질항체(p-ANCA 또는 MPO-ANCA) : 양성(40-60%)

(3) 감별진단: 뢰플러 증후군(Loffler's syndrome), 과다 호산구 증가 증후군, 호산구 위장염, 만성 호산구폐렴, 호산구 백혈병 등

3) 치료

(1) Prednisolone (1 mg/kg/day) 단독 요법

　　① 대부분의 환자에서 한 달 이내에 증상이 호전되고 호산구와 적혈구침강속도가 개선

　　② 적혈구침강속도가 정상화되면 prednisolone 감량

(2) 신경, 심장, 신장 및 위장관 침범이 있을 때 관해 유도 요법

　　cyclophosphamide 정맥주사 500-1,000 mg/m²/월 + prednisolone 1 mg/kg/일

(3) 유지 요법

　　① methotrexate: 0.3 mg/kg/주(최대 15 mg을 넘지 않게) 시작하여 20-25 mg/주까지 증량

　　② azathioprine: 2 mg/kg/일

3. 현미경다발혈관염(microscopic polyangiitis, MPA)

폐와 신장을 잘 침범해서 pulmonary renal syndrom이라고도 부름

1) 임상 양상

(1) 흔한 증상

① 사구체신염(79%)

② 체중감소(73%)

③ 다발홀신경염(58%)

④ 발열(55%)

(2) 폐 침범: 객혈과 미만폐침윤이 있으며 폐침범이 발생하면 생명이 위태로울 수 있음

(3) 신장 침범

① 혈뇨나 신부전이 초기 증상일 수 있음

② 급성진행 사구체신염(rapidly progressive glomerulonephritis) : 특징적

(4) 항호중구세포질항체(p-ANCA 또는 MPO-ANCA) 양성(70-75%)

2) 치료: 육아종증다발혈관염과 동일

4. IgA혈관염(Henoch–Schönlein purpura, HSP)

면역글로블린 A가 주로 침착되는 작은 혈관의 혈관염으로 혈소판결핍이 없는 촉지자색반(palpable purpura), 관절염, 복통, 사구체신염이 특징

1) 임상 양상

(1) 10세 이하의 소아에서 흔하지만 모든 연령에서 발생, 성인에서 신장염 발생시 예후 불량

(2) 전형적인 증상

① 급성으로 시작되는 발열, 하지의 촉지자색반(palpable purpura), 복통, 관절염, 혈뇨

② 복통이나 관절염은 피부의 자색반보다 먼저 나타나는 경우가 있으나 사구체신염은 피부병변 이 발생한 이후에 발생

2) 진단

(1) 임상 증상에 의존하여 진단

(2) 조직검사

① 피부: 백혈구파괴혈관염(leukocytoclastic vasculitis)소견과 혈관 주위에 IgA 침착

② 신장: 확진을 위해 필수적이지는 않으나 예후 판정에 도움을 줄 수는 있음

3) 치료

(1) 대부분의 환자, 특히 소아에서 증상이 4주 정도 지속되다가 자연히 소멸

(2) 재발: 1/3에서 발생, 증상 지속기간이 길어짐

(3) 대증적 치료

① 관절염: 비스테로이드소염제

② 피부: 특별한 치료 필요 없음

③ 복통: glucocorticoid가 증상 개선에 도움이 될 수도 있음

(4) Prednisolone 1 mg/kg/day, 임상 양상에 따라 감량

* 관절통, 조직부종, 복통에는 효과적이나, 피부병변, 신장침범에 효과는 입증되지 않음

5. 결절다발동맥염(polyarteritis nodosa, PAN)

- 주로 신장 및 장의 중간크기 동맥을 침범하며 조직검사에서 혈관벽의 염증세포 침윤 및 섬유소모양 괴사(fibrinoid necrosis), 혈관조영술에서 동맥류가 보이는 급성 괴사혈관염
- B형간염 환자에서 polyarteritis nodosa-like vasculitis 생길 수 있음

1) 임상양상

(1) 비특이적 전신 증상(90%): 권태, 피로, 발열, 근육통, 관절통

(2) 신장 침범(60%): 혈관성 신장병증이 흔하여 신장 경색, 고혈압이 동반

(3) 근골격계(64%): 관절염, 관절통, 근육통

(4) 말초신경병증(51%): 다발홑신경염(mononeuritis multiplex)이 가장 흔함

(5) 위장관 침범(44%): 복통, 출혈, 천공

(6) 피부 병변(50%): 그물울혈반(livedo reticularis), 피하 결절, 궤양, 수지 괴저(digital gangrene)

(7) 심장(36%): 울혈성 심부전, 심근경색, 심막염

(8) 고환염, 부고환염(25%)

(9) 중추신경: cerebral vascular accident, altered mental status, seizure

2) 진단

(1) 확진을 위해서는 조직검사가 필요

혈관: 중간크기와 작은 근육형 동맥에 분절성으로 혈관 전층의 염증과 섬유소모양괴사(fibrinoid necrosis), 림프구, 중성구, 호산구와 대식세포들이 침윤되어 있으나 육아종염증은 없어야 함

(2) 조직을 얻기가 어려운 경우 침범된 혈관의 혈관조영술로 진단 가능

① 동맥이 주머니 혹은 방추상 모양으로 확장되거나(aneurysm), 협착, 폐쇄 소견

② 신장동맥, 장간동맥(mesenteric artery)에서 자주 관찰됨

3) 치료

(1) B형 간염바이러스 음성 환자

① 경증: prednisolone 1 mg/kg/day 경구

② 주요 장기 침범 시 관해 유도 요법

- cyclophosphamide 경구 1.5-2 mg/kg/일 + prednisolone 1 mg/kg/일 (2-4주 유지 후 6-9개월에 걸쳐 감량)
- cyclophosphamide 정맥주사 500-1,000 mg/m²/월 + prednisolone 1 mg/kg/일 (주사는 보통 6개월 유지)

③ 유지 요법: 육아종증다발혈관염과 동일

(2) B형 간염바이러스 양성 환자

항바이러스 치료와 prednisolone (1 mg/kg/day), 혈장교환술 병용

(3) 적절한 고혈압 치료가 신장, 심장, 중추신경 합병증 예방에 중요

6. 거대세포동맥염(Giant cell arteritis)

50세 이상에서 발열, 빈혈, 적혈구침강속도 상승, 두통이 있고 류마티스다발근통 증상이 있을 때 의심

1) 임상양상

(1) 50세 이상의 연령에서 발생(국내에는 매우 드묾)

(2) 두통, 피로, 측두부 또는 뒤통수의 두피에 압통

(3) 측두동맥: 결절처럼 만져지며 압통이 있고 맥박이 감소

   - 동맥조직검사: 단핵구가 주로 침윤, 다핵성 거세포가 존재하는 육아종성 염증소견

(4) 2/3에서 음식을 씹을 때 발생하는 턱의 통증(jaw claudication) 호소

(5) 허혈성 시신경염에 의한 시력소실 가능- 두통이나 안구 증상이 있은 후 나타남

(6) 혈액검사: 빈혈, 적혈구침강속도 증가 ≥50 mm/hour

(7) 류마티스다발근통(polymyalgia rheumatica)이 동반될 수 있음: 양측성으로 어깨와 고관절에 통증과 조조강직을 호소

(8) glucocorticoid 치료에 급격한 호전을 보이는 것이 진단에 도움

(9) subclavian artery 협착(arm claudication 유발), thoracic aortic aneurysm 생길 수 있음.

2) 치료

(1) 동맥 폐쇄에 의해 갑자기 합병증(시력손실, visual loss)이 발생할 위험이 높고, 확진을 위해 조직 생검이 반드시 필요한 것은 아니기 때문에 거대세포동맥염이 강력히 의심될 때는 생검으로 인해 치료가 지연되어서는 안됨

(2) prednisolone 40-60 mg을 1개월 투여한 뒤 감량

(3) 안과 증상이 생길 경우 methylprednisolone 1,000 mg 정맥주사 3일간 투여 고려

(4) 류마티스다발근통이 단독으로 발생한 경우: prednisolone 10-20 mg 경구

(5) 치료 경과 판정에 ESR이 도움됨

7. 타카야수동맥염(Takayasu's arteritis)

대동맥과 주요 분지를 침범하여 협착을 일으켜 손목에서 맥이 안 만져지고 양 팔의 혈압차이가 큰 질환

1) 임상양상

(1) 주로 50세 이하에서 발생: 동양에서 더 흔함.

(2) 여성에서 주로 발생하며(여:남=9:1), 특히 15-25세의 여성에서 호발

(3) 침범 혈관: Subclavian (93%), Common carotid (58%), abdominal aorta (47%), renal (38%), aortic arch or root (35%), vertebral (35%)

표 9-10-4 타카야수동맥염 진행과정

1기 (pre-pulseless inflammatory period)	2기 (inflammation period)	3기 (fibrotic period)
권태, 발열, 야간 발한, 체중 감소, 근육통, 관절통	혈관의 통증, 촉지시 압통	혈관 잡음이나 허혈, 혈관 폐쇄에 의해 파행(claudication), 두통, 실신, 시력 장애가 발생

2) 진단

(1) 영상검사를 통해 특징적인 대혈관 협착 및 폐쇄 소견이 관찰되면 진단

(2) 다음 6가지 기준 중 3가지 이상 존재하면 진단

① 40세 이하에서 발생

② 상지의 파행(claudication)

③ 위팔동맥(brachial artery) 맥박 감소,

④ 양 팔 수축기혈압 차이 > 10 mmHg,

⑤ 쇄골하동맥이나 대동맥 잡음,

⑥ 동맥조영술 이상: 이상 6가지 기준 중 3가지 이상 존재하면 진단

3) 치료

(1) 관해유도

① 초기 투여량은 prednisolone 1 mg/kg을 매일 경구로 3개월간 유지한 후에 증상이 개선되면 감량

② 또는 초기 용량으로 prednisolone을 하루에 30 mg씩 투여하여 증상이 조절되고 급성기반응물질이 정상화된 상태에서 2주간 더 유지한 후에 4개월에 걸쳐서 감량

(2) 수술이나 풍선 혈관성형술

응급상황이 아니라면 수술은 약물치료로 염증이 조절된 상태에서 시행

8. 베체트병

구강궤양, 외음부 궤양이 재발하고, 피부에 농포, 결절홍반이 생기면서, 눈에 포도막염이 오는 질환

1) 임상 양상

(1) 구강궤양(93-99%): aphthous ulcer

① 크기가 2-10 mm이고 경계가 명확하고 붉으며 중심부에 괴사된 조직이 하얗게 존재

② 통증이 심하며 약 10일 정도 지속되고 재발이 많지만 흉터를 남기지 않음

(2) 성기궤양(53-85%): 구강궤양보다 진단에 더 specific

① 남자: 음낭, 음경, 항문주위,

② 여자: 외음부, 질

③ glans penis, urethra를 침범하지 않는 것이 특징

④ 구강궤양에 비해 재발은 적으나 통증이 더 심하고, 흉터를 남기는 경우가 많음

(3) 피부병변(50-85%)

① 결절 홍반(erythema nodosum), 가성모낭염(pseudofolliculitis), 여드름양 병변(acne-like skin lesion) 등이 발생

② 피부 손상을 받거나 식염수를 intradermal injection 하면(pathergy test)- 피부염 생김

(4) 눈침범(50%)

① 포도막염, 망막 혈관염, 망막 출혈

② 반복된 재발, 시력저하, 눈침범이 발생한 환자의 약 25%에서 실명

(5) 신경병변(신경베체트병, neuro-Behçet's disease) (5-10%)

① 주로 뇌실질 침범

② 뇌간(brain stem)과 뇌실 주위 백질(periventricular white matter)의 혈관을 흔히 침범

③ 두통, 뇌경색, 추체로 징후(pyramidal sign), 소뇌징후, 연수징후(bulbar sign), 유두부종, 뇌신경 마비 등을 초래

④ 무균성 수막염, 뇌수막염

⑤ 경질막정맥굴 혈전증(dural venous sinus thrombosis)

(6) 위장관 침범(entero-Behçet's disease) (30%): 말단 회장과 공장이 호발 부위(크론병, 장결핵 감별 필요)

(7) 관절염(45%): 변형을 초래하지 않는 반복적인 한 개 또는 소수의 관절염

(8) 혈관병변(30%)

① 모든 사이즈의 동맥, 정맥 혈관에서 발생

② 정맥 혈전증, 대동맥혈관염, 폐동맥 혈관염, 대동맥류, 폐동맥류 형태 등으로 발생 가능

③ 대동맥류 파열은 주요 사망원인이며 폐동맥류는 객혈의 증상으로 나타남

(9) 부고환염(5%)

2) 진단

반복적인 구강궤양이 있으면서 다음 중 두 가지가 있으면 진단

- 반복적 성기궤양, 눈병변, 피부병변, pathergy 검사 양성

* 초과민검사(pathergy test)는 팔을 소독된 20-게이지 바늘로 찔러서 시행하며, 48시간 후에 2 mm 이상의 홍반성 구진이 발생하면 양성으로 판독

3) 치료

(1) 점막 병변

국소 스테로이드연고나 가글, 심하면 Thalidomide 100 mg/일

(2) Colchicine: 점막피부병변, 관절염에 효과

(3) 포도막염, CNS Behçet's syndrome

glucocorticoid (prednisolone, 1 mg/kg/day), azathioprine (2-3 mg/kg/day),

cyclosporine (2-5 mg/kg)

(4) 항TNF제제(Infliximab or adalimumab): 면역억제제에 반응이 없는 panuveitis, entero-Behçet's disease

(5) 정맥염(thrombophlebitis): 면역억제제

(6) Cyclophosphamide: pulmonary or peripheral arterial aneurysm

> 후방 포도막염, 혈관, 장, 신경 침범과 같은 중대한 합병증이 발생한 경우
> → systemic glucocorticoid와 면역억제제를 포함한 치료가 필요

Ⅰ. 정의와 분류

1. 정의

염증성 근병증은 골격근의 비화농성 염증과 근위부 근력약화를 특징으로 하는 여러 가지 근육질환들의 총칭

2. 분류

1) 피부근염(dermatomyositis, DM)
2) 다발근염(polymyositis, PM),
3) 괴사근염(necrotizing myositis, NM)
4) 항 synthetase 증후군(antisynthetase syndrome, ASS)
5) 봉입체근염(inclusion-body myositis, IBM)

질환	호발성	호발 연령	근조직 검사	동반 질환
피부근염	여>남	소아, 성인	Perimysial, perivascular 염증세포침윤	심근염, 간질폐질환 악성종양
다발근염	여>남	성인	Endomysial, perivascular 염증세포 침윤	심근염 간질폐질환
괴사근염	여=남	소아, 성인	근섬유 괴사, 염증세포침윤 적음	악성종양
항 synthetase 증후군 (항Jo-1항체)	여	소아, 성인	Perimysial, perivascular 염증세포침윤	관절염 간질폐질환 레이노증상 Mechanic hands
봉입체근염	남	고령 (>50)	Endomysial, perivascular 염증세포 침윤 Rimmed vacuole	유육종증 쇼그렌증후군

* 봉입체근염은 치료에 대한 반응이 좋지 않음

Ⅱ. 임상양상

1. 근육 증상

1) 대칭적 근위부 근력 약화: 빗질 힘듦. 쪼그렸다 일어나기 안됨(IBM은 원위부, 비대칭 근력 약화)
2) 건반사는 근위축이 심해지기 전에는 정상
3) 안면부위, 안구 침범 드묾

2. 근육외 증상

심장 침범	• 40%의 환자에서 발생 • 증상이 없는 전도장애로부터 심근병증. 심부전까지 다양하게 발생
폐 침범	• 50%의 환자에서 발생 • 간질성 폐질환: 근육 침범보다 선행 가능 • 호흡근의 약화: 호흡부전까지 초래되는 경우는 드묾 • 흡입성 폐렴 • 폐 혈관염
위장관 침범	• 식도 운동 이상(dysmotility) • 위, 소장, 대장 운동 이상

3. 피부 증상 – 피부근염에 존재하는 특징적인 증상. 근력 약화보다 먼저 나타나는 경우가 있음

1) heliotrope rash   2) V-sign, Shawl sign   3) Gottron's papule

* amyopathic dermatomyositis (dermatomyositis sine myositis)

: 피부근염의 전형적인 피부 병변을 보이면서 근육 침범이 전혀 없는 경우가 있음

4. 검사실 소견

1) 골격근 효소 증가

(1) creatinine phosphokinase (CK)

① 질병의 위중도를 나타내는 표지자로 이용

② 질병의 초기에 정상인 경우가 있음.

③ 근위축이 심하게 진행된 경우에도 정상일 수 있음

(2) aldolase

(3) aspartate aminotransferase (AST), alanine aminotransferase (ALT), lactate dehydrogenase (LDH)

Ⅲ. 진단

- 병력(임상양상), 신체진찰, 검사실 소견, 근전도, 근육 생검에 근거

* 근전도 검사 중에 시행하는 침의 삽입으로 인해 근섬유에 손상이 초래되어 판독에 오류를 초래할 수 있으므로 → 근전도는 좌측 또는 우측의 한쪽에서만 시행, 반대 측에서 근육 생검을 시행

1. 근전도

1) 신경병증과 근육병증을 감별

2) 민감도는 높지만 비특이적 검사라는 단점이 있음

3) 특징적인 근전도 소견

(1) insertional activity 증가

(2) 휴식 상태에 비정상 자발전위: bizarre, high-frequency discharges, fibrillations, sharp positive waves

(3) 수축 상태: short duration, low amplitude, polyphasic motor-unit potentials

2. 근육 생검

1) 확진 검사

2) 근섬유의 괴사와 재생 정도에 따라 다양한 소견들이 관찰되며 염증세포의 침윤이 특징적

피부근염	• 염증세포가 perimyseal area와 혈관주위에 주로 침윤 – 주로 B세포와 CD4+ T세포가 침윤 • peritascicular atrophy : 피부근염의 특징적인 소견
다발근염	• 염증세포가 주로 endomysial area 국소적으로 침윤 • 염증세포가 주로 T세포이며 특히 CD8+세포가 대부분
괴사근염	염증 세포 침윤 거의 없고, 근섬유 괴사
항 synthetase 증후군	피부근염과 비슷
봉입체 근염	다발근염과 비슷하나 inclusion body 관찰됨. • 핵 또는 세포질에 inclusion이 관찰됨 • 전자현미경 : microtubular filaments가 inclusion안에 관찰됨

3. 피부 생검

1) 피부근염의 다양한 피부소견에 대해 생검이 가능함

2) 광학현미경에서 관찰되는 소견

(1) epidermis: epidermis의 위축, vacuolar 변화   (2) dermis: 혈관주위의 림프구침윤

3) 면역형광현미경소견

면역복합체가 dermal-epidermal junction에 따라 침착. 이런 소견은 진피의 혈관벽에서도 관찰됨

4. MRI 검사

1) T2 fat suppression 혹은 STIR 영상에서 근육염증, 부종이 관찰됨

2) 조직검사시 targeting 에도 이용

Ⅳ. 감별진단

많은 감별진단이 있지만, 가역적인 흔한 요인에 대해서는 반드시 감별해야 함

1. 독성 근육병증

1) 근육병증을 유발할 수 있는 약물은 매우 다양, 약물을 중단하면 증상이 개선

2) alcohol, statin, colchicine, hydroxychloroquine, amiodarone은 반드시 확인

2. 내분비 관련 근육병증

hypothyroidism, hyperparathyroidism, glucocorticoid excess (adrenal gland 관련) 여부는 반드시 확인

3. 일차성 대사성 근육병증

1) 일차성 대사성 근육병증은 매우 드문 질환

2) 근육병증의 가족력이 있거나 치료에 반응하지 않는 젊은 환자에서 대사성 근육병증을 의심

V. 실제 진단을 위한 검사처방 예

> 50세 여자가 건강검진에서 간수치가 높다고 듣고, 소화기내과 내원하였음.
> CPK, LDH 상승이 동반되면서, 허벅지에 힘이 빠지는 증상을 호소하여 류마티스내과로 의뢰되어 염증성 근병증 감별을 위해 입원함.

1. 약제 체크: statin, alcohol, colchine 등

2. metabolic cause 감별: Cushingoid appearance 여부, Thyroid function test, electrolyte level

3. 피부 증상 체크: 특징적 Dermatomyositis 피부 증상, 필요시 생검

4. thigh MRI, EMG, myopathy specific autoantibody check (현재 anti Jo1 만 가능)

5. 영상의학과 근골격 파트 muscle biopsy 의뢰

6. 폐, 심장 침범 여부: 흉부 X선, 흉부 CT, 폐기능검사, 심장초음파

7. overlap syndrome 감별 위해 ANA, nailfold capillary microscope 등 자가면역 검사

   - 임상양상에 따라 시행

8. 특히 피부근염의 경우 malignancy 여부 검사

   - 위장관내시경, 흉부 CT, 복부 CT, 갑상선 초음파, 부인과 암 검사 진행

VI. 치료: Glucocorticoid + 면역억제제

상황	약제
1. 치료 시작	
새로 발병	Prednisone (1 mg/Kg–100 mg/day까지 증량 가능)을 4–6주 투여한 뒤 격일 투여로 감량
발병시 근력약화가 너무 심하거나 빠르게 악화될 때	Glucocorticoid (1,000 mg/day)를 3–5일간 주사한 뒤 경구제제로 교체
2. glucocorticoid에 반응이 좋으면 glucocorticoid sparing을 위해	Azathioprine, methotrexate, mycophenolate, cyclosporine
3. glucocorticoid에 반응이 좋지 않으면	Immunoglobulin 정맥 주사 (2 g/Kg를 2–5일간 나눠서 투여)

1. Glucocorticoid

1) 일차선택약제

2) 관해유도

(1) oral prednisolone 0.75-1.5 mg/kg/day

(2) 증상이 심하고 호흡곤란이 동반된 경우: IV methylprednisolone 1 g/day x 3 days 이후 (1)과 같이 경구약제로 변경

3) 유지요법

(1) 근력과 다른 임상양상이 호전될 때까지(보통 4-6주 정도) 초기용량 유지

(2) 5 mg/2-4 weeks로 감량 시작, 20 mg/day 이하가 되면 2.5 mg/2-4weeks로 감량

→ 목표: 10 mg/day 이하로 감량

2. 면역억제제

glucocorticoid를 줄이고, 면역억제제를 유지

1) methotrexate

(1) 7.5-15 mg/wk를 경구로 주 1회 투여

(2) 가장 많이 쓰이는 편

2) azathioprine

(1) 경구 25-50mg /day 로 시작해서, 2주마다 50 mg씩 증량하여, 2-3 mg/kg/day로 증량

(2) 약제 효과가 늦음. glucocorticoid와 병용 투여

3) 기타치료제

(1) 면역글로불린: 1차 치료에도 악화시에 투여. IV 2 g/kg을 2-5일에 나누어서 투여.

Tip. 급여 투여 위해서는 반드시 초기에 조직검사 필요

glucocorticoid + 면역억제제 치료 4개월 이후에도 호전 없으면 급여

(2) cyclophosphamide: 0.5- 1.0 g/체표면적(m²) IV 매달, 6개월간 투여

(3) 이외 cyclosporin A, mycophenolate mofetil, rituximab (B cell depletion drug), tacrolimus

Ⅶ. 예후

1. 다발성근염, 피부근염

5년 생존율 95%, 10년 생존율 84%

2. 예후에 나쁜 영향을 미치는 인자

발병 당시 심한 손상, 늦은 진단, 심한 연하 곤란, 폐 질환 동반, 동반된 암

3. 피부근염의 치료 효과가 다발성근염보다 양호

I. 정의

연골이 마모, 손상되어 관절 간격이 감소하고, 골극(osteophyte)이 생겨서 통증과 관절운동 범위의 감소를 초래하는 관절 질환

II. 원인

발생 기전은 아직 확실히 밝혀지지 않았으나 관절 손상, 반복적으로 관절에 가해지는 과도한 부하, 연골이형성 등에 의한 관절면의 이상, 노인에서 나타나는 근력 약화 등 관절의 생체역학적 인자가 발병에 중요함

III. 유병률 및 위험인자

- 주로 노인에서 흔한 관절 질환이지만, 어느 연령에서나 나타날 수 있음(특히 관절 손상, 만성 염증성 관절염, 선천성 기형이 있는 경우)
- 위험인자: 나이(고령), 유전, 여성, 비만, 관절 외상, 직업력 등(반면, 골다공증이 있는 여성에서는 발병률이 낮음)

IV. 임상양상

1. 증상

1) 관절통 및 운동초기 관절강직: 쉬면 호전되고 쓸수록 악화되는 양상, 나중에는 지속적인 통증, 야간통증도 흔함

→ 가장 흔한 호소는 관절을 움직이기 시작할 때의 강직(stiffness)과 관절을 쓰고 난 후 통증(강직은 30분 이내에 호전되어 류마티스 관절염에서 보이는 조조강직과는 구별되어, 겔링 현상(gelling phenomenon)이라 명함)

- 골관절염에서 발생하는 통증의 원인
  : 관절낭의 염증 및 팽창, 연골하골의 미세골절 및 수질고혈압(medullary hypertension), 골극

(osteophyte)에 의한 골막신경말단 팽창, 인대의 과도한 신전, 근력 약화 및 근육 경련, 사회정신
적 요인 등

2) 관절액 증가로 인한 관절 부종, 관절 운동 범위 감소, 관절 마찰음(bony crepitus), 관절 불안정
(instability)도 생김

2. 침범 부위

무릎관절, 고관절, 발의 제1중족지(MTP)관절 (hallux valgus)

손의 원위지간(DIP)관절, 근위지간(PIP)관절, 엄지손가락 수근중수(carpometacarpal)관절

- 손의 원위지간관절 침범은 류마티스관절염과 구분되는 특징

척추의 경추, 요-천추 후관절(facet joint)

* 손목, 팔꿈치, 발목 관절은 잘 침범하지 않음

* Clinical Tip !! 원위지간(DIP)관절 침범이 있을 때 생각해야 하는 대표적 질환 두 가지는?

→ 골관절염, 건선성 관절염

1) 침범 부위에서 보이는 특징

(1) 손: 헤베르덴 결절(Heberden's node) - 원위지간관절의 골비대에 의한 결절

부샤르결절 (Bouchard's node) - 근위지절관절의 골비대에 의한 결절

(2) 무릎

① 베이커 낭종(Baker's cyst): 삼출(joint effusion) 증가에 의한 오금의 슬와근와낭(popliteal bursa)
의 팽창

② 내반슬(genu varus, bow-legged), 외반슬(genu valgus, knock-kneed): 연골 소실 진행에 따른
무릎의 정렬 이상

③ 거위다리점액낭염 → 무릎 밑 내측의 거위다리점액낭(anserine bursa) 염증

(3) 척추: 척추 후관절 침범으로 골극이 생겨서 척추관협착증을 유발할 수 있음

미만특발골격과골화증 (diffuse idiopathic skeletal hyperostosis; DISH)

① 척추 전방 인대의 부착부를 따라 부적절하게 뼈가 형성

② 석회화가 지나치게 진행되어 밀랍이 흘러내린 모양을 보임

V. 진단 및 검사 소견

1. 진단

임상 증상이 중요, 영상 및 검사실 검사 소견을 종합하여 진단

2. 영상 및 검사실 소견

1) 영상 소견

(1) 단순 X선에서 골관절염을 시사하는 소견

골변연부 골극(osteophyte), 연골하골 경화(subchondral sclerosis), 연골하 골낭종, 비대칭적관절강 협착

(2) 무릎의 켈그렌-로렌스 분류(Kellgren-Lawrence, KL grading) (2단계 이상이면 진단)

grade 1: 골극의 가능성

grade 2: 분명한 골극과 관절강협착 가능성

grade 3: 중등도의 다수의 골극, 분명한 관절강협착

grade 4: 큰 골극, 현저한 관절강협착, 심한 연골하골경화, 분명한 골변형 가능성

* 단순 방사선 사진의 진행 정도와 관절 통증 정도가 일치하지는 않음

2) 검사실 소견:

(1) 적혈구 침강속도, C-반응단백: 정상

(2) 류마티스인자: 음성, 노인에서는 저역가로 양성 검출 가능

(3) 활액 소견: 투명하고 정상 점도(점도 높음), WBC < 2,000/mm³

VI. 치료

1. 목표

통증 완화, 관절 기능 유지, 장애 예방

2. 비약물적 치료

1) 관절 부하 줄이기

(1) 자세 교정, 휴식 (관절의 무리한 사용을 피한다)

(2) 피해야 할 자세: 오래 서 있거나 무릎 꿇기, 쪼그리고 앉는 자세

(3) 보조기구 사용: 지팡이(병변의 반대편 손으로 사용), 보행기, 부목, 특수하게 고안된 깔창, 보조기(brace), 슬개골 테이핑(patellar taping)

(4) 체중 감량

2) 물리치료

(1) 통증, 운동장애, 근육 경직 및 위축 등을 개선

(2) 열, 냉치료 및 경피적 신경자극, 침

3) 운동치료

(1) 효과: 근육 강화 → 관절과 연골에 가해지는 부하 감소 → 통증 감소

① 관절 경직의 완화 → 관절 운동 범위 유지

② 관절 운동 기능의 유지 및 회복

③ 심폐기능의 개선으로 전신적인 건강 증진

(2) 종류

: 수영, 물속에서 걷기, 실내 자전거, 걷기 등으로 대퇴사두근의 근육 강화 운동

① 무릎 관절염 환자의 통증 감소, 관절 기능 개선

② 험한 산 등산, 계단 오르내리는 운동은 피하는 것이 좋음

스트레칭 - 관절 운동 범위 유지 및 향상

3. 약물 치료

1) 진통제

(1) acetaminophen: 초기, 경한통증에 사용

(2) tramadol: 중등도 이상 통증에 사용

(3) 아편유사제(opioid): 심한 통증이나 급성 통증 악화시 사용(codeine 등)

2) 비스테로이드소염제(NSAIDs): 가장 많이 쓰임

: 중등도 이상 통증에 사용

(1) 저용량으로 시작하여 최대 용량까지 투여

(2) 종류는 다양하나 약효는 유사

(3) 대부분의 환자가 신장 질환, 심폐 질환이 동반되어 있으므로 사용시 주의

(4) 위장관 출혈 발생의 위험이 있는 경우에는

① 선택적 cyclooxygenase (COX)-2 억제제(celecoxib, etoricoxib) 또는

② 비선택적 NSAID + misoprostol이나 PPI 병용투여

* 선택적 COX-2 억제제: 상부위장관 부작용 감소

심혈관질환의 위험성이 약간 증가될 수 있으므로 주의

표 9-12-1 비스테로이드성 항염제 복용시 상부 위장관 부작용 발생의 위험인자

65세 이상 고령	소화성 궤양이나 상부 위장관 출혈의 기왕력
경구 glucocorticoid나 항응고제 병용	두 가지 이상의 NSAIDs 병용
흡연	음주
전신 건강 상태 악화	

3) glucosamine sulfate, chondroitin sulfate

: 효과에 대해 논란 중 (어떤 연구에서는 증상을 경감시키고 연골 파괴를 막아준다고 되어 있으나, 반면에 효과가 거의 없다는 보고도 있음).

4) 기타 천연물 약제: 조인스, 신바로, 레일라 등 (진통 효과)

5) gabapentin: 통증이 심한 환자의 신경성 통증 조절에 효과적

6) duloxetine: 진통 효과

7) 관절강내 주사

(1) 스테로이드: 관절 부종이 동반된 무릎 통증 악화에 사용

빈번한 사용은 연골 손상 위험 있으므로 4개월 정도 간격을 둠

(2) hyaluronic acid

① Hyaluronic acid 는 연골의 구성성분으로 정상적으로 관절 활액에 존재

② 통증을 감소시키고 관절 기능 개선시키는 효과에 대한 논란이 있음

③ 1-2주 간격으로 3-5회 주사: 6개월 간격으로 1회 주사 제제도 있음

8) 국소도포제: 국소 비스테로이드소염제, capsaicin

증상 완화, 독성이 적음

4. 수술적 치료

1) 무릎: high tibial osteotomy (절골술), unicompartmental replacement (부분관절치환술)

2) 무릎, 고관절: total knee/hip replacement (전관절치환술)

Ⅰ. 통풍

1. 정의

1) 핵산의 대사산물인 요산이 증가하여 생긴 monosodium urate (MSU) 결정이 관절 또는 관절주위에 침착하여 일으키는 대사성(metabolic) 염증성 관절염
   - 처음에는 발, 발목의 간헐적인 염증으로 시작하나 치료를 제때 하지 않으면 몸 전체 관절로 퍼짐
2) 요산 대사: 음식, 세포 파괴 → purine 생김 → hypoxanthine으로 대사 → xanthine oxidase에 의해 xanthine과 uric acid가 생기는데 uric acid가 수용성이 떨어짐
   * 사람 이외의 포유류는 uricase가 있어서 uric acid를 수용성의 allatoin으로 대사시킴

2. 고요산혈증의 원인

- uric acid 생산과 배설의 불균형
- 통풍환자의 90%에서 배설장애(renal underexcretion)가 원인이고 10%만이 과생산이 원인

1) 요산배설장애 원인

(1) 질환: 신장기능 저하, 고혈압, 비만
(2) 약제: 이뇨제, 술, 저용량 aspirin, cyclosporine, tacrolimus
* 신장에서 요산배설은 transporter에 의해 이뤄지는데 transporter에 영향을 주는 약제는 요산배설에도 영향을 줌

2) 요산 과생산 원인

(1) 질환: myeloproliferative or lymphoproliferative neoplasm, 비만, psoriasis
(2) 음식, 약제: 술(특히 맥주), 고기, 해산물(shellfish), 액상과당(high fructose corn syrup), cytotoxic drug

3. 임상양상: 통풍의 4단계

무증상 고요산혈증 (Asymptomatic hyperuricemia)	① 혈중 요산의 농도는 정상보다 높지만()6.8mg/dL) 임상적인 관절염은 없는 상태 ② 5%에서만 통풍관절염 발생 ③ 대부분 치료 적응증 아님
급성통풍관절염 (acute gouty arthritis)	① 주로 하지의 관절, 특히 90% 이상에서 1st MTP 침범 ② 주로 밤: 새벽에 갑자기 발생. 증상이 생긴 지 수 시간 내에 열+발적+부종으로 극심한 통증 유발~ 제대로 걷기 힘듦 ③ 유발요인: 약물, 음주, 외상, 입원 및 수술, 과식, 출혈, 감염 등 ④ 남자 30~50대에 흔히 발병, 여자는 대개 폐경 후 발병

무증상의 간헐기 통풍 (intercritical gout)	① 급성 발작 사이의 기간 ② 증상은 없지만 관절내에는 약하게나마 염증이 있고 MSU 결정도 존재함 ③ 진행을 막기 위해서는 요산저하제로 요산 수치를 6 mg/dL 이하 (통풍 결절 시 5 mg/dL 이하)로 유지하는 치료가 반드시 필요
만성 결절성 통풍 (Chronic tophaceous gout)	① 만성으로 염증과 결절(tophus) 형성 및 골파괴가 일어나는 시기 ② 하지뿐만 아니라 상지 관절에도 염증이 생기고 피하에도 결절이 생기며, 무증상기가 없어져서 류마티스관절염처럼 보이기도 함 ③ 요산 저하제로 요산 수치를 5 mg/dL 이하로 유지하는 치료가 반드시 필요

4. 진단

1) 관절액 편광현미경검사에서 음성복굴절(편광 평행: 노란색, 수직: 파란색)을 보이는 바늘 모양 MSU 결정 발견하면 무조건 진단

2) 임상 소견 종합(= 임상양상 + 영상 + 실험실 검사)으로 진단

임상양상	① 1st MTP 나 발목, 발등 관절 ② 수시간 내에 급격하게 심해져서 건드리기도 어려운 심한 염증 양상
영상	① Dual energy CT (DECT): 초록색으로 coding 되는 MSU 양성 : DECT는 조영제 쓰지 않아 금식, 신기능 관계없이 order 가능 ② 초음파: 요산결정이 연골 위에 침착되어 하얀 선으로 보이는 double contour sign 양성 ③ X선: 돌출된 모서리(overhanging age)를 가지는 골미란
실험실검사	고요산혈증(주의; 혈중 요산이 4 mg/dL 미만이면 가능성이 떨어지나 급성기에는 요산이 낮을 수 있어 염증 없을 때 다시 검사)

3) 젊고 기저질환이 없는 여자에서는 거의 생기지 않음

4) septic arthritis도 동반 가능하니 MSU 양성이라고 해서 무조건 septic arthritis 배제 불가

5. 치료

1) 급성 염증 치료: 증상 발생 후 최대한 신속히 투약(5-7일 정도 유지)

종류	용법	주의사항
① 비스테로이드소염제(NSAID)	Naproxen 500 mg bid Celecoxib 200 mg bid	신기능 이상, 활동성 위 또는 십이지장 궤양이 있을 경우 금기
② Colchicine	0.6 mg bid	신기능 이상, 간기능 이상 시 금기 설사 가능 → 용량 줄이기
③ Glucocorticoid	Prednisolone 30~50 mg/day	혈당 상승 1), 2)가 가능하지 않은 환자에서 사용 가능
④ 관절내 스테로이드주사	Triamcinolone 관절내 주사	Septic arthritis 가능성 있으면 금기

* ①~④ 병용 가능
* 조절이 되지 않을 때 사용 가능한 IL-1β 저해제(anakinra)는 일상적인 진료에서 거의 쓰이지 않음

2) 요산저하제 치료

(1) 일년에 2회 이상 발작이 있거나, 결절(tophi), 신장결석 등 통풍 합병증이 있거나, 만성신장질환, 고혈압, 심장질환이 있는 경우 시작

(2) 첫번째 발작이거나 일년에 한 번 정도로 발작이 잦지 않은 경우 보류

(3) xanthine oxidase inhibitor가 first drug of choice

(4) 급성 발작 중 요산수치가 변하지 않도록 하는 것이 원칙

(5) 요산저하제 쓰고 있던 사람은 급성 통풍시도 그대로 유지

(6) 쓰지 않고 있던 사람은 급성 통풍시 급성 발작 가라앉은 후 시작하는 것이 일반적임

(7) 목표 요산수치는 6 mg/dL 이하, 결절이 있는 경우 5 mg/dL 이하

종류	용법	주의사항
① xanthine oxidase inhibitor (요산생성효소억제제)	Allopurinol 100 mg qd로 시작 ; 만성 신질환 환자는 50 mg qd로 시작 Febuxostat 40mg qd로 시작	HLA-B5801 검사 시행(양성이면 allopurinol hypersensitivity 위험 커져 쓰지 않음: 특히 Stevens-Jones syndrome 또는 toxic epidermal necrolysis; TEN)
	Uric acid level target (5 or 6 mg/dL) 내로 들어갈 때까지 증량	
② uricosuric agent	Benzbromarone 25 mg으로 시작, 증량	간독성 유의 결석 과거력 환자에서는 쓰지 않음.

* 조절이 되지 않을 때 쓰이는 pegloticase (recombinant uricase)는 일상적인 진료에서 거의 쓰이지 않음

* febuxostat는 심장기능부전(heart failure) 환자에서 사망률 증가 보고가 있어 주의 필요

3) 통풍치료 중 급성통풍 예방

(1) 요산저하제 투여 시작해도 첫 6개월 동안은 급성 발작이 줄지 않음

(2) 요산저하제 시작 시 6개월 정도 발작 예방약(colchicine 0.6 mg QD 혹은 저용량 NSAID)을 함께 사용해야 함

II. CPPD (calcium pyrophosphate deposition) disease: 가성통풍 (pseudogout)

- calcium pyrophosphate (CPP) 결정이 관절액과 관절조직에서 발견되고 방사선 검사에서 연골석회화(chondrocalcinosis)를 확인하여 진단하는 급성 관절염
- 급성 통풍과 비슷한 증상이 발생하여 가성통풍이라 불리며 골관절염과 동반되는 경우가 많음

1. 임상증상과 진단

1) 통풍과 유사한 급성 염증성 관절염 양상

2) 무릎관절에 가장 잘 발생. 손목, 어깨, 발목, 팔꿈치, 손관절에도 발생 가능

3) 유발 원인: 외상, 관절내시경, 히알루론산(hyaluronate)의 관절내 주사, 갑상선절제술 후 혈중칼슘 농도가 떨어지는 경우에 발생 가능

4) 통풍이나 세균성 관절염 등과 감별이 어려움. 관절천자를 해서 관절액의 결정을 확인하거나 배양이 필요(CPP crystal: rod-shaped or rhomboid crystals with weakly positive birefringence)

5) 방사선 검사에서 연골에 점이나 선 모양의 연골석회화(chondrocalcinosis)가 나타남

2. 치료

1) 급성 CPPD 치료 ; 급성 통풍 치료와 거의 동일

2) 예방적인 목적으로 매일 colchicine 0.6 mg 1T 유지가 추후 재발 방지에 도움

Ⅰ. 섬유근통의 개요

1. 정의

1) 전신(신체 좌, 우측, 허리 위, 아래 모두)의 통증과 압통이 3개월 이상 지속되는 만성 통증질환
2) 통증뿐 아니라 피로, 수면장애, 인지장애, 걱정, 우울증 등 정신신경 증상도 흔히 동반

2. 역학

임상적으로 전체 인구의 1-2%에서 발생할 정도로 흔한 질환으로, 여자에게 훨씬 호발(여성:남성 = 9: 1)

Ⅱ. 병인

1. 유전적 소인

가족력도 있고 통증조절 및 스트레스에 대한 반응과 관련된 serotonin, dopamine, cetecholamine 신호를 담당하는 유전자 다형성과 섬유근통의 발생이 연관됨

2. 중추신경계 통증조절이상

1) 들어오는 통증감각 처리기전 이상(Altered sensory afferent pain processing)과 하향 통증억제 조절기전 장애 (Impaired descending noxious inhibitory control) 로
   → hyperalgesia, allodynia 유발
2) **섬유근통 환자의 기능적 자기공명영상(functional MRI)**
   정상인은 통증을 느끼지 않는 자극에 대해 뇌의 통증경험 관련 부위가 활성화됨

3. 유발 인자들

1) 외상: 근육과 힘줄의 반복적인 미세외상이나 손상
2) 감염: parvovirus, C형 간염
3) 정서적 스트레스(급성, 만성)
4) 내분비 질환(갑상선 기능 저하증)
5) 자가면역 질환(류마티스관절염, 루푸스, 전신경화증 등)

6) 수면 장애

Ⅲ. 임상증상

FIBRO (F; fatigue, I; insomnia, B; blues, R; rigidity, O; Ow!)

1. 통증과 압통: "온 몸이 쑤시고 아프다, 두들겨 맞은 것 같다"고 표현
   - 압통이 심해서 어디 닿기만 해도 아프다고 호소하는 환자가 많음
2. 한 시간 미만의 조조강직감(morning stiffness)
3. 무릎과 발목이 시리고 저리는 증상
4. 주관적 증상이기는 하나 손가락과 발가락의 관절이 부어서 반지를 빼거나 신을 신는 것이 어렵다고 호소
5. 여름철보다는 겨울철에 증상 악화 혹은 그 반대로 호소
6. 피로, 수면장애 증상 흔히 동반
   1) 80% 이상이 중등도 이상의 피로 호소: 조금만 무리해도 다음날 일어나지 못 할 정도로 심한 피로와 통증을 호소하는 일이 흔함
   2) 65%에서 수면장애: 통증 ↔ 우울증과 불안 ↔ 수면장애 연관성
7. 편두통(50%), 긴장성 두통, 과민성대장증후군(50%), 월경곤란, 여성요도증후군 동반
8. 레이노현상, 안구건조, 구강건조, 두근거림, 음식이나 약제에 대한 민감성

Ⅳ. 검사소견

- 신체검사, 혈액검사, 방사선촬영에서 특이소견 없음
- 섬유근육통이 의심되는 경우 다른 질환 감별을 위해 시행해야 할 검사

Routine	Guided by History and Physical examination
적혈구침강속도(ESR) or C-반응 단백	Complete metabolic panel
CBC	항핵항체
갑상선 자극 호르몬 (TSH)	항 Ro/La 항체
	류마티스인자, 항 CCP 항체
	CPK
	C 형 간염, HIV 검사
	척추 및 관절 영상 검사

류마티스내과
09

V. 진단

1. 진단 기준

2010년 미국류마티스학회의 섬유근통 진단기준: 전신통증지수와 증상중증도척도를 반영

1) widespread pain index (전신통증지수)

(1) 양쪽 턱관절(2), 가슴(1), 양쪽 어깨(2), 양쪽 상완부(어깨에서 팔꿈치까지) (2), 양쪽 전완부(팔꿈치에서 손목까지) (2), 배(1), 양쪽 엉덩이(2), 양쪽 허벅지(2), 양쪽 종아리(2), 목(1), 등(1), 허리(1)

(2) 모두 19곳 중 통증 있는 곳 숫자가 점수(점수 0-19)

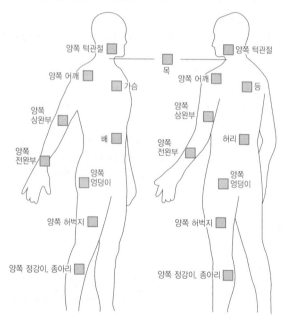

2) symptom severity scale, 증상중증도척도

피곤감, 기분, 집중력, 신체 증상을 각각 점수를 매김(각 항목별 0-3점)

표 9-14-1 2010년 섬유 근통 진단 기준

1. Widespread pain index (WPI)	2. Symptom severity (SS) scale
(점수 범위 0-19점)	(점수 범위 0-12점)
	가. 피곤한 또는 피로 정도
	나. 아침에 잠에서 깨어날 때의 기분
	다. 인지장애 정도
	라. 신체증상 정도

섬유근통의 진단은 다음 3가지 조건을 충족하여야 함

1. WPI ≥7 + SS scale score ≥5 또는WPI 3-6 + SS scale score ≥ 9
2. 증상이 비슷한 수준에서 최소 3개월 정도는 있어야 함
3. 환자의 통증을 설명할 수 있는 다른 질환은 없어야 함

VI. 감별진단

1. 섬유근통과 유사한 증상을 보일 수 있어 감별이 필요한 질환들

염증성 질환	비염증성질환
류마티스다발근통	퇴행성 관절/척추 질환
류마티스관절염, 척추관절염	근막통증증후군
결체조직질환(루푸스, 쇼그렌)	활액낭염, 인대염
감염	**내분비질환**
C형 간염, HIV, 라임병,	갑상선 기능항진/저하증,
Parvo B19, EBV	부갑상선 기능항진증
약제	**신경 질환**
Statin	다발성 경화증
Aromatase inhibitor	신경병증성통증(neuropathic pain)
	정신과적 질환
	우울증

VII. 치료

1. 비약물 요법

1) 저강도의 유산소 운동과 기공, 요가, 태극권

2) 침, 수치료(hydrotherapy)

3) 인지행동치료: 수면의 질 호전

2. 약물 치료

- glucocorticoid, NSAIDs는 섬유근통에 효과가 없고

  afferent and descending pain pathway에 영향을 미치는 약들이 효과가 있음

1) 근이완제: cyclobenzaprine

2) 항우울제

(1) Tricyclic antidepressant (TCA): amitryptiline, nortriptyline, desipramine

① 부작용: 항콜린효과(구강건조, 변비, 배뇨장애, 기립성저혈압)

② 실제 처방: 부작용이 많은 amitryptilline보다는 nortiptyline 25mg hs로 시작

Cardiotoxicity 때문에 100 mg/day 까지만 증량 가능

(2) serotonin-norepinephrine reuptake inhibitors (SNRI)- duloxetine, milnacipran, venalfaxine

* 실제 처방: duloxetine 30 mg qd로 시작 - 필요하면 60 mg qd로 증량 - 최대 60 mg bid까지 증량 가능

3) 항경련제: pregabalin, gabapentin

(1) 기전: 신경접합부의 voltage gated calcium channel의 alpha-2-delta subunit에 결합하여 - 신경말단에서 칼슘의 유입을 차단하여 neurotransmitter 분비를 억제

(2) 부작용: dizziness, somnolence, peripheral edema

(3) 실제 처방

① gabapentin: 100-300 mg hs 또는 100 mg tid로 시작 - 최대 3,600 mg/day까지 증량 가능

② pregabalin: 75 mg qd로 시작- 300 mg/day까지 증량 - 최대 600 mg/day까지 증량 가능

4) Tramadol

(1) 약리작용: opioid agonist, 세로토닌과 노르에피네프린의 재흡수 억제하여 진통효과

(2) 복용: TCA, SNRI에 조절되지 않는 통증이 있는 경우 추가 사용

(3) 실제 처방: 50 mg qd로 시작 - 최대 400 mg/day까지 증량 가능

하지만 저용량에서도 심한 nausea 유발하는 경우가 많아 주의 필요

5) 환자의 주증상(dominant symptom)에 따라 약제 적용을 결정해야 함

(1) 예를 들어, 통증과 수면 장애가 주 증상인 경우에는 cyclobenzaprine, amitriptyline, gabapentin, pregabalin이 더 효과적

(2) 피곤감, 우울감, 걱정이 더 우월한 경우에는 통증과 우울감을 동시에 조절할 수 있는 duloxetine, milnacipran이 더 효과적

6) 강한 마약성진통제는 섬유근통에 효과없고 부작용 우려로 금기

10

감염내과

Handbook of Internal Medicine

I. 발열 환자 임상적 접근

1. 정상 체온과 발열

1) 정상 체온과 변화 범위

(1) 정상 체온: 구강 체온으로 평균 36.8±0.4℃

(2) 아침 6시가 가장 낮고 오후 4시가 가장 높으며, 아침 6시의 최고 정상 체온은 37.2℃, 오후 4시의 최고 정상 체온은 37.7℃

2) 측정 부위에 따른 체온의 차이

(1) 직장 체온: 심부체온을 측정하는 가장 정확한 방법으로 다른 부위보다 온도가 높음. 구강보다 0.4℃ 높음

(2) 구강 체온: 측정이 용이하고 심부체온을 잘 반영하지만, 소아나 기관 삽입한 환자에서는 적합하지 않음

(3) 고막 체온: 고막과 외이도로부터 발산되는 적외선 형태의 열을 측정하여 심부체온을 측정. 직장 온도보다 0.8℃ 정도 낮고, 직장 온도나 구강 온도보다 변화가 많은 단점

(4) 액와부 체온: 심부체온보다 1℃ 정도 낮고, 소아나 성인에서 측정 시마다 변화가 심함

3) 발열과 고체온

(1) 발열(fever): 정상적인 체온 변화를 넘어서 시상하부의 체온 설정치가 상승되어 생긴 체온 상승으로, 구강 체온 기준으로 오전에 37.3℃ 이상 또는 오후에 37.8℃ 이상

(2) 고체온(hyperthermia): 발열과 달리 시상하부 체온 설정치의 변화 없이, 내부의 열 생산이나 외부 열의 노출에 비해 열 발산이 충분하지 않아 심부 체온이 상승. 피부에 땀이 없고 건조, 환각, 섬망, 동공확대, 근육 경직이 특징

① 열경련(heat cramps), 열피로(heat exhaustion), 열사병(heat stroke)

② 갑상선 기능항진증(hyperthyroidism)

③ 약제: anticholinergic agent, tricyclic antidepressant, succinylcholine, halothane

2. 발열 환자에 대한 임상적 접근

초기에 광범위한 병력 청취와 철저한 신체검사, 기본적인 혈액검사와 영상검사를 통해 그림 10-1-1과 같이 접근. 이를 통해 감염성(계통/장기별: 중추신경계, 심혈관계, 위장관, 복강, 요로, 피부 연조직, 골관절, 호흡기 감염), 비감염성 발열 원인을 감별해야 함

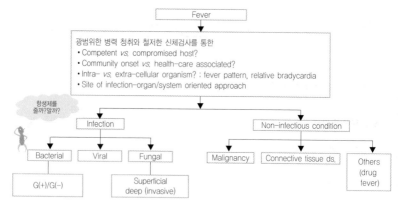

그림 10-1-1 발열 환자에 대한 임상적 접근

1) 병력 청취

(1) 임상 증상의 발생 시점과 기간

(2) 시간 경과에 따른 임상 증상의 악화나 진행 양상(급성, 아급성, 만성)

(3) 최근 복용하였거나 복용중인 약물: 항생제, 해열제, 스테로이드, 한약 등

(4) 기저 질환이나 치과 치료력, 수술 여부(인공 삽입 장치 유무, 수술 후 몇 일째 등)

(5) 가족력(결체조직질환, 전염성 감염질환 등)

(6) 침습성 감염증의 병소에 대한 확인

　　① 최근의 상부 호흡기 감염증 등

　　② 피부 장벽의 파괴 여부: 열상, 화상, 수술

　　③ 외부 물체의 유무: 코성형술 후의 코 메우기, 인공 관절, 탐폰

(7) 여행력, 군복무 지역(최근 제대한 군인의 경우): 말라리아, 뎅기열, MERS-CoV 감염 등

(8) 애완동물이나 기타 동물 접촉력

(9) 집이나 직장에서 감염성 질환자와의 접촉

(10) 취미, 식습관, 성관계, 수혈, 예방접종, 알레르기 등

(11) 약제: 약제에 의한 발열인지 결정하는 일은 매우 어려우며, 의심가는 약제를 중단했다가 다시 투여해 보는 식의 진단법은 위험성뿐 아니라 시간적인 면에서도 득보다는 실이 더 클 가능성이 높음. 또 섣불리 약제에 의한 발열이라고 판정했다가 치명적일 수도 있는 감염질환을 놓치는 우를 범하지 않기 위해서라도 가능한 원인 질환 리스트에서 맨 마지막 순서에 놓아야 함

　　① 병력을 보면 아토피성 체질을 가진 사람인 경우가 적지 않으며 자주 발열의 원인이 되는 약제

들 중 어느 하나를 꽤 장기간 복용하고 있었을 가능성(즉, sensitization)도 놓치지 말아야 함. 체온은 극단적으로 높은 고열을 보이는 경우도 종종 있지만 대개는 38.8℃에서 40℃ 사이인 경우가 많고, relative bradycardia 경향을 보임. 발열 정도에 비해 비교적 증세가 경미하고 잘 견딤. 피부 발진은 중요한 결정적 단서가 되지만, 나타나는 경우는 극히 드묾. 혈액검사에서 백혈구 숫자가 증가하며 약 25% 정도에서 호산구 증가증을 보임. 적혈구 침강속도(ESR)는 꽤 높이 증가하여 보통 60-100 mm/hr 이상인 경우가 많고, 간기능 수치(alkaline phosphatase, AST, ALT)가 정상의 1.5-2배 정도 증가된 경우도 빈번

② 발열을 조장하는 약제로는 항생제(β-lactams, sulfonamides 등)가 많은 비중을 차지하고 있으며, 이뇨제 계통과 설파 성분이 포함된 변비 치료약제, 부정맥 치료제, 항경련제와 항우울제 같은 중추신경계 작용 약물이 다수 포함됨

③ 피부 발진이 동반된 경우는 열이 좀 더 오래 지속될 수도 있지만, 진정한 약제 유발성 발열인 경우 해당 약제를 중단하면 72시간 내로 해열됨. 만약 그 이상의 지속된다면 약제에 의한 발열 가능성은 낮으며, 즉시 다른 원인을 찾을 것. 만일 72시간 내로 해열이 되었더라도 임상적으로 감염 양상이 아직 해결이 안 되었다면 동일한 치료 범위를 가지고 약열을 일으킬 확률이 적은 항생제로 대체

2) 신체검사

(1) 반복적으로 실시되어야 함. 발열 환자의 초기 신체검사에서는 호흡기계 증상, 위장관계 증상, 비뇨기계 증상을 바탕으로 수포음, 복부 압통이나 반동압통, 늑골척추각의 압통 등을 확인하여, 호흡기, 위장관, 비뇨기계의 감염증을 배제하거나 진단해야 함. 피부, 림프절, 눈, 심혈관계, 흉부, 복부, 근골격계, 신경계, 직장수지검사, 남성의 외부생식기, 여성의 골반내 검사 포함. 피부 발진, 림프절 종대, 간·비장 비대, 심잡음 등의 확인은 발열 병소나 원인 질환의 감별에 많은 도움을 줌

(2) 상대적 서맥(relative bradycardia): 결핵균, 리켓치아, 비정형 폐렴의 원인균들, 바이러스, 진균 등에 의한 세포내 감염의 특징으로 발열 정도에 비해 백혈구 숫자가 별로 증가하지 않았거나(relative leukopenia), 맥박수가 그리 빨라지지 않음. 체온이 101℉ (38.3℃, 100회) 부터는 매 1℉ 올라갈 때마다 분당 맥박수가 10회씩 증가하나, 이보다 적게 올라가는 경우(표 10-1-1). 약열과 같은 비감염성 원인에 의한 발열에서도 나타날 수 있음

$$\begin{aligned} \text{Predicted pulse rate} &= (\text{화씨 온도} - 100 - 1) \times 10 + 100 \\ &= (\text{섭씨 온도} \times 9 \div 5 - 69) \times 10 + 100 \end{aligned}$$

표 10-1-1 상대적 서맥을 진단하기 위한 체온상승에 따른 예측 맥박수

℃	Predicted pulse rate
37.5	85
38	94
38.5	103
39	112
39.5	121
40	130
40.5	139
41	148
42	166

3) 검사실검사

병력 청취와 신체검사로 특정 질환이 쉽게 의심되면, 간단하게 검사가 진행될 수 있지만 발열의 원인이 불명확한 경우에는 광범위한 검사가 진행될 수 있음. 초기에는 병력 청취와 신체검사 소견을 바탕으로 가장 흔한 질환들에 대한 일반적인 검사 위주로 진행. 발열이 지속되고 원인이 불명확하여 불명열의 기준에 해당되면, 불명열에 대한 진단적 접근에서 권장되는 기타 검사를 추가(제3-1절. 불명열에서 검사 참고)

(1) 혈액학적검사: 백혈구, 적혈구검사 및 혈구 분획검사

(2) 생화학적검사: 전해질, 포도당, 요질소, 크레아티닌, 간기능

(3) acute phase reactant: ESR, C-반응 단백(CRP), procalcitonin

(4) 소변검사

(5) 혈액 또는 기타 배양검사: 객담, 소변 등

(6) 뇌척수액이나 비정상적인 체액(흉수, 복수, 관절액)의 검사 및 배양

(7) 대변검사(잠혈반응, 백혈구, 기생충 등)

(8) 말초혈액 도말 검사

4) 영상검사

초기에는 흉부나 복부의 단순 사진으로 폐렴, 위장관 감염, 간·비장 비대 등을 확인하고, 필요시 복부/흉부 컴퓨터단층촬영을 실시하여 농양, 종괴, 림프절 종대, 간·비장 비대 등을 확인

5) 발열 치료의 원칙

관습적 해열제는 옳지 않음. 원인 감별을 위한 노력이 우선. 단, 다음과 같은 상황에서는 발열을 조절해 볼 수 있음

(1) 발열로 인한 산소 요구량의 증가가 문제가 되는 경우: 심장질환, 뇌혈관장애, 호흡부전

(2) 간질 환자

(3) 열성 경련의 병력이 있는 소아

제1-2절 배양검사 결과 해석

* 링크: https://blog.naver.com/mogulkor/130153215329

Ⅰ. 배양검사 해석에 필요한 사항들

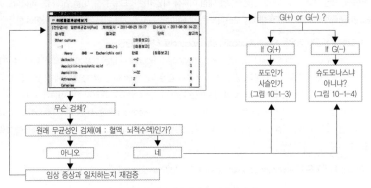

그림 10-1-2 배양검사 해석의 1차 논리적 접근

1. 배양된 균이 그람양성인지, 음성인지 파악

1) 일단 그람염색 양성, 그람염색 음성 여부가 확인되면 사용할 필요가 없는 항생제들은 고려 대상에서 제외시킬 수 있기 때문에 그만큼 판단이 더 용이해짐

2) 그람양성균이 나온다면 aztreonam이나 aminoglycoside (gentamicin, amikacin 등), fluoroquinolone (ciprofloxacin, ofloxacin 등; 단, levofloxacin, moxifloxacin, gatifloxacin 등의 신세대 fluoroquinolone은 예외) 계통의 약제들은 일단 제외해 놓고 다른 약제들을 확인

3) 그람음성균이 나온다면 vancomycin이나 teicoplanin은 고려할 필요가 없음

2. 어떤 검체에서 나온 것인지 확인

1) 인체는 전반적으로 무균 상태가 아니기 때문에 세균 배양에서 균이 자랐다고 해서 반드시 감염의 원인 균이라고 속단해서는 안됨

2) 정상적으로는 무균 상태이어야만 하는 검체, 즉 혈액이나 뇌척수액에서 균이 배양되었다면 의미가 있다고 판단해야 함

3) 객담이나 분변에서 배양되는 세균은 원인균으로 속단해서는 안 됨. 객담 배양은 대개 상기도의 세균 총이, 분변 배양은 장내 세균총이 반영된 경우가 많기 때문

3. 배양된 세균과 환자의 임상 증상이 일치하는지 확인

세균이 배양되었다는 것이 곧 감염을 의미하는 것은 아니며, 단순한 colonization이나 검체 채취 과정에

서의 오염(contamination) 가능성을 더불어 고려해야 함. 이를 위해 해당 환자의 임상 증상에 대한 사전 정보를 파악하고 있어야 함

4. 배양된 균종에 따라 어떤 항생제를 사용할지 판단

검사 결과를 해석할 때, 검사된 모든 약제들의 감수성 여부를 일일이 다 확인할 필요까지는 없으며, 각 균종별로 중요한 항생제 몇 가지만 중점적으로 내성 여부를 확인하는 것으로 충분. 이를 위해서는 임상적으로 중요한 균 종류에 따라 어떤 항생제를 우선적으로 선택해야 하는지에 대한 기본 개념을 알고 있어야 함

1) 그람양성균인 경우는 Staphylococci와 Streptococci로 나눠서 판단

Staphylococci는 methicillin 내성이면 vancomycin이나 teicoplanin 같은 glycopeptide를, 아닌 경우에는 β-lactam 계통이면 충분함. 병원 밖에서 걸린 경우라면 methicillin 감수성인 경우가 많으므로 β-lactam을 주로 사용. Streptococci의 경우에는 특히 pneumococci에 준해서 판단하는데, penicillin 내성인 경우 3세대 cephalosporin이나 신세대 quinolone, glycopeptide를 사용. 특히 pneumococci에 의한 뇌수막염이 의심되는 경우 penicillin 내성으로 간주하고 치료를 시작하는 것이 바람직함(그림 10-1-3)

2) 그람음성균은 Pseudomonas aeruginosa냐, 아니냐(Enterobacteriaceae)로 판단

이는 같은 그람음성균이라 하더라도 P. aeruginosa는 듣는 약이 따로 있기 때문임. 이러한 항생제로는 ceftazidime, cefoperazone, cefoperazone/sulbactam, cefepime, imipenem, quinolone, aminoglycoside 등이 해당됨(그림 10-1-4)

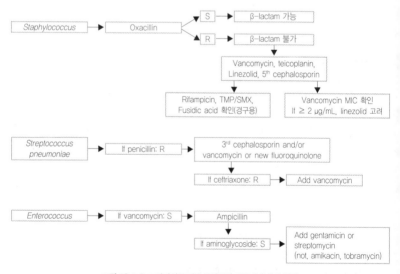

그림 10-1-3 그람양성균 감수성검사의 해석과 항생제 선택

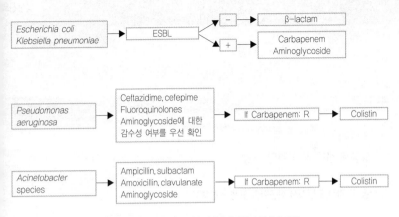

그림 10-1-4 그람음성균 감수성검사의 해석과 항생제 선택

제2-1절 항균제 치료 원칙

Ⅰ. 항균제 선택 시 고려할 사항

1. 다음 두 가지 측면에서 접근하여 항생제 선택

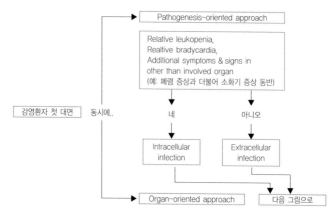

그림 10-2-1 경험적 항균체 치료시 접근 원칙

1) Pathogen-oriented approach (그림 10-2-1)

(1) Intracellular infection

① Relative leukopenia, relative bradycardia

- 주요 병변 이외의 부위에서도 이상 소견이 보이는 경우

  예) 폐렴 환자인데 설사나 두통 등이 동반되는 atypical pneumonia

- 주요 원인 병원체: *Rickettsia*, *Mycobacterium*, *Salmonella typhi*, virus, parasite (protozoa)

- 선택: fluoroquinolones, tetracycline, macrolide를 선호

(2) Extracellular infection: 위의 intracellular infection의 양상이 아닌, 전형적인 pyogenic infection의 양상을 보이는 경우(고열, tachycardia, leukocytosis 등)

2) Organ-oriented approach (그림 10-2-2)

머리(중추신경계), 구강, 가슴(호흡기계), 배(복강), 비뇨기계, 피부로 나눠서 증상이 나타나는 부위에 초점을 맞추고, 각 부위에 호발하는 균들을 과녁으로 삼아 항생제를 선택

(1) 머리(중추신경계): *S. pneumoniae, N. meningitidis, H. influenzae*

(2) 구강

① 구강 상재균의 주된 구성원인 혐기성 streptococci를 겨냥함

② 신체검사에서 특별한 focus가 발견되지 않는 감염증의 경우 이 부위를 발병 시작점으로 추정하고 접근하기도 함

(3) 가슴(호흡기계)

① Typical: *S. pneumoniae*

② Atypical: *Legionella, Mycoplasma, Chlamydiae*

(4) 배(복강): 혐기균과 그람음성균을 겨냥

(5) 비뇨기계: 주로 그람음성균을 겨냥

(6) 피부: 주로 그람양성균을 겨냥

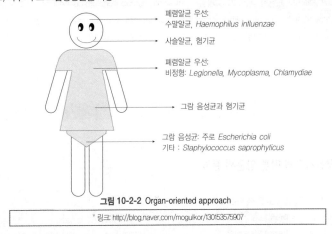

폐렴알균 우선:
수막알균, *Haemophilus influenzae*

사슬알균, 혐기균

폐렴알균 우선:
비정형: *Legionella, Mycoplasma, Chlamydiae*

그람 음성균과 혐기균

그람 음성균: 주로 *Escherichia coli*
기타 : *Staphylococcus saprophyticus*

그림 10-2-2 Organ-oriented approach

* 링크: http://blog.naver.com/mogulkor/130153575907

2. 어느 균주에 어떤 항생제가 효과 있는가?(각 항생제들은 이어지는 항균제 참조)

1) 그람양성균에 주로 효과있는 항생제

(1) 1세대 cephalosporins, ampicillin/sulbactam, macrolides, *etc*.

(2) MRSA, MRCNS: glycopeptide, oxazolidinone, streptogramins, *etc*.

2) 그람음성균에 주로 효과 있는 항생제

Aminoglycosides, monobactams, fluoroquinolones, cephalosporins, *etc*.

3) 혐기균에 주로 효과있는 항생제

Metronidazole, clindamycin, β-lactam/β-lactamase inhibitors, *etc*.

4) 광범위 항생제

carbapenems, *etc*.

3. 내성(자세한 사항은 항생제 각론 참조)

1) MRSA: glycopeptide가 우선; glycopeptide 치료 실패로 판단 시 linezolid; 경구로 줘야 할 상황시: trimethoprim-sulfamethoxazole plus rifampicin 혹은 ciprofloxacin plus rifampicin (감수성 확인할 것)

2) ESBL producing Enterobacteriaceae: carbapenem 우선(가급적 ertapenem 선호), aminoglycoside (감수성 확인할 것)

3) Multidrug resistant *Pseudomonas aeruginosa* or *Acinetobacter* spp. or Carbapenem-resistant Enterobacteriaceae (CRE): colistimethate

4) Carbapenemse-producing Enterobacteriaceae (CPE): colistimethate 우선; colistimethate + carbapenem + tigecycline도 권고되는 치료 요법이나 삭감됨. NDM 계통일 때는 aztreonam + avibactam도 훌륭한 대안; KPC 계통은 avibactam combination with ceftazidime, - with ceftaroline fasamil, vaborbactam with meropenem, relebactam with imipenem/cilastatin, plazomicin, cefiderocol 등이 있으나 아직 국내에는 도입되지 않음. 현 시점까지는 colistimethate에 의존하고 감염내과에 의뢰해서 조언을 구하는 것이 좋음

제2-2절 세균 감염(항균제)

I. 작용기전에 따른 항균제 분류

표 10-2-1 항균제의 작용기전에 따른 분류

작용기전	Target	항균제계열(종류)
세포벽 합성 억제	Transpeptidase (PBP) 결합 D-alanyl-D-alanine에 결합 N-Acetylmuramic acid형성 억제	β-lactams (penicillin, cephalosporin, monobactam, carbapenem) Glycopeptide (vancomycin, teicoplanin) Fosfomycin
단백질 합성 억제	30S ribosome에 결합	Aminoglycosides (amikacin, gentamicin 등) Tetracyclines (doxycycline, tetracycline), tigecycline
	50S ribosome에 결합	Macrolides (azithromycin, clarithromycin, azithromycin), Lincosamide (clindamycin) Oxazolidinone (linezolid)

작용기전	Target	항균제계열(종류)
DNA, RNA 억제	DNA gyrase에 결합 DNA 손상	Quinolones Metronidazole
세균의 대사억제	세균의 엽산 합성억제	Sufomonamide, trimethoprim
세포막 파괴	세포막 파괴 지질친화성 꼬리가 세포막에 칼슘의존형 결합	Polymyxin (colistin), Daptomycin

*PBP: penicillin-binding proteins

II. Penicillin

1. 분류

표 10-2-2 Pencillin계 항생제의 분류

분류	종류
Narrow-spectrum	Aqueous penicillin G (IV), benzathine penicillin (IM), procaine penicillin (IM), penicillin V (PO)
Anti-staphylococcal	Nafcillin (IV), cloxacillin (PO)
Broad spectrum : Enteric & anti-pseudomonal	Ampicillin (IV), amoxicillin (PO), piperacillin (IV), ticarcillin (IV)

2. 적응증

Penicillin G는 여전히 *Streptococcus pyogenes*, penicillin-susceptible pneumococcus와 *Enterococcus* 에 1차 선택약 제이며, syphilis, leptospirosis, actinomycosis, clostridial myonecrosis, tetanus, anthrax가 주 적응증. Ampicillin, amoxicillin은 각종 상부 호흡기감염에 주로 사용되며, *Listeria monocytogenes* 뇌수막염 및 *Enterococcus* 감염증에 사용됨. Nafcillin은 methicillin-susceptible *S. aureus* 균혈증 및 심내막염에 효과 적임

3. 부작용(표 10-2-5 참조)

1) 과민반응: 피부발진부터 아나필락시스를 포함한 다양한 과민반응
2) 피부반응검사: 아나필락시스를 예측하기 위해 피부반응검사를 시행하는데, 반응검사에서 음성이라도 과민반응 가능성을 완전히 배제할 수 없음. 대체약제가 없는 경우 탈감작을 시행하여 투여할 수 있음

III. Cephalosporin

1. 분류 및 항균력

표 10-2-3 Cephalosporin계 항생제의 분류

분류		항균제(IV)	항균제(PO)
1세대		Cefazolin, cephalothin	Cephalexin, cephradine, cefadroxil
2세대	혐기균에 효과(-)	Cefuroxime, cefamandol	Cefaclor, cefprozil
	혐기균에 효과(+)	Cefoxitin, cefotetan	
3세대	녹농균에 효과(-)	Cefotaxime, ceftriaxone, ceftizoxime	Cefpodoxime, ceftibuten, cefnidir, cefditoren, cefixime
	녹농균에 효과(+)	Ceftazidime, cefoperazone	
4세대		Cefepime, cefpirome	

1세대 cephalosporin은 주로 그람양성균에 대해 우수한 항균력. 2세대 cephalosporin은 *H. influenzae*, *Moraxella catarrhalis*에 대한 추가적인 항균효과가 있고, cefotetan 및 cefoxitin은 혐기균에도 효과적임. 3세대 cephalosporin은 그람음성막대균에 우수한 항균력이 있고 그람양성균에는 항균력이 떨어짐

2. 적응증

1) **1세대:** 수술 시 예방요법, MSSA나 streptococci 감염(예, 피부연조직 감염, 골수염), MSSA 감염심내막염

2) **2세대:** 경-중등도의 호흡기 및 복강내 감염, 혐기균을 염두에 둔 수술시 예방요법(cefoxitin, cefotetan)

3) **3세대:** Enterobactericeae 감염증. 지역사회획득 폐렴, 지역사회획득 중추신경계 감염, 폐알균에 의한 감염심내막염. 수술후 뇌실염 및 호중구감소성 발열에는 녹농균에 효과적인 ceftazidime투여.

4) **4세대:** 3세대에 비해 그람양성균에 대한 항균력이 개선됨. 그람양성균에는 cefotaxime정도의 효과를, 그람음성균에는 ceftazidime정도의 효과를 보임

3. 부작용(표 10-2-5 참조)

1) Penicillin과 cephalosporin의 화학적 구조가 서로 다르므로, penicillin에 과민성인 환자의 3-7%에서만 cephalosporin 투여에 의해 과민반응이 발생. 그러나 penicillin에 anaphylaxis 반응이 있었던 환자에게는 cephalosporin을 투여하지 말아야 함

2) MTT (methylthiotetrazole) 측쇄를 가진 cefamandole, cefotetan, cefoperazone 등은 저프로트롬빈혈증과 출혈 성향을 유발할 가능성이 있음

3) 신장애가 있는 환자에서 cefepime 투여 시 신기능에 따라 용량을 조절하지 않고 투여하는 경우 간질발작 위험이 보고된 바 있음

IV. β-lactam/β-lactamase inhibitor

1. 종류 및 제형

표 10-2-4 β-lactam/β-lactamase inhibitor계 항생제

종류	제형
Amoxicillin/clavulanate	경구용 : Amoxicillin 250 혹은 500 mg + clavulanate 125 mg 주사용 : Amoxicillin : clavulanate = 5 : 1 시럽 : Amoxicillin : clavulanate = 4 : 1
Ticarcillin/clavulanate	Ticarcillin 1.5 g + clavulanate 0.1 g
Ampicillin/sulbactam	경구용 : 375 mg/정 주사용 : Ampicillin 1.0 g + sulbactam 0.5 g
Cefoperazone/sulbactam	Cefoperazone 0.5 g + sulbactam 0.5 g
Piperacillin/tazobactam[a]	Piperacillin 4.0 g + tazobactam 0.5 g Piperacillin 2.0 g + tazobactam 0.25 g
Ceftolozane/tazobactam	Ceftolozane 1.0 g + tazobactam 0.5 g
Ceftazidime/avibactam[b]	Ceftazidime 2.0 g + avibactam 0.5 g
Meropenem/vaborbactam[b]	Meropenem 1.0 g + vaborbactam 1.0 g

[a] Piperacillin 3.0 g + tazobactam 0.375 g (1일 4회 투여 용량)은 국내에 도입안됨
[b] 현재 국내에는 도입안됨(2018.12)

2. 기전

β-lactamase inhibitor가 세균이 분비하는 β-lactamase로부터 β-lactam제제를 보호함으로써 항균효과 및 범위가 넓어지고 혐기균에도 효과가 있음. β-lactamase inhibitor 항균력은 크지 않기 때문에 β-lactam/β-lactamase inhibitor의 항균력은 β-lactam의해 결정. 최근 Avibactam, vaborbactam 등 새로운 β-lactamase inhibitor가 개발되었고, 이는 extended-spectrum β-lactamase (ESBL), AmpC β-lactamase, 몇몇 carbapenamase을 억제할 수 있음

3. 적응증

주로 광범위 항균제 투여가 필요한 경우(예, 폐렴, 복강내 감염 등)에 주로 사용, 호중구감소성 발열에 경험적 투여(pipercillin/tazobactam)

4. 부작용(표 10-2-5 참조)

각각의 β-lactam의 부작용과 유사. Amoxicillin/clavulanate 투여 시 설사

V. Carbapenem

1. 종류

Imipenem/cilastatin, meropenem, ertapenem, doripenem

2. 항균효과

1) PBP2, PBP1과 결합능이 좋고 왕성하게 성장 중인 균뿐만 아니라 성장이 정지된 균에도 뛰어난 항균력을 보임
2) 항균 영역이 가장 넓음. 그람양성균, 그람음성균 및 혐기균에 모두 항균력이 좋음. 하지만, methicillin-resistant *Staphylococcus*, *Eneterococcus faecium*에는 효과가 없으며, 최근 carbapenem-resistant Enterobacteriacieae (CRE)가 증가하므로 신중한 투여가 필요
3) Ertapenem은 1일 1회 투여할 수 있는 장점이 있으나, *Pseudomonas aeruginosa* 및 *Acinetobacter* spp. 등의 nonfermenting bacteria에 항균력이 없음

3. 주요 부작용(표 10-2-5 참조)

간질발작이 가장 중요한 부작용. 신기능 저하, 기저 중추신경계질환 등이 있으면 위험도 증가. Imipenem/cilastatin에서 높은 빈도(1-2%), 다른 carbapenem은 0.1-0.3% 정도에서 발생

4. 금기 및 약물상호작용

공통적으로 valproic acid 혈청농도 감소시키므로 valproic acid와 병용 금기. 만약 불가피하게 병용해야 한다면 valproic acid 혈청농도를 모니터링하며 추가적인 항경련요법을 고려

VI. Monobactam

1. 종류

Aztreonam

2. 항균력과 적응증

1) **항균력:** 호기성 그람음성균에만 항균력이 있고, 다른 그람양성균이나 혐기균에 항균력 없음. ESBL, carbapenemase에 의해 가수분해됨. 중증감염인 경우 경험적 치료로 단독투여 권고하지 않음
2) **적응증:** 다른 β-lactam 항균제와 교차 과민반응을 갖지 않기 때문에 주로 중증의 β-lactam알러지가 있는 환자에서 대체요법으로 사용

표 10-2-5 β-lactam항균제(penicillin, cephalosporin, carbapenem)의 부작용

부작용 종류	특정 부작용
Hypersensitivity	Rash, urticaria, serum sickness, anaphylaxis
Gastrointestinal, hepatic	Diarrhea, nausea/vomiting, LFT elevation, bile sludge
Hematologic	Neutropenia, thrombocytopenia, hemolytic anemia, eosinophilia
Renal	Interstitial nephritis
Central nervous system	Seizures, encephalopathy
Others	Drug fever Phlebitis Superinfection (Candida, Clostridium difficile infection)

VII. Aminoglycoside

1. 종류 및 주요 적응증

표 10-2-6 Aminoglycoside계 항생제

종류	주요 적응증
Gentamicin	요로감염증, 복강내감염의 병합요법, 심내막염의 병합요법
Tobramycin, isepamicin	그람음성균에 의한 중증감염에서 병합요법, 요로감염증, 복강내감염 병합요법, 호중구감소성 발열의 병합요법
Amikacin	그람음성균에 의한 중증감염에서 병합요법, 요로감염증, 결핵, NTM, 노카르디아증
Streptomycin	결핵, 페스트, 야생토끼병, 브루셀라증
Kanamycin	결핵
Neomycin (oral)	장수술 시 전처치로 사용

NTM, non–tuberculous mycobacteria

2. 항생제 특성 및 용법

1) Aminoglycoside는 고농도에서 빠르고 높은 살균력을 보이며, 농도가 MIC 이하로 내려가더라도 어느 정도 살균력이 지속되는 post-antibiotic effect (PAE)를 나타냄. 이러한 aminoglycoside의 장점을 이용하여 하루 사용량을 1일 1회 투여하는 방법이 보편화. 이러한 1일 1회 요법은 신독성을 줄일 수 있는 장점도 보고됨

2) Therapeutic dose monitoring (TDM)이 필요: 첫 투여 후 18-24시간 뒤에 최저농도(trough level)를 측정하고 그 후 3-5일 간격으로 시행

3. 주요 부작용

1) **신독성**: 대부분 비핍뇨성 급성 신부전의 형태로 발생하며 가역적임. 투여기간이 길수록(적어도 7-10일) 위험 증가. 고령, 저혈압, 탈수, 간기능장애, 다른 신독성이 있는 약제와 병용 투여 시 신독성 위험 증가.

2) **이독성**: 비가역적. 치료 후에도 나타날 수 있고 반복적으로 노출되면 위험도가 누적. 청력저하를 호소할 만큼 심각한 청력장애는 드물고, 일상 생활에서 감지하기 어려운 고음 영역에서 발생. 청력검사를 통해 확인되는 경우가 대부분. 드물게 전정기능 장애

3) **신경근 차단**: 드물지만 호흡기 근육마비 가능

VIII. Fluoroquinolone

1. 분류 및 항균력

표 10-2-7 Fluoroquionolone계 항생제

	종류	항균력
1세대	Nalidixic acid, Cinoxacin	Mainly against Enterobacteriaceae
2세대	Ciprofloxacin, Norfloxacin, Ofloxacin	Enhanced activity, but mainly against G(−) bacteria; limited against G(+) bacteria
3세대	Levofloxacin	Enhanced broad-spectrum activity against G(+) and G(−) bacteria, anti-tuberculosis activity
4세대	Gemifloxacin, Moxifloxacin	Extended activity, including anaerobes, anti-tuberculosis activity

2. 적응증

요로감염, 전립선염, 그람음성균에 의한 위장관감염, 복잡성복강내감염의 단독(moxifloxacin) 또는 metronidazole과 복합요법, 지역사회획득 폐렴(levofloxacin, moxifloxacin, gemifloxacin), *Pseudomonas* 감염증(ciprofloxacin, levofloxacin), 2차 결핵약제(levofloxacin, moxifloxacin), 기타 골관절염 및 피부연조직감염 등

3. 부작용 및 금기

1) **위장관 부작용**: 가장 흔함. 최근 fluoroquinolone-resistant *C. difficile*의 증가로 CDI 발생 위험 증가

2) **중추신경계 부작용**: 두통 현훈이 대부분. 드물게 환각, 섬망, 간질발작 발생 가능

3) **알레르기 및 피부 부작용**: 비특이적 피부발진이 흔함(특히, gemifloxacin). 광과민성. 약열, 혈관부종, 아나필락시스양 반응, 혈관염, 급성간질성신장염 등

4) **근골격계 부작용**: 관절병(arthropathy), 힘줄염(tendinitis). 힘줄염은 노인이나 steroid를 투여받는 환자에서 위험 증가.

5) **심혈관계 부작용**: QT 간격 연장(특히, moxifloxacin), QT간격을 연장시킬 수 있는 다른 약제와 병용 시 위험 증가

6) 당대사 장애, 중증근무력증(myasthenia gravis) 악화

7) 임산부에서 안정성 규명 안됨. 소아에서 사용 금기

Ⅸ. Macrolides, Ketolides

1. 종류

1) Macrolide: Erythromycin, roxithromycin, clarithromycin, azithromycin

2) Ketolide: Telithromycin

2. 적응증

Mycoplasma pneumoniae, *Legionella pneumophila*, *Chlamydia pneumoniae* 감염증, 디프테리아, 백일해, NTM (*Mycobacterium marinum*, *Mycobacterium chelonae* 등) 감염증 치료. *Mycobacterium avium complex*의 예방과 치료

3. 부작용

1) 복통, 오심, 구토, 설사 등 위장관 부작용. QT 간격 연장 및 torsades de pointes (특히 azithromycin). 중증근무력증 악화, 현훈 발생

2) Erythromycin, clarithromycin, telithromycin: CYP3A4 억제하여 병용약물 혈중농도 증가

Ⅹ. Lincosamide

1. 종류

Clindamycin

2. 항균력 및 적응증

1) 항균력: *Enterococcus*를 제외한 대부분의 그람양성균(*S. pneumoniae*, *S. pyogenes*, viridans streptococci, *Staphylococcus* spp. 포함) 및 혐기균 감염에 효과적임. 호기성 그람음성균에는 항균력 떨어짐. *Bacteroides fragilis*에 대한 내성이 증가추세

2) 적응증: 주로 penicillin 내성 혐기균 감염이 흔한 치과 감염, 폐농양, 흡인성폐렴, 복강내감염, 골반내 감염 및 욕창감염. 복강내감염 및 골반내감염 시에는 병합요법으로 사용. Staphylococcal 또는 streptococcal toxic shock syndrome때 병합요법. 뇌척수액으로는 약물투과가 낮아 뇌농양에는 투여하지 않음

3. 부작용: 설사, CDI 위험 증가

XI. Tetracycline

1. 종류

Tetracycline, doxycycline

2. 적응증

Rickettsia, *Mycoplasma*, *Chlamydia*, *Vibrio cholerae*, *Vibrio vulnificus*, Q열, 라임병 등

3. 부작용

1) 소화기 증상: 흔한 부작용. 오심, 구토, 설사, 식도궤양, 췌장염

2) 신생골과 소아의 치아에 침착, 그러므로 임산부나 8세 이하의 소아는 사용 금기

3) 다량 투여 시 간괴사(tetracycline)

4) 기타: 과민반응(anaphylaxis, 발진, 두드러기), Aminoglycoside와 penicillin계열 항생제와 병용 시 길항작용

XII. Glycopeptide

1. Vancomycin

1) 적응증

(1) *Staphylococcus* 감염증: methicillin-resistant 또는 베타락탐계 항생제에 과민성이 있는 환자의 치료에 투여

(2) Ampicillin-resistant *Enterococcus* 감염증, penicillin-resistant *S. pneumoniae* 뇌수막염

(3) 중증의 CDI: 경구용 vancomycin의 적응증(정맥투여는 효과 없음)

(4) 기타: 호중구감소성 발열 시 경험적 항균제, 베타락탐계 항생제에 과민성이 있는 환자에서 수술 시 예방적 항균제로 투여 가능

2) Therapeutic dose monitoring

중증감염(균혈증, 감염심내막염, 골수염, 뇌수막염, 괴사근막염 등)에서 최저농도(투여직전 혈중농도)를 15-20 μg/mL으로 유지. 신기능이 정상인 경우 vancomycin투여 4번째 용량 투여 직전에 측정

3) 부작용

(1) Red man syndrome: 급속하게 주입 시 basophil과 mast cell에서 histamine분비에 의해 발생, 투여 중단, diphenhydramine투여, 예방을 위해 1시간에 500 mg 속도로 주입

(2) 신독성: 노인, aminoglycoside 동시 투여, 장기간 투여 시, 혈중농도가 20 μg/mL이상인 경우 위험 증가

(3) 기타: 약열, 피부 발진, 혈소판 감소, 호중구감소증

2. Teicoplanin

1) 적응증

*Staphylococcus*에 대해서는 vancomycin과 유사. Vancomycin에 비해 반감기가 길어 1일 1회 투여하며 신독성, 이독성 등의 부작용이 적음

2) 용량과 용법: 감염부위에 따라 용량이 다름

(1) 피부, 연조직, 요로, 호흡기 감염: 6 mg/kg (400 mg)/회 q 12h 3회 loading → 2-3 mg/kg (200 mg)/회, 1일 1회

(2) 패혈증, 심내막염, 골수염, 중증 화농성 관절염: 12 mg/kg (800 mg/회) q 12h, 3회 loading → 6 mg/kg (400 mg)/회, 1일 1회

XIII. Oxazolidinone

1. 종류

Linezolid, Tedizolid

2. 적응증 및 특징

정균작용(bacteriostatic effect)을 보이는 항균제. VRE감염, MRSA에 의한 복잡성 피부연조직감염, 병원획득폐렴 치료에 사용. Linezolid는 다제내성 결핵에도 효과있음. 경구 투여 시 높은 생체이용률

3. 부작용

1) 골수기능저하(특히, 혈소판감소증)이며 2주 이상 장기 투여 시 발생하고 중단하면 가역적. 투여 시 적어도 주 1회 이상 정기적으로 CBC 검사시행 필요. 비가역적인 말초신경병증 발생 가능

2) 약제상호작용: Linezolid는 가역적인 MAO (monoamine oxidase) 억제제로, 세로토닌성 약물과 병용 시 세로토닌 증후군 발생 위험. 교감신경작용약물 또는 tyramine이 풍부한 음식과 병용은 금지

XIV. 혐기균에 효과적인 항균제

표 10-2-8 항혐기균 효과가 있는 항생제

거의 모든 경우에 효과적(nearly always)	대체적으로 효과적(usually)
Metronidazole	Cephamycin (cefoxitin, cefotetan)
β-lactam/β-lactamase inhibitor	Clindamycin
Carbapenems	High-dose antipseudomonal penicillin

1. Metronidazole

1) 적응증 및 용량

표 10-2-9 Metronidazole의 적응증과 용량 및 용법

감염증	용량	투여기간
혐기균 감염	500 mg q 6–8h (IV/PO)	
C. difficile 감염	500 mg q 8h (PO)	10~14일
Trichomonas vaginalis	2g/d qd 또는 250 mg q 8h	7일
Amoebiasis	750 mg q 8h	10일
Giardiasis	2g/d qd 또는 250 mg/회 q 8h	5일

2) 부작용: 두통, 오심, 구토, 설사, 복부 불쾌감, 금속성 맛, 현훈, 발작, 운동실조증, 감각이상, 소양증, warfarin 농도 증가, pregnancy category B (임신 1기 사용금지)

XV. 기타 항균제

1. Trimethoprim/sulfamethoxazole (TMP/SMX 또는 co–trimoxazole)

1) 적응증

(1) 1차 선택약제: 급성 혹은 만성 재발성 요로감염증, *Pneumocystis jirovecii* 감염증

(2) 예방적 사용: *P. jirovecii* (면역저하자)

2) 용량과 용법

표 10-2-10 Trimethoprim/sulfamethoxaxole의 용량 및 용법

종류	제형	용량
Single–strength	TMP (80 mg)/SMX (400 mg)	2T bid (예: 요로감염) 중증 감염 시 6T bid
Double–strength[a]	TMP (160 mg)/SMX (800 mg)	
주사제	TMP (80 mg)/SMX (400 mg) (1:5 mix) *개별용량 확인이 필요	*P. jirovecii* 폐렴: TMP기준으로 15~20 mg/kg/d #3~4

[a] 국내에는 single strength만 출시

3) 부작용

(1) TMP: 엽산결핍, 고칼륨혈증, 두드러기, 광과민증

(2) SMX: G6PD 결핍 환자에서 용혈성빈혈, 재생불량성빈혈, 중증의 과민반응(다형홍반, Stevens Johnson 증후군), 만성 신질환 환자에서 저혈당 위험 증가

2. Colistin

1) 항균력 및 적응증

(1) 대부분 호기성 그람음성막대균(단, *Proteus*, *Providencia*, *Burkholderia*, *Serratia* 제외) 감염에 효과

적임. 그람양성균과 혐기균에는 항균력 없음

(2) 다제내성 *P. aeruginosa*, *A. baumannii* 등 다제내성 그람음성균 치료에 적응

2) 용량과 용법

국내에서 사용가능한 colistimethate는 1 vial에 colistin염 150 mg (4,500,000 IU) 포함되어 있음

표 10-2-11 Colistin의 용량 및 용법

투약경로	정상신기능, 용량과 용법
Intravenous	Loading: 5 mg/kg* 1회 (1일 최대용량≤ CBA 300 mg) Loading하고 8시간 후: 5 mg/kg/d, IV #3
Aerosolized	75~150 mg (in normal saline 3~4 mL) q 12h
Intrathecal	10 mg (in normal saline 5 mL) q 24h

*체중: Ideal body weight를 기준으로; CBA, colistin base activity

3) 부작용: 신독성(가장 흔함, 투여량에 비례), 신경근육차단(신기능 저하자에서 과량투여 시 발생), 기타 신경증상(입주위 저림, 이상감각, 현기증, 시력장애, 혼돈 등)

3. Tigecycline

1) 효과 및 적응증

(1) 다제내성균을 포함한 그람양성(MRSA 및 VRE포함), 그람음성, 혐기균에 대해 광범위하게 효과. 단, *P. aeruginosa*에는 항균효과 없으며, *Providencia*, *Proteus* spp.에서도 낮은 효과

(2) 적응증: 복잡성 피부연조직감염, 복잡성 복강내감염

(3) 주의사항: 주입 후 조직 내로 빠르게 흡수되므로 혈류감염 치료에는 적합하지 않음. 당뇨족에서는 다른 항균제를 투여할 수 없는 상황이 아닌 한 단독요법으로 권고되지 않음

2) 용량과 용법

(1) 용량: 100 mg IV (loading) 투여 후 50 mg q 12h

(2) 신기능 저하 시 용량조절 필요 없으며, 심한 간기능 장애 시 100 mg 투여 후 유지용량은 25 mg q12h으로 감량

3) 부작용

(1) 오심, 구토, 설사가 흔함. 기타 현기증, 급성췌장염 및 간기능 악화 등

(2) Pregnancy category D, 8세 미만 투여 금기

4. Daptomycin (Lipopeptide)

1) 적응증 및 용량과 용법

표 10-2-12 Daptomycin의 적응증과 용량 및 용법

적응증	용량 및 용법
그람양성균에 의한 복잡성 피부연조직감염	4 mg/kg/d q24h
S. aureus 균혈증 또는 우측 심내막염	6 mg/kg q 24h
CCr<30 mL/min 또는 투석	투여간격을 48시간으로 늘림

2) 부작용

(1) 변비, 오심, 구토, 발진이 흔함. 그 외 CPK 증가, 말초신경병증, 신독성 등

(2) Pregnancy category B, 18세 이하에서 안정성과 효과 미확립

5. Fosfomycin

1) 적응증

*Escherichia coli*와 *Enterococcus faecalis*에 의한 급성 단순 방광염에 효과적. ESBL생성 *E. coli*에도 효과가 있어서 투여 가능. 복잡성 방광염이나 신우신염에는 권고되지 않음

2) 용량과 용법

18세 이상의 성인에서 fosfomycin 3 g 1회 복용. 투여 시에는 120 mL 정도의 물에 용해 후 공복 시 복용. 가능한 취침 전 방광이 빈 상태에서 복용

3) 부작용

(1) 설사가 주로 발생, 기타 오심, 두통, 어지러움

(2) Pregnancy category B, 불가피한 경우만 투여

제2-3절 바이러스 감염(항바이러스제)

감염 질환 중 가장 흔한 것이 바이러스 감염임. 특히 급성바이러스성 호흡기 감염은 급성 발열 질환의 절반 이상을 차지함. 또 항생제 오남용의 가장 큰 비중을 차지하는 것이 바로 급성바이러스성 호흡기 감염의 치료에 항생제를 투여하는 경우임. 바이러스 감염은 항생제에 효과가 없고 대부분 대증치료를 요하므로, 환자의 증상과 임상경과, 일반적인 검사 소견, 그 지역의 특정 바이러스 유행 여부[국내 급성 호흡기 바이러스, 급성 설사 원인 바이러스의 유행 통계는 질병관리본부 홈페이지(http://www.cdc.go.kr)에서 주간 정보를 확인할 수 있음] 등을 바탕으로 한 임상가의 판단이 진단과 치료에 중요함. 여기서는 임상에서 항바이러스제를 사용하는 바이러스 감염인 인플루엔자와 헤르페스바이러스 감염에 대해 정리함

I. 인플루엔자

1. 개요와 명명

1) 인플루엔자바이러스는 Orthomyxovirus 과에 속하는 RNA바이러스로, 핵산의 구성에 따라 A, B, C형으로 분류되는데, 사람에서는 A형과 B형이 문제를 일으킴(3군 법정감염병)

2) A형 인플루엔자바이러스는 표면 항원인 hemmaglutinin (HA)과 neuraminidase (NA)에 의해서 아형이 결정됨. HA는 16가지, NA는 9가지 조합으로 100여 가지의 아형이 존재

3) 명명: '형/분리지역/분리주번호/연도(아형)'로 표시[A/California/7/2009 (H1N1)]. B, C형 인플루엔자도 유사한 방법으로 명명되지만 A형과 같이 HA, NA의 다양한 아형변화를 보이지 않기 때문에 아형표기는 생략되는 것이 일반적

2. 임상적 특징

1) 전파

(1) 인플루엔자는 감염된 환자의 호흡기로부터 기침, 재채기 등에 의해 외부로 방출된 바이러스 입자가 aerosol 또는 droplet 형태로 감수성이 있는 다른 사람의 호흡기로 유입되어 전파. 드물지만 손과 손의 접촉이나 옷, 침구 등의 매개물을 통한 전파도 가능

(2) 인플루엔자바이러스의 일차 감염부위는 상부 호흡기이며 감염된 세포에서 수시간 내에 증식하여 세포변성, 괴사를 유도한 뒤 유출되어 주위의 다른 세포를 감염시킴. 인플루엔자바이러스에 감염된 후 평균 18-72시간이 지나면 상당수의 상부 호흡기 상피세포들로 감염이 확산되고 증상이 나타나기 시작함(잠복기는 평균 2일, 범위 1-5일). 감염 당시 유입된 바이러스의 양이 많을수록 잠복기는 짧아지며 바이러스 복제가 활발할수록 증상의 중증도 역시 심해짐. 호흡기 분비물을 통한 인플루엔자바이러스의 방출은 증상 시작 후 2-5일이면 소멸되기 시작하나 소아에서는 더 오래 7일 이상 지속되기도 함. 가장 감염력이 높은 시기는 증상시작 1-2일

2) 진단

(1) 임상진단

지역사회에 인플루엔자 유행주의보가 내려진 상황에서 37.8℃ 이상의 발열과 기침 등 호흡기 (인후통, 비루 등) 또는 전신증상(근육통, 두통, 오한 등)을 보이는 전형적인 인플루엔자 유사질환(influenza-like illness, ILI) 환자의 경우 의심(우리나라는 전국 인플루엔자 감시체계를 통해 표본의료기관에서 주단위로 전체 진료 환자수와 ILI 환자수를 보고하여 유행상황을 알 수 있음)

(2) 실험실 진단

① 확진은 실험실검사로 내려지며, 인플루엔자바이러스 분리, 바이러스 항원(단백)의 검출, 바이러스 핵산의 입증, 혈청학적검사 등 4가지로 대별될 수 있음. 어떤 검사법을 선택할지는 원하는 정보의 성격에 따라 달라질 수 있음. 혈청학적검사 이외에는 비인두 및 인후 도찰물, 비강 흡인물 등의 검체가 사용되며 임상 검체의 적절한 채취, 이송, 보관 등이 검사 양성율을 높이는데 매우 중요

② 신속 항원 검사법(rapid antigen test)

항바이러스제 치료 결정과 감염관리를 위하여 신속한 진단이 필요한 일차 진료 의사 또는 병원에서 매우 유용한 검사법이지만, 신속 편리한 반면 인플루엔자바이러스 아형에 대한 정보는 알 수 없음. 바이러스 배양 또는 중합효소연쇄반응법에 비해 민감도가 낮으나, 비교적 저렴한 비용과 검사 후 10여 분 내에 결과를 확인할 수 있다는 현장성 때문에 현재 가장 많이 사용됨

③ 중합효소연쇄반응법

임상검체로부터 인플루엔자바이러스 핵산(RNA)을 검출하는 것은 민감도와 정확도에 있어 상

당히 신뢰성이 있는 방법으로 확진법으로 이용됨. 훈련된 인력과 시설을 갖춘 의료기관에서만 사용하며, 다른 호흡기바이러스를 포함한 다중중합효소연쇄반응법(multiplex PCR)을 시행하면 감별 진단과 동시감염 진단이 가능

④ 바이러스 배양

인플루엔자 실험실 진단의 표준 방법. 증상 발현 후 3-4일 이내 가능한 발병 초기에 검체를 채취할 것. 인후부 혹은 비강 부위를 면봉으로 swab하거나 비강흡입액 등의 분비물을 그대로 바이러스 수송배지에 채취하여 신속하게 MDCK 세포에 접종. 대부분의 호흡기바이러스는 4-8℃ 이상의 온도에서 급격하게 감염력이 소실되므로 검체 채취와 보존은 바이러스 분리에 매우 중요함. 검체를 수송배지에 담고, 검체는 세포배양에 접종되기 전까지 4℃에 유지되어야 함. 만일 24시간 내에 증식배지에 접종하지 못할 경우 반드시 -70℃ 이하에 냉동 보관

(3) 합병증

65세 이상의 장년층, 심폐기능 이상, 당뇨, 신기능이상과 같은 만성 기저질환자에서 주로 나타남. 가장 흔한 합병증은 폐렴이며, 대부분이 2차 세균성 폐렴(즉, *Streptococcus pneumoniae*, *Haemophilus influenzae* 또는 *Staphylococcus aureus*)임. 인플루엔자바이러스에 의한 원발성 폐렴은 드물게 발생하지만 사망률이 높음. 그외에도 만성폐쇄폐질환 환자의 급성 악화, 천식의 급성 악화, 중이염, 부비동염등의 합병증이 흔히 관찰됨. 드물지만 인플루엔자 감염 후근염, 근육용해증 등의 합병증 보고도 있으며 중추신경계 합병증으로 뇌염, transverse myelitis, 길랑-바레증후군 등이 발생할 수 있음. Reye 증후군은 어린이에서만 발생되는 합병증으로 기본적으로 B형 인플루엔자바이러스(또는 수두대상포진바이러스)와 관련이 있으며, 심한 구토와 정신 혼미, 뇌부종으로 인한 혼수로 발전됨

3. 치료

1) 대증요법

인플루엔자에 의한 합병증 위험이 높은 고위험군이 아니고 중증 소견을 보이지 않는 경우에는 안정과 수분섭취, 필요에 따라 해열진통제 등 대증요법으로 충분

2) 항바이러스제 치료

인플루엔자 환자에게 항바이러스제를 투여할 것인지 기준은 병의 중증도, 증상 발생 후 경과 시간(48시간 이내), 환자의 기저질환을 감안하여 결정

(1) 인플루엔자에 의한 합병증 발생의 고위험군

① 65세 이상 성인

② 요양원 등 장기요양시설 거주자

③ 만성질환자(천식을 포함한 호흡기 질환, 심혈관계 질환, 종양, 만성 신부전, 만성 간질환, 당뇨, 면역저하자)

④ 임신한 여성이나 산후 2주 이내

⑤ 심한 비만(BMI 40 이상)

(2) 치료 약제와 기간(표 10-2-13)

① 2005-2006년 시즌 이후 influenza A/H3N2의 amantadine, rimantadine에 대한 높은 내성률 때문에 감수성 검사 결과가 알려지지 않는 한 이들 제제 사용은 권장되지 않음

② 노출 후 화학적 예방요법: 감염력이 있는 환자와 밀접한 접촉을 한 인플루엔자 합병증의 고위험군, 의료인, 공공보건 종사자에서 마지막 노출된 시점으로부터 14일간 시행(zanamivir; 10 mg/일, oseltamivir; 75 mg/일). 마지막 노출 후 48시간 이상 경과한 상태라면 권장되지 않음

표 10-2-13 항인플루엔자 제제의 용량과 용법

	투여경로	성인에서 일일 치료[a]	부작용
Oseltamivir	경구	75 mg twice	구역, 구토, 두통, 불면, 현기증, 소화불량, 피로, 정신병적 이상 등
Zanamivir	흡입	10 mg twice (2 inhalations)	코관련 증상, 인두/편도 통증, 오심, 구토, 기침, 기관지수축((1%)
Peramivir	주사	300~600 mg once	설사, 호중구감소, 단백뇨, 정신병적 이상

[a] 일반적인 치료기간은 5일(중증 환자에서는 연장을 고려)

II. 헤르페스바이러스 감염

1. 바이러스 특징과 전파

1) 헤르페스바이러스는 dsDNA 바이러스로 사람에서는 8종만이 감염의 원인임. 질환을 일으킬 수 있는 숙주의 범위와 생물학적 특징에 의해 α, β, γ 3개의 아형으로 분류됨(표 10-2-14). 이에 따라 치료제도 달라짐

표 10-2-14 인체에 감염을 일으키는 Herpesviridae 분류

명칭	다른 명칭	아형
Herpes simplex virus (HSV) type 1	Human herpesvirus (HHV) 1	α
Herpes simplex virus type 2	Human herpesvirus 2	α
Varicella-zoster virus (VZV)	Human herpesvirus 3	α
Epsterin-Barr virus (EBV)	Human herpesvirus 4	γ
Cytomegalovirus (CMV)	Human herpesvirus 5	β
Human herpesvirus 6		β
Human herpesvirus 7		β
Human herpesvirus 8	Kaposi's sarcoma-associated virus	γ

2) 바이러스가 포함되어 있는 신선한 체액을 통해서만 전파가 가능. 감염에 민감한 부위는 구강, 안구, 생식기, 항문 점막, 호흡기계이며 혈액을 통한 전파도 가능(표 10-2-15). 직접적인 접촉에 의해서도 전파가 가능하기 때문에 CMV의 경우 소아에서의 선천적 감염과 신생아 시기의 감염이 중요한 임상적 의미를 가짐. 헤르페스바이러스는 신체의 어느 부위에나 존재하기 때문에 체액을 교환하는 행위 자체가 감염의 위험성을 증가시킴. 감염의 전파는 감염자의 초기감염 시기뿐만 아니라 재활성화 감염 시기에도 가능. Varicella를 제외한 모든 헤르페스바이러스 감염은 무증상으로 전파되므로 헤르페스바이러스 감염의 50-75%는 무증상 감염자에 의해 발생

표 10-2-15 헤르페스바이러스의 전파와 역학

	전파경로				항체 양성률 (%)			감염 위험이 높은 그룹 또는 활동
	주산기	혈액제제	친밀한 접촉	에어로졸	소아	성인		
						미국	개발도상국	
HHV-1	+	−	+	−	20~40	50~70	50~90	잦은 친밀한 접촉
HHV-2	+	−	+	−	0~5	20~50	20~60	잦은 친밀한 접촉
VZV	+	−	+	+	50~75	85~95	50~80	Day care 받는 미취학아동
CMV	+	+	+	−	10~30	40~70	40~80	Day care 받는 미취학아동, 성관계가 복잡한 동성애자, 이식 또는 혈액제제 수여자
EBV	+	+	+	−	10~30	80~95	90~100	잦은 친밀한 접촉
HHV-6	?	?	+	?	80~100	60~100	60~100	세포 면역 결핍

2. 임상양상

모든 헤르페스바이러스는 초감염 후 잠복감염을 유발하며, 초감염과 재발 시 임상양상을 별도로 숙지해야 함(표 10-2-16). 또 모든 헤르페스바이러스는 숙주세포-경우에 따라 감염되지 않은 숙주세포도-의 전이가 가능하며, EBV는 대표적인 lymphotropic virus로 림프증식성 질환(lymphoproliferative disease), 비인두종양(nasopharyngeal cancer), 호지킨병 등과 관련이 있음

표 10-2-16 인형 헤르페스바이러스의 임상상

	초감염	재발시	면역저하자에서	잠복감염
HSV-1	Gingivostomatitis, Keratoconjunctivitis, 피부 herpes, genital herpes, 뇌염	구순 herpes, Keratoconjunctivitis, 피부 herpes, 뇌염	Gingivostomatitis, Keratoconjunctivitis, 피부 herpes, 식도염, 폐렴, 간염 등	Sensory nerve ganglia
HSV-2	genital herpes, 피부 herpes, Gingivostomatitis, Meningoencephalitis, Neonatal herpes	genital herpes, 피부 herpes, aseptic meningitis	genital herpes, 피부 herpes, 파종성 감염	Sensory nerve ganglia
VZV	수두	대상포진	대상포진, 파종성 감염	Sensory nerve ganglia
CMV	단핵구증, 간염, 선천성 거대세포봉입체병	?	간염, 망막염, 폐렴, 뇌염, 장염 등	단핵구? 중성구? 림프구?
EBV	전염성 단핵구증, 간염, 뇌염	?	림프증식증후군	B 림프구, 침샘
HHV-6	영아 돌발진, 발열, 중이염, 뇌염	?	폐렴, 간염, 골수 억제, 뇌염	CD4+ 림프구?
HHV-7	영아 돌발진	?	?	CD4+ lymphocytes ?
HHV-8	?	?	카포시 육종, Castleman 병	정자? 림프구?

3. 진단

대부분의 헤르페스 감염은 임상적으로 진단되지만 몇몇 경우에는 실험실적 확진이 필요함. 실험실적 검사방법은 진단과 치료에 근거가 되며, 약제 내성을 판별하는데도 사용되며, genital herpes와 zosteriform eruption과 같이 재발하거나 병변의 원인이 분명치 않은 경우 불필요한 경험적 약제 투여를 피할 수 있고 환자의 심리적 부담을 해결해 줄 수 있음

1) HSV & VZV

HSV와 VZV와 같이 검체를 얻기 쉬운 병변(피부, 점막)에서는 세포학적검사(Tzanck or Papanicolau's stain)를 이용하여 특징적인 봉입체(inclusion body)를 관찰함으로써 진단이 가능. 세포배양하거나 항원에 대한 PCR을 이용하기도 함. 혈청학적 양전(seroconversion)이나 회복기 혈청에서의 항체 역가 상승으로도 진단은 가능하나 일반적으로 혈청학적검사는 만성 혹은 재발성 감염을 진단하는데 도움이 되지 않음

2) EBV

EBV는 배양은 가능하지만 손이 많이 가고 비용이 많이 들기 때문에 일반적으로 혈청학적으로 진단하며, 이들 지표가 병기와 EBV와 관련된 다양한 질환에서 서로 다르게 나타남(그림 10-2-3)

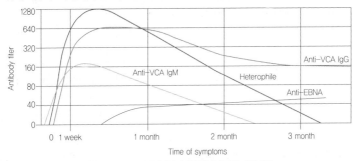

그림 10-2-3 EBV 급성감염에서 혈청학적 항체의 변화패턴

3) CMV, HHV-6, -7, -8

CMV는 임상적 소견만으로는 진단하기 어렵고 적정 검체에서 바이러스가 동정되거나, 혈청학적 역가가 증가되어야 진단이 가능. 배양은 과거의 고식적인 방법보다는 shell vial culture가 진단에 소요되는 시간을 줄일 수 있어 널리 이용됨. 최근에는 바이러스 항원혈증(antigenemia)을 직접 측정하는 pp65 CMV 항원혈증검사법이나 CMV DNA PCR 방법 등이 혈청학적 방법이나 배양검사보다 시행이 용이하고 시간을 단축할 수 있으며 민감도와 특이도가 높아 많은 기관에서 이 검사들을 토대로 한 선제치료를 선호하고 있음. 혈청학적 방법은 우리나라와 같이 CMV의 유행지역-10세 이후에서 혈청 양성률이 98% 이상-에서는 유용성을 찾기 힘듦. HHV-6, -7, -8 역시 배양, 혈청학적검사, PCR 등을 이용하여 진단

4. 치료

헤르페스바이러스 감염은 초감염/재발, 면역저하/면역정상 환자인지에 따라 치료 여부와 방법(항바이러스제 종류와 용량·용법)에 차이가 있음. 예방이 권고되는 경우는 대부분 면역저하환자임. 이식환자에서 CMV 감염의 예방과 치료에 있어 특별한 몇 가지 개념을 아래에 소개함. 각 헤르페스바이러스 감염에 사용하는 약제, 용량·용법은 표 10-2-17 참조

1) 선제치료(Pre-emptive therapy)

CMV는 장기이식 후 발생하는 질환의 중증도 측면에서 예방이 특히 강조되며 선제치료라는 개념이 널리 사용되고 있음. 선제치료는 일반적인 예방처럼 불특정 다수를 대상으로 감염을 예방하기 위한 약제를 투여하는 것이 아니라 고위험군만을 선정하여 감염 혹은 질환으로의 이행을 예방하는 것임. 이식환자에서 이식 후 주기적으로 CMV 항원혈증이나 정량적 PCR법을 이용하여 CMV 재활성화가 증명되는 경우에만 ganciclovir를 일정기간 투여. 이는 ganciclovir가 고가의 약제이며 골수기능 저하, 중추신경계 부작용 등을 가지고 있어 이식을 시행한 환자 모두가 ganciclovir에 노출되는 것을 막고 효율적인 면을 고려하는 것. 재활성화를 모니터링하는 검사방법이나 사용가능한 약제에 따라 이식 센터마다 고유의 프로토콜을 운영

2) 입양면역치료(Adoptive immunotherapy)

이론적으로 모든 헤르페스바이러스 감염이 대상이 될 수 있지만 면역기능저하, 특히 장기이식환자에서 시도되고 있는 치료법. 잠복되어 있는 헤르페스바이러스는 숙주의 특이 세포독성 T 세포(specific cytotoxic T cell)에 의해 끊임없이 monitoring되고 증식기에 있는 숙주세포를 파괴함으로써 질환으로의 이행을 억제함. 이를 근거로 이식환자에서 거부 반응 및 이식편대 숙주 반응을 억제 목적으로 투여된 면역억제제에 의해 수적, 기능적으로 저하된 세포독성 T 세포를 공여자로부터 분리하여 투여하거나 혹은 인위적으로 실험실 내에서 특이 세포독성 T 세포로 만들어 투여하여 CMV 질환 발생 예방 및 치료에 이용

표 10-2-17 항헤르페스바이러스 제제의 용량과 용법

감염증	약제	투여경로	용량	비고
면역저하환자의 피부점막 단순포진				
치료	Acyclovir (ACV)	정주	5 mg/kg, 8시간마다, 7일	정주 또는 경구 투여를 결정하는 것은 감염의 중증도와 환자가 경구로 먹을 수 있는지에 따라 결정. 국소 도포 시 경구나 정주 치료로 보완하지만 크기가 작고 쉽게 접근할 수 있는 병변은 예외. ACV 내성인 경우 foscarnet 사용
		경구	400 mg, 하루 5번, 10일	기간은 치료 반응에 따라 연장
		국소		5% 연고: 하루 4-6번 7일간 또는 아물 때까지 도포
	Valacyclovir (VACV)	경구	500 mg-1g, tid, X 7 d	
	Famciclovir	경구	500 mg, bid, X 4-7 d	

감염증	약제	투여경로	용량	비고
강력한 면역억제 기간동안 재발의 예방	Acyclovir	경구	200 mg, qid	치료는 강력한 면역 억제상황이 예상되는 시기동안 함. 예를 들어 항암화학요법이나 이식 이후를 들 수 있으며 흔히 2-3개월간 지속
		정주	5 mg/kg 매 12시간마다	
	Valacyclovir	경구	1 g, bid or tid	
	Famciclovir	경구	500 mg, bid	
구순 단순포진 (재발성)	Penciclovir	국소	1.0% 크림제제로 잠잘 때를 제외한 시간동안 매 2시간, 4일 동안 도포	위약군과 비교, 치료하면 병변 치유 및 증상기간을 0.5-1.0일 단축시킴
	Valacyclovir	경구	2 g q12h, X 1 d	증상 발생 후 바로 치료를 시작하면 하루정도 증상을 단축시킴
	Famciclovir	경구	1,500 mg once or 750 mg bid, X 1 d	전구증상 발생 1시간 이내 치료를 시작하면 1.8-2.2일 증상 단축시킴
단순포진각막염	Trifluridine	국소	깨어 있는 시간동안 1% 안약 용액을 매 2시간마다 한 방울씩(하루 최대 9방울)	안과전문의와의 협의 진료 필요
	Vidarabine	국소	3% 안연고를 0.5인치씩 잘라서 하루 5번 바름	
단순헤르페스바이러스 뇌염	Acyclovir	정주	10 mg/kg 매 8시간 14-21일	치료를 일찍 시작하면 경과가 좋음. 일부에서는 재발을 방지하기 위해 21일간 치료하기도 함

성기 단순포진

감염증	약제	투여경로	용량	비고
일차 치료	Acyclovir	정주	5 mg/kg 매 8시간, X 5-10 d	신경학적인 후유증이 남을 것이 예상되거나 입원을 해야 할 정도로 심한 경우에는 가급적 정주로 투여
		경구	200-400 mg, 하루 5번 또는 tid, X 7-10 d	경구는 입원할 필요까지는 없는 정도일 경우 선택함. 수분공급이 적절하게 유지되어야 함
		국소	5% 연고로 매일 4-6회, X 7-10 d	경구 치료와 병행하는 경우가 많으나 임신부에서는 전신적 투여를 피함
	Valacyclovir	경구	1 g, bid, X 7-10 d	ACV 만큼 효과가 있으나 덜 사용됨
	Famciclovir	경구	250 mg, tid, X 7-10 d	ACV 만큼 효과가 있음
재발의 치료	Acyclovir	경구	400 mg, tid, X 5 d or 800 mg tid X 2 d	치료 시작을 일찍하면 좋은 결과를 얻음. 그러나 재발율에는 영향을 주지 않음
	Famciclovir	경구	125 mg, bid, X 5 d, or 1 g bid, X 1 d	
	Valacyclovir	경구	500 mg, bid, X 3 d, or 1 g once a day, X 5 d	
재발의 억제	Acyclovir	경구	400 mg, bid, 12개월 이상	억제 요법은 일년에 적어도 6-10차례 재발을 경험한 환자에게만 적용. 억제요법에도 불구하고 재발하는 경우가 가끔 있고, 무증상 상태에서 바이러스를 배출하는 경우도 있음. 억제 요법의 필요성은 1년이 지나면 재평가할 것
	Famciclovir	경구	125-250 mg, bid	
	Valacyclovir	경구	500-1000 mg/d	
대상포진 정상면역환자	Acyclovir	경구	800 mg 하루 5 번, 7-10일간	위약군과 비교, 발진 시작 72시간 이내에 투여 시, 피부 병변의 치유가 더 빠르고, 급성 증세를 어느 정도 경감시킴. Prednisolone을 단계적 용량 감량하며 함께 사용하면 삶의 질이 더 개선됨
	Famciclovir	경구	500 mg 매 8시간 7일간	위약군과 비교, 대상포진 후 신경통 기간이 단축됨. acyclovir와 유사한 효과를 보임. 발진 시작 후 72시간 내로 투여해야 함

감염증	약제	투여경로	용량	비고
	Valacyclovir	경구	1 g, tid, 7일간	통증 경감에는 VACV가 ACV 보다 더 효과적일 수도 있음. 그 이외에는 두 약제 모두 피부 병변 치료 효과가 유사하며, 피부병변이 생기고 72시간 이내에 투여되어야 함
대상포진 면역저하환자	Acyclovir	정주	10 mg/kg 매 8시간 7일간	일단 열이 가라앉고 다른 장기를 침범했다는 근거가 없다면 경구제제인 VACV로 바꿀 것을 고려해 볼 수 있음. 치료를 일찍 시작하면 국소적인 대상포진에 대한 치료효과는 월등함. ACV에 내성인 경우 foscarnet을 사용할 수 있음
		경구	800 mg 하루 5 번 7일간	
	Valacyclovir	경구	1 g, tid, 7일간	
	Famciclovir	경구	500 mg, tid, 10일간	
CMV망막염 (면역저하환자 에서)	Ganciclovir (GCV)	정주	5 mg/kg, bid, 14–21일간, 이후 유지량 5 mg/kg/일	GCV, VGCV, foscarnet, cidofovir 모두 AIDS 환자의 CMV 망막염 치료제로 승인됨. 대장염, 폐렴, CMV와 관련된 쇠약증후군의 치료와 이식 환자에서 CMV 질환의 예방목적으로 사용
	Valganciclovir (VGCV)	경구	900 mg bid, 21일, 이후 유지량 900 mg/일	
	Foscarnet	정주	60 mg/kg 매 8시간 14–21일간, 이후 하루 90–120 mg/kg을 유지용량으로	Foscarnet은 골수 억제 작용이 없으며 ACV와 GCV 내성헤르페스바이러스에 작용함
	Cidofovir	정주	5 mg/kg 일주일에 두 번 총 2주, 이후 일주일에 한 번 probenecid와 함께	용량은 사용하는 프로토콜에 따라 변할 수 있음

III. Ribavirin

1. 적응증 및 효과

체외(*in vitro*) 검사에서는 respiratory syncytial virus (RSV), influenza virus, parainfluenza virus, adenovirus, measles, Lassa fever 및 Hantaan virus의 증식을 억제. 호흡기 감염증 중 RSV 감염증에서 위약 비교 연구결과 ribavirin 분무 요법으로 혈중 산소 포화도를 증가시킨다는 자료를 근거로 소아에서 중증 RSV 감염증에 사용되어 옴. 성인에서는 조혈모세포이식환자에서 중증 RSV 감염증 같은 특별한 경우가 아니면 추천되지 않음(6 g/일, 2시간 동안 분무, 8시간마다)

2. 주의점

적절한 크기의 입자로 만들기 위해 small particle aerosol generator (SPAG) 사용. SPAG를 facemask, aerosol tent 또는 mechanical ventilator와 연결. 기계호흡을 하는 환자에서 분무 요법을 시행할 때 침전이 생길 수 있음. 기형발생과 생식독성이 있으므로, 임부에서 금기. 분무요법시 의료인들이 노출되지 않도록 환자를 텐트 안에 두고 시행

제2-4절 진균감염(항진균제)

I. 진균

1. 진균의 형태적 분류

1) 효모균(yeast): 발아(budding)에 의해 번식하는 세포

(1) *Candida*와 *Cryptococcus* species

(2) 구형 혹은 난원형의 단세포로 세포가 이어져 가균사(pseudohyphae) 생성

2) 사상균(균사형, hyphae): 다세포성의 균사(hyphae)로 구성된 진균

(1) *Aspergillus*, *Rhizopus*, *Fusarium*, 피부진균(dermatophytes)

(2) 다세포의 균사(hyphae)로 구성, 유격벽(septated) *vs* 무격벽(aseptated) 균사로 구분

3) 두형태(dimorphic form) 진균

(1) *Coccidioides immitis*, *Histoplasma capsulatum*, *Blastomyces dermatitidis* 등

(2) 조직에서는 효모균 또는 구상형, 배양시는 사상형 진균형태

2. 진균감염의 진단

2008 EORTC/MSG criteria는 침습성 진균감염 연구를 원활하게 하기 위한 진단 기준이지만, 임상에서 이 기준을 참고하여 진단에 활용하고 있음(Clin Infect Dis 2008;46:1813-21)

1) 확진(proven) 침습성 진균질환(Invasive fungal disease, IFD): 표 10-2-18, 10-2-19

표 10-2-18 침습성 진균증의 확진 기준[풍토진균증(endemic mycosis) 제외]

검체분석	사상균(Molds)	효모균(Yeasts)
현미경분석 (무균검체)	바늘천자 표본이나 생검조직의 조직병리학적, 세포병리학적 또는 직접현미경검사에서 조직 손상의 증거와 함께 균사(hyphae)나 melanized yeast-like form의 발견	정상적으로 무균상태인(점막제외) 곳에서 얻은 바늘천자 표본이나 생검조직에서 조직병리학적, 세포 병리학적 또는 직접현미경검사에서 효모 세포의 관찰 [예, *Cryptococcus* (encapsulated budding yeasts) or *Candidia* (pseudohyphae or true hyphae)]
배양		
무균검체	BAL, cranial sinus cavity, 및 소변을 제외하고, 감염성 질환과 일치하는, 정상적으로 무균 상태이며 임상적으로 또는 영상검사에서 비정상적인 부위로 부터 무균절차에 의해 얻은 검체에서 진균을 동정	정상적으로 무균상태인 부위나 감염질환의 진행과 일치하는 영상검사 소견을 보이는 부위(24시간 이내에 삽입된 배출관 포함)에서 무균 절차에 의해 얻은 표본에서 효모균의 배양
혈액	감염질환의 진행이 의심되는 상태에서 혈액배양에서 사상균배양(예, *Fusarium*종)	혈액배양에서 효모균(예, *Cryptococcus*종) 또는 효모양진균 배양(예, *Trichosporon*종)
혈청학적 분석(CSF)	해당사항 없음.	CSF에서 cryptococcal Ag의 발견은 파종성 cryptococcosis를 의미

2) 거의 확실한(probable) IFD: 숙주인자+임상적 기준+미생물학적 기준 모두 만족

3) 가능한(possible) IFD: 숙주인자와 임상적 기준만 만족, 미생물학적 기준은 불만족

표 10-2-19 침습성 진균증의 진단 기준(풍토진균증(endemic mycosis) 제외)

침습성 진균증(Invasive Fungal Disease) 진단을 위한 기준

숙주인자(Host factors)

1. 진균감염 발생과 관련된 최근의 호중구감소증 발병력($<500/mm^3$)>10일
2. 동종 조혈모세포 이식
3. 평균 0.3 mg/kg/d prednisone 등가의 corticosteroid 장기간(>3주) 사용(ABPA제외)
4. 90일 동안 cyclosporin, TNF-α blocker, 특이적인 monoclonal Ab (예: alentuzumab) 또는 nucleoside analogues 등, 다른 공인된 T세포 면역억제제를 이용하여 치료받은 경우
5. 선천성 중증 면역결핍증(만성 육아종성 질환, 중증 복합성 면역결핍 등)

임상적 기준(Clinical criteria)

1. 하기도 질환(lower respiratory tract disease)
   1) Chest CT에서 다음 3가지 중 1개
      - 치밀하고, 달무리 징후(halo sign)가 있거나 없는, 잘 국한된 병변(consolidation)
      - 초승달 모양의 공기 층 징후(air crescent sign), 공동(cavity)
2. 기관기관지염(tracheobronchitis)
   1) 기관지경(bronchoscopy) 검사에서 관찰되는 기관기관지 궤양, 결절, 가막, 판 또는 가피
3. 부비동 및 비강(sinonasal) 감염
   1) 영상검사에서 동염(sinusitis)이 확인되고 다음 중 한 가지 이상
      - 급성 국부 통증(눈쪽으로 번지는 통증 포함)
      - 흑색가피(black eschar)가 있는 비궤양(nasal ulcer)
      - 부비동으로부터 뼈 경계까지 확장(안와까지 확장 포함)
4. 중추신경계 감염(다음 중 최소한 하나)
   1) 영상검사에서 국부 병변
   2) MRI 또는 CT에서 meningeal enhancement
5. 파종성 칸디다증(disseminated candidiasis)
   1) 2주 이내에 칸디다혈증이 있는 상태에서 다음 중 적어도 한가지
      - 간이나 비장에 작은, 과녁모양(Bull's eye lesion)의 농양
      - 안과검진에서 망막 삼출물의 진행

미생물학적 기준

1. 직접검사(세포학, 직접적인 현미경 검사 또는 배양)
   1) 가래, BAL, bronchial washing, sinus aspirate에서 균사관찰
   2) 균사(mold)를 나타내는 진균성분의 발견
   3) 배양에서 사상균의 발견(Aspegillus, Fusarium, Zygomycetes, Scedosporium 종)
2. 간접검사(세포벽 성분 또는 항원 검출)
   1) 아스페르길루스증(Aspergillosis)
      - 혈장, 혈청, BAL, CSF에서 galactomannan Ag 양성
   2) Cryptococcosis와 Zygomycoses를 제외한 침습성 진균증
      - 혈장에서 β-D-glucan 검출

* Note. 동종 조혈모세포 이식 환자가 가슴 CT에서 달무리 징후를 동반한 경화를 보이고, galactomannan Ag 양성일 경우 : 거의 틀림없는 침습성 진균증(Probable IFD)

II. 칸디다증(Candidiasis)

1. 개요

1) 신생아, 당뇨병, AIDS, 항생제 요법, 피임기구, 면역저하, 항암화학요법, 복부 수술, 유치삽입관, 정맥
약물남용, 3도 화상 , 호중구감소증 등의 요인이 있을 때 호발

2) 대부분 내인성 감염이나 사람간 전파 가능, 병원획득성 혈류감염의 원인

2. 임상양상

1) **점막피부칸디다증**: 구강 아구창, 피부칸디다증, 식도칸디다증, 질염

2) **침습성(심부) 칸디다증**: 요로감염, 칸디다혈증, 심내막염, 관절염, 복막염, 골수염, 중추신경계감염,
안구내염 등

3. 진단

1) **직접 및 조직검사**: 발아효모균(budding yeast)과 가균사, 조직침범 관찰

2) **배양검사**: 일반배지에서 잘 자람

(1) 무균검체(혈액, 뇌척수액, 관절액, 세침흡인된 조직, 생검조직)에서 배양시 진단적 가치

(2) 카테터관련 칸디다혈증 진단

① Differential time to positivity (DTP): 중심정맥카테터로부터 시행한 혈액배양검사에서 처음으로
자란 시간과 말초혈액에서 시행한 혈액배양검사에서 처음으로 균이 자란 시간을 측정하여 양
쪽의 시간차를 측정, 120분 이상 먼저 자란 경우 카테터관련 칸디다혈증으로 진단할 수 있음

② 제거된 카테터의 끝을 배양: 약 5 cm를 배양배지에 세 번 이상 굴려서 검사. 15개 이상의 균집
락이 자라면 카테터관련 감염으로 진단할 수 있음

(3) 병변부위가 아니면 소변, 객담, 복부배농액, 기관내 흡인물 혹은 질 점막 배양은 진단적 가치 없음

4. 치료

1) 균주별 고려할 사항

표 10-2-20 균주별 항생제 감수성

Species	FCZ	ITZ	VCZ	FC	AmB	Candins
C. albicans	S	S	S	S	S	S
C. tropicalis	S	S	S	S	S	S
C. parapsilosis	S	S	S	S	S	S to R[a]
C. glabrata	S–DD to R	S–DD to R	S–DD to R	S	S to I	S
C. krusei	R	S–DD to R	S	I to R	S to I	S
C. lusitaniae	S	S	S	S	S to R	S

* Note. FCZ, fluconazole; ITZ, itraconazole; VCZ, voriconazole; FC, flucytosine; AmB, formulations of amphotericin B; I, intermediately resistant; R, resistant; S, susceptible; S–DD, susceptible dose-dependent; [a] Echinocandin resistance among C. parapsilosis isolated is uncommon.

2) 칸디다혈증의 치료

(1) 일반적인 원칙

① 모든 칸디다혈증 환자는 안과협진하여 안저검사를 시행

② 혈액배양검사에서 효모균(yeast)이 자라면, 24시간 이내에 항진균제 투여

③ 추적 혈액배양검사를 1-2일마다 모든 환자에서 시행하여 음전여부 확인

④ 전이성 병변이 없는 경우 치료기간: 배양음전 확인 후 2주(칸디다혈증의 모든 증상 소실과 호중구감소증의 회복이 확인되어야 함)

⑤ 중심정맥관이나 삽입된 device 등 이물질의 제거가 필요한지 꼭 확인할 것

(2) 치료

① 1차 약제: echinocandins (특히 혈압 저하 혹은 과거 azole에 노출력이 있는 경우)

② fluconazole은 과거 1차 약제 였으나, echinocandin사용 후 임상적으로 안정된 후, 확인된 칸디다종이 fluconazole에 감수성인 경우, 균혈증 음전된 경우 등에서 사용 고려

③ azole로 변경할 때 감수성을 꼭 확인할 것

(3) 약제별 용량

표 10-2-21 칸디다혈증의 치료

Medication	Dosing
LFAmB	3 mg/kg daily
Voriconazole	400 mg (6 mg/kg) bid, 2 doses → 200 mg (3 mg/kg) bid
Fluconazole	400 mg bid, 2 doses → 400 mg (6 mg/kg) daily
Amphotericin B deoxycholate	0.5–1.0 mg/kg daily
Echinocandin	
Anidulafungin	200 mg loading, then 100 mg daily
Caspofungin	70 mg loading, then 50 mg daily
Micafungin	100 mg daily

* LFAmB, lipid formulation of amphotericin B

3) 표재성 칸디다증(Superficial candidiasis)

표 10-2-22 표재성 칸디다증의 치료약제

점막피부칸디다증	선호되는 약제	대체약제
피부	Azole계 외용제	nystatin 외용제
외음질	Azole계 크림 또는 질정, 경구 FCZ 150 mg	nystatin 외용제
구인두	Clotrimazole 구내정, 경구 FCZ 100~200 mg/일 Itraconazole 현탁액(200 mg/일)	nystatin액, Azole 내성: Caspofungin or AmB
식도	경구 fluconazole 200~400 mg/일 Itraconazole 현탁액(200 mg/일)	Azole 내성: Caspofungin or AmB

4) 호흡기 분비물에서 *Candida* 종이 동정되었을 때 치료할 필요 없음

하부기도 칸디다 감염은 드물며, 반드시 조직병리학적 확인이 필요

Ⅲ. 아스페르길루스증(Aspergillosis)

1. 개요

1) *Aspergillus*는 주변에 흔히 존재하는 진균으로 포자가 어디서나 쉽게 검출

2) 침습성 아스페르길루스증(IA)은 혈액종양, 이식 등 면역저하환자에서 주로 발생

3) *A. fumigatus*가 가장 흔함, *A. flavus*, *A. niger*, *A. terrus*, *A. nidulans* 등

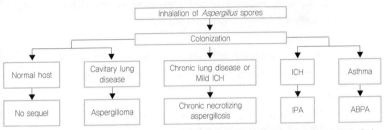

Note. ABPA, allergic bronchopulmonary aspergillosis
ICH, immunocompromised host
IPA, invasive pulmonary aspergillosis

그림 10-2-4 *Asergillus* 포자 흡입 후 나타날 수 있는 다양한 임상 스펙트럼

2. 임상양상

1) 침습성 아스페르길루스증(invasive aspergillosis, IA)

(1) 침습성 폐아스페르길루스증(Invasive pulmonary aspergillosis, IPA): 가장 흔함

(2) 기관, 기관지, 부비동, 뇌, 피부, 심장, 골수, 관절, 안구 등을 침범

2) 알레르기성 기관지폐 아스페르길루스증(allergic bronchopulmonary aspergillosis, ABPA)

반복적인 천식, 호산구 증가증, *Aspergillus*에 대한 항원반응 양성, *Aspergillus* 침전검사 양성, 영상검사에서 고형 병변이나 기관지 확장증, 혈청 IgE와 IgG 상승

3) 아스페르길루스종(aspergilloma)

급성 IA 등을 앓다가 생존한 경우, 호중구 등의 방어기전이 회복되면서 *Aspergillus* 병변을 둘러싸면서, 공동내 꼬리가 달린 동그란 공 모양의 병변 형성

4) 표재성 아스페르길루스증: 각막염, 중이염

3. 진단

2008 EORTC/MSG criteria에 따른 진단분류: 표 10-2-18, 10-2-19 참고

1) 배양과 조직검사

(1) 예각으로 꺾어지는 가지를 가진 유격 균사가 보이면, 사상균임을 확인할 수는 있지만, 모양으로 다

른 사상균과 정확한 감별은 불가능

(2) 배양이 가장 정확한 방법이지만 민감도가 낮음

2) 비(非) 배양적 진단법

(1) Galactomannan assay (blood, BAL, CSF)

① *Aspergillus* 세포벽의 성분으로 증식시 떨어져 나옴

② 호중구감소증, 동종 HSCT 환자에서 진단적 가치, cut-off value 0.5

③ 가양성(false positive): piperacillin/tazobactam, amoxacillin/clavulanate, multiple myeloma 환자, *Penicillum* spp.에 의한 감염, *Histoplasma capsulatum* 감염시

(2) 1,3-β-D-glucan (BDG) 검출법

① 대부분의 진균(*P. jirovecii* 포함) 세포벽 성분 (*C. neoformans*, Zygomycetes 제외)

② 측정하는 제품마다 민감도와 특이도가 다르고, *Aspergillus*에 특이적이지 않은 단점

3) Chest CT

(1) 달무리 징후, 초승달 징후, 경화(consolation), 공동(cavity) → 진단에 도움

(2) 비특이적이며 모든 환자에서 나타나는 소견이 아님

4. 치료

빠른 진단과 치료가 예후에 매우 중요. 의심되면 빨리 CT 시행

1) 약물치료: IPA를 비롯하여 침습성 아스페르길루스증의 치료

표 10-2-23 침습성 아스페르길루스증의 치료

	종류	용량
1차 약제(TOC)	Voriconazole	6 mg/kg bid, 2 doses → 4 mg/kg bid IV
		Oral dosage 200 mg q 12h
2차 약제(Salvage)	LFAmB	3–5 mg/kg daily
	Caspofungin	70 mg loading, then 50 mg daily
	Itraconazole IV	200 mg q 12h 2 days → 200 mg q 24h
	Itraconazole PO	200 mg bid
	Posaconazole	200 mg qid initially, then 400 mg bid

2) IA에서 수술적 치료를 고려해야 하는 경우(relative indications): 큰혈관이나 심장막 근처의 폐병변, 심낭 삼출액 감염, 인접 폐병변으로부터 흉벽 침범, *Aspergillus* 농흉, 단일 공동형성 병변에서 지속적인 객혈, 피부와 연부조직 감염, 혈관카테터나 인공삽입기구의 감염, 심내막염, 골수염, 부비동염, 대뇌병변

3) ABPA: 부신피질 호르몬, itraconazole, 기관지확장제

4) 아스페르길루스종: 10% 자연소실, 심한 객혈을 하는 경우 수술

Ⅳ. 털곰팡이증(Mucormycosis)

1. 개요

1) 당뇨, 백혈병, 장기이식과 같은 면역저하환자에서 주로 발생하는 치명적인 감염질환
2) 호흡기나 피부로 침입한 포자가 혈행성으로 전파되어 혈전, 경색, 괴사를 일으킴
3) *Rhizopus, Mucor, Cunninghamella, Lichthemia (Absidia), Rhinomucor* 등이 가장 흔함
4) 직각으로 가지를 치는 다핵체의 균사를 형성하며 격벽이 없는 형태

2. 임상양상

1) 비-대뇌형 털곰팡이증(rhino-cerebral mucormycosis): 털곰팡이 형태 중 가장 흔한 형태. DKA나 조절 안되는 당뇨 환자에서 호발하며 두통, 안면통증, 비출혈, 점막궤양이 나타나고 비인두와 구개내에 검은 괴사성 조직형성. 안구침범
2) 폐 털곰팡이증: 호중구감소증시 주로 발생, 증상 및 영상검사 소견(reverse halo sign)
3) 피부, 위장관, 중추신경, 파종성 털곰팡이증 등

3. 진단

1) 진단이 늦어지면 치명적이지만 믿을 만한 혈청학적검사, PCR 검사, 피부검사 등 없음
2) 조직검사로 털곰팡이의 조직침윤소견을 확인하는 것이 필수적
3) BAL, 객담배양에서 Zygomycetes 확인되면 강력 의심하고 치료시작

4. 치료

1) 빠른 진단, DKA 등 유발요인이 되는 기저 질환의 치료, 48-72시간 내과 치료에 반응 없을 경우 적극적이고 적절한 수술적 절제, 항진균제 투여가 중요
2) 항진균제: AmB와 LFAmB가 표준치료

Ⅴ. 크립토콕쿠스증(Cryptococcosis)

1. 개요

1) *Cryptococcus neoformans*에 의한 질환, 면역저하환자, 특히 AIDS에서 호발

2. 임상양상

1) **중추신경계 감염:** 가장 흔한 감염 형태. 아급성 또는 만성경과. 수주에 걸친 두통의 악화, 발열, 두통, 경부강직, 오심, 구토, 뇌신경마비 등의 증상. 1/3에서 진단시 유두부종. MRI는 대부분 정상. 합병증으로 수두증, 시력저하, 뇌신경마비, 소뇌기능장애, 경련, 치매 등

2) 폐 크립토콕쿠스증: 두번째로 흔함. 무증상인 경우도 흔함. 기침, 흉통, 발열, 객담증가, 체중감소, 객혈 등의 증상. 흉부 CT에서 흔히 잘 국한된 조밀한 침윤양상을 보이며, 공동, 늑막삼출은 드묾. Cryptoco-ccoma 형성 가능

3) 피부병변: 파종성 감염시사. 반점, 구진, 자색반, 수포, 발진, 종양 유사병변 등 다양한 형태로 나타남

3. 진단

1) 조직검사: PAS, Gomori methenamine silver, mucicarmine 등 특수염색

2) CSF: India ink 염색, 배양, Ag 검사, lymphocytosis, protein ↑, glucose ↑

3) 폐 크립토콕쿠스증에서 객담배양은 10% 미만 양성. Ag 검사는 약 1/3에서 양성. 객담이나 BAL 배양 양성이라도 상재균일 수 있으므로 조직검사 필요

4) 혈청 Ag 양성 혹은 CSF 이외의 부위에서 배양 양성이면 반드시 CSF 검사 필요

4. 치료

표 10-2-24 크립토콕쿠스증의 치료

	우선 선택	대체 선택
AIDS 환자	유도: AmB (0.7~1.0 mg/kg/일) 2주간 및 임상적 호전 시까지 강화: 경구 FCZ (400 mg/일) 8주간 유지: FCZ (200 mg/일) 평생	유도: AmB (0.7~1.0 mg/kg/일) 2주간 및 임상적 호전 시까지 강화: 경구 FCZ (400 mg/일) 8주간 유지: ITZ (200 mg/일) 평생
non-AIDS 환자		
뇌수막염	AmB (0.7~1.0 mg/kg/일) 10주간 (CSF 배양음성, 항원감소, 당정상화가 되어야 함)	AmB (0.7~1.0 mg/kg/일)사용 환자의 임상적 호전 후 FCZ (400 mg/일) 6~12개월
폐감염	면역저하자: 뇌수막염과 동일 정상면역: FCZ 6~12주	정상면역: ITZ 6~12주

1) Flucytosine-intolerant patients를 제외하고, 모든 AIDS 환자와 non-AIDS 환자에서 CNS 감염이나 심한 폐감염, 또는 cryptoccemia의 경우 AmB 투여시 flucytosine (100 mg/kg/일)을 병용투여

2) AmB를 사용할 수 없는 경우 대신 LFAmB 사용 가능

3) AIDS 환자에서 HAART에 잘 반응할 경우, 평생동안 유지요법을 할 필요는 없으나 최소한 1년간은 유지

VI. 폐포자충증(Pneumocystosis)

1. 개요

1) 원충 → 진균으로 재분류. 세포벽에 glucan이 있지만 세포막에 ergosterol 성분 없음

2) AIDS (CD4$^+$T<200/mm^3), 면역저하환자에게 주로 폐렴으로(>95%) 발생

2. 임상양상

1) 호흡곤란, 객담없는 마른 기침, 발열, 드물게 흉통, 객혈

2) non-AIDS 환자에서는 종종 steroid를 감량한 이후에 증상이 생기고 전형적으로 1-2주간 지속되며, HIV 감염자는 유병기간이 수주간 또는 그 이상

3) 신체검사에서 빈호흡, 빈맥 및 청색증. 폐청진상 이상소견은 드묾

4) Lab: 동맥혈가스검사에서 D(A-a)O_2↑, 저산소증, 호흡성 알칼리증, 폐 확산능의 변화, LDH 상승(폐실질 손상을 반영할 수 있지만 비특이적), non-HIV 감염자에서 더 심함

5) 가슴 X선: 양측 폐문부 주위에서 시작하는 양측성 미만성 침윤(전형적), 초기에 정상일 수 있으며 비전형적으로 결절성 음영, 강, 구역경화, 기흉 등 가능

3. 진단

1) **확진:** 조직병리학적 염색

   (1) Methenamine silver: *Pneumocystis* cyst의 세포벽을 염색

   (2) Wright-Giemsa: 모든 발달 단계의 핵을 염색

   (3) 단클론 항체를 이용한 면역형광법 : 조직염색보다 민감도와 특이도가 높음

   (4) PCR을 이용한 DNA 증폭

2) **기관지폐포세척액(BAL fluid):** 가장 적절한 검체, 양성률 90% 이상

4. 치료

1) 폐포자충의 치료약제

표 10-2-25 폐포자충의 치료

1차 약제
TMP/SMX : 5 mg/kg TMP, 25 mg/kg SMX q6-8 IV or PO
2차 약제
TMP 5 mg/kg q6-8h + dapsone 100 mg qd PO
Atovaquone 750 mg bid PO
Clindamycin 300-450 mg q6h PO or 600 mg q6-8h IV   + primaquine 15-30 mg qd PO
Pentamidine 3-4 mg/kg qd IV
Trimetrexate 45 mg/m2 qd IV + leucovorin 20 mg/kg q6h PO or IV
보조치료
Prednisone 40 mg bid x 5 d, 40 mg x 5d, 20 mg qd x 11 d IV or PO

2) **치료기간:** non-HIV 환자는 14일, HIV 환자는 21일

3) **Steroid 보조치료:** HIV 환자에서 PaO_2 ≤70 mmHg or D(A-a)O_2 ≥35 mmHg일 때

VII. 항진균제

표 10-2-26 주요 진균 및 항진균제 작용범위

	FCZ	ITZ	VCZ	PCZ	ABV	CSF	MICAF	ANDF
Aspergillus fumigatus	×	○	○	○	○	○	○	○
Aspergillus flavus	×	○	○	○	○	○	○	○
Aseprgillus terreus	×	±	○	○	±	○	○	○
Candida albicans	○	○	○	○	○	○	○	○
Candida tropicalis	○	○	○	○	○	○	○	○
Candida parapsilosis	○	○	○	○	○	±	±	±
Candida glabrata	±	±	±	±	○	○	○	○
Candida krusei	×	±	○	○	±	○	○	○
Cryprococcus neoformans	○	○	○	○	○	×	×	×
Zygomycetes	×	±	×	○	○	×	×	×
Fusarium spp	×	×	±	±	±	×	×	×
Scedosporium apiospermum	×	×	○	○	±	×	×	×
Scedosporium proliferans	×	×	×	×	×	×	×	×
Trichosporon	×	×	○	ND	±	×	×	×

* Note, ○, good in vitro activity; ±, modest in vitro activity; ×, no in vitro activity Abbreviation, FCZ, fluconazole; ITZ, itraconazole; VCZ, voriconazole; PCZ, posaconazole; ABV, formulations of amphotericin B; CSF, caspofungin; MICAF, micafungin; ANDF, anidulafungin

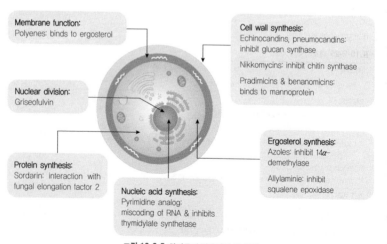

Membrane function:
Polyenes: binds to ergosterol

Cell wall synthesis:
Echinocandins, pneumocandins:
inhibit glucan synthase

Nikkomycins: inhibit chitin synthase

Pradimicins & benanomicins:
binds to mannoprotein

Nuclear division:
Griseofulvin

Ergosterol synthesis:
Azoles: inhibit 14α-demethylase

Allylamine: inhibit squalene epoxidase

Protein synthesis:
Sordarin: interaction with fungal elongation factor 2

Nucleic acid synthesis:
Pyrimidine analog:
miscoding of RNA & inhibits thymidylate synthetase

그림 10-2-5 항진균제 작용기전 및 부위

VII-Ⅰ. Polyenes

1. Amphotericin B deoxycholate (ABV)

1) 작용범위

진균의 세포막 성분인 ergosterol에 결합하여 세포막의 투과성을 증가시킴으로써 칼륨을 포함한 필수 전해질의 소실을 유발시켜 효과를 나타냄. 대부분의 주요 진균에 효과가 있으나 *Pseudallescheria boydii*, *Candida lusitaniae*에는 효과 없음

2) 용법, 용량

(1) 진균의 종류에 따라 다양하지만 일반적으로 0.3-1.5 mg/kg/day, 2-4시간 동안 주입

  ※1.5 mg/kg/day를 초과하지 말 것!!

3) 흔한 이상반응: infusion related toxicity (fever, chill), 신기능 저하, 저칼륨혈증 등

2. Lipid formulation of Amphotericin B

Liposomal amphotericin B (LABV, 3-5 mg/kg IV qd), amphotericin B colloidal dispersion (3-4 mg/kg IVqd), amphotericin B lipid complex (5 mg/kg IV qd) 등이 있고 ABV에 의한 신독성 및 주입관련 이상반응을 줄임

3. Nystatin

경구 투여시 흡수가 더디고 주로 국부도포제로 구인두, 식도, 소화관의 칸디다 점막질환에 사용. 구강칸디다증 치료를 위해서는 10-15 mL 현탁액으로 구강세척하거나 삼키도록 함. AIDS 환자에서는 500,000 unit을 하루에 5회 투여

VII-Ⅱ. Azoles

1. Fluconazole (FCZ)

Cytochrome P450 dependent enzyme lanosterol demethylase를 방해하여 진균 세포막 성분 중 ergosterol의 합성을 억제. 분자크기가 작고 수용성이어서 경구 및 정맥 투여가 모두 가능. *C. albicans*, *C. neoformans*에 효과가 좋지만 *C. glabrata*에서는 내성이 있을 수 있고, *C. krusei*, *Aspergillus* 종에는 효과가 없음. Capsule, suspension syrup, IV 제제가 있고 적응증은 동일

1) 적응증

국소 칸디다 감염(요로감염, 아구창, 식도염, 복막염, 간비장 감염)에 효과적. 중증 파종성 칸디다증, 크립토콕쿠스 수막염 치료로 사용. 호중구감소증으로 진균감염 위험이 있는 면역저하환자의 진균감염증 예방에도 사용

2) **용법 및 용량:** 일반적인 용량은 1일 100-400 mg이지만 질환에 따라 조금씩 차이가 있고 경구 또는 정맥 내로 1일 1회 투여

3) **이상반응:** 구역질, 구토, 복통, 설사 등 위장관계 부작용이 흔하고(5%) 그 외 간기능이상, 두통, 피부 소양증, 발진이 드물게 발생할 수 있음

4) **약물상호작용:** 간내 microsomal enzyme의 활성을 억제하여 cyclosporine, phenytoin, theophylline, warfarin 등의 농도를 증가시키고, carbamazepine, isoniazid, phenobarbital, rifampin 등은 fluconazole의 농도를 낮출 수 있어 주의가 필요

2. Itraconazole (ITZ)

효모(yeast)에만 효과적인 FCZ과는 달리 itraconazole은 침습성 아스페르길루스증에도 효과가 증명됨. 하지만 경구투여 후 흡수율이 차이가 많은 것이 문제였고 이를 개선하여 cyclodextrin oral solution이 개발 되었으며 주사제도 개발되어 사용 가능. Capsule, oral solution, IV제제가 있음

1) 적응증

아스페르길루스증 및 전신진균감염이 의심되는 호중구감소성 발열과 blastomycosis, histoplasmosis, non-meningeal histoplasmosis 등이지만 제형에 따라 적응증이 다름

2) 용법 및 용량

(1) 경구용(capsule, oral suspension syrup) 200-400 mg/일, 정맥주사 200 mg을 12시간마다 4회 주 입하고 그 후 200 mg/일 투여

(2) Capsule은 칸디다증, 아스페르길루스증 등의 전신진균감염증, 손발톱 진균증 등에 사용하고, oral solution은 면역저하환자의 구강 또는 식도칸디다증 치료, 호중구감소증 환자에서 itraconazole에 감수성인 심재성 진균감염증의 예방에 사용함. 주사제는 아스페르길루스증, 전신진균증이 의심되 는 호중구감소증 환자의 발열에 사용. Capsule제제 흡수에는 적절한 위내 산도가 필요해 식사 중 에 복용하고 liquid에는 영향을 받지 않음

3) 이상반응

FCZ과 마찬가지로 이상반응은 구역질, 설사, 발진이 흔함. 간염은 드물지만 심각한 합병증이 될 수 있어 장기간 복용할 경우 주기적인 간기능검사가 필요. Cyclophosphamide와 병용할 경우 간독성, vinciristine과 병용시 신경독성이 있을 수 있어 주의가 필요

4) 금기 및 주의사항

중증 심부전, 사구체 여과율 <30 mL/min인 환자는 정맥 내 사용을 금함. FCZ과 마찬가지로 약물상 호작용이 있어 주의가 필요

3. Voriconazole (VCZ)

2세대 triazole로 항진균 범위가 개선됨. 임상적으로 중요한 *Aspergillus* 종, *Candida* 종(non-albicans 종 포함). *Fusarium* 등에 효과가 있음. 침습성 아스페르길루스증에 ABV보다 우월한 효과. 경구용과 정맥주사용이 있음. 경구 생체이용률은 80-90%, 혈장 단백결합률은 65%. 78-88%가 소변으로 대사되고 반감기는 약 6시간. 체내 전체적으로 분포하고 중추신경계와 뇌척수액 침투력이 좋음

1) 적응증

(1) 침습성 아스페르길루스증의 일차치료제로 사용. 그 외 다른 항진균제에 반응이 없는 중증

(2) *Pseudallescheria boydii, Scedosporium apiospermum* 및 *Fusarium* 감염

2) 용량 및 용법: 주사제는 12시간 간격으로 6 mg/kg을 2일간 loading하고 그 후 12시간마다 4 mg/kg 정맥주사하거나 1일 400 mg #2 경구투여

3) 주의사항

(1) 경증 및 중등도 간장애용량감량이 필요함

(2) 신기능장애 VCZ systemic exposure에 영향을 미치지는 않지만 사구체 여과율 <50 mL/min이면 주사용 VCZ을 녹이기 위한 제제인 sulfobutyl ether β-cyclodextrin sodium (SBECD)가 축적될 가능성이 있음. 경구용은 신기능과 관계없이 정규적인 투여가 가능

(3) 약제 상호작용 rifampin, carbamazepine, long acting barbiturate를 VCZ과 같이 투여하는 것은 금기

(4) 약물농도모니터링 VCZ의 효과, 이상반응이 약물 최저농도와 관련되어 있다고 알려져 있어 모니터링이 필요함. 대사에 관여하는 CYP2C19에 polymorphism이 있고 한국인의 12-20%가 poor metabolizer로 약물농도, 이상반응과 관련이 있을 수 있음

4) 이상반응: 간기능 장애(10-15%), 발진(1-5%), 일시적인 시각장애(30%까지). 시각장애는 시각인지 이상, 흐린 시력(blurred vision), 눈부심(photophobia) 등이고 대개는 투여 첫 1주 이내에 일시적, 경증으로 나타남

4. Posaconazole (PCZ)

Itaconazole의 hydroxylated 유사체로 현재 경구제제가 사용 가능. 침습성 진균감염의 예방 및 치료, 털곰팡이증에도 효과가 있다고 알려져 있음

1) 적응증: 중증 면역저하자에서 파종 칸디다증 및 아스페르길루스증 감염 예방에 사용. 현재 급성 골수성 백혈병과 골수 이형성 증후군 환자의 관해유도치료, 조혈모세포이식 후 이식편대숙주질환이 있을 때 예방적 항진균제로 사용

2) 용법 및 용량: 예방적 요법으로 300 mg bid 1일 loading후 300 mg qd로 사용

3) 이상반응: 심혈관계 이상반응으로 부종, QT간격 연장, 혈압상승, 저하 등이 나타나며 가려움증, 발진, 구역, 구토간효소수치의 상승 등이 나타날 수 있음

VII-III. Fluorinated pyrimidines (flucytosine)

1. 5-Flucytosine (5FC)

DNA 합성 억제로 크립토콕쿠스 수막염과 중증 칸디다 감염에 주로 사용되고 대개 ABV와 병합하여 사용함. 용량은 일반적으로 6시간마다 25.0-37.5 mg/kg 경구 투여. 이상반응은 용량의존성 골수억제와 장내 세균총에 의해 5-fluorouracil로 변환되면서 나타나는 혈성 설사가 있음. 신부전이 있을 경우 용량조절이 필요. 간기능검사가 주기적으로 필요. 희귀의약품센터를 통해 구입 가능

VII-IV. Echinocandins

Echinocandin은 1,3 β-D-glucan synthase을 억제해 세포벽 합성을 저해하는 lipopeptide계 항진균제로 caspofungin이 가장 먼저 승인 받음. *Aspergillus*와 azole에 내성을 보이는 종을 포함하는 칸디다에 효과가 있지만 *C. guilliermondi, C. parapsilosis*에는 비교적 내성을 보임. *Cryptococcus, Mucor*에는 효과 없음

1. Caspofungin (CSF)

1) **적응증:** 대부분의 칸디다종에 대하여 살균효과를 보이며 아스페르길루스종에 대하여 정균효과를 보임. 현재 중증 침습성 칸디다 감염 환자, 호중구 감소성 발열의 경험적 치료에 사용할 수 있으며 침습성 아스페르길루스증의 경우 타항진균제에 실패하였거나 투여가 불가능한 경우 인정

2) **용법 및 용량:** 첫 날 70 mg 1회 정맥 내 투여 후 24시간마다 50 mg씩 투여. 신부전의 경우 용량조절이 필요하지 않지만 중등도 간부전의 경우 35 mg으로 유지용량을 감량

3) **이상반응:** 발열, 발진, 구역질, 정맥 내 투여부위의 정맥염 등이 비교적 흔한 이상반응이지만 ABV에 비해 적음

2. Micafungin (MICAF)

조혈모세포이식환자에서 침습성 진균감염 예방(50 mg IV qd)에 사용하며, 중증 침습성 칸디다증(100 mg IV qd)으로 확인된 경우 사용할 수 있음. 다른 echinocandin과 작용범위, 이상반응 등은 비슷함. 발진, 섬망, 간기능 악화 등의 이상반응이 보고됨

3. Anidulafungin (ANDF)

중증 칸디다혈증과 전신 칸디다 감염증(복강내 농양, 복막염 등)에 200 mg IV loading 후 100 mg IV qd의 용량으로 사용. Cytochrome P450 system에서 대사되지 않아 약물상호작용은 거의 없음. 간기능 혹은 신기능 악화에도 용량조절이 필요하지 않음

제3-1절 불명열

I. 정의 및 분류

불명열: 적절한 검사에도 원인이 밝혀지지 않고 오래 지속되는 발열(수회 38.3°C 이상의 체온)

표 10-3-1 불명열의 분류

	고전적	의료관련	호중구감소성	HIV관련
정의	• 3주 이상 지속 • 외래 방문 3회 또는 입원 3일 평가에도 원인 불명	• 입원시 열이 없고 잠복 상태가 아닌 경우 • 3일 평가에도 원인 불명	• 호중구 <500/mm³ 또는 1-2일 내에 이 수준으로 감소할 것으로 예상 • 48시간 후 배양 음성 • 3일 평가에도 원인 불명	• HIV 감염자 • 외래 방문 4주 또는 입원 3일 평가에도 원인 불명

II. 불명열의 원인

1. 고전적 불명열

감염병(20-40%), 종양(20-30%), 비감염성 염증질환(10-30%), 미분류질환(10-20%), 미진단(10-50%)

2. 의료관련 불명열

패혈성 혈전정맥염, 부비동염, *C. difficile* 장염, 약열 등

3. 호중구감소성 불명열

항문주위감염, 아스페르길루스증, 칸디다혈증 등

4. HIV관련 불명열

결핵, 비결핵 항산균 감염증, 폐포자충 폐렴, 거대세포바이러스 감염증, 림프종 등

표 10-3-2 불명열의 원인들*

감염병

- 세균: abscesses (abdominal, hepatic, pulmonary, renal, intracranial, epidural, and other sites), appendicitis, cholangitis, cholecystitis, diverticulitis, **endocarditis**, endometritis, infected vascular catheter, infectious arthritis, mycotic aneurysm, **osteomyelitis**, pelvic inflammatory disease, prostatitis, pyelonephritis, septic phlebitis, sinusitis, spondylodiscitis, actinomycosis, **tuberculosis**, atypical mycobacterial infection, brucellosis, *Campylobacter* infection, chlamydial infection, meningococcemia, ehrlichiosis, gonococcemia, legionellosis, leptospirosis, listeriosis, Lyme disease, *Mycoplasma* infection, nocardiosis, Q fever, rickettsiosis, syphilis, salmonelloses, Whipple's disease, etc.
- 바이러스: coxsackievirus, **CMV**, dengue virus, **EBV**, hantavirus, hepatitis virus (A, B, C, D, E), HSV, HIV, HHV-6, parvovirus, West Nile virus, etc.
- 진균: aspergillosis, candidiasis, coccidioidomycosis, cryptococcosis, histoplasmosis, *Pneumocystis jirovecii* pneumonia, sporotrichosis, zygomycosis, etc.
- 기생충: amebiasis, echinococcosis, malaria, schistosomiasis, toxocariasis, toxoplasmosis, trypanosomiasis, visceral leishmaniasis, etc.

종양

- amyloidosis, **lymphoma** (especially non-Hodgkin's), Castleman's disease, hypereosinophilic syndrome, **leukemia**, malignant histiocytosis, multiple myeloma, myelodysplastic syndrome, myelofibrosis, plasmacytoma, systemic mastocytosis, breast cancer, colon cancer, hepatocellular carcinoma, lung cancer, pancreatic cancer, renal cell carcinoma, angiomyolipoma, craniopharyngioma, atrial myxoma, etc.

비감염성 염증질환

- ankylosing spondylitis, antiphospholipid syndrome, autoimmune hepatitis, Behçet's disease, cryoglobulinemia, dermatomyositis, gout, mixed connective-tissue disease, polymyositis, pseudogout, reactive arthritis, relapsing polychondritis, rheumatic fever, rheumatoid arthritis, Sjögren's syndrome, systemic lupus erythematosus, eosinophilic granulomatosis with polyangiitis, **temporal arteritis**, polymyalgia rheumatica, granulomatosis with polyangiitis, polyarteritis nodosa, Takayasu arteritis, sarcoidosis, adult-onset Still's disease, Crohn's disease, hemophagocytic syndrome, etc.

기타

- adrenal insufficiency, cirrhosis, drug fever, factitious fever, acute interstitial pneumonia, hematoma, hypersensitivity pneumonitis, Kikuchi's disease, myotonic dystrophy, panniculitis, primary hyperparathyroidism, pulmonary embolism, pyoderma gangrenosum, subacute thyroiditis, thrombosis, thermoregulatory disorders, etc.

*볼드체는 비교적 흔한 원인

III. 불명열 환자의 접근법

- 진단 과정에서 진단적 단서가 확인되면 그것에 맞추어 추가 검사를 진행
- 반복적인 병력청취 및 진찰을 포함하는 환자 재평가가 중요

불명열

- 병력청취: 여행력, 동물과의 접촉, 면역억제, 약물력, 근무 환경, 국소 증상, 가족력 등
- 신체검사: 눈, 림프선, 간, 비장, 피부, 심음 등

CBC with differential, blood chemistry (including LFT, BUN/Cr, electrolytes, CPK, and LDH), ESR/CRP, UA, antinuclear antibodies, rheumatoid factor, protein electrophoresis, blood cultures, urine culture, chest x-ray, IGRA (or tuberculin skin test), blood smear, HIV, EBV, CMV, *etc.*

↓

- Cryoglobulin
- Funduscopy
- Chest CT
- Abdomen CT
- Echocardiography

↓

- PET–CT (or scintigraphy)

↓

조직검사: liver, lymph node, bone marrow, temporal artery(55세 이상), *etc*.

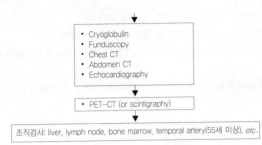

그림 10-3-1 불명열 환자의 접근법

IV. 시험적 치료

1. 진단되지 않은 상태에서 치료를 시도하는 것은 피함
2. 광범위한 진단적검사에서 확진되지 않거나 급격히 악화되는 경우 시험적 치료를 해 볼 수는 있음
3. 사용되는 약제: 항생제, 항결핵제, NSAIDs, 스테로이드, colchicine, anakinra (interleukin-1 receptor antagonist)
4. 장기간 미진단되는 불명열인 경우 대개 예후가 양호

제3-2절 패혈증

I. 정의(그림 10-3-2)

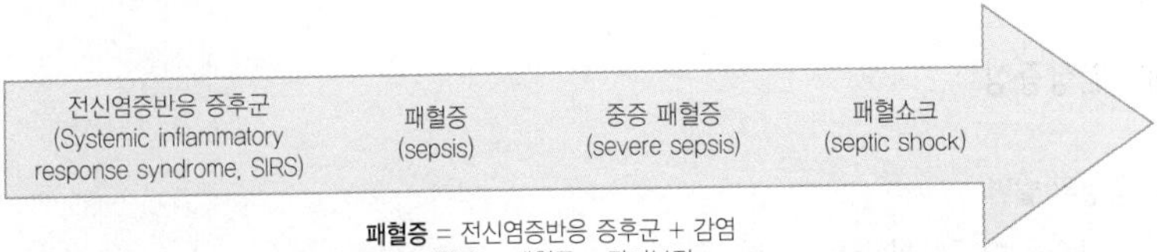

전신염증반응 증후군
(Systemic inflammatory
response syndrome, SIRS)
패혈증
(sepsis)
중증 패혈증
(severe sepsis)
패혈쇼크
(septic shock)

패혈증 = 전신염증반응 증후군 + 감염
중증 패혈증 = 패혈증 + 장기부전

다양한 외부 자극에 의한 전신반응(SIRS의 정의)
다음 중 두 가지 이상이 있는 경우
- 체온 >38℃ 또는 <36℃
- 맥박수 >90회/분
- 호흡수 >20회/분 또는 $PaCO_2$ <32 mmHg
- 백혈구 >12,000/mm^3, <4,000/mm^3, 또는 미성숙백혈구 >10%

패혈쇼크 = 혈압 저하를 동반한 패혈증

* 혈압저하
: 수축기 동맥압 <90 mmHg
평균 동맥압 <70 mmHg
또는 기저혈압에서 40 mmHg 이상 떨어진 경우

그림 10-3-2 패혈증 관련 용어 정리

1. 사전적 의미: 창상 등을 통해 체내로 침입한 균에 의한 중증 감염

2. 병리학적 의미: 감염에 의해 유발된 전신반응에 의한 다장기 기능부전

3. 외상, 췌장염, 허혈, 화상 등 비감염성 질환에 의해서도 패혈증과 유사한 전신 염증반응이 나타날 수 있음

4. Sepsis-III (2016) 정의: 감염에 대한 인체의 조절장애(dysregulation)로 발생하는 장기 기능부전

II. 역학

1. 빈도

1) 중증 패혈증, 패혈쇼크의 발생 빈도는 점차 증가하고 있으며 최근의 발생 빈도는 240건/100,000명이며 전체 발생의 70-80%는 기저 질환이 있는 환자에서 발생(미국)

2) 중증 패혈증 발생의 증가 원인으로는 인구의 고령화, 만성 질환자의 증가, 면역저하자의 생존률 증가, 적극적 중환자 치료(항생제, 부신피질호르몬, 카테터, 생체내 기계장치, 인공호흡기 등)도 패혈증의 증가 원인

3) 국내 지역사회획득 중증패혈증 연구: 평균 발생연령 65세로 호흡기 감염이 가장 흔하며 62%에서 패혈쇼크가 동반되었고, 패혈쇼크가 동반된 환자의 23%가 사망

2. 원인균

1) *E. coli, P. aeruginosa, K. pneumoniae* 등 그람음성균의 빈도가 여전히 높음

2) *S. aureus*, coagulase 음성 staphylococci, 장알균(enterococci)에 의한 감염의 빈도가 증가

3) 진균, 특히 *Candida* species에 의한 패혈증이 증가 추세임

4) 동일한 균에 의한 감염이라도 연령, 기저 질환, 유전적 소인 등에 따라 중증도, 사망률이 다름

III. 임상증상

1. 증상의 발현

1) 대부분 패혈증의 임상양상은 갑자기 나타남

2) 일부 환자에서는 증상이 서서히 나타나기도 하고 증상이 전형적이지 않은 경우도 있음(예, 패혈증 환자의 36%는 정상 체온, 33%는 정상 백혈구 수) *발열이 없더라도 패혈증을 배제할 수는 없음

3) 특히 신생아, 고령, 신부전, 알코올 중독자 등에서는 패혈증의 특징적인 증상인 발열이 없는 경우도 있으므로 유의하여야 함

4) 최근 sepsis-III 정의에 따르면 장기부전 동반 여부를 판단하는 것이 중요함(그림 10-3-3)

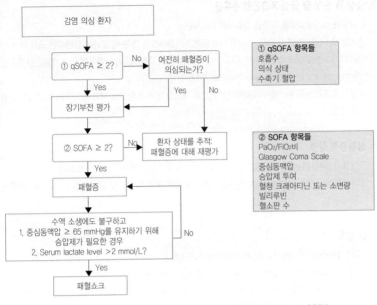

그림 10-3-3 Simplified Organ Failure Assessment (SOFA)와 qSOFA (quick SOFA)

2. 체온의 변화

1) 패혈증 환자에서 가장 흔히 관찰되는 증상

2) 발열 기전: 세균 부산물에 의해 자극된 면역세포로부터 유리된 매개물, 특히 interluekin-6, tumor necrosis factor-α, interferon-γ 등 cytokine이 혈류를 통해 organum vasculosum of the lamina terminalis로 이동하여 prostaglandin E_2를 생산하게 하고 이는 시상하부(hypothalamus)에 위치한 체온조절 중추의 set point를 상향 조정하여 발열을 일으킴

3. 피부병변

1) 균이 침입한 부위, 혈행으로 전파된 부위나 연부조직 감염의 증거가 있는지 확인

2) 농포(pustule), 가피(eschar), 세포염(cellulitis), 광범위 발진, 출혈반(petechiae), 또는 괴사 등

3) 괴저성 농피(ecthyma gangrenosum): 전신 *P. aeruginosa* 감염의 특징적인 소견으로 알려져 있으나 *Klebsiella*, *Serratia*, *Aeromonas hydrophila*, *E. coli* 감염에 의해서도 나타날 수 있음

4. 중추신경계 변화

1) 중증 패혈증 초기에 인지수행기능(cognitive performance)의 변화를 보일 수 있음

2) 패혈증에서 회복되면 중추신경계 기능도 정상으로 회복 가능하나, 초기에 뇌증을 보이는 경우 예후가 불량

5. 급성 폐 손상 및 급성 호흡곤란 증후군

1) 패혈증 초기에 과호흡과 호흡 알칼리증이 나타남
2) 폐렴이나 심부전 없이 PaO_2 <300 mmHg이고 가슴 X선에 양측 폐 침윤이 동반되면 급성 폐 손상 (acute lung injury)으로 진단하며, PaO_2 <200 mmHg로 저산소증이 진행되면 급성 호흡곤란 증후군 (acute respiratory distress syndrome)으로 진단
3) 급성 호흡곤란 증후군에서 회복된다 하더라도 제한성 변화와 확산능 저하 등의 기능적 결함이 남을 수 있음

6. 심혈관계 장애

1) 패혈 쇼크시 나타나는 심혈관계 장애는 심근기능 저하와 전신 혈관 저항 감소에 의함
2) 좌심실 박출계수(ejection fraction) 감소, 이완기말 용적 증가, 심박수 및 심박출량(cardiac output) 증가 등이 관찰

7. 신 장애

1) 급성 신세뇨관 괴사(acute tubular necrosis)가 가장 흔함
2) oliguria, azotemia, proteinuria, non-specific urinary cast 등이 빈번히 관찰됨
3) 진단목적으로 사용되는 조영제나 치료목적으로 사용된 항생제(aminoglycoside 등)에 의해 신기능 장애가 더욱 악화될 수 있어서 주의가 필요

8. 대사 변화

1) 패혈증 초기에 혈중으로 유리되는 스트레스 호르몬(epinephrine, cortisol 등)에 의해 췌장으로부터 insulin 분비가 증가하나 insulin 내성 역시 증가하고 글리코겐분해(glycogenolysis)와 글루코스신합성 (gluconeogenesis)을 촉진하여 고혈당이 동반
2) 초기에 높게 유지되던 혈당은 패혈증이 진행되면 간에 저장되어 있던 glucagon이 고갈됨에 따라 글루코스신합성이 저하되어 저혈당으로 진행
3) 혈당 유지는 중추신경계와 면역 세포에 영양을 공급함으로써 면역 기능을 항진시키는 것으로 알려져 있으나 적극적인 혈당조절은 오히려 사망률을 증가시킬 수 있음(치료의 혈당조절 참고)

9. 혈액에서의 변화

1) 호중구 증가

(1) 카테콜라민에 의한 호중구의 골수 내 demargination과 미성숙 호중구의 말초로의 이동이 증가
(2) 중증 감염이 지속되는 경우 오히려 호중구는 감소하게 되며 이는 자연살해 세포의 수적 저하와 과립구 세포 조혈기능 억제 물질에 의함
(3) 단핵구는 골수 내 저장분이 없기 때문에 급성 감염 시 흔히 감소

2) 빈혈

normoblast로의 철분 전달 저하, 적혈구의 생존 감소에 따라 erythropoietin 분비가 증가되기는 하지만 빈혈을 교정할 만큼 양적으로 충분치 않기 때문. 감염에 의한 빈혈은 대부분 서서히 진행되나 신속히 진행되는 경우에는 출혈, 적혈구의 직접 감염, 미세혈관 용혈성 빈혈(microangiopathic hemolytic anemia), 약제에 의한 용혈성 빈혈 등을 고려

3) 혈소판 감소

혈소판 생성 및 생존 감소, 비장 내에서의 pooling증가, 손상된 혈관에의 부착, 미세응집 등이 원인이 되어 중증 패혈증 환자의 40%에서 혈소판이 80,000/mm^3 이하로 감소

Ⅳ. 진단

1. 병력 청취

감염에 노출될 위험인자(수술, 이식, 화상, 외상, 항암치료, 항생제 치료) 여부, 환자의 면역 상태가 저하될 만한 기저 질환 여부, 여행력 등이 있는지 파악

2. 진단적검사

1) 전혈검사, 혈청 전해질, 동맥혈검사, 간기능검사, 신기능검사, prothrombin time, 소변검사, 심전도, 가슴 X선 촬영 등은 반드시 시행하여야 하고 또 반복하여 검사해야 함
2) 혈중 fibrinogen degradation product (FDP), 심 효소(cardiac enzyme), 심초음파, 복부초음파 혹은 컴퓨터 단층촬영, 방사선 동위원소검사, 항생제 혈중 농도 등은 임상적으로 판단하여 필요에 따라 시행
3) 배양검사: 패혈증을 확진하기 위해 혈액 및 국소 감염부위에서 원인균을 동정하여야 함
   (1) 혈액배양
      ① 최소한 서로 다른 두 부위에서 1 set씩 채혈
      ② 1 set는 호기균 배양용, 혐기균 배양용 각각 1병(1 set = 2병)으로 구성되어 통상적으로 1회의 혈액배양에 2 set (=총 4병)가 만들어짐
      ③ 정맥카테터를 가진 환자라면 중심정맥관과 말초혈관에서 각각 1 set를 채혈
      ④ 채혈량: 한 곳에서 10 mL씩
      ⑤ 단, 혈액배양을 위해 항생제 투여를 1시간 이상 지연시키지 말 것
   (2) 소변, 객담, 창상분비물, 피부 병변, 뇌척수액, 흉막액, 복막액 등 패혈증의 원인병소로 판단되는 감염부위에서 검체를 채취하여 그람염색 및 배양
4) Procalcitonin
   (1) 감염질환과 비감염질환, 전신염증반응 증후군과 패혈증, 국소 감염과 전신감염, 바이러스 감염과 세균 감염을 감별하는데 있어 유용
   (2) 세균감염의 cutoff median value는 1.1 ng/mL

(3) 패혈증으로 의심된 환자에서 초기 경험적 항생제를 중단할지 결정하는데 사용할 수 있음

5) C-reactive protein

(1) 급성기 반응물질 중 하나로 패혈증 진단에 있어 민감도가 높고 임상경과의 추적관찰에 유용하나 특이도가 낮음(세균감염 진단의 민감도 68-92%, 특이도 40-67%)

(2) procalcitonin에 비해 패혈증에 대한 진단적 가치는 상대적으로 낮게 평가됨

6) Lactate: 혈중 젖산염 농도가 2 mmol/L 이상이라면 장기기능 부전을 동반한 패혈쇼크 의심

7) 비배양적 진단: PCR, galactomannan, 1,3-β-D-glucan, urinary antigen 등

V. 치료(2016 Surviving Sepsis Campaign [SSC]과 2018 SSC bundle update 요약)

1. 초기 소생

1) 패혈증에 연관된 조직 관류저하(hypoperfusion)이 의심되는 환자에서 정질액(crystalloid fluid, 0.9% 생리식염수, lactated Ringer's solution)을 우선적으로 투여

2) 첫 수액공급의 목표를 3시간 이내에 적어도 30 mL/kg에 도달하도록 투여함 (상황에 따라 더 많은 양을 더 빠르게 투여할 수도 있음)

3) 혈역학적 상태(심박수, 혈압, 동맥 산소포화도, 호흡수, 체온, 소변량 등)가 안정되는지에 대한 평가가 반복적으로 수행되어야 함

4) 혈관수축제를 필요로 하는 패혈 쇼크 환자에서 중심동맥압 초기 목표는 ≥65 mmHg

2. 항생제

1) 중증 패혈증/패혈쇼크 상황 인식 후 가능한 빨리(발생 1시간 이내) 항생제를 정맥 내로 투여

2) 항생제 투여 전에 반드시 혈액을 포함한 적절한 검체에서 배양검사를 시행

3) 모든 가능한 원인균을 고려하여 광범위항생제를 투여(표 10-3-3)

4) 경험적 항생제 투여 중 신뢰할 수 있는 검체로부터 균이 동정되면 감수성 결과에 따라 항생제를 항균 범위가 좁은 약제로 변경(de-escalation therapy)

5) 통상적으로 항생제를 병합 투여하지 않도록 하며, 초기 수 일간 투여하다가 de-escalation 또는 병합 항생제를 중단

6) 대부분의 중증감염에서도 항생제 투여 기간은 7-10일로 충분함. 특히, 복강 내 감염이나 요로감염에 의한 패혈증에서 해부학적 이상 소견이 없고 합병증을 동반하지 않은 경우는 단기간 항생제 투여에도 호전되는 경우가 대부분

7) 단, 임상적으로 호전 속도가 느린 경우, 배농하지 못한 감염 병소가 남아있는 경우, S. aureus에 의한 감염, 면역저하자, 호중구 감소가 동반된 경우는 적절한 항생제 투여 기간 연장을 고려

8) 매일 환자 상태를 평가하여 항생제 de-escalation을 고려

9) 항생제 투여 기간을 단축시키는 데에 procalcitonin의 도움을 받을 수 있음

표 10-3-3 중증 패혈증/패혈쇼크 환자의 경험적 항생제 요법

	의심 감염 장소				
	폐	복강	피부 및 연조직	요로	수막
주요 지역사회 획득 병원균	S. pneumoniae H. influenzae Legionella C. pneumoniae	E. coli B. fragilis	S. pyogenes S. aureus	E. coli K. pneumoniae Enterobacter spp. Proteus spp. Enterococci	S. pneumoniae N. meningitidis L. monocytogenes H. influenzae
경험적 치료약제	Moxifloxacin + ceftriaxone 혹은 cefotaxime	Imipenem 혹은 meropenem 혹은 piperacillin/ tazobactam ±aminoglycoside	Vancomycin + imipenem 혹은 meropenem 혹은 piperacillin/ tazobactam	Ciprofloxacin 혹은 levofloxacin 그람양성알균의 경우 ampicillin + gentamicin	Vancomycin +ampicillin +ceftriaxone 혹은 cefepime
주요 병원 획득 감염균	호기 그람음성균	호기 그람음성균 혐기균 Candida spp.	S. aureus (MRSA) 호기 그람음성균	호기 그람음성균 Enterococci	호기 그람음성균 Staphylococci
경험적 치료약제	Imipenem 혹은 meropenem 혹은 cefepime	Imipenem 혹은 meropenem ±aminoglycoside (amphotericin B도 고려)	Vancomycin + imipenem 혹은 meropenem 혹은 cefepime	Vancomycin + imipenem 혹은 meropenem 혹은 cefepime	Cefepime + vancomycin

신기능이 정상인 경우 약제의 용량

Imipenem/cilastatin, 0.5 g, 6시간마다	Vancomycin, 15 mg/kg (수막염 25 mg/kg), 12시간마다
Meropenem, 1.0 g, 8시간마다	Ampicillin, 2 g, 4시간마다
Piperacillin/tazobactam, 3.375 g, 6시간마다	Ciprofloxacin, 400 mg, 12시간마다
Ceftriaxone, 2 g, 24시간마다(수막염 12시간마다)	Levofloxacin, 750 mg, 24시간마다
Cefotaxime, 2 g, 4시간마다	Moxifloxacin, 400 mg, 24시간마다
Cefepime, 1~2 g, 8시간마다	Gentamicin, 7 mg/kg, 24시간마다

3. 감염병소에 대한 처치

1) 가능한 빨리 감염병소를 파악하여야 함. 특히, 괴사근막염, 복막염, 담낭염, 장경색증(intestinal infarction) 등 수술이 필요한 응급 상황 여부를 신속하게 진단하여야 함

2) 국소적으로 배농이나 절개가 필요한 부위가 있는지 파악하고 빠른 조치를 취해야 함

3) 혈관카테터 역시 감염의 원인이 될 수 있으므로 의심이 된다면 다른 부위에 혈관을 확보한 후 기존의 카테터를 제거

4. 수액

1) 정질액(crystalloid fluid)이 초기소생의 선택 수액

2) 균형 정질액(balanced crystalloids, 예: 하트만, 플라즈마 솔루션 등)도 투여할 수 있음

3) Albumin과 같은 삼투질액(colloid)은 정질액의 양이 지나치게 많이 필요한 경우에 선택적으로 사용 가능

4) 대체 혈장 삼투질액인 저분자량 hydroxyethylstarch는 농도 의존적으로 급성 신손상을 유발하므로 사

용하지 말 것

5. 혈관수축제

1) 1차 선택약물: norepinephrine

2) norepinephrine의 사용량을 줄이기 위해 vasopressin (0.03 unit/분 이상) 또는 epinephrine을 norepinephrine에 추가로 사용 가능

3) Dopamine은 norepinephrine에 비해 부정맥(arrhythmia)을 유발하는 비율이 높기 때문에 빠른 부정맥 (tachyarrhythmia)이 발생할 가능성이 낮은 환자 또는 서맥이 동반된 환자에서만 제한적으로 사용

4) 신장 기능 보호를 위한 저용량 도파민은 사용하지 않음

5) 혈류량과 평균동맥압이 적절하게 교정되었음에도 불구하고 저관류가 지속되는 경우 dobutamine 사용을 고려할 수 있음

6. Corticosteroid

1) 수액 및 혈관수축제 사용으로도 혈역학상태를 안정시킬 수 없는 패혈쇼크 환자에서 선택적으로 사용 (hydrocortisone 200 mg/일)

2) 혈관수축제 사용을 중단하면 corticosteroid 역시 점차 용량을 감소시켜 사용 중단

7. 기타 지지치료

1) 혈액제제

(1) 적혈구 수혈: 심근허혈, 중증 저산소증, 급성 출혈, 청색증을 동반한 심부전, 젖산산증 등이 없다면 혈색소가 7.0 g/dL 이하로 감소하지 않는 한 적혈구 수혈은 필요없으며, 적혈구 수혈이 필요한 경우라도 혈색소의 교정목표치는 7.0-9.0 g/dL임

(2) erythropoietin: 중증 패혈증에 동반된 빈혈 교정 목적으로 erythropoietin을 사용하지 않음

(3) 신선동결혈장: 출혈이 있거나 수술 등 침습적 시술이 예정되어있지 않다면, 응고장애를 교정하기 위한 목적으로 투여하지 않음

(4) 파종혈관내응고증에서 antithrombin의 효과는 입증된 바 없으므로 투여하지 않음

(5) 혈소판은 10,000/mm^3 이하라면 출혈의 증거가 없더라도 투여하여야 하고, 20,000/mm^3 이하라면 출혈의 위험이 있을 때만 투여. 수술이나 침습적 시술을 시행할 예정인 경우 50,000/mm^3 이상으로 교정

2) 면역글로불린: 패혈증/패혈쇼크 환자에서 생존률 개선 효과가 입증된 바 없으므로 투여하지 않음

3) 저용량 1회 호흡량 기계호흡(low tidal volume mechanical ventilation)

(1) 일회호흡량(tidal volume, TV): 6 mL/kg

(2) 고원압(plateau pressure) 30 cmH$_2$O 이하로 유지

(3) 호흡수: 저호흡량, 저압에 의한 기계호흡은 고탄산혈증을 유발할 수 있으나 뇌압 상승이 동반되지만 않는다면 최대 호흡수로 조절할 수 있는 범위까지 허용

(4) 중등증~중증 급성호흡곤란증후군에서는 호기말양압(positive end-expiratory pressure, PEEP)을 상승시키는 것이 도움

(5) recruitment maneuver를 시행할 수 있음

(6) 심한 저산소증(PaO$_2$/FiO$_2$ ≤150)이라면 엎드린 자세(prone position)에서 기계 호흡치료호 시행하는 것을 추천할 수 있지만 충분한 경험이 필요

(7) PaO$_2$/FiO$_2$ ≤150인 경우, neuromuscular blockade를 사용한다면 투여기간을 48시간 이내로 할 것

(8) 기계호흡기를 장착한 환자에서 수액은 조직 저관류의 증거가 없는 한 폐부종이 일어나지 않도록 제한적으로 투여

(9) 기관지연축과 같은 특별한 상황이 동반되지 않은 ARDS 환자에서 β_2길항제(agonist)를 사용하는 것은 사망률을 증가시킬 수 있으므로 금기

(10) ARDS로 기계호흡기를 장착한 환자에서 폐동맥 카테터의 무조건적인 삽입은 생존율에 영향을 미치지 않으므로 권고하지 않음

(11) 환자의 상태가 허락하는 한 흡인성 폐렴이나 기계호흡기관련폐렴을 예방하기 위해 침대의 머리 부분을 30-45°올린 상태를 유지

(12) 자발호흡 유무에 대해 지속적으로 모니터하고 환자가 의식이 있으며, 혈역학적으로 안정되고, 환기압력과 호기말양압이 낮은 정도로 필요하고, FiO$_2$ 역시 낮은 정도로 필요하다면 호흡기 사용을 중단할 것을 고려

4) 진정: 기계호흡기 치료 중인 환자에서 간헐적이든 지속적이든 진정제는 최소한으로만 사용

5) 혈당 조절

(1) 적극적인 혈당 조절은 저혈당 유발 빈도 증가와 함께 사망률을 증가시킬 수 있음

(2) 혈당이 두 번 이상 180 mg/dL를 상회하는 경우 인슐린 투여를 시작

(3) 혈당 조절의 목표치는 ≤180 mg/dL

(4) 인슐린 사용 초기에는 1-2시간 간격으로 혈당을 측정

6) 신장대체 치료

(1) 급성 신부전이 동반된 환자는 간헐적 혈액투석이나 지속적 신장대체 치료를 시행

(2) 간헐적 투석과 지속적 신장대체 치료간의 생존율의 차이는 없으나 혈역학적으로 불안정한 환자에서는 지속적 신장대체 치료를 시행하는 것이 수액 균형을 유지하는데 유리

(3) 급성 신부전을 동반한 패혈증에서 크레아티닌 수치의 상승이나 소변량 감소만을 보이는 경우, 명확한 적응증이 아니라면 신대체치료를 시행하지 않음

7) 중탄산염(bicarbonate) 치료

저관류에 의해 유발된 젖산산증 환자에서 pH ≥7.15라면 혈역학을 개선시키거나 혈관수축제의 사용량을 감소시키기 위한 중탄산염나트륨 투여는 권고하지 않음

8) 심부정맥혈전증 예방

(1) 중증 패혈증 환자에서는 심부정맥 혈전증의 위험도가 증가하므로 금기가 아니라면 저분자량 헤파

린이나 비분할(unfractionated) 헤파린을 사용

(2) 공기를 이용한 기계압박장치 사용이 가능하다면 약제와 병합하여 시행

(3) 약물사용의 금기인 경우, 공기를 이용한 기계압박장치를 사용하여 심부정맥혈전증을 예방

9) 스트레스 궤양 예방

위장관 출혈 예방의 적응증이 되는 경우 proton pump 억제제 또는 H2 차단제를 사용

10) 영양공급

(1) 조기 영양 공급은 이차적인 감염 예방, 재원 기간 단축 등의 효과가 있음

(2) 조기에 완전 금식 또는 혈액 내로 당분만을 투여하는 것보다 저열량 영양 공급이 바람직

(3) 가능하다면 정맥영양보다 경장 또는 경구영양을 권고

(4) feeding intolerance 가 있으면 prokinetic agent 투여를 고려할 수 있음

(5) 오메가-3, selenium, glutamine, carnitine, arginine은 추천하지 않음

VI. 예후

1. 중증 패혈증 환자의 20-35%, 패혈쇼크 환자의 40-60%가 30일 이내에 사망

2. 배양 양성과 배양 음성 중증 패혈증의 사망률은 비슷함

3. 기저 질환이 없는 경우 40대까지는 중증 패혈증에 의한 사망률은 10%에 미치지 못하지만 이후 점차 증가하여 고령인 경우 사망률은 35%를 상회

제3-3절 중추신경감염

I. 급성 세균성 수막염

1. 원인균(표 10-3-4)

표 10-3-4 국내 성인에서 지역사회획득 급성 세균성 수막염의 원인균

원인균	빈도(%)
Streptococcus pneumoniae	50.8
Staphylococcus aureus[a]	10.3
Klebsiella pneumonia	7.7
Listeria spp.[b]	6.7
Group B streptococci	3.1
Neisseria meningititis	2.6
Viridans group streptococci	2.6

원인균	빈도(%)
β-hemolytic streptococci	2.1
Streptococcus sanguinis	1.5
Pseudomonas aeruginosa	1.5
Others	11.3

[a] *S. aureus* & coagulase (−) staphylococci: 침습적 신경외과시술, 션트, Ommaya reservoir
[b] *Listeria*: 임신부, 60세 이상, 면역저하자. 50세 이하에서 발생시 HIV 검사
[c] Group B streptococci: >50세

2. 병인

1) 비인두 상피세포에 정착한 세균(*S. pneumoniae, N. meningitidis*)의 혈액 및 뇌척수액 침투(가장 흔함)

2) 전신 균혈증으로부터

3) 상부 호흡기나 피부의 결손[두개 골절, 유양돌기부골편(mastoid sequestrum)]

4) 인접 염증 장소로부터(부비동염, 뇌농양의 유출)

5) 신경외과 수술이나 시술을 통해

3. 임상증상

1) 일반 증상

(1) 전형적 증상: 발열, 두통, 경부 강직, 85%에서 동반

(2) 구역, 구토, 경직, 발한, 무력감, 근육통, 눈부심(photophobia)도 흔히 동반

2) 뇌기능 이상

(1) 혼돈, 섬망, 기면이나 혼수상태로의 의식 상태 변화가 75% 이상에서 동반

(2) 뇌신경마비: III, IV, VI, VII (10-20%)

(3) 국소신경 증상: 시야 결손, 삼킴곤란(dysphagia), 반불완전마비(hemiparesis, 15%)

(4) 경련: 20-40%

(5) 유두부종: <5%

4. 진단

1) 원칙(그림 10-3-4)

(1) 세균성 수막염이 의심되면 반드시 우선적으로 혈액배양을 시행

(2) 최근 1주 이내 경련, 의식 저하, 국소 신경증상, 유두부종, 신경학적 질환 기왕력(두부 외상, 종양, 뇌졸중, 뇌농양), 면역저하(HIV 감염, 면역억제제, 장기이식 등), 요추천자 시행 부위 국소감염 등이 있는 경우에는 뇌척수액검사 전에 CT 혹은 MRI를 먼저 시행

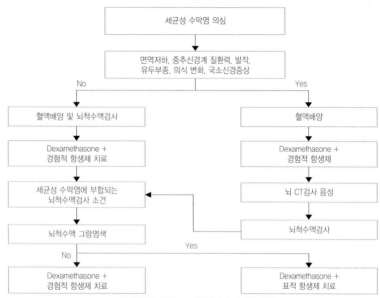

그림 10-3-4 세균성 수막염의 진단 및 치료 원칙

2) 뇌척수액 소견의 해석(표 10-3-5)

표 10-3-5 질환별 뇌척수액검사 소견

	세포 수(/mm³) 및 성상	당(mg/dL)	단백(mg/dL)
정상	0–5, 주로 림프구	40–70	20–50
세균감염	증가(100–5,000), 주로 호중구	감소	증가
바이러스감염	증가(10–500), 주로 림프구	정상	증가
진균감염	정상 혹은 증가(0–500), 주로 림프구	정상 혹은 감소	증가
결핵균감염	정상 혹은 증가(0–1,000), 주로 림프구	감소	증가
뇌농양	정상 혹은 증가(0–500), 혼합된 세포 분획(mixed differential)	정상	증가
뇌실염	증가(100–5,000), 주로 호중구	감소	증가

3) 세균학적검사

(1) 그람염색

① 양성률: *S. pneumoniae* 90%, *H. influenzae* 86%, *N. meningitidis* 75%, *L. monocytogenes* 30% 기타 그람음성막대균 50%,

② 항생제로 치료한 환자에서는 양성률이 20%까지 감소

(2) 배양: 80%에서 양성

(3) latex agglutination test

① *S. pneumoniae*: 민감도 70-100%, 특이도 95-100%

② *N. meningitidis*: 민감도 33-70%, 특이도 95-100%

(4) 16S rRNA PCR

4) 영상검사

(1) CT or MRI

(2) 급성 세균성 수막염 자체를 진단하기 위한 것이 아니라 합병증이나 수막외 감염의 병소를 감별하기 위한 것

(3) 적응증: 수일간의 치료에도 불구하고 열이 지속될 때, 지속적인 혼수상태, 발작, 뇌압상승에 따른 증상, 국소 신경증상 등이 있는 경우

(4) 경막하 삼출, 피질경색, cerebritis 여부를 판단하기에는 MRI가 CT보다 효율적

5. 치료

1) 항생제 치료

(1) 경험적 항생제요법(표 10-3-6)

표 10-3-6 세균성 수막염의 경험적 항생제 치료

상황	항생제
55세 미만의 정상면역 성인	Cefotaxime, ceftriaxone, or cefepime + vancomycin
55세 이상의 알코올중독 혹은 기저질환을 가진 성인	Ampicillin + cefotaxime, ceftriaxone, or cefepime + vancomycin
의료기관관련 수막염, 외상후 혹은 신경외과 수술 후 수막염, 호중구 감소증 혹은 세포매개 면역 결핍 질환을 가진 성인	Ampicillin + ceftazidime or meropenem + vancomycin

(2) 원인균에 따른 치료(표 10-3-7)

표 10-3-7 세균성 수막염의 원인균에 따른 항생제 치료

원인균	항생제
Neisseria meningitides	
Penicillin–감수성	Penicillin G 혹은 ampicillin
Penicillin–내성	Ceftriaxone 혹은 cefotaxime
Streptococcus pneumoniae	
Penicillin–감수성[a]	Penicillin G
Penicillin–중등도 내성	Ceftriaxone 혹은 cefotaxime 혹은 cefepime
Penicillin–내성[b]	Ceftriaxone (혹은 cefotaxime 혹은 cefepime) + vancomycin
그람음성균(녹농균 제외)	Ceftriaxone 혹은 cefotaxime
Pseuomonas aeruginosa	Ceftazidime 혹은 cefepime 혹은 meropenem
Staphylococcus spp.	
Methicillin–감수성	Nafcillin
Methicillin–내성	Vancomycin
Listeria monocytogenes	Ampicillin + gentamicin
Haemophilus influenzae	Ceftriaxone 혹은 cefotaxime 혹은 cefepime
Streptococcus agalactiae	Penicillin G 혹은 ampicillin
Bacteroides fragilis	Metronidazole
Fusobacterium spp.	Metronidazole

[a] penicillin MIC ≤0.06 μg/mL; [b] penicillin MIC ≥0.12 μg/mL 우리나라 뇌척수액 분리 *S. pneumoniae*의 penicillin 내성률은 83.3%

(3) 항생제 용량(표 10-3-8)

표 10-3-8 세균성 수막염 주요 치료항생제의 용량 및 용법(성인)

항생제[a]	1일 총용량, 투여 간격[b]
Ampicillin	12 g/d, q4h
Cefepime	6 g/d, q8h
Cefotaxime	12 g/d, q4h
Ceftriaxone	4 g/d, q12h
Ceftazidime	6 g/d, q8h
Gentamicin[c]	7.5 (mg/kg)/d, q8h
Meropenem	6 g/d, q8h
Metronidazole	1.5–2.0 g/d, q6h
Nafcillin	9–12 g/d, q4h
Penicillin G	20–24 mU/d, q4h
Vancomycin[d]	45–60 (mg/kg)/d, q6–12h

[a] 모든 항생제는 정맥으로 투여; [b] 정상 신기능과 간기능을 보이는 환자에서의 용량. 모든 항생제는 혈중 최고 농도와 최저 농도를 고려하여 용량 조절이 필요; [c] gentamicin therapeutic level: peak 5–8 μg/mL; trough level <2 μg/mL; [d] vancomycin therapeutic level: peak 25–40 μg/mL; trough level 5–15 μg/mL.

(4) 항생제의 뇌실내 투여

뇌실염이 동반된 중증의 수막염, 화농성 뇌농양이 뇌실내로 파열된 경우, 뇌척수액 션트 감염, 내성균 감염 치료를 위해 혈액-뇌척수액 장벽 투과가 잘 안되는 항균제를 사용해야 하는 경우에는 뇌실을 통한 투여를 고려

(5) 뇌척수액검사의 반복

① 항생제 치료에 적절히 반응하고 있는 환자에서 뇌척수액검사를 반복하는 것은 일반적으로 권장하지 않음

② 적절한 항생제를 사용한 지 48-72시간 후에도 임상적으로 반응하지 않는 경우 뇌척수액검사를 다시 시행할 것을 권장

(6) 치료기간

① *S. pneumoniae*: 7-14일

② *N. meningitidis*: 7일

③ *S. agalactiae*: 14-21일

④ *L. monocytogenes*: 21일

⑤ 그람음성막대균: 21-28일

2) 보조적 치료

(1) Dexamethaxone

① 세균성 수막염이 의심되거나 진단된 성인 환자에서 항생제의 첫 투여 20분 전 혹은 항생제와 함께 dexamethasone 10 mg을 정맥주사하고 이후 4일간 6시간 간격으로 투여. 이미 항생제가 투여된 환자에게는 dexamethasone 투여하지 않음

② 사망률을 줄이는 효과는 적으나 청력소실 예방(33%), 단기간의 신경학적 후유증 예방(17%) 효

과 있음

③ *S. pneumoniae*나 *H. influenzae*가 아닌 다른 세균에 의한 급성 세균성 수막염인 경우 고용량의 dexamethasone 투여 효과는 불확실

(2) 뇌압 조절

① Head elevation to 30°

② Hyperventilation to $PaCO_2$ 27-30 mmHg

③ Hyperosmolar agents: 20% mannitol 혹은 glycerol 사용. Mannitol은 처음 1 g/kg를 10-15분에 걸쳐 투여한 후 4-6시간 간격으로 투여하거나, 2-3시간 간격으로 0.25 mg/kg씩 투여할 수 있음. 목표 혈중 삼투압 농도는 315-320 mOsm/L

3) 세균성 수막염의 이차 예방

(1) *N. meningitidis*

① 대상: 환자의 증상 발생 전 7일 이내에 환자와 접촉한 가족, 긴밀한 접촉자(구강 접촉), 환자의 호흡기 분비물에 노출된 의료인

② 약제: 성인의 경우 rifampin (600 mg 12시간 간격으로 2일간), ceftriaxone (250 mg 근주 1회) 또는 ciprofloxacin (500 mg 경구 1회)

(2) *H. influenzae*

① 대상: 환자와 함께 거주하는 접촉자 중에서 소아, 면역억제 환자, 비장절제술을 시행 받은 성인

② 약제: rifampin (20 mg/kg/day, 최고 용량 600 mg) 4일 투약을 권장하며, 3개월 미만의 영아는 10 mg/kg, 4일 투약

II. 결핵성 수막염

1. 역학

1) 폐외 결핵의 5%

2) 주로 소아에서 호발

3) HIV 감염 시 발생빈도 증가

4) 약 반수의 환자에서 과거 결핵병변이나 좁쌀 결핵의 흔적이 관찰됨

2. 병인

일차 폐결핵 혹은 이차 폐결핵이 혈행성으로 뇌로 전파되거나 뇌실막밑 결절(subependymal tubercle)이 지주막하 공간(subarachnoidal space)으로 파열되면서 발생

3. 임상증상

1) 질환의 경과가 1-2주에 걸쳐 진행되어 세균성 수막염에 비해 느림

2) 수 주간의 미열, 권태감, 식욕부진, 설명하기 어려운 두통, 경도의 의식변화

3) 이때 진단하지 못하면 급격히 진행하여 두통, 의식변화 혹은 급격한 혼돈(착란), 기면, 감각 변화, 경부 강직 등이 발생

4) 뇌기저부 수막을 흔히 침범하여 뇌신경마비(특히 시신경)가 흔함

5) 수두증과 두개내압 상승으로 인한 혼수상태가 발생할 수 있음

4. 진단

1) 뇌척수액검사: 림프구 위주의 백혈구 증가, 당수치 저하, 단백수치 증가, 뇌압상승

2) 뇌척수액 AFB 도말: 10-40%에서 양성, 반복 검사하면 양성률 증가

3) 뇌척수액 AFB 배양: 80%에서 양성

4) PCR: 민감도가 높으나(80%) 위양성률도 10%

5) 뇌척수액 ADA (adenosine deaminase):
   (1) >10 U/L; 민감도 74%, 특이도 92%
       >15 U/L; 민감도 92%, 특이도 35%
   (2) 신경브루셀라증, 신경리스테리아증, 림프종 등에서 위양성 가능성

6) 뇌영상: 뇌수종, 기저수조(basilar cystern) 혹은 뇌실막의 비정상적 조영 증가

5. 치료

1) 항결핵제

(1) 통상 용량 사용: isoniazid (5 mg/kg, 최대 300 mg/일) + rifampin (10 mg/kg, 최대 600 mg/일) + pyrazinamide (20-30 mg/kg/일) + ethambutol (15-20 mg/kg/일) + pyridoxine (50 mg/일)

(2) 8주간 4제 요법을 시행하고 약제 감수성 결핵균으로 판명되면 isoniazid + rifampin으로 7-10개월 유지

2) Dexamethasone

(1) 뇌척수액 이상소견과 상승된 뇌압을 빠르게 정상화

(2) 0.4 mg/kg/일로 시작하여 1주일 단위로 0.1 mg/kg씩 용량을 줄여 4주째에 0.1 mg/kg의 용량으로 정맥주사한 뒤 경구제제 4 mg/kg/일로 바꾸고 역시 1주일 단위로 1 mg/kg씩 용량을 줄여서 4주째에 1 mg/kg/일의 용량이 되도록 투여

(3) 국내 진료지침: dexamethasone 12 mg/day or 0.4 mg/kg/day 용량으로 첫 3주 동안 투여하고, 그 후 3-5주 동안에 증상의 호전을 확인하면서 서서히 감량

(4) 생존률 개선효과는 있으나(25%) 신경학적 후유증의 빈도는 줄이지 못함

6. 예후

25% 정도에서 신경학적 후유증이 남게 되며, 진단이 지연되는 경우 후유증의 빈도 증가

III. 단순포진바이러스 뇌염(Herpes simplex virus encephalitis)

1. 임상증상

  1) 급성으로 발생하는 발열과 주로 측두엽이 관련된 국소 신경 증상 및 징후가 특징

  2) HSV-1 ≥ 95%

  3) 인격변화, 환각, 공포, 이상한 행동을 보이기도 함

  4) 국소 발작이 초기에 나타나기도 함(40%)

2. 진단

  1) 뇌척수액검사: 뇌압상승, 백혈구증가(5-1,000/mm³), 단백증가, 당은 정상이거나 약간 감소

  2) 뇌영상: 측두엽의 비정상적 조영증강(그림 10-3-5). 확진된 HSV encephalitis 환자의 80%에서 MRI 이상 소견(특히 측두엽)이 관찰

  3) 뇌척수액 HSV DNA PCR: 민감도 ~96%, 특이도 ~99%

  4) 뇌조직검사 및 바이러스 동정: 과거의 표준 진단법, 특이도 100%

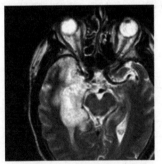

그림 10-3-5 우측 측두엽 단순포진바이러스 수막염환자의 뇌 MRI

3. 치료

  1) Acyclovir 10 mg/kg를 8시간 간격으로 14-21일간 정맥 투여

  2) 치료하지 않는 경우 사망률 > 75%

IV. 뇌농양

1. 원인균

표 10-3-9 기저 질환에 따른 뇌농양의 흔한 원인균

기저질환	원인균
중이염, 유양돌기염	Streptococci (anaerobic and aerobic), Bacteroides spp., Prevotella spp., Enterobacteriaceae
부비동염	Streptococci, Bacteroides spp., Enterobacteriaceae, S. aureus, Haemophilus spp.
치아감염	Fusobacterium, Prevotella, Actinomyces, Bacteroides spp., streptococci
두부 외상, 신경외과 수술	S. aureus, streptococci, Enterobacteriaceae, Clostridium spp.
폐농양, 농흉, 기관지확장증	Fusobacterium, Actinomyces, Bacteroides spp., Prevotella, streptoccci, Nocardia spp.
세균심내막염	S. aurues, streptococci
선천성 심질환	Streptoccci, Haemophilus spp.
호중구 감소증	그람음성균, Aspergillus spp., Mucorales, Candida spp., Scedosporium spp.
장기이식	Aspergillus spp., Candida spp., Mucorales, Scedosporium spp., Enterobacteriaceae, Nocardia spp., Toxoplasma gondii
HIV 감염	T. gondii, Nocardia spp., Mycobacterium spp., Listeria monocytogenes, Cryptococcus neoformans

2. 병인

1) 부비동염, 중이염, 유양돌기염, 치아감염 같은 인접 부위 감염에서의 직접 전파(가장 흔함)
2) 혈행성 전파
3) 두부 손상 혹은 신경외과 시술
4) 원인 불명(10-35%)

3. 임상증상

표 10-3-10 뇌농양의 임상증상

증상과 징후	빈도(%)
두통	49–97
의식 변화	28–91
국소 신경증상	20–66
발열	32–79
두통, 발열, 국부 신경증상 모두	<50
경련	13–35
구역/구토	27–85
경부강직	5–52
유두부종	9–51

4. 진단

1) 혈액배양: <10%에서 양성
2) CT: 진단뿐 아니라 정확한 위치, 인접부위의 부종, 뇌수종 등 다양한 정보를 제공
3) MRI: CT보다 민감하고 조기 진단이 가능

4) serum anti-*Toxoplama* IgG, CSF *Toxoplasma* PCR: esp. in AIDS

5) CT-guided aspiration: Gram stain, culture, AFB stain & culture...

5. 치료

가장 적절한 치료는 항생제 요법과 동시에 배농을 시행하는 것

1) 세균성 뇌농양의 경험적 항생제요법

표 10-3-11 세균성 뇌농양의 경험적 항생제요법

원인	항생제
중이염, 유양돌기염	Metrodinazole + 3rd cephalosporin^a
부비동염	Metrodinazole + 3rd cephalosporin^{ab}
치아 감염	Penicillin + metrodinazole^{ab}
두부 외상 혹은 신경외과 수술	Vancomycin + 3rd cephalosporin^{ac}
폐농양, 농흉, 기관지확장증	Penicillin + metronidazole + sulfonamide^d
세균심내막염	Vancomycin + gentamicin
선천성 심질환	3rd cephalosporin^a
미상	Vancomycin + metrodinazole + 3rd cephalosporin^{ac}

^{a} Cefotaxime or ceftriaxone; cefepime도 사용할 수 있음, ^{b} MRSA 감염이 의심되면 vancomycin 추가; ^{c} *P. aeruginosa* 감염이 의심되면 ceftazidime or cefepime 사용; ^{d} TMP/SMX : *Nocardia* spp. 감염이 의심될 때

(1) 원인균이 확진되면 적절한 항생제 요법으로 전환

(2) 일반적인 세균성 뇌농양의 치료기간: 주사 항생제(6-8주) → 적절한 경구용 항생제가 있다면 2-3개 월간 더 투약

(3) 경구용 항생제의 추가적인 투약의 효과와 필요성은 여전히 논란이 있음

(4) 수술적으로 제거가 되었다면 항생제 사용기간은 짧아질 수 있음

2) 농양 흡인 및 배농

3) 개두술, 두개골 골절술

흡인이 여의치 않거나 multiloculation이 된 경우

4) Dexamethasone

(1) 농양주위 부종 혹은 뇌압이 상승된 환자에게만 제한적으로 투여

(2) 10 mg q6h, 가급적 빨리 tapering할 것

V. 뇌척수액 션트(CSF shunt) 감염

1. 역학

1) 대부분 VP (ventriculo-peritoneal) shunt

2) 빈도: 4-17%

3) operative incidence (the occurrence of infection per procedure) <6%

2. 병인

1) 수술시 감염균 정착(가장 흔함)

2) 수술부위 감염

3) 혈행성 감염

4) 말단부로부터의 역행성 감염(장천공)

3.원인균

표 10-3-12 뇌척수액-단락 감염의 원인균

원인균	빈도(%)
Staphylococci	55–95
Gram (–) bacteria	6–20
Streptococci	8–10
Diphtheroids	1–14
Anaerobes	6
Mixed cultures	10–15

4. 임상증상

1) 두통, 구역, 무력감, 정신상태 변화(>65%) 등의 증상이 감염에 의한 이차적인 카테터 기능이상으로 나타남

2) 발열(14-92%)

3) 근위부 감염시 수막염이나 뇌실염의 임상증상

4) 말단부 감염시 균혈증, 심내막염, 복막염 등

5) shunt nephritis: chronic vascular shunt의 독특한 합병증으로 4-14%에서 발생, 원인균은 주로 coagulase (-) staphylococci이며 신사구체에 IgM & IgG Ag-Ab complex 침착에 의한 것임

5. 진단

1) 단락을 제거하여 배양하거나 단락 주위 저류액을 배양

2) 뇌영상은 진단에 도움이 되지 않음

6. 치료

1) 항생제 치료

(1) 급성 세균성 수막염에 준함

(2) 경험적 치료 약제: vancomycin + cefepime or ceftazidime or meropenem

(3) 뇌실내(intraventricular) 항생제 주입(표 10-3-13)

표 10-3-13 항생제 뇌실 투여시 용량

항생제	1일 뇌실내 주입 용량
Vancomycin	5–20 mg
Gentamicin	1–8 mg
Tobramycin	5–20 mg
Amikacin	5–20 mg
Polymyxin B	5 mg
Colistin	10 mg
Teicoplanin	5–40 mg
Daptomycin	2–5 mg
Amphotericin B	0.1–0.5 mg

2) 단락 제거: 감염된 단락은 제거하여야 하며, 항생제 단독 투여보다 효과적임

3) 항생제 투여 기간

    (1) Coagulase(-) staphyloccci: 치료 48시간 후 배양에서 음성이라면 7일간, 48시간 배양에서 양성이면 10일간 배양 음성이 유지될 때까지 사용

    (2) *S. aureus*: 10일

    (3) 그람음성균: 21일

제3-4절 심혈관감염

Ⅰ. 감염심내막염(Infective endocarditis)

1. 분류, 주요 원인 미생물

감염이 발생한 장소(지역사회 vs. 의료관련)를 파악하고, 심장내 기구삽입 여부(자연판막 vs. 인공판막 또는 기타 기구삽입)를 확인 후 흔한 원인균을 추정(그림 10-3-6). 판막의 위치에 따라 좌측판막, 우측 판막으로 분류할 수 있으며, 우측판막 심내막염은 정맥주사남용자에게 흔하며 *S. aureus*가 주요 원인균임

2. 진단

혈액배양검사 결과+심초음파소견+/-임상증상으로 진단(modified Duke criteria, 표 10-3-15)

1) 혈액배양

    (1) 방법: 반드시 항생제를 투여하기 전에 시행, 적어도 1시간 간격으로 각각 다른 부위에서 3세트의 혈액(1세트당 2병씩)을 채취하여 각 세트별 호기 및 혐기균 배양을 시행. 초기배양검사 시행 2-3일

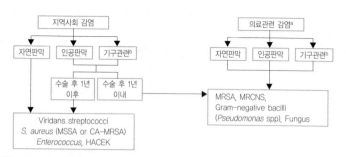

a. 의료관련 감염: 원내감염 또는 요양병원거주, 내원 90일 이내 병원에 입원력, 내원 30일 이내 혈액투석, 정맥주사 치료를 받은 적이 있는 경우.
b. Intracardiac device (permanent pacemaker, cardioverter-defibrillator)

그림 10-3-6 감염심내막염의 분류 및 주요 원인균

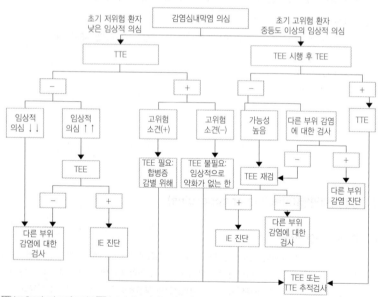

TTE: transthoracic echocardiography; TEE, transesophageal echocardiography

*고위험환자군: 인공판막을 가진 경우, 선천성 심질환이 있는 경우, 감염심내막염의 과거력, 새롭게 발생한 심잡음, 심부전증, 기타 감염심내막염의 전형적인 징후가 있는 경우

*고위험 심초음파 소견: vegetation이 크거나 움직임(mobile), 판막부전, 판막주변 침범 및 이차적인 심실부전 등

*심초음파 추적검사: vegetation에 대한 재검사, 합병증여부 및 치료에 대한 평가위해 임상적으로 적응이 되면 시행

그림 10-3-7 감염심내막염이 의심되는 경우 심초음파 시행

후에 음성으로 중간보고되면 추가로 혈액배양을 시행하고 미생물실에 적절한 배양법 문의

(2) 환자의 상태가 급격히 악화되는 경우 최소 5-10분 간격으로 3회의 혈액배양검사를 실시한 후에 곧바로 항생제를 투여 가능

2) 심초음파(그림 10-3-7)

의심되는 환자에서는 모두 TTE 시행. 고위험 환자나 임상적으로 강한 의심이 들 때에는 TTE시행 후 가능한 빨리 TEE시행 고려

3) 혈액배양음성인 경우 고려사항

(1) 가장 흔한 원인은 검사 전 항균제가 투여된 경우

(2) 부적절하게 미생물을 배양한 경우

(3) 성장이 까다로운 균주의 감염: nutritionally variant organisms, HACEK군(*Haemphilus, Actinobacillus, Cardiobacterium, Eikenella, Kingella* spp.), *Coxiella burnetti, Bartonella* spp. *Brucella* spp.등. 최근 이러한 균주들을 진단위해 항체검사나 PCR 등을 시행(국내 질병관리본부 에서 *Coxiella burnetii, Bartonella, Brucella* 혈청검사 시행)

표 10-3-14 감염심내막염의 진단기준(modified Duke criteria)

주 기준(major criteria)

1. 혈액배양검사 양성
   - 2회의 서로 다른 부위에서 시행한 혈액배양검사에서 감염심내막염에 합당한 전형적인 균이 배양
     viridans streptococci, S. bovis, HACEK group, S. aureus, 일차병소가 없는 지역사회획득 enterococci
   - 감염심내막염의 전형적인 균이 지속적으로 배양 양성
     ≥12시간 간격으로 2회 양성 또는 3회 모두 양성이거나 4회 이상 시행한 혈액배양 중 대부분이 양성(최초-마지막 간격이 ≥1시간)
   - Coxiella burnetii ≥1회 양성, 또는 phase I IgG titer >1:800
2. 심내막 침범의 증거
   - 심내막염에 합당한 심초음파 소견
   - 새로이 발생한 판막폐쇄부전 (기존의 심잡음이 커지거나 변화하는 것은 제외)

부 기준(minor criteria)

1. 질병소인: 기저심장질환이나 정맥주사남용
2. 발열 ≥ 38℃
3. 혈관 현상: 동맥색전증, 폐색전증, 진균성동맥류, 뇌출혈, 결막출혈, Janeway병변
4. 면역 현상: 사구체신염, Osler결절, Roth반점, 류마티스양인자 양성
5. 미생물학적 증거: 주 기준에 맞지 않는 혈액배양 양성 또는 감염심내막염 균주에 의한 급성 감염 혈청학적 증거

확진(definite)

1. 병리학적 기준 : 미생물 증명+ 병리소견
2. 임상기준
   - 주 기준 2개
   - 주 기준 1개 + 부 기준 3개
   - 부 기준 5개

가능(possible)

1. 주 기준 1개 + 부 기준 1개
2. 부 기준 3개

가능성 없음(rejected)

다른 원인이 분명히 있는 경우 또는
항균제 투여 후 4일 이내 심내막염의 모든 소견이 소실되는 경우 또는
항균제 투여 후 4일 이내 시행된 수술이나 부검에서 심내막염의 병리소견이 없는 경우
가능(possible)기준에 합당하지 않는 경우

3. 치료

1) 치료의 원칙

(1) 항균제는 살균성이 있는 약제를 충분한 혈중농도가 유지되도록 용량과 투여간격을 조절하여 완전히 멸균될 때까지 충분한 기간 동안 투여

(2) 수술의 적응증(표 10-3-15)에 합당하면 조기 수술을 고려. 수술 후 사망률은 수술 전 항균제치료기간보다는 혈역동학적 상태가 중요한 인자이므로 환자의 상태가 악화되는 경우 수술을 늦춰서는 안됨

표 10-3-15 조기에 수술적 치료가 필요한 경우

조기에 수술적 치료가 적응되는 경우
- 내과적 약물치료에도 불구하고 판막폐쇄부전 및 심부전이 발생하여 혈액학적으로 불안정한 경우 응급수술을 권고
- 합병증 발생: 방실전도차단 발생, 판막류 및 대동맥 농양, 판막 결손 및 파열
- 적절한 항균제 투여에도 불구하고 지속되는 균혈증 또는 5~7일 이상 지속되는 발열*

조기에 수술적 치료가 권고되는 경우
- 진균 또는 다제내성 균주에 의한 감염인 경우

조기에 수술적 치료가 적절한 경우
- 적절한 항균제 투여에도 불구하고 반복되는 전신색전증 또는 vegetation이 지속되거나 커지는 경우
- 10 mm 이상의 vegetation이 있으면서 중증의 판막역류 동반

조기에 수술적 치료를 고려해 볼 수 있는 경우
- 10 mm 이상의 vegetation, 특히 전방승모판막(anterior mitral leaflet)에 있는 경우

(3) 항균제 치료의 모니터링 방법 및 치료기간

① 항균제 치료기간은 처음으로 음전된 혈액배양을 시행한 시점을 기준으로 계산

② 혈액배양: 음전이 확인될 때까지 24-48시간 간격으로 시행(≥2세트), 발열이 다시 발생하면 다시 시행, 치료 종료 후 발열 및 증상이 발생하는 경우(≥3세트)

③ 항균제 치료기간: 균주에 따라 권고기간이 다름(표 10-3-17, 10-3-18)

④ 수술 전후의 항균제 치료기간

판막주위 농양 또는 인공판막 감염심내막염 또는 조직 배양양성이면 수술 후 전체 치료기간을 새로 시작함. 자연판막 심내막염 환자에서 합병증이 없고 조직배양에서도 음성이면 수술전후 기간을 합쳐서 전체 치료기간이 되도록 투여

2) 경험적 항균제 선택 시 고려해야 할 주요 원인균(표 10-3-16)

표 10-3-16 감염심내막염의 경험적 항균제 선택

	주요원인균	항균제조합의 예
자연판막	급성(증상기간: 수일): S. aureus, β-hemolytic streptococci, aerobic Gram-negative bacilli	Vancomycin + cefepime
	아급성(증상기간: 수주) S. aureus, viridans group streptococci, HACEK, enterococci	Vancomycin + ampicillin/sulbactam
인공판막	초기발병(≤1년) Staphylococci, Enterococci, aerobic, Gram-negative bacilli	Vancomycin + rifampin + gentamicin + cefepime

주요원인균	항균제조합의 예
후기발병(>1년) Staphylococci, viridans group streptococci, enterococci	Vancomycin + ceftriaxone

3) 균주별 항균제 치료(표 10-3-17, 10-3-18)

표 10-3-17 균주별 항균제 치료: *Streptococcus*, *Staphylococcus* 감염심내막염

*Streptococcus*에 의한 심내막염	
자연판막 감염심내막염	인공판막 감염심내막염
Penicillin-susceptible (MIC ≤0.12 ug/mL)	Penicillin-susceptible (MIC ≤0.12 ug/mL)
Penicillin G 또는 ceftriaxone (4주) Penicillin G 또는 ceftriaxone + gentamicin (2주)	Penicillin G 또는 ceftriaxone (6주) ± gentamicin (2주)
Penicillin relatively resistant (MIC >0.12 to ≤0.5 ug/mL)	Penicillin relatively or fully resistant (MIC >0.12 ug/mL)
Penicillin G[b] (4주) + gentamicin (2주) ceftriaxone (4주)	Penicillin G 또는 ceftriaxone (6주) + gentamicin (6주)
Penicillin resistant streptococci (MIC >0.5 ug/mL)	
Penicillin G[b] 또는 ampicillin + gentamicin (4-6주) ceftriaxone + gentamicin (4-6주)	

*Staphylococcus*에 의한 심내막염	
자연판막 감염심내막염	인공판막 감염심내막염
MSSA	MSSA
Nafcillin 또는 oxacillin (6주) Cefazolin (6주)	Nafcillin 또는 oxacillin (≥6주) + rifampin (≥6주) + gentamicin (2주)
MRSA	MRSA
Vancomycin 또는 daptomycin (6주)	Vancomycin (≥6주) + rifampin (≥6주) + gentamicin (2주)

– Penicillin G 용량: penicillin-susceptible한 경우 12-18 mU/24h, penicillin-resistant한 경우 24 mU/24h (지속 또는 4-6회 분할 투여); penicillin G가 공급되지 않는 경우 ampicillin 2g IV q4h로 투여 가능

– Ceftriaxone 2 g IV/IM qd; gentamicin 3 mg/kg qd IV/IM; nafcillin 12g/24h IV # 4-6; vancomycin 30 mg/kg per 24h #2 IV; daptomycin ≥8 mg/kg/dose; rifampin 900 mg #3 po

표 10-3-18 균주별 항균제 치료: *Enterococcus*, HACEK 감염심내막염

Enterococcus 자연판막 감염심내막염

Penicillin-, gentamicin-susceptible: gentamicin 병합 시 4-6주, double β-lactam 시 6주
  Ampicillin (2 g IV q4h) 또는 penicillin G (18-30 mU/24h) + gentamicin (3 mg/kg #2-3)
  Ampicillin (2 g IV q4h) + ceftriaxone (2 g IV q12h)

Vancomycin-susceptible, aminoglycoside-susceptible, penicillin-resistant: 6주 투여   Vancomycin (30 mg/kg per 24h IV #2) + gentamicin (3 mg/kg per 24h IV/IM #3)
Vancomycin-, aminoglycoside-resistant: >6주 치료   Linezolid (600 mg IV/PO q12h) 또는 daptomycin (10-12 mg/kg per dose)

HACEK 감염심내막염: 자연판막 4주, 인공판막 6주 투여
Ceftriaxone (2 g/24h IV/IM)
Ampicillin/sulbactam (2g IV q4h)
Ciprofloxacin (1,000 mg/24h PO, 800 mg/24h IV #2)

* 다제내성 *Enterococcus* 감염심내막염 치료 시 감염내과 자문필요

** *Enterococcus* 인공판막 감염심내막염: 자연판막과 동일하게 치료

4. 감염심내막염의 예방

1) 예방적 항균제를 권고하는 심장질환 및 상태

1. 인공판막 또는 심장판막 교정을 위한 인공보형물을 가지고 있는 경우
2. 과거에 감염심내막염의 병력
3. 아래과 같은 선천심장질환
   1) 수술적으로 교정되지 않은 청색증 심장질환 또는 palliative shunt 또는 conduit
   2) 수술이나 카테터시술로 교정되었으나 6개월이 지나지 않은 경우
   3) 수술이나 카테터시술로 교정한 부위에 결손이 남아있는 경우
   4. 심장이식 후 판막성형술 시행한 환자

2) 예방적 항균제를 권고하는 시술

1. 치과시술: 잇몸 조직 시술, 치근단 주위 시술, 구강점막 천공 등의 시술
   예) 발치, 스케일링, 치아뿌리관 시술
2. 호흡기계 시술: 호흡기 점막의 절개 및 생검을 포함한 호흡기관의 침습적 시술
   예) 편도절제술, 아데노이드절제술, 기관지내시경 조직검사

   (1) 예방적 항균제는 위의 예방적 항균제를 권고하는 심장질환 및 상태일 때만 투여하고, 그 외 일반적인 환자에서는 시술을 시행한다고 해서 예방적 항균제는 투여하지 않음
   (2) 소화기계 및 비뇨생식기계 시술 시 예방적 항균제 투여가 권고되지 않음

3) 예방적 항균제의 종류와 투여방법

표준요법: amoxicillin (2 g PO)
경구투여가 불가한 경우: ampicillin (2g IV or IM) 또는 cefazolin (1g, IV or IM)
페니실린에 알레르기있는 경우: clarithromycin 또는 azithromycin (500 mg PO), cephalexin (2 g PO), clindamycin (600 mg PO)
페니실린에 알레르기가 있으면서 경구투여가 불가능한 경우: cefazolin (1g IV or IM) 또는 clindamycin (600mg IV or IM)

* 시술 또는 수술 직전 30~60분 이내에 가능한 경구로 1회 투여.

II. 혈관 카테터 관련 감염

1. 카테터감염의 발생경로 및 주요 원인균

1) 발생경로

(1) 피부에 집락된 균이 카테터 외벽(extraluminal)을 따라 체내로 이동
(2) 카테터 연결부위(hub)의 오염을 통해 카테터 내강(intraluminal)으로 균이 이동
(3) 다른 감염부위에서 혈류를 타고 카테터를 감염시킴
(4) 투여하는 수액제제의 오염으로 발생

2) 주요 원인균

(1) 카테터 자체와 관련된 감염: coagulase negative staphylococci (CoNS), *S. aureus*, *Candida* spp.
(2) 수액오염과 관련된 감염: *Enterobacter* spp., *Pseudomonas* spp., *Citrobacter* spp., *Serratia* spp.

2. 카테터관련 감염의 분류 및 진단(표 10-3-19, 그림 10-3-8)

표 10-3-19 카테터관련 감염의 분류, 임상증상 및 진단

감염분류	임상증상 및 진단
정맥염(phlebitis)	정맥주사 부위 경결, 압통, 발적
삽입부위감염(exit-site infection)	중심정맥 카테터 삽입부위 2 cm 이내에 발적 또는 경결, 발열 등의 전신증상 및 혈류감염 동반 가능
터널감염(tunnel infection)	Tunneled catheter의 피하경로를 따라서 삽입부위에서 2 cm보다 먼 부위 압통, 발적 및 경결, 혈류감염 동반 가능
피하포켓감염(pocket infection)	Totally implanted device의 피하층에 감염되어 포켓형성, 포켓위로 압통, 발적, 경결 발생하기도 하며, 피부의 괴사 및 배농되는 경우도 있음. 혈류감염 동반 가능
카테터관련 혈류감염 (catheter related blood stream infection)	임상적으로 패혈증의 증상이 있고, 말초혈액과 카테터에서 정량적/반정량적 배양검사에서 균이 자라고, 카테터 이외의 다른 신체부위 감염이 없는 경우 *미생물학전 진단기준 1) 카테터를 제거한 경우 : 카테터 배양에서 반정량적(roll plate 방법으로 15 CFU 이상) 또는 정량적(카테터 배양에서 균수가 10^2 CFU 이상) 배양 양성 + 말초혈액에서 동일균주 동정 2) 카테터 제거하지 않는 경우. : 카테터에서 채취한 혈액배양 균수가 말초혈액배양 균수보다 3배 이상 많거나(catheter vs. peripheral >3:1), 카테터혈액에서 말초혈액에 비해 2시간이상 먼저 균이 자라는 경우(differential time for positivity, DTP)
화농혈전정맥염(suppurative thrombophlebitis)	중심정맥 카테터의 장기간 유치 시 발생할 수 있는 중증의 혈관내 감염. 균에의한 정맥벽의 염증부터 혈전과 균혈증 동반

* 혈액배양은 반드시 항균제 투여 전에 시행하여야 하며, 혈류감염이 의심되는 경우 반드시 말초와 카테터를 통해 혈액을 채취하여 혈액배양을 시행
* 카테터삽입 부위에 농이 관찰되는 경우 농을 배양 및 그람염색 시행

3. 치료

감염증의 종류(국소적 vs. 전신적), 원인균의 종류, 카테터의 형태, 기저질환 등에 따라 감염된 카테터의 제거, 항균제의 선택, antibiotic lock therapy 여부 등이 달라짐

1) 경험적 치료의 일반적인 원칙

(1) 먼저 *Staphylococcus*를 고려하여 경험적 항균제 선택. 특히 의료관련감염인 경우(원내감염, 최근 입원 또는 수술력, 혈액투석 등) MRSA가능성 높으므로 vancomycin 또는 teicoplanin을 투여

(2) 다제내성 그람음성균(예, 다제내성 *Pseudomonas aeruginosa*)을 고려해야 하는 경우: 호중구감소증 환자에서 카테터관련 혈류감염이 의심될 때, 패혈증을 동반한 중증환자, 다제내성 그람음성균에 의하여 집락되어 있는 환자에서 발생

(3) 칸디다혈증을 고려해야 하는 경우: 중심정맥영양(total parenteral nutrition), 장기간 광범위항균제 투여한 경우, 혈액종양 환자, 이식환자, 대퇴정맥으로 카테터 삽입된 경우, 칸디다가 집락된 환자

(4) 중증환자에서 카테터 삽입 부위가 대퇴정맥인 경우 그람음성균 및 칸디다 감염도 그람양성균 감염과 같이 고려하여 항균제 선택

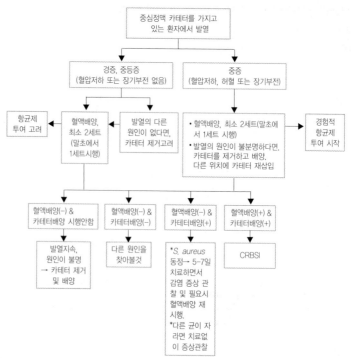

CRBSI: catheter-related bloodstream infection

그림 10-3-8 중심정맥 카테터를 가지고 있는 환자에서 급성발열 시 진단적 접근법

2) 카테터를 제거해야 하는 경우

- 중증 패혈증(혈압저하, 허혈, 장기부전 발생) 발생
- 화농혈전정맥염 또는 심내막염, 골수염 등 합병증 발생
- 적절한 항균제를 72시간 투여함에도 혈류감염이 지속되는 경우
- *S. aureus, P. aeruginosa*, fungi, mycobacteria 등에 의한 감염인 경우
- 제균이 어려운 *Bacillus* spp, *Micrococcus* spp, *Propionibacterium* spp.에 의한 감염인 경우. 단, 카테터 제거 전에 반드시 혈액배양 오염여부를 배제할 것.

3) Antibiotic lock therapy (표 10-3-20)

장기유지 카테터처럼 삽입 또는 제거가 어려운 경우 감염된 카테터를 가능한 제거하지 않고 유지하기 위한 방법으로 이용

(1) 적응증: 합병증이 없고, 중증감염이 아니면서 삽입부위 감염이나 터널감염이 없는 장기유지 카테터 감염인 경우에 고려할 수 있음. 단 원인균이 *S. aureus* 또는 *Candida* spp.인 경우 시행하지 말 것

(2) 방법: 헤파린(50-100 U)또는 생리식염수에 항균제를 희석하여 카테터도관 내에 2-5 mL을 채워둔 후 적어도 48시간 간격으로 교환을 반복

표 10-3-20 Antibiotic lock therapy에 사용되는 항균제 용법

항균제 종류와 용량	헤파린 또는 생리식염수, IU/mL
Methicillin-resistant staphylococci	
Vancomycin, 5.0 mg/mL	0 or 5000
Methicillin-susceptible staphylococci	
Cefazolin, 5.0 mg/mL	2500 or 5000
Ampicillin-susceptible enterococci	
Ampicillin, 10.0 mg/mL	10 or 5000
Gram-negative bacilli	
Ceftazidime, 0.5 mg/mL	100
Ciprofloxacin, 0.2 mg/mL	5000
Gentamicin, 1.0 mg/mL	2500

(3) lock solution 만들기: 예) vancomycin 5 mg/mL lock solution

① vancomycin 희석액 만들기(10 mg/mL): 50 mg/mL로 희석된 vancomycin에서 2 mL 채취 + normal saline 8 mL

② 위의 vancomycin 희석액(10 mg/mL) 1 mL와 5,000 IU/mL heparin 1 mL을 희석하여 총 2 mL 의 lock solution을 만듦

4) 카테터관련 혈류감염의 치료적 접근방법(그림 10-3-9, 그림 10-3-10)

(1) 대부분의 카테터관련 감염증은 카테터 제거하고 7-14일 정도 항균제 투여로 치료가 가능. Coagulase-negative staphylococci 감염인 경우 카테터를 제거하면 항균제 투여기간을 5-7일로 단축 가능. 하지만 *S. aureus* 또는 *Candida* spp. 감염이거나 합병증 발생 시에는 장기간의 항균제 투여가 필요함

(2) *S. aureus*: 카테터 제거 및 2-4주 이상 항균제 치료 필요하며, 합병증이 발생하면 4-6주 이상 치료 필요

(3) *Candida* spp.: 카테터 제거 및 혈액음전일로부터 2주간 항진균제 투여

(4) 카테터 제거 및 적절한 항균제 투여하고도 72시간 이상 균혈증 지속되는 경우 합병증(suppurative thrombophlebitis, endocarditis, osteomyelitis, metastatic infection) 발생을 고려해야함. 그러므로 이를 확인하기 위해서는 항생제 투여 후 적어도 72시간에는 혈액배양검사가 필요함

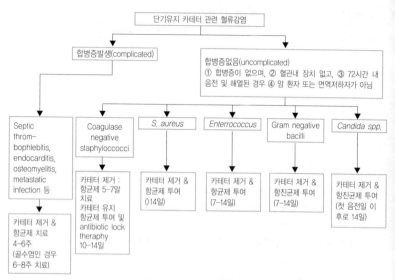

그림 10-3-9 단기유지 카테터 관련 혈류감염 발생 시 치료적 접근법

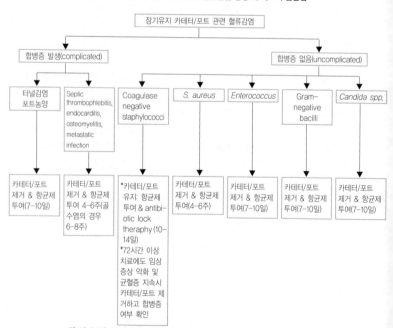

그림 10-3-10 장기유지 카테터 또는 포트 관련 혈류감염 발생 시 치료적 접근법

제3-5절 위장관 및 복강감염

Ⅰ. 감염성 설사

1. 원인균

바이러스(61%)	rotavirus, norovirus, enteric adenovirus, astrovirus
세균(34%)	병원성 *Escherichia coli*, *Salmonella*, *Shigella*, *Vibrio parahaemolyticus*, *Staphylococcus aureus*, *Bacillus cereus*, *Clostridium perfringens*, *Campylobacter jejuni*, *Yersinia enterocolitica*, *Listeria monocytogenes* 등
원충(5%)	람블편모충(*Giardia lamblia*), 이질아메바(*Entamoeba histolytica*), 작은와포자충(*Cryptosporidium parvum*)

2. 진단

1) 급성 감염성 설사의 임상증후군

	비염증성(non-inflammatory) 설사	염증성(inflammatory) 설사
양상	acute watery diarrhea	bloody diarrhea (dysentery) or inflammatory diarrhea
침범부위	proximal small bowel	colon or distal small bowel
원인균	*V. cholerae*, ETEC*, EAEC* *C. perfringens*, *Bacillus cereus*, *S. aureus*, Rotavirus, Norovirus, *Giardia lamblia*, cryptosporidium	*Shigella*, *Salmonella*, *Campylobacter* EHEC*, EIEC*, *Yersinia enterocolitica*, *Vibrio parahaemolyticus*, *C. difficile*, *Entamoeba hystolytica*

* ETEC: enterotoxigenic *E. coli*, EAEC: enteroaggregative *E. coli*, EHEC: enterohemorrhagic *E. coli*, EIEC: enteroinvasive *E. coli*

2) 대변검사

    (1) 다음 경우는 반드시 배양 의뢰: 발열, 전신염증소견, 후중감(tenesmus), 혈변, 탈수가 심한 중증감염, 65세 이상, 다른 기저질환이 있는 경우, 백혈구감소증, HIV 감염환자

    (2) 혈변(특히 발열이 없는) 환자는 EHEC toxin 검사 의뢰

    (3) 여름철-초가을, 증상발현 3일 전에 해산물 섭취력이 있으면 *Vibrio* 배양 의뢰

    (4) 입원 3일 이후 발생한 설사나 퇴원 후 염증성 설사이면 *C. difficile* toxin 검사

3. 치료

1) 수분과 전해질 및 영양 공급

2) 입원기준

    (1) 탈수의 정도가 심하거나 신경학적 이상이 있는 경우

    (2) 6개월 미만, 혹은 몸무게 8 kg 미만, 만성질환자

    (3) 3세 미만의 39℃ 이상 발열이 있는 경우

    (4) 혈변이 있는 경우

    (5) 설사의 양과 횟수가 과다한 경우

    (6) 지속적인 구토와 발열이 있는 경우

(7) 경구 수액 보충에도 탈수의 증상이 지속되는 경우

(8) 48시간 이내 증상의 호전이 없는 경우

3) 항생제

(1) 적응증: 발열을 동반한 중등도 이상(몸무게의 5-9%)의 탈수가 있는 설사, 노령층, 면역저하자, 패혈증 동반된 경우, 인공판막이나 인공관절 등 인공기구 장착자

(2) 항생제 선택

Shigellosis	• Ciprofloxacin 750 mg 1일 1회, 3일간 • Azithromycin 500 mg 1일 1회, 3일간
Nontyphoid salmonellosis	• Levofloxacin 500 mg (다른 fluoroquinolone 가능) 1일 1회, 7–10일간 • Azithromycin 500 mg 1일 1회, 7일간 • 면역저하자의 경우 14일간 투여 • 기본적으로 모든 환자에게 항생제 치료가 권장되지는 않음: 항생제 사용으로 재발 증가, 균 배출 기간 길어짐 • 균혈증 동반 위험률 높은 경우 항생제 필요함: 3개월 미만의 유아, 65세 이상의 고령자, corticosteroid 사용자, 염증성 장질환자, 면역저하자, 이상혈색소증 환자, 혈액투석환자, 복부 동맥류가 있거나 인공판막이나 인공관절 등 인공기구 장착자
C. jejuni	• Erythromycin 500 mg 1일 4회, 3일간 • Ciprofloxacin 750 mg 1일 1회, 3일간 • 동남아 여행 중 감염된 경우 quinolone 내성 의심: azithromycin 500 mg 1일 1회, 3일간
콜레라 (V. cholerae O1) Noncholeraic vibrios	• Doxycycline 300 mg 1회 투여 • Macrolide계(erythromycin 250 mg 1일 3회, 혹은 azithromycin 500 mg 1일 1회), 3일간 • 항생제 치료가 질병경과를 단축시키지 못함 • 심한 경우 shigellosis에 준해서 항생제 투여
E. coli (EHEC 제외)	• Ciprofloxacin 750 mg 1일 1회, 3일간 • Azithromycin 500 mg, 1일 1회, 3일간 • EHEC: 전적으로 대증적 치료, 항생제 치료는 금기. 항생제가 Shiga toxin의 분비를 유도할 수 있으며 소아에서 용혈성 요독증후군의 위험성 증가와 연관됨

5) Loperamide

(1) 성인 설사질환의 선택약제로 1일 4-6 mg을 투여(8세 이상의 어린이는 1일 2-4 mg)

(2) 침습성 감염의 증거가 없는 경증 내지 중등도 정도의 설사에 사용

(3) 금기: 침습성 감염 의심되는 경우(발열, 이질 동반, 특히 EHEC), 복통이 심한 경우, 2세 미만

II. *C. difficile* associated diarrhea (CDAD)

1. 임상양상

1) 과거력: 96%의 환자가 CDAD가 시작되기 전 14일 이내에 항생제 복용. 모든 환자가 3개월 이내에 항생제 복용. *C. difficile*이 집락화된 후 평균 2-3일 이내에 증상

2) 설사(1일 3회 이상의 비정형[unformed] 대변 배출), 대변에서 점액 혹은 잠혈 관찰됨. 흑색변이나 혈변은 드묾

3) 발열, 경련통, 복부 불쾌감, 백혈구 증가증이 흔하지만 환자의 1/2 미만에서 관찰

2. 진단

1) 대변으로 *C. difficile* 독소 A, B 검사

2) 대변배양검사: 민감도 가장 높음

3) Sigmoidoscopy나 colonoscopy에서 특징적인 pseudomembrane

4) 내시경 생검에서 특징적인 *C. difficile* 감염 소견

3. 치료

1) 원인이 된 항생제는 가능하면 빨리 중지

2) 장운동 억제제: 증상이 불명확해지고 toxic megacolon 촉진할 수 있음

3) 치료항생제

분류	기준	권장치료
First episode, non–severe	Leukocyte count ≤15,000/mm^3 AND serum creatinine <1.5 mg/dL	Metronidazole PO 500 mg tid, or 250 mg qid, 10–14 days OR Vancomycin PO 125 mg qid, 10–14 days OR Fidaxomicin* PO 200 mg bid for 10 days
First episode, severe	Leukocyte count >15,000/mm^3 OR serum creatinine ≥1.5 mg/dL	Vancomycin PO 125 mg qid, 10–14 days OR Fidaxomicin PO 200 mg bid for 10 days
Fulminant (previously called severe, complicated)	(Leukocyte count >15,000/mm^3 OR serum creatinine ≥1.5 mg/dL) AND hypotension, shock, ileus, or toxic megacolon. – Consider also other factors such as elevated lactate (≥5 mM) or significant leukocytosis (≥25,000/mm^3).	Consider early surgical consultation AND Vancomycin 500 mg qid PO or NG tube. If gut motility limited, give vancomycin per rectum** AND Metronidazole IV 500 mg tid

*Fidaxomicin: 국내에는 아직 도입되지 않음. **Typical dosing for per rectum vancomycin is a retention enema of 500 mg in 100 mL saline dosed every 6 hours

III. 창자열(enteric fever)

1. 원인균

Salmonella enterica serovar Typhi (*S. typhi*), *Salmonella enterica* serovar Paratyphi A, B, C (*S. Paratyphi* A,B,C), *Salmonella choleraesuis*

2. 임상양상

1) 잠복기: 3-21일

2) 38.8-40.5℃ 지속열, 두통, 복통, 비장종대, 상대적 서맥, 백혈구 감소증, 장미진(rose spot)으로 불리

는 발진(질병 첫 주에 약 30%의 환자에서 관찰되고 2-5일 후에 소실)

3. 진단

1) 항생제 투여 전 혈액, 대변, 소변, 골수, 위 및 장액 등에서 세균배양
2) 항생제를 수 일간 투여한 후에도 골수에서 배양검사 가능

4. 항생제

1) 아시아 이외 지역: ciprofloxacin 400 mg IV q12h or levofloxacin 750 mg PO/IV q24h, 7-14 days
2) 아시아지역: ceftriaxone 2 g IV daily 7-14 days, or azithromycin 1 g PO X 1dose, then 500 mg PO daily, 7 days

IV. 비브리오 패혈증

1. 원인균

Vibrio vulnificus

2. 증상 및 진단

1) 잠복기: 24-48시간
2) 초기증상: 발열, 오한, 근육통 및 복통 등
3) *V. vulnificus*균이 장점막을 매우 빨리 통과하여 초기 증상 발생 36시간 이내에 패혈증과 특징적인 피부 병변이 나타나며 저혈압 발생
4) 피부병변: 상지보다는 하지에 잘 생기며 홍반성 병변의 출현 후 반상출혈, 소포 및 물집 등이 생기고 피부괴사가 일어나며, 살갗이 벗겨짐. 이러한 병변은 매우 빠르게 진행하는데 패혈증에 의한 쇼크, DIC 등의 합병증에 의해 50%의 높은 사망률

3. 치료

1) 항생제

(1) Primary: ceftazidime 2 g IV q 8 hr + doxycycline 100 mg IV/PO bid
(2) Alternative: cefotaxime 2 g IV q 8 hr + ciprofloxacin 750 mg PO bid or 400 mg IV bid

2) Aggressive debridement

V. 복강내 감염

1. 정의 및 분류

1) Complicated infection; 진단과 치료를 위해 수술이나 경피적 배농이 필요한 경우이거나 원래의 장소를 벗어나 복막염이나 농양을 형성했거나 국소 절제로 제거할 수 없는 감염
2) Uncomplicated infection; 수술적 중재(수술, 경피적 배농)없이 항생제로 치료가 가능한 경우

2. 원인균

장내 상주균과 동일

3. 진단

1) 증상 및 징후, 병력청취
2) 복강내 감염의 유무와 원인 규명위해 복부 CT 권장
3) 혈액배양: 지역사회획득 복강내 감염 모든 환자에서 필요하지는 않음. 중증 혹은 면역저하의 경우 균혈증 동반유무는 항생제 투여 기간을 결정하는 데에 도움이 될 수 있음
4) 원인 병소에서의 검체 채취가 중요. 특히 과거 항생제에 노출력이 있거나 내성균주가 분리될 위험이 높은 군에서 감염부위 세균배양 권장
5) 그람염색: 특히 항생제 내성률이 높은 병원의 의료관련감염에서 항생제 감수성검사가 나올 때까지 경험적 항생제 선택에 도움이 됨

4. 치료

1) 지역사회획득감염에서 MRSA, enterococci, *Candida*에 대한 경험적 항생제는 고려하지 않음
2) 항생제 투여기간은 원인 조절(source control)이 적절하면 5-14일. 임상경과나 균주에 따라 치료 기간이 달라질 수 있음

경증 또는 중등증의 지역사회획득 복강내 감염	중증 또는 의료관련 복강내 감염
Cefoxitin	(Ceftazidime or cefepime) + metronidazole
Cefuroxime + metronidazole	Piperacillin/tazobactam
(Ceftriaxone or cefotaxime) + metronidazole	Imipenem/cilastatin
(Ciprofloxacin or levofloxacin) + metronidazole	Meropenem
Ertapenem	
Moxifloxacin	
Tigecycline	

VI. 간농양

1. 병인

1) 세균의 혈행성 전파

2) 복강내 인접한 다른 부위 감염의 국소 전파: 담관 관련 질환이 가장 흔함

2. 증상

발열(가장 흔함), 비특이적 증상(오한, 오심, 체중감소, 구토), 50%의 환자에서만 간비대나 우상복부 동통, 황달. 노령층에서는 단지 발열만 있는 경우가 많음

3. 진단

1) 검사실소견: alkaline phosphatase 증가(70%), bilirubin 증가(50%), aspartate aminotransferase 증가 (48%), leukocytosis (77%), normocytic normochromic anemia (50%), hypoalbuminemia (33%), concommitent bacteremia (1/3)

2) 진단과 배농을 위해 CT나 초음파가 유용

3) 혈액 배양과 농 배양

4. 원인균

1) Biliary tree에서 기인한 경우

호기성 그람음성 장내막대균(특히 *K. pneumoniae*, *E. coli*)이나 enterococci가 가장 흔하고, 과거 수술력이 없다면 혐기성균이 원인이 되는 경우는 드묾

2) Pelvis나 다른 복강 내가 원인인 경우

호기균과 혐기균(특히 *B. fragilis*)의 복합감염

3) 혈행성으로 인한 경우

단일 세균, 특히 *S. aureus*, *Streptococcus milleri*와 같은 사슬알균 고려

4) 항암요법환자에서 진균혈증이 생긴 경우나 호중구 감소증에서 회복되는 과정에서 칸디다 간농양이 생길 수 있음. 그러나 배액관에서 칸디다가 검출되었다고 해서 반드시 간농양의 원인이라고 할 수는 없음

5. 치료

1) 초기 경험적 항생제

(1) 3세대 또는 4세대 cephalosporin (cefotaxime, ceftriaxone, ceftizoxime, ceftazidime, cefepime) + metronidazole, cefoperazone/sulbactam

(2) Fluoroquinolone (ciprofloxacin, levofloxacin) + metronidazole

(3) Piperacillin/tazobactam

(4) Meropenem, imipenem/cilastatin, ertapenem, doripenem

2) 화농성 간농양에 대해 주사용 항생제 2-3주를 포함하여 총 4-6주 투여

3) 화농성 간농양 대부분 경피적 배농이 필요하고, 배농이 최소화 될 때까지 카테터 유지

VII. 급성 담관염 / 담낭염

1. 진단

1) 증상: 발열, 우상복부나 심와부 통증이 등으로 방사, 담낭염시 Murphy's sign, 담관염시 Charcot's triad (발열, 황달, 우상복부 통증)

2) 검사

(1) 말초혈 백혈구와 CRP 증가, 간기능이상(alkaline phosphatase, r-GTP, AST, ALT 증가)

(2) 혈액배양, 채취 가능하다면 담즙배양 권장

3) 영상: 초음파, CT

2. 원인균

1) E. coli, K. pneumoniae, Enterobacter, P. aeruginosa, enterococci, streptococci, Bacteroides 등

2) 병원감염이나 ERCP나 수술력이 있는 경우에는 P. aeruginosa가 원인이 되기도 함

3) 담관 수술력이 있거나 담관-장 문합이 있는 경우에는 혐기균이 더 자주 원인이 됨

3. 치료

1) 경증 또는 중등증 급성 담관염/담낭염; cefuroxime, ceftriaxone, levofloxacin, ciprofloxacin

2) 중증 급성 담관염/담낭염, 중증도 관계없이 biliary-enteric anastomosis 받은 환자, 중증도에 관계없이 의료관련 급성 담관염/담낭염

(1) Ceftazidime 또는 cefepime + metronidazole

(2) Piperacillin/tazobactam

(3) Meropenem, imipenem/cilastatin

3) 항생제 사용기간

5-10일간 사용 권장. 폐색 등의 원인 조절(source control)이 적절한 경우는 5일 이내 항생제 중단 권장. 임상경과에 따라 기간 연장 고려

4) 담낭염에서 담낭 절제술이나 cholecystostomy, transhepatic drainage시 예방적 목적의 항생제 사용 담낭벽 외부에 감염의 증거가 없으면 수술 후 24시간까지만 사용

제3-6절 의료관련폐렴

Hospital Acquired Pneumonia (HAP)

입원 후 48시간 이상 경과된 후 생긴 폐렴, 인공호흡기를 하지 않은 상태에서 발생

Ventilator Associated Pneumonia (VAP)

호흡기 삽관 후 48-72시간 이상 경과되어 생긴 폐렴

****healthcare-associated pneumonia 개념은 삭제됨

2016 ATS/IDSA guideline에서의 주요 지침

I. 진단

1. VAP 진단을 위해 비침습적인 반정량적 배양검사를 추천
2. HAP/VAP 환자에서 serum procalcitonin이나 기관지경 sTREM-1, CRP 결과 혹은 Modified clinical pulmonary infection score (CPIS)보다는 임상양상으로 항생제 치료 시작을 결정하는 것을 추천

II. 다제 내성균 위험인자

MDR VAP	90일 안에 항생제 사용력
	VAP 진단 시점에 패혈쇼크
	ARDS
	VAP 발생 전 5일 이상 입원력
	급성 신부전 동반
MDR HAP	90일 안에 항생제 사용력
MRSA, MDR Psuedomonas	90일 안에 항생제 사용력

MDR: multidrug resistant organism

III. 치료

- 항생제의 경험적 사용은 지역의 항생제 내성 양상에 따라 결정해야 함
- Proclacitonin과 임상양상에 따라 항생제 중단을 결정할 것을 권장
- 치료 기간은 VAP/HAP의 경우 7일을 권장

- de-escalation 권장

1. 경험적 항생제

1) 경험적 항생제 선택시 고려 사항

		항MRSA 치료 권장	다른 계열 2가지 항녹농균제제 권장
VAP	S. aureus, Pseudomonas aeruginosa와 다른 그람음성균을 포함하는 항생제를 선택	MRSA 위험인자가 있음 methicillin 내성률이 10~20% 이상인 병동	그람음성균의 단일 항생제 내성이 10% 이상인 병동 내성 위험인자
HAP		90일 안에 항생제 치료력 methicillin 내성률이 20% 이상인 병동 사망률이 높다고 예측되는 경우	90일 안에 항생제 치료력 사망률이 높다고 예측되는 경우

2) 권장되는 경험적 항생제

초기 경험적 항생제	MRSA 고위험	다제내성 녹농균 고위험 (다음 중 한가지 추가)
Piperacillin/tazobactam Cefepime 또는 ceftazidime Carbapenem Aztreonam Levofloxacin	Vancomycin 또는 linezolid	Aminoglycoside Fluoroquinolone Colistin 또는 polymyxin B (VAP만)

2. 균주별 항생제

균주	항생제 선택
MRSA	Vancomycin 또는 linezolid
P. aeruginosa	항생제 감수성 결과에 맞는 항생제 선택 Aminoglycoside 단독 요법은 피함
ESBL 생성 그람음성균	항생제 감수성 결과에 맞는 항생제 선택
Acinetobacter species	Carbapenem 또는 amicpillin/sulbactam (감수성이 있는 경우) IV polymyxin Inhaled colistin
Carbapenem 내성 균주	IV polymyxin Inhaled colistin

IV. 요약

- 의료관련폐렴은 HAP와 VAP가 있음
- 임상양상으로 항생제 치료 시작을 결정함
- 항생제의 경험적 사용은 지역의 항생제 내성 양상에 따라 결정해야 함
- S. aureus, Pseudomonas aeruginosa와 다른 그람음성균을 커버하는 항생제를 선택하되 다제 내성 위험인자를 고려함

- Proclacitonin과 임상양상에 따라 항생제 중단을 결정함
- 치료 기간은 7일을 권장함

제3-7절 피부연조직감염(skin and soft tissue infection, SSTI)

I. 침범 깊이에 따른 분류와 특징(그림 10-3-11, 표 10-3-21~22)

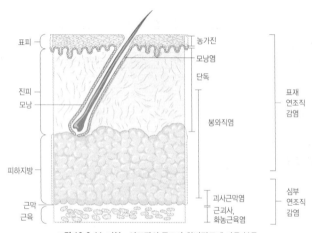

그림 10-3-11 피부 - 연조직의 구조와 침범정도에 따른 분류

표 10-3-21 침범 깊이에 따른 분류와 특징

	표재성	심부
감염 부위	근막(fascia)을 기준으로 하여 그 위를 침범하는 연조직 감염	근막 및 근육을 포함한 연조직 감염
감염 경로	손상 받은 부위를 통해 세균이 침입하여 주변으로 퍼지면서 심부로 진행	주로 혈행을 통해 균이 침입하여 근막이나 근육에 염증을 유발. 근막을 따라 퍼져 신경이나 혈관을 침범함
종류	표피에 국한: 농가진, 단독 진피와 피하지방: 연조직감염, 모낭염, 종기	괴사근막염, 화농성근염, 근괴사
예후 및 치료	항균제 투여만으로도 치료가 가능하며, carbuncle인 경우 배농이 필요함	사망률이 높고, 대부분 외과적 절제가 필요함

표 10-3-22 심부연조직감염을 시사하는 소견

Systemic	착란, 빈맥/빈호흡, 고혈당/케톤혈증 쇼크/다장기부전

Local	피부괴저, 피부청색증, 수포형성성, 퇴색
	극심한 통증 또는 무감각
	불분명한 경계에 붉은 삼출막 형성
	영상검사에서 가스 확인, 마찰음
	여러 누관을 형성한 농양

II. 표재성 피부연조직 감염의 임상양상

1. 농가진(Impetigo)

1) Group A β-hemolytic streptococci와 S. aureus에 의한 화농성 병변. 주로 신체노출부위에 발생하므로 얼굴과 사지에 흔함

2) Cephalexin, clindamycin, amoxicillin/clavulanate 경구투여 하며, 투여기간은 1주일 이내

2. 종기(Furuncle, carbuncle)

모낭의 감염으로 진피, 피하조직에 농양발생. 치료는 절개와 배농

3. 단독(Erysipelas)

1) 진피층의 상층부를 침범하는 감염으로 superficial lymphatics를 침범하여 경계가 명확하고 병변이 솟아 있음(peau d'orange). 주로 얼굴과 하지를 침범

2) 주로 group A β-hemolytic streptococci (S. pyogenes), 임상증상으로 진단

3) Penicillin G, cefazolin, ampicillin/sulbactam 정맥주사, amoxicillin, amoxicillin/clavulanate 경구투여. β-lactam계 항생제에 알레르기가 있는 경우 clindamycin, vancomycin을 투여할 수 있음

4. 연조직염(Cellulitis)

1) 진피와 피하조직을 침범하는 급성감염

2) 원인균

(1) S. aureus: 부종, 발적, 국소열감 및 림프관염 등 동반. 종기나 농양이 동반된 경우

(2) Streptococcus: 미만성이고 균의 침입부위가 불분명한 경우

(3) 그 외 야외활동, 외상, 바닷물이나 강물에 노출, 동물에 의한 교상, 벌레물림 등의 과거력이 원인균 감별에 도움이 됨

3) 전형적인 연조직염에서는 혈액배양 또는 병변의 aspiration/biopsy가 권장되지 않음

4) 림프부종 부위에 연조직염이 발생하는 경우 혈액배양이 양성률 높아서 도움이 됨

5) 당뇨병환자 또는 면역저하자에서 발생한 연조직염 또는 교상 후 발생한 경우 다른 원인균이 비교적 흔하므로 병변의 aspiration/biopsy culture가 원인균 확인에 도움

6) 치료

경구 dicloxacillin, cephalexin, clindamycin, amoxicillin-clavulanate 등, 주사 nafcillin, cefazolin, ampicillin/sulbactam, 또는 clindamycin

5. 심부연조직감염

1) 괴사근막염(Necrotizing fasciitis)

(1) 세균이 피하조직과 심부근막을 침범하여 특징적으로 광범위한 괴사를 일으키는 질환. 초기에는 병변부위 보다 넓은 부위에 심한 통증과 압통이 발생하고(stage 1), 물집이 발생한 후(stage 2) 마찰음, 피부감각저하 또는 무감각, 피부괴사(stage 3)로 빠르게 진행

(2) 주요 원인균(표 10-3-23)

표 10-3-23 괴사근막염의 위험인자 및 원인균주에 따른 특징

	기저질환	위험인자	침입부위	형태 및 특징
Polymicrobial	당뇨병, 말초혈관질환		피부	썩는 냄새
Streptococci	건강한 성인, 당뇨병	수술 후, 수두발생 후	피부	부종과 발진
V. vulnificus	간질환, 알코올중독	생어패류	위장관, 피부	대수포발생(bullae)
A. hydrophila	간담도암	담수에 접촉	피부, 위장관	대수포발생(bullae)
P. aeruginosa	호중구감소증		위장관	농창(ecthyma)

2) 감염성 근육염(Infectious myositis)

(1) 바이러스 및 기생충의 근육침범

심한 근육통부터 횡문근융해(rhabdomyolysis)까지 유발 가능하고 influenza virus, dengue virus, coxsackievirus B와 trichinosis, cysticercosis, toxoplasmosis 등이 주요 원인

(2) 화농근육염(Pyomyositis)

급성세균감염에 의해 근육에 농양을 형성, 90-95% S. aureus가 원인이 되나 S. pyogenes이 원인이 되기도 함. S. aureus에 의한 감염은 국소적이고, TSST-1, enterotoxin을 생성하는 경우를 제외하고 쇼크를 유발하지 않음. S. pyogenes에 의한 감염인 경우 괴사근육염과 전신독성 유발

(3) 근육괴사(Myonecrosis, gas gangrene)

주로 Clostridium spp.에 의해 매우 빠르게 진행하는 감염증으로 감염조직에 백혈구 침윤 없이 근육의 괴사만이 관찰됨. 외상에 의한 경우 외상 후 24시간 이내 발병하며, 쇼크, 다장기기능부전 등 전신독성 발생. 자발성 비외상성 근육괴사의 경우 호중구감소증, 위장관 악성종양, 게실증, 복부에 방사선치료 등의 위험인자가 있는 환자에서 발생. C. septicum이 가장 흔한 원인균

3) 진단

(1) 해부학적 진단: 침범된 깊이를 평가

① MRI: 깊이를 평가하는데 도움이 되며 병변진행이 빠르거나 전신독성 소견이 보이면 반드시 시행

② 수술적 진단(surgical exploration) 및 근막생검: 가장 이상적인 방법이나 쉽지 않음

③ Hemostat or finger probing: 피부를 조금 절개 후 손가락을 밀어 넣었을 때 괴사근막염은 쉽게

진행하는 반면, 봉와직염에선 진행하지 않음

④ 기타: 단순 X선(gas발견), 초음파, CT, gallium-67 schintigraphy

(2) 원인균 진단: 병변의 경계부에서 aspiration 또는 punch biopsy하여 배양, 혈액배양 시행

4) 치료

(1) 수술적 치료

괴사근막염에서 가장 중요한 치료 방법. 대부분 24-36시간 안에 반복적인 변연절제(debridement)가 필요하며, 매일 관찰하여 추가적인 변연절제 필요여부 확인

(2) 항균제 치료(표 10-3-24)

항균제 종류는 원인균에 따라 결정되며, 투여기간은 괴사조직이 모두 제거되어 더이상 반복적 수술이 필요 없고, 모든 전신독성이 없이 임상호전을 보이면서, 육아조직으로 채워질 때까지 투여

(3) Immunoglobulin

효과는 증명되지 않았지만, *S. pyogenes* 또는 *S. aureus*에 의한 괴사근막염의 중증환자에서 보조치료로 고려해 볼 수 있음

(4) 기타 치료

Clostridium spp.에 의한 근육괴사가 있는 경우 고압산소치료를 시행하기도 함

표 10-3-24 괴사심부 연조직감염의 항균제치료

원인균에 따른 1차 항균요법	용량	페니실린 과민성 환자인 경우
Polymicrobial infection		
Ampicillin–sulbactam	1.5–3.0 g IV q6–8h	Clindamycin 또는 metronidazole
or piperacillin–tazobactam	4.5 g IV 6–8h	+ amionclycoside 또는
+ clindamycin	600–900 mg/kg IV q8h	fluoroquinolone
+ ciprofloxacin	400 mg IV q12h iv	
Cefotaxime	2 g IV q6h	
+ metronidazole	500 mg IV q6h	
or clindamycin	600–900 mg/kg IV q8h	
Imipenem/cilastatin	500 mg q 6–8h iv	
Meropenem	1 g IV q8h	
Ertapanem	1 g IV qd	
***Streptococcus* 감염**		
Penicillin G	2–4 mU IV q 4–6 h	Vancomycin
+ clindamycin	600–900 mg/kg IV q8h	
***S. aureus* 감염**		
Nafcillin	1–2 g IV q4h	Vancomycin
Cefazolin	1 g IV q8h	
Vancomycin (for MRSA)	15 mg/kg IV q12h	
Clindamycin	600–900 mg/kg IV q8h	
***Clostridium* 감염**		
Clindamycin	600–900 mg/kg IV q8h	
Penicillin G	2–4 mU IV q 4–6 h	

III. 독소쇼크증후군(Toxic shock syndrome, TSS)

1. S. aureus와 Streptococci는 직접침범에 의한 손상 뿐 아니라 독소(toxin)를 생성하여 병을 일으킴

2. 임상적 특징

1) Staphylococcal TSS: 위의 증상과 함께 증상발생 1-2주 뒤 피부박리(desquamation) 발생. S. aureus 감염부위가 명확하지 않을 수 있음

2) Streptococcal TSS: 연조직괴사(괴사근막염, 근육괴사)가 더 흔하게 동반되고 사망률이 높음

3. 치료

TSS에서는 immunoglobulin을 사용하여 도움을 받는 경우가 있고, clindamycin 등 단백질합성을 억제하는 항균제를 같이 투여하면 독소생성이 억제되어 치료효과가 높다고 여겨져 세포벽에 작용하는 항균제(penicillin, nafcillin, cefazolin, vancomycin)와 병합하도록 권고됨

IV. 당뇨발 감염(diabetic foot)

1) 발생부위가 근육이 거의 없는 부위이므로 감염이 피부 및 피하조직보다 깊어지면 골수염 발생이 흔함. 증상에 따라 경증, 중등도, 중증 3단계로 분류(표 10-3-25)

표 10-3-25 당뇨발 감염의 분류

분류	증상
경증	부분적 염증증상(화농, 홍반, 통증, 발열, 압통), 범위가 2 cm이내, 피부,피하조직만 침범
중등도	경,중등도의 전신증상동반, 범위가 2 cm이상, 림프관염이 동반되거나 심부조직 조직 침범
중증	발열, 오한, 빈맥, 저혈압, 혼돈, 구토, 백혈구증가, 산증, 중증 고혈당 등의 중증의 전신독성이 동반

2) 주요 원인균

항균제를 투여한 적이 없는 급성감염에서는 그람양성균에 의한 단독감염이 흔함. 만성감염에서는 주로 mixed infection (GPC, GNB, anaerobe 포함)

3) 진단

(1) 배양검사

중등도, 중증감염인 경우 혈액배양 및 병변 배양검사 시행. 배양검사를 시행할 때에는 죽은 조직을 제거하고 curretage, biopsy로 궤양기저부에서 채취하는 것이 좋음. 또는 고름 및 연조 직염에서 검체 채취 시에는 aspiration이 유용함

(2) 영상검사

모든 환자에게 단순 X선 검사시행. 심부조직 감염이 의심되면, 골수염 동반여부 확인이 필요. 골

조직검사 및 배양 또는 MRI 또는 bone scan을 시행

4) 경험적 항균제 종류 및 투여기간

표 10-3-26 당뇨발 감염의 경험적 항균제 및 투여기간

분류	항균제 종류	투여기간
경증	경구: Cephalexin, cefadroxil, amoxicillin/clavulanate, levofloxacin, moxifloxacin	1-2주, 반응이 느린 경우 4주까지 연장
	주사: Cefnidir, amoxicillin/clavulanate, levofloxacin	
중등도	Ampicillin/sulbactam	2-4주
	Amoxicillin/clavulanate	
	Cefoxitin	
	Cefuroxime ± metronidazole	
	Ceftriaxone	
	Levofloxacin or ciprofloxacin + clindamycin	
	Moxifloxacin	
	Piperacillin/tazobactam	
	Ertapenem	
	Tigecycline	
중증	Piperacillin/tazobactam	2-4주
	Levofloxacin or ciprofloxacin + clindamycin	
	Moxifloxacin	
	Imipenem/cilastatin	
	Vancomycin (MRSA가 의심되는 경우) + ceftazidime ± metronidazole	
	Tigecycline	

적절한 기간동안 항균제를 유지했음에도 감염이 지속되는 경우 항생제내성, 균교대감염(superinfection), 심부조직 농양, 골수염, 심각한 허혈 등을 고려해야함

5) 수술적 치료

괴사근막염, 가스괴저, 광범위 연조직소실, compartment syndrome이 동반된 생명을 위협하는 감염에서는 신속하게 수술적 치료. 죽은 조직 제거 또는 제한적 절단을 늦추지 말고 적극적으로 적시에 시행하면 광범위 절단을 감소시킬 수 있음

V. 교상

1. 상처치료의 원칙: 생리식염수로 세척, 변연절제 상처주변 조직 및 뼈손상 면밀히 관찰, 필요시 배액

2. 항균제 치료

표 10-3-27 교상시 주요 원인균과 치료

	주요 원인균	경구	주사
개, 고양이에 물린 경우	*Pasteurella* spp. *Capnocytophaga*	Amoxicillin/clavulanate (fluoroquinolones or TMP/SMX or doxycycline) + metronidazole or clindamcyin	Ampicillin/sulbactam

	주요 원인균	경구	주사
사람에게 물린 경우	Oral anaerobe; viridans streptococci; *S. arueus*	Amoxicillin/clavulanate Fluoroquinolones + clinamycin TMP/SMX + metronidazole	Ampicillin/sulbactam Cefoxitin

3. 동물에 물린 경우 고려사항: 필요시 파상풍 및 광견병 예방

　1) 파상풍 예방: 과거 파상풍 예방기록이 없거나 모르는 경우 Td 또는 Tdap 0.5 mL근주

　2) 광견병 예방: 야생동물에 의한 교상인 경우 교상당일 광견병면역글로불린(KamRAB®)을 접종하고
이후 예방접종(VERORAB®)을 0-3-7-14-28일 간격으로 접종. 희귀약품센터에서 구입 가능

제3-8절 요로감염

　요로감염은 방광, 신장, 요도, 전립선 등 요로계의 세균감염을 의미함. 단순(uncomplicated) 요로감염은
요로의 기능적, 해부학적 이상이 없는 여성의 요로감염이며, 복잡성(complicated) 요로감염은 요로의 기능
적, 해부학적 이상을 동반한 환자나 당뇨병 환자, 남성, 임산부 등의 요로감염임

I. 급성 방광염

1. 정의, 원인

　방광의 세균 감염, *E. coli*가 가장 흔한 원인균

2. 증상

　1) 하부 요로감염 증상: 배뇨통, 긴박뇨, 빈뇨, 야간뇨, 배뇨장애

　2) 소변에서 고약한 냄새가 나거나 하복부 통증이 나타남

3. 진단

　1) 하부 요로감염 증상, 농뇨(백혈구 > 10/mm³), 소변 그람염색검사가 항균제의 선택에 도움줄 수 있음

　2) 소변배양: 국내 원인균의 내성률이 외국에 비해 높아 소변배양검사가 필요함

4. 치료

　1) 경구용 fluoroquinolone 계열 항균제를 3일 이상 투여

　2) Cefdinir, cefditoren, cefixime, cefpodoxime 등의 경구 세팔로스포린 항균제를 5일 이상 투여

　3) Nitrofurantoin monohydrate/macrocrystals 100 mg 하루 2회씩 5일 이상 투여

　4) Fosfomycin trometamol 3 g 단회 사용

5) Trimethoprim-sulfamethoxazole (TMP-/SMX)에 대한 지역사회 내성률이 20% 이하이면 경험적으로 TMP/SMX (1정에 80 mg/400 mg) 사용 가능, 원인균 감수성이 확인되어도 TMP/SMX 사용 가능

6) 원인균의 감수성이 확인되면 amoxicillin/clavulanate 투여도 가능

7) 당뇨병이 있거나 증상이 7일 이상 지속된 경우 혹은 65세 이상에서는 상부 요로 감염의 확률이 높아 3일 요법보다는 7일 요법이 바람직함

8) 임신부인 경우는 세팔로스포린이나 amoxicillin/clavulanate로 7일간 치료

표 10-3-28 급성 방광염 치료

경험적 항균제	용량 (mg)	투여 간격 (시간)	최소 투여기간
Ciprofloxacin	250–500	12	3
Ofloxacin	200–400	12	3
Cefcapene pivoxil	100	8	5
Cefdinir	100	8	5
Cefditoren pivoxil	100	8	5
Cefpodoxime proxetil	100	12	5
Nitrofurantoin	100	12	5
Fosfomycin	3,000	24	1

II. 급성 신우신염

1. 증상 및 원인

1) 신장 실질의 감염, 발열, 오심, 구토 등의 전신적 증상과 옆구리 통증, 늑골척추각 압통

2) 원인균: *E. coli*가 85% 이상에서 분리됨

2. 진단

체온 38℃ 이상, 농뇨와 혈청 C-reactive protein 상승, 옆구리 통증이나 늑골척추각 압통 등의 상부 요로 감염 증상이 확인되면 임상적으로 진단할 수 있고, 소변 1 mL당 10^4-10^5 CFU 이상의 균주가 배양되면 미생물학적으로 확진

3. 치료

1) 경증: 통원 치료가 가능한 경우

(1) Ciprofloxacin, ofloxacin 등의 경구용 fluoroquinolone을 10-14일간 사용함

(2) 초기 정주용 항균제로 ceftriaxone 1-2 g 또는 amikacin 1일 용량(500-750 mg)을 정맥주사한 후 배양 결과가 확인될 때까지 경구 fluoroquinolone을 투여할 수 있음

(3) TMP/SMX는 원인균의 항균제 감수성 결과를 확인한 후에 사용함

(4) 그람양성균이 분리된 경우는 amoxicillin (±clavulanate)을 투여할 수 있음

2) 중증: 입원이 필요한 경우(오심, 구토 등의 위장관 증상이 있고 패혈증 의심)

(1) 초기 항균제로 3세대 세팔로스포린(cefotaxime 2 g 하루 3회, 또는 ceftriaxone 1~2 g 하루 1회), 2세대 세팔로스포린(cefuroxime 750 mg 하루 3회), aminoglycoside (amikacin 15 mg/kg 하루 1회, 또는 gentamicin 5 mg/kg 하루 1회, 또는 tobramycin 5 mg/kg 하루 1회) 항균제를 정맥주사함

(2) 초기 항균제 정주 후에 임상 증상이 호전되면 해열 후 약 2~3일 후에 감수성 있는 경구용 항균제(fluoroquinolone, TMP/SMX, cephalosporin)로 전환하여 총 2주간 항균제를 투여

(3) 원인균이 그람양성균인 경우는 감수성 결과에 따라 경구 amoxicillin (±clavulanate)으로 전환할수 있음

(4) 임신부인 경우는 입원하여 세팔로스포린을 2주간 정맥투여

3) 중증 패혈증이나 패혈 쇼크: 중환자실 입원이 필요한 경우

(1) 국내에서 광범위 β-lactamase (ESBL) 생성 원인균의 높은 빈도를 감안하여 초기 항균제로 β-lactam/β-lactamase inhibitor (piperacillin/tazobactam 4.5 g 하루 3회) 또는 carbapenem (meropenem 1 g 하루 3회)을 투여

(2) ESBL 생성 균주가 분리되면 감수성을 보이는 fosfomycin, TMP/SMX, cefepime, ceftazidime/avibactam, ceftolozane/tazobactam, amoxicillin/clavulanate, piperacillin/tazobactam, amikacin을 carbapenem을 대신하여 투여할 수 있음

4) 합병증 배제

(1) 항균제 치료를 시작하고 72시간 후에도 발열이 지속되면 신장초음파나 복부 컴퓨터 단층촬영(CT) 등의 영상검사를 시행하여 요로폐쇄, 신장 농양, 신주위 농양 등의 합병증을 배제해야 함

(2) 담낭염, 충수염, 내장 천공, 폐렴, 대상포진 등 임상 증상만으로는 급성 신우신염으로 오인될 수도 있는 질환들이 많이 있어 복부 CT 등의 영상검사를 시행할 수 있음

III. 재발성 신우신염

1. 정의

1년 간 3회 이상 혹은 6개월간 2회 이상의 신우신염이 발생한 경우

2. 평가와 치료

초음파나 배뇨중 방광요도조영술(voiding cystourethrogram) 등의 영상검사를 실시하여 요로의 구조적, 기능적 이상을 찾아야 하며 이상 부위가 없는 경우 항균제를 2-6주간 투여

IV. 성인에서 무증상 세균뇨

1. 정의

요로 감염 증상이 없으면서 세균이 소변 1 mL당 10^5 CFU 이상으로 2번 이상 연속적으로 배양된 경우이며 일반적으로 항균제를 투여하지 않음

2. 무증상 세균뇨를 치료해야 하는 경우

1) 임신부, 신이식 환자, 이식 후 초기 6개월 이내

2) 침습적 비뇨기 수술 전: 경요도전립선 절제술, 요로결석 제거술, 스텐트 삽입 등

3) 백혈구 감소증이나 요로 폐색 등 합병증 동반 가능성이 높은 경우

3. 치료

감수성 있는 항균제를 7일간 투여

V. 신장주위농양, 신장 농양(Perinephric and renal abscess)

1. 원인균: *E. coli*, *Proteus* spp, *Klebsiella* spp.

2. 증상: 옆구리 통증, 발열이 가장 흔한 증상

3. 진단: 복부초음파, 복부 CT

4. 치료

   1) 필요시 배농

   2) 급성 신우신염 치료에 사용하는 항균제 투여

   3) 항균제 투여 기간: 4-6주(10-14일간 정주하고 경구로 2-4주 유지)

VI. 기종성 신우신염

1. 증상

1) 대부분 당뇨병이 있거나 요로폐색 혹은 만성 감염이 있는 경우에 발생

2) 대개 임상경과가 빠르고 고열, 백혈구증가증, 신장실질괴사 및 신장주위 조직 내 발효성가스의 축적이 특징

2. 진단

단순 X선 사진이나 CT 등으로 조직 내 가스를 확인

3. 치료

1) 전신적 항균제 치료와 함께 침범된 조직의 수술적 절제가 필요할 수 있음
2) 가스 형성이 신우에 국한되고 신장 실질의 침범이 없는 경우는 항균제만 투여하며 신장 실질을 침범하면 항균제 투여와 함께 경피적 배농술이나 수술적 절제를 실시함
3) 가스 형성이 신장 주변부까지 광범위하게 침범한 경우와 경피적 배농술에도 임상적 호전이 없으면 신장 절제술을 고려함

VII. 전립선염

남성의 재발성 요로 감염에서는 반드시 전립선염을 감별해야 함

1. 증상 및 진단

1) 급성 세균성 전립선염: 발열, 오한, 배뇨곤란 및 전립선의 심한 압통이 특징
2) 만성 세균성 전립선염: 발열과 압통이 없지만 전립선 분비물이나 마사지 후의 소변배양검사를 통해 진단할 수 있음

2. 치료

1) 급성 세균성 전립선염

(1) 증상이 심한 경우 입원하여 경험적 항균제를 정맥주사함
(2) 입원이 필요한 경우 3세대 세팔로스포린, fluoroquinolone, 광범위 β-lactam/β-lactamase inhibitor 또는 carbapenem 등을 사용 가능함
(3) 급성기 이후 2주에서 4주간 경구 fluoroquinolone 제제 투여하며, 감수성 결과에 따라 TMP/SMX 또는 경구용 cephalosporin 제제도 사용이 가능
(4) 항균제 투여 기간: 4-6주

2) 만성 세균성 전립선염

(1) Levofloxacin 500 mg 1일 1회 4-6주
(2) Ciprofloxacin 500 mg 1일 2회 4-6주
(3) 감수성 결과에 따라 TMP/SMX를 사용할 경우는 3개월간 투여
(4) *Chlamydia trachomatis*에 의한 만성 전립선염의 경우
　① Azithromycin 1 g 단회, 1주일마다 4주간 투여
　② Doxycycline 100 mg 1일 2회, 4주간 투여
　③ Clarithromycin 500 mg 1일 2회, 2-4주간 투여

I. 골수염(Osteomyelitis)

표 10-3-29 골수염의 원인 미생물

흔한 원인	
Staphylococcus aureus	가장 흔한 원인이며 악화가 빠르게 진행됨. 종종 혈행성 전파로 전이 병소로 발견됨. 조기에 수술적 치료 필요할 수 있음
Coagulase-negative staphylococci	종종 삽입물(implants)과 연관됨 biofilm 생성
Streptococci	연조직을 통해 빠르게 퍼질 수 있음
Enterobacteriaceae (*Escherichia coli, Klebsiella*, others)	항생제 감수성 결과 확인 및 치료 중 내성 발현 여부 고려
Pseudomonas aeruginosa	내성 균주인 경우가 많으며 초기 치료 실패와 연관될 수 있음
드문 원인	
Anaerobes	Aerobic bacteria 와 함께 배양되는 경우가 많음
Bartonella henselae	Cat scratches 와 벼룩(fleas) 과 연관
Brucella species	멸균되지 않은 우유. 개발도상국에서 많음
Fungi	*Candida*가 가장 흔하며 수술적 치료 필요 할 수 있음
Mycobacterium tuberculosis	뼈의 어느 부분에서나 발생 가능
Mycobacteria other than *M. tuberculosis*	배양 필요

1. 분류

1) 혈행성 골수염(Hematogenous osteomyelitis)

(1) 전체 골수염의 ~20%를 차지하고 소아에서 흔함

(2) 원인균: 95% 이상에서 단일균주에 의함(약 50%가 *S. aureus*)

① 급성 혈행성 골수염(Acute hematogenous osteomyelitis)

균혈증의 원인: 소아 - 대개 불현성, 성인 - 호흡기계, 요로계, 심장 판막, 혈관내 카테터 부위

② 척추 골수염(Vertebral osteomyelitis)

균혈증의 원인: 요로계(특히 50세 이상의 남성), 치아 농양, 연부조직 감염, 정맥주사관 오염 등 (약 50%에서는 원인을 찾을 수 없음)

2) 인접 감염병소에 의한 이차성 골수염(Osteomyelitis secondary to a contiguous focus of infection)

(1) 전체 골수염의 ~80%를 차지하고 성인에서 흔함

(2) 원인균: *S. aureus*가 50% 이상이나, 혈행성 골수염과 비교하여 그람음성균과 혐기균에 의한 여러 균감염(polymicrobial infection)이 더 흔함

3) 만성 골수염(Chronic osteomyelitis)

적절한 치료를 시행한 급성 혈행성 골수염의 5% 미만에서 만성 골수염으로 진행함

2. 진단

1) 실험실검사: 대개 ESR, CRP 상승

2) 영상검사

표 10-3-30 골수염에서 진단을 위한 영상학적검사

단순 X선	초기 골수염 진단에 낮은 민감도, 해부학적 이상(골절, 골변이, 변형)이나 이물질, 연부조직 가스 관찰에 용이
삼상뼈스캔(three-phase bone scan, 99mTc-MDP)	골수염의 특징적 소견으로 삼상의 스캔 모두에서 섭취율 증가를 보임. 초기 감염에 높은 민감도(~96%), 중등도의 특이도(단, 단순 X선에서 신경병관절병증, 골절, 종양, 경색이 있는 경우는 특이도 낮음)
기타 방사선핵뼈스캔(67Ga-citrate, 111In-labeled WBCs)	비감염성 염증 감별에 도움
초음파	골막하 체액저류나 연부조직 농양 관찰에 용이
CT	만성 골수염에서 유용. 급성 골수염과 금속 이물질 존재 시는 제한적 역할
MRI	급성 골수염에서 99mTc-MDP만큼 높은 민감도(~96%), 높은 특이도(~87%), 금속 이물질 존재 시 제한적 사용

3) 배양검사

(1) 골수염이 의심되는 모든 환자에서 항생제 투여 전 반드시 미생물 검사를 위한 적절한 검체 확보!

(2) 혈액배양: 급성인 경우 시행, 소아 혈행성 골수염의 1/3, 성인 척추 골수염의 25% 이상에서 양성

(3) 혈액배양이 음성인 경우, 배양을 위해 뼈나 연부조직 내 고름의 바늘흡인 또는 골조직검사 시행

(4) 인접 감염병소에 의한 골수염의 경우, 배농루나 궤양저에서 면봉채취로 시행한 배양 결과는 감염된 뼈의 배양 결과와 불일치하는 경우가 많음. 감염되지 않은 조직을 통과하여 경피바늘흡인이나 경피조직검사를 시행하거나 외과적 죽은조직제거술 시 수술 중 조직검사를 시행

3. 치료

반드시 배양검사를 위한 적절한 검체를 채취한 후 항생제 투여

1) 항생제 요법: 살균 항생제를 고용량으로, 정맥내로 투여

(1) 경험적 항생제: 뼈나 농양으로부터 얻은 검체의 그람염색 결과에 따라 결정

① 대개 *S. aureus*에 효과적인 oxacillin, nafcillin, cefazolin, 또는 vancomycin을 고용량으로 투여

② 그람음성균이 의심되는 경우: 3세대 cephalosporin 우선 투여

③ 욕창궤양, 당뇨병발 감염인 경우: 혐기균에 효과적인 약제 포함

(2) 배양 및 항생제 감수성 검사 결과에 따른 치료(표 10-3-32)

① 급성 골수염: 4-6주간 항생제 요법 ± 수술(농양, 뼈의 괴사, 24-48 시간 내 호전 없을 경우 고려)

② 척추 골수염: 6-12주간 항생제 요법 ± 수술(척수불안정, 새로운 또는 진행하는 신경손상, 경피 배농이 불가능한 큰 연부조직 농양, 경막외농양)

③ 인접 감염병소에 의한 골수염: 수술 + 4-6주간 항생제 요법

④ 만성 골수염: 수술(괴사된 뼈와 연부조직의 완전한 수술적 제거) + 4-6주간 항생제 요법 ± 장기간 경구 항생제 요법

표 10-3-31 골수염에서 원인균에 따른 항생제 요법

원인균	일차약제	대체약제
Gram positive cocci		
Penicillin–susceptible *Staphylococcus aureus*	Penicillin, 3–4 million U IV q4h	
Penicillin–resistant, methicillin–susceptible *Staphylococcus aureus* (MSSA)	Nafcillin or oxacillin, 2 g IV q4h	Cefazolin, 2 g IV q8h; ceftriaxone, 2 g IV q24h; clindamycin, 600–900 mg IV q8h
Methicillin–resistant *Staphylococcus aureus* (MRSA)	Vancomycin, 15 mg/kg IV q12h	Linezolid, 600 mg IV or PO q12h; Teicoplanin 400 mg q 24h
Streptococci (including *S. milleri*, β–hemolytic streptococci)	Penicillin 5 mU IV q6h or 20 mU/d by continuous infusion	Ceftriaxone, 2 g/d IV or IM; ampicillin, 12 g/d IV)
Enterococci	ampicillin 2g IV q4h plus gentamicin 5mg/kg daily IV	Vancomycin, 15 mg/kg IV q12h
Gram–negative aerobic bacilli		
Enterobacteriaceae (*E. coli, Klebsiella*, other)	Ceftriaxone, 2 g/d IV	Extended–spectrum β–lactam agent IV
Pseudomonas aeruginosa	Ceftazidime 2g IV q 12h plus amikacin 15 mg/kg daily IV	ceftazidime, 2 g IV q12h; Cefepime, 2 g IV q12h

II. 골 관절 및 척추결핵(Bone, joint and spine tuberculosis)

1. 개요

1) 척추결핵
(1) 흉추에서 호발
(2) 척추 옆 및 요근 농양(psoas abscess) 발생할 수 있음

2) 관절결핵
주로 고관절이나 무릎관절 등 체중부하 관절에 단일 관절성으로 나타남

2. 진단
1) 단관절성 감염관절염이나 세균배양 음성일 경우, 특히 서서히 진행하는 경우 결핵을 의심하여 검사 진행
2) synovial fluid나 bone 등 검체로 결핵 배양검사, biopsy, AFB stain, TB PCR 시행
3) 영상 검사는 비특이적이나 MRI가 도움이 될 수 있음
4) IGRA 검사 양성이라고 결핵을 진단 할 수 있는 것은 아니나 진단을 배제하는 데 유용하게 활용

3. 치료

1) 약제: 폐결핵과 마찬가지로 표준치료(INH, RFP, EMB, PZA) 권고

2) 기간: 6-9개월 치료 권고 그러나 골 조직 내 약제투과율이 낮을 수 있어 필요에 따라 9-12개월 치료를 연장할 수 있음

3) 수술: 항결핵약제에 반응이 없거나 신경손상이 있을 경우(초기에는 오히려 진행하는 것으로 보일 수 있으므로 구분 필요)

4) 직접적으로 척수를 침범한 소견이 있으면 결핵성 수막염에 준하여 치료(일차약제로 7-10개월 치료, 스테로이드 치료 고려)

제3-10절 후천성면역결핍증(AIDS)

I. 정의

- HIV 환자란 첫 검사인 ELISA 에서 양성이 나왔다고 진단되는 게 아님. Western blot까지 양성이 되어야 비로소 HIV 환자. 그러니 첫 검사에서 양성이 나왔다고 당황하지 말고, 보통 환자들과 동등하게 대우할 것이며, 절대 환자 본인에게 미리 양성이라고 알리는 우를 범하지 말 것
- 확진이 되면 감염내과 전문의에게 의뢰할 것
- AIDS 환자: HIV에 감염된 환자로서 각종 기회질환(해리슨이나 이야기 감염학을 참조할 것)에 걸려 있거나 질환의 유무와 관계없이 CD4+ T 림프구 수가 <200/mm^{3}인 경우를 말함

II. 치료

HIV 감염이 확진되면 CD4 세포수나 증상 여부와 상관없이 치료를 시작.

1. NRTI (Nucleoside or nucleotide analogue reverse transcriptase inhibitor)

Tenofovir 300 mg/emtricitabine 200 mg, Abacavir 600 mg/lamivudine 300 mg (Kivexa), Zidovudine 300 mg/lamivudine 150 mg (Combivir)

2. NNRTI (Non-NRTI)

Efavirenz 600 mg (중추신경계로 잘 들어가므로 정신과적 문제가 있는 환자에게 주면 안됨. 취침 전에 복용), Rilpivirine 25 mg.

3. PI (Protease inhibitor)

Lopinavir 200 mg/ritonavir 50 mg (Kaletra)

4. INSTIs (Integrase strand transfer inhibitors)

1) Raltegravir 400 mg가 먼저 나왔으나, 이후 나온 것들이 현재는 복합 1알짜리의 구성분으로 쓰임

2) Elvitegravir 150 mg qd **Genvoya (elvitegravir+ cobistat+ tenofovir alafenamide+ emtricitabine 1T qd 로 간단하게 주는 것이 현재 표준

3) Dolutegravir: Triumeq (dolutegravir + abacavir + lamivudine) 1T qd로 줌

4) Bictegravir: Biktarvy (bictegravir + tenofovir alafenamide + emtricitabine) 1T qd. 현재 Genvoya 나 triumeq보다 우수한 성적을 보이고 있음

III. 항레트로바이러스 병합요법(combination antiretroviral treatment, cART)

1. 다음과 같은 조합 중 하나를 택함

1) 2 NRTI + INSTI 조합이 최우선

   - 앞서 언급한 Biktarvy, Genvoya, Triumeq 한 알짜리로 주면 됨

2) 2 NRTI + NNRTI

3) 2 NRTI + PI

IV. 부작용 및 상호 작용

NRTI는 근본적으로 미토콘드리아에 작용하기 때문에 이 기관에 지장을 줌으로써 초래되는 부작용이 주를 이룸. 대표적인 것이 lactic acidosis, 지질 대사 이상, 근육, 간, 신경 등 각종 장기의 부전이며, 특히 zidovudine은 빈혈의 원인임. 약제들의 부작용에 대한 정리는 표 10-3-32와 같음

표 10-3-32 항레트로바이러스 약제별 부작용

부작용	NRTI	NNRTI	PI	InSTI	Entryl
간기능 이상	o	o	o		o
근육계 이상	o[1]			o[13]	o
당대사 이상	o		o		
말초신경계 증상	o[2]		o[9]		
빈혈	o[3]				

부작용	NRTI	NNRTI	PI	InSTI	Entry
신기능 이상	O^4		O^{10}		
심기능 이상			O		
위장관 증상	O	O	O^{11}	O	O
중추신경계 증상	O^5	O^7			
지질대사 이상	O	O^8	O		
췌장염	O^6		O^{12}		
피부 발진	O	O	O		O^{14}
호흡기계 증상			O		O^{15}
Lactic acidosis	O				

1: zidovudine, stavudine
2: peripheral neuropathy by stavudine, zalcitabine
3: zidovudine
4: tenofovir
5: optic neuritis by didanosine
6: didanosine, stavudine
7: efavirenz, rilpivirine (less than efavirenz)
8: efavirenz
9: oral paresthesia by amprenavir, intracranial hemorrhage by tipranavir
10: nephrolithiasis by indinavir, amprenavir
11: mainly diarrhea
12: lopinavir/ritonavir
13: CPK elevation or rhabdomyolysis by raltegravir
14: injection-related
15: increased rate of bacterial pneumonia with entuvirtide

V. 기회 감염의 치료 – 각론 참고

제3-11절 장기이식 환자

I. 개요

1. 이식환자는 이미 잠복되어 있던 바이러스뿐 아니라 병원이나 지역사회로부터 획득한 감염원까지 모두 포함하여 감별진단 하여야 함
2. 장기 공여자로부터 전파될 수 있는 균도 고려해야 함
3. 이식 후 지속적 면역억제제 복용으로 염증반응이 저하되어 일반적으로 나타나는 감염의 증상이 미약하거나 없을 수 있으므로 주의를 요함
4. 발열이나 백혈구 증가 등 증상이 이식편의 거부반응에 의한 것인지, 감염에 의한 것인지 구별이 되지 않으므로 감별에 주의하여야 함

5. 항생제, 항진균제, 항바이러스제는 면역억제제와 상호작용이 있으므로 투여 시 신중해야 함

II. 이식 후 시기별 주요 감염병

이식 후 초기 1개월 이내	일반적인 수술 후 발생하는 감염의 종류 및 빈도와 비슷한 양상을 보임 주요 감염병; 폐렴, 요로감염, 카테터관련 감염, 창상감염 등
이식 후 1-6개월 사이	면역억제제 투여 및 이식장기 기능과 관련된 기회감염의 발생 주요 감염병 – 바이러스: 거대세포바이러스, 단순헤르페스바이러스, 엡스타인바바이러스, 수두대상포진바이러스 – 진균: 칸디다, 아스페르길루스, 크립토코쿠스, 뮤코마이코시스 – 이외: 폐포자충, *Listeria*, *Nocardia*, 톡소플라즈마 – 특히 거대세포바이러스는 이식 후 재활성화(reactivation)되어 문제를 일으킬 수 있으며 바이러스 자체에 의한 증상 및 장기 손상 이외에도 그람음성균과 진균감염의 위험성을 높이고 이식된 장기의 기능을 저하시키며 거부반응의 원인이 되기도 하므로 주의를 요함
이식 후 6개월에서 1년 이후	면역억제 상태와 이식 장기의 기능이 안정된 상태에 이르게 되어 감염의 위험도는 일반인과 비슷함. 각 환자의 면역억제 정도를 평가하고 이에 따른 감염의 감별진단 요함

III. 면역저하의 정도와 관련된 평가 인자

장기이식 환자는 이식 후 시기별 특징과 함께 아래의 표에 포함된 인자를 반드시 고려하여 감염의 위험도를 평가해야 함

- 면역억제제: 종류, 기간 및 양(혈중농도)
- 기저 면역: 자가면역질환, 기능적 면역장애
- 피부점막 등 방어벽 손상; 수술부위, 도관
- 수술 후 손상된 조직 여부
- 호중구감소, 림프구감소
- 대사관련 문제; 요독증, 영양부족, 당뇨, 알코올성 간질환 등
- 바이러스감염; CMV, EBV, HBV, HCV, HIV 등

IV. 진단 및 치료

- 감염의 진단은 앞에서 기술된 면역저하환자의 진단에 적용되는 병력청취, 신체검사, 혈액 및 영상 검사를 적용
- 환자에 따라 신속하게 적절한 검사법을 동원하여 원인을 찾아 항균제를 처방하는 것이 중요하며, 미생물에 노출된 환경과 관련된 인자, 면역저하 인자, 수술과 관련된 인자를 동시에 고려하여 가능성이 높은 균주 혹은 균주들을 목표로 항균제를 선택

- 한 가지 감염 이외에 동시감염이나 연속 감염의 발생을 예측하여 적절한 대처를 하지 않으면 치료실 패의 가능성이 높아지므로 주의를 요함
- 주요 항균제와 면역억제제 상호작용

약제	면역억제제	상호작용
Quinolone		
Ciporofloxacin	CsA	Increase CsA
Levofloxacin	CsA	None
Moxifloxacin	CsA, Tac, Sir	None
Macrolide		
Erythromycin	CsA, Tac, Sir	Increase CsA, Tac, Sir
Clarithromycin	CsA, Tac	Increase CsA, Tac
Antifungal agents		
Ampho B	CsA, Tac	Nephrotoxicity
Lipo Ampho	CsA, Tac	Nephrotoxicity
Caspofungin	CsA	CsA increases caspofungin, hepatotoxicity
	Tac	Decreased tacrolimus
Itraconazole	CsA, Tac, Sir	Increase CsA, Tac, Sir
Fluconazole	CsA, Tac, Sir	Increase CsA, Tac, Sir
Voriconazole	CsA, Tac, Sir	Increase CsA, Tac, Sir

* CsA: cyclosporin A, Tac: tacrolimus, Sir: sirolimus, Ampho B: conventional amphotericin B, Lipo Ampho: Liposomal amphotericin B

V. 이식장기 별 고려사항

1. 간이식

1) 간, 담관계를 침범하는 수술을 시행받음으로 인하여 타 장기이식에 비해 감염의 위험이 높으므로 주 기적 감염평가가 중요
2) 이식 후 초기에는 일반적인 복강 내 수술 후 발생하는 감염과 유사하나 면역억제제의 사용으로 인해 감염의 증상이나 징후가 늦게 나타나거나 없을 수 있으므로 주의를 요함. 특히 복강내 농양, 담관염, 복막염에 대하여 감별진단이 필요
3) 수술과 관련된 인자에 대하여 파악하고 있어야 함. 장기간 신대체요법, 간문맥혈전, 담즙 누출 등이 동반된 경우 이식 후 초기 감염의 위험이 높고, 고령, HCV, 만성이식편 기능장애, CMV 감염, 수술 후 세균감염이 있는 경우 후기 감염합병증의 발생이 높음
4) 이식 시 UNOS class I과 IIA, 당뇨, 고령, 장기간 도관삽관, 저알부민혈증, 그리고 이식 전후 신대체 요법을 받은 환자의 경우 이식 후 균혈증이 위험이 높으므로 감별진단에 주의
5) 이식 직후 감염의 발생이 의심되는 경우 공여자로부터 유래된 감염이 있는지 확인이 필요

2. 신이식

1) 간, 폐, 소장 등 hollow viscus를 침범하는 수술이 아니므로 간이식이나 소장이식보다 감염의 위험은 적으나 감염이 생기면 면역억제제의 지속사용으로 인하여 증상의 조기 발견이나 치료가 어렵고 면역

억제제를 중단하는 경우 이식신장을 잃을 수 있으므로 주의가 필요

2) 수술 후 요로감염, 신주위 농양, 림프낭종(lymphocele) 감염에 대하여 감별해야 함

3) 사용되는 항생제, 항바이러스제, 항진균제는 신기능에 따라 용량과 투여간격의 세밀한 조정이 필요

3. 심장, 폐이식

1) 심장이식은 신이식과 감염의 발생은 비슷하나 이식된 장기의 기능이 저하되거나 없어지는 경우 대체할 수 있는 치료법이 없으므로 주의를 요함

2) 폐이식은 이식 후 창상감염과 함께 폐렴과 종격동 감염에 대하여도 세밀한 확인이 필요

4. 소장이식

1) 이식된 소장의 거부반응 여부가 임상적으로 매우 중요하며 주기적으로 시행되는 조직검사 결과를 확인하여야 함

2) 선택적 장관 오염제거(selective bowel decontamination)를 위해 사용되는 약제와 이의 영향에 대하여 알고 있어야 하며 감염이 의심되는 경우 조기에 진단하고 경험적 항생제 치료를 시작하여야 함

VI. 예방적 화학요법

장기이식 환자에서 예방적 항생제, 항바이러스제, 항진균제 투여는 각 기관의 감염데이터를 바탕으로 결정

제3-12절 호중구감소성 발열 및 조혈모세포이식 후 감염

I. 호중구감소성 발열 및 조혈모세포이식 후 감염

1. 특징

1) 발열이나 증상이 없거나 미약하고 비특이적 증상만 보이는 경우가 흔하여 초기진단이 어려움

2) 면역이 정상인 환자에서는 문제가 되지 않거나 단순한 오염균인 경우도 면역저하환자에서는 문제가 되는 경우가 많아 감염관련 검사 결과 해석에 주의가 필요

3) 진행이 빠르고, 중증 혹은 사망에 이르는 경우가 많아 감염이 의심되는 경우 최종 원인 미생물이 밝혀지지 않더라도 경험적 항생제 혹은 항진균제를 투여해야 하는 경우가 많음

4) 동종조혈모세포이식을 시행한 환자들은 면역기능저하로 감염에 취약할 뿐만 아니라, 생착 후에도 이식의 종류, 면역억제제 사용, 급성 및 만성 이식편대숙주병에 따라 면역기능 회복이 장기간에 걸쳐 다양하게 나타나고, 감염질환의 종류도 시기에 따라 호발하는 질환이 다를 수 있음

표 10-3-33 조혈모세포이식 이후 시기에 따른 감염합병증의 종류

	생착전 시기 (4주 이내)	생착 후 초기 (1개 이후–3개월)	생착 후 후기 (3개월 이후)
Risk factors	Neutropenia, barrier breakdown (mucositis, central venous catheter), organ dysfunction due to conditioning regimen	Acute GVHD, immunemodulating viruses, impaired cellular and humoral immunity; NK cells recover 1st, CD8 T cell numbers increasing but restricted T cell repertoire	Chronic GVHD, hyposplenism, decrease in opsonization, impaired cellular and humoral immunity; B cell and CD4 cell numbers recover slowly and repertoire diversities
Bacteria	Gram negative bacteria (especially enteric bacteria) Gram positive cocci Clostridium difficile	Gram negative bacteria (especially enteric bacteria) Gram positive cocci	Encapsulated bacteria (Streptococcus pneumoniae, Haemophilus influenzae, etc.) Nocardia
Fungi	Candida Aspergillus	Aspergillus and other molds Pneumocystis jirovecii	Aspergillus and other molds Pneumocystis jirovecii
Herpesviruses	HSV	EBV, CMV, HHV6	EBV, CMV, VZV
Others		Polyoma virus (BK, JC virus)	Respiratory virus with seasonal variations Tuberculosis, NTM

Abbreviations: CMV, cytomegalovirus; EBV, Epstein–Barr virus; HHV6, human herpes virus 6; NTM, non–tuberculous mycobacteria; VZV, varicella zoster virus; adapted from 대한내과학회지(2013)

2. 예방

1) 질병 및 치료에 따른 감염 위험도 분류

표 10-3-34 질병 및 치료에 따른 감염 위험도

감염 위험도	질병 및 치료법 (예)	항생제 예방
저위험	대부분의 고형암에 대한 표준 항암화학요법 호중구감소증 예상기간: 7일 미만인 경우	세균 및 진균 – 필요없음 바이러스 – 과거 단순헤르페서바이러스 감염력이 있는 경우에 사용
중간위험	자가조혈모세포이식, 림프종, 다발골수종 만성림프구백혈병 퓨린(purine) 유사물질 사용: fludarabine, clofarabine, nelarabine, cladribine 호중구감소증 예상기간: 7~10일	세균 – fluoroquinolone 사용 고려 진균 – 호중구감소기간 및 점막염 예상기간동안 항진균제 사용 고려, 폐포자충 폐렴 예방 고려 바이러스 – 호중구감소기간 동안, 위험도에 따라 사용기간 늘 수 있음
고위험	동종조혈모세포이식, 급성 백혈병 Alemtuzumab 치료 고용량 스테로이드(>20 mg/일)로 이식편대숙주질환 치료 호중구감소증 예상기간: 10일 초과	세균 – fluoroquinolone 사용 고려 진균 – 호중구감소기간 동안 항진균제 사용 고려, 폐포자충 폐렴 예방 고려 바이러스 – 호중구감소기간 동안, 위험도에 따라 사용기간 늘 수 있음

2) 세균

(1) 호중구감소증이 10일 이상 지속될 것으로 예상되는 감염의 고위험군인 경우 세균감염 예방을 위해 fluoroquinolone (ciprofloxacin, levofloxacin 등)을 사용할 것을 권장함. 일반적으로 호중구감소증에서 회복될 때까지 사용함

3) 진균

(1) 호중구감소증 7-14일 이상, 동종 이식(특히 비혈연간, HLA-불일치 이식), 급·만성 이식편대숙주병 등이 진균감염의 위험인자임. 또한 >65세, 기저질환이 관해되지 않은 경우, 과거 침습성 진균감염 병력, CMV 감염 등 역시 위험인자로 알려져 있음

(2) 호중구감소증 시기에 posaconazole, fluconazole, itraconazole, micafungin 등을 예방으로 사용할 것을 권장함. 일반적으로 호중구감소증에서 회복될 때까지 사용함. 단, 과거 침습성 아스페르길루스증이 있었던 환자는 이식 중 2차 예방으로 voriconazole을 사용할 수 있고 이식 후 2-3개월까지 사용

(3) 이식편대숙주병으로 면역억제제 복용하는 시기엔 posaconazole, itraconazole, fluconazole 등을 사용할 수 있음. 이 시기엔 칸디다 등의 효모균 보다는 아스페르길루스 등의 사상진균에 대한 위험이 더 높음. 가이드라인에는 심각한 이식편대숙주병이 해소될 때까지 사용할 것을 권장하고 있음

(4) 동종조혈모세포이식 환자에서 폐포자충 예방을 위해 trimethoprim/sulfamethoxazole을 권장하고, 적어도 6개월 이상 혹은 면역억제제를 중지할 때까지 사용함

4) 헤르페스바이러스

(1) HSV 항체 양성인 동종조혈모세포이식 환자는 예방이 필요함. Acyclovir, famciclovir, valacyclovir 등을 사용할 수 있음. 적어도 호중구감소증 시기와 이식 후 30일까지는 사용하고, 이식편대숙주병이 있거나 이식 전 HSV 재활성화가 자주 있었던 환자는 더 오래 예방할 수 있음

(2) 이식 전 varicella-zoster virus 항체검사가 필요하고, 양성인 동종조혈모세포이식 환자는 대상포진 예방을 위해 적어도 1년 동안 acyclovir, valacyclovir 예방을 권장함

(3) 이식 전 환자와 공여자의 CMV 항체검사가 필요함. CMV 질환 고위험군인 일부 환자군에서는 ganciclovir 예방이 효과적일 수 있음. 동종조혈모세포이식 환자에게 CMV 예방을 위해 고용량 acyclovir, valacyclovir를 사용할 수 있으나 모니터링과 선제치료가 병행되어야 함

3. 호중구감소 혹은 이식 후 생착 전 시기(pre-engraftment period)

호중구감소 혹은 생착 전 시기에 발생하는 감염질환의 위험인자는 1) 점막피부 손상, 2) 호중구감소증으로 인한 포식작용 손실, 3) 전처치와 관련된 기관장애 등임. 이식, 공여자, 조혈모세포의 종류, 전처치의 강도에 따라 회복의 정도가 달라지고, 이 시기에 발생하는 감염질환은 항암치료 후 호중구감소성 발열과 거의 비슷함

1) 호중구감소성 발열 발생시 경험적 항생제

(1) 각 병원에서 흔히 검출되는 균의 종류와 그 감수성 결과를 참고하여 초기 경험적 항균제를 선택하는 것이 필요함. 지역, 시대, 예방적 항생제 사용 등에 따라 호발하는 세균의 종류와 항생제 감수성 결과가 다를 수 있음

(2) 호중구감소증이 장기간 지속되는 고위험군인 경우 호중구감소성 발열시 주사용 항생제를 사용하고, 항녹농균 효과가 있는 penicillin, cephalosporin, carbapenem 단일요법 혹은 aminoglycoside와의 병합요법을 시작함. 이에 해당하는 항생제로는 piperacillin/tazobactam, ceftazidime, cefepime, imipenem/cilastatin, meropenem 등이 있음

(3) 통상적으로 glycopeptide를 초기 항생제에 포함하지 않고, 3-5일 후 발열이 지속되거나 다시 발열이 생겼을 때도 통상적으로 glycopeptide를 추가하지 않음. 다만 ① 혈액배양에서 그람양성균이 자라는 경우, ② 카테터 관련 감염증이 의심되는 경우, ③ 과거 methicillin resistant *Staphylococcus aureus* 집락화 또는 감염증이 있었던 경우, ④ 중증 패혈증 또는 패혈쇼크가 있는 경우, ⑤ 피부 또는 연조직감염이 있는 경우에는 초기부터 경험적 항생제로 glycopeptide를 사용할 수 있음

2) 경험적 항생제 사용에도 지속되는 호중구감소성 발열의 원인과 경험적 항진균제

(1) 초기 항생제 사용 3-5일이 경과하였으나 호중구감소성 발열이 지속되고 감염부위나 원인균을 찾을 수 없다면 다음을 고려함(표 10-3-35)

표 10-3-35 항생제를 투여하는 중에도 발열이 지속되는 경우 가능한 원인

Non-bacterial infection (fungal, viral, mycobacterial infection)
Resistance to antibiotics
Inadequate drug concentration
Drug fever
Bacteremia due to cell wall-deficient bacteria
Infection at an avascular site (such as abscess)
Fever related to underlying malignancy
Intravascular catheter related fever

adapted from Infect Chemother (2013)

(2) 장기간(>10일) 호중구감소증이 유지될 것으로 예상되는 환자에서 초기 경험적 항균제 투여 3-5일 후에도 반응이 없을 때는 경험적 항진균제 투여를 권장함. 또한 발열 유무와 관련없이 과거 침습성 진균감염 병력이 있거나, 호중구감소 상태에서 진균 집락형성, 폐렴이 의심되는 증상(흉막통증, 혈액흔적가래, 객혈) 혹은 징후(새로 관찰되는 폐렴, 부비동 혹은 안구주위 압통과 부종, 코주위 궤양성 혹은 가피성 병변 등)가 있을 때도 경험적 항진균제 투여를 권장함

(3) 경험적 항진균제로는 caspofungin, liposomal amphotericin B, itraconazole 등을 고려함. Amphotericin B deoxycholate는 오랜 경험, 광범위한 항진균 범위 등으로 아직 국내에서 사용되고 있지만 주입관련 독성, 신독성 등의 이상반응이 많고 신기능 저하가 있거나 신독성이 있는 타 약제를 같이 사용하고 있는 위험군(동종조혈모세포이식 환자는 모두 이에 해당), 과거 신독성 병력이 있는 환자에서는 권장하지 않음

3) 진균감염

(1) 호발하는 진균감염은 칸디다증과 아스페르길루스증임. 최근 사상진균에 효과적인 항진균제를 예방으로 사용하는 경우가 많아지면서 털곰팡이증, *Fusarium*, *Alternaria*, *Scedosporium* 등이 호중구감소증이 지속되는 시기, 이식편대숙주병 치료 중에 발생할 수 있음

(2) 점막피부 손상과 호중구감소증, 광범위 항생제 사용, 기관장애, 고밀도의 효모집락형성 등이 침습성 칸디다증의 위험인자임. 이식 중 예방적 항진균제를 많이 사용하면서 역학도 달라져, fluconazole에 감수성인 *Candida albicans*의 빈도가 감소하고 있어, 항진균제 선택시 주의를 요함. 칸디다혈증의 경우 카테터 제거를 고려할 수 있으나 호중구감소증 시기에는 카테터관련감염, 위

장관감염 등에 의한 것인지 감별이 어렵고, 파종될 위험이 있어 안과 등과의 협진이 필요함. 음전되는 시기, 항진균제 투여기간을 알기 위해 주기적인 혈액배양검사 추적이 필요함. 치료는 특히 azole계 항진균제에 노출된 경험이 있는 경우 echinocandin계 항진균제를 권장함

(3) 침습성 아스페르길루스증은 폐와 부비동에서 가장 호발함. 전통적인 미생물학적 진단방법 이외에 CT와 galactomannan이 널리 사용됨. 특히 비(非)-배양적 검사실 생물표지자인 galactomannan은 ① 진단의 보조적 방법, ② 고위험군에서의 감시(증상이 나타나기 전 조기진단을 위해), ③ 항진균제 치료 후 반응을 모니터하기 위해 사용됨. 1차 치료제로 voriconazole과 liposomal amphotericin B을 사용함. 호중구감소증 시기 이외에도 생착 후 이식편대숙주병으로 치료받는 시기에도 호발함

4. 초기 생착 후 시기(immediate post-engraftment period)

1) CMV

(1) 동종조혈모세포이식 후 재활성화 또는 재감염되어 발열, 호중구감소, 간염, 폐렴, 식도염, 위염, 장염, 망막염 등의 질병이 발생하며, 질병이 발생한 경우 적극적인 항바이러스 치료에도 치명적일 수 있음. CMV pp65 항원혈증 검사, 실시간 정량적 PCR 등이 모니터링과 선제치료를 위해 사용되고 있음. 예방을 위해 항바이러스제, 백신 등이 도입될 예정

(2) 질병 발생 전 항원혈증, 정량적 PCR 등의 대리표지자 양성 결과로 치료를 시작하는 선제치료가 현재 가장 보편적인 치료방법이고, ganciclovir, valganciclovir, foscarnet, cidofovir 등을 사용

(3) Alemtuzumab 등의 단클론항체를 사용하거나, 이식편대숙주병이 있는 경우 빈도가 높아지고, 이식편대숙주병과 구별이 안되거나 공존하고 있는 경우도 있어 진단이 어렵고, 진단이 늦어질 경우 항바이러스제에 반응이 없을 수도 있어 보다 적극적인 진단과 치료, 경험이 필요

2) 폐포자충 폐렴(*P. jirovecii* pneumonia, PCP)

(1) 주 증상은 화농성 가래 보다는 발열, 호흡곤란, 마른 기침 등이고, 영상검사 소견은 양측 폐문부 주위에서 시작하는 양측 미만성 침윤이 전형적임. 대개 이식 후 6개월 이내에 호발하나 만성 이식편대숙주병 등으로 장기간 면역억제제를 복용하고 있는 환자들에서 6개월 이후에도 발생함

(2) CT, 기관지내시경 및 기관지폐포세척 등으로 진단함. CMV, 아스페르길루스 등 중복감염이 있을 수 있고 이 경우 예후가 나쁠 수 있음

(3) 증상이 심할 경우(room air에서 $PaO_2 \leq 70$ mmHg or $PAO_2-PaO_2 \geq 35$ mmHg) steroid를 보조적으로 사용할 수 있음

3) 출혈성 방광염(hemorrhagic cystitis)

(1) 시기에 따라 구분할 수 있고, 이식 후 7일 이내에 발생하는 경우는 대개 비-감염성 원인임. 비 감염성 원인으로는 cyclophosphamide, ifosfamide, busulfan, etoposide등 항암제와 방사선치료가 주이고, 후기 출혈성 방광염은 adenovirus, polyomavirus (BK, JC virus), CMV, HSV, HHV6 등이 원인으로 보고되고 있음

(2) 감염에 의한 출혈성 방광염 치료는 가능하면 초기에 면역억제제를 최소화하는 것임. 대부분 수액 공급, 방광세척 등의 보존적 요법으로 호전되지만 adenovirus, CMV, BK virus는 cidofovir가 효과

적일 수 있고, 3등급(육안혈뇨 + 혈액응고)이상이고 보존적 치료에 반응이 없는 경우 항바이러스제 치료를 고려할 수 있음. 호전되지 않으면 급성 신손상이 진행할 수 있고, 방광내 alum, formalin, prostaglandin 주입, 혈관 색전술 등을 고려함

5. 후기 생착 후 시기(late post-engraftment period)

동종조혈모세포이식 후 만성 이식편대숙주병으로 면역억제제를 장기간 복용하고 있는 환자는 여전히 감염의 위험이 있음

1) 피막세균

(1) 만성 이식편대숙주병과 관련된 체액면역 결손으로 *Streptococcus pneumoniae*, *Haemophilus influenzae*, *Neisseria meningitidis* 등의 피막세균에 의한 중증 감염 위험이 있음

(2) 따라서 예방접종이 중요하고 최근 도입된 단백결합백신이 기존의 다당류 백신보다 면역원성이 더 높다고 알려져 있음

2) 호흡기바이러스

(1) 지역사회에서의 유행, 계절변화와 관련이 있음. Influenza virus A, B, respiratory syncytial virus (RSV), parainfluenza virus 1, 2, 3, 4, rhinovirus, coronavirus, adenovirus 등이 흔하고 human metapneumovirus, bocavirus, parvovirus B19, KI and WU polyoma virus 등이 새로이 보고되고 있음

(2) 동종조혈모세포이식 환자는 상부 호흡기 감염에 국한되지 않고 폐렴 등의 하부 호흡기 감염으로 진행될 확률이 높음

3) 대상포진

(1) 피부 병변이 시작되기 2-3일 전에 피부분절을 통해 이상한 감각 혹은 통증이 생기고, 홍반성 반점 구진, 그 후 빠르게 수포가 형성됨. 수포는 터져서 궤양을 형성하고 가피가 생긴 후 마르게 됨. 통증과 대상포진 후 신경통이 큰 문제임

(2) 대부분 하나의 피부분절을 편측으로 침범하나 이식 후 면역저하상태에서는 2-3개 이상의 피부분절을 침범하거나 파종되고, 내장, 중추신경계 등을 침범할 수 있음

(3) 동종 이식 전 항체검사 시행하고 양성인 환자는 acyclovir를 적어도 1년 간 복용하며 예방하는 것을 권장

4) 결핵

(1) 만성 이식편대숙주병, 과거 결핵을 앓았던 병력, 이식 전처치로 전신 방사선 조사 시행, T세포 제거 등이 이식 후 결핵의 위험인자로 알려져 있음

(2) 국내 자료에서 평균 300일 후 발생하고, 폐외결핵이 42%로 국내 일반인의 폐외결핵 분포(15-20%)보다 높음

(3) 이식 직전 interferon gamma releasing assay 양성인 환자에게 예방을 위해 isoniazid 9개월 복용을 권장하고 있음

I. 임질

1. 개요

1) 원인균: *Neisseria gonorrhoeae* - 그람음성쌍알균

2. 임상양상

1) 남자에서의 임균감염

(1) 잠복기: 2-7일

(2) 급성 요도염: 요도에서 화농성 분비물, 배뇨통

2) 여자에서의 임균감염

(1) 잠복기: 10일 이내

(2) 자궁경부염, 질염: 경도의 질분비물 증가와 배뇨통, 빈뇨나 긴박뇨는 잘 없음

(3) 골반내감염(pelvic inflammatory disease)

① 하복부통, 성교통, 발열, 오한, 화농성 질 분비물, 배뇨통, 이상 자궁 출혈

② 진찰 시 양측 하복부 압통, 자궁경부의 운동압통, 내진 시 점액이나 고름

③ 간주위염(perihepatitis, Fitz-Hugh-Curtis syndrome)을 동반하기도 함

3) 파종성임균감염(disseminated gonococcal infection, DGI)

(1) 80%에서 성기에 임균이 있음

(2) 발열, 오한, 이동성 관절염, 발진이 나타남

① 발진은 사지에 생기고, 발적에 둘러싸인 농포가 특징적

② 1/4에서 건초염(tenosynovitis)이 동반됨

3. 진단

1) 검체 채취

(1) 남자: 면봉을 요도로 2-3 cm 넣어 검체를 얻음

(2) 여자: 자궁경부내막에서 검체를 채취. 직장에 증상이 있으면 직장 벽에서 검체를 채취

2) 그람염색과 배양

(1) 삼출물 그람염색: 세포내 그람음성 monococci 혹은 diplococci가 보임

(2) 배양, 감수성 검사: modified Thayer-Martin 배지를 주로 이용

(3) 핵산 증폭 검사(PCR): 민감도는 배양과 유사하나 특이도가 높음

4. 치료

1) Ceftriaxone이 내성이 드물고, 모든 감염 부위에 분포가 좋은 highly effective single-dose regimen이므로 현재 1차 치료로 사용됨

표 10-3-36 임균감염증의 질환별 항생제 치료

임균감염증	항생제 용법, 용량
요도염, 자궁경부염, 인두염, 직장염	Ceftriaxone 125 mg, IM, 1회 　or cefixime 400 mg, PO, 1회 Plus treatment for chlamydial infection azithromycin 1 g PO, 1회 　or doxycycline 100 mg, 1일 2회, 7일간
부고환염	Ceftriaxone 250 mg, IM, 1회, 이후 doxycycline 100 mg 1일 2회 10일간
편도염	Ceftriaxone 250 mg, IM, 1회 plus azithromycin 1 g PO, 1회
결막염(성인)	Ceftriaxone 1g IM, 1회
파종성임균감염	Ceftriaxone 1 g IM or IV, 1일 1회 임상적으로 호전 후 cefixime 400 mg PO, 1일 2회로 변경해서 총 7~10일간 투여
뇌수막염	Ceftriaxone 1~2 g IV, 1일 2회, 10~14일간
심내막염	Ceftriaxone 1~2 g IV, 1일 2회, 4주간

2) 2차 치료약제

(1) Ceftizoxime 500 mg IM, 1회 plus azithromycin 1 g PO, 1회

(2) Cefotaxime 500 mg IM, 1회 plus azithromycin 1 g PO, 1회

(3) Spectinomycin 2 g IM, 1회 plus azithromycin 1 g PO, 1회

3) 남자 임질에서는 20-30%, 여자 임질에서는 40-50%에서 클라미디아 감염증이 동반되기 때문에 클라미디아에 효과가 있는 항균제(azithromycin or doxycycline)를 같이 투여

4) 가능하면 성 접촉자에 대한 치료가 같이 이루어져야 함

II. 매독

1. 개요

1) 원인균 : Spirocheta인 *Treponema pallidum* subspecies *pallidum*

2) 주로 성접촉에 의해서 전파되며 모든 장기를 침범할 수 있는 만성 전신 질환

2. 임상양상

1) **잠복기(incubating syphilis):** 약 21일 (대개 6주 미만)

2) **1기 매독(Primary syphilis):** 노출 후 수 주 이내에 발생

(1) 경성하감(chancre): painless indurated superficial ulcerations

(2) 림프절 종대(usually inguinal): 단단하고, 화농되지 않으며, 동통이 없음

(3) 경성하감은 4-6주면 자연적으로 치유되나 림프절 종대는 수개월간 지속될 수 있음

3) 2기 매독(secondary syphilis): 경성하감이 없어지고 6-12주 후에 발생

(1) mucocutaneous lesions, generalized non-tender lymphadenopathy

(2) 피부 병변

   ① pale red or pink, non-pruritic, discrete macules

   ② 체간과 사지의 근위부에서 시작되며, 손바닥, 발바닥을 자주 침범

   ③ 편평 콘딜로마(condylomata lata) : 구진이 커지고, 서로 합쳐져서 형성된 동통이 없는, 넓은 핑크에서 회색의 판, 피부가 겹치는 부위에 잘 생기며 전염성이 강함

   ④ 점막반(mucous patch) : 은빛 회색의 미란(eorsion)과 이를 둘러싸는 발적

(3) 전신 증상: 인후통, 발열, 체중 감소, 전신 권태, 식욕 감퇴, 두통

4) 잠복매독(Latent syphilis)

(1) 특이 트레포네마 항체 양성이지만, 매독의 임상 소견이 없고, 뇌척수액이 정상인 경우

(2) 조기잠복매독(early latent syphilis) - 감염 1년 이내

   : 재발이 생길 수 있고, 감염성이 있을 수 있음

(3) 후기잠복매독(late latent syphilis) - 감염 1년 이상 or 감염기간을 모르는 경우,

   : 재발을 하지 않으나, 태반과 수혈을 통해서 전파시킬 수 있음

5) 후기매독(late syphilis)

(1) 심혈관매독 : 대동맥의 맥관벽 혈관(vasa vasorum)을 침범함으로써 탄성 섬유를 파괴하고 대동맥 중피의 괴사를 초래해서 결과적으로 동맥류를 형성하고 대동맥판 부전과 관상동맥 입구의 협착을 초래함

(2) 신경매독

   ① 무증상 신경매독

      신경매독의 임상증상이 없으면서 뇌척수액 검사에서 세포의 증가, 단백의 증가, 당의 감소, VDRL 양성 중 어느 한 소견이라도 있을 때 진단

   ② 수막혈관 신경매독(meningovascular neurosyphilis) : 감염 5-10년 후 증상 나타남

     • 폐쇄성 내혈관염이 수막, 뇌, 척추의 작은 혈관을 침범하는 것

     • 편측 마비 등 다양한 신경학적 이상 소견을 나타냄

   ③ 전신불완전마비(general paresis) : 감염 20년 후 증상 나타남

     • 성격, 감정, 반사, 눈(Argyll Robertson 동공: 빛에는 반응 하지 않지만 거리 변화에는 반응), 감각(망상, 환각), 지능, 언어에 이상이 생김. [Personality, Affect, Reflexes, Eye, Sensorium, Intelect, Speech; PARESIS]

   ④ 척수로(tabes dorsalis) : 감염 25-30년 후 증상 나타남

     • 후척수(posterior column)의 탈수초에 의해 발생

     • 보행 실조, 발이 갑자기 떨어짐, 감전되었을 때와 같은 통증, 방광이상, 발기부전, 위치감각

과 진동 감각의 상실, 심부동통과 온도감각의 상실

(3) 양성후기매독(고무종, gumma)

① 만성적인 비특이 육아종성 염증 반응으로 주로 피부(70%), 뼈(10%), 점막에 발생함

② 피부 병변은 괴사가 되면서 무통성의 궤양을 형성함

6) AIDS 환자에서 생긴 매독

(1) 신경 매독의 빈도가 높으므로 감염 시기와 관계없이 뇌척수액 검사

(2) 중추신경계 침범 여부를 판단할 때 정상인에서는 세포 수 5개 이상을 기준으로 하지만 HIV 감염자에서는 20개를 기준으로 함

(3) 치료실패가 더 흔한 것으로 보고되고 있어서 치료 후의 혈청 검사 추적이 중요함

3. 진단

1) 혈청 검사

(1) 비트레포네마 검사 : 선별검사

① VDRL법 또는 RPR (rapid reagin test)법

② 장점: 빠르고, 시행하기가 쉽고, 비용이 싸며 매독의 활성도를 반영함

단점: 1기 매독, 잠복매독 등에서 민감도가 낮고 매독 이외의 질환에서 위양성 반응

③ VDRL 항체는 진행되는 조직 파괴의 정도에 비례하며, 초기에는 병의 중증도와 비례함

위양성: 자가면역질환, 노인, 마약 중독자, 말라리아, 바이러스 감염, 예방주사 후

(2) 트레포네마 항체 검사 : 확진 검사

① 선별검사에서 양성이 나온 경우 확진검사로 시행

② FTA-ABS (fluorscent treponemal antibody absorbed) 또는 TPHA (*T. pallidum* hemagglutination) test

③ 현재 또는 과거에 매독에 걸린 것을 나타내며 한번 양성이 되면 치료 후에도 평생 지속

2) 신경매독 평가

(1) 뇌척수액 검사 이상: 백혈구 >5/mm^3, 단백 농도 증가(>45 mg/dL), VDRL 양성

(2) 뇌척수액 검사를 시행해야 하는 경우

① 신경학적 증상이나 징후(뇌수막염, 청력장애, 뇌신경이상, 의식변화), 혹은 안과적 이상(포도막염, 홍채염, 동공 이상 등)이 있을 때

② RPR or VDRL titer ≥1:32

③ 치료실패가 의심될 때

④ HIV 감염자

- CD4 T cell count ≤350/mm^3

- 매독이 있는 모든 HIV 감염자에서 뇌척수액 검사를 시행해야 하는지는 논란

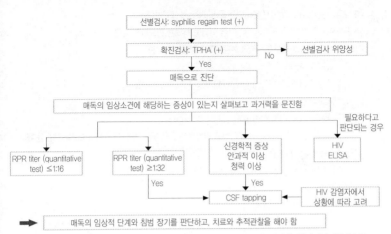

* FTA-ABS IgG, IgM : IgM은 위양성이 있을 수 있으므로 선천매독이 아닌 경우에는 임상적 상황에 따라 해석해야 함

그림 10-3-12 매독 환자의 진단적 접근

4. 치료

표 10-3-37 매독의 치료

	1기 매독	2기 매독	잠복매독(latent syphilis)		후기매독	신경매독	임신
			조기잠복매독	후기잠복매독			
1차 치료	Benzathin penicillin G 2.4 mU IM 1회		Benzathin penicillin G 2.4 mU IM 3회(3주간 매주 1회)			Aqueous crystalline penicillin G 18–24 mU/d IV (3–4 mU q 4h or continuous infusion) for 10–14 d or aqueous procaine penicillin G (2.4 mU IM) plus probenecid 500 mg qid) for 10–14 d	임신이 아닌 사람과 동일하게 단계에 따 라 치료
대체 약제 (penicillin allergy시)	Doxycycline (100 mg PO bid) or tetracycline hydrochloride (500 mg PO qid) for 2 weeks		① 비 HIV 감염자 : doxycycline (100 mg PO bid) or tetracycline hydrochloride (500 mg PO qid) for 4 weeks ② HIV 감염자 : compliance가 좋지 않을 경우 탈감작해서 penicillin으로 치료			탈감작해서 penicillin으 로 치료	탈감작해서 penicillin으로 치료

1) 매독의 일차 치료제는 penicillin G 이며, 매독의 단계와 침범한 장기, 그리고 환자의 host factor 에 따라 표 10-3-37과 같은 용법, 용량으로 투여

2) Jarisch-Herxheimer reaction

    (1) 매독 치료 시작 후에 나타나는 발열, 오한, 근육통, 두통, 빈맥, 빈호흡, 호중구 증가증, 경도의 저혈압 양상으로 나타나는 일시적인 반응으로 24시간 이내에 해열됨

(2) 사멸되는 *T. pallidum*에서 분비되는 lipoprotein에 대한 반응임

(3) 증상 치료를 하며, 스테로이드나 다른 항염증 치료는 필요하지 않음

3) 치료 후 추적 검사와 재치료 : RPR 혹은 VDRL 정량 검사 시행

(1) 1기 혹은 2기 매독

① 비 HIV 감염자: 6, 12개월 / HIV 감염자: 3, 6, 9, 12, 24개월

② 재치료 기준

- RPR 혹은 VDRL 정량 검사 역가가 4배 이상 상승
- 6개월 후에도 역가가 4배 이하로 감소하지 않을 때, 임상증상이 지속되거나 재발할 때

(2) 잠복 혹은 후기 매독

① 비 HIV 감염자: 6, 12, 24개월 / HIV 감염자: 6, 12, 18, 24개월

② 재치료 기준

- RPR 혹은 VDRL 정량 검사 역가가 4배 이상 상승
- 6개월 후에도 역가가 4배 이하로 감소하지 않을 때, 새로운 임상증상이 나타날 때

(3) 신경매독

① 혈청 RPR 혹은 VDRL 정량 검사를 6, 12, 18, 24개월에 시행

② 뇌척수액 세포수, 단백, VDRL이 정상이 될 때까지 6개월마다 뇌척수액 검사 시행

③ 재치료 기준

- 6개월 후에도 뇌척수액 세포수가 감소하지 않을 때
- 2년 후에도 뇌척수액 검사 결과가 정상이 되지 않을 때

제3-14절 가을철 유행 감염질환

- 가을철 유행 감염질환으로는 쯔쯔가무시병, 렙토스피라병, 신증후군 출혈열이 대표적인 질환
- 모두 인수공통감염병, 병원소로서 설치류가 중요한 역할을 하고 임상증상이 유사하므로 감별 요함

I. 쯔쯔가무시병(Scrub typhus)

발열, 두통, 발진, 가피(eschar) 형성을 특징으로 하는 질환

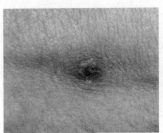

그림 10-3-13 쯔쯔가무시병 환자에서 관찰되는 가피

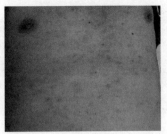

그림 10-3-14 쯔쯔가무시병 환자에서 관찰되는 발진

II. 렙토스피라병(Leptospirosis)

임상상에 따른 2가지 질환

1. 자연 치유되는 전신병증(self-limiting illness) : 감염자의 90% 이상, 인플루엔자-유사 증후군
2. 중증 질환(Weil's syndrome): 감염자의 5-10%, 황달, 신기능장애, 출혈 경향(폐출혈)

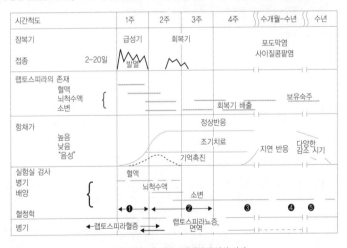

그림 10-3-15 렙토스피라병의 임상 경과

III. 신증후군 출혈열(hemorrhagic fever with renal syndrome, HFRS)

고열, 신부전, 혈소판감소증을 특징으로 하는 급성 발열성 질환

표 10-3-38 가을철 유행 감염질환의 감별

	쯔쯔가무시병	렙토스피라병	신증후군 출혈열
원인균	Orientia tsutsugamushi (Boryong, Karp, Gilliam주)	Leptospira interrogans	Hantavirus (Hantaan, Seoul)
전파 경로	감염된 털 진드기의 유충이 사람의 조직액을 흡입할 때	보균 동물(설치류)의 소변이나 조직이 상처, 점막, 결막 등에 접촉할 때(물이 중요한 요소)	감염된 설치류(Hantaan virus– 등줄쥐, Seoul virus–시궁쥐)의 배설물이 에어로졸화하여 전파
발생 시기	9–12월(정점: 10, 11월)	8–11월(정점: 9, 10월) 홍수나 태풍 후 집단발병	10–12월
호발 지역	경기도: Karp, Gilliam주 강원도: Gilliam주 충남, 전북, 경남: Boryong주	농부, 수의사, 도축업, 낙농업, 사냥꾼, 열대지방 여행, 래프팅, 수상스키 등의 레크리에이션 활동	농촌: Hantaan virus 도시: Seoul virus 경기도 파주, 연천, 포천, 양주, 고양
임상 양상	잠복기: 5–20일(대개 8–10일) 증상: 고열, 두통, 근육통 신체검사 소견: 발진, 가피, 림프절 종대, 결막충혈, 간비장비대 검사실 소견: 정상 백혈구, 경한 혈소판 감소, 간수치 상승 영상검사 소견: 간질성 폐렴, 늑막삼출, 심비대, 폐부종 합병증: 신경계(뇌막염, 뇌염), 급성 호흡부전 증후군, 신부전, 범발성 혈관내 응고장애, 췌장염	잠복기: 2–20일(대개 1–2주) 증상: 무증상~중증까지 다양 – 패혈증기: 고열, 두통, 오한, 근육통, 결막출혈, 5–7일 – 면역기: IgM 항체 출현, 황달, 신부전, 심부정맥, 폐증상, 무균성 수막염, 눈부심, 간비장비대, 4–30일 ※ 국내 렙토스피라병은 발병 2–3일 후 약 1/2에서 호흡기 증상 및 객혈 발생	잠복기: 9–35일(대개 2주) 증상: 5병기로 발현 – 발열기: 발열, 오한, 두통, 출혈증상, 3–7일 – 저혈압기: 해열, 3–4일 – 핍뇨기: 고혈압, 출혈성향 악화, 3–6일 – 이뇨기: 대부분의 증상 호전, 전신쇠약감, 체액 및 전해질 불균형 – 회복기: 이뇨 시작 후 1–2개월 ※ 사망은 대개 저혈압기와 핍뇨기에 발생 검사실 소견: 정상 백혈구, 혈소판 감소, 혈뇨, 농뇨, 고질소혈증, 간수치 상승 합병증: 고혈압, 감염, 출혈, 뇌하수체 기능저하증
진단	혈청학적 진단: 1–2주 간격으로 시행한 항체 역가가 4배 상승	혈청학적 진단: 회복기의 항체가가 4배 상승, 또는 1:800 이상의 항체가 배양검사: 혈액, 뇌척수액, 복막 투석액 (초기 10일), 소변(1주 이후)	혈청학적 진단: 1주 간격으로 시행한 항체 역가가 4배 상승(과거감염, 백신접종에 의해서도 양성을 보임)
치료	Doxycycline 100 mg PO bid, 7–15일간 소아, 임산부: azithromycin 500 mg PO, qd 3일간	경증: doxycycline 100 mg PO bid, 또는 ampicillin 500 mg PO tid, 또는 amoxicillin 500 mg PO qid, 7일간 중증: penicillin G 1.5 mU IV qid, 또는 ceftriaxone 2 g IV qd, 또는 cefotaxime 1 g IV qid, 또는 doxycycline IV (부하용량 200 mg IV 후 100 mg IV bid), 7일간	적절한 보존요법, 투석 ※ 중증 환자에서 발병 4일 이내 ribavirin 정주가 사망률과 합병증 감소에 도움이 됨

제3–15절 모기매개 감염질환

I. 말라리아

1. 원인과 매개체

1) *Plasmodium falciparum*, *Plasmodium vivax* (국내 유행주), *Plasmodium malariae*, *Plasmodium ovale*, *Plasmodium knowlesi*

2) 매개체: 얼룩날개모기속(genes *Anopheles*)에 속하는 암컷 모기

2. 임상양상

1) 잠복기: 초기 위험지역 노출 후 7-14일(수 개월 후에 발생하기도 함)

2) 초기증상은 비특이적: 발열(일정 시간간격을 두고 발생하기도 함), 두통, 쇠약감, 복통, 근육통. 두통이 심하나 뇌수막 자극증상은 없으며, 근육통 있으나 뎅기열보다 심하지 않음

3) 중증 말라리아(대개 *P. falciparum*이 원인): 의식저하/혼수, 산증, 심한 normocytic/normochromic anemia (Hct<15%, Hb<5 g/dL), 신부전, 폐부종, ARDS, 저혈당(<40 mg/dL), 쇼크(SBP<80 mmHg), DIC, 전신성 경련, 헤모글로빈뇨증, 황달(>3 mg/dL), 극도의 쇠약감(도움 없이 앉지 못함), parasitemia 5%초과 중 한 가지라도 나타나면 중증 말라리아로 정의

3. 진단

1) Thin and thick blood smear: 임상적으로 의심되나 검사 음성이면 12-24시간 간격으로 3회까지 시행하여 확인

2) Ag detection test (rapid diagnostic test): 양성이더라도, 종 감별이나 parasitemia 확인을 위해 혈액도말검사를 동시에 실시

3) Ab-based *P. falciparum* 신속검사: PfHRP2 dipstick test, *P.lasmodium* dipstick test 등

4. 치료

표 10-3-39 말라리아의 치료

임상진단/Plasmodium species	감염지역	권장 약제와 성인용량
Uncomplicated malaria *P. falciparum* 또는 종 감별이 안 되는 경우	chloroquine 내성지역 또는 내성양상을 모르는 지역	Atovaquone/proguanil (1 ① = 250 mg/100 mg) 4 tabs po, 1일 1회, 3일간 Artemether/lumefantrine (1 ① = 20 mg/120 mg) 3일 스케줄 추천됨. 1일: 4 tabs po, 8시간 뒤 다시 4 tabs 2일–3일: 4 tabs po, 1일 2회 Quinine sulfate (542 mg base = 650 mg salt) po, 1일 3회, 3–7일간 + (doxycycline 100 mg 1일 2회, 또는 tetracycline 250 mg 1일 4회 또는 clindamycin 20 mg base/kg/day 3회 분복), 7일간 Mefloquine 684 mg base (= 750 mg salt), 6–12시간 후 456 mg base (= 500 mg salt), 총 1250 mg salt
	Chloroquine 감수성 지역: 파나마운하 서쪽 중미, 하이티, 도미니크 공화국, 중동 대부분	Chloroquine phosphate 600 mg base (= 1,000 mg salt) 투여하고 6시간, 24시간, 48시간에 300 mg base (= 500 mg salt) Hydroxychloroquine 620 mg base (= 800 mg salt) 투여하고 6, 24, 48시간에 310 mg base (= 400 mg salt)

임상진단/ Plasmodium species	감염지역	권장 약제와 성인용량
Uncomplicated malaria P. malariae 또는 P. knowlesi	전 지역	Chloroquine phosphate 위와 동일 또는 Hydroxychloroquine 위와 동일
Uncomplicated malaria P. vivax 또는 P. ovale	전 지역(chloroquine 내성 지역 제외)	Chloroquine phosphate 위와 동일 또는 Hydroxychloroquine 위와 동일하게 치료 후 Primaquine phosphate 30 mg base po, 1일 1회, 14일간
Uncomplicated malaria P. vivax	chloroquine 내성 지역(파푸 아뉴기니와 인도네시아)	Quinine sulfate + (doxycycline or tetracycline) + primaquine phosphate Atovaquone/proguanil+primaquine phosphate Mefloquine + primaquine phosphate
Uncomplicated malaria 임산부	chloroquine 감수성 지역	Chloroquine phosphate 위와 동일 또는 Hydroxychloroquine 위와 동일
	chloroquine 내성 지역 (P. falciparum, P. vivax)	Quinine sulfate + clindamycin 또는 Mefloquine
중증 말라리아 (severe malaria)	전 지역	Quinidine gluconate (동남아는 7일, 아프리카나 남미는 3일) + doxycycline 또는 tetracycline 또는 clindamycin 7일 : 용량은 quinidine gluconate 6.25 mg base/kg (= 10 mg salt/kg) 1~2시간에 걸쳐 IV후 0.0125 mg/kg/min (= 0.02 mg salt/kg/min) 최소 12시간에 걸쳐 continuous infusion parasitemia가 1% 미만으로 감소하거나 경구섭취가 가능해지는 대 로 경구약제로 변경하여 치료 완료해야 함

5. 예방적 약물 요법

표 10-3-40 말라리아의 예방

약제	사용가능	성인용량	기간
Atovaquone /proguanil	chloroquine- or mefloquine-내성 P. falciparum, 전 지역	250 mg/100 mg 1 adult table PO, 매일	출발 1~2일 전부터 귀국 후 7일까지
Chloroquine phosphate	chloroquine-감수성 P. falciparum or areas with P. vivax	300 mg of base (500 mg of salt) PO, 1주일 한 번	출발 1~2주 전부터 귀국 후 4주까지
Doxycycline	chloroquine- or mefloquine-내성 P. falciparum, 전 지역	100 mg PO, 매일(임신부 금기)	출발 1~2일 전부터 귀국 후 4주까지
Hydroxychloroquine- Sulfate	chloroquine 대체약	310 mg of base (400 mg of salt) PO, 1주일 한 번	출발 1~2주 전부터 귀국 후 4주까지
Mefloquine	Chloroquine-내성 P. falciparum	228 mg of base (250 mg of salt) PO, 1주일 한 번	출발 1~2주 전부터 귀국 후 4주까지
Primaquine	주로 P. vivax 발생지역	30 mg of base (52.6 mg of salt) PO, 매일	출발 1~2일 전부터 귀국 후 7일까지
Primaquine	P. vivax and P. ovale의 terminal prophylaxis	30 mg of base (52.6 mg of salt) PO, 매일	위험지역을 떠난 후 14일

II. 기타 모기매개 주요 바이러스 감염증

표 10-3-41 기타 모기매개 주요 바이러스 감염증

	뎅기열	치쿤구니야열	지카
역학	세계: 50배 이상 증가, 지역도 확대 국내: 95% 이상이 동남아에서 유입 2010년 이후 급증	세계: 주로 열대지방 유행. 최근 온대지 역 발견 국내: 모두 국외 감염 후 유입으로 보고 됨	세계: 산발적 유행, 2015년 브라질 중심 으로 아메리카에서 유행 국내: 2016년 브라질 여행자 첫 보고
원인 바이러스	Dengue virus, genus *Flavivirus*	Chikungunya virus, genus *Alphavirus*	Zika virus, genus *Flavivirus*
매개체 (vectors)	주로 이집트 숲모기(*Aedes aegypti*)	이집트 숲모기(*Aedes aegypti*)와 흰줄 숲모기(*Aedes albopictus*)	이집트 숲모기(*Aedes aegypti*)와 흰줄 숲모기(*Aedes albopictus*)
분포지역	열대, 아열대 지역: 동남아, 중남미	주로 열대지역: 동남아시아와 아프리카	적도부근 아프리카, 아시아, 아메리카
증상과 임상경과	잠복기: 평균 4~7일(3~14일) 75%는 무증상, 5%정도에서 중증형태 로 발현 주증상: 발열, 근육통, 안구통, 관절통, 발진, 경증 출혈소견, 백혈구 감소 중 2 가지 이상 동반 경과: 발열기→급성기→회복기 중증: 쇼크, 호흡부전, 중증 출혈, 중증 장기부전 중 한 가지 이상 동반시	잠복기: 평균 3~7일(1~12일) 72~97%는 증상을 나타냄 주증상: 발열, 관절통, 발진, 두통, 구역/ 구토, 결막염, 림프구 감소증, 혈소판 감 소증, 간의 효소 증가 경과: 급성기 증상은 7~10일이면 호전, 치쿤구니야 유발 만성 관절통 발생 가 능	잠복기: 평균 2~14일 80%는 무증상 주증상: 발열, 발진, 관절통, 결막충혈, 오한, 피로, 혈뇨 등 중증 신경학적 부작용은 매우 드물게 보고 경과: 3~7일 정도 경미하게 진행 특이사항: 임산부 감염시 신생아 소두증 과 연관, 수직감염, 수혈, 성접촉에 의해 서 전파 가능
진단	뎅기바이러스 분리, 혈청학적 검사, 분 자생물학적 검사 급성기: 바이러스분리, RT-PCR 급성기와 회복기: IgM이 양전 또는 회 복기 혈청의 IgG가 4배 이상 증가	치쿤구니야바이러스 분리, 혈청학적 검 사, 분자생물학적 검사 급성기: 바이러스분리, RT-PCR 급성기 후에는 혈청학적 검사 추천	지카바이러스 분리, 혈청학적 검사, 분 자생물학적 검사 급성기: 바이러스 분리, RT-PCR 급성기 후에는 혈청학적 검사 추천(바이 러스혈증은 보통 6일)
치료와 예후	특별한 치료약제는 없음 중증 뎅기열의 경우 조기 진단과 적극 적 치료로 사망률을 20%에서 1% 미만 까지 낮출 수 있음	특별한 치료약제는 없음 치사율은 0.1% 미만으로 보고됨. 신생아나 고령인 경우 사망률 높아짐	특별한 치료약제는 없음 대부분 휴식을 취하고 수분을 많이 섭 취하는 것으로 자연 치유됨 아스피린은 출혈 위험

제3-16절 신종감염병

I. 정의

신종감염병(emerging infectious disease)은 과거 20년 동안 증가 경향을 보였거나 향후 증가 위험이 있는 감염병으로 WHO에서 정의함. 여기에는 새롭게 발견 혹은 진단되는 감염병뿐 아니라, 과거에 사라졌다가 다시 출현하는 감염병이 있으며 국내 유입이 우려되는 해외 유행 감염병으로서 보건복지부령으로 정하는 감염병을 포함함

II. 종류

구분	감염병
제4군 감염병(국내에서 새롭게 발생하였거나 발생할 우려가 있는 감염병. 이외 갑작스러운 국내 유입 또는 유행이 예견되어 긴급히 예방관리가 필요하여 보건복지부장관이 지정하는 감염병 포함)	페스트, 황열, 뎅기열, 바이러스성 출혈열, 두창, 보툴리눔독소증, 중증 급성호흡기 증후군(SARS), 동물인플루엔자 인체감염증, 신종인플루엔자, 야토병, 큐열(Q熱), 웨스트나일열, 신종감염병증후군*, 라임병, 진드기매개뇌염, 유비저(類鼻疽), 치쿤구니아열, 중증열성혈소판감소증후군(SFTS), 중동 호흡기 증후군(MERS)
세계보건기구 감시대상 감염병(세계보건기구가 국제공중보건의 비상사태에 대비하기 위하여 감시대상으로 정한 질환으로서 보건복지부장관이 고시하는 감염병)	두창, 폴리오, 신종인플루엔자, 중증급성호흡기증후군(SARS), 콜레라, 폐렴형 페스트, 황열, 바이러스성 출혈열, 웨스트나일열
생물테러감염병 (고의 또는 테러 등을 목적으로 이용된 병원체에 의하여 발생된 감염병 중 보건복지부장관이 고시하는 감염병)	탄저, 보툴리눔독소증, 페스트, 마버그열, 에볼라열, 라싸열, 두창, 야토병

* 신종감염병증후군: 국내에서 처음으로 발견된 감염병 또는 병명을 정확히 알 수 없으나 새로 발생한 감염성증후군으로서 제1군감염병 내지 제4군감염병 또는 지정감염병에 속하지 않으며 입원치료가 필요할 정도로 증상이 중대하거나 급속한 전파, 또는 확산이 우려되어 환자격리 및 역학조사와 방역대책 등의 조치가 필요한 질환. 급성출혈열, 급성호흡기증후군, 급성설사증후군, 급성황달, 급성신경증후군, 그외 감염으로 추정되는 증상 등 신종 병원체에 의한 감염병이 의심되는 상황을 모두 포함

III. 진단

- 각각의 감염병에 따라 호흡기검체, 혈액검체 등에서 항원 항체 검사, 배양검사, 혹은 PCR 검사 등으로 진단
- 발열과 호흡기 증상을 동반한 환자 진료 시 마스크 착용 및 개인 접촉주의를 시행해야 함. 문진 시 반드시 해외 여행력을 확인해야 하며 의심되는 경우이거나 확인이 곤란한 경우 즉각 원내 감염관리실로 연락하고 각 병원 감염관리 규정을 따르도록 함

IV. 주요 감염병

1. 중증급성호흡기증후군(SARS)

환자 호흡기 비말이 직접 점막에 닿거나 체액 분비물에 오염된 주변 환경 및 물건에 의해 전파 감염가능

1) 원인 병원체: SARS coronavirus, SARS-CoV

2) 증상 및 사례정의: 잠복기 2-7일 최장 10일. 초기 증상은 발열, 고열인 경우가 흔함. 오한이나 경직, 두통, 전신 쇠약감, 근육통. 설사 가능. 객담이 없는 마른기침, 호흡곤란, 빈호흡, 저산소혈증 등

의심환자(Suspect case)	추정환자(Probable Case)
A. 고열(38도 이상), 그리고, 기침(혹은 호흡곤란), 그리고 증상 발생 10일 이내 괄호 내 1가지 이상. [사스 의심 또는 추정환자와 밀접한 접촉, 사스 감염위험지역의 여행력(공항 환승 포함), 사스 감염위험지역 거주력] B. 설명되지 않은 호흡기 질환으로 사망하였으나 부검이 시행되지 않았으며 발병하기 10일 전에 위의 괄호 내 1가지 이상 포함	A. 의심환자(Suspect case) 이면서 가슴 영상검사 소견에서 ① 폐렴에 합당한 침윤 소견이 있거나 ② 호흡곤란증후군 (respiratory distress syndrome) 소견을 보이는 경우 B. 의심환자이면서 사스 코로나바이러스 양성인 경우 C. 의심환자이면서 부검소견에서 원인불명의 호흡곤란증후군 병리소견을 보인 경우

3) 치료: 대증 치료. 효과가 입증된 특별한 치료제 없으며, 비정형 폐렴을 일으키는 균주들에 대한 경험적 항생제 치료 가능. 항바이러스제(oseltamivir, ribavirin 등)는 효과 불확실하나 스테로이드와 병용 시 일부 사망률 감소가 보고 됨

2. 중동호흡기증후군(MERS)

비말전파와 체액 분비물에 오염된 주변 환경 및 물건에 의해 전파 감염가능

1) 원인병원체: 메르스코로나바이러스(MERS-CoV)

2) 증상: 잠복기 평균 5일(2일-14일), 발열(83%)과 함께 기침(38%), 호흡곤란(18%) 등 호흡기 증상, 두통, 근육통(28%), 오심, 구토(4%), 복통, 설사(11%) 등의 소화기 증상. 국내 환자는 가슴 영상검사에서 47%에서 정상소견

3) 치료: 효과가 입증된 치료제는 없으나 항바이러스제 병합요법 가능. 상태에 따라 기계호흡, ECMO, 투석 등 대체요법 시행

3. 신종인플루엔자

주로 감염된 환자의 호흡기 분비물에 의해 전파되나 설사 등 다른 체액에 의한 전파도 가능

1) 원인: 인플루엔자바이러스(각 계절별 연도별 유행아형에 따라 다름)

2) 증상: 계절 인플루엔자와 유사. 잠복기는 원인에 따라 다양하나 대부분 1-7일 정도. 갑작스런 고열, 오한, 근육통, 두통 등의 전신증상 및 기침, 인후통, 구토, 설사 가능

3) 치료: 인플루엔자 A, B는 oseltamivir (Tamiflu®) 투여 가능하며 성인 75 mg 하루 2회 경구 5일간 복용. 주사제로는 peramivir (Perami flu®) 300 mg을 생리식염수 100 mL에 혼합하여 15분 이상에 걸쳐 1회 정맥투여 가능함

4. 신종감염병증후군

1) 해외 여행 후 발열 오한을 동반한 급성 호흡기증상 혹은 소화기증상으로 방문한 환자의 경우 모든 환자의 진료 시 접촉주의 및 비말주의를 적용하여 진료하도록 함

2) 특히 중증의 환자이거나 출혈 경향이 보이는 경우 필요하다고 판단되면 바로 응급실 내 음압실 입실 등의 선 조치 후 즉각 감염전문가에게 연락하고 추가 소견에 따라 격리를 해제하거나 유지

3) 환자 발생시기에 해외에서 유행하거나 유입우려가 있는 감염병에 대한 정보는 감염내과 혹은 감염관리실을 통해 확인하며 공유하는 것이 필요함

제4-1절 성인 예방접종

I. 인플루엔자 백신

1. 종류

1) 백신에 포함된 항원의 수

(1) 3가 백신[trivalent vaccine, H1N1, H3N2, B (Yamagata or Victoria)]

(2) 4가 백신[H1N1, H3N2, 2B (Yamagata and Victoria)]

2) 불활화 백신

(1) 제형별: 전바이러스(whole virus), 분할(split), 아단위(subunit) 백신 - 분할백신, 아단위 백신이 효과적이고 안전

(2) 면역증강제(adjuvant) 포함 백신: 면역반응 강화 목적

(3) 피내접종(intradermal) 백신: 항원절약, 면역반응 강화 목적

3) 약독화 생백신(live attenuated vaccine)

2-49세만 접종. 비강내 IgA 항체반응 활성화, 광범위한 세포면역 유발, 일정정도의 교차반응

4) 제조방법에 따라

egg-based vaccine (전통적 방법, 유정란 공급에 영향을 받음), cell culture-based vaccine (안정적 수급이 가능, 달걀 단백에 의한 오염이 없음)

2. 효능 및 효과

1) 불활화 백신

(1) 65세 이상의 노년층

① 인플루엔자 유사 질환 30-56% 감소

② 폐렴이나 인플루엔자 감염으로 인한 입원 25-53% 감소

③ 사망 27-75% 감소

(2) 만성질환자

당뇨, 심장, 폐질환 환자에서 인플루엔자나 폐렴으로 인한 입원 29-49% 예방, 사망을 49-64% 예방

(3) 65세 미만 성인

① 백신주와 유행바이러스 주가 일치하는 경우 인플루엔자발병 70-90% 예방

② 직장 결근, 의료기관 방문, 항생제 사용이 각각 18-45%, 13-44%, 25% 감소

2) 약독화 생백신

백신주와 유행주가 일치하는 경우 건강한 소아와 성인에서 인플루엔자 예방효과는 각각 84%, 85%

3. 적응증

표 10-4-1 인플루엔자 백신 적응증

모든 6개월 이상의 소아와 성인. 단, 백신의 공급이 제한적인 경우에는 다음의 접종대상군을 우선하여 접종
1. 인플루엔자바이러스 감염 시 합병증 발생 고위험군
1) 65세 이상 노인
2) 생후 6-59개월 소아
3) 만성호흡기 질환자(천식포함)
4) 만성심혈관 질환자(단순 고혈압은 제외)
5) 만성대사질환자(당뇨 등), 만성신질환자, 혈소판병증환자, 면역저하자(항암제 등 약제에 의한 경우, HIV 감염 등), 만성간(肝)질환자, 장기간 아스피린을 복용하는 6개월-18세 소아 및 청소년
6) 임신부 또는 인플루엔자 유행기에 임신 예정의 가임기 여성
7) 만성질환으로 집단시설에 치료, 요양 중인 사람
8) 신경계 질환자(호흡기능 이상, 객담배출장애 등을 동반)
9) 고도비만 성인(체질량지수 30 이상)
10) 50-64세 성인
2. 고위험군에 인플루엔자를 전파시킬 위험이 있는 사람
1) 의료인
2) 고위험군 대상자를 간병하거나 함께 거주하는 가족 구성원
3) 0-59개월 유아와 함께 거주하거나 돌보는 경우
4) 수유중인 산모

4. 접종방법

1) 매년 유행 2-4개월 전에 접종. 9-11월 중순 내에 접종

2) 이미 인플루엔자 유행이 시작되었다 하더라도 접종이 필요한 고위험군 미접종자는 접종

3) 불활화 백신

(1) 어깨세모근에 근육 주사, 피내접종 제품(IDflu TM)은 피내접종

(2) 6개월-9세 미만 소아는 첫 접종시에는 1개월 간격으로 2회 주사. 두 번째 접종을 인플루엔자 유행 전에 완료. 그 다음 해부터는 1회 접종, 용량은 연령에 따른 적정량

(3) 9세 이상에서는 매년 인플루엔자 백신(0.5 mL)을 1회 주사

4) 약독화 생백신(FluMist TM, 2-49세만 접종 가능)

(1) 앉아 있는 자세로 0.1 mL씩 양쪽 콧구멍에 분사

(2) 2-8세는 이전에 예방접종력이 없다면 4주 간격으로 2회, 예방접종력이 있다면 1회

(3) 9-49세 인구는 1회

5. 이상반응

1) 접종부위의 동통, 발적, 경결 등이 가장 흔한 부작용이며 일시적(1-2일 정도)

2) 전신반응으로 발열, 오한, 쇠약감 및 근육통 등이 피접종자의 1% 이하에서 나타남

3) 드물게 달걀 단백에 대한 즉시형 과민반응이 나타날 수 있음

6. 특수 상황에서의 접종

1) 면역억제제 투여환자: 면역억제제 투여 2주전에 투여하며 접종 용량은 동일

2) 조혈모세포이식환자: 이식 6개월 이후에 투여, 이후 매년 투여

7. 금기

1) 이전 인플루엔자 백신 접종 후 아나필락시스 등의 심각한 과민반응이 있었던 사람

2) 이전 인플루엔자 백신 접종 후 6주 이내에 길랑-바레증후군이 발생한 경우

3) 중등도 내지 중증 급성질환을 앓고 있는 사람은 증상이 호전될 때까지 백신접종 연기

4) 약독화 생백신은 만성호흡기 질환(천식, 반응성 기도질환 등), 심혈관질환, 당뇨병, 신기능 부전, 혈색
소병증, 면역결핍 환자, 면역억제제 복용중인 사람, 아스피린을 복용하는 유아나 청소년, 임신부 등은
금기

II. 폐렴사슬알균 백신(pneumococcal vaccine)

1. 종류

1) 7가 단백결합 백신(7-valent protein-conjugated vaccine)

4, 6B, 9V, 14, 18C, 19F, 23F 포함, 5세 미만 소아에서 사용

2) 10가 단백결합 백신(10-valent protein-conjugated vaccine)

1, 4, 5, 6B, 7F, 9V, 14, 18C, 19F, 23F 포함, 6주-2세 미만 소아에서 사용

3) 13가 단백결합 백신(13-valent protein-conjugated vaccine)

4, 6B, 9V, 14, 18C, 19F, 23F + 1, 3, 5, 6A, 7F, 19A 추가, 생후 6주 이후 소아 및 성인에서 사용

4) 23가 다당류 백신(23-valent polysaccharide vaccine)

혈청형 1, 2, 3, 4, 5, 6B, 7F, 8, 9N, 9V, 10A, 11A, 12F, 14, 15B, 17F, 18C, 19A, 19F, 20, 22F, 23F,
33F를 포함. 2세 이상 소아 및 성인에서 사용

2. 효능 및 효과

1) 23가 다당류 백신

(1) 접종 2-3주 후에 80%이상의 성인에서 항체 생성

(2) 23가지 혈청형에 대한 각각의 항체 생성률은 일정하지 않음

(3) 고령자, 만성 질환자, 또는 면역저하자에서는 항체 생성률이 저하될 수 있음

(4) 피막 다당질 백신은 T 세포-비의존성 면역반응에 의해 항체가 생성되므로, 아직 면역계의 발달이 미숙한 2세 이하의 소아에서는 항체형성이 원활하지 않아 사용하지 않음

(5) 백신 접종 후 생성된 항체가가 최소한 5년간 지속되나, 기저 질환이 있는 경우에는 더 빨리 저하될 수 있음

(6) 폐렴사슬알균 비인두 집락 감소 효과 없음

(7) 균혈증을 동반하지 않은 폐렴사슬알균 폐렴을 예방하는 효과도 연구결과가 일관적이지 않음

(8) 침습성 폐렴사슬알균 예방 효과는 건강한 성인과 노인에서 50-80%

(9) 재투여에 의한 면역증강 효과가 없다는 것이 일반적 견해

2) 13가 단백결합 백신

(1) 8개 혈청형(1, 4, 6B, 7F, 9V, 18C, 19A, 23F)에 대한 면역원성은 23가 다당류 백신보다 우수

(2) 4개 혈청형(3, 5, 14, 19F)에 대한 면역원성은 23가 다당류 백신과 유사

(3) 폐렴사슬알균 비인두 집락 감소 효과 있음

(4) 포함되어 있는 혈청형에 대한 면역반응은 23가 다당류 백신보다 우세하거나 동등

(5) Community-Acquired Pneumonia Immunization Trial in Adults (CAPiTA)

    ① 위약대비 vaccine type에 의한 CAP 45.6% 감소

    ② 위약대비 vaccine type에 의한 침습성 폐렴사슬알균 질환 75% 감소

(6) 면역저하자에서의 예방효과: AIDS 환자에서 23가 다당류 백신에 비해 면역원성이 우수하고 침습성 폐렴사슬알균 감염증 재발에 예방효과가 입증됨

(7) T 세포-의존성 면역반응을 유도하므로 면역기억 및 재투여에 의한 면역증강 효과를 기대할 수 있음

3. 적응증

표 10-4-2 폐렴사슬알균 백신 적응증(PCV13 미접종자)

1. 건강한 65세 이상 고령자   PPV23 혹은 PCV13을 1회 접종

2. 18-64세 만성질환자(만성 심혈관 질환, 만성 폐질환, 당뇨병, 알코올 중독, 만성 간질환)
    1) PCV13을 우선 접종하고 1년이상 경과 후 PPV23을 접종
        PPV23을 먼저 접종하였고 1년 이상 경과하였다면 PCV13을 접종
    2) 65세가 되면 이전 PPV23 접종 후 5년이 경과한 시기에 PPV23을 추가 접종(PPV23 총 2회)

3. 18-64세 뇌척수액 누수, 인공와우 삽입환자
    1) PCV13을 우선 접종하고 8주 이상 경과 후 PPV23을 접종
        PPV23을 먼저 접종하였고 1년 이상 경과하였다면 PCV13을 접종
    2) 65세가 되면 이전 PPV23 접종 후 5년이 경과한 시기에 PPV23을 추가 접종(PPV23 총 2회)

4. 18-64세 면역저하자(선천성 또는 후천성 면역 저하, HIV 감염, 만성 신부전 또는 신증후군, 백혈병, 림프종, 호지킨씨 병, 종양질환, 다발골수종, 고형장기이식, 장기간 스테로이드를 포함하는 면역억제제를 투여하거나 방사선 치료를 받고 있는 환자)와 기능적 또는 해부학적 무비증
    1) PCV13을 우선 접종하고 8주 이상 경과 후 PPV23을 접종
        PPV23을 먼저 접종하였다면 1년 이상 경과 후 PCV13을 접종

2) PPV23 최초 접종 후 5년이 지나서 1회 추가 접종

  추가 접종하는 나이가 65세가 넘으면 PPV23 2회 접종으로 완료하고, 추가 접종하는 나이가 65세 미만이면, 65세가 지나서 가장
  최근 접종 후 5년이 지나서 한 번 더 추가 접종(PPV23 총 3회)

4. 접종방법

1) 0.5 mL를 어깨세모근에 근육주사

2) 인플루엔자, 대상포진 백신 등 다른 백신과 동시에 투여할 수 있으며, 다른 백신과 동시에 투여하더라
   도 부작용 발생이나 면역원성에는 영향이 없음

3) PCV13과 PPV23은 동시 투여하지 않음

5. 이상반응

1) 30-50%에서 접종 후 통증, 홍반, 부종 등과 같은 경미한 국소반응이 나타나지만 대체로 48시간 이내
   에 소실

2) 드물게 발열, 근육통, 주사부위 경화와 같은 심한 국소 부작용이 발생할 수 있으며 피내로 잘못 주사
   할 경우 빈도가 증가

3) 드물게 아나필락시스와 같은 심한 전신 부작용도 보고된 바 있음

6. 특수 상황에서의 접종

조혈모세포이식환자: PCV13을 이식 후 3-6개월에 시작하여 1달 간격으로 3회 접종, 이후 6개월 이상
간격을 두고 PPV23을 접종. 단, 이식편대숙주반응이 있는 경우에는 단백결합백신으로 접종

7. 금기

1) 초기 접종에서 심각한 알레르기 반응이 있었던 경우에 재접종은 금기

2) 중등도 이상의 급성 질환을 앓고 있을 때는 질환이 호전된 후에 접종

3) 임신부에 대한 백신의 안전성은 입증되어 있지 않으나, 백신이 태아에 문제를 일으킨다는 증거도 없
   음. 하지만 폐렴사슬알균 감염의 위험이 높은 여성의 경우에는 가능한 임신 전에 접종하도록 권고

III. 파상풍/디프테리아(Td), 파상풍/디프테리아/백일해(TdaP) 백신

1. 종류

1) **Td 백신**: 파상풍, 디프테리아 유독소(toxoid) 백신

2) **TdaP 백신**: 파상풍, 디프테리아 유독소 + 3-5개의 백일해 항원

   (1) Adacel (Sanofi-Pasteur): tetanus toxoid, diphtheria toxoid + 5 pertussis antigens (pertussis toxin,
   filamentous haemagglutinin, pertactin, fimbrial antigen 2+3)

(2) Boostrix (GSK): tetanus toxoid, diphtheria toxoid + 3 pertussis antigens (pertussis toxin, filamentous haemagglutinin, pertactin)

3) 기존 DTaP 백신보다 디프테리아 유독소 양은 1/5 미만, 파상풍 유독소 양은 유사

4) 사용허가 연령: Td 백신 7세 이상, Adacel 11-64세, Boostrix 10세 이상

5) 파상풍과 디프테리아는 극미량의 독소에 의해 유발되는 질환으로 질환을 앓는다고 하더라도 방어 면역을 획득할 수 없고 오직 백신을 접종함으로써 면역을 획득할 수 있음

2. 효능 및 효과

1) 파상풍: 방어면역 획득과 임상적 효율성 모두 100%

2) 디프테리아: 방어면역 획득 >95%, 임상적 효율성 97%

3) 백일해: 전세포(whole cell) 백신의 효과는 85-95%, 개량정제형(acellular) 백신의 효과는 75-90%

4) 파상풍, 디프테리아, 백일해에 대한 면역원성의 유지기간은 10년

5) 최근 우리나라는 물론 전 세계적으로 백일해 발생이 증가하고 특히 성인에서도 백일해 발생이 증가하고 있으며 백일해에 대한 면역이 없는 신생아의 주 감염원이 가족 구성원으로 규명되면서 성인, 특히 임신부에서 백일해 접종의 필요성이 강조되고 있음

3. 적응증

표 10-4-3 Td/TdaP 백신 적응증

1. 모든 소아는 디프테리아/파상풍/백일해에 대한 표준예방접종 지침에 따라 기초 접종 3회와 추가 접종 2회를 DTaP (혹은 DTaP-IPV, DTaP-IPV/Hib) 로 실시. 만 11-12세에 시행하는 마지막 접종은 TdaP으로 접종
2. 소아 표준예방접종지침에 따라 과거 DTaP 접종을 받은 18세 이상의 성인은 매 10년마다 1회 Td 접종이 필요하며, TdaP을 한 번도 접종받지 않았다면 이 중 한번은 Td 대신 TdaP을 접종
3. 18세 이상의 성인에서 소아기 DTaP 접종을 받지 않았거나, 기록이 분명치 않은 경우, 또는 1958년(국내 DTP 도입 시기) 이전 출생자의 경우에는 3회를 접종함. TdaP을 첫 번째로 접종하고 4-8주 후 Td, 이후 6-12개월 뒤 다시 Td를 접종(첫 번째에 Td를 접종하였다면 이후 두 번째 혹은 세 번째 일정 중 한번을 TdaP으로 투여). 이후 매 10년마다 Td를 추가 접종
4. 생후 12개월 미만의 백일해 고위험군과 밀접한 접촉자인 의료기관이나 보육시설 종사자, 신생아가 있는 가족 내 청소년과 성인(부모 혹은 조부모) 등은 TdaP 접종력이 없다면 밀접하게 접촉하기 1주 전까지 TdaP 접종을 권고
5. 임신부는 신생아의 백일해 예방을 위해 임신 27-36주에 TdaP 접종을 권고
6. 상처를 통한 감염 예방을 위해 Td를 투여하는 경우 과거 DTaP 혹은 Td 접종력과 상처의 청결도에 따라 결정(표 10-4-4)

표 10-4-4 파상풍의 예방적 처치

백신 접종력	깨끗하고 작은 상처		기타 다른 상처[b]	
	Td[b]	TIG[c]	Td	TIG
미상 또는 3회 미만	필요	불필요	필요	필요
3회 이상				
마지막 접종후 >10년	필요	불필요	필요	불필요
마지막 접종후 5-9년	불필요	불필요	필요	불필요
마지막 접종후 <5년	불필요	불필요	불필요	불필요

[a] 토양, 분변, 오물, 타액 등에 오염된 상처, 천자, 화상, 동상, 총상 등에 의한 상처
[b] Tdap 백신 접종력이 없는 사람에게는 Td 대신 Tdap 투여
[c] tetanus immune globulin

4. 접종방법

    1) 어깨세모근에 0.5 mL를 근육주사

    2) 다른 종류의 백신과 동시 접종 가능

5. 이상반응

    1) 접종 부위의 동통, 홍반, 경화 전신적인 발열, 권태감 등이 생길 수 있으나 대부분 일시적

    2) 간혹 아르투스양 반응(Arthus-like reaction, 국소반응이 광범위하게 나타나 접종부위 어깨에서 팔꿈치까지 통증을 동반한 종창이 발생)이 나타날 수 있음. 일반적으로 접종 후 2-8시간 후에 나타나며 재접종이 정해진 시기보다 앞당겨 투여된 성인에서 흔함. 아르투스양 반응이 나타나는 경우는 파상풍, 디프테리아 혈청 항독소 농도가 매우 높기 때문에 Td 백신의 5년 내 재접종은 피하여야 함

6. 금기

    1) 파상풍이나 디프테리아 유독소 및 백신의 구성 성분에 대해 중증의 알레르기가 있는 사람

    2) 이전 접종에서 접종 7일 이내 원인을 알 수 없는 급성 뇌증이 있었던 사람

IV. 대상포진 백신

1. 종류

1) 약독화 생백신

    (1) ZOSTAVAX (MSD): 수두 백신(VARIVAX)에 사용하는 동일한 Oka/Merk 주(strain)를 이용하여 제작되었으며 수두 백신에 비해 항원량은 14배 이상(>19,400 PFU) 함유

    (2) 스카이조스터(SK 케미칼): Oka/SK 주를 이용, 항원량은 27,400 PFU

2) 불활화 백신

    SHINGRIX (GlaxoSmithKline): VZV의 표면당단백질 E (glycoprotein E, gE) 항원과 면역증강제인 AS01B가 결합된 백신, 2회 접종, 국내 미출시(2019년 5월 현재)

2. 효능 및 효과

1) ZOSTAVAX

표 10-4-5 ZOSTAVAX의 효능

연령군	예방효과(%)		
	대상포진	대상포진 후 신경통	질병 부담
50–59	70	–	–
60–69	64	66	66

연령군	예방효과(%)		
	대상포진	대상포진 후 신경통	질병 부담
70–79	41	67	55
≥80	18	–	–

2) SHINGRIX

(1) ZOSTAVAX에 비해 우월한 대상포진 및 PHN (postherpetic neuralgia)을 예방 효능

(2) 50세 이상 성인에서 대상포진 예방효능이 97.2%, 70세 이상 성인에서 89.8%

(3) 70세 이상 성인에서 PHN 예방효능 88.8%

3. 적응증

1) 60세 이상 성인에게 대상포진 생백신 접종

2) 50-59세 성인은 개별 피접종자의 상태에 따라 대상포진 생백신의 접종 여부를 결정

(만성통증, 심한 우울증, 기저질환 등으로 인해 대상포진이나 대상포진 후 신경통에 따른 통증에 민감하게 반응할 것으로 예상되는 인자가 있는 경우)

4. 접종방법

어깨 세모근에 0.65 mL를 피하 주사

5. 이상반응

1) 접종 부위: 발적, 통증, 종창, 소양증, 혈종 등이며 대부분 경증으로 수일 내 소실

2) 전신 반응: 두통이 가장 흔함

3) 접종 후 대상포진양 발진이 발생한 경우가 있으나 대부분 야생형이었으며 백신 사용주로 확진된 예는 없음

6. 특수 상황에서의 접종

1) 관해 상태의 백혈병으로 최소 3개월 이상 항암치료나 방사선치료를 받지 않는 경우는 접종 가능

2) 국소/흡입용 스테로이드 또는 저용량의 전신 스테로이드를 투여받고 있는 환자와 부신기능부전에 대한 대체요법으로 스테로이드를 투여받는 환자는 금기가 아님

3) 저용량의 면역억제제(methotrexate 0.4 mg/kg/week 이하, azathioprine 3.0 mg/kg/day 이하, 6-mercappurine 1.5 mg/kg/day 이하)를 투여받는 경우 역시 금기가 아님

4) 재조합 인간 면역 조절제(adalimumab, infliximab, etanercept 등)를 사용하는 환자는 약물 투여 전에 접종하거나, 투여 종료 1개월 후 접종

5) Acyclovir, famciclovir, valacyclovir 등의 항바이러스제를 사용 중인 환자는 약물 사용을 종료하고 적어도 24시간이 경과된 뒤 접종

7. 금기

1) Gelatin, neomycin, 그밖에 백신 성분에 중증의 과민반응을 보였던 자

2) 선천적 또는 후천적 면역결핍 상태: 백혈병, 림프종, 골수나 림프계 침범 소견이 있는 악성종양 환자, AIDS 환자 또는 증상이 있는 HIV 감염인

3) 고용량 스테로이드(prednisolone 기준으로 20 mg/day 이상 용량을 2주 이상 복용하는 경우) 등 면역 억제제 투여자는 최소 1개월 이상 치료를 중단할 때까지 백신 접종을 연기해야 함

4) 임신부 또는 임신 가능성이 있는 자

제4-2절 예방 화학 요법

I. 주사침자상

1. 예방

노출되지 않도록 사전에 예방하는 것이 가장 중요

1) 일반적인 주의사항(General precautions)

(1) 환자로부터 나온 신체물질(혈액, 조직, 체액) 및 오염된 의료물품 및 기구를 다룰 때는 반드시 장갑을 착용하고 혈액 및 체액이 튀거나 분무화될 가능성이 많은 경우(심폐소생술 시행 등) 보호가운 및 보호안경, 마스크 착용이 필요

(2) 특히 주사바늘 등의 예리한 물체를 다룰 때 주의가 필요하며, 폐기 시 조작을 하지 말고 반드시 지정된 폐기 용기에 버려야 함

(3) 환자를 만지기 전후나, 장갑을 벗은 후나, 환자의 신체물질에 의해 손이 오염되었을 때는 즉시 물과 비누로 씻어야 함

(4) 일반적으로 신체물질과 접촉한 상처와 피부는 즉시 물과 비누로 씻고, 점막 부위는 물로 씻어 내야 하며 상처 소독을 시행. 업무 중 발생하였다면 즉시 노출 보고를 해야 함

2. 질환별 주사침 자상 관리

1) HIV

(1) HIV가 전파될 위험은 HIV에 감염된 혈액에 경피적(percutaneous injury) 노출 후 ~0.23%, 점막 노출 후에는 ~0.09%, 손상된 피부 노출의 경우 점막 노출 후 보다는 적을 것으로 추정됨

(2) 감염의 위험성이 높은 것: semen, vaginal secretions, cerebrospinal fluid, synovial fluid, pleural fluid, peritoneal fluid, pericardial fluid, and amniotic fluid

(3) 피가 섞이지 않으면 감염의 위험성이 낮거나 없는 것: feces, nasal secretions, saliva, sputum, sweat, tears, urine, and vomitus

(4) 노출 후 예방 (Postexposure prophylaxis): 노출 후 72시간 내 투여 시작, 28일간 치료

① 노출된 모든 직원에게 노출의 정도와 관계없이 3가지 약제 병합요법 권고

② tenofovir disoproxil fumarate (300 mg) with emtricitabine (200 mg) once daily + raltegravir 400 mg bid or dolutegravir 50mg daily

③ 이차 전파를 막기 위해 추적기간 동안 barrier contraception, 혈액이나 조직공여 피하기, 수유 중인 경우 수유 중단 교육 필요

(5) 검사: HIV Ag/Ab test (즉시, 6주, 12주, 6개월)

2) B형간염바이러스(Hepatitis B virus)

HBeAg 양성인 혈액에 노출되었을 경우 감염될 확률은 약 30%, HBeAg 음성이고 HBs Ag만 양성인 경우 약 1-6%

표 10-4-6 B형간염바이러스 노출 후 관리

의료진 상태	노출 후 검사		노출 후 예방요법		예방접종 후 혈청검사
	노출원검사 (HBsAg)	직원검사 (anti-HBs)	HBIG	예방접종	
예방접종 시행 후 항체 생성(anti-HBs+)			조치 불필요		
예방접종 시행 후 non-responder *	+/모를 때	<10 mIU/mL	HBIG 2회 **	시행안함	시행안함
예방접종 미시행	+/모를 때	-	HBIG 1회	+	시행***

* 예방접종 2차례(6 doses) 완료 후에도 항체생성 없음

** 성인 기준 0.06 mL/kg IM, 1개월 간격

*** HBIG로부터 받은 anti-HBs가 더 이상 검출될 수 없게 된 후(투여 후 6개월 이후) 시행하여야 하기 때문에 마지막 백신 투여 후 1-2개월 후 검사해야 함

(1) 검사: anti-HBs & HBs Ag를 즉시, 6개월 후

3) C형간염바이러스(Hepatitis C virus)

(1) 경피적 손상으로 노출되는 경우 간염에 걸릴 확률은 평균 약 1.8%

(2) 노출 후 예방요법은 권고되지 않음

(3) 검사: anti-HCV & ALT (노출된 후, 6개월 후), 조기 진단하고자 하면 노출 후 4-6주에 HCV RNA 검사

II. 수술 시 예방적 항생제의 사용

1. 적응증

1) 대부분의 clean-contaminated operation

2) clean operation 중 하지나 복부 대동맥의 혈관수술, 인공 삽입물이나 인공관절을 삽입 수술, 심박기 삽입을 포함한 모든 심장 수술, 대부분의 신경외과 수술

2. 항생제 선택

1) Staphylococci나 streptococci와 같은 피부 상재균 target (eg. 1세대 cephalosporin: cefazolin)
2) 장점막을 조작하는 수술 시 장내 그람음성막대균과 혐기성 세균까지도 고려
   (eg. 2세대 cephalosporin: cefoxitin, cefotetan 등)

3. 투여경로 및 투여시기

1) 정맥 내 투여 권고
2) Surgical incision 전 30-60분 사이 투여
3) 수술시간이 항생제 반감기 2배 이상이거나, 출혈이 많은 경우(>1.5 L), 심한 전신화상의 경우 수술 중 추가 투여 고려

4. 투여기간

1) 대부분의 수술은 수술 전 한 번 투여가 원칙. 24시간 이상 연장 투여의 근거 없음
2) 수술 후 배액관이나 카테터를 보유하고 있는 환자에서 배액관이나 카테터를 제거할 때까지 항생제를 투여하는 것은 근거가 없으며 권고되지 않음

제4-3절 필수 감염 관리

I. 손위생

1. 적응증

손위생을 시행해야 하는 경우(다음의 경우 반드시 손위생을 실시)

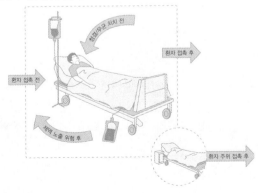

2. 방법

1) 물과 소독 비누를 사용한 손위생

다음의 경우에는 알코올젤로 손위생하는 경우 효과가 없으므로 반드시 물과 소독비누로 손씻기를 해야 함

(1) 손이 눈에 보이게 오염되었을 경우

(2) 혈액이나 체액에 오염되었을 경우

(3) 화장실을 다녀온 후

(4) 포자를 형성하는 병원성 세균(*C. difficile* 등)이 검출되는 환자 및 주변환경을 접촉한 경우

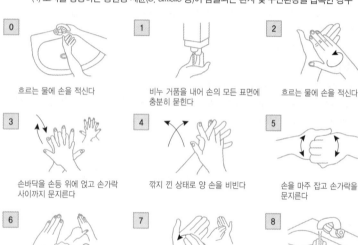

0 흐르는 물에 손을 적신다	1 비누 거품을 내어 손의 모든 표면에 충분히 묻힌다	2 흐르는 물에 손을 적신다

3 손바닥을 손등 위에 얹고 손가락 사이까지 문지른다

4 깍지 낀 상태로 양 손을 비빈다

5 손을 마주 잡고 손가락을 문지른다

6 엄지손가락을 거머쥐고 돌려 닦는다

7 손끝을 다른 손바닥에 대고 문지른다

8 흐르는 물에 손을 헹군다

9 페이퍼타올로 물기를 닦는다

10 사용한 페이퍼타올로 수도꼭지를 감싸쥐어 잠근다

11 이제 당신의 손은 안전합니다

2) 알코올(젤)을 이용한 손위생

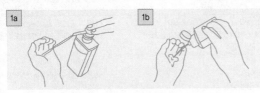

알코올 성분 손소독제를 손바닥에 덜어내고, 손전체에 바른다

손바닥과 손바닥을 문지른다

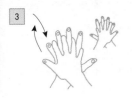

손바닥을 손등 위에 얹고 손가락 사이까지 문지른다

깍지 낀 상태로 손바닥을 비빈다

손을 마주잡고 손가락을 문지른다

엄지손가락을 거머쥐고 돌려 닦는다

손끝을 다른 손바닥에 대고 문지른다

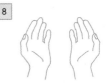

손이 건조되면, 당신의 손은 안전합니다

II. 개인 보호구

표 10-4-7 개인 보호구 종류

종류	적용 기준		주의점
	의사 및 의료진	환자	
마스크 (일반)	• 비말주의환자와 1미터 이내에 있을 때 • 본인의 기침으로 다른사람에게 호흡기 분비물이 튈 수 있을 때 • 수술실 제한 구역 • 무균적 시술을 할 경우(중심정맥관 삽관, 혈관 조영술, 척추천자 등) • 면역저하환자 격리실 출입 시	• 비말주의 및 공기매개주의 환자가 병실 밖으로 이동 시 • 기침을 하여 다른사람에게호흡기 분비물이 튈 수 있을 때 • 면역저하환자가 병실 밖으로 이동 시	• 벗은 후 폐기 • 주머니 등에 넣은 후 재사용하지 않음 • 벗을 때 앞면이 손이 닿지 않도록

종류	적용 기준		주의점
	의사 및 의료진	환자	
N95마스크	• 공기매개주의 적용 병실 출입 시 • 격리실 이외 밀폐공간에서 호흡기 결핵환자의 진료, 검사, 간호 시	• 면역저하환자가 공사지역이나 같은 층으로 이동 시	• 착용 후 공기가 새는지 확인 필수 • 벗을 때 앞면이 손이 닿지 않도록
청결 및 멸균장갑	• 멸균장갑: 외과적 처치 혹은 드레싱, 침습적인 방사선 검사 혹은 치료, 혈관 내 기구 삽입 및 삽관부위 드레싱 시 • 청결장갑: 혈액, 체액, 분비물, 배설물에 오염될 가능성이 있을때, 접촉주의가 필요한 환자 및 주변환경 접촉 시(다제내성균 동정환자 등)		• 장갑 착용 전 후 손위생 수행 • 같은 환자라도 사용부위가 달라지면 교환하여 사용 • 벗을 때 오염 주의
고글 및 쉴드	• 환자의 진료나 치료 행위 중 혈액, 체액, 분비물, 배설물 등이 튈 우려가 있는 경우		
가운 및 앞치마	• 멸균가운: 침습적 시술 시 • 앞치마: 환자의 진료나 치료 행위 중 혈액, 체액, 분비물, 배설물 등이 튈 우려가 있는 경우, VRE 환자 및 주변환경과 접촉 시	• 격리중인 환자가 격리장소 이외로 이동 시	• 벗을 때 앞면이 손에 닿지 않도록

III. 격리지침

표 10-4-8 격리 종류, 방법 및 대상

	전파 방법	질환의 예	방법
표준주의		모든 환자	손위생
접촉주의	환자나 주변 환경과 직접 또는 간접적인 접촉으로 병원균이 전파되는 경우	C.difficle, 다제 내성균 검출 환자, 옴 등	장갑, 가운
비말주의	기침, 재채기, 대화 중 호흡기 비말로 병원체가 전파되는 경우	인플루엔자, 볼거리, 백일해 등	수술용 마스크
공기주의	사람간 공기전파가 가능한 병원체에 감염되었거나 의심되는 경우	결핵, 홍역, 수두 등	N95마스크